# DICCIONARIO
# DE
# MITOLOGIA UNIVERSAL

J.F.M. Noël
y otros autores

# DICCIONARIO
# DE
# MITOLOGIA UNIVERSAL

Supervisado, ampliado y corregido por
el Prof. Francesc-Lluís Cardona

## Tomo II

## H — Z

EDICOMUNICACION, S.A.

*Dictionnaire Universel de la Fable et de la Mythologie*

© 1991 by Edicomunicación, S. A.

Diseño de cubierta: Quality Design

Edita: Edicomunicación, S. A.
Las Torres, 75.
08033 Barcelona (España)

Impreso en España / Printed in Spain

I.S.B.N. 84-7672-357-1 (O.C.)
I.S.B.N: 84-7672-359-8 (T.2.)
Depósito Legal: B-20958-91

Impreso en:
Limpergraf
Del río, 17
Ripollet (Barcelona)

**HABAS.** *Trasilo* citado por *Estobeo*, dice que en el Nilo se hallaban unas piedrecitas muy parecidas a un haba, que tenían la propiedad de echar a los espíritus malignos en el momento que se aplicaban a la nariz de los poseídos.

Los egipcios comían habas, las cultivaban desde antiguo. Al parecer, se dice que algunos sacerdotes mucho más supersticiosos todavía, no se atrevían a mirarlas por considerarlas inmundas. Pitágoras, instruido por estos egipcios, prohibía el uso a sus discípulos y, añade que prefirió que le matasen los que le perseguían atravesando un campo de habas. *Aristóteles* da en favor de esta prohibición varias razones, de las cuales la menos infundada es aquélla en la cual el filósofo se propuso un precepto moral que prohibía a sus discípulos que se mezclasen en asuntos de gobierno, fundándose en que el escrutinio en las elecciones se hacía vulgarmente con habas. *Cicerón* indica (*De la adivinación l. 1,*) que esta prohibición se fundaba en que la haba caliente irritaba los espíritus y no permitía al alma poseer la calma necesaria para la indagación de la verdad. También se supone que fueron prohibidas por un principio de castidad, por su similitud con cierta parte del miembro viril. Algunos añaden que fue por razones santas y misteriosas, que los pitagóricos no revelaban a nadie; de modo que, según *Jámblico* (c.250-330) dice de ellos, hubieran preferido morir antes que revelar el secreto. Un pitagórico se cortó la lengua temiendo que la fuerza del tormento le arrancase la verdad.— Las habas, principalmente las negras, constituían una ofrenda fúnebre. Se creía que en la sustancia de ellas residían las almas de los muertos, y que se parecían a las puertas del infierno. *Festo* (s.II d.C.) supone que sobre la flor de esta legumbre se ve una marca o señal lúgubre. La costumbre de ofrecer habas a los muertos, era una de las razones por la que Pitágoras prohibía a sus discípulos el que las comiesen.

**HABDALA.** Nombre hebreo de una ceremonia que practican los judíos el sábado por la tarde. Desde el momento en que aparecen algunas estrellas: cada padre de familia hace encender un cirio o una lámpara de dos pábilos, bendice una cajita llena de aromas y un vaso de vino, cantando o recitando algunas oraciones. Se huele todo, se sirve un poco de vino, todos lo catan, y se separan deseándose una buena semana. Esta ceremonia se llama *Habdala*, *separación*, porque sirve para separar el sábado, día santo de los judíos, de la semana siguiente.

**HABIDIS.** Nieto de Górgoris, rey de los cinetes, habitantes de un territorio montañoso situado al oeste de Andalucía. Al subir al trono dio leyes a sus súbditos, aún bárbaros, les enseñó a trabajar la tierra, hizo que sustituyeran por un alimento más delicado las viandas salvajes que detestaba, porque no había encontrado otras mientras huía por los bosques de la cólera de su abuelo por considerarlo nieto ilegítimo; prohibió todo empleo servil a sus súbditos y los distribuyó en siete ciudades. La corona fue hereditaria en su familia durante muchos siglos. *Just.14, c. 4.* (*V. Górgoris*). Así pues, como Górgoris, pasaría por ser uno de los primitivos reyes legendarios de la península Ibérica, soberano civilizador que enseñaría a sus súbditos las virtudes del neolítico y que podría considerarse como un antecedente remoto de la civilización ibérica y más propiamente tartérsica.

**HACHA,** o antorcha (*Iconol.*) 1 — En los antiguos monumentos una hacha o antorcha que se levantara, era señal del nacimiento del sol, y otra que se apagara era el signo del sol en poniente. (*V. Envidia, Euménides, Himeneo.*) *sobre una* *torre o monte*. (*V*. Ceres, Herd.) Atenas celebraba tres veces al año la corrida de las hachas en las Panateneas, en las fiestas de Hefaistos (Hefestos = Vulcano) y en las de Prometeo. En la extremidad del Cerámico había un altar consagrado a Prometeo. La juventud ateniense que quería disputar el premio se reunía al anochecer alrededor de este altar, al resplandor del fuego que aún ardía. Dada la señal se debían llevar encendida hasta el término señalado atravesando el Cerámico, y corriendo cuando podían si la carrera se hacía a pie y a todo escape si se hacía a caballo. Si el hacha se apagaba entre las manos del primero que la había asido, éste la daba a un segundo, que no teniendo más acierto la daba a un tercero, y así sucesivamente, hasta agotar el número de los que se presentaban a disputar el premio, y si ninguno de los concurrentes lo alcanzaba, se reservaba para otra vez. El día de la fiesta de Ceres se llamaba por excelencia *el día de las hachas*, en memoria de las que encendió esta diosa en las llamas del monte Etna, para ir en busca de Proserpina. (Perséfore)

2 — Instrumento de hierro. Símbolo de Júpiter Labradeo, entre los carios, en lugar del rayo o del cetro. (*V*. Labradeo.)

HADAS. Divinidades menores cuyo origen se encuentra en las *ninfas* de la mitología griega. Su nombre proviene del bajo latín *fata* = hada y se halla relacionado con *fatum* = hado, destino. Su característica principal es que son del sexo femenino y están dotadas de poder mágico. Proceden probablemente de la mitología céltica y pasan al ciclo de leyendas medievales como las de rey Arturo, así como el mundo germánico y escandinavo. Relacionadas con ellas aparecen las *moiras* griegas y las *parcas* romanas. Un mito las identifica como hijas de Atlante y Etra, siete estrellas que formaban parte de la constelación de Taurus = Tauro, el Toro, y como aparecían en el firmamento se las denominaba también *Fanes* (del griego *faino* = aparecer, mostrar, manifestarse). Presagiaban el mal tiempo y la lluvia. Se llamaban Ambrosía, Corona, Dione, Eudora, Feo, Fesile y Políxena, contándo-

se de ellas que en otro tiempo habían criado a Zeus y a Dionisio cuando éstos habitaban la tierra. Su hermano *Hado*, muerto por un león, fue llorado durante largo tiempo hasta el punto de derramar torrentes de lágrimas sobre su lacerado cuerpo. Zeus, compadecido, las transformó en estrellas, dándoles su nombre colectivo, que en griego significa precisamente portadoras de lluvia. Los latinos las llamaron en cambio *Suculae*, es decir, cerditas, porque creían ver en la constelación una piara de dichos animales. Durante la Edad Media, quizá por influencia cristiana, las hadas pasaron a ser bienhechoras y benéficas (portadoras del bien siempre u ocasionalmente cuando se las invocaba). Fue entonces cuando surgió la idea de una *reina* que todos los años las convocaba a una asamblea general para dar cuenta de sus acciones. Castigar a las que hubieran abusado de su poder y premiar a las que hubieran usado de él tan sólo para proteger la inocencia. De carácter inmortal, se hallaban sujetas a una extraña ley que las obligaba todos los años a tomar la forma de un animal y estar expuestas entonces a toda clase de peligros e incluso la muerte. En época moderna sus leyendas pasaron a inspirar temas literarios: Ch. Perrault (s. XVIII), hermanos Grimm y H.C. Andersen (s. XIX).

HADES o HAIDES. Nombre griego de Plutón. (*V*. Ades.)

HADO. (*V*. Destino.)

HAFISI o HANIFISI (*Mit. mah.*) Los turcos honraban con este nombre a los que aprendían el *Alcorán* de memoria, y el pueblo los tenía como personas sagradas a quienes Alá había confiado su ley, y hecho sus depositarios.

HÁGADA. Oración que los judíos rezan en la víspera de Pascua al volver de la sinagoga: se sientan en una mesa en la cual se debe haber preparado algunos pedazos de cordero con pan ázimo, hierbas amargas, como achicoria, lechuga, etc., y con una taza de vino en la mano recitan la Hagada, que no es más que una narración de las miserias que sufrieron sus padres en Egipto, y de las maravillas que obró Dios en su favor.

HAGI. Nombre que se daba en Turquía al que había hecho la peregrinación a La Meca, a Medina y a Jerusalén. Todo musulmán está obligado a cumplir este deber una vez durante su vida, debiendo escoger el tiempo en que sus medios le permitan emplear la mitad de sus bienes en los gastos de la peregrinación, y la otra mitad debe dejarla a fin de encontrarla a su vuelta. Los que habían hecho este viaje muchas veces eran muy estimados de sus conciudadanos. Tradicionalmente, la peregrinación se hacía en numerosas caravanas y como se debía pasar por desiertos muy áridos, en el siglo XIX el sultán turco enviaba la orden al bajá de Damasco a fin de que hiciera acompañar las caravanas con hombres que llevaran agua; y una escolta que debía componerse por los menos de mil cuatrocientos hombres, para proteger a los peregrinos de ser robados por los árabes del desierto. En la actualidad los medios de comunicación modernos han facilitado la peregrinación, sólo obstaculizada por los conflictos político-religiosos y étnicos del Oriente próximo.

HAGNITAS. Sobrenombre de Esculapio, tomado de la madera que sirvió para su estatua. Tenía bajo este nombre un templo en Esparta. R. *agnos*, *vitex*, especie de mimbre.

HAGNO. 1 — Una de las ninfas que, según los arcadios, alimentaron a Júpiter. Estaba representada en Megalópolis, teniendo un cántaro en una mano y una botella en la otra. Dio su nombre a la fuente Hagno. *Paus.*

2 — Fuente del monte Liceo en Arcadia, llamada así de la ninfa Hagno. En los tiempo de sequedad, vuelto el sacerdote de Júpiter Liceo hacia la fuente, dirigía sus plegarias al dios, le hacía sacrificios y después echaba en la superficie un tronco de encina, provocando una ligera agitación, hacía salir emanaciones de sus aguas, que transformadas en nubes caían en lluvia y regaban y fertilizaban el país. *Paus. 8, c. 38.*

HAICTITES. (*Mit. mah.*) Musulmanes que creían que Cristo se encarnó y que vendrá al fin del mundo, con el cuerpo con el que se revistió en la tierra, para reinar cuarenta años y destruir el imperio del Anticristo, después de lo cual termina el mundo.

HAIRETOS. (*Mit. mah.*) Mahometanos a quienes se puede dar el nombre de *pirronistas* y *epicureos*. Dudaban de todo y en sus disputas nunca determinaban nada. Toleraban todas la opiniones sin contradecirlas y no se empeñaban en indagar la verdad, porque decían que todo es probable pero nada demostrable. Se contentaban con decir en las cosas dudosas: *Dios lo sabe y nosotros no*, sin ser celosos de hacer progresos en las ciencias y las artes. Había sin embargo entre ellos algunos predicadores que llegaron a ser jurisconsultos musulmanes de carácter religioso, pero se gobernaban con mucha indiferencia en estos cargos eminentes y estaban siempre prontos a firmar la sentencia en favor del que pedía añadiendo este correctivo: "Dios sabe bien lo que es mejor". Su método de vida no era nada austero. Observaban exactamente las leyes religiosas y civiles a pesar de su amor a seguir su inclinación natural. Bebían vino cuando se hallaban en sociedad, a fin de no parecer de mal humor; pero entre ellos y particularmente se servían de una bebida en la cual entraba opio; lo que influía mucho en mantener y aumentar su indolencia.

HAKEM. Califa que reinó unos cuatrocientos años después de Mahoma. Los drusos, que le atribuyen sus leyes, cuentan de él mil fábulas extravagantes desmentidas por la historia, la cual tan sólo habla de sus locuras y desórdenes. Según ellos, el nombre de Hakem que se dio el mismo Califa significa el que juzga y condena todas las religiones. Durante siete años usó un vestido de lana negro, dejó crecer sus cabellos, mandó encerrar a las mujeres y montaba un asno con silla de hierro: tenía su habitación bajo tierra donde entraba por un gran jardín, a cuyo lado se hallaban mujeres de mala conducta y se cometían toda clase de excesos. Publicó que era el dios eterno, que había tomado carne humana. Destruyó las mezquitas, las sinagogas y la iglesias: maldijo a Mahoma y a todos sus seguidores, así como a los otros profetas: abolió el ayuno, la oración, las peregrinaciones y los otros ejercicios de piedad. Obligó a garrotazos a los judíos y a los cristianos a que abrazasen su religión. Finalmente, irritado contra los hombres y descontento de su conducta, se retiró de entre ellos y desapareció. Los drusos todavía le aguardan.

HALALCOMÉNIDA. Minerva, llamada así por el culto que se le daba en Halalcomena, ciudad de Beocia: quizás este sobrenombre es el mismo que *Alalcomeneis*. (*V*. Alalcomenes.)

HALCIÓN. (*V*. Alción).

HALCIONE. 1 — Una de las siete hijas de Atlas o Atlante, que forman la constelación de las Pléyades.

2 — (*V*. Alcione.)

HALCIONEI, o HALCIONII DIES, *Días en que los halcones conciben o fecundan sus futuros pequeñuelos*. Son los siete días antes o después del solsticio de invierno. Columela da el mismo nombre a los siete días de calma de la Atlántida, y que empiezan el día 8 de las calendas de mayo.

HALCIONEO. Uno de los que perecieron en el combate que se dio en la corte de Cefeo; con ocasión del matrimonio de Perseo con Andrómeda. *Met. 5*.

HALCIÓNIDES. Hijas del gigante Alcioneo.

HALDAN. Divinidad particular o uno de los dioses Penates (*Gentium*) entre los cimbrios.

HALEA. Sobrenombre de Minerva, tomado de Haleo, que le había edificado un templo en Tegea, en el cual se guardaban los colmillos del jabalí de Calidón.

HALEO. Sobrenombre de Apolo bajo el cual Filoctetes, después de haber terminado todas sus correrías, le edificó un templo cerca de Crotona, en la Magna Grecia, en el cual le consagró el arco y las flechas de Hércules. R. *halein*, error.

HALESIO. Río de Sicilia que corre al pie de un monte del mismo nombre. En aquel sitio cogía flores Proserpina cuando la robó Plutón. *Colum*.

HALESO. 1 — Uno de los lapitas que murieron en las bodas de Piritoo.

2 — Hijo de Agamenón y de Briseis o Briseida. Se cree que conspiró con Clitemnestra contra su padre y que fue desterrado de su patria. Otros dicen que espantado del triste fin de su padre, tomó también el partido de abandonar su país y se retiró a Italia, donde edificó la ciudad de Faliscas o Falerios, ciudad situada en territorio etrusco y en la que se hablaba un dialecto emparentado con el latín. *Virgilio* que coloca sus estados hacia la Campania, representa a Haleso como enemigo del nombre troyano, y como auxiliar de Turno. *Eneida. 7, 10*.

3 — Caudillo latino muerto por Palas, hijo de Evandro. *Eneida. 10*.

HALETO. Sexto descendiente de Hércules e hijo de Hipólito. *Veleio Paterculo* le atribuye la fundación de Corinto. *Tito Liv. 1, c. 3*.

HALIA 1 — Una de las Nereidas. R. *als*, sal, atributo del mar. Apolod.

2 — Hermana de Telequines, amada de Neptuno, que tuvo de ella seis hijos y una hija llamada Roda. *Diod. Sic*. de Macedonia.

HALIACMÓN. Río, hijo del Océano y Tetis. *Herod. 7, c. 127*.

HALIARTO. Hijo de Tersandro y nieto de Sísifo, fundador de Haliarte en Beocia. Había sido adoptado por Atamante, hermana de Sísifo. *Paus. 9. 32*.

HALIAS. Eran «Mujeres del Mar» cuya sepultura se hallaba en Argos. Una leyenda narra que habían llegado a las islas del Mar Egeo junto con Dioniso o Baco para luchar contra Perseo y los argivos. Habían perdido la vida en combate.

HALIFRÓN. Padre de Deucalión, a quien tuvo de la ninfa Yosofa. (*V*. Deucalión.)

HALIMEDE, *el que tiene cuidado del mar, que ama el mar*. Nereida. R. *medos*. cuidado.

HALIMÓN. Padre de Creta, del cual recibió Creta su nombre.

HALIROE o REA. Madre de Isis, que la tuvo de Saturno. Leyenda muy tardía. *Plut*.

HALIRROTIO. Hijo de Neptuno y la ninfa Eurite. Cerca de la fuente de Esculapio, en Atenas, quiso violar a Alcipe, hija de Marte que el dios había tenido con Aglauro. Marte le dio muerte y Neptuno citó al asesino de su hijo ante un tribunal constituido por dioses y reunido en la colina que desde entonces se llamó Colina de Marte. (En griego, Colina de Ares, es decir Areópago, lugar que los atenienses reservaron desde entonces para su tribunal de justicia cuya institución recibió este nombre.) Marte fue absuelto por el tribunal de los doce grandes dioses. Tal acontecimiento, tan célebre en la historia legendaria de Grecia, acaeció según los mármoles de Paros en el reinado de un tal Cránao; esto es 1560 años a. C. *M. de Banier. t. 4.*

Otra leyenda narra que Halirrotio, molesto porque el territorio del Atica era atribuido a Atenas y negado a su padre, intentó cortar el olivo regalo de Atenea (Minerva). Pero el hacha se le escapó milagrosamente de sus manos y le costó la cabeza.

HALITERSE. 1 — Hijo de Mastor, sabio adivino que tenía el conocimiento de lo pasado, de lo presente y de lo venidero. Predijo la vuelta de Ulises y el castigo de los perseguidores de Penélope. *Odisea 2, 17, 24.*

2 — Uno de los hijos de Anceo y de Samia, hija de Escamandra.

HALIUS. 1 — Capitán troyano muerto por Turno, *Eneida. 9.*

2 — Guerrero licio, inmolado por Ulises. *Ilíada. 5.*

3 — Hijo de Antinoo, hábil danzarín, cuya gracia y agilidad admiró Ulises. *Odis. 8.*

HALMO. 1 — Hijo de Sísifo que obtuvo de Eteocles, rey de Orcómene, un pequeño cantón, donde edificó algunas ciudades llamadas las *Halmones*, aunque después sólo le quedó este nombre a una villa. *Paus. 9, c. 35.*

2 — Padre de Crisa (*V.* Flegias.)

HALOA. (*V.* Aloas.)

HALOCRATES. Hijo de Hércules y Olimpusa. *Apolod.*

HALOSIDNA. Diosa del mar, y la misma que Amfítrite. R. *als*, mar. *Odis. 1.*

HALS. Tirrenia empleada en el servicio de Circe, se decía que era de origen etrusco.

HALTIOS. Los lapones dan este nombre a los vapores que se levantan de los lagos, y que toman por los espíritus a quienes está encargada la custodia de los montes. *Maupertuis, Viaje a Torneo.*

HALYETO. Especie de águila marítima, en la que, según *Ovidio,* fue transformada Niso. *Met. 3.* (*V.* Niso)

HALYS. 1 — Río del Asia Menor a cuyas orillas Creso rey de Lidia, recibió el oráculo que le engañó y dio el triunfo al rey de Persia, Ciro (s. VI a. C.) *Estrab. 13. Cic.*

2 — Troyano muerto por Turno. *Eneida. 9.*

3 — Natural de Cícico, muerto en un combate de noche por Pólux. *Val. Flac. 3.*

HAMA. 1 — Vivero de la ciudad de Faros. Estaba consagrado a Mercurio con todos los peces que contenía, y por esta razón nunca se pescaba en él. *Paus.*

2 — Antigua ciudad de Italia en la Campaña a tres millas de Cumea. Los campanios realizaban en ella un sacrificio que se hacía por la noche. Esta fiesta duraba tres días.

3 — Nombre de un insigne atleta muerto por el gigante Dan en el lugar donde fue edificada después Hamburgo, y que según *Crantzio,* dio su nombre a la ciudad.

HAMADOCO. Héroe hiperbóreo que apareció bajo las más horribles figuras con la sombra de Pirro, y contribuyó a defender a Delfos contra los galos.

HAMADRÍADAS. Ninfas cuyo destino dependía de ciertos árboles; con los cuales nacían y morían; lo que las diferenciaba de las Dríades. Tenían principalmente esta unión con las encinas. R. *kama* enlace, y *dris*, encina. Sin embargo, no eran absolutamente inseparables, pues, según *Homero*, se escapaban para ir a sacrificar a Venus en las grutas con los sátiros, y que según *Séneca,* dejaban sus árboles para venir a escuchar el canto de Orfeo. Reconocidas hacia los que las libraban de la muerte, castigaban severamente aquellos cuya mano sacrílega osaba atacar los árboles de que dependían. (*V.* Eresicton, Peribeo.) Las Hamadríades no eran por consiguiente inmortales; sin embargo la duración de su vida, según la suposición más moderada de los mitólogos, llegaba hasta nueve mil setecientos veinte años; cálculos fabulosos, que no se conforma mucho con la duración en general de los árboles. *Met. 1.*

HAMADRÍADE. Hermana y mujer de Oxilo, según *Ateneo*, engendró ocho hijas llamadas todas Hamadríadas. Designan otros tantos árboles; *Carya*, al nogal; *Balanos*, la encina o palmero, *Kraneion*, el cornizo; *Orea*, la haya, *Aigueiros*, álamo blanco; *Ptelea*, el olmo, *Ampelos*, la viña; *Syké*, la higuera.

HAMBRE. (*Iconol.*) Deidad hija de la Noche, según *Hesíodo*. *Virgilio* la pone en las puertas del infierno, y otros en las riberas del Cócito, donde los árboles despojados de sus hojas presentan una sombra triste. Sentada en medio de un campo árido, arranca con sus uñas algunas plantas infértiles. Los lacedemonios tenían en Calcieción, en el templo de Minerva, un cuadro del Hambre cuya sola vista llenaba de horror. Estaba representada en dicho templo bajo la figura de una mujer pálida, abatida y de una flaqueza horrenda, las sienes ahondadas, la piel de la frente seca y arrugada, los ojos apagados, hundidos en la cabeza, las mejillas cenicientas, lívidos los labios, descarnados los brazos, como también las manos que traía atada a la espalda. *Ovidio* ha dejado una descripción del Hambre no menos enérgica. *Met. l. 8.*

HAMOPAÓN. Capitán troyano vencido por Teucer. *Ilíada. 8.*

HANAN PACHA, (*Mit. peruana*) *el alto mundo*. Los amautas doctores y filósofos del Perú precolombino daban este nombre a los lugares donde los buenos deben ir después de la muerte para recibir la recompensa a sus virtudes. Hacían consistir toda la dicha que se gozaba allí, en pasar una vida pacífica y exenta de las inquietudes que se observan en este mundo. No contaban entre los placeres de esta morada los deleites carnales y lo que halaga los sentidos, reduciendo la felicidad de este paraíso en la tranquilidad del alma y del cuerpo. Es probablemente el mismo que el Hamanspacha.

HANBALISMO (*Mit. mah.*) Una de las cuatro confesiones reconocidas por ortodoxas entre los musulmanes.

Hamed Ebn Hanbal nació en Bagdad el año 164 de la Hégira o era musulmana, 780 d.C., y fue su jefe. Según algunos, pretendía que algún día subiría Mahoma al trono de Dios. El Hanbalismo es una escuela teológica, moral y jurídica islámica que no posee más fuentes religiosas que el Alcorán y la Sunna o tradición del profeta Mahoma. Se halla en vigor en Arabia Saudí.

HANIFITES. (*Mit. mah.*) Secta que los turcos tenían como ortodoxa.

HANNÓN. Griego insensato que quiso pasar por dios. Para ello enseñó a muchas especies de aves a repetir: *Hannón es un dios*, y después les dio libertad para que esparciesen esta nueva por todas partes. Pero, las aves olvidaron sus lecciones, y Hannón vio fracasadas sus locas esperanzas. *Eliano. Hist. 14, c. 32.*

HANUCA, O FIESTA DE LAS LUCES. (*Mit. rab.*) Esta fiesta es la que los judíos modernos celebran el 25 del mes de Chislen, o Diciembre, en memoria de la victoria de los macabeos sobre los griegos. Dura ocho días. El primer día se enciende una lámpara, dos en el segundo y así sucesivamente hasta ocho. He aquí el fundamento de esta ceremonia. Habiendo entrado los enemigos en la ciudad y profanado el templo, Judas Macabeo y sus hijos les rechazaron: queriendo Judas a su vuelta encender las lámparas del candelabro, no pudo encontrar aceite puro sino en un pequeño vaso, el cual bastaba apenas para iluminar durante una noche; sin embargo, Dios hizo por un milagro que este aceite durase ocho días. Se celebra también en esta fiesta el triunfo de Judith, pero no por eso se interrumpen los trabajos ordinarios. El nombre *Hanuca* significaba *ejercicio* o *renovación* porque se renovaba el ejercicio del templo que había sido profanado. Además de las lámparas que se encienden estos días en las sinagogas, cada judío enciende una en su casa, procurando que esté a la izquierda al entrar.

HAPHTARE. Lección que hacen el sábado los judíos, de un pasaje de los profetas, y después de un pasaje de la ley o del Pentateuco.

HAR. (*Mit. índ.*) nombre de la segunda persona de la trinidad india, en su décima y última encarnación. Se ha encarnado nueve veces, y cada una tiene su nombre. A la décima, aparecerá Har bajo la forma de un pavo, luego bajo la de un caballo alado, y serán destruidos todos los seguidores de Mahoma.

HARIDI. (*Mit. mah.*) Serpiente honrada en Achmim o Akmin, ciudad del alto Egipto.

HARIMÁN (*V.* Ahriman)

HARMA. Ciudad de Beocia, cuyos habitantes fueron al sitio de Troya. Según una tradición de los tanagreos, Anfiarao fue tragado en ella con su carro. R. *hama*, carro.

HARMONÍA o HERMÍONE. 1 — Hija de Marte y Venus, o según *Diodoro de Sicilia*, de Júpiter y Electra, una de las Atlántidas, y esposa de Cadmo. Trajo a Grecia los primeros conocimientos del arte que lleva su nombre. Tuvo un hijo, llamado Polidoro, y cuatro hijas, Ino, Agave, Autónoe y Semele. Toda esta familia fue en extremo desgraciada, lo que dio margen a la siguiente fábula: para vengarse Vulcano de la infidelidad de Venus, dio a su hija Harmonía un vestido teñido de toda especie de crímenes, lo que hizo que todos sus hijos fuesen unos malvados. Harmonía y Cadmo después de haber experimentado muchas desgracias, ya en sí mismos, ya en sus hijos, se vieron transformados en serpientes. *Paus. 9, c. 16.* (*V.* Cadmo.)

2 — (*Iconol.*) Se ha representado a Harmonía bajo la figura de una mujer ricamente vestida, teniendo una lira en la mano, y en la cabeza una corona adornada con siete diamantes de igual hermosura, para designar los siete tonos de la música.

HARMÓNIDES. Abuelo de Ferecho, hábil carpintero, que construyó las naves de Paris que sirvieron para robar a Helena. *Ilíada. 5.*

HARPA. Esposa de Frigia

HARPAGIUM. Ciudad de Frigia donde se hallaba Ganímedes cuando fue arrebatado.

HARPAGOS. Uno de los caballos de los Dioscuros.

HARPÁLICE. 1 — Hija de Licurgo, valiente, y amante de la caza, que libró a su padre cuando fue hecho prisionero por los getas. *Eneida. 1.*

2 — Célebre amazona, reina de Tracia, famosa por su ligereza en la carrera.

3 — Amante de Iflices que, despreciada por él, murió de dolor. Con ocasión de este suceso se instituyeron unos juegos, en los cuales cantaban las jóvenes una canción llamada Harpálice. *Aten. 4.*

4 — La hija más hermosa de Argos, amada apasionadamente por su padre Clímeno. Sin embargo la casó, pero arrepentiéndose bien presto, hizo perecer a su yerno y se llevó su hija a Argos. Harpálice, para vengarse, mató a su hermano o su hijo y lo sirvió a Clímeno: después de que habiendo pedido a los dioses que lo sacasen del mundo, fue transformado en ave. *Hig.* (*f.* 253) pretende que el hijo que ella hizo comer a su padre, era el que había tenido del mismo, y que habiéndolo descubierto todo Clímeno, mató a su hija y se mató él después.

5 — Hija de Harpácilo, rey de una provincia de Tracia, alimentada con leche de burra, se acostumbró desde pequeña al manejo de las armas y adquirió un genio marcial, de lo que dio pruebas socorriendo a su padre contra Neptólemo, hijo de Aquiles, a quien Harpálice puso en fuga. Después del fallecimiento de su padre, muerto por sus mismos súbditos, se retiró a los bosques donde robaba los ganados de la comarca. Fue presa en una red y muerta; pero después de su muerte los paisanos se disputaron hasta llegar a las manos, los ganados que ella había robado. Estableciéronse en lo sucesivo juegos sobre su sepulcro para expiar su muerte. *Hig. f. 193.*

HARPÁLICO. 1 — Guerrero troyano, inmolado por la reina Camila. *Eneida. 11.*

2 — Enseñó a Hércules la lucha y los demás ejercicios gímnásticos.

3 — Padre de Harpálice 5.

HARPALIÓN. Hijo de Pilémenes, jefe de los paflagonios, venidos en socorro de

Troya. Fue muerto por meriones. *Ilíada.* *13.*

HARPALO, *ladrón*. Uno de los perros de Acteón. *Met. 3.*

HARPE. 1 — Una de las Amazonas que vinieron al socorro de Eates, rey de la Cólquida, contra Perseo. *Val. Flac. 6.*

2 — Especie de machetes de que se sirvieron Mercurio y Perseo para quitar la vida, el primero a Argos y el segundo a Medusa. Era también la espada encorvada de que se servían los *tracios* para esgrimir en los juegos públicos. La hoja de esta segunda formaba un ángulo obtuso. *Met. 5.*

HARPEDÓFORO. Sobrenombre de Mercurio. (*V.* Harpe 2.)

HARPES. Hijo de Urano y Gea, uno de los Cíclopes.

HARPÍAS. Monstruos, hijas de Neptuno y de la Mar, y según *Hesíodo,* de Taumante y Electra, hija del Océano. *Virgilio* (*Eneida. 3*) sólo nombra a Celeno, *oscuridad. Hesíodo* nombra tres: Iris; Ocipete, *la que vuela ligero*; y Aelo, *tempestad.* otros las llaman Alope, Aqueloe; y Oestoe u Ocípete. Estos monstruos con rostro de vieja, y pico y uñas corvas, cuerpo de buitres, y grandes pechos, causaban el hambre por todas partes donde pasaban, robaban los manjares de la mesa y despedían un hedor tan pestilente que nadie podía acercarse a lo que dejaban: por más que se les arrojase de un paraje volvían siempre; en fin, los perros de Júpiter y Juno se servían de ellas contra aquellos a quienes querian castigar. De este modo, persiguieron a Fineo, rey de Tracia, a quien libertaron Calais y Zetes, dando caza a las Harpías hasta las islas Estrofíades, en el mar Jonio, donde fijaron éstas su domicilio. En lo sucesivo los troyanos conducidos por Eneas tomaron tierra en su isla, y habiendo encontrado muchos rebaños de bueyes errantes por el campo, mataron algunos para su alimento. Las Harpías a quienes pertenecían los rebaños, salieron repentinamente de los montes, haciendo resonar el aire con el espantoso ruido de su alas y vinieron a caer en gran número sobre las viandas de los troyanos, robaron la mayor parte y mancharon la restante. Estos corrieron contra aquellas horrendas aves para atravesarlas con sus espadas; pero su pluma les libró de los golpes y las hizo invulnerables. *Le Clerc, Vosio* y *Plucge,* toman a las Harpías por una inmensidad de langostas que después de haber devastado una parte de Asia Menor, se echaron sobre la Tracia e islas vecinas, y causaron el hambre en aquella parte: y como el viento del norte libertó de ellas el país, arrojándolas hasta el mar Jonio, donde perecieron, divulgóse que los hijos de Boreas les habían dado caza. *Banier* cree ver más bien en ellas, corsarios que bajaban con frecuencia a los estados de Fineo y cuyos robos llevaban allí el hambre. Esta explicación se conforma mucho con la relación de *Apolodoro,* que refiere que una de las Harpías cayó sobre un río del Peloponeso que desde entonces se denominó Harpías; y que la otra vino hasta las Esquínades, de donde, retrocediendo, se dejó caer de cansancio al mar; las Esquínades se denominaron Estrofíades, *islas del regreso* (*Mem. de la Acad. de Inscrip. t. 5, 12, 18.*) La escultura y la pintura personifican los vicios por medio de las Harpías: así por ejemplo una Harpía sobre sacos de plata designa la avaricia.

HARPIEO. Perro de Acteón. R. *harpazein*, robar. *Met. 3.*

HARPINA. Hija de Asopo, amada de Marte, del cual tuvo a Enómao, rey de Pisa, en la Elide, que dio el nombre de su madre a una ciudad de esta región. *Paus.*

HARPÓCRATES. Dios egipcio, hijo de Osiris e Isis, que le dio a luz antes de tiempo. Nació con tan gran debilidad en las partes inferiores del cuerpo, que permaneció en la actitud en que están los niños en el seno de la madre; esto es, con las manos sobre la boca. Los griegos dieron a esta actitud un significado muy diferente, y la tomaron por un mandato de Silencio. Algunos le han creído un filósofo que hablaba poco. Los antiguos dicen que era hijo de Isis y que su madre, habiéndose perdido en su juventud, tomó la resolución de buscarlo por mar y tierra hasta que le encontrara. Se asegura que en esta ocasión inventó las velas, añadiéndolas a los remos. Esto ha hecho creer a los más expertos mitólogos que Harpócrates es el mismo Horus. Su estatua se hallaba en la entrada de la mayor parte de los templos; lo que según *Plutarco* significaba, que era necesario honrar a los dioses con el silencio; y que los hombres cuyos conocimientos son imperfectos no deben hablar sino con respeto. Los antiguos solían tener en sus sellos una figura de Harpócrates, para dar a entender que debía guardarse el secreto de las cartas. Se le representaba bajo la figura de un joven desnudo, o vestido de una ropa talar, coronado con una mitra egipcia, ya con la cabeza resplandeciente, ya con un canastillo sobre la misma, teniendo el cuerno de la abundancia en una mano y en la otra una flor de loto, tal como el encontrado en Módena, y llevando algunas veces aljaba. Como se le tomaba frecuentemente por el sol, el cuerno de la abundancia significaba que este astro producía la abundancia de los frutos y daba vida a todos los animales. La aljaba representaba sus rayos, que eran como flechas que dispara por todas partes. La flor del loto se consagra al sol, porque, según se dice, se abría al salir este astro y se cerraba al ponerse. El mochuelo, símbolo de la noche, puesto detrás de él, significa dice *Cuper*, que el sol vuelve la espalda a la noche. El dedo que pone sobre la boca, es el segundo dedo llamado *Salutario*, que sirve para imponer silencio. Se ofrecen a esta divinidad las lentejas y las primicias de las legumbres; pero el loto y el albérchigo le estaban particularmente consagrados, porque, dice *Plutarco*, las hojas de albérchigo tienen la figura de una lengua y son fruto del corazón; emblema de la perfecta armonía que debe existir entre el corazón y la lengua. *Ant. Expl. t. 2.* (*V.* Muta, Silencio, Tácita.)

HARÚSPICES. (*V.* Arúspices.)

HAYA. Arbol consagrado a Júpiter, cuyas hojas servían para adornar los altares de este dios en las grandes solemnidades.

HAZAZEL. Nombre que daban los israelitas al macho cabrío emisario. El gran sacerdote le ofrecía en sacrificio, pero sin degollarlo ni quemarlo; después de haberlo cargado de los pecados de todo el pueblo lo arrojaba al desierto, expulsión que iba siempre precedida del sacrificio real de otro macho cabrío.

HAZIS, *Terrible en la guerra*. Sobrenombre de Marte entre los sirios.

HEBA. Nombre de un perro de caza, correspondiente al nombre español, *juventud*.

HEBDOMAGENE. Sobrenombre de Apolo, que los delfios pretendían que había nacido el séptimo día del mes *Busión*. Era propiamente éste, el día en que Apolo venía a Delfos, para celebrar su fiesta, y se revelaba en la persona de la sacerdotisa o Pitonisa, a todos los que le consultaban. R. Hebdomos, séptimo, y *ghenesthai*, nacer. (*V.* Busión.)

HEBDOMEA. Fiesta griega que se celebraba el séptimo día de cada mes lunar, en honor de Apolo; a quien estaban consagrados todos los días séptimos, porque había nacido en uno de estos días. Los atenienses cantaban himnos en ella en honor de este dios, y llevaban ramas de laurel, con que adornaban sus platos. Se celebraba también una fiesta del mismo nombre en las familias particulares, el séptimo día después del nacimiento de un niño.

HEBE. Diosa de la juventud, e hija de Júpiter y Juno, según *Homero*, según otros, sólo Juno era su madre. Convidada a un festín por Apolo, comió en él tantas lechugas silvestres, que de estéril que hasta entonces había sido, se halló en cinta de Hebe. Encantado Júpiter de la hermosura de su hija, le dio el nombre de diosa de la juventud y el honroso encargo de servir la bebida a los dioses; pero habiéndose dejado caer un día de una manera muy poco decente, Júpiter le quitó su empleo para darlo a Ganímedes. Juno la tuvo en su servicio y le confió el cuidado de uncir su carroza. Deificado Hércules, se casó con ella en el cielo y tuvo una hija llamada Alexiara y un hijo llamado Aniceto. El sentido de esta unión es que la juventud se hermana con la fuerza. A instancias de Hércules, rejuveneció a Yolao. Tenía muchos templos, y entre otros, uno entre los fliasios, que tenía el derecho de asilo. Se la representa coronada de flores, con una copa de oro en la mano; y de este modo la presentan las piedras grabadas de *Sotch*. *Nancides*, estatuario de Argos, había colocado su estatua cerca de la de Juno de *Policleto. Met. 9, Paus. 1, c. 19; l. 2, c. 12. Apolod. 1, 3. l, 2, c, 7.*

HEBESO. Capitán latino, muerto por *Euríalo. Eneida. 9.*

HEBON. Dios adorado en la Campania. Se cree que este es el mismo que Baco o más bien el Sol. R. *hebe*, juventud.

HEBRE. Río de Tracia, en cuyas aguas arrojaron las Bacantes la cabeza de Orfeo. *Geórg. 4. Met. 11, Mela, 2, c, 2.*

HEBRO. 1 — Hijo de Casandro, rey de Tracia, que habiendo rechazado con honor las persecuciones de Damasipa, su cuñada, fue acusado por su madrastra, perseguido por su padre, y para ahorrarle un crímen se arrojó al Rombo, que tomó por su muerte el nombre de Hebro. *Estrab. 7.*

2 — Hijo de Colicaón, compañero de Eneas, muerto por Mecencio. *Eneida. 10.*

HÉCABE. Danaida, esposa de Drías (Driante).

HECAERGE. 1 — Hija de Bóreas y Oritía, y hermana de la diosa Opis, deidad de los cazadores, ninfa de la campiña y los bosques, aficionada a la caza y terror de los animales a quienes sus tiros alcanzaban de lejos. Los jóvenes de Delos le consagraban su cabellera. Quizás es la misma Diana, a la cual se daba este nombre, como también a su hermano Apolo o el Sol, cuyos rayos obran a gran distancia. R. *hekas*, lejos; *ergon*, efectos. *Paus.*

2 — Sobrenombre de Venus en la isla de Cea.

HECALESIAS. Fiesta que se celebraba en Hecale, aldea de Atica, en honor a Júpiter que tenía un templo en este lugar bajo el nombre de Júpiter Hecalio. *Ant. Expl. t. 2.*

HECALESIO, HECALIO. Sobrenombres de Júpiter.

HECÁMEDES. Hija de Arsínoo, rey de Ténedos, que regalaron los griegos a Néstor, después de la toma de esta isla. *Ilíada.*

HÉCATE. 1 — Hija de Júpiter y Latona, y hermana de Apolo. Los antiguos llamaban Luna en el cielo, Diana en la tierra y Proserpina en los infiernos. 1. R. *Hekaton*, ciento, porque se le ofrecían cien víctimas, o porque detenía cien años en las riberas de Estigia las almas cuyos cuerpos se hallaban privados de sepultura. 2. R. *Hekas*, lejos, porque la luna arroja sus rayos desde lejos. 3. R. *Kat*, fuego, luz. *Hesíodo* y *Museo* la hacen hija del sol: *Orfeo* del Tártaro y de Ceres; *Bacchylide* de la Noche, y *Ferecyde* de Aristeo. Otros la hacen hija del titán Perseo y Asteria. Cada uno le da un carácter conforme a su geneología, o mejor, la Hécate de cada país es un personaje diferente, cuyas cualidades y acciones han complicado y acumulado los mitólogos. La antigua Hécate de *Hesíodo* es una divinidad bienhechora, por la cual tiene Júpiter más consideración que por las demás, porque tiene, por decirlo así, el destino de la tierra entre sus manos, distribuye los bienes entre los que la honran, concede los triunfos, sigue a los viajeros y navegantes, preside en el consejo de los reyes, a los sueños, a los partos y a la conservación y desarrollo de los niños que acaban de nacer. La hija del titán Perseo ya se pinta con otros coloridos. Cazadora hábil, del mismo modo lanza sus dardos a los animales como a los hombres. Sabia en el arte de envenenar, ensaya sus venenos sobre los extranjeros, emponzoña a su padre, se apodera de la corona, eleva un templo a Diana y hace sacrificar a esta diosa todos los extranjeros que la causalidad conduce a las costas del Quersoneso Táurico: se casa en seguida con Eetes y forma con su arte dos hijas dignas de ella, Medea y Circe. Diosa de los magos y los encantadores, era invocada antes de empezar las operaciones mágicas que la obligaban a aparecer sobre la tierra. Presidente de los sueños y espectros, se dejaba ver por los que la invocaban; Ulises, queriéndose librar de los que le atormentaban, le consagró un templo en Sicilia. Diosa, en fin, de las expiaciones, se le inmolaban bajo este respeto perritos y se le erigían estatuas en las encrucijadas. (*V.* Feraia.)

Su culto, originario de Egipto, fue llevado a Grecia por Orfeo. Los eginetas, que fueron los primeros en admitirlo, le levantaron un templo en una plaza rodeado de muros, donde celebraban todos los años una fiesta en su honor. *Apuleyo* dice que era la misma que Isis. Muchos mezclaron el culto de esta diosa con el de Diana; y de este modo, fue adorada en Efeso, Delos; Braurón en Atica; Magnesia, Micenas; Segesta y en el monte Ménalo. Atenas le ofrecía tortas en la cuales se veía impresa una figura de buey; porque se le invocaba para la conservación de los animales útiles; y los espartanos tiñeron sus altares con sangre humana. Su culto fue del mismo modo célebre, en Roma, pero no tan cruel; se la llama *Dea feralis* y se creía que fijaba el término de la vida de los hombres y presidía su muerte. Amiterne y Formias le elevaron altares, y Espoleto le dedicó un templo que fue común a ella y a Neptuno, mirando al mar como el más vasto y poblado de todos los sepulcros.

*Alcameno* fue el primero que dio un triple cuerpo a la diosa. *Myron* por lo contrario, no le da más que uno. La pintura de *Alcameno* debía prevalecer en un pueblo amante de las alegorías: así sus tres rostros significan las tres fases de la Luna, según *Cleómedes*; según *Servio,* el uno representó a Lucina que protegía el nacimiento; el otro fue Diana que conservaba los días; el tercero Hécate, que los terminaba. Ya se representaban sus cabezas naturales, y aún agradables, y ceñidas por una guirnalda de rosas de cinco hojas. Ya le ofrecían sus estatuas con una de perro, una de caballo y otra de jabalí. Cuando se la obligaba a responder a las evocaciones mágicas de Medea, aparecía con la cabeza llena de serpientes, con una rama de encina en la mano, rodeada de luz y haciendo resonar a su alrededor de los ladrillos de su jauría infernal, y los agudos gritos de las ninfas de Faso. Cuando Fedro le implora en *Séneca,* va armada de una antorcha ardiente; de un látigo o una espada, muchas veces trae una antorcha para disminuir las tinieblas del Tártaro, o una pantera para sacrificar a los dioses Manes. Otras veces lleva en una mano una llave y en la otra cuerdas, o un puñal con lo que o ata, o hiere los criminales. (*V.* Filax.) En un jaspe del gabinete de la biblioteca real de Francia se la veía con sus tres cabezas, sobre las cuales se elevaban ciertas medidas. No tenía más que un cuerpo y de él salían seis brazos, dos de los cuales tenían serpientes, otros dos, antorchas encendidas, y los dos últimos, vasos expiatorios. Le estaba consagrada la encina muy particularmente, y se coronaba con ramas de este árbol entrelazadas con serpientes. El número tres servía para designarla. El altar erigido en honor suyo se diferenciaba de los de las otras divinidades, en que tenía tres lados como su estatua, de donde se deriva el epíteto de *Tríbomos.* Tenía uno de este modo en Roma, en el templo de Esculapio. Le estaba consagrado el perro. (*V.* Canicida.) Los que se lo ofrecían en sacrificio debían ser negros y eran inmolados a media noche. Los lamentables gritos de estos animales, mientras se los sacrificaba, decían que alejaban los horrorosos espectros, enviados a menudo por esta diosa. *Delondine, Infierno de los Antiguos* (*V.* Empusa.)

2 — La mayor de las cavernas que se supone existe en la luna, y en la cual ponen algunos autores el lugar del castigo reservado a las almas de los malvados.

3 — *Hesíodo* pretende que Ifigenia se llamó Hécate después de su muerte.

**HECATEAS. 1** — Apariciones de espectros de un prodigioso grandor, que tenían lugar en los misterios de Hécate.

2 — Estatuas erigidas a esta diosa delante las casas atenienses.

**HECATERO. 1** — Padre de las Oreadas.

2 — Sobrenombre de Diana.

**HECATESIAS.** Fiestas y sacrificios en honor de Hécate que celebraban en Atenas todos los meses, considerando a esta diosa como protectora de las familias y los niños. En la víspera de cada novilunio, los ricos daban en las encrucijadas una comida pública la cual, se creía, presidía la divinidad. Esta comida se llamaba *banquete de Hécate.* Se suponía que la diosa comía todo lo que salía en la mesa o lo hacía consumir por sus serpientes. Entre otros manjares se servían huevos, ya porque se les atribuía una virtud expiatoria o bien porque el huevo considerado como símbolo de la generación, debía ser el atributo de una diosa que daba impulso a la fuerza reproductora de la naturaleza. Se dice también que estas comidas estaban destinadas principalmente para los pobres y que las mesas se colocaban en las encrucijadas. *Ant. Expl. t. 2.* (*V.* Trivia.)

HECATÓBOLI. Sobrenombre de Apolo y de Diana, tomado de los rayos de luz que despiden. R. *hekas,* lejos; *ballo,* yo lanzo.

HECATOMBE. Sacrificio de cien víctimas, y propiamente de cien bueyes, pero que en lo sucesivo se aplicó a los sacrificios de cien animales de la misma especie, aunque fuesen cien leones o cien águilas, que era el sacrificio imperial. Este sacrificio que se celebraba al mismo tiempo sobre cien altares de hierba y por cien sacerdotes, se ofrecía en casos extraordinarios, tanto felices, como desgraciados. *Homero* hace viajar a Neptuno por Etiopía para comprar Hecatombes de toros y de ovejas. *Calcante* hace llevar una a Criseida para apaciguar a Apolo, irritado contra los griegos. Según algunos autores, este sacrificio fue establecido por los lacedemonios, los cuales teniendo en su país cien ciudades, inmolaban todos los años cien bueyes a sus divinidades. La hecatombe más celebre es la que ofreció *Pitágoras* en acción de gracias, por haber encontrado la demostración de la cuadratura de la hipotenusa: pero algunos escritores afirman que fueron bueyes de pasta, pues su sistema no les permitía sacrificarlos vivos. *Met. 8. Ant. Expl. t. 2.*

HECATOMBEAS. Fiestas de Atenas en honor de Apolo, celebradas el primer mes del año civil. Los argios y los eginetas celebraban la misma fiesta en honor de Júpiter. *Ant. Expl. t. 2.*

HECATOMBEO. Sobrenombre de Júpiter en Caria y Creta, y de Apolo, porque las hecatombes se ofrecían principalmente a estas divinidades.

HECATOMBEÓN. Primer mes del año ateniense, que correspondía a septiembre. Este mes tomó su nombre del gran número de hecatombes que se sacrificaban en Atenas durante sus treinta días. *Plut.*

HECATOMPEDÓN. Templo de la ciudadela de Atenas. Cuando se concluyó, los atenienses dejaron libres todos los animales de carga que habían servido para su construcción, y los dejaron en los pastos, como bestias sagradas. Habiéndose puesto uno de ellos al frente de los que arrastraban los carretones a la ciudadela, como para alentarlos, mandaron por un decreto que fuese alimentado hasta su muerte a expensas del público. R. *pous,* pie. *Plut.*

HECATOMFONEUMO. Sacrificio en que se inmolaban cien víctimas. Atenas celebraba uno en honor de Marte.

HECATOMFONÍAS. Fiestas que celebraban entre los mesenios, a los que habían matado cien enemigos en la guerra. Aristómeno obtuvo tres veces este honor. R. *phonos,* el que mata. *Paus. 4, c. 19.*

HECATÓMPOLIS, *de cien ciudades.* Nombre de la isla de Creta. R. *polis,* ciudad.

HECATÓMPILA, *de cien puertas.*
1 — Ciudad de Libia, edificada por Hércules, después que hubo matado al tirano Busiris. *Diod. Sic.*

2 — Nombre de Tebas en Egipto. R. *pylé,* puerta.

HECATÓNQUIROS, *de cien manos.* Nombre de los tres gigantes Coto, Briareo y Ciges, hijos del Cielo y la Tierra, cada uno de los cuales tenía cincuenta cabezas y cien brazos. El cielo no pudo soportar su vista, y a medida que nacieron, les ocultó en las sombrías habitaciones de la tierra y les cargó de cadenas. Júpiter les puso después en libertad por consejo de la Tierra. Así pelearon en su favor con una vivacidad que los titanes no pudieron sostener; y cubriéndoles cada instante de trescientas piedras que partían a la vez de sus manos, los arrojaron al profundo del Tártaro y los encerraron en calabozos de cobre. La noche se extendió tres veces alrededor y Júpiter confió la guardia a los Hecatónquiros R. queirmano. *Hesíodo. Teog.*

HECATOS, *el que lanza sus rayos a lo lejos.* Sobrenombre de Apolo-Sol. R.

*hekas*, lejos, o *hecaton*, ciento, porque según una tradición particular había matado con cien flechazos a la serpiente Pitón; lo que hacía a este dios más agradable el nombre de *Hécatos* que el Pitius.

HECLA. Los islandeses creían en otro tiempo que el infierno estaba en su isla y lo colocaban en las cavernas del monte Hecla. Creían así mismo que el ruido causado por los hielos que chocan entre sí y se amontonan sobre sus riberas, viene de los gritos de los condenados atormentados por un frío excesivo, y que hay almas condenadas a helarse eternamente, así como hay otras que arden en eternos fuegos.

HÉCTOR. Hijo de Príamo y Hécuba. *Homero* lo pinta como el más fuerte y valiente de todos los troyanos y lo hace salir con gloria de muchos combates con los más temibles guerreros, tales como Ayax, Diómedes, etc. Los oráculos habían predicho que el imperio de Príamo no podía ser destruido mientras viviese el temible Héctor. Durante la retirada de Aquiles, llevó el incendio hasta las naves enemigas y mató a Patroclo que quiso oponerse a sus progresos. El deseo de venganza llamó a Aquiles al combate. A la vista de este terrible guerrero, Hécuba y Príamo tiemblan por su hijo y le suplican que evite el combate: pero el héroe troyano se muestra inexorable, y movido por el destino, espera a su rival. Apolo le abandona. Minerva, bajo la figura de su hermano Deifobo, lo engaña y ofrece a la muerte. Aquiles le quita la vida, lo entrega al cobarde furor de los griegos, ata a su carro el cadáver del vencido, y lo arrastra indignamente muchas veces alrededor de la ciudad. Al fin, Apolo echa en cara a los dioses su injusticia. Júpiter encarga a Tetis que disponga a Aquiles para que entregue el cuerpo, y a Iris que mande a Príamo que le traiga ricos dones capaces de apaciguar su cólera. Príamo, suplicante, viene a besar la sangrienta mano del matador de su hijo y a humillarse a sus pies. El héroe griego devuelve el cuerpo del valiente vencido; y Apolo, que lo ha protegido en vida, toma, a instancia de Venus, el mismo cuidado de él después de su muerte, e impide que sea desfigurado por los malos tratos de Aquiles. *Filostrato* dice que los troyanos, después de haber vuelto a edificar su ciudad, dieron a este héroe los honores divinos. Sus medallas lo muestran montado sobre un carro tirado por dos caballos, teniendo una pica en una mano, y en la otra el paladio. *Ilíada. 6, etc. Eneida. 1, Met. 12, Dict. Cret. Dares Frig. Hig. f. 90, 112, Paus. 3, 9, c. 18. Quinto. 1, 3.*

HÉCUBA. Hija según *Homero* de Dimas, o de Ciseo, rey de Tracia, según *Eurípides* y *Virgilio*, y hermana de Teano; sacerdotisa de Apolo y esposa de Príamo, del cual tuvo varios hijos, que murieron casi todos a la vista de su madre durante el sitio de Troya. Los autores discrepan en el número total de hijos que Hécuba dio a Príamo; unos hablan de catorce, diecinueve y hasta cincuenta. Héctor, el primogénito, Paris; por sobrenombre Alejandro, el segundo; luego cuatro hijas: Créusa, Laodicea, Polixena y Casandra (considerada a veces como hermana gemela de Troilo o de Heleno), De nuevo hijos: Deifobo, Heleno, Pamón, Polites, Antifo, Hipónoo, Polidoro, Troilo y se le atribuye también Polidamante. Hécuba sólo se libró de la muerte por convertirse en esclava del vencedor. Se la buscó por mucho tiempo sin hallarla; pero por fin Ulises la sorprendió entre los sepulcros de sus hijos y la hizo su esclava: destino que fue para ella el colmo del infortunio, porque había visto a este príncipe arrojarse a sus plantas, cuando sorprendido en Troya disfrazado de espía, le suplicó que le librase de una muerte cierta. Antes de partir se tragó las cenizas de Héctor para sustraerlas a sus enemigos y vio perecer a Astianax, su nieto, cuyos funerales debía realizar. Llevada al palacio de Polimnestor, rey de Tracia, Príamo había confiado a Polidoro, el segundo más joven de sus hijos, sus grandes tesoros. Hécuba encontró el cuerpo de su hijo sobre una ribera, en el palacio del monarca tracio que era el asesino, le atrajo en medio de las mujeres troyanas, quienes le quitaron los ojos con sus palillos y agujas, mientras que Hécuba mató por sí misma los dos hijos del rey. Los centinelas y el pueblo furioso persiguieron a las troyanas a pedradas. Hécuba esquivó con rabia las piedras que se le lanzaron y, transformada en perro, llenó Tracia de ladridos que movieron a compasión no solamente a los griegos, sino a la misma Juno, la más cruel enemiga de los troyanos. En tiempos de *Estrabón* se enseñaba aún en Tracia el lugar de su sepultura, llamada la tumba del perro, ya sea a causa de su metamorfosis, ya por razón de la miseria a que llegó, viéndose encadenada como un perro, dice ella en *Eurípides*, en la puerta de Agamenón. Las tradiciones varían sobre su muerte. *Dictis de Creta* refiere que, siendo Hécuba esclava de Ulises, abandonada por este príncipe que se vio obligado a partir, fue apedreada por su enemigos: todas las apariencias están en que él mismo le dio muerte, pues llegado a Sicilia fue cruelmente atormentado por funestos sueños, hasta el extremo de edificar un altar a Hécuba. *Hig.* (*f.* 111) cree que fue arrojada al mar y que se dio el nombre de Caneum al lugar de su caída. *Eneida. 1, Metam. 13. Sén. Troad. Dict. Cret. 4, 5, Apolod. 3. c. 12.*

HEDIEPES, *el que habla con dulzura.* Epít. de Apolo. R. *hedis*, dulce, *epein* hablar. *Antol.*

HEDÍPOTES, *el que se goza en la bebida dulce.* Epít. de Baco. R. *hedis*, dulce; *poţon*, bebida *Antol.*

HEDÍTROOS, *el que esparce sonidos agradables, o que hace percibir una dulce armonía.* Epít. de Baco y de Apolo. R. *thren*, gritar.

HEFESTINA. Una de las mujeres de Egipto.

HEFESTINO. Sobrenombre de Júpiter. *Sófocles.*

HEFESTOS. Nombre griego de Vulcano, que según *Eusebio*, indicaba la fuerza del fuego. R. *hapto*, apto; *hepha*, yo quemo. (*V.* Efestias.)

HEGÉLEO. Nieto de Hércules e hijo de Tirseno. Introdujo el uso bélico de la trompeta entre los heráclidas y los dorios.

HEGÉMACA, *el que conduce al combate.* Sobrenombre de Diana en Esparta.

HEGÉMONE. Una de las dos gracias de los atenienses. Era también uno de los sobrenombres de Diana. Diana Hegémone,

o conductora, se representaba llevando antorchas; era honrada bajo esta forma, y con este nombre en Arcadia. R. ago, conducir. *Paus.*

HEGEMONÍAS. Fiestas arcadias celebradas en honor de Diana.

HEGESÍSTRATO. Efesio que, habiendo consultado el oráculo sobre el lugar donde debía fijar su residencia, recibió por respuesta que debía establecerse en el lugar en que viese danzar aldeanos con ramos de olivo en la mano. Encontró lo que quería el oráculo en Asia, fijó allí su residencia y fundó en el mismo lugar la ciudad de Elea.

HEGETORIA. Ninfa de la isla de Rodas casada con Oquino, del cual tuvo a Cidipa, llamada después Cirbia. *Diod. Sic.*

HÉGIRA, (*Mit. mah.*) *fuga.* Fecha en que empiezan a contar sus años los musulmanes. En el año de la era cristiana 622, en la noche del 15 al 16 de julio, Mahoma, llegando a ser sospechoso a los magistrados de La Meca, y temiendo ser arrestado huyó y se retiró a Medina, otra ciudad de la Arabia feliz a ochenta y ocho leguas de La Meca. Esta fuga fue trascendental. Los escritores árabes la acompañan de una infinidad de maravillas. He aquí las más singulares: «Habiendo sabido Mahoma, dicen, por medio del ángel Gabriel, que algunos habitantes de La Meca debían asesinarle aquella noche, obligó a su primo Alí, hijo de Abutaled, a que ocupase su lugar en la cama, asegurándole que no le sucedería ningún daño. El generoso Alí se acostó sin replicar. Entonces Mahoma, abriendo la puerta, vio la gente enviada para prenderle sepultada en un profundo sueño; pasó en medio de ellos y, tomando un puñado de polvo, lo dispersó sobre sus cabezas recitando estas palabras del *Alcorán: Les hemos cubierto de polvo, y no pudieron ver.* Estaba ya en seguridad, cuando despertando los conjuradores, uno de ellos miró por la hendidura de la puerta y vio a Alí, a quien tomó por el Profeta, acostado y durmiendo tranquilamente. Habiendo esperado hasta el día, forzaron la puerta; quedaron en extremo admirados de no encontrar el que buscaban. Preguntaron a Alí que se había hecho de su primo; y como respondiese que nada sabía, le dejaron para perseguir a Mahoma. El Apóstol había ido a encontrar a Abuberk su tío; y habiéndole presentado los peligros a que se exponía permaneciendo en La Meca, le había convencido para que le acompañase. Ambos se apresuraron a dejar la ciudad y después de una hora de camino llegaron a la caverna de Tur, donde habían dado cita a algunos de sus más íntimos amigos, y permanecieron allí tres días ocultos.

Entretanto, se había esparcido de tal modo por La Meca el rumor de la evasión de Mahoma, que se habían enviado un gran número de espías por todas las cercanías. Una de las tropas que recorrían el terreno se acercó a la caverna. Abubekf, al oír el ruido de los hombres y los caballos, se llenó de terror; pero el profeta le reanimó con estas palabras: *No debéis entristeceros porque está Dios con nosotros.* Los batidores llegaron a la entrada de la caverna. Cuando quisieron examinarla vieron dos palomas que habían hecho su nido y empollado dos huevos, y además repararon que una araña había hecho una tela que cubría todo el paso. A esta observación hicieron este pensamiento: *Si alguno hubiese entrado en esta caverna, hubiera roto infaliblemente los huevos de la paloma y hecho pedazos la telaraña*; lo que les determinó a retirarse. Mahoma, después de haber recibido algunas provisiones de sus amigos, prosiguió su camino. Los koraschitas habían prometido cien camellos al que se lo llevase vivo o muerto, y cierto Soraka fue el más feliz de todos los que el cebo de la recompensa había excitado a perseguirle. Supo por medio de flechas adivinatorias el camino que había tomado el profeta y no tardó en juntarse con él. Abubekr, al verle, exclamó, creyéndose perdido: *¡Oh apóstol de Dios! el perseguidor nos alcanza.* Mahoma le repitió las palabras que había dicho en la caverna. En seguida volviéndose hacia Soraka le llamó por su nombre, y al mismo tiempo, habiendo tropezado el caballo de Soraka con la pata delantera, cayó e hizo caer a su dueño: de este modo el fugitivo tuvo tiempo para alejarse. Levantándose

Soraka, tentó por segunda vez la suerte y empezó de nuevo y con más ardor a perseguir al profeta; y cuando ya le daba alcance, Mahoma hizo esta pequeña oración: *¡Oh Dios!. Detén este hombre del modo que te sea más agradable!* Al instante, doblando las piernas el caballo de su enemigo, echó por tierra a su jinete. Entonces reconoció Soraka que Dios se oponía a sus designios y que el Profeta era un santo. Se arrojó a sus pies, le pidió un escrito para servirle de salvaguardia y le dejó proseguir el camino con todos los suyos». Como los años islámicos son lunares, resultan unos once días más cortos que los de la Era Cristiana. Para reducir una fecha de la Era Mahometana a la Cristiana basta con multiplicarla por 0,970224 y añadir 621,5774. El número entero indicará el año y el decimal, multiplicado por 365, el día aproximado.

HEGRIN. Angel que había inventado el heresiarca Hermas, y que decía presidir a las bestias.

HEIA. Nombre que dan al Ser Supremo los tártaros-samoideos.

HEIL. (*Mit. celt.*) Idolo de los antiguos sajones en Inglaterra. Era honrado en las orillas del Fromo, o Dorsetshire.

HELACATAS. Jóven amado de Hércules.

HELACATEAS. Fiestas lacedemonias en honor de Helacatas.

HÉLADE. (*V.* Hellas.)

HELAGÁBALO. (*V.* Elagábalo.)

HELANO. Lago dedicado a la luna en el Gevandán. R. *helane*, resplandor. (*V.* Lago.)

HELAS. Uno de los hijos de Perseo y Andrómeda.

HELE. (*V.* Helle)

HELEINE. Reina de los adiabenites, cuyo sepulcro no podía abrirse y cerrarse sino en ciertos días del año. En cualquier otro tiempo se hubiera echado todo a perder antes de abrirse. *Paus.*

HELEN. (*V.* Hellen)

HELENA. 1 — Isla del mar Egeo, donde, según la tradición, Paris había obtenido los primeros favores de Helena y edificado un templo.

2 — Princesa célebre por su hermosu-

ra, hija de Júpiter y Leda, mujer de Tindáreo y hermana de Clitemnestra, de Cástor y de Pólux. Varios la han querido suponer hija de Júpiter y Némesis y que Leda era tan sólo su nodriza: otros, ciñéndose a lo que manifestó *Ateneo* la han hecho nacer de un huevo que cayó del cielo de la Luna, en el seno de Leda (*V.* Leda, Némesis.) Se extendió tanto la fama de su hermosura, que Teseo, movido de una pasión violenta, la robó del templo de Diana mientras estaba danzando y la llevó a Epiro, donde la dejó encinta al cuidado de Etra, su madre. Libertada Helena por sus hermanos, fue conducida a Esparta y allí parió una hija, cuya educación confió a Clitemnestra (*Paus. 3. c. 19. etc.*) Lejos esta aventura de perjudicar a Helena, no impidió que solicitasen su mano los jóvenes príncipes de Grecia. Los más célebres de sus pretendientes eran Ulises, hijo de Laertes; Antíloco, hijo de Néstor; Esténelo, hijo de Capaneo; Diómedes, hijo de Tídeo; Anfíloco, hijo de Cteáto; Magnes, hijo de Fileo; Agapenor, hijo de Anceo; Talpio, hijo de Eurito; Mnesteo, hijo de Péteo; Esquedío, hijo de Epístrofo; Políxeno, hijo de Agastenes, Anfíloco, hijo de Anfíarao; Ascálafo y Yalmo, hijos de Marte; Ayax, hijo de Oiléo; Eumelo, hijo de Admeto; Poliperto, hijo de Piritoo; Elefanor, hijo de Calcodón; Podaliro y Macaón, hijos de Esculapio; Leonteo, hijo de Corono; Filocleto, hijo de Pean; Protesilao, hijo de Ifíclo; Eurípides, hijo de Evemón; Ayax y Teucro, hijos de Telamón, Patroclo, hijo de Menetio; Menelao hijo de Atreo; Toas (Toante), Idomeneo y Merión. Tindáreo, su padre, viéndola pretendida de tan gran número de príncipes y temiendo que el preferido tendría muchísimos contrarios, siguió el consejo de Ulises, exigiendo de todos los príncipes el juramento de que cuando hubiese recaído la elección en uno de ellos se reunirían los demás para defenderle del que intentase disputarle la mano de su hija. Entonces se decidió Helena en favor de Menelao. Los primeros días de este enlace fueron felices, pero habiendo tenido que ausentarse Menelao, Paris que había venido a Grecia con el pretexto de rendir un sacrificio a Apolo

Dafueo, aprovechó la ocasión, se hizo amar por Helena, la robó y atrajo a su patria aquella guerra sangrienta y desoladora que constituye el argumento de la *Ilíada.* Parece que *Homero* se esfuerza en justificar a Helena de esta manera, insinuando que había sido sorprendida por Paris (*Odis. 23*); lo que pretenden explicar sus comentadores, diciendo que Paris no pudo vencer la indiferencia de Helena hasta que Venus para favorecerle le hubo dado los rasgos y la semejanza de Menelao; que entonces engañada la hija de Tíndareo, no opuso dificultad en seguir a Paris y que no descubrió su error hasta que estuvo en alta mar.

Acaeció la destrucción de Troya y Helena, que después de la muerte de Paris había casado con Deifobo, cometió la villanía de ponerle en manos de su primer esposo. Sin embargo, Menelao se reconcilió con ella y la condujo a Esparta, lo que prueba que su pasión no se había extinguido. *Eurípides* refiere este lance con más verosimilitud, pinta con mejores coloridos el comportamiento de Menelao, bien que supone que la espada se le cae de la mano en el momento que vuelve a ver la encantadora belleza. Después de la muerte de Menelao, Megapentes y Nicostrato, hijos naturales de Helena arrojaron de sí a su madre y la obligaron a retirarse a Rodas, donde Polixo la mandó prender. *Ilíada passim Eneida. 1, 6, 7, Apolod. 5, c. 13, etc. Hig. f. 77, Herod. 2, c. 12, Plut. in Thes. Dict. Cret. 1, Quint. 10, 13, Odis. 4, 15,* (*V.* Dendritis, Polixo.)

*Herodoto* y *Eurípides* han seguido una tradición algo diferente. El primero supone que Paris abordó con su conquista en la costa de Egipto; Proteo le arrojó de sus estados reteniendo a Helena con todas sus riquezas, para restituirla a su legítimo posesor. Mientras tanto los griegos antes de romper las hostilidades, reclaman a Helena por medio de embajadores. Los troyanos contestan que se halla en Egipto: los griegos toman esta respuesta por un insulto, pero después del asedio se convencen de la verdad y Menelao se traslada a Memfis, donde recobra a su esposa. Eurípides nos la presenta virtuosa. Según parece, ésta es un fantasma que Juno ha supuesto, irritada de ver que Venus había ganado el premio de la hermosura. La verdadera Helena, arrebatada por ella mientras estaba cogiendo rosas, es transportada a la isla de Faros. Cuando después de la ruina de Troya, la tempestad arroja a Menelao a Egipto, el fantasma desaparece, dando un testimonio evidente de la inocencia de Helena. Menelao se rinde a la autoridad del milagro y vuelve conducir a Esparta a su buena esposa. Otros autores antiguos suponen que Helena prefirió a Paris entre todos los príncipes griegos que solicitaron su mano, y que Menelao irritado levantó un ejército contra Troya. Según otros, Teseo fue el que la robó y la condujo a Egipto, donde rogó a Proteo que la guardase hasta su vuelta, pero habiéndola pedido Menelao, Proteo se la entregó. Están discordes los escritores sobre el número de hijos que tuvo Helena, los unos suponen cuatro de Menelao y uno de Aquiles; los otros no le dan más que dos hijas, Hermione, que lo fue de Menelao, y Helena, de Paris.

3 — Joven lacedemonia. «Habiendo mandando un oráculo, dice *Plutarco*, a los lacedemonios afligidos por la peste, que sacrificasen una virgen, y recayendo la suerte en Helena, un águila arrebató el cuchillo y lo dejó sobre la cabeza de una becerra que fue inmolada en su lugar.»

4 — Hija de Paris y Helena, muerta por Hécuba después de la toma de Troya.

5 — Hija de Egisto y Clitemnestra; muerta por Orestes.

6— Hija de Epidamnio, la cual sirvió en los amores de Venus y Adonis, y fue honrada por los epidamnios bajo el nombre de Venus.

7—Hija de Titiro, pereció en singular combate contra Aquiles.

8 — O Selena. Natural de Tiro y concubina de Simón el mago, quien la suponía bajada del cielo, donde había criado a los ángeles que la habían retenido. Esta era la misma Helena que había causado la guerra de Troya, o mejor, que esta guerra no era más que la relación alegórica de otra guerra encendida por su hermosura entre los ángeles que habían creado el mundo, y que se habían matado entre sí, sin haber sufrido Helena ningún mal.

HELENEION. Planta que nació, según Plínio, de las lágrimas de Helena, cerca de la encina donde fue colgada, que tenía la virtud de embellecer las mujeres y de volver placenteros a los que la mezclaban con el vino.

HELENIAS. Fiestas lacedemonias en honor de Helena. Celebrábanla las jóvenes montadas sobre mulas, o sobre carros formados de cañas entrelazadas.

HELENO. 1 — Hijo de Príamo y Hécuba, el más esclarecido de los adivinos de este príncipe que sobrevivió a la ruina de su patria. Instruido por Casandra, su hermana, en el arte de la adivinación, precedía lo venidero por medio de la trípode, por el laurel arrojado al fuego, por el conocimiento de los astros y, en fin, por la inspección del vuelo de las aves e inteligencia de su lenguaje. Hacia final del sitio de Troya, airado Heleno por no haber podido obtener a Helena en casamiento, se retiró al monte Ida, donde Ulises, avisado por Calcante, le sorprendió de noche y lo llevó prisionero al campo de los griegos. Entre otros oráculos, Heleno les profetizó que no destruirían jamás la ciudad de Troya si no encontraban medio de empeñar a Filoctetes a dejar su isla y venir al sitio. Hecho esclavo de Pirro, hijo de Aquiles, supo ganar su amistad por medio de predicciones felices para el príncipe. Por ejemplo, le libró de una navegación en la cual, como le había predicho, murieron todos los que la emprendieron. Pirro, en reconocimiento, no sólo cedió a Heleno la viuda de Héctor, sino que le nombró por sucesor suyo en el reino de Epiro. En efecto este príncipe troyano subió al trono de Aquiles; y Moloso hijo natural de Pirro, no reinó hasta después de la muerte de Heleno, y aun dividiendo sus estados con el hijo de éste. *Eneida. 3, Ilíada. 6, Paus. 1, c. 11; l. 2, c. 33, Met. 13, 15.*

2—Rútulo, muerto por el joven Palas. *Eneida. 10.*

HELENOR. Hijo del rey de Meonia y de una esclava llamada Licimnia: su madre le había enviado al sitio de Troya contra las leyes de la milicia, y después siguió a Eneas a Italia. *Eneida. 9.*

HELENOS. Nombre genérico de los griegos y posterior a Homero (s. VIII a. C).

HELIACAS. Fiestas y sacrificios en honor del Sol, cuyo culto pasó de Persia a Capadocia, a Grecia y Roma. *Ant. Expl. t. 2.* (*V.* Mitras, Mitríacos.)

HELÍADAS. 1 — Hijas del Sol y Clímene y hermanas de Faetón. Llamábanse Lampetia, Faetusa y Febe. La muerte de su hermano les causó tan vivo dolor que lo lloraron cuatro meses seguidos. Los dioses las transformaron en álamos, y sus lágrimas en gotas de ámbar. *Met. 2, Hig. f. 154.*

2 — Hijos de Helio, rey de la isla de Rodas, o del Sol y la ninfa Rodo o Rodas. Cuando llegaron a la edad viril, el Sol les predijo que Minerva habitaría entre los primeros pueblos que hiciesen sacrificios en su honor. Los helíades, por demasiada precipitación, olvidaron traer fuego antes que la víctima, al lugar en que Cécrope, rey de Atenas, instruido del oráculo, dispuso mejor el sacrificio que él hacía por su parte. Los helíades se distinguieron por sus conocimientos en la astronomía, redujeron a ciencia la navegación y dividieron el año en estaciones. Después de haber hecho perecer al más hábil de ellos, se dispersaron. Los que no habían tenido parte en el asesinato de su hermano permanecieron en la isla y edificaron la ciudad de Acaia. *Diod. Sic. 5.* (*V.* Ochimo.)

HELICAÓN. Hijo de Antenor y esposo de Laodice, hija de Príamo. Herido en un combate nocturno, fue reconocido y salvado por Ulises. *Ilíada. 2.*

HÉLICE. 1 — Ciudad de Acaia donde Neptuno tenía un célebre templo. Habiendo los habitantes degollado contra su promesa a algunos suplicantes que se habían refugiado en él, se manifestó la cólera del dios con un terremoto que destruyó la ciudad, sin dejar de ella el menor vestigio.

2 — (*V.* Calisto) Le fue dado este sobrenombre después de colocado en el cielo, porque la constelación de la Osa Mayor gira alrededor del polo, sin ponerse jamás. R. *eilein*, girar.

3 — Hija de Selino, casada con Ión. *Paus. 7. c. 25.*

4 — Danaide.

5 — Hija de Oleno, ninfa que junto con su hermana cuidó de la infancia de Júpiter, y a la cual puso este dios entre las constelaciones, siendo la Osa Mayor que servía de guía a los griegos en su viaje. Según algunos autores dio nombre a la ciudad de Hélice, en el Peloponeso. Según otros fue quien quiso llamarla con el nombre de su mujer, Hélice 3.

HELICRISA. Ninfa que dio su nombre a la planta Helicrisa, porque fue la primera que la cogió.

HELICOBLEFAROS, *cuyos párpados se mueven.* Epíteto de Venus. Etim. *helikos*, el que gira; *blefaron*, párpado.

HELICÓN. 1 — Río de Macedonia que, después de haber desaparecido, volvía ha aparecer veintidós estadios más lejos, bajo el nombre de Baphiro. Los habitantes de Dium decían que en otro tiempo conservaba su alveo sin mudar de nombre, desde su origen hasta su desembocadura pero, habiendo querido purificarse en sus aguas las mujeres que mataron a Orfeo, se ocultó debajo de tierra a fin de no servir para aquél uso. *Paus. 9; c. 30. Ptol. 3.*

2 — Monte de Beocia, consagrado a las musas por Efialtes y Oto, que fueron los primeros en este monte entre el Parnaso y el Citerón. Se veía en él un templo consagrado a estas diosas, la fuente de Hipocrene, la caverna de las ninfas Libétridas, el sepulcro de Orfeo y las estatuas de los principales dioses, hechas por los más hábiles escultores de Grecia. Los tespios celebraban en el bosque sagrado una fiesta anual en honor de las musas, y otra en honor de Cupido. *Met. 2, Paus. 9, c. 22. Estrab. 8.*

HELICONIADAS. Sobrenombre de las Musas, tomado del monte Helicón, donde moraban. *Banier, 4.*

HELICONIO. 1 — Sobrenombre de Neptuno adorado en Hélice.

2 — De Júpiter.

HELICTA. Danaide.

HELICUS. Hijo de Licaón, que dio su nombre a la ciudad de Hélica, en el Peloponeso. *Est. de Bizancio.*

HELIE. Una de las helíadas.

HELIMO. Uno de los centauros muerto en las bodas de Piritoo. *Met. 12.*

HELIOGÁBALO. (*V.* Elagábalo.)

HELIOGNÓSTICOS. Secta judía que reconocía al Sol por Dios. R. *helios*, sol; *gnoein*, conocer.

HELIÓPOLIS, *ciudad del Sol.* (*Mit. sir.*) 1 — Ciudad de Siria, célebre por el culto del Sol y el de Venus, en cuyo templo las jóvenes se prostituían con los extranjeros.

2 — *Mit. egip..* Antigua ciudad de Egipto, cuyas ruinas se hallan al este del nuevo Cairo. El sol tenía en ella un templo famoso, fundado por Actis, el cuarto de los Helíacos, en el cual un espejo reflejaba todo el día los rayos solares, de modo que iluminaba a todos. Había en este templo un famoso oráculo, dice *Macrobio.* Cuando Trajano hubo formado el designio de atacar a los partos, se le rogó que consultase el oráculo de Heliópolis, para lo cual no se necesitaba más que enviar un billete cerrado. Trajano, que no se fiaba mucho de los oráculos, quiso antes probarlo. Envía un segundo billete cerrado con el cual preguntaba al dios si volvería a Roma después de haber terminado la guerra que emprendía. El dios mandó que se tomase una cepa, que era una ofrenda de su templo, se cortase en pedazos y se enviase a Trajano. El suceso, dice *Macrobio,* fue del todo conforme a este oráculo, porque Trajano murió en esta guerra y se llevaron a Roma sus huesos significados por los pedazos de la cepa. Esta respuesta alegórica era tan general, dice *Fontenelle,* que no podía dejar de ser verdadera, pues la cepa rota convenía a todos los casos en que pudiese encontrarse, y sin duda que los huesos del emperador, llevados a Roma, sobre los cuales se hizo caer la explicación del oráculo, fue la única cosa que éste no había previsto. Además de las respuestas por billetes que daba el dios de Heliópolis, sabía explicarse por signos, ya meneando la cabeza, ya señalando con la mano el camino que quería seguir, pero entonces exigía ser llevado por las personas más notables de la provincia, que hubiesen vivido en continencia desde mucho tiempo antes y que se hubiesen hecho afeitar la cabeza. *Plin. 36, c. 26, Estrab. 17, Diod. 1.*

HELIÓPOLITE. Uno de los sobrenombres de Júpiter.

HELIOS. 1 — Nombre mitríaco. *Ant. expl. t. 2.*

2 — O Helius. Hijo de Hiperión y Basilea o Tía, ahogado en el Evidán por los titanes, sus tíos, según *Diodoro.* Basilea, buscando en lo largo del río el cuerpo de su hijo, se durmió cansada y vio en sueños a Helios, que le dijo que no se afligiese por su muerte, que era admitido en el número de los dioses, y que lo que hasta entonces se llamaba en el cielo fuego sagrado, se llamaría en adelante Helius o el Sol. Su esposa divina es Perseis, hija del Océano y Tetis. Le dio varios hijos: Circe, la maga; Eetes, rey de Cólquida, Pasifae, esposa de Minos, y un hijo, Perses, que destronó a su hermano, Eetes, y fue muerto por su sobrina Medea.

3 — Enamorado de Rodas, secó la isla que después llevó su nombre, siendo Helios el que se lo dio, para honrar a su amante. En consecuencia de esta fábula, la isla fue consagrada al Sol y sus habitantes, que se llamaban antoctones, o descendientes de los helíades, se dedicaron con mayor esmero a su culto. *Diod. Sic.*

4 — Hijo de Perseo que dio su nombre a la ciudad de Helios, en Laconia,

HELIOTES. Nombre que da *Luciano* a las tropas fabulosas del Sol.

HELIOTROPO. 1 — Flor que, se dice, sigue el curso del sol. R. *trepein*, girar. (*V.* Clitia.)

2 — Piedra preciosa verde y manchada, o con venas de encarnado, a la cual han atribuido los antiguos un gran número de virtudes fabulosas. *Plinio* dice que recibió este nombre porque, si se echa en una nave llena de agua, los rayos del sol que caen allí parecen de color de sangre, y que fuera del agua representaba al sol, y sirve para observar los eclipses de este astro. Según otros tenía la virtud de hacer invisibles a los que la llevaban.

HELITOMENOS (*Mit. egip.*) Uno de los gemelos que tuvo Isis de su relación con Osiris, después de su muerte. El otro era Harpócrates, que nació deforme.

HELOPS. Uno de los centauros muertos por Piritoo. *Met. 12.*

HELORIOS. Juegos en Sicilia, en las orillas del río Helorus.

HELOS. 1—Ciudad cuyos habitantes fueron al sitio de Troya. Había tomado su nombre de Helio, el más joven de los hijos de Perseo, que había venido a establecerse en ella. *Ilíada. 2.*

2 — Sobrenombre bajo el cual Ceres tenía un templo a cinco estadios de Helos, y en él tan sólo podían entrar las mujeres.

HELVETIA. Vestal muerta por un rayo bajo el reinado de Trajano.

HELVÉTICO. 1 — Hijo de Ervetón, y hermano de Seguano y Allobrox, tronco de la nación helvética, según las crónicas fabulosas del país y cuyos descendientes, recoge César en la *Guerra de las Galias*, son los helvéticos, secuanos, alóbroges.

2 — Hijo de Hércules, hermano de Norico, Hanno y Boio.

HELICE. Muerto por Perseo en el combate que se siguió a su casamiento con Andrómeda. *Met. 5.*

HELIMO y PANOPES. Dos cazadores de la corte de Acesto, rey de Sicilia. *Eneida. 5.*

HELLA, o Silla. Lugar del oráculo de Júpiter en Dodona. Es muy verosímil que la fértil comarca, que *Hesíodo* llama *Heliopia*, no era otra cosa que las tierras de las cercanías del oráculo, o dependientes de su silla.

HELLANÓDICOS. Oficiales que presidían los juegos sagrados del Olímpo, instituidos al principio del restablecimiento de estos juegos por Ifito. Su encargo era presidir los juegos, dar advertencias a los atletas antes de admitirlos en ellos; hacerles enseguida prestar juramento de que observarían las leyes usadas en estos juegos, excluir a los combatientes que faltaban a la cita general y, sobre todo, distribuir los premios. Muchas veces apelaban para las decisiones al senado del Olímpo, y en tiempo de los emperadores al *agonoteto* o superintendente de los juegos. Entraban al anfiteatro antes de salir el sol, y una de sus funciones era también impedir que las estatuas erigidas a los atletas no sobrepasasen la estatura natural, por miedo de que

el pueblo, que no estaba muy lejos de tributar a sus atletas los honores divinos, no se apresurase a ponerlos en el número de los dioses, viendo sus estatuas de una talla más que humana. *Paus.* (V. Atletas.)

HELLAS. Comarca de Grecia, o la misma Grecia, que comprendía la Arcanania, Etolia, Dórida, Lócrida, Fócida, Beocia, Atica y la Megárida. *Plin. 4, c. 7, Estrab. 8, Mela. 2, c. 3. Paus. 2, c. 20.*

HELLE. Hija de Atamante, rey de Tebas, y Nefele, que huyendo de la ira de su madrastra con su hermano Frixo osó confiarse a las olas del mar sobre un carnero cuyo vello era de oro, para pasar a la Cólquida por el estrecho que separa Tracia de Tróada, pero asustada por la grandeza del peligro, cayó, e hizo con su muerte célebre este estrecho. *Diodoro* dice simplemente que, asolando el hambre a Tebas, el oráculo mandó sacrificar los hijos de Nefele; y Frixo se escapó con su hermana, que se dejó caer al mar y se ahogó, o según otros murió de cansancio en la travesía. *Ov.* (V. Frixo.) Otra leyenda dice que no se ahogó, sino que fue salvada por Neptuno, el cuál se enamoró de ella y la hizo madre de Peón, Edono y Almope.

HELLEN. 1 — Hijo de Deucalión y Pirra, rey de Ptía, en Tesalia que dio el nombre de helenos a sus súbditos. Los demás griegos no lo tomaron hasta el empezar las Olimpiadas. (V. Helenos.)

2 — Hijo de Pitio y Crisipa, que dio su nombre a la ciudad de Hellas en Teslia. *Estrab.*

HELLENIO. Sobrenombre de Júpiter.

HELLESPONTÍACO. Sobrenombre de Príapo, porque Lamsaca, donde había nacido, estaba situada en las orillas del Hellesponto.

HELLESPÓNTICA. Sibila que nació en la campaña de Troya y se dice que vivía en tiempo de Ciro y Solón. *Rosin. Ant. Rom.*

HELLESPONTO. Estrecho entre la Propóntida y el mar Egéo, llamada así de Helle, que se ahogó en él. *Geórg. 3, Herod. 7, c. 32, Mela. 1, c. 1, Ptol. 5, c. 2, Met. 13.*

HELLOPES. Pueblo que formaba parte de los perrebos epírotes, y del cual se sacaban los ministros de Júpiter en Dodona.

HELLOPIA. Nombre que da Hesíodo a una comarca de Dodona.

HELLOTES, o HELLÓTIDA. Sobrenombre de la Minerva de Corinto. Habiendo los dorios dado fuego a esta ciudad, Hellotes sacerdotisa de Minerva se refugió en el templo de la diosa y fue quemada en él. Algún tiempo después, una violenta peste desoló todo el país; se recurrió al oráculo, quien declaró que para hacer cesar la plaga era menester apaciguar los manes de la sacerdotisa y levantar de nuevo el templo. Reedificáronse pues los altares y el templo, y se consagró a Minerva Hellótida, a fin de honrar a un mismo tiempo a Minerva y a su sacerdotisa.

HELLOTIAS. Los cretenses honraban a Europa con el nombre de Hellotes, y le habían consagrado unas fiestas llamadas Hellotias. Llevaban en ellas una corona de mirto de veinte codos de circunferencia, llamada Hellotis, con una gran caja que encerraba algunos huesos de Europa.

HEMERESIA, *propicia.* Sobrenombre de Diana adorada en Luses, y llamada así porque Melampo sanó en esta ciudad las Prétides furiosas.

HEMEROBAPTISTAS. Sectarios judíos, llamados así porque se lavaban y bañaban todos los días y en cualquier estación del año. Sobre los demás puntos de religión, pensaban con poca diferencia como los escribas y los fariseos; pero negaban, como los saduceos, la resurrección de los muertos.

HEMIARITES. (*Mit. mah.*) Nombre de una secta entre los partidarios de Alí.

HEMITEA. 1 — Hija de Cieno y Proclea, y hermana de Tenes, unido a su hermano no quiso abandonarlo cuando su padre lo expuso en el mar. Arrojados ambos por los vientos sobre la costa de Ténedos, permanecieron allí tranquilos, hasta que Aquiles, enamorado de Hemitea, tentó violarla. Tenes murió defendiendo a su hermana. Hemitea imploró el socorro de los dioses, quienes hicieron que la tierra la tragase. *Paus. 10, c. 14, Diod. 4.*

2 — Divinidad de Castalia, ciudad de Caria, donde era tenida en singular veneración. Venía la gente de muy lejos a hacer sacrificios en su templo y a ofrecer ricos presentes, porque se creía que todos los enfermos que dormían en él se encontraban sanos al despertar, y que muchos habían sanado de males incurables. Se decía también que presidía los partos difíciles y peligrosos, y que las que recurrían a ella encontraban siempre consuelo. La opinión sobre su poder era tan grande, no sólo entre los habitantes de Castalia, sino en toda Asia Menor, que su templo, que encerraba grandes riquezas, a pesar de hallarse sin muros y sin guardas, fue siempre respetado por los persas, que saquearon todos los demás templos de Grecia y para cuyos bandidos nada había sagrado. Hemitea, sin embargo no disfrutaba más que del título de semidiosa y es la única de que hablan los mitologistas. Su primer nombre era Molpadia. Apolo la había salvado en el momento en que se arrojaba al mar para huir de la cólera de su padre. Se le hacían ofrendas de vino con miel y no era permitido entrar en su templo después de haber comido, o tocado tocino. *Diod. Sic.*

HEMÓN. 1 — Hijo de Creonte, rey de Tebas, amante de Antígona, hija de Edipo, que habiendo sabido que su padre había condenado a muerte a esta princesa, por odio a Polinice, a quien había dado los honores divinos, a pesar de haberlo prohibido, se arrojó a los pies de su padre para pedirle la revocación de esta orden bárbara, pero no habiendo podido obtener lo que pedía, se atravesó el cuerpo con su propia espada sobre el cadáver de Antígona.

A veces se contaba que Hemón y Antígona habían tenido un hijo: Meón. Otra tradición refiere que, como hijo de Creonte, Hemón había sido devorado por la Esfinge y Creonte, para vengar su muerte, había prometido su reino a quien librase a Tebas del monstruo.

2 — Hijo de Toante, padre de Oxilo.

3 — Héroe fundador de *Hemonia*, antiguo nombre de Tesalia, hijo de Licaón y padre de Tésalo, quien dio al país su nombre.

4 — Hijo de Licaón, fundador de la ciudad acadia del mismo nombre.

5 — Nieto de Cadmo e hijo de Polidoro. Huyó a Atenas por haber dado muerte en

una cacería a uno de sus compañeros. Sus descendientes emigraron a Rodas y después a Sicilia (Agrigento). Se decía que el tirano Terón descendía de él.

6 — Capitán dependiente de Néstor en el sitio de Troya.

7 — Capitán latino, que atacó a Pándaro y Bitias. *Eneida. l. 9*.

8 — Príncipe licio, que siguió a Eneas a Italia y se distinguió en los combates contra los latinos. *Eneida. 10*.

HEMONIO. Padre de Amaltea.

HEMPHTA. (*Mit. Egip.*) Nombre que los antiguos egipcios daban al Júpiter de los griegos y latinos. Este nombre se encuentra en el *Pimandro*, de Trismegisto.

HEMUS, EMO o Eno. 1 — Hijo de Boreas y Oritia, esposo de Ródope, y rey de Tracia; fue transformado en monte con su mujer, por haberse querido hacer adorar con ella bajo los nombres de Júpiter y Juno. En la cima de este monte colocan los poetas al dios Marte, cuando examina en que lugar de la tierra ha de ejercer su furor. *Estrab. 7, Plin. 4, c. 11, Met. 6*.

2 — Los romanos llamaban así a las víctimas que inmolaban a Júpiter Fulminante, sin que se sepa la causa de este nombre. *Bartio sobre Estacio. Teb. l. 4. v. 223*.

HENDIDURA DE LA LUNA. (*Mit. mah.*) Uno de los más famosos milagros de Mahoma. Habib, enemigo del pretendido profeta, habiéndole requerido para que se fuese a la llanura de los Guijarros, exigió de él, en prueba de su misión, que dividiese la luna en dos trozos. Todos los habitantes de La Meca y de los lugares vecinos se hallaban presentes. Mahoma elevó su mano hacia el cielo, levantó la voz y le dio Dios bastante fuerza para que fuese oída en La Meca y en todas las aldeas circunvecinas y ordenó a la Luna que viniese a ejecutar las maravillas que le había sido dado obrar en ella. A su orden, el astro, dócil, saltó del cielo y bajó sobre la cima de La Kaaba, e hizo enseguida siete circunferencias tan distintas y tan claras, que los árabes las contaron a su placer una después de otra. Mientras que Mahoma estaba sentado, la Luna estuvo en pie en su presencia, agitándose como

una espada que despide llamas, y pronunció en estilo elegante y florido una salutación que fue oída a una distancia muy grande; después de lo cual entró por la manga derecha del profeta, salió por la izquierda y después volvió a entrar por la misma para salir por la derecha. Luego introduciéndose por el cuello del vestido de Mahoma, bajó hasta el extremo, de donde salió con gran admiración de los espectadores; puesto que Dios había aquel día hecho achicar la Luna. Luego se dividió cerca de él en dos mitades iguales. Una de las dos mitades se remontó hacia oriente y la otra hacia occidente. De esta manera subió al cielo, quedando una parte en oriente y la otra en occidente, hasta que acercándose las dos mitades la una hacia la otra, se juntaron de modo que volviendo a ser la Luna un cuerpo redondo continuó su curso ordinario y se mostró brillante como antes.

HENIOCA o HENIOQUIA, *la que tiene las riendas*. 1 —Sobrenombre de Juno. Los que querían consultar el oráculo de Trofonio estaban obligados a hacer sacrificios a Juno, bajo este nombre. R. *kenia*, rienda; *echo*, yo tengo. *Paus*

2 — Una de las hijas de Creonte que gobernó el reino de Tebas durante la minoria de edad de Laodamante. *Paus*.

HENIOQUE. Hija de Piteo, casó con Caneto, del cual tuvo a Scirón. *Plut*.

HENIOQUIO. Nombre de la constelación llamada también el Cochero. *Banier. t. 8*.

HENIOQUIOS. Pueblos de la Sarmacia asiática, descendientes de Anfito y de Telequio, escuderos de Cástor y Pólux. *Vell. Paterc. 2, c. 40*.

HENIOPEO. Escudero de Héctor muerto por Diómedes.

HENOCH o ENOC. (*Mit. rab.*) Los rabinos creen que trasladado al cielo, fue recibido en el número de los ángeles, y que es conocido bajo el nombre de Metatron y Miguel, uno de los primeros príncipes del cielo, que tiene el registro de los méritos y pecados de los israelitas. Añaden que tuvo por maestros al mismo Dios y a Adán. Los cristianos de Oriente creen que es el Mercurio Trismegisto de los egipcios.

HEPATOSCOPÍA. *Inspección del hígado*. Adivinación por medio de la inspección del hígado de las víctimas en el sacrificio. R. *hepar*, hígado; *scopein*, considerar. *Banier. t. 2.*

HEPIOCHEIR y HEPIOJEIR, *el que tiene la mano suave, o cuya mano suaviza.* Epít. de Apolo. R. *hepios*, dulce. *Antol.*

HEPTAPEJIS, *de siete codos de alto*. Sobrenombre de Aquiles en *Licofrón*. R. *pechys*, codo.

HEPTAPORO. Río, hijo del Océano. *Ilíada. 12.*

HERA, *soberana*. 1 — Nombre griego de Juno. De aquí vienen las palabras *Herœa, Herœum, Heras*, para significar los lugares que le estaban consagrados. También se daba este nombre a Isis y a otras diosas. Se encuentra muy a menudo en las medallas. *Banier, t. 1.* (V. Juno).

2 — Hijo de Neptuno y de Ceres. *Apolod. 3.*

HERACLAMMÓN. Estatua que representaba a la vez a Hércules y a Júpiter Ammón, y reunía los atributos de ambas divinidades.

HERACLEA, HERCULÁNEA. 1 — (Vía,) *Camino de Hércules*. Camino que se creía obra de Hércules, cuando conducía los bueyes de Gerión; Silio *Itálico* lo llama *Herculeum iter*. Se hallaba en Campania, entre el lago Lucrin y el mar.

2 — Ciudad de Fócida, cerca del monte Eta, donde Hércules se quemó.

3 — Ciudad del reino de Ponto en el mar Negro, que tenía en gran veneración a Hércules, a quien consideraba su fundador. Se celebraban en ella los doce trabajos de este héroe. *Paus.*

HERACLEAS. Fiestas lustrales celebradas en Atenas en honor de Hércules. En Sicione la misma fiesta duraba diez días. Lindo, en la isla de Rodas observaba otra, en la cual no se oían más que imprecaciones y palabras de mal agüero, en memoria de que, habiendo robado este héroe los bueyes de un labrador, éste le había dicho muchas injurias de las cuales el héroe se rió; una palabra feliz bastaba para profanar la fiesta. Se celebraba otra semejante en el monte Ela, donde se creía que se hallaba el sepulcro de Hércules. Se decían establecidas por Menetio, rey de Tebas.

HERACLEOS. (*Campos*) Librado Teseo por Hércules de las prisiones del Hades, le consagró todas las tierras que los atenienses le habían regalado, y en lugar de Campos Teseos, les llamó Heracleos, excepto cuatro que se reservó para sí.

HERACLES. Nombre griego de Hércules, o más bien egipcio, según *Herodoto*. R. *kera*, Juno; *kleos*, gloria; como si las persecuciones de Juno hubiesen servido para aumentar la gloria de Hércules.

HERÁCLIDAS. Hijos o descendientes de Hércules. No contento Euristeo, rey de Argos, con ver muerto a este héroe, quiso exterminar hasta los restos de un nombre que le era tan odioso. Persiguió a sus hijos de país en país, y hasta en el seno mismo de a Grecia, esto es en Atenas. Refugiados alrededor de un altar de Júpiter, para contrabalancear a Juno que inspiraba a Euristeo contra Hércules y su prole, los atenienses tomaron su defensa, y Euristeo pereció víctima de la venganza que contra ellos preparaba. Después de su muerte, los Heráclidas se apoderaron del Peloponeso, pero habiendo empezado la peste a asolar su ejército, consultaron el oráculo de Delfos, el cual les respondió que, habiendo entrado demasiado pronto en este país, no podían hacer cesar tal calamidad, sino con una pronta retirada, lo que practicaron al momento. Habiendo vuelto a entrar tres años después, según la interpretación que habían hecho de la respuesta del oráculo, que les había dicho que esperasen el tercer fruto, fueron rechazados por Atreo, y comprendieron entonces que el sentido del oráculo era que esperasen tres generaciones. En efecto, hasta un siglo después que los Heráclidas fueron rechazados del Peloponeso, no intentaron invadirlo y, concluido el término, lo verificaron y se establecieron allí. Bajo las ordenes de un jefe etolio llamado Oxilo se hicieron dueños de Argos, Lacedemonia, Micenas y Corinto. Este restablecimiento que forma una de las principales épocas de la historia helénica, mudó enteramente la faz de Grecia. *Apolod. 2, c. 7. Herod. 9, c, 20.*

*Paus. 1, c. 17, Bell. Paterc. 1, c. 2, Tuc. 1, c. 12, Diod. 1, Arist. de Rep. 7, c. 26.*

**HERACLIO.** Mes bitino que empezaba el 24 de enero y tenía tan sólo 28 días.

**HERACLIUM**, *órgano*. Planta cuyo uso enseñó Hércules. *Plin.*

**HERAS** o **HERAEAS**. Fiestas anuales de Argos Egina y Samos, en honor de Juno. Marchaban hombres armados delante de la diosa, que era llevada sobre un carro tirado por bueyes blancos. Llegada al templo, la procesión, ofrecía allí una hecatombe. Los juegos que acompañaban la fiesta consistían en aterrar un escudo de cobre clavado fuertemente sobre el teatro, por cuyo motivo el lugar se llamaba *Aspis*, escudo. Elis celebraba todos los años una fiesta del mismo nombre, en la cual dieciseis damas nobles estaban encargadas de hacer un vestido para la diosa. En los juegos instituidos por Hipodamia, las jóvenes distribuidas en diferentes clases, según su edad, disputaban el premio de la carrera. Se daba también este nombre a un día de luto que observaban los corintios, en memoria de los hijos de Medea degollados por ellos mismos y enterrados en el templo de Juno Acra. Se pretende que habían empeñado al poeta Eurípides por una cantidad de plata, al representar por primera vez a Medea como autora de esta odiosa mortandad. Pallene celebraba también una fiesta del mismo nombre, en la cual el premio del vencedor era un vestido magnífico. *Tito. Liv. 27, c. 30.*

**HERÆUM** templo y bosque consagrados a Juno, situados entre Argos y Micenas,

**HERALDOS.** 1 — Oficiales públicos cuyo cargo consistía en ofrecer la paz o declarar la guerra; y cuya persona era reputada como sagrada. (*V.* Feciales.)

2 — Otros oficiales que servían en los juegos atléticos para proclamar los estatutos, los nombres de los vencedores y generalmente las ordenes de los hellanódicos. (*V.* Hellanódicos) Estaban consagrados a Mercurio y hacían una parte de sus proclamaciones en verso.

**HERÁTELEO.** Sacrificio que celebraban los antiguos el día de las bodas de Juno. En él se ofrecían a la diosa cabellos de la novia, y una víctima cuya hiel se arrojaba al pie del altar, para indicar que los esposos estarían siempre unidos. R. *teleia*, perfecta: epíteto dado a Juno que preside en las bodas, porque nadie se casa sino en una edad perfecta, esto es, la de la pubertad.

**HERBÁN.** En el romance de *Perceforet* es el dios de la pobreza y de la miseria.

**HERBÍFERA**, *la que produce hierbas*. Uno de los sobrenombres de Ceres.

**HERBIPOTEUS**, *que conoce la virtud de los simples*. Sobrenombre de Circe. *Boef.*

**HERCEUS**, o Hercius. Sobrenombre de Júpiter, cuando se le invocaba para guarda de los muros. R. *hercos*, muro o recinto. Otros pretenden que se le daba este título en los altares que consagraban en el interior de las casas. *Hercæi Dii*, eran los penates.

**HERCINA.** Una de las compañeras de Proserpina que, jugando un día en un bosque sagrado de Trofonio, dejó escapar un ganso, que fue a ocultarse en una cueva. Proserpina corrió allí y debajo de la piedra donde se había refugiado el animal vio salir una fuente de agua, que dio nacimiento el río Hercino. Se honraba a esta ninfa en Lebadia, y sus estatuas tenían un ganso en la mano. *Paus. 9, c. 19.*

**HÉRCULES.** Nombre latino, en griego Hércules. Nombre común a muchos héroes de la antigüedad, célebres por su valor. Según *Diodoro de Sicilia* se llamaron así dos héroes, uno de los cuales nació en Egipto y erigió una colonia en Africa, después de haber sometido a su poder una gran parte de la tierra; el segundo era Cretense, y fue uno de los Dáctilos Ideos, adivino, comandante de ejércitos y fundador de los juegos Olímpicos. Otro, hijo de Júpiter y de Alcmena, que existió poco tiempo antes de la guerra de Troya, recorrió casi toda la tierra para obedecer las órdenes de Euristeo, y venció en todas sus empresas, fundando una colonia en Europa. *Diodoro* hubiera podido añadir un cuarto Hércules, el Fenicio, sin hablar de Hércules, el Galo, etc. *Herodoto* y *Diodoro* dan el primer grado de antigüedad al Hércules Egipcio, y le hacen uno de los doce principales dioses que reinaron en esta comarca. (*V.* Chon.) *Cicerón* (*de Nat. Deor.*) cuenta hasta seis. «El primero y más antiguo, dice, es el que peleó contra Apolo, porque habiendo la sacerdotisa rehusado responderle, airado hizo pedazos el trípode; era hijo de Lisito y el más antiguo de todos los Júpiter; el segundo era Egipcio, y según se cree, era hijo del Nilo: el tercero es uno de los dáctilos de Ida. El cuarto hijo de Júpiter y Asteria, hermana de Latona, fue honrado por los tirios, que le creían padre de Cartago: el quinto, llamado Bello, es adorado en las Indias; el sexto es el que vamos a describir, hijo de Alcmena y de Júpiter 3.» *Varrón* cuenta cuarenta y tres, o ya porque muchas personas se hicieron honor de ponerse tan ilustre nombre, o porque Hércules era más bien un nombre apelativo que propio, dado a los célebres negociantes que iban a descubrir nuevos países y a fundar colonias. La vanidad griega ha llenado la historia del Hércules tebano, con las hazañas de todos los demás, con un gran número de viajes y expediciones de que hablan los poetas, y con muchas aventuras para las cuales no bastaría la vida de un hombre.

El Hércules más conocido, el que honraban los griegos y romanos, y al cual se referían casi todos los antiguos monumentos, es el hijo de Júpiter y Alcmena, mujer de Anfitrión. La noche en que fue concebido, dicen, duró el espacio de tres noches, sin embargo no se alteró el orden de los tiempos porque las noches siguientes fueron más cortas. En el día de su nacimiento, resonó el trueno en Tebas con doble estrépito, y muchos otros prodigios anunciaron la gloria del hijo de Júpiter. Alcmena parió dos gemelos, Hércules e Íficlo. «Queriendo saber Anfitrión, dice *Apolodoro*, cual de los dos era su hijo, envió dos serpientes cerca de su cuna; el terror se apoderó de Íficlo y quiso huir, pero Hércules despedazó a las serpientes y mostró desde su cuna, que era digno de reconocer a Júpiter por padre.» Sin embargo, la mayor parte de los mitologistas dicen que fue Juno, que dando desde los primeros días de Hércules pruebas indudables de la rabia que le tenía a causa de su madre, envió dos terribles dragones a su cuna para que le despedazasen; pero él, sin espantarse, los cogió entre sus tiernas manos y los despedazó. La diosa cedió entonces a ruegos de Palas, y aun consintió en darle a mamar su leche, para hacerle inmortal. *Diodoro* refiere de otro modo esta fábula: «Temiendo Alcmena los celos de Juno, no osó declararse madre de Hércules y le abandonó en medio de un campo después de nacido. Minerva y Juno pasaron por allí, y como la primera miró aquel niño con ojos de admiración, aconsejó a Juno que le diese de mamar. Juno lo hizo, pero el niño le mordió tan fuertemente, que sintió un vehemente dolor y dejó allí al recién nacido. Minerva lo tomó entonces y lo llevó a Alcmena como si lo recomendase a una nodriza.» (*V.* Alcmena, Euristeo, Galaxia.) Hércules tuvo muchos maestros: aprendió a tirar el arco, de Radamanto y Eurite; de Cástor a combatir con todas armas; Quirón le enseñó astronomía y medicina; Lino, según *Elio*, le enseñó a tocar un instrumento que se sonaba con arco; como Hércules desentonase, Lino le reprendió con alguna severidad. Poco dócil Hércules, no pudo sufrir la represión, le arrojó el instrumento a la cabeza y le mató con el golpe. Llegó a una estatura extraordinaria, y a tener una fuerza de cuerpo increíble. Era también gran comedor. Un día que viajaba con su hijo Hilo, teniendo los dos mucha hambre, pidió víveres a un labrador que araba y, no habiendo podido obtener nada de él, desunció uno de los bueyes, lo inmoló a los dioses y se lo comió. Esta hambre canina le acompañó hasta el cielo: así *Calímaco* exhorta a Diana a no cazar liebres, sino jabalíes y toros, porque Hércules, entre los dioses, era tan comedor como lo había sido entre los hombres. (*V.* Buphago 2.) Debía ser también gran bebedor si se juzga por el grandor enorme de su cubilete, pues se necesitaban dos hombres para llevarlo, siendo así que él lo manejaba con una mano para beber.

«Siendo ya grande Hércules, se puso, dice Jenofonte, en un lugar separado para pensar a que género de vida se entregaría: entonces se le aparecieron dos mujeres de aventajada estatura, una de las cuales, la Virtud, era muy hermosa, tenía un rostro majestuoso y lleno de dignidad, el pudor en los ojos, la modestia gravada en todas sus acciones, y estaba vestida de blanco. La otra, llamada *Afeminación* o *Voluptuosidad*, tenía una gordura y un color más encendido: sus miradas libres y sus vestidos magníficos, manifestaban ya lo que era. Cada una de las dos procuró ganarle para sí con promesas; pero por fin se determinó a seguir la Virtud, tomada aquí por el Valor.»

En una medalla se ve a Hércules sentado entre Minerva y Venus; la una que se conoce por su casco y pica, es imagen de la Virtud; la otra precedida de Cupido es el símbolo de la Voluptuosidad. Habiendo pues abrazado por su propia voluntad, un género de vida duro y laborioso, fue a presentarse a Euristeo, bajo cuyas órdenes debía emprender sus combates y trabajos, por la suerte de su nacimiento. Algunos mitólogos pretenden que esta acción no fue voluntaria, y que al principio pensó someterse a las órdenes de Euristeo. Juno, para castigar su desobediencia, le hirió con un delirio tal que mató todos sus hijos creyendo matar los de Euristeo. Vuelto a su razón se afligió de tal modo, que renunció por algún tiempo la sociedad de los hombres: luego consultó el oráculo de Apolo, que le mandó que se sometiese por espacio de doce años a las órdenes de Euristeo, conforme al mandato de Júpiter, y le anunció que sería colocado en el número de los dioses, cuando hubiese cumplido sus gloriosos destinos. Euristeo, excitado por Juno, le mandó cosas más duras y difíciles; las cuales se llamaron los doce trabajos de Hércules. El primero es el combate contra el león de Nemea. (*V.* Nemea.) El segundo el de la Hidra de Lerna. (*V.* Lerna.) El tercero, la caza de jabalí de Erimanto. (*V.* Erimanto.) Con el cuarto, mató la cierva de pies de cobre (*V.* Ménale.) Con el quinto, libró Arcadia de las aves del lago Estínfalo. (*V.* Estínfalo.) Con el sexto, domó el toro de la isla de Creta, enviado por Neptuno contra Minos.

(*V.* Minos.) En el séptimo, robó las yeguas de Diómedes y castigó la crueldad de este rey. (*V.* Diómedes.) Octavo, venció a las amazonas y les arrebató su reina. (*V.* Hipólita.) Noveno, limpió los establos de Augeas. (*V.* Augeas.) Décimo, combatió contra Gerión y se llevó sus bueyes. (*V.* Gerión.) Undécimo, robó las manzanas de oro del jardín de las Hespérides. (*V.* Hespérides.) Duodécimo, sacó a Teseo de los infiernos. (*V.* Teseo.) Se le atribuían muchas otras acciones memorables: cada país, y casi todas las ciudades de Grecia, se vanagloriaban de haber sido teatro de algún hecho maravilloso de este héroe. Así exterminó los centauros (*V.* Folo.), mató a Busiris, Anteo, Hipocoón, Eurito, Periclímene, Erix, Lico, Caco, Laomedonte y muchos otros tiranos; arrancó al Cerbero de los infiernos; sacó de los mismos a Alcestes; libró a Hesíone del monstruo que iba a devorarla, y a Prometeo del águila que le comía el hígado; alivió a Atlas (Atlante), que gemía bajo el peso del cielo que tenía sobre sus espaldas; separó los dos montes llamados después *columnas de Hércules*; venció a Erix en el combate; combatió contra el río Aqueloo, a quien arrancó uno de sus cuernos; en fin, hasta con los mismos dioses fue a combatir.

*Homero* dice que este héroe, para vengarse de las persecuciones que Juno le había suscitado, tiró una flecha de tres puntas contra esta diosa y la hirió en el seno, de cuya herida sufrió tan grandes dolores, que parecía que no debían apaciguarse jamás. El mismo poeta añade que Plutón fue también herido en la espalda de un flechazo, en la sombría habitación de los muertos, y que se vio obligado a subir al cielo para que le curase el médico de los dioses. Un día que se encontraba incomodado por los ardores del sol, se encolerizó contra este astro, y tendió el arco para tirarle: admirando el Sol su gran valor, le regaló una copa de oro, en la cual, dice *Ferécides*, se embarcó. La palabra *scus* significa una *nave* y un *vaso*. En fin, habiéndose presentado Hércules a los juegos Olímpicos para disputar el premio y no osando nadie combatir con él, el mismo Júpiter quiso luchar contra su hijo, bajo la figura de un atleta; y como después de un largo combate fuese igual la ventaja por ambos lados, el dios se dio a conocer y felicitó a su hijo por su fuerza y valor.

Hércules tuvo muchas mujeres y un gran número de amantes: las más conocidas son Megara, Onfale, Yolao, Epicasta, Parténope, Augea, Asloquea, Aslidamia, Dejanira y la joven Hebe, con la cual se casó en el cielo: sin olvidar las cincuenta hijas de Testio, a las cuales hizo madres en una noche. ¡Cuántas no debió dejar encinta! ¡Cuántas no se le supusieron! y cuántos en lo sucesivo se vanagloriaron de descender de este héroe. Tuvo muchos hijos de Megara, pero los mató junto con su madre en uno de los accesos de furor a los estaba sujeto algunas veces. (V. Yolao.)

La muerte de Hércules fue un efecto de la venganza de Neso y de los celos de Dejanira. Instruida esta princesa de los nuevos amores de su esposo, le envió una túnica teñida de la sangre del Centauro, creyendo este presente propio para impedir que amase a otras mujeres; pero a penas se hubo puesto el héroe este vestido, cuando el veneno de que estaba infectado hizo sentir su funesto efecto y, derramándose por las venas, penetró en un momento hasta el tuétano de sus huesos. Procuró en vano arrancar de sus espaldas la fatal túnica; estaba pegada ya sobre la piel y como unida con sus miembros, a medida que la arrancaba le despedazaba también la piel y la carne. En este estado arrojó lamentables gritos, hizo las más terribles imprecaciones contra su pérfida esposa: viendo por fin secados todos sus miembros y que se acercaba su última hora, elevó una hoguera sobre el monte Eta, colocó en ella su piel de león, se hechó encima y, poniendo su maza debajo su cabeza, mandó en seguida a Filoctetes que encendiera el fuego y que recogiera y cuidara sus cenizas. (V. Dejanira, Neso, Filoctetes.)

Después que fue encendida la hoguera, se dice que cayó el rayo en ella y lo redujo todo a cenizas en un instante, para purificar lo que había de mortal en Hércules. Júpiter le subió entonces al cielo y quiso incorporarle en el número de los doce dioses mayores, pero él rehusó este honor, dice *Diodoro*, respondiendo que como no había ninguna plaza vacante, pensó que sería injusto degradar a otra divinidad. Se contentó pues con ser puesto en la línea de los semidioses. Habiendo Filoctetes elevado un sepulcro sobre las cenizas de su amigo, vio ofrecer bien pronto sacrificios al nuevo dios. Los tebanos y otros pueblos de Grecia, testigos de sus heroicas acciones, le erigieron templos y altares. Su culto fue llevado a Roma, Galia, España y hasta Taprobana. Hércules tuvo muchos templos en Roma, entre otros, el que estaba cerca del circo de Flaminio, que se llamaba el templo del gran Hércules, guardián del Circo, y el que estaba cerca del Mercado de bueyes. En este último no entraban nunca ni perros, ni moscas, porque, dice *Solin*, Hércules lo había pedido al dios Milagro. En fin, había un famoso templo de Hércules en Cádiz, en el cual se veían las famosas columnas. Un autor antiguo le pinta en extremo nervioso, con las espaldas cuadradas, color negro, nariz aguileña, ojos grandes, barba poblada, cabellos encrespados, y con un descuido horrible. En los monumentos, es representado por lo común bajo la figura de un hombre fuerte y robusto, con la clava en la mano y armado con los despojos del león de Nemea, que lleva algunas veces sobre el brazo, y otras sobre la cabeza. Otras veces trae el arco y la aljaba; frecuentemente con barba, y también sin ella. *Focio* le da un cuerno de la abundancia, en memoria de su combate con Aqueloo. La más hermosa de todas las estatuas que nos ha quedado de este héroe es el Hércules Farnesio, obra maestra del arte, hecha por *Glicón*, el Ateniense. Hércules se ve representado en ella descansando sobre su clava, revestido con la piel de león. Se encuentra algunas veces coronado de hojas de álamo blanco: este árbol le estaba consagrado, porque se había ceñido con una rama de él su cabeza cuando bajó a los infiernos; lo que tocaba la cabeza conservó su color blanco, mientras que la parte exterior quedó ennegrecida por el humo. Su clava, que era de olivo, fijada en tierra después de su muerte, se había arraigado, según decían los trecenios, y se había convertido otra vez en árbol. *Apolod. 1, 2. Paus.3,5,10, Hig. f.29, 32, Hesíodo. Escud. de Herc. Met. 9, Ilíada. 8, Teocr. 24, Eurípid. Eneida. 8. Fars. 3, 6, Apolon. 2, Dion. Hal. 1, Sof. Traq. Plut. Sén Her. Fur.et œt. c.48; l.6, c.108, 116; l.7, c.176, 193, 198, 204; l . 8, c.1 31.*

HERCULIO. (Nudo.) Los antiguos llamaban así el nudo del cinturón de la recién casada, el cual sólo el marido desataba cuando se despojaba para meterse en la cama, y desatándolo debía rogar a Juno que hiciese su matrimonio tan fecundo como el de Hércules.

HERCULIS. (Columnae) Columnas de Hércules. Habiendo penetrado este héroe hasta Cádiz, que creyó ser la extremidad de la tierra, separó dos montes para hacer comunicar el Mediterráneo con el Océano, fábula fundada sobre la situación de Calpe y Abila, una de las cuales está en Africa y el otra en Europa sobre el estrecho de Gibraltar. Creyendo Hércules que estos montes eran el término del mundo, hizo levantar en ellos dos columnas, para dar a entender a la posteridad que había extendido hasta allí sus conquistas.

HEREA. Ciudad de Arcadia. El vino que en ella se hacía, convertía a los hombres en insensatos y daba la fecundidad a las mujeres. *Plin. 14, 18, Paus. 8, 24.*

HEREJÍA. (Iconol.) Se representa con una venda en los ojos, o con una máscara, y recostada sobre un montón de libros erróneos. *Ripa* la pinta vieja desnuda, los cabellos esparcidos, con una llama en la boca, y en la mano un libro del cual salen serpientes. En las medallas modernas, la Religión, bajo la figura de una mujer cubierta de un velo, pisa la Herejía, designada por una especie de Furia aterrada sobre libros desgarrados, y que tiene una antorcha apagada. En lugar de estas formas horribles y desagradables. *Wincklemann* propone pintarla como una mujer hermosa, que se postra en tierra para ocultar su rubor, o que medita con amargura los medios de vengar su humillación.

HEREO. Hijo de Licaón, fundador de Herea, ciudad de Arcadia. *Paus.*

HERES. Divinidad de los herederos, llamada también Martea, porque era una de las compañeras del dios Marte, que más que ninguno, hace carecer de sucesiones. Los herederos hacían sacrificios a esta diosa en acción de gracias. *Banier. t. 5.*

HERÉSIDES. 1 — Ninfas unidas al servicio de Juno, y cuya principal función consistía en preparar el baño de la diosa. *Ant. Expl. t. 1.*

2 — Sacerdotisas de Juno en Argos, donde eran de tal modo honradas que los años de su sacerdocio, servían de fecha en los monumentos antiguos.

HEREUS. Uno de los meses bitinios, que empezaba el 25 de septiembre.

HEREVIS, o HIZRVUS (*Mit. mah.*) Orden religiosa de los turcos, nacida en tiempo de Orján (1326-1362) segundo emperador otomano, en Bruso, capital entonces del imperio. Herevi, su fundador, compraba asaduras de becerro, carnero, etc., para alimentar a los animales sin asilo. Sus discípulos le imitaron, pero no hicieron como él profesión de pobreza. Mortificaba su cuerpo con ayunos y lloraba sus crímenes con tanta fuerza que los ángeles, dicen, bajaron del cielo para ser testigos de sus penitencias.

HERIBEA. Madre de los astros.

HERILO. Rey de Penestra, hijo de la diosa Feronia, el cual había recibido de su madre tres almas y otras tantas armaduras que le arrancó Evandro, rey de Arcadia. *Eneida. 8.*

HERMAFRODITO. Hijo de Mercurio y Venus, educado por las Náyades en las cuevas del monte Ida. Su rostro reunía a las gracias de su padre, las gracias y hermosura de su madre. Un día que estaba fatigado, se detuvo cerca de una fuente, cuya agua clara y mansa le invitó a bañarse. La Náyade Salmacis, que residía allí, le amó, y no habiéndolo podido consumar, rogó a los dioses que uniesen sus cuerpos de tal modo que en adelante no hiciesen más que uno, que conservase ambos sexos. A su tiempo obtuvo que todos los que se bañasen en sus aguas tuviesen la misma suerte. *Met. 4, Estrab. 14, Hig. f. 271.* (V. Salmacis.)

HERMAMMÓN. Grupo que representa a Mercurio y Júpiter Ammón.

**HERMANUBIS.** Esto es, Mercurio-Anubis (*Mit. egip.*) Divinidad egipcia cuya estatua representaba un cuerpo humano con una cabeza de perro o de gavilán: tenía un caduceo en la mano. Otras veces iba vestido de senador, teniendo un caduceo en una mano y un sistro en la otra. (*V.* Anubis, Hermes.)

**HERMAPOLIÓN.** Estatua compuesta de Mercurio y Apolo, representando un joven con los símbolos de ambas deidades, esto es el petaso y el caduceo, con el arco y la lira. *Banier. t. 1.*

**HERMATENE.** Figura que representaba a Mercurio y a Minerva. Se ven algunas de estas figuras, teniendo por una parte el vestido, casco y égida de Minerva; y lo que representa a Mercurio es el gallo bajo la garzota, las alillas sobre el casco, el seno de hombre y la bolsa. *Banier. t. 1.*

**HERMEAS.** Fiestas en honor de Mercurio en el Peloponeso, en Beocia y otras partes. En Creta los señores servían la comida a sus esclavos; uso que se observaba también entre los atenienses en Babilonia y Roma durante las saturnales. *Paus. 8, c. 14.*

**HERMENSUL.** Dios de los sajones, a quien confunden con Hermes, o Mercurio, los que adoptan esta ortografía.

**HERMEO.** Mes tebano que correspondía a octubre: era el segundo del año.

**HERMERACLE.** Estatua compuesta de Mercurio y Hércules, (Hermes y Heracles, en griego). Consiste en un Hércules llevando la clava en una mano y en la otra la piel del león. Tiene forma humana hasta la cintura, y lo restante termina en columna cuadrada. Las Hermeracles se ponían por lo regular en las academias o lugares de ejercicios, porque Mercurio y Hércules, es decir, la destreza y la fuerza deben presidir en aquellos lugares.

**HERMEROS.** Estatua compuesta de Mercurio y el Amor (Hermes y Eros). Es un joven pintado como se nos representa el hijo de Venus. Tiene en la mano derecha una bolsa y un caduceo en la izquierda. *Ant. Expl. t. 2.*

**HERMES.** Nombre griego de Mercurio como intérprete o mensajero de los dioses y como maestro de la oratoria. Bajo este nombre se reverenciaba como dios de la elocuencia, y bajo este respeto se le representaba con la figura de un hombre de cuya boca salen cadenitas que terminan en la orejas de otras figuras humanas, para expresar el modo con que encadenaba a los oyentes con la fuerza de la elocuencia.

Los atenienses y a su ejemplo los demás pueblos de Grecia, y después los romanos, representaban a Mercurio por una figura cúbica, es decir cuadrada de todos lados, sin pies ni brazos y tan sólo con cabeza. *Servio* da la explicación de esta costumbre por medio de la siguiente fábula: «Habiendo unos pastores encontrado un día a Mercurio o Hermes, dormido en un monte, le cortaron los pies y las manos para vengarse de algún pesar que les había dado», es decir, habiendo encontrado alguna estatua de este dios, la mutilaron de este modo y colocaron su tronco a la entrada de un templo. De aquí vino quizás el uso de poner estos Hermes, no sólo en la puerta de los templos o de las casas, sino también en las encrucijadas. De estos *Hermes* griegos vino el origen de los *Términos*, que se ponen de día en las puertas y balcones, y con los cuales se decoran los jardines públicos. Según este origen se les debería llamar más bien *Hermes* que *Términos*, pero en nuestro idioma, que evita las aspiraciones (*Hermes*, en griego, se inicia con una aspiración), ha adoptado la voz Término, que tiene más referencia con los límites de un campo. *Banier. t. 4.*

**HERMHARPÓCRATES.** Estatua de Mercurio (Hermes) con cabeza de Harpócrates. Tiene dos alas en los talones y pone el dedo sobre la boca. La figura está sentada sobre una flor de loto, teniendo el caduceo en una mano y llevando en la cabeza un fruto de durazno, árbol consagrado a Harpócrates. Quizá con esto se nos ha querido dar a entender que algunas veces el silencio es elocuente. *Ant. Expl. t. 2.*

**HERMIAS.** Joven de Yaso que, atravesado el mar sobre un delfín, pereció en una tempestad: pero habiendo el delfín alcanzado la playa, como si se reconociese culpable de la muerte, no volvió al mar y murió en la arena. (*V.* Yaso.)

HERMINIO. Capitán troyano temible por su valor y por su enorme estatura, que combatía sin casco y sin coraza. El dardo de Catila atravesó de parte a parte sus largas espaldas. *Eneida. 11.*

HERMIÓN. 1 — Hijo de Europa, fundador de Hermione, ciudad de la Argólida. *Paus.*

2 — Antiguo rey de los germanos que, por su valor, fue puesto después de su muerte en el número de los dioses. Su estatua se hallaba en casi todos los templos de aquellas comarcas: estaba representado como guerrero, cubierto de hierro, llevando una lanza en la mano derecha, una balanza en la izquierda y un león sobre su escudo.

3 — Hermano de Hibero. (*V.* Hibero.)

HERMIONE. 1 — Ciudad de la Argólida, donde dice *Estrabón* había un camino muy corto para ir a los infiernos; y por esto sus habitantes no ponían en la boca de sus muertos, el flete o precio del paso por Caronte. *Plin. 4, c. 5, Mela, 2, c. 3. Ptol. 3, c. 10, Paus. 2, c. 34.*

2 — (*V.* Harmonía.)

3 — Hija de Menelao y de Helena, prometida por Tindáreo, su abuelo materno, a Orestes, estando ausente su padre. Menelao, ignorado el empeño de su suegro, la prometió a Pirro y se la dio a su vuelta a Troya. Orestes, en venganza, mató a Pirro en el templo de Apolo y casó con Hermione. Después se casó con Diómedes, con el cual recibió la inmortalidad. *Eneida. 3, Odis. 4, Paus.*

HERMIPA. Hija de Beoto, de la cual Orcómeno tuvo a Minas.

HERMITRA. Estatua compuesta de Mercurio y de Mitra (Hermes y Mitra).

HERMO. Uno de los hijos de Egipto.

HERMO-PAN. Divinidad compuesta de Mercurio y de Pan.

HERMOJEMIA. Antiguo nombre de Egipto tomado del de Hermes. Se dijo que era la patria de este dios porque, según los egipcios, la astronomía nació en las orillas del Nilo. Los caldeos les disputaban esta gloria.

HERMOCÓPIDAS. Los que mutila-

ban los Hermes, o bustos de Mercurio puestos en las encrucijadas. R. *koptein*, mutilar.

HERMÓNIDA. Famosa maga en Farsalia.

HERMÓNTITA. Uno de los sobrenombres de Júpiter, tomado según parece de Hermonlis, ciudad de Egipto.

HERMOSIRIS. Estatua de Osiris y de Mercurio, con los atributos de ambas divinidades: una cabeza de gavilán, símbolo de Osiris, y un caduceo en la mano símbolo de Mercurio. (V. Osiris.)

HERMULE, pequeños Hermes. Eran dos figuras de Mercurio colocadas en las barreras del circo, teniendo una cuerda o cadenita, para impedir a los caballos correr antes de la señal.

HERO. 1 — Sacerdotisa de Venus que habitaba en Sestos, ciudad situada en las riberas del Helesponto, al lado de Europa, frente por frente de Abidos, en la parte del Asia donde habitaba el joven Leandro. Este, habiéndola visto en una fiesta a Venus, se enamoró de ella y, logrando ser correspondido, pasaba a nado el Helesponto, cuya travesía era en este lugar de ochocientos setenta y cinco pasos. Hero tenía todas las noches una antorcha encendida en lo alto de una torre, para guiarlo en su ruta. Después de varias entrevistas, sucedió una tempestad que duró siete días: Leandro, impaciente, no pudo esperar la calma, se puso a nadar, le abandonaron las fuerzas y a las olas arrojaron su cuerpo sobre la ribera de Sestos. Hero, no queriendo sobrevivir a su amante, se precipitó al mar. Algunas medallas de Caracalla y Alejandro Severo representan a Leandro precedido de un Cupido volando, con una antorcha en la mano, para guiarle en su peligrosa travesía. *Geórg. 3, Museo, Hero et Leandro. Ovid. Heroic. 17, 18.*

2 — Danaide.

3 — Hija de Príamo.

HÉROE. Nombre que daban los griegos a los grandes hombres que se habían hecho célebres por una fuerza prodigiosa, un encadenamiento de acciones heroicas y sobre todo por haber hecho grandes servicios a sus conciudadanos. Algunos mitólogos derivan este nombre de *areté*, virtud, valor y otros de Eros, amor, para indicar que estos héroes eran generalmente el fruto del amor de los dioses con las mortales, o de las inmortales con los hombres. Después de su muerte, decían que sus almas se elevaban hasta los astros, morada de los dioses, y se hacían dignos de los honores tributados a los mismos dioses. *Lucano* les señala por morada la vasta extensión que media entre el cielo y la tierra. El culto de los héroes se distinguía del de los dioses, en que el de estos consistía en sacrificios y libaciones, mientas que el de los héroes no era más que una especie de pompa fúnebre: así se hacían sacrificios a Hércules Olímpico, porque era de una naturaleza inmortal, y se hacían al Hércules Tebano funerales como héroe. Sin embargo, no se observó siempre esta distinción, pues muy luego llegaron los héroes a ser dioses y a tener parte en los honores divinos. *(Mem. de la Acad. de Inscrip. t. 1, 3, 7,2).*

HÉROE PACÍFICO. (*V.* Drímaco.)

HERÓFILA. Nombre de la Sibila Eribicena, hija de una ninfa del monte Ida, y del pastor Teodoro. Desempeñó al principio el empleo de guarda del templo de Apolo Esminteo en la Tróade. Fue la que interpretó el sueño de Hécuba, prediciéndole las desgracias que había de causar al Asia la criatura que llevaba en su seno. (*V.* Paris.) Pasó una parte de su vida en Claros, Samos, Delos, Delfos, y volvió al templo de Apolo Esminteo, del cual tan pronto se decía mujer, como hermana y como hija. Su sepulcro subsistía aún en tiempo de Pausanias. Cerca de su tumba se veía un Mercurio de figura cuadrangular, y a la izquierda, el agua de una fuente caía sobre una especie de vacío, en el cual había estatuas de ninfas. *Paus. 10, c. 12.*

HEROICA. (Edad.) Era aquella en que se suponían haber vivido los héroes que los poetas llaman hijos de los dioses. Es la misma que la edad fabulosa.

HEROICO. (Poema) (*Iconol.*) *C. Ripa* lo pinta vestido con magnificencia real, con un aire grave, una corona de laurel en la cabeza, una trompeta en la mano derecha y en la izquierda un rótulo con este lema: *Non nisi grandia canto*: consagro mis cantos a los heroicos hechos.

HEROIDAS. Una de las tres fiestas que Delfos celebraba todos los nueve años. (*V.* Septerias.) Las ceremonias de esta fiesta eran símbolos que representaban diferentes acciones fabulosas; pero que sólo las entendían los tíades. Se cree, sin embargo, que en ellos se representaba la apoteosis de Sémele.

HEROÍSMO. Especie de deificación que consistía en rodear de un bosque sagrado los sepulcros de los héroes, cerca del cual se elevaba un altar al que de tiempo en tiempo se iba a rogar con libaciones y a cargar de presentes. Llamábanse estos monumentos heroicos; y tal era la tumba que Andrómaca había elevado a su querido Héctor. Se concedían también a las mujeres los honores heroicos.Casandra, Alcmena, Helena, Adrómaca, Andrómeda, Coronis, Hilaria y Febea, Latona, Manto y otras, gozaron este honor. *Ant. Expl. t. 5.*

HERÓPITE. Héroe a quien se había erigido un monumento en la plaza de Efeso, como libertador de la ciudad. *Freinsh. Supl. Quint. Cur. 2, c. 6.*

HERÓSTRATO 1 — (*V.* Eróstrato.)

2 — Mercader naucratio a quien debió su origen la corona naucrática de Venus. (*V.* Náucratis.)

HERREROS (*V.* Cíclopes.)

HERSE. 1 — Hija de Cécrope, que volviendo un día del templo de Minerva, acompañada de dos jóvenes atenienses, se atrajo las miradas de Mercurio, que vino a pedirla a Herse por esposa. Aglauro, su hermana, celosa de esta preferencia, tuvo los amores del dios, quien la hirió con su caduceo y la transformó en piedra. Herse tuvo un templo en Atenas y los honores heroicos. *Met. 2.* (*V.* Aglauro.)

2 — Herse, rocio hija de Júpiter y Diana.

HERSILIA. Una de las hijas de los sabinos robadas por Rómulo, fue escogida por Rómulo para él, y de la cual tuvo una hija llamada Prima, y un hijo a quien llamó Aolio. Cuando Rómulo fue arrebatado al cielo, quedó el corazón de Hersilia penetrado del más vivo dolor, hasta que Juno, movida de compasión, la hizo conducir por Iris al monte Quirinal, en un bosque sagrado, donde habiéndose aparecido Rómulo lleno de resplandor, la elevó a la categoría de los dioses. Después de su muerte se le tributaron los honores divinos en el templo de Quirino, bajo el nombre de Hora, la misma que Hebe u *Horta. Met. 14 (V. este nombre.)*

HESIONE. 1 — Hija de Laomedonte, rey de Troya, y hermana de Príamo. Irritado Neptuno contra su padre, que le había faltado a la palabra, envió un monstruo marino que se llevó de una sola vez todos los habitantes de la ribera y hasta algunos labradores de los campos vecinos. La peste atacó al pueblo y hasta los árboles perecieron. Habiéndose reunido toda la nación para buscar un remedio a tantos males, el rey mandó que se consultase el oráculo de Apolo. El oráculo respondió que la causa de este azote era la cólera de Neptuno, y que no terminarían las desgracias hasta que los troyanos hubiesen expuesto al monstruo aquel de sus hijos que señalase la suerte. Habiendo escrito el nombre de todos, cayó la suerte en Hesíone, hija de Laomedonte. Se vio obligado pues a entregar a su hija, que acababa de ser encadenada sobre la playa, cuando Hércules saltó a tierra, con los demás Argonautas. Luego que la joven princesa le hubo declarado por sí misma su infortunio, rompió las cadenas que la aprisionaban y, entrando al momento en la ciudad, prometió al rey que mataría al monstruo. Encantado el monarca de este generosa oferta, le prometió por su parte en recompensa sus invencibles caballos, tan ligeros que corrían sobre el agua. Habiendo terminado Hércules estas hazañas, se dio a Hesione la libertad de seguir a su libertador, o de habitar en su patria y entre su familia. Hesione que prefería su libertador a sus parientes, y temía además que los troyanos la expusiesen por segunda vez, si aparecía un nuevo monstruo, consintió en seguir a estos extranjeros; pero Hércules dejó a Hesione y los caballos a Laomedonte para que los guardase con condición de que se los devolvería a su regreso de la Colquida. Después de la expedición de los argonautas, Hércules envió a Telamón a Troya para que el rey cumpliese su palabra; Laomedonte hizo prender al enviado, y dirigió excusas a los demás argonautas. Hércules vino a sitiar Troya, la saqueó, mató a Laomedonte, robó a Hesione y la casó con su amigo Telamón. A esta relación, que es de *Diodoro, Licofrón* añade otras circunstancias más maravillosas; tales son, que él monstruo a quien estaba expuesta Hesione devoró a Hércules; que este héroe permaneció tres días en su vientre y que salió de él muy maltratado. *Ovidio* dice que para vengarse Neptuno de la perfidia de Laomedonte, empujó las aguas del mar hacia la playa de Troya con tanta impetuosidad que, en poco tiempo cubrieron todo el país. El monstruo marino de que se habla quizá no fue otra cosa que esta inundación, contra la cual fue necesario elevar diques, y Hesione debía ser el premio del que lograse detener las aguas. El rapto de Hesione por los griegos fue en lo sucesivo la causa de que un príncipe troyano robase a Helena. *Eneida. 8, Met. 11, Ilíada. 5, Diod. 4, Apolod. 2, c. 5.*

2 — Hija de Dánae, de la cual Júpiter tuvo a Orcómeno, que dio su nombre a una ciudad de Beocia.

HESIONEO. Padre de Día, esposa de Ixión. No cumpliendo éste las condiciones estipuladas, su suegro le robó los caballos. Ixión, fingiendo querer satisfacerle, le atrajo a su casa y le arrojó a un foso lleno de fuego, donde pereció.

HESIQUIA. 1 — Hija de Tespio.

2 — Nombre que se daba en Clazomene a las sacerdotisas de Palas, que desempeñaban sus funciones con gran silencio. R. *hesjia,* silencio.

HESIQUIODES. Sacerdotisas de las Furias, cuyo nombre según parece tenía el mismo origen.

HESPER, HESPERO. 1 — Hijo de Japeto y hermano de Atlas (Atlante), que habitaba con éste el país llamado Hesperis. *Diod. Sic.*

2 — Uno de los hijos de Atlas, célebre por su justicia y su bondad. Estando un día en la cima del monte Atlas para observar

los astros, fue arrastrado de repente por un viento impetuoso. El pueblo reconocido consagró su nombre dándolo al más brillante de los planetas. (Fósforo, Vesper.) Le estaba consagrado particularmente el monte Eta. *Id.*

3 — Rico Dilesio, que fue a establecerse en Caria: sus hijas se llamaron Hespérides. *Palefato.*

HESPERIA. 1 — Se da este nombre a Italia y a España: a la primera de Hespero, hijo de Japeto que, arrojado por su hermano Atlas, se retiró allí; (*Diod. 2.*) y a la otra porque es la parte más occidental de Europa. *Eneida. 1, 3.*

2 — Isla de Africa habitada por las amazonas.

3 — Nombre del Epiro.

4 — Ninfa, hija del río Cebrene, amada de Esaco. *Met. 11.*

HESPÉRIDES. Nietas de Hespero e hijas de Atlas y Hesperis, según *Diodoro*, el cual cuenta hasta siete. *Hesíodo* las hace hijas de la Noche, y *Querécrato* (*Xerécrato*), de Forcis y Ceto (Zeto), deidades del mar. Cuentanse ordinariamente tres, Eglé, Aretusa e Hiperetusa. Algunos poetas añaden otra llamada Héspera, y otros una quinta apellidada Eirteis, y una sexta, Vesta. Cuando Juno se casó con Júpiter, les dio manzanos que llevaban manzanas de oro: estos árboles fueron colocados en el jardín de las Hespérides, bajo la custodia de un dragón, hijo, según *Pisandro*, de la Tierra, y de Tifón y Equidna, según *Ferécides*. Este horrible dragón tenía cien cabezas, y daba a la vez cien especies de silbidos. (V. Dragón.) Las manzanas sobre las cuales tenía continuamente los ojos abiertos, eran de un verde sorprendente. La Discordia se valió de una de estas manzanas para dividir a las diosas entre sí; e Hipomes suavizó con las mismas la fiereza de Atalante. Las Hespérides tenían unas voces encantadoras y turbaban los ojos con sus instantáneas transformaciones. Euristeo mandó a Hércules que fuese a buscar estas manzanas. Hércules se dirigió a las ninfas que habitaban cerca del Eridán para saber donde se hallaban las Hespérides; estas ninfas le enviaron a Nereo, Nereo a

Prometeo, que le enseñó el lugar y lo que debía hacer. Hércules se trasladó a Mauritania, mató al dragón y trajo a Euristeo las manzanas de oro, y terminó así el duodécimo de sus trabajos. Según otros, rogó tan sólo a Atlas que le procurase estas manzanas, ofreciéndose a sostener el cielo en su lugar, mientras que Atlas iría al jardín de las Hespérides. Una medalla antigua representa a Hércules cogiendo las manzanas de un árbol enroscado por una serpiente que baja la cabeza como si acabase de recibir un golpe de clava. La relación de *Diodoro* (*l. 4.*) se acerca más a la historia.

«Las Hespérides o Atlántides, dice, guardaban con mucho cuidado, o rebaños, o frutos muy exquisitos. *Melon*, en griego significa lo uno y lo otro. Hermosas y prudentes en extremo, Busiris, rey de Egipto, se enamoró de ellas por su reputación y envió piratas que las robasen en su jardín, los cuales fueron sorprendidos y muertos por Hércules. Reconocido Atlas, dio al héroe las manzanas que había venido a buscar.» Por estas manzanas de oro han entendido muchos sabios las naranjas o limones. El conde Noël no ha visto en el dragón sino una imagen de la avaricia, que se consume para guardar un oro que le es inútil, y al cual no permite que nadie se acerque. Según *Vosio* la fábula de las Hespérides es un cuadro de los fenómenos celestes. Las Hespérides son las horas de la tarde; el jardín es el firmamento; las manzanas de oro; son las estrellas; el dragón es el Zodíaco o el horizonte que corta el Ecuador en ángulos oblicuos. Hércules, o el Sol, roba las manzanas de oro; es decir que cuando aparece este astro, hace desaparecer del cielo todos los demás. *Maiero* encuentra en ella los principios del arte de la transmutación de los metales: otros a Josué robando los ganados de los cananeos, y algunos la desobediencia del primer hombre. *Met. 4. Hig. f. 50, Apolod. 3, c. 5, Hesíodo. Teog.*

HESPERIS. Hija de Héspero, esposa de Atlas, su tío, y madre de siete hijas llamadas Atlántides o Hespérides. *Diod. 4.*

HESTIA. Nombre griego de Vesta. (V. Vesta.)

HESTÍAS. (*V. Estias.*)

HESUS. (*Mit. celt.*) (*Iconol.*) Gran divinidad de los galos, que se cree era su Marte, o dios de los combates. Le honraban con la efusión de sangre humana. Su bárbara costumbre llegaba hasta el extremo de sacrificarle mujeres y niños para que les fuese propicio. Se le representaba medio desnudo, en actitud de descargar un hachazo, de herir con una serpiente o de cortar un muérdago. *Ant. Expl. t. 2.*

HETAIRA. Cortesana. Sobrenombre de *Venus* Pandemos.

HETERIDIO. Sobrenombre de Júpiter, invocado por los Argonautas como guía y protector en sus empresas.

HETERIO. Sobrenombre con que era adorado Júpiter por los ciudadanos de la misma decuria. R. *helairos*, compañero.

HEXASTILO. Templo que tiene seis columnas de frente.

HEXATLÓN. Entre los griegos se llamaba así la reunión de seis ejercicios, a saber: la lucha, la carrera, el salto, el disco, el dardo y el pugilato. R. *hex*, seis; *athlos*, combate, juego.

HIACINTO. (*V. Jacinto.*)

HIADES. Hijas de Cadmo; según *Eurípides*, de Erecteo; y de Atlas y Etra, según *Ovidio*, etc. *Eurípides* cuenta tres *Ferécides* siete, que nombra Ambrosia, Eudora, Fésile, Corónisde, Polico, Feo, Tisene, o más bien Dione: *Higinio*, que las llama Náyades, seis: Ciseis, Nisa, Erato, Erifia, Bromia, Polimno. Habiendo sido despedazado su hermano Hiarte por un león, lloraron su muerte con tan vivo pesar que, compadecidos los dioses, las trasladaron al cielo y las colocaron en la frente de la constelación del toro, donde lloran aún. Según otros eran unas ninfas que Júpiter trasladó al cielo y transformó en astros, para sustraerlas a la cólera de Juno, que quería castigarlas por el cuidado que se habían tomado en la educación de Baco. Los poetas las han llamado Hiades, *Pluviæ*, *Tristes*, porque la constelación en que fueron convertidas anuncia la lluvia. R. *hiein*, llover. Se lee también algunas veces el nombre *Hias*, como singular de las Hiades: *nimbosa Hias, inserena. Ovid. Fast. 5, Hig. f. 182.*

HIAGNIS. Frigio, padre de Marsias, el más antiguo tañedor de flauta, e inventor de la armonía frigia que compuso cánticos para la madre de los dioses, Baco Pan, y algunas otras divinidades o héroes del país. *Plut.*

HIALE. Ninfa de Diana, que llenaba las urnas de agua para derramarla sobre la diosa, cuando Acteón la sorprendió en el baño. *Met. 3.*

HIÁMIDES. Sacerdotes de Júpiter en Pisa.

HIAMO. 1 — Hijo de la ninfa Evadné. Apolo, dice *Pindaro*, invita a las Parcas a que asistan al parto de su madre, para arreglar los destinos del niño, que debía ser un día jefe de los hiámides.

2 — Hijo de Licoro (Licoreo). Casó con una de las hijas de Deucalión llamada Melantea, de la que tuvo una hija, Melenis (Celeno). Hiamo pasa por ser fundador de la ciudad de Hía.

HIANTES. Pueblos de Beocia arrojados de allí por Cadmo, cuando pasó a Fenicia.

HIÁNTIDES. Las musas. Llamábanse así, porque se creía que habitaban Beocia.

HIANTIO. Actéon, nieto de Cadmo, fundador de Tebas, capital de Beocia. *Met. 3.*

HÍAS. 1 — Hijo de Atlas y de Etra, devorado por un león. (*V. Hiades.*)

2 — Esposo de Beotia y padre de las Hiades.

HIBERO. Hijo de Milesio, rey de Hispania, que estableció con permiso de Gárgoris o Gruguntis, rey de los bretones, algunas colonias en Irlanda, con su hermano Hermión.

HIBLA. Monte de Sicilia, célebre por la excelente miel que en él se recogía, y por una ciudad del mismo nombre. *Paus. 5, c. 23. Estrab. 6.*

HIBLEA. Diosa que se adoraba en Sicilia.

HIBLEOS. Pueblos de Sicilia tenidos por muy expertos en lo concerniente al culto de los dioses e interpretación de los sueños.

HIBRIS. 1 — Madre de Pan.

2 — Nombre de un perro de caza. R. *hibris*, injuria.

HIBRÍSTICAS. Fiestas de Argos en honor a las mujeres que, conducidas por Telésila, habían tomado las armas y salvado la ciudad sitiada por los lacedemonios, mandados por Cleómene, los cuales se avergonzaron de verse rechazados por mujeres, de donde tomó el nombre la fiesta. En ella los hombres se vestían de mujeres y las mujeres de hombres. *Ant. Expl. t. 2.*

HICETAON. 1 — Hijo de Laomedonte, padre de Menalipa. *Ilíada 3, 15, 20.*

2 — Príncipe troyano, padre de Timete, que siguió a Eneas a Italia. *Eneida. 9.*

HIDARNIS. Una de las hijas de Júpiter y Europa, que dió su nombre a la ciudad de Hidarnis.

HIDASPO. Capitán troyano vencido por Sacrator, capitán latino. *Eneida. 10.*

HIDATOSCOPIA. (*V.* Hidromancia.)

HIDISO. Hijo de Belerofonte y Asteria, del cual recibió el nombre una ciudad de Caria.

HIDRA. 1 — Hija de Scillo.

2 — Hija del Estigio y Palas.

3 — *De Lerna.* Monstruo espantoso, nacido de Tifón y Equidna, según *Hesíodo*, quien le otorga muchas cabezas. Unos le suponen siete, otros nueve y algunos cincuenta. Cuando se cortaba una, renacía otra en el mismo momento, a menos que no se aplicase fuego a la llaga. El veneno de este monstruo era tan sutil que, si se pasaba por él una flecha, la herida que causaba era infaliblemente mortal. Esta hidra hacía horrorosos estragos en las campiñas del lago de Lerna. Hércules, para matarla, subió sobre un carro, y Yolao fue su cochero. Vino un cangrejo gigante en socorro de la hidra, pero Hércules lo aplastó, y mató el monstruo del lago. Se dice que Euristeo no quiso aceptar este combate por uno de los doce trabajos a que los dioses habían sujetado a Hércules, porque Tolao le había ayudado a conseguirlo. Después de muerto el monstruo, Hércules tiñó sus saetas en su sangre para que sus heridas fuesen mortales, como lo experimentó en la herida de Neso, de Filoctetes y de Quirón. Esta hidra de muchas cabezas se componía de una multitud de serpientes que infestaban los lagos de Lerna cerca de Argos, y que parecía que se multiplicaban a medida que se destruían; Hércules, ayudado de sus compañeros, purgó enteramente de ellas el país, pegando fuego a las cañas del lago, que eran por lo común guarida de estos reptiles, he hizo de este modo habitables aquellos lugares. Otros han dicho que salían de estos lagos muchos torrentes que inundaban la campiña. Y que Hércules desecó los pantanos e hizo construir diques y abrir canales para facilitar el desagüe. *Met. 9, Apolod. 2, c. 5, Paus. 5, c. 17, Eneida. 6.*

HIDRAGI. Nombre de los ministros que asistían a los que aspiraban a la iniciación. De *hidor*, agua, porque se valían de ella para las purificaciones preliminares.

HIDRANOS. Sacrificador que, en la iniciación de los eleusinos, inmolaba una marrana preñada, sobre cuya piel ponían al que debía ser purificado.

HIDRE; Constelación meridional que tiene un origen común con la de la copa y la del cuervo. Queriendo Apolo hacer un sacrificio a Júpiter, se dice que envió el cuervo con una copa para llevarle el agua. Este se detuvo en una higuera esperando que madurase la fruta, y luego, para excusar su retardo, tomó una serpiente y le acusó de haberle detenido cuando quería sacar el agua. Apolo, para castigar al cuervo, mudó su plumaje que era blanco en negro, colocó al cuervo frente por frente de la copa y encargó a la serpiente que impidiese al cuervo que bebiese.

HIDRIA. Era un vaso horadado por todas partes, que representaba el dios del agua en Egipto. Los sacerdotes lo llenaban de agua en ciertos días, lo adornaban con mucha magnificencia, y lo ponían enseguida sobre una especie de teatro público: entonces se prosternaban todos delante de este vaso, con las manos elevadas hacia el cielo, dice *Vitrubio*; y daban gracias a los dioses, de los bienes que les procura este elemento. El objeto de esta ceremonia era enseñar a los egipcios que el agua era el principio de todas las cosas, y que había dado movimiento a todo lo que tiene vida. (*V.* Cánope.)

**HIDRIADES.** Ninfas que danzaban cuando alguno tocaba la flauta.

**HIDRIÉFOROS.** Extranjeros que estaban obligados a llevar cántaros de agua en la procesión de las panateneas.

**HIDROCO.** Nombre griego de Acuario. R. *chein*, derramar.

**HIDROFORÍAS.** Ceremonias fúnebres que se celebraban en Atenas y entre los eginetas, pero en dos meses diferentes, en memoria de los griegos que habían perecido en el diluvio de Deucalión y de Ogiges. R. *phero*, yo llevo, yo arrastro. *Ant. Expl. t. 2.*

**HIDRÓFORO.** Pequeña estatua de bronce que Temístocles mandó fundir de las multas a que condenaba a los que robaban las aguas públicas abriendo canales particulares, y que había consagrado en un templo. Después fue trasladada a Sardes, al templo de la diosa madre. *Plin.*

**HIDROMANCIA.** Arte de predecir lo venidero por medio del agua. Varrón dice que fue inventada por los persas y muy practicada por Numa y Pitágoras. Se divide en muchas formas: 1º) Cuando después de las invocaciones y otras ceremonias mágicas se leían escritos sobre el agua los nombres de las personas o cosas que se deseaban conocer, estos nombres se veían escritos al revés; 2º) se servían de un vaso lleno de agua y de un anillo colgado en un hilo, con el cual se hería cierto número de veces en los lados del vaso; 3º) se arrojaban sucesivamente y a cortos intervalos tres piedrecitas en el agua tranquila, y se sacaban las predicciones de los círculos que formaba la superficie, como también de su intersección; 4º) se examinaban atentamente los diferentes movimientos y la agitación de las olas del mar. Los sicilianos y los eúbeos eran muy dados a esta adivinación, y algunos cristianos orientales tienen a bien bautizar todos los años el mar, como un ser animado y dotado de razón; 5º) se sacaban presagios del color del agua y de las figuras que se creían ver en ella. De este modo, según *Varrón*, supo Roma el resultado de la guerra de Mitríades. Ciertas riberas o fuentes pasaban entre los antiguos por más propias que otras para estas operaciones; 6º) con esta especie de hidromancia los antiguos germanos aclaraban las sospechas sobre la fidelidad de sus mujeres. Arrojaban al río los hijos que acababan de parir; si nadaban, los tenían por legítimos, y por bastardos si iban al fondo; 7º) se llenaba un vaso de agua, y después de haber pronunciado encima ciertas palabras, se examinaba si el agua hacía borbotones y se derramaba por los bordes; 8º) se ponía agua en una fuente de vidrio o de cristal, y después se derramaba en ella una gota de aceite, imaginándose ver en esta agua, como en un espejo, todo lo que se deseaba saber; 9º) las mujeres de los germanos practicaban esta adivinación, examinando las vueltas y revueltas, y el ruido que hacían las aguas de los ríos en los remolinos que formaban, 10º) en fin, puede hacer referencia a la hidromancia, una forma que estuvo mucho tiempo en uso en Italia. Cuando se sospechaba de alguna persona de robo, se escribían sus nombres sobre algunos guijarros que se echaban al agua. las adivinaciones por el marco de café, etc. y por otras semejantes, entran también en esta especie de adivinación. *Banier. t. 2.*

**HIDROSCOPÍA.** Nombre que se daba a la pretendida facultad de conocer las emanaciones de las aguas subterráneas. (*V. Hidromancia.*)

**HIENA.** 1 — Animal salvaje y cruel, del cual se han escrito muchas fábulas. Los egipcios lo habían divinizado.

2 — (Piedra de la.) *Plinio* dice que se cazaban estos animales para tener estas piedras, que, puestas debajo de la lengua, daban el don de predecir lo venidero al que la llevaba.

**HIERA, sagrada.** 1 — Una de las islas Vulcanias o de Lipari en donde se creía estaba la fragua de Vulcano. *Estrab. 6, Tito Liv. 24, Eneida. 8.*

2 — Esposa de Telepo, rey de los misios, tan hermosa que la misma Helena debía cederle el premio de la hermosura. *Higinio* la llama Laodice, hija de Príamo.

3 — Madre de Pándaro y Bitias, que habían educado sus dos hijos en un bosque consagrado a Júpiter. *Eneida. 9.*

4 — Camino del Atica por el cual iban los sacerdotes a Eleusis.

**HIERACOBOSCOI.** Sacerdotes egipcios encargados de alimentar los gavilanes consagrados a Apolo o el Sol (*V.* Gavilán.)

**HIERÁPOLIS.** Ciudad de Siria consagrada a Juno en Asiria, donde celebraban los grandes misterios. *Ptol. 5, c. 15.*

**HIERÁTICA.** Papel reservado para los libros sagrados. *Plin.*

**HIERAX.** 1 — Joven que cometió la imprudencia de despertar a Argos en el momento en que Mercurio iba a robar a Io transformada en becerra. Airado, Mercurio le convirtió en gavilán. *Apolod. 2, c. 1.*

2 — Hombre ilustre y justo castigado por Neptuno, con igual metamorfosis, por haber enviado trigo a los troyanos, contra los cuales estaba irritado.

**HIEREA.** 1 — Sobrenombre de Diana en Orestasium.

2 — Mercurio la hizo madre de un gigante, que fue padre de Isqueno.

**HIEROBOTANE.** *Planta sagrada* (*V.* Verbena.) R. *hieros*, santo; *botane*, hierba.

**HIEROCÉRICE.** Jefe de los heraldos sagrados de los misterios de Ceres. Su encargo era apartar todos a los profanos y a las demás personas que la ley excluía de la fiesta, advertir a los iniciados que guardasen un respetuoso silencio, o que no pronunciasen más que las palabras convenientes al objeto de la ceremonia; y en fin, recitar las fórmulas de la iniciación. El hierocerice representaba a Mercurio y traía alas en el gorro y un caduceo en la mano. Su sacerdocio era perpetuo y no imponía la obligación del celibato. *Ant. Expl. t. 2.* (*V.* Cerices.)

**HIEROCORACES.** Ministros de Mitra, llamados así porque estos sacerdotes del Sol llevaban unos vestidos cuyo color se asemejaba algo al de estas aves. R. *korax*, cuervo. *Ant. Expl. t 2.*

**HIEROCORACIOS.** Nombre que dan las inscripciones de las fuentes y los monumentos conservados, a los mitríacos. *Ant. Expl., t.2.*

**HIEROFANTE.** Soberano sacerdote de Ceres en Atenas, propuesto para enseñar las cosas sagradas y los misterios de esta diosa a los iniciados, de donde tomaba el nombre. R. *phnaein*, mostrar, revelar. Se le daba también el título de profeta: Hacía los sacrificios de Ceres, adornaba las estatuas de los demás dioses, y las llevaba en las ceremonias religiosas. Debía ser ateniense, de la familia de los eumólpidas, de una edad madura, y guardar perpetua continencia. *Ant. expl. t. 2.*

**HIEROFÁNTIDAS.** Sacerdotisas consagradas al culto de Ceres y subordinadas al Hierofanto. *Ant. expl., t. 2.*

**HIERÓFILA.** Uno de los nombres de la Síbila de Cumas. (*V.* Demófila)

**HIERÓFOROS.** Los que llevaban en las ceremonias religiosas, las estatuas de los dioses y las cosas sagradas. R. *hieros*, sagrado; *pherein*, llevar.

**HIEROGRAMA.** Especie de carácter sagrado de que se componía la escritura de los sacerdotes egipcios.

**HIEROGRAMATES**, *secretarios o intérpretes sagrados*. R. *graphein*, escribir. Sacerdotes egipcios que presidían a la explicación de los misterios de la religión. Inventaban y escribían los jeroglíficos sagrados, y los explicaban al pueblo; ayudaban a los reyes con su saber y con sus consejos, sirviéndose para este fin de sus conocimientos de los astros y de los movimientos celestes: lo que les daba gran reputación.

**HIEROLOGÍA**, *discurso sobre las cosas sagradas*. Entre los judíos es propiamente la bendición nupcial.

**HIEROMENIA.** Mes en que se celebraban los juegos Nemeos; correspondiente a setiembre. *Lucian.*

**HIEROMNEMA.** Hija de Simois que casó con Asaraco, del cual tuvo a Capis, y de éste descendía Eneas.

**HIEROMNÉMONOS**, *guardianes de los archivos sagrados*. Diputados que las ciudades de Grecia enviaban a las Termópilas, para tomar asiento en la asamblea de los Amfictiones, y ejercer allí las funciones de escribanos sagrados. R. *mnesthai*, acordarse. El primer cuidado del hieromnémono, a su llegada, era ofrecer con los Pilágoros un sacrificio solemne a Ceres, o a Minerva Preveedora, y a Apolo Pitio, si la asamblea se celebraba en Delfos. Elegidos por suerte, presidían

671

la asamblea de los Anfictiones, recogían los votos y pronunciaban los decretos. Sus nombres servían para contar los años.

HIEROMNENÓN. Piedra que empleaban los antiguos en la adivinación, pero no nos ha quedado de ella ninguna descripción. Se llamaba también *erólitos* o *anfícome*.

HIERÓNICOS. Vencedores en los cuatro grandes juegos Pitios, Itsmicos, Nemeos y Olímpicos. Se les dispensaban grandes honores y eran mantenidos toda su vida a costa del tesoro público.

HIEROSCOPÍA. Adivinación que consistía en examinar todo lo que sucedía durante los sacrificios y demás ceremonias religiosas y para sacar predicciones de las menores circunstancias. R. *skôpein*, considerar, mirar.

HIES. Sobrenombre de Baco, tomado de Hia, nombre de Semele, o según otros, porque se celebraba su fiesta en una estación lluviosa.

HIETIO. (*V*. Pluvius.) Los atenienses honraban a Júpiter bajo este nombre, y le habían erigido un altar en el monte Himeto.

HIETO. 1 — Villa de Beocia. Hércules tenía en ella un templo, donde corrían los enfermos a buscar la salud. *Paus.*

2 — Argivo, habiendo matado a Moluro a quien había sorprendido con su mujer, se refugió cerca de Orcómeno, quien compadecido de su desgracia le dio la villa de Hielo con las tierras adyacentes. *Paus.*

HIFIALTES. Divinidades campestres de los griegos, que los romanos llamaban *Súcubos.*

HÍFILO. Padre de Procris. (*V*. Procris.)

HIFINOO. Uno de los centauros muerto por Teseo, en las bodas de Piritoo. *Met. 12.*

HÍGADO. En la inspección del hígado se basaba una gran parte de la ciencia de los Apauspicios.

HIGIA. Hija de Esculapio. Habiendo sanado a un viejo que padecía gota, éste le consagró un *ex-voto*, donde estaban representados los pies con esta inscripción: H. D., esto es; *Higica Domina*. Quizá sería esta la diosa Higiea.

HIGIEA. (*Iconol*.) 1 — Hija de Esculapio y Lampetia, honrada entre los griegos como diosa de la salud. En un templo de su padre, en Sicione, tenía una estatua cubierta de un velo, a la cual las mujeres de esta ciudad consagraban su cabellera. Algunos antiguos monumentos la representan coronada de laureles, teniendo un cetro en la mano derecha como reina de la medicina. En su seno se ve un dragón enroscado que alarga su cabeza para beber en una copa que tiene la diosa en la izquierda. Hay un gran número de estatuas de Higiea que eran otros tantos *ex-votos*. Los romanos la habían admitido en su ciudad y le habían edificado un templo, como a diosa de quien dependía la salud del imperio. R. higies, sano. *Paus. 1, c. 23*, (*V*. Salud.)

2 — Torta de harina fina que se ofrecía a la diosa de este nombre, quizá para significar que la Salud es hija de la Sobriedad.

HIGQOLEO. Uno de los principales dioses que adoraban los naturales de las islas Tonga. Era sobre todo honrado por la familia del Toitonga; pero no tenía sacerdotes ni edificio que le estuvieran consagrados. Los naturales no conocían muy bien sus atributos.

HIGROMANCIA. Adivinación por medio de las aguas o de las cosas húmedas. R. *higros*, húmedo; *manteia*, adivinación.

HIGUERA. 1 — Este árbol estaba consagrado a Mercurio. Ceres, dice *Pausanias*, la había dado al ateniense Fístalo, en recompensa de la hospitalidad que había recibido de él. Los lacedemonios honraban con ella a Baco, y en sus fiestas llevaban higos en sus cestas. En los misterios de Isis y Osiris, las personas que llevaban en sus cabezas los canastillos sagrados se hacían una corona de hojas de higuera.

2 — Se decía que Remo y Rómulo fueron alimentados debajo de una higuera por una loba, y este árbol se hizo célebre. *Tácito* (*Anal. 13, c. 58*) refiere que esta higuera, después de haber subsistido ochocientos treinta años, se secó y volvió a reverdecer. Lo cierto es que la higuera de la plaza de Roma había sido plantada para

conservar la memoria de la que, según la tradición popular, había alimentado a Remo y Rómulo. Este árbol nunca se cortaba, se dejaba morir de vejez; y cuando estaba seco, los sacerdotes lo sustituían por otro. Se le llamaba *Ruminalis*, de *ruma*, teta.

3 — De Navius. Higuera que Tarquino el Viejo hizo plantar en Roma en el Comitium, donde el augur Aecio Navío había partido, con una navaja y una piedra de afilar. Una tradición popular unía a la duración de este árbol los destinos de Roma.

4 — De las pagodas. Esta higuera crece naturalmente en los terrenos pedragosos en Gaba, en las Molucas y en otras partes de la India. Persuadidos de que Visnú nació bajo su sombra, los indios le tributaban cierta clase de culto religioso, cuya antigüedad atestigua *Herodoto*. Los habitantes de Guzarate, en el imperio del mogol, ni siquiera se atrevían a coger una hoja por el temor de perder la vida antes de concluir el año. *Lamarck*. (V. Arealu)

HIJOS DE LOS DIOSES. Se daba este nombre; 1) a muchas personajes poéticos tales como Aqueronte, río de Ceres, Eco hijo del aire. etc.; 2) a los que imitaban las acciones de los dioses o sobresalían en las mismas artes, como Orfeo, Esculapio, Lino, etc.; 3) a los hábiles navegantes que fueron considerados como hijos de Neptuno; 4) a los que se distinguían por su elocuencia y que eran mirados como hijos de Apolo; 5) a los guerreros famosos tenidos por hijos de Marte; 6) aquellos cuyo origen era oscuro y a los primeros habitantes del país, los cuales se decían hijos de la tierra; 7) a los que se encontraban expuestos en un templo y que pasaban por hijos del dios a quien estaba consagrado el mismo templo; 8) a los que nacían de un comercio escandaloso; 9) a los que nacían del comercio de los sacerdotes con las mujeres que auxiliaban en el templo; 10) finalmente a la mayor parte de los príncipes y de los héroes deificados, a quienes suponían descendientes de los dioses.

HIKESO. 1 — Sobrenombre con que adoraban a Júpiter los suplicantes. R. *hikeistai*, suplicar.

2 — Escritor griego que había compuesto una obra sobre los misterios.

HILA. Ciudad de Beocia, cuyos habitantes fueron al sitio de Troya. *Ilíada 2*.

HILACIDES. Castos hijos de Hílax. *Odisea. 14*.

HILACTOR. Uno de los perros de Acteón. R. *hilaktein*, ladrar. *Met. 3*.

HILAIRA y FEBE. Hijas de Leucipo (Leucípides), hermano de Tíndáreo, las cuales, al casarse con Idas y Linceo, sus primos Cástor y Pólux, enamorados de ellas, las robaron, y tuvieron algunos hijos. Después de su muerte, fueron honradas con los honores heroicos. *Paus*.

HILARIAS. Fiestas anuales de Roma en honor de Cibeles. Duraban muchos días, en los cuales estaba prohibida toda ceremonia lúgubre. Se paseaba a la diosa por la ciudad y todos llevaban delante de ella lo que tenían de más valor. Cada uno se vestía a su gusto y tomaba los señales de la dignidad que quería. Bajo el nombre de madre de los dioses se invocaba la Tierra, porque recibió del sol un calor moderado y favorable a la conservación de los frutos. Estas fiestas se celebraban al principio de la primavera, porque la naturaleza se renueva entonces. *Ant. Expl. t. 2*.

HILARITAS. Una de las tres Gracias en latín, llamada Eufrosina en griego. En una medalla, tiene un bastón en la mano izquierda y una corona de flores en la derecha. Una piedra grabada la representa bajo la figura de un niño, teniendo en la mano derecha un racimo de uva, y un pato a la izquierda. Según *Winckelman*, esta ave acuática designa quizás el agua, y toda la representación indica probablemente la mezcla del agua y el vino. Bajo la figura se lee: *Hilaritas*. (V. Alegría).

HILARODES. Poetas griegos que acompañados de un muchacho, cantaban versos alegres y placenteros. Se presentaban vestidos de blanco y coronados de oro. R. *odé*. canción.

HILAS. 1 — Hijo de Tiodamante, rey de Misia. Siendo aun joven se unió con Hércules y le acompañó a la expedición de la Cólquida. Habiendo los Argonautas llegado a las costas de la Tróade, enviaron al joven a buscar y sacar agua; mas, enamoradas las ninfas de su hermosura, le robaron. Hércules y sus compañeros, desesperados, hicieron resonar la ribera con sus gritos de dolor. Después Hércules tomó como rehenes a los misios, acusándoles del rapto y les hizo buscar en vano al joven, cuando ya los Argonautas habían levado anclas. Todos los años se repetía simbólicamente la ceremonia.

2 — Aquel de todos los escritores extranjeros que más profundizó en la ciencia de los augurios. *Plin. l. 10, c. 18.*

HILATES. Sobrenombre de Apolo, adorado en Hilea, ciudad de Chipre.

HILAX. 1 — Padre de Cástor. *Odis. 14.*

2 — Nombre de un perro. R, *hilân*, ladrad. *Virg. Egl. 8.*

HILEA. 1 — Centauro muerto por Teseo en las bodas de Piritoo. *Met. 12 Tebaid. 5.*

2 — Hija de Testio, que dio su nombre a la ciudad de Hilea, en Beocia.

HILEC. Término de astrología con el cual distinguen los árabes el planeta o punto del cielo que domina en el momento del nacimiento de un hombre, y que influye sobre toda su vida.

HILEO. 1 — Centauro que *Virgilio* (*Geórg. 2. Eneida. 8.*) hace perecer, ya a los golpes de Baco, ya a los de Hércules. Es según parece el mismo que *Hile 1*.

2 — Uno de los cazadores que se reunieron para la caza del jabalí en Calidonia. *Met. 8.*

3 — Uno de los perros de Acteón. R. *hilé*, bosque. *Met. 3.*

HILO (*V. Ariadna, Parcas.*) *Hilos* o cadenitas que salen de la boca. (*V.* Hermes.)

HILO (*Mit. escand.*) 1 — Divinidad de los pastores, que era adorada en Westfalia.

2 — Hijo de la Tierra que había dado su nombre a un río del Asia Menor. *Paus.*

3 — Hijo de Hércules y Dejanira, educado en el palacio de Ceix y de Traquia, a quien Hércules había confiado su mujer y sus hijos mientras estaba ocupado en los doce trabajos. Después de más de un año de ausencia, Dejanira, inquieta, aconseja a su hijo que vaya a seguir las pisadas de su padre, para recoger por lo menos algunas noticias de su destino. Hilo se dirige a Cineas, donde encuentra a Hércules ocupado en erigir un templo a Júpiter y en trazar el plan de un bosque sagrado; pero tiene el pesar de llegar allí en el momento en que Hércules acababa de revestirse con la fatal túnica de Dejanira; y de verse encargado de llevar a su madre las imprecaciones que hace el héroe contra ella. Sabedor del funesto error en que el Centauro había hecho caer a Dejanira, excusa a su madre delante de Hércules. Sintiendo el héroe que se acercaba su fin se hace trasladar por Hilo al monte Eta, manda que le ponga sobre una hoguera, que pegue fuego en ella con sus propias manos y, en fin, que se case con Yola, bajo la pena de sus eternas imprecaciones. Hilo, después de la muerte de su padre, se retira al lado de Epalío, rey de los dorios, quien le recibió favorablemente y le adoptó en recompensa de las obligaciones que debía a Hércules, que le había restablecido en sus estados. Pero Euristeo, enemigo irreconciliable de Hércules y de su posteridad, temiendo que Hilo no se encontrase bien pronto en estado de vengar a su padre, vino a turbarle en su retiro y le obligó a socorrer a Teseo, rey de Atenas. Este príncipe, pariente y amigo de Hércules, tomó con tesón la defensa de las heráclidas, les empeñó a los atenienses en la disputa, y cuando Euristeo vino a reclamarlos al frente de un ejército, Hilo, comandante de las tropas atenienses, le presentó batalla, le venció y le mató con sus propias manos, Durante su residencia en Atenas erigió un templo a la diosa de la Misericordia, en el cual abrieron los atenienses un asilo para los desgraciados y culpables. Sin embargo, continuó la guerra entre los heráclidas y los pelópidas, con diferentes sucesos que hacían temer que duraría mucho tiempo. Entonces el joven heráclida, para terminarla, envió a los enemigos un cartel de desafío obligándose a pelear contra cualquiera que se presentase, con la condición de que si él quedaba vencedor, Atreo, jefe de los pelópidas, le cedería el trono, y que si era vencido, los heráclidas no podrán volver a entrar al Peloponeso hasta después de cien años. Hilo pereció en el combate y sus sucesores se vieron

obligados a sujetarse al tratado. *Met. 9, Herod. 7, c. 204. Estrab. 9, Diod. 4,* (V. Heráclidas, Yolao.)

HILOBIOS. Filósofos indios, que se retiraban a los bosques para dedicarse más libremente a la contemplación de la naturaleza. R. *Hylé,* bosque; *bios,* vida.

HILONOMA. Ninfa amada del centauro Cilaro, que se mató, desesperada al saber su muerte. *Met. 12.*

HIMANA. Mujer de Forbante y madre de Tifis.

HIMEA. Canción de los que sacan agua. R. *himao,* yo saco agua.

HIMEN, o HIMENEO. Joven de Atenas, de una hermosura extremada, pero muy pobre y de nacimiento oscuro. Estaba en la edad en que un muchacho puede pasar por niña, cuando se enamoró de una joven ateniense; pero como su origen era mucho más elevado que el suyo, no se atrevía a declararle su pasión y se contentaba con seguirla por todas partes. Un día en que las matronas de Atenas debían celebrar, sobre la ribera del mar, la fiesta de Ceres, donde debía encontrarse también la que él amaba, se disfrazó y, aunque desconocido, su rostro amable hizo que fuese admitido en la devota comitiva. Entretanto, habiendo descendido los corsarios al lugar de la fiesta, robaron toda la procesión y la trasladaron a una playa lejana, donde después de haber desembarcado su presa, se durmieron de cansancio. Himeneo, lleno de valor, propone a sus compañeras matar a sus raptores, y se pone a la cabeza de ellas para ejecutarlo. Vuelve luego a Atenas, declara en una asamblea popular quien es, lo acaecido, y promete volver todas las jóvenes si se le da en casamiento la que él ama. Aceptada su proposición se casa con su amante, los atenienses en favor de un casamiento tan feliz le invocaron siempre en sus matrimonios, bajo el nombre de Himeneo, y celebraron en su honor las fiestas llamadas himeneas. Otros autores han dicho que Himeneo era un joven que fue muerto en su misma casa el día de su boda, y que los griegos, para expiar esta desgracia, establecieron que se le invocase en todas las ceremonias, del mismo modo que los romanos invocaban a Talasio. En lo sucesivo, los poetas formaron una genealogía a este dios, haciéndole nacer los unos de Urania, otros de Apolo y de Calíope, otros en fin de Baco y de Venus. Se llaman también himeneos, los versos que se cantaban en las bodas.

HIMENEAS. Fiestas en honor de Himeneo. *Banier. t. 2.*

HIMENEO. (*Iconol.*) 1 — Suele representarse el Himeneo bajo la figura de un joven coronado de flores, en particular de mejorana, teniendo en su mano derecha una antorcha y en la izquierda un velo de color amarillo. Este color, antiguamente, era casi inherente a las bodas; pues leemos en *Plinio* que el velo de la esposa era amarillo, y *Cátulo* dice que eran del mismo color sus borceguíes o calzado.

Los poetas le representan también bajo la figura de un joven rubio, coronado de rosas, llevando una antorcha y una regadera, y con un vestido blanco bordado de flores. *Ripa* le da un anillo de oro, un yugo, y con trabas en los pies. *Cochin* una corona de rosas y de espinas, un yugo adornado de flores y dos antorchas que no tienen más que una llama.

2 — Canción nupcial o aclamación o refrán consagrado a la solemnidad de las bodas. *Mem. de la Acad. de Insc. t. 9.*

HIMERA. Diosa de la ciudad de Himera en Sicilia. *Ant. Expl. t. 1.*

HIMERO. 1 — Hijo de la ninfa Taigeto y de Lacedemón, que habiéndose atraído la cólera de Venus deshonró una tarde a Cleódice, su hermana. Al día siguiente, vuelto en sí, se arrojó desesperado al río Maratón, que se llamó después Himero. (*V.* Eurotas).

2 — Padre de Asopo, a quien tuvo de Cleódice.

HIMETIO. 1 — Monte del Atica, célebre por la excelencia y abundancia de miel que en él se recoge y por el culto que se tributa a Júpiter. Los atenienses creían también que encerraba minas de oro; y hasta llegó a correr el rumor un día de que se habían descubierto raeduras de este metal, pero esta mina era guardada por hormigas de una magnitud extraordinaria, que peleaban contra los que se acercaban.

Siguiendo este aviso, fueron allí bien armados, y volvieron sin haber encontrado nada, burlándose de sus credulidad; no dejando los poetas cómicos de representar en el teatro la famosa guerra contra las hormigas.

2 — Sobrenombre de Júpiter tomado del monte Himeto en las cercanías de Atenas, en el cual tenía este dios un templo. Se dice que las abejas de este monte habían alimentado a Júpiter en su infancia y que en recompensa este dios les había concedido el privilegio de hacer la miel más delicada del país; fábula fundada en que la miel de Himeto era muy apreciada de los antiguos.

HIMNAGORAS, *lo que se celebra en las plazas públicas*. Epíteto de Baco y de Apolo. R. *agora*, mercado.

HIMNIA. Sobrenombre con que Diana era adorada en Arcadia. Su sacerdotisa fue una virgen; hasta que habiendo intentado Aristócrates violarlas, se puso en su lugar una mujer casada. Diana tenía también un templo en el territorio de Orcómenos, servido por un hombre casado; pero que no debía tener ningún comercio carnal con los demás mortales.

HIMNO DE CÁSTOR. 1 — Canto guerrero usado ente los lacedemonios y a cuya armonía caminaban al combate. Se celebraban con él las hazañas de los héroes.

2 — De MINERVA. Composición de Olimpo, que vivía en tiempo del reinado de Midas y se conservó de siglo en siglo hasta el de Plutarco.

HIMNOS. Alabanzas en honor de una divinidad. Se dividen en teúrgicos o religiosos; poéticos o populares, filósofos o propios de los filósofos. Los primeros eran particulares o iniciados, y sólo contenían invocaciones singulares; los atributos expresados por nombres místicos. Tales son los himnos atribuidos a Orfeo. Los himnos poéticos o populares, en general, hacían parte del culto público y versaban sobre las aventuras fabulosas de los dioses. Se conservan muchos ejemplos de los poetas antiguos, como *Homero, Píndaro, Calímaco, Virgilio, Horacio*. En fin, los himnos filosóficos no se cantaban, o se cantaban tan solo en los festines descritos por *Ateneo*, y son propiamente hablando el homenaje secreto que los filósofos habían prestado a la divinidad. Tales son la palinodia atribuida a *Orfeo*, y el himno atribuido a *Cleantes*, y conservado por *Estobeo. Mem. de la Acad. de Inscrip. t. 1, 3, 4, 10, 12, 16*. Los indios tienen himnos que encierran alguna historia de sus dioses o genios; y estas historias o fábulas contienen por lo regular, alguna instrucción moral.

HIMNODES. Cantores de himnos, Estos eran, algunas veces las doncellas, otras el coro en que estaban mezclados ambos sexos, o en fin, el poeta, o los sacerdotes y sus familias. *Mem. de la Acad. de Inscr. t. 12*.

HIMNÓGRAFO. Compositor de himnos.

HIONE. Madre de Triptólemo, y mujer de Eleusio. *Ant. Expl. t. 2*.

HIONO. Hijo de Licimio, muerto por los hijos de Hipocoonte. *Diod. Sic.*

HIPA. Ninfa que cuidó de la educación del joven Baco, en las riberas del Tibeki. Entre los himnos atribuidos a Orfeo, hay uno en honor de Hipa.

HIPALCO. Hijo de Itono hermano de Electrión, y padre de Peneleo, uno de los Argonautas.

HIPÁLIMO. Hijo de Pélope e Hipodamia, uno de los Argonautas.

HIPANIS. Capitán troyano que, habiéndose vestido de los despojos de los griegos que habían muerto, fue muerto la noche de la toma de Troya por sus propios conciudadanos, que le tomaron por un enemigo. *Eneida. 2*.

HIPAR. Palabra cuyo oficio entre los griegos servía para expresar las dos señales sensibles de la manifestación de los dioses, esto es, los sueños, o alguna realidad, ya mostrándose ellos mismos, ya haciendo sensible su presencia por medio de alguna maravilla. (*V*. Aorasia. Teopsia.)

HIPARETE. Danaide. *Apolod.*

HIPASO. 1 — Uno de los capitanes griegos que se encontraron en la caza del jabalí de Calidón. *Met. 8.*

2 — Troyano padre de Cárope y de Soco, muertos por Ulises. *Ilíada 11*.

3 — Padre de Apisaón, rey de Peonia.

4—Capitán griego, padre de Hipsenor. *Ilíada 13*.

5 — Hijo de Leucipo. Su madre, ayudada de sus hermanas, le despedazó e inmoló a Baco, quien le había hecho volverse furioso.

6 — Hijo de Ceix, rey de Traquis, que acompañó a Hércules en una expedición y fue muerto en la toma de una ciudad. Hércules lo enterró con toda solemnidad. *Apolod. 2, c. 7*.

7 — Hijo natural de Príamo. *Hig. f. 90*.

HIPASÓN. Centauro cuya larga barba le servía de coraza. fue muerto por Teseo en las bodas de Piritoo. *Met. 12*.

HIPATO, *soberano*. Sobrenombre de Júpiter adorado en Beocia. Tenía también un altar en Atenas, donde no podía ofrecerse nada que fuese animado, ni menos servirse de vino para las libaciones.

HIPE. 1 — Hija del centauro Quirón. Cazando un día sobre el monte Pelión, fue violentada y, temiendo la indignación de su padre, recurrió a los dioses, que la transformaron en yegua y la pusieron entre los astros. Se dice que conocía y predecía el futuro. R. *hippos*. caballo.

2 — Hija de Antipo y esposa de Elato, del cual tuvo a Polifemo, uno de los Argonautas.

HIPENOR. Príncipe troyano muerto por Diómedes delante de Troya. *Ilíada. 5*.

HIPEO. Hijo natural de Hércules y de una hija de Testio. *Apolod. 2, c. 7*.

HIPERANTO. Uno de los hijos de Egipto.

HIPERBIO. 1 — Hijo de Marte. Se dice que fue el primero que mató animales.

2 — Hijo de Egipto. *Apolod*. Tom. II.

HIPERBÓREO. Sobrenombre de Apolo. *Diodoro* dice que los hiperbóreos eran unos pueblos que habitaban más allá del viento Boreas, en vez de decir que eran septentrionales.

HIPERDEXIO, *triunfante*, o *temible*. Sobrenombre de Júpiter. R. *dexia*.

HIPERDEXIOS, *muy favorable*. Sobrenombre de Júpiter y de Minerva.

HIPERENOR. 1 — Príncipe troyano muerto por Menelao en el sitio de Troya. *Ilíada 14*.

2 — Uno de los guerreros que nacieron de los dientes del dragón.

HIPERESIA. Ciudad de Acaia cuyos habitantes fueron al sitio de Troya. *Ilíada. 2*.

HIPERETES. 1 — Hijo de Neptuno y Alcionea.

2 — Dioses del segundo orden, que los caldeos admitían como ministros del gran dios.

HIPERETO. Hijo de Licaón, que dio su nombre a la ciudad de Hiperia.

HIPERETUSA. Una de las Hespérides. (*V*. Hespérides.)

HIPERFÍALO, *muy poderoso*. Nombre del hijo de Ixión y Nefele. (*El naburrón*) que fue padre de los centauros.

HIPERIA. 1 — Fuente de Tesalia celebrada por Homero. *Ilíada 2, 6*.

2 — Ciudad de Sicilia. *Odis. 6*.

HIPERIÓN. 1 — Hijo de Urano y hermano de Neptuno, casó con Tía, según *Hesíodo*, y fue padre del Sol, de la Luna y de todos los astros: lo que *Diodoro* explica diciendo que este príncipe titán descubrió, con la asiduidad de sus observaciones, el curso del sol y de los otros cuerpos celestes; y por esto lo han hecho pasar por padre del Sol y de la astronomía. *Diodoro* dice que se casó con su hermana Basilea, de la cual tuvo un hijo y una hija, Heliós y Selene, ambos célebres por su virtud y su hermosura, lo que atrajo sobre Hiperión los celos de los demás titanes, que formaron entre sí una conspiración para degollar a Hiperión y ahogar en el Edirán a su hijo Helios, aún niño. *Diod. Sic. Met. 15*. (*V*. Basilea)

2 — Sobrenombre del Sol; cuyo esplendor excede al de todos los demás astros.

3 — Uno de los hijos de Príamo. *Apolod. 1, c. 2*.

HIPERIPA. 1 — Danaide.

2 — Una de las hijas de Múnico, rey de los molosos, sorprendida con sus hermanas por unos salteadores, se refugió en una torre a la que estos malvados dieron fuego. Júpiter la transformó en somormujo o gaviota y a sus hermanas en otras aves.

HIPERISCO. Hijo de Príamo.

**HIPERMENE.** *Todopoderoso.* Epíteto de Júpiter. R. *Hyper,* sobre; *menos;* fuerza, poder.

**HIPERMNESTRA.** 1 — Una de las cincuenta danaides, la única que se horrorizó de la orden de su padre. En lugar de degollar a Linceo, como se lo había prometido, le proporcionó los medios de evadirse. Irritado Dánao, puso a su hija en una prisión y quiso matarla como traidora. Según *Pausanias,* la citó en justicia: pero fue absuelta por los argivos, y en memoria de este juicio consagró una estatua a Venus, bajo el nombre de *Nicéfora, la que da la victoria,* y a Diana Pito, o diosa de la persuasión un templo magnífico que subsistió por espacio de muchos siglos. *Hor. Od. 11, l. 2, Paus. 2, c. 19.*

2 — Hija de Testio, y madre de Anfiarao. *Apolod.*

**HIPEROQUE.** Una de las divinidades hiperbóreas. *Herod. 4, c. 33.* (V. Hiperbóreo, Theones.)

**HIPERPARÍPATE.** Cuerda tercera de la lira consagrada a Venus. *Vitruv.*

**HIPERQUIRIA.** Juno-Venus tenía bajo este sobrenombre un templo en Lacedemonia. Todas las mujeres que tenían hijas para casar le ofrecían sacrificios.

**HIPETRES,** o Subdiales. Lugares descubiertos, pero rodeados de un doble cordón de columnas y llenos de estatuas de diferentes dioses. *Vitruvio* cita, entre otros, el templo de Júpiter Olímpico en Atenas; y *Pausanias* el de Juno, en el camino de Falero a Atenas, que no tenía techo ni puertas, Tomándose muchas veces a Júpiter y Juno por el Aire y por el Cielo, conviene, decían, que sus templos sean descubiertos y no estén encerrados en el estrecho recinto de unas paredes, pues su poder se extiende a todo el universo. R. *hipo,* sobre; *aithra,* aire.

**HIPIA.** *Caballera.* 1 — Uno de los sobrenombres de Minerva. Se la representaba a caballo y se la creía hija de Neptuno.

2 — *Ecuestre.* Sobrenombre de Minerva entre los mantireos, porque decían que, en el combate de los dioses contra los gigantes, Minerva dirigió su caballo contra Encelado.

3 — Sobrenombre de Juno.

**HIPINGOS.** Himno consagrado particularmente a Diana,

**HIPIÓN.** Nombre que dan algunos autores al que enseñó la medicina a Esculapio.

**HIPIROCO.** 1 — Capitán troyano muerto por Ulises. *Ilíada. 11.*

2 — Padre de Itimoneo, que reinó en Elida. *Ilíada. 11..*

**HIPIUS o HIPIO.** 1 — Sobrenombre de Neptuno, porque se le atribuía el arte de domar los caballos. Tenía bajo este nombre un templo en Mautinea, muy antiguo, al cual nadie entraba. Ulises le había erigido un templo bajo este nombre en el valle de Feneón, en Arcadia, en acción de gracias porque este dios le había hecho encontrar sus yeguas.

2 — Sobrenombre de Marte.

**HIPNOFOBES o HIPNOFORBOS,** *el que inspira sueños horrorosos, que provoca el sueño.* Epiteto de Baco. R. *hipnos,* sueño; *ferbein,* alimentar; o *fobos,* miedo. *Antol.*

**HIPO.** 1 — Oceánida. *Ant. Expl. t. 1.*

2 — Hija de Escedaso, robada por los embajadores de Esparta, se mató maldiciendo la ciudad que había visto nacer a sus raptores. *Paus. 9, c. 13.*

**HIPOCAMPO.** Caballos marinos de dos pies y cola de pescado, que los poetas dan a Neptuno y a las otras divinidades del mar.

**HIPOCENTAUROS.** Hijos de los centauros. Otros creían que se diferenciaban de ellos en que eran hombres y caballos, mientras que los centauros eran hombres y toros.

**HIPOCOONTE.** Hijo de Ebalo y Gorgófona o Batia, y hermano de Tindáreo, que fue muerto por Hércules, quien restableció a Tíndáreo en el trono. *Diod. Sic. 4, Apolod. 2, t. 3, c. 10, Paus. Lucano. Met. 8.*

2 — Uno de los cazadores del jabalí de Calidona; quizás el mismo que el precedente.

3 — Amigo y pariente de Reso, capitán tracio experimentado, y el primero que notó el robo de los caballos de Reso. *Ilíada. 10.*

4 — Hijo de Hírtaco, uno de los com-

pañeros de Eneas, disputó el premio del arco en los juegos fúnebres celebrados en honor de Anquises. *Eneida. 5*.

HIPOCORISTAS. 1 — Hijo de Egipto.

2 — *Guerrero, caballero*, Epíteto de Apolo. *Antol*.

HIPOCRATIAS. Fiesta en honor de Neptuno Caballero, entre los arcadios. Los caballos estaban durante ellas exentos de todo trabajo y eran paseados por las calles y por los campos soberbiamente enjaezados, y adornados de guirnaldas. Es la misma fiesta que la que los romanos celebraban bajo el nombre de *Consualia*.

HIPOCRENE. Fuente del monte Helicón, en Beocia, nacida de una patada del caballo Pegaso. *Krene*, fuente. Según la tradición histórica fue descubierta por Cadmo, que había trasladado a Grecia las ciencias fenicias; lo que ha podido hacerle dar el nombre de fuente de las Musas. *Met. 5*.

HIPOCRENES, HIPOCRENIBES. Sobrenombres de las Musas.

HIPOCRESÍA. (*Iconol*.) Ripa la pinta por una mujer flaca y pálida, y con la cabeza inclinada y cubierta por un velo. Lleva unos grandes rosarios y pone con afectación su limosna en un tronco; tiene pies de lobo y se le da también una máscara.

HIPOCTONO. Sobrenombre dado a Hércules por haber matado a los caballos furiosos de Diómedes, R, Kteinein, matar. *Ant. Expl. t. 1*.

HIPOCURIO. *El que esquila los caballos*. Sobrenombre bajo el cual Neptuno tenía un templo en Esparta. R. *konrizein*, esquilar.

HIPODAMANTE. 1 — Padre de Perimela, que la precipitó desde lo alto de una roca porque se había dejado seducir por Neptuno.

2 — Hijo de Perimela y Neptuno.

3 — Uno de los hijos de Príamo.

HIPODAME. Una de la comitiva de Penélope. *Odis. 18*.

HIPODAMIA. 1 — Llamada por Plutarco Deidamia, hija de Adrastro, rey de Argos, una de las mujeres más hermosas de su tiempo y esposa de Piritoo. Eurito, uno de los centauros, quiso robarla; pero Perseo castigó su insolencia. *Met. 12*.

2 — Nombre propio de Briseida (*V.* Briseida)

3 — Hija de Enómao, rey de un cantón de la Elida. Prendado su padre de su hermosura, se valió, para conservarla, de un medio tan criminal como su amor. Su carroza y sus caballos eran los más veloces del país. Fingiendo pues buscar para su hija un esposo digno de ella, la propuso por premio del que pudiese vencerle en la carrera, pero con la condición de que la muerte sería la suerte del vencido: quiso también que su hija subiese en el carro de sus amantes, a fin de que su hermosura les entretuviese y causase su derrota. Con este artificio venció hasta trece rivales y les mató. Al fin, irritados, los dioses dieron a Pélope caballos inmortales y fue el décimocuarto pretendiente que corrió, y que victorioso por este medio, logró la mano de Hipodamia, *Geórg. 3, Diod. 4, Hig. f. 84, 253. Paus. 5, c. 14*.

4 — La mayor de las hijas de Anquises, y la que sobresalía entre las de su edad por su hermosura y ligereza, casó con Alcátoo. *Ilíada 13*.

5 — Danaide. *Apolod*.

6 — Esposa de Amintor, rey de Orminio y madre de Fénix.

HIPODAMO. 1 — Troyano muerto por Ulises. *Ilíada. 11*.

2 — Hijo de Aqueloo y Perímedes, hermano de Orcomenios. *Banier, t. 6*.

HIPODETE. Sobrenombre de Hércules. Habiendo venido los ortovenios a combatir con los tebanos, Hércules unció los caballos a sus carros, de modo que las colas de los unos estuviesen en frente de las colas de los otros, y con este artificio dificultó de tal modo a la caballería enemiga que el día siguiente se vio fuera de combate. R. *dein*, uncir.

HIPODICE. Danaide. *Apolod*.

HIPÓDROMO. Sobrenombre de Neptuno. R. *dremo*, yo corro. *Apolod*.

HIPODROMEA. Una de las testíades.

HIPÓGROMO. Hijo de Hércules.

HIPÓFAGES. Apodo que los griegos daban a los escitas ("comedores de caballos").

HIPÓFETES, *subintérpretes*. Ministros que presidían los oráculos de Júpiter.

Su principal función era recibir los oráculos de los ministros del primer orden y transmitirlos al pueblo.

**HIPOGERANES.** Pueblo imaginario que *Luciano* pone en los astros. R. *gheranos*, grulla.

**HIPÓGRIFO.** Animal fabuloso, compuesto del caballo y del grifón que Ariosto y otros romanceros dan a los héroes de caballería para montar.

**HIPÓGIPOS.** Pueblo de tres cabezas alado y montado sobre buitres, que *Luciano* pone en el globo de la luna. R. *ghyps*, buitre.

**HIPOGLÓTIDA.** Corona que se ve sobre algunas medallas antiguas: se hacía del laurel de Alejandría llamado *hipoglose*, de *hipo*, debajo, y de *glotta*, lengua, porque debajo muchas de las hojas de este árbol, nace otra mayor, que tiene la figura de una lengua.

**HIPÓLETIS.** Sobrenombre de Minerva, tomado del culto que se le daba en Hipolad, ciudad de Laconia.

**HIPÓLITA.** 1 — Reina de las amazonas. Habiendo Euristeo mandado a Hércules que le llevase el cinturón de esta princesa, el héroe fue a encontrar estas guerreras, mató a Migdon y Amico, hermanos de Hipólita, que les disputaban el paso, derrotó a las amazonas y robó a su reina, que dio por esposa a su amigo Teseo.

2 — Mujer de Acaste.

3 — Hija de Dexámenes, rey de Oelne, casada con Axán; durante el festín de las bodas, el centauro Euritón quiso forzar a Hipólita; pero Hércules la vengó matando al centauro. *Diod. Sic.*

**HIPOLITIÓN.** Templo que hizo erigir Fedra cerca de Trecena en honor de Venus, al cual dio el nombre de Hipólito. Después fue llamado el templo de la Venus Especuladora, porque bajo este pretexto de ofrecer sus votos a la diosa, había tenido ocasión de ver el objeto de su amor que se ejercitaba en la llanura vecina.

**HIPÓLITO.** 1 — Uno de los gigantes que hicieron la guerra a Júpiter, muerto por Mercurio armado con el casco de Plutón. *Banier. t. 3.*

2 — Hijo de Teseo y la amazona Hipólita, y educado en Trecena a la vista del sabio Piteo. Este joven, ocupado únicamente en el estudio de la sabiduría, y en los recreos de la caza, se atrajo la indignación de Venus, la cual, para vengarse de sus desdenes, inspiró a Fedra, su madrastra, una violenta pasión. La reina hace un viaje a Trecenas bajo pretexto de hacer edificar un templo a Venus, aunque su verdadero objeto era ver al joven príncipe y declararle su amor. Desdeñada y furiosa, acusó a Hipólito en una carta y se dio muerte. Estando Teseo de vuelta, engañado por este falso escrito, entregó su hijo a la venganza de Neptuno, que había prometido escucharle tres de sus votos. El desgraciado padre fue satisfecho: un horroroso monstruo enviado por el dios de los mares asustó sus caballos y, volcando Hipólito, pereció víctima de los furores de una madrastra y de la credulidad de un padre. Según *Diodoro*, conocida por Hipólito en el camino la noticia de esta calumnia, dio un horroroso grito, sus corceles se espantaron, volcó su carro y él cayó enredado en las riendas y pereció arrastrado por sus propios caballos. Según *Ovidio*, Esculapio le volvió la vida, y Diana le cubrió de una nube para hacerle salir del infierno. (*V. Virbio*.) Los trecenios le tributaron los honores divinos en un templo que le hizo erigir Diómedes. Un sacerdote perpetuo cuidaba de su culto y se celebraba todos los años unas fiestas en su honor. En ellas debían casarse las doncellas, cortarse sus cabellos y consagrarlos en su templo. Después publicaban sus sacerdotes que Hipólito no había muerto arrastrado por sus caballos, sino que los dioses le habían arrebatado y puesto en el cielo entre las constelaciones, formando la que se llama Bootes. R. *gein*, despedazar. *Ovid. Fast. 3, 6, Met. 15, Diod. Sic. Paus. 2, c. 4, Eneida. 5.* También se afirmaba que Fedra se rasgó las vestiduras para simular un intento de violación y no se suicidó hasta conocer la muerte de Hipólito.

3 — Hijo de Rópalo, rey de Sicione, sometido por Agamenón. Siempre que este joven príncipe pasaba a Cirra, el espíritu de Dios que le sentía venir y que se

regocijaba de su venida, se apoderaba de la profetisa de Delfos. *Plut. Apolod. 1, 2.*

4 — Uno de los hijos de Egipto.

HIPÓLOGO. 1 — Hijo de Belerofonte, y padre de Gláuco. *Ilíada. 6.*

2 — Hijo de Antímaco, muerto por Agamenón. *Ilíada 1l.*

HIPOLOJIE. Una de las hijas de Hércules.

HIPÓMACO. Capitán griego herido por Leonteo. *Ilíada.12.*

HIPÓMANES. Cierto liquido venenoso que formaba una gran parte en los encantamientos o hechizos. (*V.* Filtro.) Se cuenta que una yegua de bronce colocada cerca del templo de Júpiter Olímpico, excitaba los caballos a las emociones del amor, como si gozasen de vida, cuya virtud se atribuía al Hipomanes, que se había mezclado con el cobre en el acto de la fundición.

HIPOMANTIA. Adivinación de los celtas. Fundaban sus predicciones en los relinchos y estremecimientos de algunos caballos blancos, alimentados públicamente en las selvas o bosques consagrados, donde no tenían otro abrigo que los árboles. Se les hacía marchar inmediatos al carro sagrado. El sacerdote y el rey, jefe de la comarca, observaban todos sus movimientos, y sacaban de ellos augurios, en los cuales tenían una firme confianza, persuadidos de que estos animales eran confidentes del secreto de los dioses, mientras que ellos no eran más que sus ministros. Los sajones sacaban también sus pronósticos de un caballo sagrado alimentado en el templo de sus dioses, y al cual hacían salir antes de declarar la guerra a sus enemigos. Cuando el caballo empezaba a caminar con el pie derecho el augurio era favorable; si al contrario, el presagio era funesto y renunciaban a su empresa.

HIPOMEDONTE. Hijo de Nesímaco y Mitídice, según *Higinio* o de Lisímaco y Nasica, según *Estacio*, y uno de los siete capitanes que fueron a Tebas. *Apolod. 3, c. 6, Paus. 2. c. 36.*

HIPOMEDUSA. Danaide.

HIPOMELATRA. Sobrenombre de Diana, cuya estatua estaba colocada debajo de una bóveda.

HIPÓMENES. Hijo de Mecareo y Mérope, tan casto, que se retiró a los bosques para no ver mujeres. Sin embargo, habiendo encontrado un día a Atalanta en la caza, la siguió, se confundió entre sus filas y la venció en la carrera, echando por el camino tres manzanas de oro. Se casó con ella en premio de su victoria, pero habiendo descuidado el tributar gracias a Venus, que le había dado este consejo, esta diosa le inspiró una pasión tan violenta que no pudiéndose contener, la satisfizo en el mismo templo de Cibeles. Irritada la madre de los dioses de esta profanación, transformó al esposo en león y a la esposa en leona. Cibeles se compadeció de los dos y los enganchó a su carro. *Met. 10.*

HIPOMOLGOS. Escitas nómadas que se alimentaban de leche de burra. *Homero* y *Hesíodo,* les llamaron los más justos de los hombres. *Ilíada. 13.*

HIPÓMONA. Hija de Meneceo y esposa de Alceo, del cual tuvo a Anfitrión y Anaxo. *Banier. t. 7.*

HIPONA, EPONA. Diosa de los caminos y las caballerías. Se dice que, habiéndose enamorado cierto Fulvio de una burra, fue el fruto de estos extraños amores una hija llamada Hipona. Esta diosa se encuentra bajo el mismo nombre en Nordgaw, y bajo el de *Epanburg. Juv. Sat. 8.*

HÍPONO. Hijo de Tríbalo esposo de Trasa, hija de Marte, y padre de Polifonte.

HIPÓNOE. Nereida. *Ant. Expl.*

HIPÓNOMA. (*V.* Hipómona.)

HIPÓNOO. 1 — Capitán griego, muerto por Héctor. *Ilíada. 1l.*

2 — Padre de Capaneo. *Apolod. 1, c. 8; l. 3, c. 1.*

3 — Hijo de Adrastro.

4 — Nombre de Belerofonte, porque enseñó el arte de gobernar los caballos. R. *noos*, espíritu. No tomó el segundo sobrenombre hasta después de haber muerto a Belero, rey de Corinto.

5 — Hijos de Príamo.

HIPOPÓTAMO, *caballo de río*. R. potamos, río. Este animal era considerado en Hermópolis, ciudad de Egipto, como símbolo de Tifón a causa de su inclinación al mal. Era adorado también en Papremis.

**HIPÓRQUEME.** Especie de poesía consagrada al culto de Apolo y destinada a acompañar la danza que se hacía alrededor del altar de la divinidad, mientras que el fuego consumía la víctima. R. *orchestai*, danzar.

**HIPOSTRATIA.** Sacerdotisa que sostenía el vaso destinado para recibir la sangre de las víctimas. R. *hifistanai*, poner debajo.

**HIPÓSTRATO.** Hijo de Amarinceo, que sedujo a Peribea, de la cual tuvo a Tideo *Apolod.*

**HIPÓTADES.** Nombre patronímico de Eolo, nieto de Hipotes. *Met. 4.*

**HIPOTAS.** 1 — Capitán troyano, padre de Amastro, muerto por Camila. *Eneida. 11. Met. 11.*

2 — Descendiente de Hércules, que mató a Carno, adivino de los dorios, los cuales castigados por esto con una peste, arrojaron de su país a Hipotas. *Paus.*

**HIPOTE.** Padre de Haleto que edificó a Corinto. *Vell. Paterc. 1, c. 3.*

**HIPOTES.** Padre de Egesta, y abuelo de Eolo. *Odis. 10.*

**HIPOTOE.** 1 — Nereida. *Apol. 1, c. 2.*

2 — Danaide. *Id.*

3 — Amazona.

4 — Hija de Mestor y Lisídice que robada, por Neptuno, fue transportada a las islas Esquinades, donde parió un hijo. *Apolod. 2, c. 4. (V. Tafio.)*

5 — Una de las cinco hijas de Pelias. *Apolod. 2, c. 4.*

**HIPOTOO.** 1 — Hijo de Neptuno y Alope, expuesto sucesivamente por su madre y por Cerción su abuelo, alimentado por dos burras que se tomaron este cuidado, y recogido por los pastores. Reinó en Eleusis después de la muerte de Cerción, y muerto por Teseo dio su nombre a una población de Atica. *Higin.* f. 187, *Paus.* 1, c. 38, (V. Alope.) 3.

2 — Hijo de Cerción y rey de Arcadia. *Paus.*

3 — Uno de los guerreros que se reunieron para la caza del jabalí de Calidón. *Met. 8.*

4 — Capitán troyano, hijo de Leto muerto por Ayax, cuando se disponía a robar el cuerpo de Patroclo. *Ilíada. l. 17.*

5 — Uno de los cincuenta hijos de Egipto, esposo de Gorgé.

6 — Uno de los hijos de Hipocoonte.

7 — Uno de los hijos de Príamo. *Ilíada. 2.*

**HIPÓTROCO.** Uno de los hijos de Príamo.

**HIPÓZIGO.** Hijo de Hércules y de una testíada.

**HIPSAUQUENOS,** *que lleva la cabeza alta.* Epíteto de Apolo. R. *hypsos*, altura; *auchen*, cuello. *Antol.*

**HIPSEA.** Madre de Absirto y mujer de Eetes, rey de Cólquida.

**HIPSENOR.** 1 — Hijo de Dolopión y sacerdote del Escamandro, honrado como dios. Fue herido por Eurípilo en el sitio de Troya. *Ilíada. 5.*

2 — Príncipe griego, hijo de Hipaso, muerto en el sitio de Troya por Deifobo. *Il. 15.*

**HIPSEO.** Mató a Protenor, pero fue muerto enseguida por Lincide, en el combate suscitado con ocasión del casamiento de Perseo con Andrómeda. *Met. 5.*

**HIPSIPILA.** Hija de Toante, rey de la isla de Lemnos, y de Mirina. Habiendo las mujeres de Lemnos faltado al respeto debido a Venus y descuidado sus altares esta diosa para castigarlas, les infundió a todas un olor tan insoportable, que sus mismos maridos las abandonaron a los esclavos. Airadas las lemnianas por esta afrenta, hicieron entre todas un complot contra todos los hombres de la ciudad, y los degollaron en una noche. Tan solo Hipsipila, cual otra Hipermnestra, conservó la vida de su padre y le hizo salvar secretamente en la isla de Quío. Después de esta matanza de hombres fue elegida reina de Lemnos. Algún tiempo después, caminando los Argonautas hacia la Cólquida, hicieron escala en esta isla; Jasón, su jefe, enamorado de los encantos de esta reina, que según parece no había sido incluida en la venganza de Venus, como tampoco en el crimen de las lemníades, se detuvo dos años en su corte entre los brazos del Amor. Pasado este tiempo, Hipsipila le dejó partir para la conquista del Vellocino de Oro, con la condición de que al volver pasara por allí, antes de entrar en Grecia; pero Jasón, seducido por Medea, no se acordó más de Hipsipila ni de los hijos que de ella había tenido. O*vidio* en la sexta de sus Heroicas reprueba en Jasón esta ingratitud, y expresa enérgicamente la desesperación de un olvido tan extraño y tan poco merecido. Esta princesa tuvo que sufrir otro pesar que quizá le hizo olvidar el primero. Habiendo descubierto las lemniades que Toante vivía aun y reinaba en la isla de Quío, por los desvelos de su hija, concibieron tanto odio por Hipsipila, que la obligaron a dejar el trono, y hasta a salir de la isla. Se dice que, habiéndose ocultado esta desgraciada reina en la playa, fue arrebatada por unos piratas y vendida a Licurgo, rey de Tesalia, que la hizo ama de leche de su hijo. Un día, habiendo dejado su criatura al pie de un árbol para ir a enseñar una fuente a unos extran-jeros, a su vuelta la encontró muerta por una serpiente. Licurgo quiso matarla, pero Adrasto y los argivos, por quienes había dejado el niño, tomaron su defensa y le salvaron la vida. Estat. Te*baid. 4, 5, Apolon. 1, Vul. Flac. 1, 2, Apolod. 1, c. 9. l. 3, c. 6, Hig. f. 15, 74*, (V. Archemoro, Nemeos.)

HIPSION. Uno de los héroes a quienes los griegos ofrecían sacrificios. *Plut.*

HIPSISTO. Habitaba, según, *Sanchoniatón*, en las cercanías de Biblos. Tuvo por consorte a Beruth, de cuyo matrimonio nació un hijo llamado Urano y una hija nombrada Gea. Se dice también que los griegos dieron al cielo y a la Tierra, el nombre de estos dos hijos. Habiendo Hipsisto muerto en la caza, fue honrado como dios y se le ofrecieron libaciones y sacrificios. Los fenicios le reconocieron después como padre, o como primero de los dioses. R. *hypsistos*, muy alto. (*V.* Gea, Urano.) Es asimismo un sobrenombre de Júpiter.

HIPSO. Hijo de Licaón, fundador de una ciudad de Arcadia.

HIRCANIA. Ciudad del Asia que tiene sobre el sepulcro de Ponzolo la capa pluvial Macedonia, alusión a la colonia macedoniana que había fundado.

HIRCIPES, *el que tiene los pies de macho cabrío.* Sobrenombre de Silvano. *Marcia.*

HIREO. Hijo de Egeo, padre de Mesis, Leas y Europa. *Paus.*

HIRIA. Ninfa de Arcadia. Habiéndose precipitado su hijo de lo alto de una roca por no haber podido obtener un toro de uno de sus amigos, lloró tanto su pérdida que se derritió en lágrimas y fue transformada en un lago de su nombre.

HIRIEO. 1 — Aldeano de Beocia que tuvo el honor de alojar en su cabaña a Júpiter, Neptuno y Mercurio, los cuales, en recompensa de su hospitalidad, le dieron a escoger todo lo que quisiera, con seguridad de que lo obtendría. Limitó sus deseos a tener un hijo, sin conocer mujer. Los dioses se orinaron sobre la piel de una becerra que acababa de inmolar a Júpiter, y diez meses después, tuvo un hijo llamado Urión. *Hig. f. 195.* (*V.* Orión.)

2 — Posesor de grandes tesoros. *Paus.* (*V.* Agámedes y Trofonio.)

HIRIEUS. Nombre del hijo de Hiria. (*V.* Filio.)

HIRMINA. 1 — Ciudad de Elida, cuyos habitantes fueron al sitio de Troya. *Ilíada. 2.*

2 — Hija de Neleo, y de Nicteo, o de Epeo, casó con Forbas, y concibió a Angias.

HIRNELA. Vaso que servía para los sacrificios. *Fest.*

HIRNETO. Hija de Témeno, rey de Argos, esposa de Deifonte, honrada como diosa entre los griegos. Habiendo sido muerto Temeno por sus hijos, estos robaron su hermana a Deifonte, que mató a Crines, uno de ellos, con un flechazo, más no osó hacer lo mismo con Falces, por temor de herir a Hirneto, que este tenía estrechamente abrazada y a la cual ahogó por último ente sus brazos. Deifonte hizo transportar el cuerpo de la princesa, y lo sepultó en medio de un campo llamado después Hirnetio, en el territorio de Epidauro: y para honrar su memoria mandó, entre otras cosas, que ninguno de los árboles que produjese aquel suelo, pudiese ser arrancado y empleado en usos profanos, como consagrados a Hirneto. *Apolod. 2, c. 6. Paus.*

HIRPACEA. Hija de Bóreas y Cloris.

HIRPÍAS. Familias romanas que en el sacrifico anual que se celebraba en honor de Apolo, en el monte Soracte, caminaban sobre una hoguera sin quemarse y en consideración a este prodigio, un decreto del senado eximía de toda carga pública.

HIRROKINN. (Mit. *escand.*) Maga que habitaba en Iotuneim.

HIRTÁCIDES. Sobrenombre de Hipocoonte y de Niso. *Eneida. 5, 9.*

HÍRTACO. 1 — Padre de Hipocoonte, uno de los compañeros de Eneas. *Eneida. 5.*

2 — Troyano del monte Ida, padre de Niso. *Eneida. 9, Ilíada. 13.*

HIRTIO. General de los misios, muerto por Ayax, hijo de Telamón, en el sitio de Troya. *Ilíada. 14.*

HIRTUOSUS DEUS, *el dios velludo.* Pan. *Apul.*

HISBON. Capitán latino, muerto por Palas. *Eneida. 10.*

HISIO. Bajo este sobrenombre tenía Apolo su templo en Hisia en Beocia, donde respondía oráculos, en medio de un pozo, cuya agua ponía al sacerdote en estado de dar respuestas seguras.

HISMÓN. Atleta vencedor en el pentatlón, en los juegos Olímpicos y los Nemeos, y cuya estatua en tiempo de *Pausanias* se veía en el Olimpio. Encontrándose este atleta atacado en su juventud de un reumatismo nervioso, recurrió al ejercicio del pentatlón que, además de curarle, le puso en estado de alcanzar muchas victoria que ilustraron su nombre (*V.* Pentatles.)

HÍSPALO. Dejado por Hércules en España, edificó, después de la muerte de Gerión. Híspalo, Híspalis, hoy Sevilla.

HISPANO. Hijo de Híspalo que dio su nombre a España. *Just. 44, c. 1.*

HISTERIAS. Fiestas consagradas a Venus, en las cuales se inmolaban tocinos. R. *his,* puerco. *Ant. Expl. t. 2.*

HISTERÓPOTMO. Nombre que daban los griegos a las personas que volvían a sus hogares después de un viaje muy largo, y que ya se les había creído muertas. No se les permitía asistir a la celebración de ninguna ceremonia religiosa hasta después de su purificación, que consistía en envolverse en una especie de vestido de mujer, a fin de que apareciesen de este modo como recién nacidos.

HÍSTICA. Hijo de Hirieo, que dio su nombre a una ciudad de Eubea.

HISTORIA (I*conol.*) Hija de Saturno y Astrea. Se la pinta con aire majestuoso y grandes alas, emblema de la prontitud con que renueva o comunica los sucesos, de donde resalta su utilidad general, y con vestido blanco, símbolo de su veracidad. Tiene un libro en una mano y en la otra una pluma o estilo, y la vista fijada hacia atrás, como que escribe para los que han de nacer. Algunas veces parece que escribe sobre un gran libro, sostenido en las alas del Tiempo representado por Saturno. Mengs la ha pintado de este modo en el cielo raso de una de las salas del Vaticano, entre el Genio y la Fama. En los salones de Versalles, *Le Brun* la ha representado como una mujer sentada, coronada de laurel, con un rostro grandioso y serio. Tiene un libro y una trompeta y se apoya sobre libros esparcidos a su alrededor. *Gravelot* le ha añadido una diadema, porque sirve para dar lecciones a los gobernantes. El sol que se ve sobre su estómago indica el caracter de verdad y de imparcialidad que debe tener. Las medallas, pirámides, etc., indican que los monumentos antiguos son sus pruebas. Sirve de fondo al cuadro una ciudad que se abrasa, indicando la destrucción de los imperios; suceso notable e instructivo de sus anales. (*V.* Clío.)

HISTÓRICA (Edad.) Unos la hacen empezar en el restablecimiento de las olimpíadas; otros en la vuelta de los Heráclidas al Peloponeso, cincuenta años antes de la guerra de Troya.

HISTORIS. Hija de Tiresias y hermana de Manto.

HODIOS, *protector de los caminos.* Sobrenombre de Mercurio en la isla de Paros. R. *hodos,* camino.

HODITES. Uno de los hijos de Hércules y Deyanira.

HODIUS. Sacerdote y heraldo griego en la guerra de Troya. *Ilíada. 9.*

HOGOTIO. Héroe venerado como dios en muchos pueblos. *Mem. de la Acad. de Inscrip. t. 1.*

HOLANDA (*Iconol.*) Tiene por atributo un león que lleva un haz de siete flechas, símbolo de las siete provincias. *Le Brun* la ha representado en Versalles por una mujer vestida de un paño de plata y un manto de oro, con flores azules con corona ducal y teniendo el león a su lado.

HOLMAT (*Mit. orient.*) Fuente de vida, célebre en los romances orientales por haber dado la inmortalidad al profeta Elías. (*V.* Kheder, Modhallam.)

HOLOCAUSTO. Sacrificio en que la víctima quedaba enteramente consumida por el fuego. En los hechos, a los dioses infernales tan sólo se ofrecían holocaustos, se quemaba toda la víctima, se consumía sobre el altar, estando absolutamente prohibido comer de los manjares inmolados a los muertos. Los antiguos que, según *Hesíodo* e *Higinio*, celebraban los sacrificios con muchas ceremonias, consumían en el fuego las víctimas enteras. Los gastos eran demasiado grandes para que los pobres pudiesen sacrificar; y por esto Prometeo, que por la grandeza de su ingenio pasó por creador del hombre, obtuvo de Júpiter el permiso de echar al fuego una parte de la víctima y comer la restante. Para dar por sí mismo un ejemplo y establecer una costumbre para los sacrificios, inmoló dos toros y arrojó su hígado al fuego. Separó luego la carne de los huesos, hizo dos montones y los cubrió con una de las pieles, con tal habilidad que parecían ser dos toros, pidiendo después a Júpiter que escogiese para sí uno de ellos. Engañado el dios por Prometeo, creyendo tomar un toro por su parte, no tomó sino huesos, y desde entonces se puso aparte la carne de las víctimas para alimentar los sacrificadores; y los huesos, que era la parte destinada a los dioses, eran consumidos por el fuego. A pesar de la singularidad de esta leyenda, es cierto que ha habido tiempos y lugares en los cuales se quemaban las víctimas enteras; de donde viene la palabra *holocausto*. R. *holos*, entero; *kaiein*, quemar *Ant. Expl. t. 2.*

HOMADO. Centauro que hizo violencia a Alcíone, hermana de Euristeo, y fue muerto por Hércules.

HOMAGIRIO. Sobrenombre de Júpiter, honrado en Egium, donde tenía un templo en la ribera del mar. Este sobrenombre viene de cuando Agamenón reunió en este lugar las tropas que debían ir al sitio de Troya. R. *homon*, junta; *agris*, reunida.

HOMBRE, *que tiene atadas las manos en el tronco de un árbol.* (*V.* Milón.)

HOMICIDIO (*Iconol.*) Se le personifica bajo la figura de un hombre con el rostro inclinado y feo; vestido de armas de hierro, cubiertas con una ligera ropa encarnada. Trae una cabeza de tigre que le sirve de gorro y camina aceleradamente, mirando siempre detrás a fin de observar si le persiguen, teniendo una espada ensangrentada en una mano y en la otra una cabeza de hombre.

HOMISTES, *dios cruel, que tan sólo se aplaca con víctimas humanas.* Epíteto de Baco. R. *homos*, cruel. *Antol.*

HOMÓGINA. Nombre bajo el cual Júpiter era honrado en Egio, donde tenía un templo.

HOMÓLIPO. Hijo de Hércules y Santis. *Apolod.*

HOMORIO. Sobrenombre griego de Júpiter. Era el mismo que el Júpiter Terminalis de los latinos. Ambos pueblos adoraban este dios bajo la figura de una piedra. Los juramentos que se hacían invocándolo eran los más solemnes. *Mem. de la Acad. de Inscr. t. 4.*

HONOR. (*Iconol.*) Virtud divinizada por los romanos. Queriendo Marcelo, dice *Plutarco*, hacer edificar un templo a la virtud y al honor, consultó a los pontífices sobre este piadoso designio; los cuales le respondieron que un templo sería siempre pequeño para dos divinidades tan grandes. Hizo pues construir dos, pero cerca el uno del otro de modo que se pasase por el de la Virtud para llegar al del Honor, queriendo significar con esto que no se podía adquirir el verdadero honor sino con la práctica de la virtud. Se sacrificaba al Honor con la cabeza descubierta, al modo que un hombre se descubre delante de las personas que honra. En los idus de julio los caballeros romanos se reunían en el templo del Honor desde donde se trasladaban al Capitolio. Se ve representada esta divinidad en las medallas, bajo la figura de un hombre que tiene en la mano derecha una pica, y el cuerno de la abundancia en la otra; o bien, en lugar de la pica, un ramo de olivo, símbolo de la paz. En las medallas de Tito, príncipe que ponía su felicidad en procurar la paz y la abundancia a su imperio, se representa al Honor de esta manera. *Ant. Expl. t. 1.*

Los artistas posteriores lo representan por un guerrero noble y fiero, que trae una corona de palma. Va adornado de una cadena de oro, y armado de una lanza y escudo, sobre el cual se ven pintados los dos templos del Honor y la Virtud, con esta divisa: *Hic teminus hæret*: aquí está su término.

**HONORARIOS.** Juegos que cada particular podía dar tan sólo para hacerse honor.

**HONORES**, tributados a los muertos. (Mit. chin.) En China, los ricos tenían en sus casas un aposento llamado *stutangé*, cuarto de los antepasados. En él se veía la imagen del más distinguido de los abuelos de su familia, puesta sobre una mesa rodeada de gradas, y en ambos lados los nombres de todos los muertos de la familia, hombres, mujeres y niños, grabados sobre unas tablillas de madera, con la edad, la cualidad, profesión y día de la muerte de cada uno. Cada seis meses se reunían los parientes en esta sala. Cada uno ponía su ofrenda sobre la mesa; cuya ofrenda consistía por lo común en manjares, vino, arroz, frutas, perfumes y candelillas. Estas ofrendas se practicaban con las mismas ceremonias que los chinos empleaban cuando hacían regalos a los mandarines el día de su cumpleaños y a las demás personas a quienes deseaban honrar. Los que no poseían suficientes recursos para tener en su casa un cuarto destinado a este uso reservaban el lugar de sus habitaciones más propio para poner el nombre de sus ascendientes. Como todos los sepulcros estaban en campo raso, cada ciudadano iba todos los años, hacia el mes de mayo, acompañado de su familia, a visitar el sepulcro de sus abuelos. Los parientes se ocupaban de limpiar el lugar de la sepultura de las hierbas que lo cubrían, lo

regaban con sus lágrimas, y ponían en él manjares y vino, que les servían para hacer un festín en honor de los muertos. El 14 de la luna de agosto, era también un día consagrado a las mismas ceremonias. Además de esto, cada día de luna nueva y llena, los chinos quemaban perfumes delante de los nombres de sus antepasados. Quemaban también inciensos en su honor y les saludaban con profundas reverencias. Estaban persuadidos que este culto era para ellos el orígen de toda clase de bienes y prosperidades. Creían que las almas de sus parientes difuntos rodeaban el torno del rey del cielo, y que sus méritos casi igualaban los del mismo cielo.

Los cuadros de los muertos eran por lo común cóncavos y por esto los llamaban asientos de las almas. Los habitantes de Tonkín, celebraban asimismo fiestas en honor de sus antepasados, consistiendo la ceremonia en la erección de una torre de veintiséis pies de alto, dividida en pequeños aposentos, en los cuales estaban distribuidos toda especie de manjares y de frutos.—Un artículo del *Sadder* mandaba a los guebros que se acordaran de sus parientes difuntos, y para cumplir este precepto hacían todos los años un gran festín. Tenían también la costumbre de llevar sobre la tumba del difunto, la primera noche después de los funerales, una ofrenda que consistía en diferentes manjares. — Los pueblos de Curlandia y de Samogitia, así como los lituanios y los livonios, preparaban todos los años, por el mes de octubre, una espléndida comida para los muertos. Cada padre de familia llamaba por sus nombres a todos los parientes, amigos y difuntos y les rogaba que honrasen el banquete que les había preparado. Se suponía que los muertos aceptaban el convite y venían a sentarse a la mesa, y cuando se juzgaba que estaban satisfechos, el maestro de la casa les daba licencia para que se retirasen y les rogaba que ya que habían sido bien regalados, tuviesen cuidado, al volverse, de no caminar sobre los trigos.

**HONORINO.** Divinidad romana a la cual sacrificaban las mujeres cuyos maridos emprendían un viaje, a fin de que recibiesen favorable acogida de los extranjeros, cuyos paises iban a recorrer.

HOPLITÓROMES. Atletas armados que disputaban el premio de la carrera en los juegos Olímpicos. *Mem. de la Acad. de Inscr. t. 3.*

HOPLÓFOROS, el que trae arma. Epíteto característico de Marte. R. *hoplon*, arma; *pherein*, llevar.

HOPLÓMACOS. Gladiadores armados de todas las armas. R. hoplon, arma; machestai, combatir. (V. Provocadores.)

HOPLOSMIA. Sobrenombre que los habitantes de Elis daban a Palas, armada de pies a cabeza.

HORA. 1 — Hija de Urano. Queriendo este príncipe deshacerse de Cronos, su hijo, envió a muchas de sus hijas y entre ellas a Hora, para matarle: pero, habiéndose Cronos apoderado de ellas, las puso en el número de sus amantes. *Banier. t. 1.*

2 — Diosa de la hermosura. *Eneida.*

3 — (*V.* Horta.)

4 — Los chinos tienen un templo consagrado a la Hora, cuyas puertas nunca se cierran, para significar que debemos estar atentos al tiempo que huye, y cuyo precipitado curso nadie puede detener.

HORACANG. (*Mit. siam.*) Campanario de los talapones. Consiste en una torre de madera que contiene una campana sin badajo de hierro, la cual se golpea con un martillo de madera, cuando se quiere hacer sonar.

HORAS. Hijas de Júpiter y Temis. *Hesíodo* cuenta tres; Eumonia, Dice e Irene, es decir, el buen Orden, la Justicia y la Paz. *Homero* las llama Porteras del cielo y les confía el cuidado de abrir y cerrar las puertas eternas del Olimpo, apartando o aproximando las espesas nubes que le sirven de barrera, esto es disipando o condensando las nubes que ocultan la vista del cielo. Los mitólogos griegos, al principio, no admitieron más que tres horas o estaciones. El Otoño dio lugar a la creación de otras dos, llamadas Carpo y Talo, establecidas para velar los frutos y las flores. Los atenienses las denominaban Talo, Auxo y Carpo. En fin, cuando fue dividido el día en doce partes iguales, los poetas multiplicaron el número de las Horas hasta doce, empleadas todas en el servicio de Júpiter, y las llamaron las doce hermanas. H*iginio* cuenta diez con nombres diferentes. También las atribuyeron el cuidado de la educación de Juno, y algunas estatuas de esta diosa llevan las horas sobre la cabeza. Se les veía igualmente con las Parcas, dice *Pausanias*, sobre la cabeza de una estatua de Júpiter, para significar que las horas le obedecían, y que las estaciones y los tiempos dependían de su voluntad suprema. Las Horas eran reconocidas como diosas en Atenas donde tenían un templo erigido en su honor por Anfictión. Los atenienses les ofrecían sacrificios en los cuales se hacían hervir y no asar las viandas, rogando a estas diosas que les diesen un calor moderado, a fin de que con el auxilio de las lluvias, los frutos de la tierra llegasen a la madurez más suavemente. Los artistas las representan ordinariamente con alas de mariposa, acompañadas de Temis, y sosteniendo cuadrantes y relojes. *Mem. de la Acad. de Inscrip. t. 3, 10.*

HORCIO. Sobrenombre de Júpiter. El padre de los dioses puesto en el lugar en que se reunía el senado de Atenas, es, dice *Pausanias*, de todas las estatuas de este dios la que inspira a los pérfidos más terror, se le llama Júpiter Horcio esto es, el que preside a los juramentos. Tiene un rayo en cada mano, y delante de él los atletas con sus padres, sus hermanos y los maestros del gimnasio juraban sobre los miembros de un jabalí inmolado, que no usarían de ningún ardid en la celebración de los juegos olímpicos. Los atletas juraban así mismo que habrían empleado diez meses enteros en ejercitarse en los juegos cuyo premio debían disputar. Los que presidían la elección de los jóvenes o de los caballos, juraban también que lo habían hecho según justicia, sin haberse dejado corromper por presentes, y que guardarían un secreto inviolable sobre lo que les había obligado a elegir o rehusar a éstos o aquéllos.

HORDICALES u HORDICIAS. Fiestas que celebraba Roma el 15 de abril, en honor de la Tierra, a la cual se sacrificaban treinta vacas preñadas para honrar su fecundidad. Parte de ellas eran inmoladas en el templo de Júpiter Capitolino y quemadas por la más anciana de las vestales. Son las mismas que las Fordicales. *Forda* u *Horda*, quiere decir vaca preñada.

HOREOS. Sacrificios solemnes, que consistían en frutos de la tierra que se ofrecían al principio del verano y el invierno, a fin de obtener de los dioses un año dulce y templado. Estos sacrificios se ofrecían a las Horas y las Estaciones. *Ant. Expl. t. 2.* (*V.* Horas.)

HOREY. (*Mit. afr.*) Nombre que los negros de la costa occidental de Africa daban al diablo.

HORIÓN, u Horio. Sobrenombre de Apolo en Herminone. *Pausanias* lo deriva de *horos* límites, y supone que le fue dado en consecuencia de una diferencia sobre los límites, que terminó felizmente.

HORIUS, *el que preside las horas o las estaciones.* Epíteto de Baco. R. *hora*, hora, o estación, *Antol.*

HORME. 1 — Nombre de un perro de caza. R. *hormé*, impetuosidad.

2 — Diosa a quien invocaban los que se mostraban activos en la conducta de sus negocios. *Pausanias* dice que tenía un altar en Atenas.

HORMENIO. Padre de Astidamia, el cual habiendo rehusado a Hércules, casado ya con Deyanira, fue atacado, forzado en su aposento y muerto por el héroe, quien se apoderó de Astidamia, de la cual tuvo un hijo llamado Clesipo.

HORMIGA. Los tesalios honraban estos insectos de los cuales creían descender; y la vanidad de los griegos amaba más traer su origen de las hormigas del bosque de Egina, que reconocer que descendían de las colonias de los pueblos extranjeros. La hormiga era un tributo de Ceres y daba también materia a las observaciones de los augures. (*V.* Eaco, Mirmidones.)

HORMO. Una de las principales danzas de los lacedemonios, en la cual los jóvenes y las doncellas, dispuestas alternativamente, y teniéndose por las manos, danzaban alrededor. Según las más antiguas tradiciones, estas danzas circulares

habían sido instituidas a imitación del movimiento de los astros. Los cantos de estas danzas se dividían en estrofas y antiestrofas: en las estrofas se giraba de oriente a occidente; en las antiestrofas se tomaba la dirección opuesta; la pausa que hacía el coro reponsando se llamaba épodo. *Lucian.*

HORÆA. Mujer de Seth, según los setios, rama de los primeros gnósticos.

HOROGRAFÍA, o Gnomónica. (*Iconol.*) Una figura que tiene un compás, y alas que denotan la velocidad de las horas: cerca de ella se ve un cuadrante solar y un reloj de arena.

HORÓSCOPO. Arte de predecir por medio de la observación de los astros, y en el momento del nacimiento, lo que debe suceder a alguno en el curso de su vida, R. *hora* hora; *scopein*, observar.

HORTA. Diosa de la juventud que conducía los jóvenes a la virtud. Su templo no se cerraba jamás, para significar el continuo cuidado que necesita la juventud de ser guiada al bien. Se la llamaba también *Stímula. Met. 14.* (*V.* Hersilia.)

HORTENSIS. Nombre de Venus como presidente al nacimiento de las plantas. R. *Hortus*, jardín. *Lucian.*

HORUS. 1 — (*V.* Oros.)

2 — Rey de Trezenao Trecén. Era según parece una colonia egipcia.

HOSANA. 1 — Oración que recitan los judíos el día séptimo en la fiesta de los tabernáculos. El rabino *Elías* dice que los judíos dan también este nombre a las ramas del sauce que traen en esta fiesta, porque cantan *hosanna*, agitando estas ramas.

2 — Rabba o grande Hosanna. Nombre que dan los judíos a su fiesta de los tabernáculos.

HOSIOS. Sacerdotes de Delfos, nombrados para los sacrificios que se ofrecían antes de consultar el oráculo. Inmolaban por sí mismos las víctimas y ponían toda su atención en que fuesen puras, sanas y enteras. Era necesario que la víctima temblase y se estremeciesen todas las partes de su cuerpo cuando recibía las efusiones de agua y vino; no siendo suficiente que sacudiese la cabeza como en los sacrificios ordinarios: sin esto, los hosios no hubieran instalado la Pitia sobre el Trípode. Estos ministros eran perpetuos y la sacrificatura pasaba a sus hijos. Se le creía descendientes de Deucalión. Hostos, en griego, quiere decir santo, y la víctima se llamaba *Hosiota. Ant. Expl. t. 2.*

**HOSPES, HOSPITALIS.** Sobrenombre que los romanos daban a Júpiter, como dios protector de la hospitalidad. *Eneida.* (V. Xenio.)

**HOSPITA.** Venus tenía bajo este sobrenombre un templo en Memfis en Egipto. Minerva era honrada bajo el mismo título en Esparta.

**HOSPITALIDAD.** (*Iconol.*) Los antiguos la representaban por su Júpiter hospitalario.

Se alegoriza ordinariamente bajo la figura de una mujer acogiendo a un peregrino y teniendo un cuerno de la abundancia, del cual se desprenden frutas, que un niño se apresura a recoger. Puede también pintarse bajo la figura de una joven cuyos vestidos arremangados dan mayor actividad a sus acciones: su rostro anuncia la dulzura y la ternura; tiende los brazos a un viajero que parece estar abrumado de fatiga, y cerca de ella se ve un pelicano símbolo de la benevolencia y la humanidad.

**HOSTIA.** Término que viene de ho*stis*, enemigo, porque en los primeros siglos se sacrificaban los cautivos a los dioses antes o después de la victoria. Había de dos especies: las unas en cuyas entrañas se buscaba el conocimiento de la voluntad de los dioses: otras a quienes tan sólo se quitaba la vida, y que por esta razón eran llamadas *hostiæ animales.* – *Isidoro* dice que la *víctima* servía para los grandes sacrificios, y la *hostia* para los menores; que la primera se tomaba del ganado mayor, y la segunda, de los ganados de lana. Añade que la *hostia* era propiamente la que el general sacrificaba antes del combate, y la *víctima* la que ofrecía después de la victoria: *hostire*, herir; *víctima a victis hostibus.* Los antiguos distinguían muchas especies de hostias. *Hostiæ puræ* eran los corderos y los cochinillos de diez días; –

*præcidaneæ*, las que se inmolaban la vigilia de las fiestas solemnes (R. *præ*, delante, y *cædo* yo inmolo;) – *bidentes*, hostias de dos años, las cuales a esta edad tienen dos dientes más altos que los demás; – *injuges*, que jamás habían sufrido el yugo; – *eximiæ*, escogidas y puestas a parte como las más bellas y las más dignas de los dioses; – *succedaneæ*, que se suceden las unas a las otras. (Cuando la primera no era favorable, o cuando en el acto de sacrificarla se había omitido alguna ceremonia esencial, se sacrificaba otra: si tampoco salía bien, se pasaba a una tercera, y así sucesivamente hasta que llegase una de favorable;) – *ambarvales* (V. este nom.;) – *amburbiales*, las que se paseaban alrededor de la ciudad; – *caveares*, o *caviares*, las que era presentadas al sacrificador por la cola, *caviar*, – *prodigæ* las que eran enteramente consumidas por el fuego; *piaculares*, expiatorias, que se inmolaban para purificarse de alguna mancha, – *ambegnæ* o *ambiegnæ*, vaca u oveja, que tenían dos pequeñuelos, y que se sacrificaban con sus madres a Juno; – *harvigæ*, o *harugæ* aquellas cuyas extrañas se examinaban para presagiar;– *mediales*, hostias negras que se sacrificaban a medio día. *Rosin. Antig. Rom.*

**HOSTILINA.** Diosa de los romanos. Se invocaba para la fertilidad de las tierras, y para obtener abundantes cosechas. propiamente hablando, se le atribuía el cuidado del trigo cuando las últimas espigas se elevaban ya a la altura de las primeras, y la superficie de la cosecha era igual. R. *hostire*, igualar: *hostimentum*, igualdad. Según otros se invocaba a Hostilina cuando la espiga y la barba estaban a nivel.

**HOTERO.** Rey de Suecia al cual, según una tradición fabulosa, unas ninfas le regalaron un cinturón fatal, con el cual tan sólo podía ceñirse para vencer sus enemigos.

**HOULI.** (*Mit. índ.*) Fiesta que la India entera, gentil o mahometana, celebra en honor de Krishna, y que anuncia el equinoccio de la primavera. Se hace durante la luna llena, que sigue el primer pasaje anual del Sol al Ecuador, y entonces los devotos hindúes convidaban a la primavera a la que viniera a embellecer la tierra. Las ceremonias de esta fiesta eran muy alegres. Los indios de todas clases y de todas edades se reunían para celebrarla. Se arrojaban puñados de la flor encarnada de Juba, reducida a polvo, y pelotillas de agua colorada con la misma planta. Estas pelotillas se rompían con mucha facilidad y cubrían de manchas encarnadas los vestidos de las personas heridas, manchas que no eran miradas como vergonzosas ni como desagradables. La puerta del Zennana (*aposento de las mujeres*) se abría y el mismo soberano, olvidando el orgullo de su dignidad, se entregaba a los juegos y a la alegría. Una libertad sin límites y el placer animaban los discursos. Las mujeres sobre todo amaban mucho los juegos y los dichos que el Houli autorizaba.

HOULIS. (*Mit. índ.*) Las musas de la India.

HOU-TOUK-TOU. (*Mit. tárt.*) Eclesiástico de los lamas, que corresponde al obispo de los cristianos.

HOZ. (*V. Saturno.*) Este dios había enseñado a los hombres el arte de cortar con la hoz el trigo y las hierbas de los prados. Es este instrumento el atributo de Saturno, Príapo y Silvano. Se pone también algunas veces en la mano de Atis y de los sacerdotes de Cibeles. Entonces se refiere a la operación en que fue mutilado Atis.

HUJUS, o Hujusce Diei, *de este día.* Bajo este nombre tenía la Fortuna un templo en Roma que Q. Cátulo le hizo erigir para cumplir la promesa que había hecho junto con Mario, el día en que venció los cimbrios.

HUMANIDAD. (*Iconol.*) Se representa por una mujer joven en cuyo rostro está pintada la sensibilidad, y que se apresura a abrir su vestido para recoger unos niños casi desnudos. Oculta en su seno las coronas que le han sido regaladas, a fin de no afligir el amor propio.

Otros la pintan sosteniendo en el paño de su ropa cantidad de flores y llevando en la mano derecha, que tiene tendida, una cadena de oro.

HUMILDAD. (*Iconol.*) Esta disposición de ánimo era desconocida de los antiguos y por lo tanto no la pudieron alegorizar. De todas las alegorías modernas, la más digna de atención es la siguiente: una mujer que trae un saco sobre sus espaldas y sostiene en la mano un canastillo de pan. Va sencillamente vestida y pisa preciosos ropajes, un espejo y plumas de pavo real. Winckelmann propone una emblema más agradable tomado de la idea de los que colocan a los pies de las estatuas de las divinidades las coronas que no pueden ceñirse.

La humildad cristiana se representa, en los cuadros de Iglesia, por una mujer con la cabeza inclinada y los brazos cruzados sobre el estómago. Tiene por atributo un cordero, símbolo de la dulzura y de la docilidad, y una corona debajo de sus pies que representa el poco caso que hace de las grandezas.

HURÍES. (*Mit. mah.*) Vírgenes maravillosas, cuyo eterno goce promete Mahoma a sus seguidores en el paraíso. Un ángel de una hermosura encantadora vendrá, dicen los musulmanes, a presentar a cada uno de los elegidos, en una fuente de plata, una pera o naranja de las más exquisitas. El feliz musulmán tomará la fruta para abrirla y al instante saldrá de ella una joven cuyas gracias y encantos excederán los ideales que puede formarse la imaginación de los mismos orientales. Según el Alcorán, habrá en el paraíso cuatro especies de estas vírgenes. Las primeras son blancas, las segundas verdes, las terceras amarillas, las cuartas encarnadas. Sus cuerpos se forman de azafrán, almizcle, ambar e incienso; y si por casualidad alguna escupiese en tierra, se sentiría por todas partes olor de almizcle. Llevan el rostro descubierto y sobre ellas se leen estas consoladoras palabras: «Cualquiera que me ame, cumpla la voluntad del Creador, que me mire y me frecuente: yo me abandonaré a él y le contentaré». Todos los que hayan observado exactamente la ley del Profeta, y sobre todo los ayunos del Ramadán, se casarán con estas vírgenes encantadoras, de cejas negras, bajo tiendas de perlas blancas, en la que cada joven hallará setenta planchas de rubí, sobre cada una de estas, setenta colchones, y sobre cada colchón setenta esclavas, las cuales tendrán todavía una esclava cada una para servirlas, y vestirán a la hurí setenta ropas magníficas, tan ligeras y transparentes que a través de ellas se verá hasta la médula de sus huesos. Los musulmanes afortunados permanecerán mil años en los brazos de estas dulces esposas, las cuales, pasado este término, serán aun vírgenes.

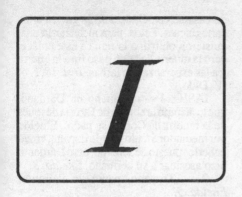

I. *Platón* atribuye a esta letra algo de misterioso, y dice que se explicaban con ella las cosas delicadas.

IA. 1 — Hija de Midas, y mujer de Atis.

2 — Hija de Atlas que cubrió de lana a Aquiles en los últimos momentos de su vida, y fue transformada en violeta. R. *ion*, violeta.

3 — (*Mit. tárt.*) Nombre que los tártaros calmucos y los mongoles dan a su dios supremo.

IACCO. Uno de los nombre de Baco. *Iachein*, gritar, sea por causa de los gritos de las bacantes, o bien sea por que los grandes bebedores hacen siempre mucho ruido. Algunos mitólogos distinguen a Iacco de Baco, y le llaman hijo de Ceres. Habiéndole esta diosa tomado consigo para ir a buscar a Proserpina, cuando llegaron a casa de la vieja Baubo, en Elensina, divirtió a su madre y le hizo olvidar por algún momento su dolor, dándole a beber un licor llamado cicocón. Por esto se honraba a Iacco junto con Ceres y Proserpina, en los sacrificios Elensinos. Otros le hacen hijo de Baubo y le confunden con el héroe Ciamita. De los nueve días destinados a la celebración anual de los misterios de Ceres, el sexto estaba consagrado a Iacco. *Herod. 8. c. 36, Paus. 1, c. 2.*

IACCHEN. (*Mit. egip.*) Mucho tiempo antes de Hipócrates, este egipcio había enseñado ya a curar las enfermedades contagiosas por medio del fuego; y el reconocimiento público le había erigido altares.

IACCHOGOGUES. Los que llevaban en procesión la estatua de Iacco, en las fiestas eleusinas. Traían la cabeza coronada de mirto.

IAFETES, *El que lanza dardos.* Epíteto de Apolo. R. *Ios*, dardo; *aphiemi*, lanzar. *Antol.*

IALEMO. Hijo de Calíope, presidía los funerales y todos los deberes fúnebres que los vivos tributaban a los muertos. Se daba este mismo nombre a los cantos lúgubres. *Aten. 14.*

IALISIOS. 1 — Nombre de los dioses Telquines adorados en Ialiso.

2 — Genios cuyas miradas tenían la virtud mágica de hacer empeorar todo lo que era objeto de las mismas, Júpiter los transformó en rocas y los expuso al furor de las olas.

IALISO. 1 — Ciudad de la isla de Rodas cuyos habitantes fueron al sitio de Troya. Su fundador fue Ialiso. *Estrab. Herod. 1, c. 144.*

2 — Hijo de Cércafo y Cirbia, reinó en la isla de Rodas después de su padre. Este héroe era el protagonista de la principal obra de *Protógenes*, que causó la admiración de *Apeles*, y salvó, dice *Plinio*, a los rodios atacados por Demetrio. *Diod. Sic.*

IALMENO. Hijo de Marte y Astíoco, y hermano de Ascálafo, capitaneó a los leocios de Oreómeno en el sitio de Troya. *Ilíada. 2. Paus. 9, c. 37.*

IAMBE. Hija de Pan y Eco, de la comitiva de Metanira, y esposa de Celeo, rey de Eleusina. Hallándose inconsolable la afligida Ceres por la pérdida de su hija, supo Iambe hacerla reír y suavizar su dolor; con los cuentos alegres con que la entretenía. Se le atribuye la invención de los versos iámbicos. *Apolod. 1, c. 5.*

IAMENO. Capitán troyano muerto por Leonteo. *Ilíada. 12.*

IÁMIDAS. Familia griegas destinadas especialmente a las funciones de augures, *Paus. 6, c. 2.* (V. Clítidas.)

IAMO. Hijo de Apolo, a quien éste había dado el don de profecía, con el privilegio de transmitirlo a sus descendientes, llamados iámidas de su nombre.

IANA. Primer nombre de Diana, que se llamaba al principio *Dea Iana*, o por abreviación, *D. Iana*, de donde se ha formado el de *Diana*.

IANASA. Nereida. *Ilíada. 8.*

IANTE. 1 — Hija de Teleste, de una rara hermosura. *Met. 9.* (*V.* Ifis.)

2 — Oceánida. *Paus.*

IAO. Nombre que los habitantes de Claros daban a *Plutón*. El autor de los *Viajes del joven* Anacarsis tan sólo ha visto en este nombre una figura del poder del sol o del calor. La I entre los griegos era la letra simbólica del astro del día: y la *Alpha* y la *Omega*, de las cuales la una empezaba y la otra terminaba el alfabeto griego, significaban que IAO, o el calor, era el principio y fin de todas las cosas. Algunos sabios han encontrado alguna referencia entre este nombre, el IEOUA de los hebreos, y el IOU, o Jave de los etruscos, que vino a ser el Júpiter de los romanos. Este nombre se lee muy frecuentemente en los abraxas. *Ant. Expl. t. 2.*

IAPIGE 1 — Etolio que, arrojado de su patria, vino a refugiarse en la extremidad del golfo Adriático, donde edificó sobre el Po una ciudad de su nombre, que dio el de Iapidia al país, y de Iapidas a sus habitantes. *Geórg. 3.*

2 — Hijo de Dédalo que dio su nombre a la Iapigia, por haber conducido allí una colonia cretense. *Met. 14.*

3 — Viento que servía para pasar de Italia a Grecia. *Hor. 1, Od. 3.*

IAPIGIA. Comarca de Italia. *Plin. 5, c. 11.*

IAPIS. Hijo de Yaso que recibió de Apolo en su juventud el arco, las flechas, la lira y la ciencia augural: pero con el designio de prolongar los días de un padre enfermo, prefirió el conocimiento de las virtudes saludables de las plantas y el arte de curar. Curó a Eneas de una herida recibida en un combate contra los latinos. *Eneida. 12.*

IARBAS. Rey de Getulia, hijo de Júpiter-Ammón, según Virgilio (*Eneida. 2*), y de una ninfa del país de los garamantes, había elevado en sus estados, al autor de su nacimiento, cien templos magníficos y cien altares sobre los cuales se inmolaban víctimas noche y día. Irritado este príncipe de que Dido hubiese rehusa-do casarse con él, declaró la guerra a los cartagineses. Estos, para alcanzar la paz, quisieron obligar a la reina a este enlace, pero la muerte de Dido puso fin a la guerra y a las esperanzas de Iarbas. *Just. 18, c. 6.* (*V.* Dido.)

IASIO. 1 — Hermano de Dárdano, que le disputó la corona de Etruria después de la muerte de Corito, su padre. Elegido por mediador Sículo, rey de España, creyó haberlos puesto de acuerdo, pero Dárdamo hizo asesinar a su hermano. *Eneida. 3.*

2 — Troyano, padre de Palinuro. *Eneida. 5.*

3 — Hijo de Abas, rey de Argos.

IASIS. 1 — Una de las ninfas Iónidas.

2 — Nombre patronímico de Atalante, hija de Iaso.

IASO. Hija del dios Anfiarao.

IASO. Ciudad de Caria, célebre por una estatua de Vesta sobre la cual jamás nevaba ni llovía aunque estuviese en descubierto; y por los amores de un delfín y un muchacho. (*V.* Hermias).

IASOS. 1 — Hijo de Felos, que condujo los atenienses al sitio de Troya y fue muerto por Eneas.

2 — Rey de Argos y sucesor de Triopas. *Paus. 2, c. 16.*

3 — Hijo de Argos, padre de Agenor.

4 — Hijo de Argos y Ismene.

5 — Hijo de Licurgo y Arcadia.

6 — Padre de Anfión. *Odis. 11.*

IAZDÁN. Nombre que daban los magos al buen principio. (*V.* Ormuz).

IBER. Pueblo indio que pretendía descender de los soldados que Hércules condujo al sitio de la roca de Aornes, y que estableció en aquel país después de terminada felizmente su empresa. *Diod. Sic. Q. Cur. 9, c. 4.*

ÍBERO. Hijo de Tubal, nieto de Iafet, que según las tradiciones fabulosas vino de las partes septentrionales a poblar Iberia o España;

IBIS. Ave de Egipto parecida a la cigüeña. Cuando mete su cabeza y cuello debajo de sus alas, dice *Elio*, su figura se parece a la del corazón humano. Se dice que esta ave introdujo el uso de los lavatorios. Los egipcios le tributaban los honores divinos y eran condenados con pena de muerte los que mataban un ibis, aun cuando lo hiciesen involuntariamente. Este respeto estaba fundado en su utilidad. En la primavera salían de Arabia una infinidad de serpientes aladas que venían a caer sobre Egipto, que hubieran enteramente devastado a no ser por dichas aves, que las cazaban y destruían enteramente. Perseguían asimismo las orugas y las langostas. Se ve muy frecuentemente a Ibis en la Tabla Isíaca. Algunas veces se representaba a Ibis con cabeza de esta ave bienhechora. Estaba consagrada particularmente a Mercurio, porque sus plumas blancas y negras representaban ambas palabras, la exterior o articulada, y la interior que se dirige a nosotros mismos, esto es la reflexión y la voz de la conciencia. *Diod. Sic. Estrab.*

IBRAHIM (*Mit. mahom.*) V. Abraham.

ICADAS. Fiestas que celebraban todos los meses los filósofos epicúreos, en honor de su maestro, el 20 de la luna, día de su nacimiento. R. *eikas*, vigésimo. Aquel día adornaban sus habitaciones, llevaban el retrato de Epicúreo de aposento en aposento, y le hacían sacrificios y libaciones.

ICADISTAS. Nombre dado a los epicúreos derivado de la fiesta de las Icadas.

ICARIA. 1 — Sobrenombre de Diana adorada en Icario, isla del golfo Pérsico.

2 — Isla del mar Egeo donde, según *Pausanias*, cayó Icaro, y en la cual Hércules le dio sepultura.

ICARIO. Padre de Penélope que vivía en España cuando vino Ulises a buscar y obtener a su hija, después de haberla disputado en los juegos públicos a muchos príncipes de Grecia. No pudiendo resolverse a separarse de ella, instó, aunque en vano, a Ulises a que fijase su domicilio en Esparta. Habiendo partido Ulises con su mujer, Icario les salió al encuentro y redobló sus súplicas. Entonces, proponiendo Ulises a su consorte la elección entre volverse con su padre o seguir a su esposo, Penélope se avergonzó y no tuvo otra respuesta que cubrirse el rostro con un velo. Icario no insistió más e hizo levantar en aquel lugar un templo al Pudor. *Odis. 16, Prop. 3, cl. 13.*

ICARIOS. Juegos fundados en Atenas en honor de Icario y su hija Erígona, que consistían principalmente en bambolearse en una cuerda atada a dos árboles, acción que se llamaba columpio.

ICARIOTIS o ICARIS. Sobrenombre de Penélope, hija de Icario.

ÍCARO. 1 — Hijo de Dédalo. Retenido prisionero en Creta con su padre, por el rey Minos, se escapó como él por medio de unas alas pegadas con cera. Icaro, olvidando las sabias instrucciones de Dédalo, se acercó tanto al sol que se derritió la cera de sus alas y cayó al mar, que por este motivo se llamó Icario. Los mitólogos explican esta fábula, los unos por la precipitación de Icaro, que desembarcando en una isla cayó al mar y se ahogó; los otros por el uso de las velas que condujeron a Dédalo, mientras que Icaro, no habiendo sabido aprovecharse de la invención de su padre, naufragó. *Eneida. 6, Ovid. Fast. 4, Met. 8.* (V. Dédalo.)

2 — Rey de Caria que compró a Teonea, hija de Testor, a unos piratas que la habían robado mientras se paseaba por la orilla del mar. *Banier, t.8.*

3 — O Icario. Hijo de Ebalo, padre de Erígona, vivía en Atenas en tiempo que Pandión. Baco, para recompensarle la hospitalidad que en su casa había recibido, le enseñó el arte de plantar la viña y hacer el vino. Habiendo Icario hecho beber de este licor a algunos pastores de Atica, éstos se emborracharon y, creyéndose envenenados, se arrojaron sobre él y le mataron. Baco vengó esta muerte por medio de un furor que atormentó las mujeres de Atica; hasta que el oráculo hubo ordenado fiestas expiatorias, Icario fue puesto en el número de los inmortales; y se le ofrecía en sacrificio vino y racimos de uva. Júpiter le colocó después entre los astros, donde formó la constelación de Bootes. *Hig. f. 130, Odis. 16,* (V. Erígona, Mera.)

ICARTE. Hija de Galidón, y esposa de su primo Agenor, hijo de Pelurón, de cuyo enlace nacieron cuatro hijos.

ICCOIS. (*Mit. jap.*) Bonzos japoneses tenidos en gran veneración. Se ofrecía a su general los mayores honores. Son los que gozan más privilegios de todos los monjes, pues entre otros varios disfrutan el de comer de todo y el de casarse.

ICELE, SEMEJANTE. Uno de los hijos del Sueño, hermano de Morfeo y Fantase, a quien *Ovidio* (*Met. 11*) representa teniendo el poder de tomar la figura de cualquier especie de animales. Es, añade, el mismo a quien los hombres llaman Fobetor, *el que hace miedo*.

ÍCNEO. Sobrenombre de Temis y Némesis. Esta palabra significa, *el que sigue los pasos*, porque estas dos divinidades siguen las pisadas de los malvados, sin abandonarles nunca, R. *ichnos*, pisada.

ICNEUMÓN. Especie de ratón en Egipto, consagrado a Latona y Lucina, y al cual los habitantes de Heracleópolis tributaban los honores divinos como a un ser bienhechor, porque este animalito busca sin cesar los huevos de los cocodrilos para romperlos. *Diod. Sic.*

ICNÓBATE, *el que camina sobre las pisadas*. Uno de los perros de Acteon. R. *bainein*, marchar. *Met. 5.*

ICNUSA. Nombre antiguo que dieron a Cerdeña los primeros navegantes, que comparaban la figura de este país a la planta del pie del hombre. *Paus. 10, c. 17.*

ÍCOR. La sangre que circulaba por las venas de los dioses.

ICTIOCENTAURO. Sobrenombre de Tritón, hijo de Neptuno, semidiós marino, medio hombre y medio pez.

ICTIOMANCIA. Adivinación que se hacía considerando las entrañas de un pescado. Tiresias y Polidamante recurrieron a ella en tiempo de la guerra de Troya. *Plinio* refiere que en Mira, en Licia, tocaban la flauta en tres intervalos para acercar los peces de la fuente de Apolo: que estos peces o ya devoraban los manjares que se les tiraban los que los consultantes miraban como de feliz agüero, o bien los despreciaban y rehusaban con la cola, lo que se tenía por mal presagio.

*Ateneo* dice que había en Licia, muy cerca del mar, una fuente consagrada a Apolo, llamada Dina, en la cual los que querían consultar el oráculo del dios ofrecían a los peces que venían del mar las primicias de las víctimas atadas en la punta de un asador de madera, y que un sacerdote sentado observaba atentamente todo lo que pasaba, para sacar presagios. El mismo *Ateneo* dejó escrito que se creía leer los augurios en la naturaleza, forma, movimiento y alimento de los peces de la fuente. *Mem. de la Acad. de inscrip. t. 12.*

ICIDIO. Término que se decía de los dioses lares. *Servio* les supone hermanos. R. *oikos*, casa; *oikidios*, doméstico.

ICMEO. Sobrenombre bajo el cual Aristeo edificó un templo a Júpiter en la isla de Cos.

ICOIS. (*Mit. jap.*) Divinidad del Japón.

ICONOLOGÍA. Ciencia que versa sobre el modo de representar a los hombres, a los dioses y a los seres alegóricos. Se simboliza por una mujer sentada que, con una pluma en la mano, describe los seres morales que el ingenio desenvuelve. Otros la caracterizan por una hermosa y gran mujer, vestida con sencillez pero con nobleza, con una llama encima la cabeza, que indica el genio inspirador de los emblemas alegóricos, propios para caracterizar las virtudes, los talentos, las pasiones, los vicios, etcétera.

Trae vendada la boca para indicar que sólo habla con signos. Con la mano derecha inclina un cuerno de la abundancia, del cual salen flores y frutos, símbolos de agrado y utilidad. Su mano izquierda, apoyada sobre la esfera celeste, tiene una palma unida a un ramo de olivo, una corona y una balanza para indicar que dispensa justamente la inmortalidad, y que los astros y los planetas le sirven de resortes, como así mismo los objetos terrestres, representados por la columna llena de caracteres y jeroglíficos, sobre la cual está inclinada. El nivel, el olivo, el mirto y el león que reposa a sus pies son otros tantos atributos que acaban de caracterizar esta ciencia ingeniosa. Cada uno de los genios que le rodean, indica, por sus símbolos característicos, el ser alegórico que representa. Las medallas esparcidas al pie de la iconología indican que esta ciencia debe fundarse en el conocimiento de las medallas y los monumentos antiguos. R. *eikón*, imagen; *logos*, discurso.

IDA. 1 — Ninfa, hija de Meliso, rey de Creta, una de las amas de leche de Júpiter, y que dio su nombre al monte Ida del Asia Menor. *Eneida. 8.*

2 — Hija de Coribantes, esposa de Licaste, rey de Creta y madre de Minos 2. *Diod. Sic.*

3 — Hija de Dárdano, rey de los escitas.

4 — Monte de Asia Menor, al pie del cual estaba edificada Troya. Había en medio una cueva dónde venían los dioses a regocijarse, y en donde Paris pronunció su juicio entre las tres diosas. Allí se ejercitaban los Dactilos Ideos en trabajar el hierro, cuyo arte les había enseñado la misma madre de los dioses. Este monte estaba bajo la protección inmediata de Cibeles. *Eneida. 5, Ov. Fast. 4, Met. 11, Estrab. 13, Mela, 1, c. 18, Ilíada. 14.*

5 — Monte de Creta situado en medio de la isla, llamado hoy monte Giove, según la tradición mitológica por la cual Júpiter nació y fue criado en él. Habiendo sido abrasados los bosques de este monte, por un rayo después del diluvio de Deucalión, los dáctilos, habitantes del mismo, vieron correr el hierro que la violencia del fuego llegó a derritir, y aprendieron con esto el modo de fundir los metales. Vimos antes que *Diodoro* pone esta invención en el monte Ida de la Tróada. *Estrab. 10.*

IDALIA. 1 — Sobrenombre de Venus.

IDALIÓN. Ciudad de la isla de Chipre, consagrada a Venus, cerca de la cual había un bosque sagrado que la diosa honraba muy a menudo con su presencia. Allí trasladó al joven Ascanio, mientras que Cupido, bajo la figura del hijo de Eneas, abrazaba a Dido con los fuegos del amor. Un mitólogo da a esta ciudad el origen siguiente: habiendo mandado el oráculo a Calcenor que edificase una ciudad en el paraje en que viese levantarse el sol; uno de los que le acompañaban lo reparó en lo alto de una montaña, y en el pie de la misma se erigió una ciudad llamada *Idalión*, de dos nombres griegos, *idon élion*, yo he visto el sol. *Eneida. 1. 10.*

IDAS. 1 — Capitán troyano muerto por Turno. *Eneida. 9.*

2 — Príncipe tracio de la ciudad de Ismara, padre de tres hijos que murieron a los golpes de Clauso. *Eneida. 10.*

3 — Uno de los que perecieron en el combate que se dio en la corte de Cefeo, con ocasión del casamiento de Perseo con Andrómeda. *Met. 5.*

4 — Hijo de Alfareo, rey de Mesenia, pariente de Jasón, y como él, de la raza de los Eólidas, fue uno de los Argonautas y de los cazadores de Calidón, y se batió contra Apolo, que quería robarle su mujer, Marpesa. Después de destronar a Teutrante, rey de Mesia, fue vencido por Telefo. Según otra tradición Idas, a quien Cástor había robado a Febea, con la cual iba a casarse, mató a Cástor y fue muerto por Pólux, o por Júpiter con un rayo. *Apolodoro* (1, 3) le hace morir en consecuencia de haber robado, con Castor y Pólux, algunos ganados, y haberles rehusado después su parte junto con su hermano Liuceo. *Ilíada. 9, Higin, f. 14, 100, Ovid. Fast. 5, Paus. 4, c. 2; l. 5, c, 18.*

IDEA. 1 — Ninfa que casó con un hermoso pastor llamado Teodoro, del cual concibió a Herofila. *Paus.*

2 — Hija de Dárdano, rey de los escitas, y esposa de Fineo, rey de Tracia. Empeñó a su marido a maltratar y arrojar los hijos que había tenido de Cleopatra. *Diod. Sic.*

3 — Danaide.

4 — Madre de Tenero, a quien tuvo del río Escamandro. *Apolod.*

5 — Sobrenombre de Cibeles, honrada en el monte Ida. Todos los años se celebraba su fiesta con sacrificios y juegos, y se paseaba su estatua por las calles, al sonido de flautas y de tímpanos. Sus sacerdotes eran un frigio y una frigia: recorrían la ciudad llevando imágenes sobre el pecho y recogiendo limosnas para la Gran Madre. *Ant. Expl. t. 1.* (*V.* Cibeles.)

6 — (*Iconol.*) *Platón* entiende por esta palabra la esencia que emana del espíritu divino, separada de la materia de las cosas creadas. Se la representa hermosa, desnuda, elevada sobre una nube, con una llama en la cabeza y un círculo de oro en la frente. Da de mamar a un niño, y debajo la nube que la lleva se ve un paisaje risueño.

IDEE. 1 — Heraldo troyano. *Ilíada. 3, 7.*

2 — Hijo de Dares, troyano que Vulcano salvó de las terribles manos de Diómedes (*Ilíada. 5.*). Es quizás el mismo que el precedente.

3—Capitán troyano muerto por Turno. *Eneida. 9.*

IDEO. Sobrenombre de Júpiter, alimentado y educado en el monte Ida de Creta, que le estaba consagrado. Dábase también este nombre a los dáctilos. *Banier. t. 3.*

IDEOS. 1 — Hijo de Testio, muerto por su sobrino Meleagro, por haber querido arrebatar a Atalanta los despojos del jabalí de Calidón. (*V.* Meleagro.)

2—Hijo de Dárdano que dio su nombre al monte Ida.

3 — Uno de los hijos de Príamo.

4—Uno de los hijos de Paris y Helena, fue muerto por el cielo raso de un aposento que se hundió.

IDIA. Hija del Océano y Tetis, esposa de Eles, rey de Cólquida y madre de Medea. *Hesíodo. Hig.*

IDIS. Pastor de Sicilia a quien se atribuye la invención de la zampoña.

IDMÓN. 1 — Uno de los Argonautas, célebre adivino de Argos, que se dijo ser hijo de Apolo. Aunque había previsto, por los principios de su arte, que perecería en la expedición de la Cólquida si seguía a Jasón, no por eso dejó de embarcarse con este héroe. Murió, en efecto, sea de enfermedad, según *Valerio Flaco*, o bien sea de una herida recibida en la caza del jabalí en Tracia, según *Ovidio, Higinio* y *Apolonio. Apolod. 1, c. 3.*

2 — Capitán rutulo, que anunció a Eneas el deseo de Turno de batirse en singular combate. *Eneida. 12.*

3 — Guerrero de Cícia, muerto por Hércules.

4—Uno de los hijos de Egipto muerto por su mujer.

5 — Danaide.

IDOLATRÍA. (*Iconol.*) Se la pinta ciega, con un incensario en la mano y postrada delante de una estatua de oro o plata. Los pintores la han designado también por los israelitas danzando alrededor de un becerro de oro.

IDOLIANO. Apodo que se dio al emperador Juliano por haber restablecido el culto de los ídolos.

IDOLO DE LOS MOROS. Los holandeses dieron este nombre a un pescado que los moros tenían en tan gran veneración que, cuando cogían alguno en sus redes, lo volvían a arrojar al mar.

IDOLOFITES. Manjares ofrecidos a los ídolos, que se presentaban después con gran ceremonia a los sacerdotes y a los asistentes, que los comían con la cabeza coronada. R. *thyein*, sacrificar.

IDOMENEA. Hija de Feres, esposa de Amitaón y madre de Biante y Melampo. *Apolod. 1, c. 9.*

IDOMENEO. Rey de Creta, hijo de Deucalión y nieto de Minos. Condujo al sitio de Troya los ejércitos de Creta con una armada de ochenta naves y se distinguió en él por algunas acciones brillantes. Después de la toma de aquella ciudad, Idomeneo se volvía a Creta cargado de despojos troyanos, cuando fue asaltado por una tempestad que le hizo temer por su vida. En el inminente peligro en que se hallaba, hizo un voto a Neptuno de inmolarle la primera cosa que se le presentará en la ribera de Creta, si podía llegar salvo a su reino. Cesó la tempestad y llegó felizmente al puerto, pero por desgracia, enterado su hijo de la llegada de su padre, fue el primero que voló a recibirle y que se presentó delante de él. Difícil es imaginarse la sorpresa y el dolor de Idomeneo al fijar en él sus ojos. En vano los sentimientos paternales combatieron en su favor, pues, arrastrado por un celo fanático religioso, resolvió inmolar a su hijo al dios del mar. Algunos antiguos han sostenido que se efectuó este bárbaro sacrificio, y mucho después se ha seguido esta tradición, como *Fénelon*, en su hermoso episodio de Idomeneo; *Crebillón* en su tragedia de Idomeneo, dada a luz en 1703, y *Danchet*, en su ópera representada en 1712. Otros creen, con mayor fundamento, que tomando el pueblo la defensa del joven príncipe, le libró de las manos de un padre furioso. Sea lo que fuere, llenos de horror los cretenses por la acción bárbara de su rey; se sublevaron contra él y le obligaron a abandonar sus estados, y retirarse en las costas de la gran Hesperia, donde fundó Salento. Hizo observar en su nueva ciudad las sabias leyes de Minos, su tercer abuelo, y mereció de sus nuevos súbditos después de su muerte los honores divinos. Diodoro no hace mención de este voto de Idomeneo; pues al contrario, dice que este príncipe, después de la toma de Troya, volvió felizmente a sus estados, donde sus súbditos honraron sus cenizas con un magnífico sepulcro en la ciudad de Cnosos, y le tributaron los honores divinos, invocándole después como su protector en las guerras que sostuvieron. Además, si hubiese sido real el voto de Idomeneo, ¿cómo los cretenses hubieran honrado un príncipe, expulsado antes por furioso e impío? Según el Escoliador griego de *Licofrón*, Idomeneo, antes de partir para Troya, confió a Leuco el gobierno de Creta, y le prometió darle a su vuelta la mano de su hija. Leuco mandó al principio con moderación, pero habiéndole persuadido Nanfo, rey de la isla de Eubea, que matase a Meda, esposa de Idomeneo, y a su hija Clisítere, el pérfido siguió este bárbaro consejo y se estableció en el trono, de modo que Idomeneo a su regreso no pudo arrojarle de él. *Met. 13, Ilíada. 11. Odis. 10, Eneida. 3. Paus. 5, c. 25, Hig. f. 92. Estrab.* Otra versión cuenta que Idomeneo cegó a Leuco y recuperó el reino.

2 — Uno de los hijos de Príamo.

IDOTEA. 1 — Una de las hijas de Preto, rey de Argos, curada con sus hermanas, por Melampo. *Odis. 11.*

2 — Una de las hijas de Meliso, ama de leche de Júpiter.

3 — Oceánida.

4 — Hija de Eurito, rey de Caria, de la cual tuvo a Mileto, Biblis y Canno.

5 — Hija de Cadmo y segunda esposa de Fineo.

IDRIS, o más bien Edeis. (*Mit. árabe*) 1 — Nombre que dan los árabes al Thot de los egipcios. (*V. Edris.*)

2 — *Sabia.* Diosa de Egipto, que algunos confunden con Isis.

IDSUMO. (*Mit. jap.*) Una de las divinidades del sintoísmo. (*V. Sinto.*)

IDULIUM. Nombre de la víctima que se ofrecía a Júpiter el día de los idus.

IDUS. 1 — El 13 o el 15 de cada mes romano. Los Idus de marzo estaban consagrados a Mercurio, porque había nacido en aquel día. Los idus de marzo pasaron por días aciagos después de la muerte de J. César. Los de agosto estaban consagrados a Diana, y los esclavos los celebraban como una fiesta. *Newport. Cost. de los romanos.*

2 — Romano, que según refiere *Tzetzes*, alimentó a Roma durante ocho días, y dio su nombre a los Idus. (*V. Calendas, Nonas.*)

IEIUS, *el que sana.* Epíteto de Apolo; considerado como dios de la medicina. R. *iasthai*, curar. *Antol.*

IERA. Nereida. *Ilíada. 18.*

IFATE. Uno de los hijos de Príamo, muerto en el sitio de Troya por Antíloco, hijo de Nestor.

IFEO. Capitán troyano muerto por Patroclo. *Ilíada. 16.*

IFIANANIRA. 1 — Hija de Megapentes, casada con Melampo, tuvo de él a Antífates, Mantoo, Bias y Pronoe. *Diod. Sic.*

2 — Bisnieta de la precedente, hija de Oícles y Hipermnestra, hija de Testio. *Id.*

IFIANASE. 1 — Hija de Agamenón, más conocida como Ifigenia.

2 — Hija de Preto, transformada en vaca con sus hermanas por haber preferido el palacio de su padre al templo de Juno, o según otros su hermosura a la de la diosa. *Met. 15.* (*V. Melampo, Prétides, Preto.*)

3 — Una de las esposas de Endimión.

IFIAS. 1 — Sacerdotisa de Diana.

2 — Nombre que *Ovidio* (*Arte de amar l. 3.*) da a Evadne, esposa de Capaneo, como hija de *Ifis.*

ÍFICLES. 1 — Padre de Ferobeo y Iope. *Plut.*

2 — Hijo de Anfitrión y Alcmena, y hermano interino de Hércules. Cuando Juno envió dos serpientes para matar a Hércules en su cuna, Ificles despertó con sus gritos a Alcmena y su esposo, que fueron testigos de la primera hazaña de Hércules. Compañero del héroe, fue herido en la primera expedición de su hermano

contra Argeo, rey de los eleos, y murió en Feneón. Los feneates le tributaban todos los años, sobre su tumba, los honores heróicos. *Teócr. Apolod. 2, c. 4.*

IFICLO. 1 — Hijo de Filaco, príncipe tesalio, y de Climena, rico en ganados, hábil en la carrera y uno de los Argonautas. Habiendo pasado mucho tiempo sin tener hijos de su mujer Antioque, consultó a Melampo, que era entonces prisionero suyo, porque se había atrevido a robar sus bueyes por orden de Neleo, que había prometido su hija al que se los traería. El adivino le aconsejó que tomase el orín de un cuchillo, clavado de antemano en una encina, humedecida en el vino, y que continuase este remedio por diez días; y habiéndolo hecho, tuvo tres hijos: Protesilao, Podarces y Filoctetes. *Odis. 11, Ilíada. 13, 23, Apolod. 1, c. 9, Paus. 4, c. 36.*

2 — Hijo de Testio y hermano de Alteo, contado también entre los Argonautas. *Apolod. 2, c. 1.*

IFIDAMANTE. 1 — Hijo de Antenor y Teano, educado en Tracia por Ciseo, su abuelo materno. Se trasladó a Pércope con doce naves, como auxiliar de los troyanos, y fue muerto por Agamenón. *Ilíada. 11.*

2 — Hijo de Busiris, muerto por Hércules con su padre.

IFIGENIA. 1 — Hija de Teseo y Helena y según algunos mitólogos, Clitemnestra la educó e hizo pasar por hija suya.

2 — Hija de Agamenón y Clitemnestra. Detenida largo tiempo la armada de los griegos en la Aúlide por una calma inesperada, Calcante les reveló que Diana, irritada contra Agamenón porque había muerto una cierva que le estaba consagrada, les negaba un viento favorable, y que no podía quedar apaciguada sino con la sangre de una princesa de su familia. Agamenón, después de haber titubeado mucho tiempo, concedió su hija a las instancias de los príncipes coaligados. Ulises se ofreció arrancarla bajo algún pretexto de los brazos de su madre. Se preparó todo para el sacrificio; pero Diana, apaciguada por esta sumisión, puso en vez de Ifigenia una cierva, que le fue sacrificada, y trasladó esta princesa a Taúride para hacerla su sacerdotisa (*Met. 12.*) Algunos antiguos mitólogos dicen que fue transformada en osa, otros en becerra, otros en vieja. (*V. Orestes.*) *Homero* no habla de esta aventura. Hacia el fin del sitio de Troya, hace mención de Ifianase, hija de Agamenón, ofrecida en matrimonio a Aquiles para apaciguarlo, y que parece ser la misma que Ifigenia. El sacrificio de Igifenia, pintado por *Timantes*, fue famoso en la antigüedad. Se sabe que tras reflejar el dolor en los rostros de los asistentes, desesperando de poder representar debidamente el de un padre, presentó a Agamenón cubriéndose la cabeza con un velo. *Esquilo. Eurip. Eneida. 2, Met. 12, Paus. 2, c. 22; l. 3, c. 16, Ilíada. 9. Diod. Sic.*

3 — Sobrenombre de Diana adorada en Hermione,

IFIMEDIA. Hija de Tríope y consorte de Aloeo que, robada por Neptuno, el cual, según *Ovidio*, había tomado la forma del río Euipeo, vino a ser madre de los dos Aloadas. Una día que celebraba las Orgías con su hija y las Bacantes, fueron todas robadas por los tracios. Ifimedia cayó en poder de un favorito del rey, y su hija en poder del rey mismo. Se le tributaban grandes honores en Milases, ciudad de Caria. *Odis. 1, 11, Paus. 9, c. 22, Apolod. 1, c. 7.*

IFIMEDON. Hijo de Euristeo, pereció en la guerra contra los atenienses,

IFIMEDUSA. Danaide, esposa de Euquenor. *Apolod.*

IFINIOE. 1 — Hija mayor de Preto, rey de Argos.

2 — Uno de los principales lemnios de los que conspiraron para degollar todos los hombres, a su vuelta de una expedición a Tracia.

3 — Hija de Alcatoo que murió antes de casarse. En lo sucesivo todas las jóvenes, antes de casarse, le consagraban un rizo de su cabellera.

4 — Hija de Niso, rey de Megara, que la dio en matrimonio a Megareo, su sucesor.

IFINOMEA. Amazona. *Hig.*

IFINOO. 1 — Uno de los centauros. *Ovid.*

2 — Capitán griego, hijo de Dexio, muerto por Glanco en el sitio de Troya. *Ilíada. 7.*

IFIONA. Una de la comitiva de Hipsipila, reina de las amazonas, la cual la envió a cumplimentar a Jasón por su llegada a sus estados.

IFIS. 1 — (*V.* Anaxareta.)

2 — Hijo de Alector, rey de Argos, que sucedió a su padre. Por sus consejos, Polinices logró arrastrar a Anfiarao al sitio de Tebas, seduciendo a Erifila. *Apolod.*

3 — Uno de los Argonautas. *Val. Flac.* 1, 3, 7.

4 — Padre de Eteocles, uno de los jefes argivos muertos delante de Tebas, y de Evadne, mujer de Capaneo; tenía una estatua en el templo de Delfos, según refiere *Pausanias.* Desconsolado por la muerte de Evadne, quiso matarse; mas Stenelo, su nieto, le prometió que le vengaría con la muerte de los tebanos.

5 — Mujer muy hermosa, que Aquiles regaló a Patroclo después de la toma de Esciros. *Ilíada. 9.*

6 — Hija de Testio. *Apolod.*

7 — Hija de Licto y Teletusa, habitante de Festo, en Creta, el cual antes de partir para un viaje, mandó a su mujer que estaba entonces encinta, que expusiese al recién nacido si era niña. Teletusa, fluctuando entre los sentimientos de la naturaleza y el temor de desagradar a su marido, vio en sueños la diosa Ibis, que le mandó que ocultase el sexo de la criatura disfrazándole de niño y educándole como tal. Vuelto el padre, engañado por la apariencia quiso casar a su hijo con la joven más hermosa de la ciudad, llamada Yante. Teletusa eludio el casamiento bajo diferentes pretextos pero, habiéndolos agotado todos dirigió sus votos a Isis, que durante la ceremonia nupcial transformó a Ifis en muchacho. Ifis entró al templo para ofrecer a la diosa un sacrificio en acción de gracias, y dejó en él esta inscripción: *el joven Ifis cumplió los votos que había hecho siendo doncella. Met. 9.*

IFITIÓN. Hijo del rey Otrinteo y la ninfa Nais, muerto por Aquiles en el sitio de Troya. *Ilíada. 20.*

IFITIS. Capitán muerto por Ulises. *Odis. 21.*

IFITO. 1 — Hijo de Eurito, rey de Ecalia. Sospechando este príncipe que Hércules se había llevado dos caballos de su padre, marchó a buscarlo a Tirinto; Hércules mandó subir a Ifito en una torre elevada para que mirase por todas partes si los descubría y luego después le precipitó de lo alto en venganza de la falsa acusación que le había levantado. Una enfermedad fue el castigo de esta muerte; y la respuesta del oráculo le dio a entender que para curarla era necesario que fuese vendido publicamente y el resultado de la venta entregado a los hijos de Ifito. *Odis. 21, Apolod. 2, c. 6.*

2 — Hermano de Euristeo, embarcó con Jasón y fue muerto en la Cólquida por Etes. *Diod. Sic.*

3 — Rey de los foceos, que tuvo dos hijos en el sitio de Troya. *Paus.*

4 — Capitán troyano que a pesar de su avanzada edad, se juntó con Eneas la noche de la toma de Troya y escapó con mucho trabajo de los dardos de los griegos. *Eneida. 2.*

5 — Hijo de Proxénides, o de Hemón, o de Naubolo, rey de Elida, en el Peloponeso. Confiado en el oráculo de Delfos, restableció los juegos Olímpicos para hacer cesar las guerras intestinas y la peste que desolaban Grecia, y ordenó un sacrificio a Hércules para apaciguar este dios, que los helenos creían serles contrario. En el templo de Juno, en Elis, se conservaba el tejo de Ifito, sobre el cual se veían escritos a la redonda las leyes y los privilegios de los juegos Olímpicos. (*V.* Olímpicos.)

6 — Troyano, padre de Aequeptólemo. *Ilíada. 8.*

IFTIME. 1 — Hija de Icario, hermana de Penélope, y mujer de Eumelo, rey de Feres. Minerva tomó su forma para aparecer en sueños a Penélope, inquieta por la partida de su hijo y para disipar sus temores maternos. *Odis. 4.*

2 — Nereida que Mercurio hizo madre de los sátiros.

IFURÍN, *infierno de los galos* (*Mit. celt.*) Era una región sombría y terrible, inaccesible a los rayos del sol, infectada de insectos venenosos, reptiles, leones rugidores y carnívoros lobos. Los culpables como Prometeo, siempre devorados, renacían eternamente. Los grandes criminales estaban encadenados en cavernas mucho más horribles, sumergidos en un estanque lleno de culebras, y quemados por el veneno que destilaba sin cesar la bóveda. La gente inútil, los que no tenían más que una bondad negativa o que eran menos culpables, habitaban en medio de vapores espesos y penetrantes que se elevaban de estos venenos. El mayor tormento era el hielo, que daba nombre a esta especie de infierno.

**IGDIS.** Especie de danza ridícula. *Ant. Exp. 4. 3.*

**IGNÍCOLAS** (*Mit. pers.*) Adoradores del fuego, como en otro tiempo los persas, y como los parsis, los gauros y los guebros.

**IGNÍGENA**, *nacido del fuego.*

**IGNÍPOTENS**, *señor del fuego.* Sobrenombre de Vulcano.

**IGNISPICIUM.** Arte de adivinar por medio del fuego inventado por Amfiarao.

**IGNORANCIA** (*Iconol.*) Los griegos le pintaban bajo la figura de un niño desnudo, con los ojos vendados, montado en un asno, teniendo con una mano el cabestro y una caña en la otra. *Cochin* la ve simbolizando por una mujer carnuda, disforme, ciega o vendados los ojos, tiene orejas de asno, y está coronada de adormidera y ababoles. Camina a tientas por una senda tortuosa, llena de zarzas y espinas. Revolotean. A su alrededor algunas aves nocturnas. A veces yace a su lado un asno. Este era entre los egipcios el jeroglífico de la ignorancia.

**IGUALDAD** (*Iconol.*) 1 — Los antiguos iconólogos representan la igualdad bajo el emblema de una joven vestida con modestia y sencillez, teniendo en una mano unas balanzas en equilibrio y en la otra un nido de golondrinas. A las balanzas han sustituido los artistas el nivel.

2 — De espíritu (*Iconol.*) Se podía representar la que se conserva en la fortuna, buena o mala. poniendo en la mano de la figura una máscara cómica o trágica.

**IHRAM.** (*Mit. mahom.*) Especie de vestido de devoción de los musulmanes. Es de tres especies: el primero se llama *karem*, y es el que visten cuando se proponen ir a La Meca y hacer allí un sacrificio. El segundo se llama *mofred*; y es el que se ponen cuando van a La Meca, no llevando otro intento que asistir al sacrificio público que se hace en él, sin ofrecer uno en particular. El tercero se llama *molmellua*, y sirve para los que quieren simplemente hacer un sacrificio. Antes de revestirse con él, deben dirigir su intención y decir: *He resuelto ofrecer un sacrificio, y lo ofreceré al gran Dios.* El peregrino revestido de Ihram, entra en este estado en La Meca y rodea siete veces el templo y hace en seguida siete sais. El sais se hace yendo del *Merone* a la *Sefa*, dos lugares hasta los cuales llegó Agar, buscando en el desierto agua para su hijo Ismael, después que Abraham la hubo despedido.

**ILESIO.** Ciudad de Grecia cuyos habitantes fueron al sitio de Troya. *Ilíada. 2.*

**ILFÓNOMO.** Uno de los hijos de Egipto.

**ILIA.** 1 — Sobrenombre de Minerva, adorada por los habitantes de Ilio.

2 — Hija de Numitor, la misma que Thea-Silvia.

**ILÍACA.** (Tabla) Monumento que nos ha conservado el recuerdo de todas las acciones del año décimo del sitio de Troya. *Banier, t. 7.*

**ILÍACOS.** Juegos instituidos por Augusto en memoria de la batalla de Actium. Se cree que eran iguales a los juegos troyanos y a los juegos áticos. Se celebraban con carreras y ejercicios gimnásticos. *Virgilio,* para lisonjear a Augusto, honra a Eneas con su primera institución. *Eneida. 5.*

**ILÍADA.** Uno de los poemas de Homero que describe los sucesos de la guerra de Troya, producidos por la cólera de Aquiles. Está simbolizada en la apoteosis de este gran poeta que conserva el museo Pio Clementino, por una espada, símbolo de los combates. (*V. Odisea.*)

**ILÍADAS.** Mujeres de Troya.

**ILÍADES.** Rómulo, hijo de Ilia.

**ILICET,** por Ire Liget. Expresión usada en los funerales, para advertir a los asistentes que se habían concluido. *Ant. Expl. t. 5.*

ILIÓN. Ciudadela de Troya, edificada por Ilo, cuarto rey de los troyanos. *Estrab. 13.*

ILIONE. Una de las hijas de Príamo, esposa de Polimnestor. Habiendo hecho perecer al joven Polidoro, hermano de su esposa, que Príamo le había confiado, Ilione murió de dolor. (*Eneida. 1*) *Higinio* cuenta de otro modo esta historia: «Habiendo Ilione recibido a su hermano en su cuna, y conociendo la malignidad de su marido, hizo pasar a Difilo, hijo del tirano, por su hermano, educó a Poliodoro como hijo y engañó de este modo la crueldad de Polimnestor, que quitó la vida a su propio hijo. Repudiada después Ilione por su marido, a instancias de los griegos, descubrió el misterio a Polidoro, quien se vengó (*V.* Polidoro.)

ILIONEO. 1 — El más joven de los hijos de Níobe, muerto con sus hermanos por Apolo. *Met. 5.*

2 — Hijo único de Forbas (Forbante), troyano rico, muerto por Peneleo bajo los muros de Troya.

3 — Capitán troyano, uno de los compañeros de Eneas y a quien Virgilio pinta como hombre sabio, y elocuente, encargado de muchas misiones importantes. *Eneida. 1, 7, 9.*

4 — Otro troyano muerto por Diómedes después de la toma de Troya. *Ilíada. 14.*

ILISÍADES. Ilisides. Sobrenombre de las Musas, tomado del río Ilisío, en cuyas riberas tenían un altar.

ILISO. Río de Atica cuyas aguas eran tenidas por sagradas. Se decía que en sus ribera Oritis había sido robada por Bóreas. *Tebaid. 4, Paus.*

ILITIA. (*Iconol.*) Hija de Juno, diosa que presidía los partos entre los griegos. (*V.* Lucina.) *Homero* (*Ilíada. 11, Odis. 19.*) hace mención de muchas hijas, todas de Juno, y las arma con dardos para significar los dolores del parto. *Olem*, poeta licio, la califica de *bella hiladora*, la llama más antigua que Saturno y la toma por una Parca. *Furnuto* la confunde con la Luna. Las mujeres, en los dolores del alumbra-

miento, le hacían sacrificios que consistían por lo común en consagrarle astas y en prometerle becerras si parían felizmente. Tenía en Roma un templo al cual se llevaba una moneda al nacimiento y a la muerte de cada ciudadano, y cuando se tomaba la ropa viril. En Ægium se veía con los brazos extendidos, teniendo una antorcha en la mano. Podía ser una figura alegórica del alumbramiento.

ILO. 1 — Hijo de Tros y Caliroe, hija de Escamandro, edificó la ciudadela de Ilión y arrojó a Tántalo de su reino. Habiéndose pegado fuego al templo de Minerva, corrió a él, se apoderó del Paladio o estatua de Minerva, descendida milagrosamente del cielo y la salvó de las llamas. Pero su celo fue mal recompensado; le costó la vista. Compadecidos los dioses, se la devolvieron. *Ilíada. 20, 13, Apolod. c. 1, 2, Eneida. 1, Estrab.*

2 — Rey de Epiro, en la Tesprotia, hijo de Mermero y bisnieto de Jasón y Medea.

3 — El joven Ascanio, hijo de Eneas, llevó el nombre de Ilo, mientras subsistió Ilión; pero después de la ruina de Troya, tomó el de Julio. *Eneida 1.*

4 — Capitán latino muerto por Palas, hijo de Evandro. *Eneida. 10.*

5 — Hijo de Dárdano y Batia, murió sin hijos y dejó su trono a Erictonio.

6 — Uno de los sobrenombres de Saturno.

ILLAPA o INTIRRAPA. (*Mit. per.*) Era el tercero de los grandes dioses. Los peruanos lo representaban bajo la figura de un hombre que residía en el cielo, llevando una honda o una clava, y teniendo en su mano la lluvia, el granizo, el trueno y los demás meteoros que se aparecen en el aire donde se forman las nubes. En Cuzco se le sacrificaban niños; como al sol. *Acosta.* (*V.* Catuilla, Chuquilla, Viracocha.)

ILLEO. Sobrenombre de Apolo en Troya.

ILLIRIO. Hijo de Cadmo y de Hermione, y según otros de Polifemo y Galatea. Se dice que dio su nombre a Illiria. *Appiano.*

ILLUS. Hijo de Frixo. Obligó a Pélope, con las armas en la mano, a dejar su país y retirarse a Grecia.

IMAGINACIÓN (*Iconol.*) C. *Ripa* la representa bajo la figura de una mujer vestida con un ropaje de color tornasolado, aspecto variable, ojos vueltos hacia el cielo, las manos cruzadas, erizados los cabellos, con alas en la cabeza y, en vez de corona, varias figuritas con diversas sombras. La alegoría de *Gravelot* parece mejor concebida a pesar de haber imitado en algo, a la que antecede. representa la Imaginación con la figura de una joven en actitud animada, lo que denota que esta facultad pertenece a la juventud, observándose en su porte cierta viveza propia también de esta edad. Ocupada siempre en nuevas producciones, que es lo que demuestran la figuritas que salen de su cabeza, arde en deseos de procurarles la existencia, y su pluma darles vida. Cerca de ella se descubren los atributos del pintor y el poeta, designando con ello la necesidad que tienen ambas artes, de la Imaginación. Testigos las figuritas de su creación que llenan el fondo del cuadro, tales son, los centauros, las sirenas, las arpías; invenciones que no tienen otro mérito que el de denotar algunas verdades físicas y morales.

IMÁN (*Mit. mah.*) 1 — Dignidad eclesiástica entre los musulmanes y la última de sus jerarquía. (*V.* Imaums.)

2 — Se llaman así por excelencia los jefes o fundadores de las cuatro principales sectas de la religión musulmana. Alí es el imán de los persas, Abubeker de los sumnitas, Safai o Safey el imán de otra secta, etc.

IMANAT. La dignidad del Imán. Los mahometanos no concuerdan entre sí acerca de esta dignidad: algunos la creen de derecho divino y unida a una sola familia, como el pontificado de Aarón: los otros, por una parte, sostienen que es de derecho divino, pero por otra no creen que esté conferida de tal modo a una familia y que no pueda salir de ella. Añaden además que debiendo estar según ellos, exento no solamente de los pecados graves como de infidelidad, y hasta de otros menos enormes, puede ser depuesto, si cae en ellos, y transferida su dignidad a otros.

Sea lo que se fuere de esta cuestión, es constante que el imán, después de haber sido reconocido por tal por los musulmanes, el que niega que su autoridad viene inmediatamente de Dios es un impío; el que no le obedece es un rebelde y el que se atreve a contradecirle un ignorante.

IMANIA (*Mit. mah.*) Nombre de la secta de Alí, que siguen los persas, por tener como jefe espiritual un imán.

IMAÓN. Capitán latino, a quien Haleso salvó de los golpes de Pallas. *Eneida. 10.*

IMAUMS-IMANS (*Mit. mah.*) pl. de Imán. Ministros de la religión ente los musulmanes. Se pueden comparar a curas de parroquia, excepto que en sus mezquitas son independientes de los mullahs, y hasta del mufti; sólo el gran visir tenía derecho de juzgarles. Cuando un Imán estaba privado de su dignidad volvía a ser laico y el visir nombraba otro en su lugar. A su muerte los fieles presentaban al visir, para reemplazarle, un imán del número de aquellos que de lo alto de los alminares llaman al pueblo a la oración. El modo de asegurar que el nuevo Imán es más digno aún de gobernarles que su predecesor, era muy sencillo. Se le hacía leer algunos versículos del *Alcorán* en presencia del ministro quien, pareciéndole bien, le daba su visto bueno. Con el tiempo pocos imanes se tomaron el trabajo de predicar al pueblo y dejaron este cuidado a los sheiks. *V.* este nombre.

IMBRÁCIDES. Asio, hijo de Imbraco. *Eneida. 10.*

IMBRACO. Padre de Asio, uno de los troyanos compañeros de Eneas. *Eneida, 10..*

IMBRAMO. Sobrenombre de Mercurio entre los carios.

IMBRASIA. Sobrenombre de Juno.

IMBRASO. 1 — Río de la isla de Samos, Sus habitantes creían que Juno había nacido en sus riberas, debajo de un sauce que enseñaban aun en tiempo de Pausanias. Los sacerdotes iban allí a lavar su estatua, y sus aguas eran reputadas por sagradas.

2 — Padre de Piro o Piroo, que capitaneó a los tracios en el sitio de Troya. *Ilíada. 4.*

3 — Padre de Gláuco y Lades, que

había instruido por sí mismo a sus hijos en el arte de la guerra y les había dado armas iguales o muy semejantes. *Eneida. 12.*

IMBREO. Uno de los centauros que combatieron contra los lapitas en las bodas de Piritoo; y fue muerto por el lapita *Dries. Met. 12.*

IMBRIO. Hijo de Méntor y yerno de Príamo, muerto en el sitio de Troya por Teucro, hijo de Telamón. *Ilíada. 13.*

IMBROS. Isla del mar Egeo cuyos habitantes tributaban un culto solemne a Mercurio y a Ceres. *Estrab. 2.*

IMBRUS. Hijo de Egipto.

IMENARETE. Esposa de Calcodonte, madre de Elefenor.

IMERA. Sombrero de flores con el cual se cubría el que pedía la dignidad de miste, o iniciado en los misterios de Eleusis.

IMERTOS, *lo que se desea.* Epíteto de Baco y Apolo. R. *inicios,* deseo. *Antol.*

IMEUSIMO. Hijo de Icarión.

IMITACIÓN (*Iconol.*) Se da por atributo a este objeto de inspiración de los pinceles, una máscara y un mono.

IMPAR. Una credulidad supersticiosa ha atribuido en todos los tiempos muchas prerrogativas al número impar: la antigüedad clásica lo creía con preferencia agradable a la divinidad. Los números pares eran considerados entre los romanos como de mal agüero, porque este número, pudiendo ser dividido en iguales partes, es el símbolo de la mortalidad y la destrucción. Por esta razón, cuando Numa corrigió el año de Rómulo, añadió un día a fin de hacer impares los días de que constaba. Impares eran también las operaciones que prescribía el ritual mágico para las cosas más misteriosas. y era así mismo de una gran consideración en el arte de la adivinación y los augurios. El alquimista *Despagnet*, en su descripción del *Jardín de los sabios*, coloca a la entrada una fuente que tiene siete caños. «Es menester, dice hacer beber en ella al dragón por el número mágico de tres veces siete, y se deben buscar en él tres especies de flores, que es necesario que se encuentren para salir bien en la gran obra.» El crédito de número impar se estableció hasta en la medicina: el año climatérico en la vida

humana es un número impar. Entre los días críticos de una enfermedad, los impares dominan siempre, sea por su número, sea por su energía (según esta creencia).

IMPERATOR. En la corte del Capitolio se veía una estatua de Júpiter, llamado por sobrenombre *Imperator*, llevada de Macedonia por T. Quintio Flaminio y consagrada, según parece, después de una victoria alcanzada por un general pero atribuida a Júpiter.

IMPETRITUM, o I Auguratum. Uno de los varios términos de que se valían los antiguos romanos para indicar que los augurios eran favorables. Esta palabra viene sin duda de la piedra en que estaba sentado el augur, cuando observaba el cielo para sacar las predicciones.

IMPIEDAD. (*Iconol.*) *Cochin* la representa en grupo con la Piedad, pinta la primera como una mujer en pie sobre un altar derribado y mirando la piedad con desprecio y burla. En Versalles se ve debajo la figura de una mujer que quiere quemar un pelícano, símbolo del amor de los padres hacia sus hijos, y de los gobernantes hacia los pueblos confiados a su cuidado. Hércules robando el trípode de Apolo, porque este dios no respondió un oráculo favorable, podría designar también un impío que se burla de la religión. Este símbolo fue plasmado dos veces en el arte clásico en la villa Albani, y en el museo Nani, en Venecia, y se ve igualmente sobre una base triangular en el gabinete de antigüedades, en Dresde.

IMPORCITOR. Dios de los campos entre los romanos. Presidía la labor del campo después de haber sembrado el grano, de *porca*, surco elevado. El flamen de Ceres invocaba a este dios en el sacrificio que hacía a esta diosa a la Tierra.

IMPRECACIONES. Divinidades llamadas por los latinos *Diræ Deorum iræ.* (*V.* Dires) Estos no reconocían más que dos, los griegos tres. Se invocaban en los ruegos y los cantos contra los enemigos. Las imprecaciones eran también una especie de excomuniones. Se lanzaban igualmente contra los que violaban algún sepulcro. Había diferentes fórmulas: tales eran por ejemplo. «¡Qué con el violador muera el último de su raza! ¡Qué se atraiga la indignación de los dioses! ¡Qué sea precipitado al Tártaro! ¡Qué se halle privado de la sepultura! ¡Qué vea desenterrados y dispersos los huesos de los suyos! ¡Qué turben su reposo los misterios de Isis! ¡Qué él y los suyos se vean en el estado de aquellos manes que ha turbado!».

**IMPRENTA.** (*Iconol.*) Una figura vestida de blanco, coronada de siempre viva, hierba que nunca pierde su verdor. Tiene una trompeta con esta palabras: *Semper ubique.* Una caja de letras distribuidas alfabeticamente y una prensa son sus atributos y no necesitan explicación.

**IMPRUDENCIA.** (*Iconol.*) *Cochin* la simboliza por un hombre dormido en el borde de un despeñadero.

**IMPUREZA.** (*Iconol.*) *Cochin* la simboliza presentando una mujer con vestidos manchádos, que se esfuerza en detener a un hombre por su capa.

**IN CASTO CERERIS.** Se celebraba la fiesta de Ceres en el mes de abril, durante ocho días, por las damas romanas, las cuales para disponerse mejor se abstenían del vino y observaban una continencia exacta; esto se llamaba ser *in casto cereris. Niewport, Costum. de Roma.*

**ÍNACO.** Río de Argólida, que Ovidio hace padre de la ninfa Io, y que se llamaba al principio Anfiloco. Habiendo Inaco mandado que se le abriese nuevo álveo, le dio su nombre. Este río y su hijo Foroneo fueron árbitros entre Neptuno y Juno, que se disputaban esta comarca. Juno la alcanzó; por lo que, irritado, Neptuno secó todos sus ríos, de modo que ni Inaco, ni el Cefiso, ni el Asterión, ni el Foroneo, no pudieron dar agua sino en tiempo de lluvia. *Apolod. 2, c. 3.*

2 — Hijo del Océano, esto es, venido por el mar de Fenicia a Grecia, fundó el reino de Argos y fue jefe de la raza de los Inaqueos. Dio su nombre a todo el Peloponeso.

**INAQUIA.** Uno de los antiguos nombres del Peloponeso.

**INAQUIAS.** Fiestas en honor de Ino o Leucótoe. *Ant. Expl. t. 2.*

**INAQUIDES.** 1 — Epafo, hijo de Inaco. *Met. 1.*

2 — Perseo, que *Ovidio* (*Met. 4.*) designa como Argio o Argivo.

**INAQUIS.** Io, hija de Inaco. *Ovid. Fast. 1.*

**INARCULUM.** En latín, rama de granado que la reina de los sacrificios ponía alrededor de su cabeza cuando sacrificaba.

**INARIMEA.** Isla del mar Tirreno, sobre las costas de Campania, debajo de la cual se dice que aplastó Júpiter al gigante Tifón. *Ilíada. Met. 14. Eneida. 9.*

**INAUGURACIÓN.** Ceremonia religiosa en Roma, que confería a los sacerdotes el poder de ejercer sus funciones, llamadas así porque la observación de los augurios era su preliminar.

**INCA** (*Mit. peru.*) Título que los peruanos daban a su rey y a los principales de su sangre.

La crónica del Perú cuenta del modo siguiente el origen de los incas. El Perú fue por mucho tiempo teatro de toda clase de crímenes, guerras, disensiones y desórdenes de los más abominables, hasta que por fin aparecieron dos hermanos, de los cuales el uno se llamaba Manco-Capac, de quien los indios refieren grandes maravillas. Construyó la ciudad de Cuzco, hizo leyes y reglamentos y él y sus descendientes tomaron el nombre de Inca, que significa rey o gran señor. Llegaron a ser tan poderosos que se hicieron dueños de todo el país de una extensión de cerca mil trescientas leguas, y lo poseyeron hasta las divisiones que sobrevinieron entre Huáscar y Atabalipa, en cuya época los españoles se apoderaron de este mismo país y destruyeron el imperio de los Incas.

**INCENDARIA.** Ave que los antiguos creían que anunciaba el incendio. *Plin.*

**INCENDIO DEL MUNDO.** Danza de los antiguos. *Ant. Expl. t. 3.*

**INCESTO.** Hijo del Eter y la Tierra.

**INCIENSO.** Los griegos, según *Plinio*, no admitieron el uso del incienso en los sacrificios, hasta después de la guerra de Troya. Antes habían empleado los arbustos odoríficos. En otro tiempo los árabes, por una precaución supersticiosa, observaban una exacta castidad cuando querían recogerlo. Se lee en *Arriano* que el incienso no podía ocultarse aunque se dejase enteramente abandonado, lo que derivaba de un privilegio de los dioses que preservaba de las manos de sus enemigos un perfume que les era tan precioso.

INCONSTANCIA. (*Iconol.*) Los antiguos la representan como una mujer con dos cabezas, vestida de diferentes piezas de tela de varios colores, jeroglífico que parecía convenir mejor a la moda. *Ripa* la ha pintado apoyada sobre una caña, y en pie sobre una bola. *Cochin* ha juntado una veleta y una banderola de nave. Otros pintan una mujer vestida de una ropa del color de las olas del mar, teniendo en la mano una media luna, rodeada de débiles rayos, y a sus pies un cangrejo; o bien una Fortuna pintada sobre un globo y la variedad de los colores del arco Iris. Se puede dar a esta figura alas de mariposa y poner a sus pies un camaleón. (*V.* Constancia.)

ÍNCUBO. 1 — Genio guardian de los tesoros de la tierra. El vulgo de Roma creía que los tesoros ocultos en las entrañas de la tierra eran guardados por unos espíritus llamados *Incubones*, que llevaban sombrerillos, de los cuales era menester asirse. El que tenía esta dicha, se hacía su dueño, y les obligaba a declarar donde tenían estos tesoros. Según parece, la fábula de los *Gnomos*, y del *Sombrero de Fortunatus* se fundan en estos cuentos.

2 — Sobrenombre de Pan, sacado de su extrema lubricidad.

ÍNCUBOS. Espíritus malignos que se suponía que venían por la noche a apretar a los hombres y a las mujeres con el peso de sus cuerpos para ahogarles. Este es el que se llama *Couchemar*. Se da también el mismo nombre a los faunos y sátiros por razón de su lubricidad. En las épocas primitivas, los demonógrafos imaginaron demonios incubos que atormentaban con imágenes obscenas y aun con realidades a las personas que habían hecho voto de castidad. *Ant. Expl. t. 1.* (*V.* Efialtes.)

ÍNDEX, *el que descubre*. Sobrenombre de Hércules, con motivo del siguiente hecho: «Se había robado del templo de Hércules una pesada copa de oro, y apareciendo este semidios a Sófocles en

sueños le indicó el ladrón. Sófocles nada divulgó. Apareció dos veces más la visión después de lo cual el poeta lo declaró al areópago. Fue arrestado el ladrón y puesto en tormento confesó el robo, volvió la copa; y desde entonces se llamó este templos de *Hércules Index*». *Cic.*

INDICTIVAS, *indictivæ feriæ*. Fiestas que ordenaban los magistrados romanos.

INDIGENCIA. (*Iconol.*) Diosa de los antiguos. *Gravelot* la alegoriza bajo la forma de una mujer con la mano izquierda alada, símbolo del deseo que tendría de elevarse bien fuese a las ciencias o a la fortuna; si la necesidad, semejante al peso a que se le ve unida, y bajo el cual está pronta a doblar, no hiciese inútiles todos sus esfuerzos. Desgarrados sus vestidos, enredados sus pies entre cambrones y espinas, aparece expuesta a la intemperie de las estaciones, designada por un cielo lluvioso. (*V.* Pobreza, pena.)

INDIGETAS. Mortales divinizados que se hacían protectores de los lugares en que les reconocían por dioses, como Fauno, Vesta, Rómulo, entre los romanos, Minerva en Atenas y Dido en Cartago. Se hacía derivar este nombre de *in diis ago*, *estoy entre los dioses*, *o inde genitus*, o bien *in loco degens*, nacido en un país, o habitante de él. *Met. 14.*

INDIGETE (*Júpiter*) Eneas. Habiendo este príncipe perdido la vida en un combate contra Mecencio y no encontrándose su cuerpo, se dice que Venus, después de haberle purificado en las aguas del Númico, le había puesto en el número de los dioses. Se le erigió un sepulcro en la ribera del río, monumento que subsistía aun en tiempo de *Tito Livio* (*l.1*) y en el cual se le ofrecían sacrificios bajo el nombre de Júpiter-Indigeta.

INDIGITAMENTO. Libro de los pontífices donde estaba escritos los nombres de los dioses y las ceremonias propias para cada uno de ellos.

INDIGITAMENTOS. Himnos en honor de los dioses, particularmente de los indigetas.

INDIO. (*Baco.*) 1 — Viniendo Baco de los países occidentales, entró en la

India con fuerza armada y recorrió cuidadosamente todo el país, en el cual no había ciudad capaz de detenerles. Habiendo los excesivos calores causado muchas enfermedades en su ejército, este hábil capitán lo retiró de los países bajos y lo condujo a las montañas, donde los vientos frescos y las aguas puras restablecieron bien presto los soldados. Este lugar se llamaba *Meros*, pierna; y este es el origen de la fábula de Baco, conservado en la pierna de Júpiter. Se dice que enseñó a los indios el cultivo de los frutos de la viña, y otros secretos útiles o necesarios. Edificó ciudades bien situadas y las pobló de los habitantes de las aldeas, a los cuales enseñó el culto de los dioses, y les dio leyes. Tantos beneficios le merecieron el nombre de dios, y los honores divinos después de su muerte, que terminó un reinado de cincuenta y dos años. Sucediéronle sus hijos, y transmitieron el reino a su posteridad que lo conservó por muchas generaciones, hasta que por fin la monarquía fue cambiada en democracia.

2 — (Hércules.) Los indios pretendían que Hércules había nacido entre ellos; del mismo modo que los griegos le daban una clava y una piel de león; creían como ellos que había excedido en fuerza y valor a todos los hombres, y que había purgado el continente y las riberas del mar, de los monstruos que las infestaban. Hércules, según ellos, tuvo muchos hijos y una hija entre los cuales dividió la India. La principal de las ciudades que edificó fue Polibotto. Había levantado allí muchos palacios, la llenó de habitantes y la cercó de profundos fosos llenos de agua viva. Hércules, después de su muerte, fue puesto en el número de los dioses, y sus descendientes reinaron mucho tiempo después de él.

INDOLERES, *vencedor de la India.* Epit. de Baco. R. *ollumi*, matar. *Antol.*

INDULGENCIA. (*Iconol.*) Una medalla de *Severo* la muestra bajo el emblema de Cibeles coronada de torres y sentada sobre un león, que los antiguos consideraban como símbolo de esta virtud. En la mano izquierda tiene una pica y en la derecha un rayo que retiene con esta inscripción: *Indulgencia Augustorum.* En una medalla del emperador *Galieno*, está representada por una mujer sentada, que tiende la mano derecha, y tiene un cetro en la izquierda. En otra medalla de *Antonio* se ve una mujer sentada, que tiene una varilla en la mano izquierda que parece alejar de sí, y con la otra presenta una fuente o especie de plato. Una medalla de *Gordiano* la representa sentada entre un buey y un toro, quizá para significar que esta virtud suaviza los más brutales caracteres. *Cochin*, que la ha considerado, como una virtud social que se disimula a sí misma y oculta las faltas de los otros, ha creído expresar mejor esta idea por el emblema de una mujer que tiene cerca de ella una harpía y una sirena, de la que no deja percibir sino la parte humana.

INDUS. Río que *Higinio* pone entre el número de los hijos de Ponto y Talasa.

INEBRÆ AVES. Aves cuyo augurio era desfavorable. R. *inhibeo*, impedir.

INFAMIA. (*Iconol.*) Los unos la representan bajo la figura de una mujer medio desnuda con alas de cuervo, toca la trompeta y lleva escrita sobre la frente la palabra torpe para indicar que más es reparada por los demás que por la persona que la sufre. Otros la simbolizan por una mujer de aspecto innoble, vestida de andrajos, acurrucada en un lugar sucio y cenagoso: se cubre el rostro con las manos y son sus únicos atributos dos grandes alas negras de murciélago, bajo las cuales procura ocultarse.

INFANCIA (*Iconol.*) Primera edad del hombre, fácil de caracterizar por medio del chupador de los niños, y por los atributos de los juegos de esta edad.

INFANTARIL. Nombre dado por los gentiles a los cristianos, a quienes acusaban de inmolar niños en sus reuniones. *Tertul.*

INFERI. Dioses de los infiernos. (*V.* Plutón, Proserpina, etc.)

INFERIAS, del verbo *inferre*, llevar sobre. Sacrificios u ofrendas que hacían los antiguos sobre los sepulcros de los muertos. Las víctimas humanas, los gladiadores que les sucedían, los animales inmolados, todos tenían el mismo nombre.

En estos últimos sacrificios se inmolaba una bestia negra, se derramaba su sangre sobre la tumba, se vertían en ella copas de vino y de leche caliente y se esparcían flores de adormideras encarnadas, terminando por saludar y por invocar los manes del difunto; en fin, si se derramaba tan solo vino, también éste se llamaba *inferium*. Según *Festo* se le daba este nombre porque el licor debía *sobrepujar* los bordes de la copa.

INFERNAL. Sobrenombre de Júpiter, adorado en un templo de Minerva en Argos. Su estatua de madera tenía tres ojos, símbolo de su triple poder en los cielos, los infiernos y los mares.

INFIERNO. 1 — Lugar de tormentos, donde los malos sufrirán después de esta vida, el castigo que merecen sus crímenes. Esta creencia es común a todas las religiones.

2 — *De los drusos*. Los apóstatas desertores del culto de Hakem, deidad de los drusos, serán castigados con los más crueles suplicios en el nuevo imperio que debe formar después de haber destruido todos los hombres. Todo lo que comerán o beberán tendrá gusto de hiel y de amargor, y serán esclavos de los verdaderos adoradores. Llevarán gorros de pelo de cerdo de un pie y medio de largo en señal de una eterna reprobación, y de su orejas penderá un anillo, que en el verano será ardiente como el fuego, durante el invierno frío como el hielo. Los indios y los cristianos estarán sujetos a los mismos castigos, aunque con algunas ligeras modificaciones.

3 — *De los griegos*. Lugares subterráneos donde pasaban las almas después de la muerte para ser juzgadas por Minos, Eaco y Radamante, Plutón era el dios y rey. Los griegos, según *Homero* y *Hesíodo*, etc, se figuraban el Infierno como un lugar vasto, oscuro, dividido en diversas regiones, la una horrorosa, donde se veían lagos, cuyas aguas infectas y cenagosas exhalaban vapores mortales, un río de fuego, varias torres de hierro y de cobre, hornos ardientes, monstruos y furias encarnizadas en atormentar los malvados; la otra risueña y pacífica, destinada para los buenos y los héroes. Estos pueblos que no conocían más que nuestro hemisferio, que ponían los límites de la tierra en las rocas del Atlas y en las llanuras de España, se imaginaron que el cielo cubría tan sólo esta parte del globo y que reinaba en la otra una noche eterna y horrorosa. Estas tinieblas absolutas habían precedido todas las cosas y conducían a los Infiernos. *Homero* pone su entrada en la extremidad del océano. *Jenofonte* hace entrar a Hércules en los infiernos por la península cercana de Heraclea, ciudad del Ponto. Otros han supuesto el infierno debajo del Ténaro, porque era un lugar oscuro y espantoso, rodeado de espesas selvas y formado de sendas cortadas como las vueltas de un laberinto. *Ovidio* hace bajar a Orfeo por este lugar terrible. Otros han creído que la ribera o pantanos del Estigia en Arcadia eran la entrada de los infiernos, los griegos creían que se extendían por debajo de nuestro continente y se dividían en cuatro distritos diferentes, que los poetas, y el mismo *Platón* han comprendido en lo sucesivo bajo el nombre general de tártaros o Campos Elíseos.

El primer lugar, el más vecino de la tierra era el Erebo. En él se veía el palacio de la Noche, el del sueño, y el de los Sueños, y era la morada del Cerbero las Furias y la muerte. Por este lugar erraban, por espacio de cien años, las sombras infelices cuyos cuerpos no habían recibido los honores de la sepultura; y cuando Ulises llamó a los muertos, todos los que aparecieron salieron del Erebo. *Hom*.

El segundo lugar era el Infierno de los malvados, donde cada crimen era castigado, donde el remordimiento devoraba sus víctimas, y donde se hacían oír los gritos agudos del dolor. Las almas de los conquistadores y de todos aquellos cuya vida era funesta a los hombres, después de haber sido sumergidas en los lagos infectos y helados, sentían de repente el ardor de las llamas vengadoras y experimentaban sucesivamente todos los tormentos que pueden causar tanto unos fuegos activos, como un frío extremo.

El Tártaro seguía después de los Infiernos y era la cárcel de los dioses. Rodeado de un triple muro de cobre, sostenía los vastos fundamentos de la tierra y los mares. Su profundidad se alejaba tanto de la tierra, como estaba lejos del cielo. Fueron encerrados en él, para no salir jamás, los dioses antiguos, arrojados del Olimpo por los reinantes y victoriosos. Urano precipitó en él a sus hijos, los cíclopes y gigantes. Saturno a su vez arrojó en él a Urano, después de haberle vencido; y habiendo Júpiter subido al trono, encerró en el mismo a Saturno y a los titanes. El dios vencedor liberó entonces a sus tíos, los cíclopes, los cuales en reconocimiento le dieron el rayo y el relámpago. Algún tiempo después mitigó la pena de Saturno, dejándole reinar en los Campos Elíseos; pero los titanes, como Coto, Ciges y Briareo de cien manos, quedaron para siempre en el Tártaro. La tierra, por su unión con este lugar inflamado, produjo el horrible Tifón, que tenía cien cabezas de serpiente. Despedía fuego por la niña de los ojos y quiso destronar al padre de los dioses; éste lo destruyó con la nueva arma que le habían regalado los cíclopes y le castigó también con los tormentos del Tártaro.

*Le Clerc* hace derivar este nombre del Tártaro del fenicio *Tarak*, lugar penoso. *Pluche* dice que esta palabra significaba en caldeo *præmonitum*, el lugar que nos advierte, porque su idea detiene a veces el brazo del asesino, y previene el crimen. La raíz *ar*, *er*, ha significado siempre en las lenguas orientales una profundidad, una cavidad subterránea. Los nombres antiguos de la mayor parte de los ríos y de las profundas riberas se forman por lo común de ellas. Doblando la palabra *Tar* se hace *Tártaro*, lugar en extremo profundo y tenebroso.

Los Campos Elíseos, morada feliz de las almas virtuosas, forman la cuarta división de los Infiernos, Para llegar a ellos era necesario atravesar el Erebo. (*V.* Elíseos.)

4 — *De Los judíos* (*Mit. rab.*) Los talmudistas distinguen tres clases de personas que comparecerán al juicio final. Primera, los justos; segunda los malvados; y tercera, los que se hallan en un estado medio, esto es que no son ni del todo justos, ni de todo impíos. Los justos serán destinados al momento a la vida eterna, y los malvados a la genna o Infierno; los medianos, tanto judíos como gentiles, descenderán con sus cuerpos al Infierno, y llorarán por espacio de doce meses, subiendo y bajando, yendo a sus cuerpos, y volviendo al Infierno. Después de este término serán consumidos sus cuerpos y quemadas sus almas, y el viento los dispersará bajo los pies de los justos: pero los herejes, ateos y los tiranos que han desolado la tierra, y los que inducen a los pueblos al pecado, serán castigados en el Infierno durante siglos de siglos. Los rabinos añaden que todos los años, en el primer día del Tisri, primer día del año judaico, Dios hace una especie de revisión de sus registros, o un examen del número y del estado de las almas que hay en el Infierno.

5 — *De los romanos.* Entre los poetas latinos, algunos han colocado el Infierno en las regiones subterráneas, situados directamente debajo del lago Averno, en la campiña de Roma, con motivo de los vapores envenenados que se elevan de este lago. Según los romanos, los infiernos se dividían en siete lugares diferentes. El primero encerraba los niños muertos al nacer y que, no habiendo probado ni las penas, ni los placeres de la vida, no habían contribuido ni a la dicha ni a la infelicidad de los hombres, y no podían por consiguiente ser castigados ni premiados. El segundo lugar estaba destinado a los inocentes condenados a muerte. El tercero contenía los suicidas. En el cuarto, llamado Campo de lágrimas, erraban los amantes perjuros y sobre todo la multitud de amantes desgraciados. En el se veía la audaz Pasifae, la celosa Procris, la animosa Dido, la demasiada crédula Ariadna, Erifila, Evadne, Fedra, Ceneo y Lacodamia. El quinto lugar era habitado por los héroes cuya crueldad había oscurecido el valor, tales eran Tideo, Partenopeo, Adrasto. El sexto era el Tártaro, esto es, lugares de los tormentos. El séptimo, en fin, los Campos Elíseos.

6 — *De los galos* (*V.* Ifurim.)

7 — *De los musulmanes* (*Mit. mah.*)

Según el *Alcorán*, el Infierno tiene siete puertas y cada una su suplicio particular. Algunos intérpretes entienden por estas siete puertas, siete estancias diferentes en las cuales son castigados siete clases de pecadores. El primero que se llama *Gehennem*, está destinado para los adoradores del verdadero Dios, tales como los musulmanes, que por sus crímenes habrán merecido caer en él: el segundo llamado *Ladha*, es para los cristianos; *Holihama* el tercero es para los judíos: el cuarto, *Sair* es para los sabianos; el quinto llamado *Sacar* para los magos o guebros: *Géhin*, el sexto, es para los idólatras; el séptimo y más profundo del abismo, y que se llama *Haoviat*, está reservado a los hipócritas. Se presume muy bien que esta clasificación varía según el capricho de los doctores musulmanes. Otros místicos pretenden que las siete puertas son los pecados capitales; otros en fin, ven en ellas los siete miembros principales del hombre que son los instrumentos del pecado: tales son los ojos, las orejas, la lengua, el vientre, las partes naturales, los pies y las manos. Este infierno está lleno de tormentos de fuego y de azufre, donde los condenados, cargados con cadenas de setenta codos de largo, serán sumergidos y vueltos a sumergir por los ángeles malos. En cada una de las siete puertas hay una guardia de diecinueve ángeles, siempre prontos a ejercer su crueldad con los condenados; y sobre todo con los infieles, que estarán para siempre en estas cárceles subterráneas, donde las serpientes, las ranas y las cornejas, animales horrorosos para los persas, agravarán más y más los tormentos de estos desgraciados. los mahometanos permanecerán en el infierno, el que más siete mil años, y el que menos cuatrocientos años. Pasado este término el Profeta les alcanzará su libertad. Durante todo el tiempo del suplicio, los condenados sufrirán el hambre y el fuego. Sólo se les darán frutos amargos, y semejantes a las cabezas de los diablos. Su bebida se tomará en fuentes de azufre ardiente, que le causarán continuos retorcijones. El inspector de los ángeles malos que guardan la entrada de las siete puertas, decidirá

el rigor de los tormentos. Siempre será proporcionado al crimen, y a la mas o menos negligencia en hacer la limosna y en observar los demás preceptos del *Alcorán*.

8 — *De diferentes pueblos*. Los partidarios de la secta *Sinto* (o *Shinto*) *sintos*, en Japón, no reconocen otro tormento para las almas de los malvados, que el vagar continuamente alrededor de un lugar de delicias, habitado por las almas virtuosas, sin poder jamás entrar en él. Muchos japoneses piensan que el castigo de los primeros es el de pasar al cuerpo de una zorra.— Los *siamitas* admiten nueve lugares de amargura, situados muy adentro de la tierra, en profundos abismos; pero no creen que los suplicios sean eternos.— En el Infierno de los parsis o guebros, los malvados son víctimas de un fuego devorador, que los quema sin consumirlos. Uno de los tormentos de esta triste morada es el hedor infectado que exhalan las almas de los malvados. Los unos habitan en horrendos calabozos, donde son ahogados por un número prodigioso de insectos y reptiles venenosos; los otros son sumergidos hasta el cuello en las olas negras y heladas de un río: éstos están rodeados de diablos furiosos que les despedazan el cuerpo con los dientes: los otros son colgados por los pies, y en esta actitud se les atraviesa con un puñal por todas las partes del cuerpo. El *Erda-Viraph-Nama*, uno de los libros sagrados de los parsis, presenta en medio de estos suplicios el de una mujer que, para expiar su desobediencia, y las disputas con que importunaba a su marido, está colgada por los pies, mientras que le sale la lengua por la nuca.— Los habitantes del antiguo reino de Camboya cuentan trece Infiernos distintos, donde las penas son proporcionales a la naturaleza del crimen.— Muchos habitantes del antiguo reino de Laos envían a los culpables a una especie de infierno dividido en seis partes, cuyas penas son iguales a los crímenes; pero no las creen eternas. Las almas de los malos volverán a la tierra después de cierta duración de suplicios y pasarán al principio a los cuerpos de los más viles animales, después,

711

entrando por grados en cuerpos más nobles, llegarán a habitar cuerpos humanos.

— Los talapones del mismo país, enseñan que los malvados serán castigado mediante la privación de sus mujeres, y que el Infierno de las mujeres criminales será de ser casadas con los diablos, o bien con algún viejo feo y asqueroso.— En la isla de Formosa se cree que los hombres, después de su muerte, pasan por un puente de bambú, bajo el cual hay un profundo foso lleno de inmundicia. A los que han vivido malamente, se les rompe el puente y caen en este horrible foso. — Los habitantes del antiguo reino de Benín en Africa, se imaginan que el lugar donde van los criminales después de su muerte está situado en el mar. — Los negros de Juida creen que existe un Infierno donde sufren los condenados la pena del fuego, y pretenden que este lugar de tormento se halla situado sobre la tierra. — Los cafres admiten trece Infiernos y veintisiete Paraísos, donde cada uno encuentra el lugar que merece ocupar según sus buenas o malas acciones.— Los salvajes del Mississipí creían que las almas de los culpados iban a un país desgraciado donde no había caza.— Los virginios colocaban el Infierno al occidente, y precisamente en uno de los extremos del mundo. Allí se encontraba un foso inmenso lleno de un fuego devorador, donde eran precipitados los malvados. — Los floridios estaban persuadidos de que las almas criminales eran trasladadas en medio de las montañas del norte, donde quedaban expuestas a la voracidad de los osos y al rigor de las nieves y las escarchas.

9 — *De Dante. Dante* pone la abertura del Infierno bajo Jerusalén. Mira esta villa como situada en medio de nuestro hemisferio, y debajo del meridiano. (*Divina Comedia*).

ÍNFULA. Cinta o banda de lana blanca que ceñía la cabeza hasta las sienes, y de la cual colgaban de cada lado dos cordones, *vittæ*. Era el distintivo de la dignidad sacerdotal.

INGENÍCULA. Sobrenombre bajo el cual Ilitia tenía un templo en Tegea en Arcadia. Este nombre venía de que, envia-da Augea a Nauplio por su padre Aleo, había caído sobre sus rodillas y dado a luz un niño, en el mismo lugar donde se edificó después el templo de Lucina.

INGENÍCULO. Constelación que se representa por un hombre de rodillas. Según *Eratóstenes*, es Hércules combatiendo con el dragón de las Hespérides. Según *Higinio*, es o Creteo, hijo de Licaón, que llora a la metamorfosis de su hija Calixto en osa; o Teseo que levanta la piedra bajo la cual había ocultado Egeo, lo que debía hacerle reconocer por su hijo; o Tamiris que ruega a las musas que le vuelvan la vista; o Orfeo, despedazado por las mujeres de Tracia; o Ixión en el Tártaro.

INGLATERRA (*Iconol.*) Se reconoce en las medallas antiguas por el timón en que se apoya, por la proa de nave que tiene a sus pies y por la forma de su escudo más largo que el romano. Algunas veces está representada sentada en las rocas, teniendo en la mano derecha una insignia militar, y en la izquierda una pica con un escudo. Se ve también sentada en un globo rodeada del mar, llevando una insignia en la derecha y teniendo el pie ya sobre un pedazo de muro, ya sobre una proa.

INGRATITUD (*Iconol.*) *Ripa* la explica alegóricamente por una mujer que tiene dos víboras, una de las cuales muerde la cabeza de la otra. Se le da asimismo una cinturón de hiedra, porque esta planta parásita termina por destruir la pared o el árbol que le ha servido de apoyo para levantarse. *Winckelmann* encuentra un símbolo de la ingratitud en una figura que los griegos pintan cayendo de un vaso en que estaba colocada.

INICIALES, o Iniciados. Nombre de los misterios de Ceres.

INICIADOS. Entre los paganos o gentiles, eran aquellos que después de varias pruebas eran admitidos en la celebración de los misterios. Desconocemos las obligaciones y formalidades que se exigían de éstos, porque habían hecho del secreto una religión inviolable. Ellos se consideraban en medio de su patria como un pueblo separado por el interés de su culto, y que debían esperarlo todo de la protección de los dioses. Todo lo que se sabe de sus ceremonias consiste en plegarias, perfumes, fumigaciones y en otras prácticas religiosas que constituían un culto determinado que se tributaba a los hombres divinizados. Las ofrendas que principalmente solían presentar en sus altares eran la mirra para Júpiter, el azafrán para Apolo, el incienso para el Sol, aromas para la Luna, semillas de toda especie, excepto habas, para la tierra. *Mem. de la Acad. de Inscr. t. 12, 16.*

INJURIA (*Iconol.*) *Ripa* la pinta con los cabellos esparcidos, corona y cinturón de espinas: otros la describen por una furia, con los ojos inflamados, serpientes en las manos y que saca una lengua de víbora. *Cochín* la representa por una mujer vestida de un ropaje de color encarnado, de un aspecto horroroso y en actitud de herir. Tiene un manojo de espinas, y alrededor de su cabeza se levantan serpientes. (*V.* Descaro.)

INJUSTICIA (*Iconol.*) Figura alegórica, con el vestido blanco salpicado de sangre, teniendo la espada de Temis, pero pisando las tablas rotas de las leyes, y unas balanzas también rotas. El sapo es su atributo. (*V.* Justicia.)

INMOLACIÓN. Consagración de una víctima hecha a los dioses, que se practicaba poniendo sobre su cabeza una pasta salada, o una torta de cebada llamada *mola*. De donde derivaba el nombre *inmolar*, para significar la consumación del sacrificio, aunque al principio esta ceremonia no fuese más que un preliminar.

INMORTALIDAD (*Iconol.*) Una joven coronada de laureles, tiene una palma, y algunas veces un pomo de amaranto o siempreviva, con un círculo de oro, símbolo de la revolución perpetua de los meses, años, etc. Se añade a estos atributos un obelisco. En la colección del Capitolio se ve una estatua de la Inmortalidad, que tiene un cetro en la mano derecha y en la izquierda una esponja. Muchos artistas la han dado alas, entre ellos, *Slodlz*, en el mausoleo del curato de San Sulpicio.

(*Mit. chin.*). En las pagodas de China se podía encontrar un ídolo de veinte pies de alto que los chinos llamaban *dios de la inmortalidad*. La representaban bajo la forma de un hombre un extremo gordo y obeso, con el vientre desnudo, de un volumen prodigioso. Su rostro risueño y sereno, y sentado con las piernas cruzadas.

INMUNES. Nombre que se daba en Roma, a seis de los primeros cofrades del gran colegio del dios Silvano. Estos sacerdotes tenían derecho a sacrificar en las asambleas. *Mem. de la Acad. de Inscr. t. 13.*

INMUNIDAD (*Iconol.*) La inmunidad de los impuestos está representada en las medallas de las ciudades, que gozan este privilegio, por un caballo en un pasto que brota libremente. *Vaillam. Num. Colon. t. 2, p. 21, 66, 318.*

INO. Hija de Cadmo y Harmonía, denominada también Leucótea, casó en segundas nupcias con Atamante, rey de Tebas, del cual concibió dos hijos, Learco y Melicertes. Trató a los hijos del primer matrimonio como verdadera madrastra, y procuró hacerles perecer porque, según la leyes de progenitura, debían suceder a su padre, con exclusión de los hijos de Ino. Para salir mejor en su empresa, hizo de su intento un pretexto religioso. Se hallaba desolada por una cruel hambre la ciudad de Tebas, cuya causa era ella misma, pues emponzoñaba el grano que se había sembrado el año precedente, o según *Higinio* (f.12, 14.15), lo había metido en el agua hirviendo para quemar el germen. En las calamidades públicas nunca se dejaba de ir a consultar el oráculo. La reina había sobornado de antemano a los sacerdotes, y su respuesta fue que para hacer cesar la plaga era necesario sacrificar a los dioses los hijos de Nefele. Estos evitaron, con una pronta fuga, el bárbaro sacrificio que quería hacerse de sus personas. (*V.* Frixo.) Habiendo descubierto Atamante los crueles artificios de su mujer, se encendió de tal modo en cólera contra ella que mató a Learco, uno de sus hijos, y persiguió a Ino hasta el mar, donde se lanzó con Melicertes, su otro hijo. *Odis. 5. Paus. 1, Apolod. 2, c. 4.*

He aquí en resumen el modo fabuloso con que explica *Ovidio* este pasaje. (*Met. 4.*).

«Irritada Juno de que, después de la muerte de Sémele, su hermana Ino hubiese querido encargase de educar el niño Baco, juró vengarse. Agitó a Atamante por las furias y le turbó de tal modo el sentido que tomó su palacio por un bosque, a su mujer e hijos por furias, y en esta manía, destrozó contra un muro a Learco su hijo. Viendo esto Ino, se originó en ella un violento transporte que rayaba en furor, salió con el cabello desgreñado, teniendo entre sus brazos su otro hijo y fue a precipitarse con él al mar. Pero Panope, seguida de cien ninfas hermanas suyas, recibió en sus brazos a la madre y al hijo y los condujeron bajo las aguas hasta Italia. La implacable Juno les siguió allí y animó contra Ino a las bacantes. La infeliz iba a sucumbir bajo los golpes de estas furiosas, cuando Hércules, que volvía de España, oyó sus lamentos y la sacó de sus manos. Fue enseguida a consultar a la célebre Carmenta, para saber cual debía ser su destino y el de su hijo. Carmenta, inspirada por Apolo, le anunció que después de haber experimentado tantos trabajos, vendría a ser una divinidad del mar, bajo el nombre de Leucótea para los griegos y de Matuta para los romanos. En efecto, Neptuno, a instancias de Venus su abuela, recibió a la madre y al hijo en el número de las divinidades de su imperio.» (*V.* Leucótea, Matuta, Palemón, Portumno.)

**INOES.** Fiestas anuales de Corinto en honor de Ino. Se le ofrecía también en Megara un sacrificio anual bajo el nombre de Leucotea, fiestas lacónicas en honor de la misma divinidad. En ellas se arrojaban tortas en un pantano; si se hundían en el agua, se sacaban felices augurios; si flotaban era una señal funesta.

**INOPO.** Río de la isla de Delos, en cuyas orillas nacieron Apolo y Diana. *Plin. Estrab. Paus.*

**INOUS.** Nombre patronímico de Melicertes Palemón, hijo de Ino. *Eneida. 5.*

**INSECUTORES.** Especie de gladiadores (*V.* Reciarios.)

**INSITOR.** Dios que presidía el injerto y otras operaciones de la jardinería. El *Flamen Dialis* la mencionaba en los sacrificios de Ceres.

**INSTAURATIVOS.** Juegos que se celebraban por segunda vez.

**INSTAURATITIUS DIES.** Día añadido a la celebración de los juegos del Circo, en honor de Júpiter. *Macr.*

**INSTRUMENTOS DE MUSICA.**
1 — (*V.* Anfión, Apolo, Musas, Orfeo.)
2 — De las Artes. *V.* Minerva.
3 — De los sacrificios. Adornos de arquitectura antigua, como vasos, fuentes, candelabros, cuchillos y símpulos, como se ve en una cornisa de orden corintio, en un antiguo templo de Roma, detrás del Capitolio.

**INTELIGENCIA.** (*Iconol.*) *Ripa* la personifica por una mujer vestida de gasa de oro, coronada por guirnaldas, teniendo una esfera en una mano y una serpiente en la otra. *Gravelot* la da un cetro para indicar que deben dirigirse a ella las operaciones del espíritu: la llama que brilla sobre su cabeza recuerda que es una emanación de la divinidad. El águila que fija la vista en el astro de la luz, significa la inclinación que la arrastra a las más sublimes especulaciones. En fin, los atributos de las ciencias esparcidos a su alrededor atestiguan que a ella se debe su utilidad.

**INTEMPERANCIA.** (*Iconol.*) Hija del Eter y la Tierra. Se representa por una mujer glotona que se arroja sobre los manjares, vinos, oro, y en fin, todo lo que puede inspirar deseos inmoderados.

**INTERCIDON, INTERCIDONA.** Dioses que presidían la tala de los bosques, de *cædere*, cortar. Eran muy particularmente venerados por los leñadores y carpinteros. Se les daba también el empleo de velar en la conversación de las mujeres embarazadas que los invocaban con Filumno y Deverra, para que las defendiesen de los insultos de Silvano.

**INTERCISI.** Dias mixtos, *fastos* y *nefastos*, en los cuales se podía administrar justicia tan sólo a ciertas horas, esto es, mientras estaba degollada la víctima, *inter cæsa et porrecta*, dice *Varrón*, mientras que se abrían y consideraban las entrañas, y antes que fuese puesta la víctima sobre el altar de los dioses.

**INTERDUCA, ITERDUCA.** Nombre con que se invocaba a Juno, cuando se conducía la novia a casa de su marido. (Iter = camino, duca, duco = conducir).

INTERMONTIUM. Valle poco profundo situado en el monte Capitolino: era un lugar sagrado donde Rómulo erigió en asilo.

INTÉRPRETES. Nombre que daban los caldeos a cinco planetas, los cuales decían que mandaban a treinta estrellas subalternas, que llamaban *dioses consejeros*, la mitad de los cuales dominaban todo lo que hay más allá de la tierra, y la otra observaba las acciones de los hombres, o contemplaba lo que sucedía en los cielos. De diez en diez días los planetas enviaban una estrella a la tierra, y partía otra hacia arriba para ver todo lo que pasaba. Contaban doce dioses superiores que presidían cada uno a un mes y a un signo del zodíaco, además del cual contaban doce constelaciones septentrionales y doce meridionales. Las doce que se veían dominaban sobre los vivientes, y las ocultas sobre los muertos, y las creían jueces de todos los hombres.

INTIAQUACQUI (*Mit. peruan.*) Una de las tres estatuas del sol que adoraban los peruanos, y a la cual ofrecían sacrificios, el día de fiesta que empezaba el año. Las otras dos eran Apointi, y Churiunti. *Linschotamus, Hist. Ind. Occident.*

INTIFALÓFOROS. Ministros de las Orgías, que en las procesiones o correrías de las bacantes se disfrazaban de faunos, escarnecían los borrachos y entonaban en honor de Baco cánticos adecuados a sus funciones y a su disfraz. *Banier. t. 4.*

INTRATIRACHA. (*Mit. índ.*) Primer cielo de los siamitas. (*V.* Cosmogonía siamita.)

INUUS. Nombre de Pan y Fauno, tomado en su extrema lubricidad. R. *inire.*

INVENCIBLE. Sobrenombre de Júpiter, cuya fiesta celebraban los romanos en los idus de junio. *S. August.*

INVENTOR. Sobrenombre de Júpiter. Hércules le erigió un altar bajo este nombre, después de haber encontrado sus bueyes robados por Caco.

IO PEAN. Grito de alegría y de triunfo que repetía el pueblo en los sacrificios, en los juegos solemnes y en los combates cuando alguno lograba ventaja.

IODAME. Madre de Deucalión, a quien concibió de Júpiter. *Banier, t. 3.*

IODAMIA. Sacerdotisa de Minerva. Habiendo entrado en el santuario del templo por la noche, la diosa la convirtió en piedra, presentándose la cabeza de Medusa. Después se le erigió un templo, teniendo una vieja cuidado de poner fuego todos los días sobre su altar, gritando por tres veces que Iodamia vivía y que pedía fuego. *Banier. t. 6.*

IOFOSA. Ninfa de la cual Halifrón concibió a Deucalión.

IOJAIRA, *la que es aficionada a lanzar dardos.* Sobrenombre de Diana. R. *ios,* dardo; *jairein,* divertirse, alegrarse.

IOLA. Hija de Eurito, rey de Ocalio, que acosada por Hércules que devastaba los estados de su padre, se precipitó de los alto de las murallas: pero el viento, llenando su vestido, la sostuvo en el aire y la bajó sin que se hiciese el menor daño. Según otros, Eurito rehusó su hija al héroe, lo que causó su pérdida y la de Ifito. Este amor causó los celos de Dejanira, y el envío de la fatal túnica de Neso. *Met. 9, Apolod. 3, c. 7, Diod. Sic.*

IOLAO. 1 — Hijo de Ificles, sobrino de Hércules y compañero en sus trabajos, le sirvió de cochero en el combate contra la hidra de Lerna. Aun se añade que quemaba las cabezas del monstruo a medida que Hércules las iba cortando. *Ovidio* le hace asistir a la caza de Calidón, e *Higinio* le nombra entre los Argonautas. En los juegos mandados celebrar por Jasón en la muerte de Pelias, alcanzó el premio de la carrera en los carros de cuatro caballos. Habiendo casado Hércules con Megara, hija de Creón, rey de Tebas, y persuadiéndose enseguida por algún presagio, que esta unión sería desgraciada, la hizo casar con su primo Iolao. Después de la muerte de Hércules, se puso a la cabeza de los Heráclidas, a quienes condujo a Atenas, para ponerlos bajo la protección del hijo de Teseo. A pesar de extremada vejez, quiso mandar el ejército de los atenienses contra Euristeo; y cuando hubo tomado sus armas; se sintió tan abrumado

715

por su peso que fue necesario sostenerle. Sin embargo, apenas estuvo en presencia de sus enemigos, cuando dos astros se apropiaron de su carro y le envolvieron en una espesa nube; eran estos astros Hércules y su esposa Hebe. Iolao salió entonces bajo la forma de un joven lleno de vigor y fuego. Condujo una colonia de los tespiades a Cerdeña, pasó por Sicilia y volvió a Grecia, donde después de su muerte se le concedieron los honores heroicos. Los habitantes de Agira le ofrecían sus cabelleras. Hércules había dado el ejemplo consagrando en Sicilia un bosque a Iolao, y estableciendo sacrificios en su honor. Su templo era tan respetable, que los que no hacían en él los sacrificios acostumbrados perdían la voz y quedaban como muertos. Sin embargo, volvían a su primer estado después que hacían voto de reparar sus faltas, y habían dado las seguridades necesarias. Los agireos llamaron Herculánea la puerta delante la cual hacían sus ofrendas a Iolao. Celebraban su fiesta todos los años y admitían los esclavos en sus danzas, en sus mesas y hasta en sus mismos sacrificios. *Plutarco* dice que se obligaba a los amantes jurar fe y lealtad sobre el sepulcro de Iolao, *Met. 9. Apolod. 2, c. 4. Paus. 10, c. 17. Diod. Sic.*

2 — Primo de Hércules, muerto por este mismo héroe, en un acceso de furor que tuvo a su vuelta de los infiernos. *Banier. t. 7.*

3 — Amigo de Eneas, muerto en Italia por Catillo. *Eneida.* 11.

IOLCOS. 1. — Ciudad capital de Tesalia, famosa por la invención de los juegos fúnebres atribuidos a Acasto, por el nacimiento de Jasón y por la reunión de los Argonautas. *Met. 7, Paus. 4, c. 2, Apolod. 1, c. 9, Estrab. 8, Mela, 2, c.3.*

2. — Ciudad de Grecia cuyos habitantes fueron al sitio de Troya. *Ilíada. 2.*

IOLEAS. Fiestas instituidas en honor a Hércules e Iolao, compañero de sus trabajos. Duraban muchos días; el primero se consagraba a los sacrificios, el segundo a la carrera de los caballos y el tercero a la lucha. El premio de la victoria era de coronas de mirto y algunas veces de trípodes de cobre.

Estas fiestas se celebraban en un lugar llamado Ioleón, donde estaba el sepulcro de Anfiarao y el cenotafio de Iolao muerto en la isla de Cerdeña. Estos monumentos estaban entonces coronados de flores.

IOLEMO. Padre de Sima. (*V.* Sima)

IÓN. 1 — Nombre que se daba frecuentemente a Júpiter. *Mem. de la Acad. de inscrip. t. 7.*

2 — Hermano de Aqueo, hijo de Juto y Creusa, hija de Erecteo, rey de Atenas. Arrojado del Atica por sus súbditos, casó con Hélice, hija de Selino, rey de Egialo en el Peloponeso, sucedió a su padre, edificó una ciudad, a la cual dio el nombre de su mujer, y quiso que sus súbditos se llamasen ionios o jonios. *Apolod. 1, c. 7, Paus. 7, c. 1, Estrab. 7. Herod. 7, c. 94, l. 8, c. 44.*

3 — Nombre que *Valerio Paterculo* da al que, según pretende, condujo a los jonios cuando pasaron al Asia Menor.

4 — Ateniense, hijo de Gargeto, dejó el Atica para ir a establecerse a Heraclea en Elida. *Paus.*

IONA. 1 — Hija de Nauloco, que robaba en los caminos públicos y fue muerto por Hércules.

2 — Hija de Autólico, que según la fábula fue transformada en ninfa.

IÓNIDAS. Ninfas que presidían en una fuente cerca de Heraclea, villa de la Elida, que se desaguaba en el Cítero. Tenían un templo en sus riberas. Sus nombres eran Califae, Sinalaxis, Pegea y Iasis. Los baños de esta fuente curaban los cansancios y toda especie de reumatismo. El nombre de Iónidas les venía de Ión hijo de Gaigeto. *Paus.*

IÓNIOS. Nombre que da Homero a los atenienses.

IOPAS. Príncipe africano. *Virgilio* (*Eneida.* 1,) le hace uno de los cortesanos de Dido, y le supone muy hábil en la música. Cantó acompañado de la lira de oro durante la comida que Dido dio a Eneas.

IOPE. 1 — Hija de Ificles, contada en el número de las mujeres de Teseo. *Plut.*

2 — Hija de Eolo, esposa de Cefeo, dio su nombre a una ciudad.

3 — Ninfa de los Infiernos.

IOPLOKOS, *el que hace o el que lleva guirnaldas de violeta*. Epíteto de Baco. R. *ion*, violeta; *plekein*, entrelazar. *Antol.*

IORD, *la Tierra*. (*Mit. escand.*) Según las *Edda*, es hija y esposa de Odín, y madre del dios Thor. Se conjetura que es la misma que *Friga* (*V.* este nom.)

IOS. Isla del archipiélago. Pasando Homero de Samos a Atenas, abordó en ella y murió en el puerto, donde se le erigió un sepulcro del que hablan *Estrabón*, *Plinio* (l. 4. c. 12,) y *Pausanias*. El *conde de Grunn*, oficial holandés al servicio de Rusia, descubrió en ella, en 1772, un sepulcro que se creyó era el del Homero. Es un sarcófago de catorce pies de alto, siete de ancho y cuatro de largo, compuesto de seis piedras, sobre una de las cuales se ve una inscripción griega, que según *Herodoto*, fue en efecto colocado sobre la tumba de este poeta mucho tiempo después de su muerte. Se encontró en él un esqueleto sentado, pero que a la impresión del aire redujo a polvo; un vaso de mármol semejante a un escritorio, una pieza ligera de forma triangular, que se creyó era una pluma para escribir, y un estilo de la misma piedra, que corta el mármol, muy semejante a una navaja. Había también muchas estatuitas teniendo en las espaldas inscripciones que no fue posible leer.

IOXIDES. Descendientes de Ioxo, que conservaban de padre a hijos la costumbre de no arrancar ni quemar jamás espárragos ni cañas, sino por el contrario tenían por estas plantas una especie de veneración religiosa.

IOXO. Nacido de Perigune y Deioneo, hijo de Eurito, rey de Tesalia, jefe de una colonia que se estableció en Caria. *Plut.* (*V.* Ioxides.)

IPÓCTONOS, *el que destruye los gusanos*. Sobrenombre dado a Hércules por haber destruido los gusanos que roían las viñas. R. *ips*, *ipos*, gusano; *kteinein*. matar.

IPSEA. madre de Medea. *Ovid.*

IPSILIO, o Ipsulio. Especie de láminas que servían para los sacrificios, o figuras que representaban aquellos o aquellas, de los cuales quería alguno hacerse amar.

IRE. Ciudad de Mesenia, una de las siete ciudades que Agamenón prometió a Aquiles para apaciguarle. *Ilíada*. *9*, *Estrab. 7.*

IRENE. Una de las estaciones, hija de Júpiter y de Temis. *Apolod. 1. c. 3.*

IRESIONE. Ramo de olivo, rodeado de lana y de frutos, que se llevaba en muchas fiestas.

IRINGE. Hija de Pan y de la ninfa Eco, regaló a Medea los filtros de que esta se sirvió para ganar el corazón de Jasón. *Ant. Expl. t. 1.*

IRIS. 1 — Hija de Taumante y Electra, y mensajera de Juno, la cual en recompensa a sus servicios la colocó en el cielo. Esta diosa la amaba mucho, porque Iris no le traía sino buenas nuevas. *Pausanias* hace derivar su nombre de Cris, discordia, porque los mensajes de Iris tendían a la discordia y a la guerra, como los de Mercurio a la paz y tranquilidad. Su empleo más importante era el de ir a cortar el fatal cabello a las mujeres condenadas a muerte. *Eneida. 4.* Sentada cerca del trono de Juno, estaba siempre pronta a ejecutar sus órdenes. Cuidaba del aposento de su ama, de hacer su cama y vestirla; y cuando Juno volvía de los Infiernos al Olimpo, Iris la purificaba con perfumes. Los poetas la representan llevada sobre el arco iris, con alas brillantes y de mil colores, para significar su celo y su actividad. Una pintura antigua la representa sobre un arco iris, con un canastillo de frutos y de hojas sobre su cabeza, teniendo un bastón para indicar que es mensajera de los dioses. *Hes. Teog. Met. 1, 4, 10.*

2 — Una de las hijas de Mineo. (*V.* Mineidas.)

3 — Una de las tres harpías. *Hesíodo.*

IRISHIPATÁN. (*Mit. índ.*) Buey que es la cabalgadura común de Ixora y que no tiene parte en los honores que se tributan a su dueño.

IRMASUL. Sinónimo de Irmensul. (*V.* Erminsul.)

IRO. 1 — Mendigo de Itaca de una estatura enorme, y horrible glotón. Su verdadero nombre era Arneo; pero los amantes de Penélope, a cuya comitiva pertenecía, le llamaron Iro porque llevaba sus recados. R. *erein, eirein*, hablar. Quiso arrojar a Ulises, que estaba en la puerta de palacio, disfrazado de mendigo, y le provocó a singular combate en presencia de los príncipes y de Telémaco. Ulises aceptó el desafío y aunque parecía que no podía confiar mucho en sus fuerzas a causa de ser tan viejo, rompió del primer golpe la quijada de su antagonista y lo turbó bañado en sangre. (*Odis. 18.*) Este es aquel Iro que dio lugar al proverbio de *más pobre que Iro. Ovid.*

2 — Casó con Demonasor de la cual tuvo a Euridamante, uno de los Argonautas. *Banier, t. 6.*

3 — Hijo de Actor, expió a Peleo del asesinato de su hermano. Pero éste mismo Peleo, habiendo matado por desgracia a Euritión hijo de Iro en la caza del jabalí de Calidón, no pudo reconciliarse con él a pesar de haberle enviado un rebaño de bueyes y de ovejas que Iro rehusó. Entonces Peleo, siguiendo la orden de oráculo, lo dejó correr libremente y sin guardián. Este ganado fue devorado por un lobo que quedó transformado en una piedra que se vio por mucho tiempo entre Lócrida y Fócida.

IROUKOUVEDAM. (*Mit. índ.*) Uno de los cuatro libros sagrados de los indios, llamados Vedas. Este explica la historia de la creación. (*V.* Vedas.)

ISANAGUI-MIKOTTO. (*Mit. jap.*) Nombre que dan los japoneses al primer hombre. Pretenden que vivió mucho tiempo con su mujer llamada *Isanami*, en una provincia del Japón que llaman Isje, famosa por las peregrinaciones que se hacen a ella de todos los lugares del Japón.

ISANDRO. Hijo de Belerofonte, muerto por el dios Marte en una batalla contra los solimos. *Ilíada. 6.*

ISANIA. (*Mit. índ.*) El octavo de los dioses protectores de las ocho partes del mundo, y protector particular del nordeste. Obtuvo la potestad de aparecer bajo la figura de Shiva. Se le representa como él, de color blanco, montado sobre un buey, con cuatro brazos, teniendo un ciervo en la mano atributo de Shiva. (*V.* Ishani.)

ISCÓMACA. La misma que Hipodamia, mujer de Piritoo. (*V.* Hipodamia.)

ISEA. 1 — Nereida.

2 — Hija de Macareo, seducida por Apolo, disfrazado de pastor. *Met. 6.*

ISEAS. Fiestas de Isis. Se llevaban en ellas vasos llenos de trigo y centeno, porque esta diosa pasaba por hacer enseñado a los hombres el uso del trigo. Se exigía un inviolable secreto a los iniciados en ellos. Duraban nueve días, durante los cuales, según relación de los historiadores, se cometían toda clase de excesos. El senado romano las abolió en el año 696 de Roma. Augusto las restableció, y los misterios de la diosa volvieron a serlo de la galantería, del amor y de los desórdenes. Cómodo las volvió en todo su esplendor, se mezcló entre las sacerdotisas de la diosa, y apareció con cabello cortado, llevando Anubis. *Ant. Expl. t. 2. Juv. Sat. 6.*

ISEDONIOS o ESEDONIOS. Pueblos vecinos de los hiperbóreos. Estos pueblos decían que sobre ellos había hombres que no tenían más que un ojo, es decir una máscara que no tenía más que una abertura, y unos gritos que guardaban el oro. *Herod. 1, c. 201; l. 4, c. 16, 25, 26.* (*V.* Esedonios.)

ISELÁSTICOS. Juegos públicos de los griegos y romanos, que proporcionaban a los atletas vencedores diferentes privilegios de consideración, entre otros el de entrar en triunfo, no por la puerta, sino por una brecha, en la ciudad donde hubiesen nacido, y de ser alimentados toda su vida por el público.

ISEUM. Templo de Isis. *Plinio.*

ISFENDIAR. *(Mit. mah.)* Angel custodio de la castidad de las mujeres, y que inspira el espíritu de paz a las familias.

ISHANI. (*Mit. índ.*) Poder activo de Isa, o Iswara, representado bajo la forma de una mujer, mirada como diosa de la naturaleza y protectora de las aguas. Su principal fiesta tiene el nombre de *Durgotsava.* En ella se sumerge su estatua en las aguas, aludiendo a la opinión de que el agua es el primer principio. El misionero autor del *Sistema Brahmanicum*, publicado en Roma en 1791, pretende que es la misma que Parvati.

ISHI. Nombre que los pueblos de Formosa dan al Dios todo poderoso.

ISHUREN (*Mit. índ.*) Nombre de una de las tres principales divinidades, a las cuales los indios idólatras atribuían el gobierno del universo. Los indios adoraban a Ishurem bajo una figura obscena y monstruosa que llevaban en procesión. Cuando no se le veía en el templo bajo la forma del Lingam, sino bajo la figura de un hombre, estaba representada como teniendo un tercer ojo en medio de la frente. Se le daban dos mujeres; la una verde y la otra encarnada con una cola de pescado.. Los adoradores de este ídolo se frotaban el rostro y algunas otras partes del cuerpo con una ceniza hecha de estiércol de vaca, hacia la cual tenían una gran devoción.

La secta de *Ishurem* era quizá la más extendida que había en la India, subdividida en muchas sectas, de las cuales las unas adoraban tan sólo a *Ishurem*, otros sus mujeres, otros sus hijos, otros en fin le adoraban con toda la familia y los domésticos. Es el mismo que Ixora. *V.* este nombre.

ISHVARI, *favorita* (*Mit. índ.*) Epíteto de Bhavani, mujer de Shiva. (*V.* Bhavani.)

ISÍACA (La Tabla.) Uno de los más preciosos monumentos que nos ha transmitido la antigüedad. Contiene la figura y los misterios de Isis, con un gran número de actos de la religión egipcia. Fue encontrada en el saqueo de Roma en 1525, y ha sido grabada muchas veces. Esta tabla parece toda simbólica y enigmática. Se ven en ella un gran número de figuras puestas con orden, las cuales encierran seguramente algún sentido misterioso. Pero estos cuadros representan acaso alguna historia de Isis y de los dioses de Egipto, o algún sistema oculto de la religión del país, o alguna instrucción moral, o todo a la vez. Esto es lo que nadie hasta ahora ha podido descubrir. *Pignorio*, que al parecer es el que mejor lo ha acertado, todo lo que dice sobre las mismas no lo funda más que en meras conjeturas. El *P. Kircher*, posterior a *Pignorio*, pretende explicarlo todo, sin que le quepa la menor duda, pero sus aclaraciones ofrecen con frecuencia nuevos enigmas. Finalmente *D. Bernardo de Monfaucon* ha redoblado sus esfuerzos, pero estos han venido a parar también en modestas conjeturas. En esta tabla se ven las imágenes de casi todos los dioses de Egipto, las cuales se reconocen con el auxilio de otros monumentos. Lo que hay en ella, digno también de notarse, es que, como en el teatro; se ven muchas acciones distintas, donde los mismos personajes vuelven con frecuencia y se encuentran repetidos en la misma actitud. Esta tabla se conserva en París en el gabinete de las antigüedades de la Biblioteca Real.

ISÍACOS. Sacerdotes de la diosa Isis. Se les encuentra representados vestidos con una túnicas largas de lino, con una alforja y una campanilla en la mano. Algunas veces llevaban la estatua de la diosa sobre sus espaldas, y se servían del sistro en sus ceremonias. Después de haber cantado, al salir el sol, las alabanzas de Isis, empleaban lo restante del día para pedir limosna, y hasta la tarde no entraban al templo dónde adoraban a la diosa en pie. No se cubrían los pies sino con cortezas finas del árbol llamado papiro, lo que ha hecho creer que iban enteramente descalzos. Iban vestidos de lino, porque Isis había enseñado a los hombres la cultura y el uso de esta planta. No comían ni tocino ni carnero, si usaban jamás sal en sus manjares a fin de ser más castos. Echaban agua al vino, y se cortaban el pelo. Pero estas austeridades no impedían que fuesen mensajeros amorosos, así como el templo de la diosa era la cita de la galantería tan frecuente en las damas romanas. *Cic. de Divin. l. 1, c. 133.*

ISIAS. Gran sacerdote, o príncipe de los sacerdotes egipcios, el cual había hecho erigir una estatua del dios Anubis, que el tiempo ha destruido.

ISIEIS. Término misterioso que se lee en los Abraxas.

ISIPHYLO. Padre de Protesilao.

ISIS. Célebre divinidad de los egipcios. *Plutarco* (*De Is. y Osir.*) la supone hija de Saturno y de Rea y refiere una tradición que suponía que Isis y Osiris, concebidos en un mismo seno, se habían conocido carnalmente en el vientre de su madre, y que Isis al nacer estaba ya encinta de un hijo. Los dos esposos vivieron en una perfecta unión y ambos se dedicaron a civilizar a sus súbditos, enseñándoles la agricultura y otras artes necesarias para la vida. *Diodoro de Sicilia (c.1.)* refiere que, habiendo tomado el proyecto Osiris de ir a conquistar la India, no tanto por la fuerza de las armas como por la suavidad, preparó un ejército compuesto de hombres y mujeres, y después de haber establecido a Isis regenta del reino, y dejado a su lado a Mercurio y Hércules, al primero como presidente de su consejo, y al segundo, intendente de las provincias, partió para su expedición, que fue tan favorable, que todos los países que recorrió se sometieron a su imperio.

De vuelta a Egipto, supo que su hermano Tifón había buscado acechanzas a Isis haciéndose muy temible. *Julio Fírmico* añade que la había seducido o forzado. Osiris, príncipe pacífico, procuró calmar su espíritu ambicioso, pero lejos de conseguirlo él mismo fue la víctima de la perfidia de Tifón, que lejos de someterse a su hermano, no pensó más que en perseguirle y armarle lazos. *Plutarco* nos refiere el modo con que por fin logró matarle: «Habiendo Tifón, dice, convidado a Osiris a un banquete, propuso después de él a los convidados, meterse dentro de un cofre precioso, prometiendo regalarlo al que cupiese justamente. Osiris se metió también en él, no sospechando nada; pero al momento que estuvo dentro, se levantaron de la mesa los conjurados, cerraron el cofre y lo arrojaron al Nilo. Informada Isis del fin trágico de su esposo, creyó que era su deber buscar el cadáver; y habiendo sabido que estaba en Fenicia, oculto bajo un tamarindo, donde lo habían arrojado las olas, se fue a la corte de Biblos y se puso al servicio de Astarté, para poderlo descubrir más facilmente. En fin, después de infinitos trabajos, lo encontró y se lamentó tan extraordinariamente, que el hijo del rey de Biblos murió de pesar; lo que enterneció de tal modo al rey su padre, que permitió a Isis que se llevase el cuerpo de su marido y se retirase a Egipto. Tifón, informado del llanto de su cuñada, abrió el cofre, hizo pedazos el cuerpo de Osiris y mandó esparcirlo por todo el Egipto. Isis

reunió con mucho cuidado estos miembros y los encerró en un ataúd, consagrando la memoria de aquellos que no había podido recoger como el miembro viril (De aquí vino el uso del *fallus*, tan célebre en todas las ceremonias religiosas de los egipcios.) Finalmente, después de haber derramado muchas lágrimas sobre los restos de su esposo, le mandó enterrar en Abidos, ciudad situada al occidente del Nilo.» Si los antiguos colocaban en otras partes el sepulcro de Osiris, es porque Isis hizo erigir uno por cada miembro del cuerpo de su marido, en el lugar mismo en que lo había hallado.

Entretando, Tifón no pensaba sino en afirmar su imperio; pero Isis, dando treguas a su aflicción, reunió sus tropas, que conducidas por su hijo Horus (Oro), persiguieron al usurpador y le vencieron en dos batallas campales.

Después de la muerte de Isis, los egipcios la adoraron con su marido; y como durante su vida habían fomentado con un interés particular la agricultura, pasaron a ser sus símbolos el buey y la vaca. Instituyéronse fiestas en su honor, de cuyas ceremonias era una de las principales, la aparición del buey Apis. Propagóse después que las almas de Isis y Osiris habían ido a habitar el Sol y la Luna, y que habían pasado a ser estos mismos astros bienechores, de modo que su culto se había confundido con el de aquellos. Los egipcios celebraban la fiesta de Isis en el tiempo en que la creían ocupada en llorar la muerte de su esposo, y era cabalmente cuando el agua del Nilo empezaba a subir; lo que dio lugar a decir que este río, después de haberse engrosado con las lágrimas de Isis, inunda y fertiliza la tierra.

Isis fue considerada también como la misma naturaleza, o la diosa universal, a la cual se daban varios nombres según sus diferentes atributos. *Herodoto* la cree la misma que Ceres; *Diodoro* la confunde con la luna, Ceres y Juno; *Plutarco* con Minerva, Proserpina, la Luna y Tetos, *Apuleyo* la llama madre de los dioses, Minerva, Venus, Diana, Proserpina, Ceres, Juno, Belona, Hécate y Ramnucia. Sin embargo, por el culto que se le tributaba, y por los diversos símbolos con que se adornaba su estatua, parece que los egipcios la consideraban como su Ceres. Isis era adorada principalmente en Bubastis, Copto y Alejandría. «En Copto, dice *Elio*, se honra la diosa Isis de muchas maneras; una entre otras, es el culto que le dan las mujeres que lloran la pérdida de sus maridos, de sus hijos o de sus hermanos. Aunque el país está lleno de escorpiones cuya picadura ocasiona una muerte repentina, y sin remedio; y a pesar de que los egipcios procuran evitarlas, estas mujeres llorosas tendidas en el suelo, marchando con los pies descalzos, incluso, sobre los mismos escorpiones, no sufren ningún mal de estos animales dañinos. Los habitantes de Copto honraban así mismo las cervicabras; porque dicen que la diosa Isis ponía en ellas todas sus delicias: pero comen los corzos.»

Habiendo entrado un hombre en el templo de Isis, en Copto, para saber lo que se hacía en los misterios de esta diosa, y referirlo después al gobernador, fue, en efecto, testigo de todo y desempeñó su cometido; pero murió después, dice *Pausanias* cuyo testimonio es de mucho peso en esta ocasión y añade: «Parece que Homero tuvo razón en decir que el hombre no ve impunemente los dioses». Los romanos adoptaron con mucha repugnancia el culto de Isis, habiendo estado algún tiempo proscrito, tal vez a causa de las figuras extrañas con que la representaban; pero después de vencidos los obstáculos, se estableció también en Roma, donde un gran número de lugares públicos tomaron el nombre de Isis. Verdad es que se dio a sus estatuas una forma más adecuada.

Este culto se difundió igualmente por una parte de las Galias, donde se adoraba a la diosa bajo su verdadero nombre de Isis: y algunos sabios han creído que París se llamaba así por estar cerca de un templo de Isis: *Para Isidos*. En efecto esta deidad era considerada como protectora de la ciudad de París. Se creía que había venido en una nave, y por esta razón París tenía una nave por armas. Quizá dio también

motivo para ello, el que Isis, su protectora, era patrona de la navegación. El templo de Isis estaba situado en el mismo lugar en que se halla hoy día la iglesia de Saint Germain-des-Prés, y la parte inferior de la torre que domina la puerta mayor, es aún, según se dice, un resto de este famoso templo. Los sacerdotes de Isis habitaban en Issu, villa vecina a París que les debe su nombre y todavía a principios del siglo XVII, se veían las ruinas del castillo donde habitaban. Le pertenecían las rentas del feudo y del territorio de Isis; y cuando Clovis o Clodoveo, el rey franco que se convirtió al cristianismo en el siglo VI d.C. hizo destruir el templo, dio estas mismas rentas a la iglesia de San Pedro y San Pablo, hoy día Santa Genoveva. Se ha conservado mucho tiempo en un rincón de la iglesia de Saint Germain-des-Prés, una estatua antigua de Isis; pero habiendo algunas mujeres supersticiosas quemado cirios delante de ese ídolo, el cardenal Briçonnet, entonces abad de Saint Germain, mandó hacerla pedazos.

(*Iconol.*) Unas veces representaban a esta diosa bajo la figura de una mujer con cuernos de vaca, símbolos de las fases de la Luna, teniendo un sistro en la mano derecha y un vaso en la izquierda: emblemas, el primero del movimiento de la Naturaleza, y el segundo de la fecundidad del Nilo. Otras la figuraban coronada de torres como Cibeles, para designar la grandeza y la estabilidad, y algunas veces con cuernos derechos. Se la ve también con alas y una aljaba en la espalda, un cuerno de la abundancia en la mano izquierda, y en la derecha un trono con el gorro y el cetro de Osiris, y en fin, con una antorcha encendida, y una serpiente enroscada en el brazo derecho. Los romanos la solían pintar algunas veces con una serpiente que, enroscada alrededor de sus piernas, metía la cabeza en su seno en ademán de ir a mamar. *Cic. Herod. 2, f. 79, Diod. Sic. Plut.*

ISIS (*Fiesta de la Nave de.*) Fiesta anual que se celebraba de la nave de Isis, como un homenaje tributado a esta diosa considerada reina de los mares, para el feliz desenlace de la navegación. Empezaba a la entrada de la primavera por ser la estación más adecuada.

He aquí algunas noticias, tales como Isis las reveló a Apuleyo, cuando Apuleyo se le apareció en todo su esplendor, según el dice: «Mis sacerdotes, le dijo la diosa, deben ofrecerme mañana las primicias de la navegación, dedicándome una nave nueva. Este es, añadió, el tiempo más favorable, pues no hay que temer las tempestades que reinan durante el invierno, y las olas pacíficas, permiten navegar sin sobresalto».

*Apuleyo* describe en seguida la grandeza de esta solemnidad, y la pompa con que se dirigían todos a las orillas del mar, para consagrar a la diosa una nave primorosamente construída, y en la cual se veían por todas partes caracteres egipcios. Se purificaba este barco con una antorcha de huevos y azufre, y sobre la vela, que era blanca, se leían en gra..des caracteres, los votos que se renovaban todos los años para volver a empezar una navegación feliz.

Los sacerdotes y el pueblo se apresuraban luego a llevar a esta nave canastos llenos de perfumes, y todo lo perteneciente a los sacrificios, y después de haber arrojado al mar una composición hecha con leche y otras materias, se levaba el ancla para abandonar en apariencia la nave a merced de los vientos.

Esta fiesta pasó a los romanos, que la solemnizaron en tiempo de los emperadores con gran magnificencia. Se sabe que había en los fastos un día señalado para su celebración.

La nave de Isis, que en Roma se festejaba pomposamente, se llamaba Navigium Iisidis; después de haberlo botado al agua volvían hacer votos para la prosperidad del emperador, el imperio y el pueblo romano, como también para la conservación de los navegantes durante todo el año; pasando el resto del día en procesiones y diversiones.

Los griegos que deseaban tanto la vuelta de la primavera, que les abría la navegación, no podían dejar de poner en el número de sus fiestas, la de la *Nave de Isis*. Los corintios eran tan celosos adoradores de esta diosa, que, según refiere *Pausanias*, le dedicaron en su ciudad hasta cuatro templos, dando a uno el nombre de *Isis Pelasgiana*, y al otro el título de *Isis egipcia*, para dar a èntender que no la adoraban tan sólo como la primera divinidad del Egipto, sino también como patrona de la navegación y reina del mar. (*V.* Isis.)

Muchos otros pueblos de Grecia, a semejanza de Corinto, celebraron la fiesta de la *Nave de Isis*. Esta nave llamada por los autores *Epsadra*, es también conocida bajo el nombre de *Baris*. Es muy verosímil que la nave sagrada de Minerva, que se hacía aparecer con tanta pompa en los grandes Oanateneos, no fuera más que una representación de la nave sagrada de Isis.

ISIS. Nombre que tomó Cleopatra después de que Marco Antonio la hubo declarado reina de Egipto, de Chipre, de Africa y de la baja Siria. Desde entonces no apareció en público sino vestida de la ropa consagrada a la diosa, y se hizo llamar la joven Isis. Este vestido era de toda especie de colores, para significar que siendo Isis reina del mundo, despliega todo su poder sobre la materia susceptible de toda especie de formas y de colores; mientras que los vestidos de Osiris eran de un solo color, y éste es el de la luz, porque el primer principio es simple y sin mezcla. Estos vestidos de Osiris se hallaban encerrados y guardados con tanta escrupulosidad, que no se dejaban ver sino una vez al año, en cierto día, mientras que los de Isis estaban expuestos a la vista de todo el mundo. Por lo demás, se acostumbraba entre los antiguos, llevar vestidos consagrados a ciertos dioses o diosas. *Plut. De Is. y Osir.*

ISIS o SISTES. (*Mit. mah.*) Sectarios musulmanes que sostienen que el Alcorán ha sido creado, aunque Mahoma anatematice a todos los que son de esta opinión. Pretenden también que la elegancia de este libro no es incomparable e inimitable, como lo creen todos los mahometanos.

ISJE o IXO. (*Mit. jap.*) Antigua provincia del Japón, célebre por el nacimiento de Tensio-Dai-Sin, jefe de la raza de los dioses terrestres, y por la afluencia de los peregrinos que se dirigen a ella de todas las partes del imperio. Esta peregrinación es uno de los principales artículos del sintoísmo. El monumento que hace el objeto particular de la curiosidad y veneración de los peregrinos, es una mezquina cabaña tan estrecha como baja, rodeada de cien masías, o pequeñas capillas en las cuales el *canusi*, sacerdote especial del dios, ha de permanecer de pie.

ISLAM, o Islamismo. (*Mit. mah.*) Nombre que da Mahoma a su religión. Este término significa propiamente *resignación, sumisión a la voluntad de Dios.* Sin embargo, otros lo interpretan de diferente modo. Entienden por *Islam* la religión saludable y derivan este nombre de *aslama* o *salama*, entrar en estado de salud. De la misma raíz nace el nombre de *moslem* o *musulmán*, que significa, *verdadero creyente, el que profesa el islamismo.*

ISMAELISMO. Religión que Ismael dio a los árabes.

ISMARA. 1 —Tebano, hijo de Ataco.

2 — Hijo de Eumolpo.

3 — Capitán meonio, siguió a Eneas a Italia y aventajó a los demás en lanzar dardos emponzoñados. *Eneida. 10.*

ISMARIO, ISMARIA. La Tracia llamada así por Ovidio.

ISMARO. Hijo de Marte y Tracia, dio su nombre al monte Ismaro, cuyo vino alaba Ulises, en la *Odisea.*

ISMENE. 1 — Hija de Edipo y Yocasta, y hermana de Antígona, Eteocles y Polínices; declaróse culpable de la misma falta que su hermana, condenada a muerte por Creón, por haber tributado los últimos deberes a su hermano Polínices y quiso sufrir igual suplicio. *Apolod. 3, c. 5.*

2 — Hija de Asopo, mujer de Argos y madre de Io. *Id. 2, c. 1.*

3 — La mayor de las hijas de Anfión y de Níobe, herida por Apolo, que no pudiendo soportar su agudo dolor se precipitó en un río, al cual dio su nombre. *Id. 3, c. 5. Met. 6.*

ISMENIA. Sobrenombre de Minerva. Había en Tebas dos templos de Minerva,

uno de los cuales se llamaba Minerva Ismenia, del río Ismeno, en cuya ribera se había erigido este templo.

ISMÉNIDES. 1 — Ninfas, hijas del río Ismeno.

2— Nombre de los tebanos.

ISMENIO. 1 — Sobrenombre de Apolo en Tebas. *Paus.*

2 — Hijo de Apolo y Melia. Recibió de su padre el don del oráculo y dio su nombre a Ladón. *Paus. 9, c. 10.*

ISMENIS. Se conoce como hijo del río Ismeno. *Met. 3.*

ISMENO. 1 — Río, o mejor, fuente de Beocia, que se llamaba al principio el *Pie de Cadmo.* He aquí el motivo: habiendo Cadmo matado a flechazos al dragón que guardaba la fuente, y temiendo que hubiese quedado el agua envenenada, recorrió el país para buscar otra. Llegado a la cueva Coreirea, hundió el pie derecho en el cieno y, retirándolo, brotó una fuente que se llamó *el Pie de Cadmo. Plut. Geórg. V.* Ismene 3.

2 — Hijo de Pelasgo, que según algunos dio su nombre al río Ismeno.

ISOCRATIA. Una de las principales amazonas muertas por Hércules.

ISÓPALES. Uno de los centauros muertos por Hércules. *Diod. Sic.*

ISORA. Sobrenombre de Diana honrada en Esparta. *Pausanias* pretende que fue la Britomarte de los cretenses.

ISORIA. Sobrenombre de Diana honrada en Teutrone. Es quizá la misma que Isora. (*V. Isora.*)

ISQUENAS. Fiesta anuales celebradas en Olimpia, en memoria de Isqueno.

ISQUENO. Nieto de Mercurio y Hierea, que se sacrificó por su país en tiempo de hambre, y tuvo un monumento cerca del estadio olímpico.

ISQUIS. Hijo de Elato. Algunos mitólogos le hacen padre de Esculapio. (*V. Esculapio.*)

ISRAFIL. (*Mit. mah.*) El ángel de la música. Es el que tiene más melodiosa voz de las criaturas de Dios. Quizás es el mismo que Asrafil.

ÍSTER. Hijo de Egipto. *Apolod.*

ÍSTMICOS o Istmios. Estos juegos eran los terceros de las cuatro especies de juegos o combates sagrados, tan célebres en la Grecia antigua. Tomaron su nombre del istmo de Corinto, donde se celebraban. Se decía que habían sido instituidos por Sísifo en honor de Melicertes, cuyo cuerpo había sido llevado por un delfín, o mejor arrojado por las olas a la ribera del Istmo. *Plutarco*, en la *Vida de Teseo*, atribuye la institución a este héroe, que quiso con esto imitar a Hércules, que había establecido los juegos olímpicos; y lo consagró a Neptuno, del cual se preciaba ser hijo, como dios que presidía particularmente el Istmo.

Estos juegos se celebraban regularmente todos los trienios, en el verano, y fueron reputados tan sagrados que no se atrevieron a interrumpirlos después que Mummio hubo destruido la ciudad de Corinto: pero se dio a los sicionios el encargo de continuarlos. La concurrencia era tan grande que solo las principales ciudades de Grecia podían competir en ellos. Atenas tan solamente disfrutaba del lugar que podía cubrir la vela de la nave que enviaban al Istmo. Los eleos eran los únicos de todos los griegos que no concurrían a ellos para evitar las desgracias que les pudieran causar las imprecaciones que Molione, mujer de Actor, había hecho contra los de esta nación que viniesen a los juegos. (*V*. Molione.) Los romanos fueron también admitidos y los celebraron con tanta pompa y aparato, que además de los ejercicios ordinarios de la carrera, del pugilato, música y poesía, se daba un espectáculo de caza, en la cual se hacían aparecer los más extraños animales. Lo que más aumentaba aún la celebridad de estos juegos, era que servían de época o cómputo del tiempo a los corintios y a los habitantes del istmo.

Coronaban a los vencedores de ramas de pino; después se les coronó como a los vencedores en los juegos nemeos; con esta diferencia, que los de los juegos nemeos eran coronados de apio verde, mientras que los otros lo eran con apio seco. Después, se añadió a la corona una suma de plata, fijada por Solón en 100 dracmas.

Los romanos no pararon en esto, y señalaron a los vencedores los más ricos presentes. *Paus.1, c, 44; l.2, c.1, 2, Plin. 4, c. 5,Tito Liv. 33, c. 32. Jenof.*

ISTMIO. Sobrenombre de Neptuno honrado en Sicione, donde tenía un altar.

ISUS o ISOS. Hermano de Antifo. Eran hijos de Príamo; el uno natural y el otro legítimo. Aquiles les había sorprendido ya en el monte Ida, conducidos a sus campos y después devueltos a su padre por un crecido rescate. Atacados por Agamenón, durante el sitio de Troya, mientras que Isus tenía las riendas y Antifo combatía, fueron volcados de su carro y despojados de sus armas. *Ilíada. 11*.

ISWARA. (*Mit. índ.*) Uno de los nombres de Shiva, bajo el cual era considerado como el Neptuno o *Júpiter Marinus* de los indios. Trae el trisulca, o tridente, lo que no deja duda alguna sobre esa identidad; y el *buccinum* que se ve cerca de él, de figura espiral y con la boca vuelta de izquierda a derecha, que es objeto de veneración en toda la India, trae a la memoria la concha de Tritón. *M. Hastings* pretende descubrir en los atributos de este dios alguna semejanza con el Osiris de los egipcios. *Asiatic Researches*.

ÍTACA. Isleta del mar Jonio, llena de rocas, áspera y estéril, célebre por haber sido patria de Ulises. *Ilíada. 2, Odis. 1, 4, 9, Estrab. 1, 8, Met. 2, c. 7*.

ÍTACO. 1 — Ulises, rey de Itaca. *Eneida. 2*.

2 — Héroe fundador de Itaca.

ITALIA (Iconol.) La mayor parte de las medallas romanas la representan bajo la figura de una mujer coronada de torres, con una asta en la mano derecha, y en la izquierda un cuerno de la abundancia: a sus pies se ve un águila puesta sobre un globo. Se designa también por una mujer sentada sobre un globo, coronada de torres, teniendo en la mano un cuerno de la abundancia, y en la otra un cetro para indicar su imperio sobre el universo, como puede verse en las medallas de Tito, Antonino Pío, Cómodo, etc. Una medalla de Nerón y los versos de *Claudio* la representan del mismo modo. «Es la obra de Minerva: no lleva en sus cabellos adorno alguno, no cuelga de ellos aderezo alguno, y se repliegan alrededor de su cuello: nada defiende su lado derecho, nada oculta la blancura de sus brazos; una brillante presilla fija los pliegues de su vestido, de donde se escapa el doble globo de su indomable garganta. La brillantez de su escudo lucha con los resplandores del sol. Vulcano agotó en él su arte. Se ve en ellos dos hijos queridos de Marte, y la loba que les da de mamar en las orillas del río.»

Se ha dado también a Italia por atributo el caduceo de Mercurio, símbolo de las bellas artes que florecen en su seno.

ÍTALO. 1 — Hijo de Telégono, rey de Arcadia, pasó después a Italia y le dio su nombre. (*Hig. f. 127.*) Se cree que recibió en ella los honores divinos, porque Eneas le puso en el número de los dioses que invocó al llegar a Italia. *Eneida. 7.*

2 — Otro príncipe que casó con Leucaria, y tuvo de ella la princesa Roma. *Plut.*

ITEA. Danaida. *Hig. f. 170.*

ITÉMALO. Anciano que expuso a Edipo por orden de Layo. *Hig. f. 65.*

ITEMENO. Príncipe troyano, padre de Estenelao. *Ilíada. 16.*

ITERDUCA. V. Interduca.

ITÍFALO. Nombre que daban a Príapo los griegos y los egipcios. Era también una especie de joyel que se colgaba al cuello de los niños o de la vestales, y al cual se atribuían grandes propiedades. *Plinio* dice que era un preservativo para los mismos emperadores, que las vestales lo añadían al número de las cosas sagradas, y lo adoraban como dios; que se colgaba a las carrozas triunfales, y que defendía contra la envidia.

ITILO. Hijo de Zeto y Aedo, muerto involuntariamente por su propia madre. Otros le hacen hijo de Filomela. *Odis. 19.* (*V.* Itys,1.)

ITIMBE. Canción y danza en honor a Baco,

ITIMONEO. 1 — Hijo de Hipiroco, rey de Elida, muerto por Néstor.

2 — Jefe dolio muerto por el Argonauta Melagro.

3 — Gigante bebricio, muerto por Pólux.

ITINTERIÓN. Palo que llevaban en la mano los profetas de los dioses, en señal de sus funciones.

ITIONE. Hija de Lictio, mujer de Minos 1, y madre de Licanstes

ITIS. 1 — Hijo de Tereo, rey de Tracia, y de Procne, que para vengarse de la afrenta hecha a su hermana Filomela, le mató y le sirvió a Tereo. Otros atribuyen este asesinato a las mujeres de Tracia. Itis fue transformado en jilguero. *Met. 6.*

2 — Capitán troyano inmolado por Turno. *Eneida. 9.*

ITÓMATO. Sobrenombre bajo el cual los mesenios honraban a Júpiter en un templo sobre el monte Itome. Estos pueblos, que se vanagloriaban de que Júpiter había sido educado en este monte, le consagraban un culto particular y una fiesta anual. La estatua del dios era obra de *Ageladés.* Un sacerdote, cuyas funciones no duraban más que un año, la guardaba en su casa.

ITOME. Ninfa que, con su hermana Neda, educó a Júpiter cerca de la fuente de Clepsidra, cuando le ocultaron al furor de Saturno, su padre.

ITOMEA. Fiesta anual que los mesenios habían consagrado a Júpiter Itómato. La ceremonia consistía en llevar devotamente agua del pie de la montaña, a un vasto receptáculo construido en la cima, para contener esta agua destinada al servicio de Júpiter, es decir, al uso de los ministros de su templo. Se proponía en esta fiesta un premio de música, lo que atraía un gran concurso de músicos. *Paus.*

ITOMIA. Sobrenombre de Minerva, honrada en Itome, en Tesalia.

ITONIA, ITÓNIDA. Sobrenombres bajo los cuales tenía Minerva en Coronea, en Beocia, un templo común con Pluto, quizá para significar que Minerva, esto es la sabiduría, es el origen de todos los bienes, por medio de la prudencia y la industria. *Tito Liv. 36, c. 20.*

ITONIO. Sobrenombre de Júpiter que tenía una estatua en el templo de Minerva Itonia.

ÍTONO. 1 — Hijo de Deucalión, inventor del arte de trabajar los metales. *Lucano. 6.*

2 — Hijo de Anfictión, padre de Beoto.

IULE. 1 — Hijo de Eneas. (*V.* Ascanio.)

2 — Hijo de Ascanio, obligado a ceder

el trono a Silvio, hijo de Eneas y Lavinia; y para resarcirle se le dio el sacerdocio, dignidad más tranquila y más segura. Este sacerdocio se perpetuó en la familia Julia. *Dion. 1.*

IULES. Himnos que se cantaban en honor de Ceres y de Libera; de la palabra *ules* o *iules*, garbas de cebada. El Iule era también la canción de los trabajadores de la lana.

IULO. Uno de los nombres de Ceres.

IXEUTERIA, *llena de visco*. Sobrenombre de la Fortuna, que corresponde al *viscata* de los latinos. R. *ixos*, visco.

IXIÓN. Hijo de Leonte según *Higinio*; de Flegias según *Eurípides*; rey de los lapitas, y de Antión según *Esquilo*; casó con Clia, hija de Deioneo, y le negó los regalos que le había prometido para obtener la mano de su hija, lo que obligó a este último a robarle los caballos. Ixión, disimulando su resentimiento, atrajo a su suegro a su casa y le precipitó en un pozo ardiente, donde pereció. Este crimen horrorizó tanto, que Ixión no encontró quien quisiese purificarle y se vio obligado a ocultarse de las miradas de todos. Abandonado y aborrecido del mundo entero, recurrió al padre de los dioses quien, compadecido de sus remordimientos, le recibió en el cielo y le admitió en la mesa de los dioses. Deslumbrado por los encantos de Juno, el ingrato Ixión tuvo la insolencia de declararle su pasión. Ofendida la diosa de su temeridad, fue a quejarse a Júpiter, quien formó de una nube una figura semejante a la de su esposa. Ixión cayó en el lazo, y este comercio imaginario dio a luz a los centauros. Júpiter, mirándole como un loco a quien el nectar había turbado la razón, se contentó con desterrarlo; pero viendo que se gloriaba de haberle deshonrado, le precipitó al Tártaro con un rayo donde Mercurio, por su orden, le ató a una rueda rodeada de serpientes, que giraba sin cesar. Separando lo histórico de lo fabuloso, resulta que habiendo un príncipe, llamado Júpiter, concedido al rey de los lapitas la hospitalidad que todos sus vecinos le rehusaban, el ingrato correspondio a este beneficio, con una negra perfidia y se enamoró de la reina. El rey puso en lugar de su mujer una esclava llamada Nefel (*nube*) y no pudo dudar ya de las intenciones criminales de su huésped. Vanagloriándose después Ixión de haberle hecho sensible la reina a sus votos, fue arrojado de la corte y pasó en lo sucesivo una vida triste e inquieta, aborrecido y despreciado de todo el mundo. La fábula añade que, cuando Proserpina entró en los infiernos, fue desatado por primera vez. *Virgilio* (*Geórg.* 4) supone que los melodiosos acentos de Orfeo suspendieron el movimiento de la rueda. En cuanto a su género de muerte, es preciso advertir que, según la opinión supersticiosa de los antiguos, los que una vez habían gustado el néctar de los dioses no podían morir sino por el rayo. *Diod. 4, Hig. f. 62. Pind. 2, Pit. 2.*

IXIÓNIDES. Piritoo, hijo de Ixión. *Eneida. 6. Prop. 1.*

ÍXORA. (*Mit. índ.*) Este nombre es uno de los más conocidos de los dioses principales de los indios, se llama también *Ishurem, Eswara, Rutrem, Ruddirem*. Los indios le dan ocho mil nombres más. Su historia en compendio, es como sigue. Disgustado de la mansión celestial le vinieron deseos de bajar a la tierra y al principio se hizo religioso. Distinguióse en esta profesión por un gran número de crimenes y de infamias, que las leyendas índicas refieren piadosamente. Casó con la hija del rey de las Montañas, llamada Parvati y vivió tranquilamente, con su mujer, el largo espacio de mil años. Indignados los otros dioses, y entre ellos Brahma y Visnú de que Rutrem deshonrase de este modo su dignidad, con tan dilatada unión, con una mortal le arrancaron, a su pesar, de los brazos de su querida Parvati. Esta murió de dolor, pero resucitó algún tiempo después y fue hija de otro rey llamado *Dajaprojabadi*. Ixora la tomó segunda vez por mujer y ella dio a luz un niño en cuyo nacimiento no tuvo el dios la menor parte. Algún tiempo después, en el calor de una pendencia, cortó una de las cabezas de su hermano Brahma, pero no tardó en arrepentirse de este atentado, y para purgarlo se condenó a una severa penitencia. Se despojó de sus vestidos y, cubierto de cenizas, se ocultó entre los sepulcros llevando en una mano el cráneo de su hermano, y se abandonó en aquellos lugares, al más excesivo dolor. El tiempo fue disipando los pesares hasta que Ixora, disgustado ya de la soledad, salió de ella y se fue mendigando de pueblo en pueblo. Llegado a un lugar que servía de retiro a varios brahmanes, quedó sorprendido al ver en compañía de aquellos hombres, mujeres de una hermosura encantadora, y al momento formó el proyecto de asociarse a tan amables penitentes, pero desconfiando de su propio mérito se valió de la magia para hacerse amar, debiendo a la virtud de sus sortilegios, el que todas las mujeres abandonasen los bramanes para seguirle; estos, irritados, corrieron en busca del raptor, le alcanzaron, y le pusieron en la imposibilidad de seducir en lo sucesivo a ninguna otra mujer. Tal es, según se dice, el origen del culto que los indios tributan a Ixora bajo el nombre de Língam. (*V.* esta palabra.)

Sin embargo su desgracia no le impidio que se casase con el río Ganges, que los indios representaban como una mujer muy hermosa. A esta aventura le siguieron muchas otras, de las cuales la más memorable es la siguiente: un gigante que le había servido y honrado por mucho tiempo, pidió al dios el premio de su fidelidad; Ixora le acordó el privilegio de reducir a cenizas a todos aquellos sobre cuya cabeza pusiera su mano; el gigante quiso hacer la experiencia de este prodigio sobre el dios que le había concedido la gracia, y el imprudente Ixora hubiera sido infaliblemente la víctima de su indiscreta bondad, si por virtud de la magia no hubiese encontrado el secreto de encerrarse en una concha, y ni aun este asilo le habría servido, si Visnú no hubiese venido en su socorro. En efecto, Visnú se presentó bajo la forma de una mujer muy hermosa a la vista del gigante. Este enamorado de sus gracias, dejó a Ixora dentro de la concha y tan sólo se ocupó en conquistar el objeto de sus amores. La halló muy dócil, de modo que ella, para acceder a sus solicitudes, tan sólo le exigió que se lavase en la vecina ribera, la cabeza y los cabellos que tenía

muy sucios. El gigante obedeció inmediatamente, voló a la ribera, pero apenas se tocó la cabeza cuando en virtud de su privilegio se redujo él mismo a cenizas. Visnú participó a su hermano el destino del gigante, informándole de la estratagema que le había libertado del peligro. Ixora salió de la concha y, después de haber atestiguado su reconocimiento a Visnú, le rogó encarecidamente que volviese a tomar la figura de aquella hermosa mujer que había deslumbrado al gigante, a fin de que pudiese gozar de su agradable vista. Visnú opuso algunas dificultades, sin embargó accedió a Ixora que, siempre débil, apenas la vio se enamoró ciegamente de ella, cuya pasión al parecer no fue infructuosa puesto que de repente apareció al lado de Visnú un hermoso niño que se llamó Arigaraputrem, esto es hijo de Visnú y de Rutrem. Representan a Ixora de un color muy blanco. Tiene tres ojos: uno de ellos en medio de la frente; dieciséis brazos y otras tantos manos, y trae en cada una un atributo diferente. Su vestido se compone de una piel de tigre y de un cuero de elefante rodeado de serpientes. Trae rodeado el cuello de un forro de pieles del cual pende una campana con tres cadenas, una de las cuales está formada de flores, la otra con alguna de las cabezas de Brahma, y la tercera con los huesos de una de sus mujeres llamada *Challi.*

**IXITIÓN.** Argonauta corintio citado por *Higinio.*

**IXIUS.** Sobrenombre de Apolo, de Ixis, comarca de la isla de Rodas.

**IYNX.** Hija de Lito o Eco, y de Pan, y compañera de Io. Juno la acusó de haber hecho, por medio de sus encantos, que Júpiter se enamorase de Io, y para castigarla la transformó en ave.

Esta fábula debe su origen a una especie de ceremonia mágica, por medio de la cual se creía poder asegurar el afecto de una persona querida. La ceremonia consistía en atar una de estas aves sobre una pequeña rueda a la que se daba vueltas, y que llamaban en griego *strophalos, hecáticos* o *rhombos calceos.* Se imaginaban que a medida que el animal iba aturdiéndose, se inspiraba también ansiedad al amante, y que por este medio se le obligaba a venir al lado de su querida. Para lograr con más seguridad el objeto que se deseaba, se pronunciaban también ciertas palabras mágicas. Parece que lo largo de esta ave y su lengua puntiaguda han dado lugar a la fábula. Hay en su aspecto algo de semejante a la serpiente y se sabe que estos animales hacían gran papel en las ceremonias mágicas de los antiguos. *Jenof*.

IZED (*Mit. pers.*) Buenos genios del segundo orden, según la doctrina de parsis. Llegan a veinticuatro, y son al lado de los hombres, los ministros directos de los amschaspands, o excelentes. (*V.* Amschaspands.)

IZESCHNE (*Mit. pers.*) Obra de Zoroastro, cuyo nombre significa oración, en la que se revela la grandeza de aquel a quien se dirige. Esta obra está dividida en 72 días o capítulos.

Es propiamente un ritual; Zoroastro recomienda en él, el matrimonio entre primos hermanos, alaba la subordinación, ordena un jefe a los sacerdotes, soldados, labradores y comerciantes, y recomienda el cuidado a los animales. Se habla en él de una pollina de tres pies, puesta en medio del Eúfrates: tiene seis ojos, nueve bocas, dos orejas y un cuerno de oro; es blanca y se alimenta con leche celestial: pueden pasar por entre sus piernas mil hombres y mil habitantes. Ella es la que purifica las aguas del Eúfrates y riega las siete partes de la tierra. Si se pone a rebuznar, los peces creados por Ormuz engendran, y las criaturas de Ahrimán abortan.

IZESCHS. (*Mit. pers.*) Oficio religioso de los parsis.

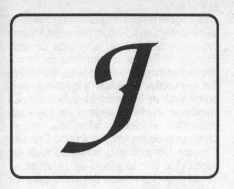

JABALÍ. (*V.* Admeto, Adonis, Adrasto, Hércules, Meleagro.) Era el animal que se inmolaba a Diana. Se ponía en las monedas o medallas antiguas para marcar los juegos seculares en honor de esta diosa, o bien designa la caza con que se divertía el pueblo. Se considera como símbolo de la intrepidez y el arrojo, porque en vez de huir de los perros, los aguarda y acomete para destrozarlos. Un jabalí enfurecido que destruye las viñas y las cosechas, es también la imagen de un vencedor cruel y soberbio; bajo este emblema, la fábula nos ha representado aquel gran ladrón, que Meleagro mató con sus propias manos.

JABE. Nombre de Dios entre los samaritanos que corresponde al Jehovah de los judíos.

JACA. (*Mit. índ.*) bajo este nombre adoraban al diablo los habitantes de la isla de Ceilán. Tenían fiestas establecidas en su honor.

JACCO. (*Mit. jap.*) Pontífice japonés, lugarteniente del Dairi o Sumo Pontífice. Se debían dirigir a él para obtener las dispensas. Todas las disputas sobre la religión pasaban a su tribunal, y no había apelación en sus juicios.

JACÍNTICAS. Fiestas que los lacedemonios celebraban todos los años durante tres días en honor de Apolo, cerca del sepulcro de Jacinto. Los dos primeros días se lloraba su muerte; se comía sin corona, y no seguía ningún himno a la comida. El tercer día estaba consagrado a la alegría, a los festines, a las cabalgadas y a otros regocijos. *Plut. Met. 1.*

JACÍNTIDAS o HIACÍNTIDES. Doncellas cuyo nacimiento, número y nombres, se refiere de diferente modo. *Harpócrates* las hace hijas de Jacinto. *Apolodoro*, que es de la misma opinión, dice que fueron cuatro, a las que llama Antelis, Egleis, Eutemis y Litea, añadiendo que los atenienses, por mandato de un antiguo oráculo, las inmolaron para el bien público sobre el sepulcro del cíclope Geresto. Algunos las hacen hijas de Erecteo. otros cuentan cinco, Pandora, Procris, Creusa, Oritia y Ctenia, y dicen que las dos primeras se dejaron inmolar sobre una cuesta llamada jacinto, de donde tomaron su nombre. *Higinio* no habla más que de una y la llama Espartiantis.

JACINTO. 1 — Hijo de Amiclas y Diómedes, según *Apolodoro*, o de Piero y Ciro, y de Ebalo según *Higinio*. Fue amado de Apolo, Zefiro, o según otros, Boreas que le amaba también, incomodado de la preferencia que daba el joven al dios de las musas, desvió el tejo que Apolo lanzaba y causó la muerte de su querido. El dios ensayó en vano todos los recursos de su arte y le transformó en una flor, que llamó Jacinto, en cuyas hojas grabó dos letras de su nombre, *ai, ai,* expresión y monumento a la vez de su dolor. *Met. 18, Paus, 3, c. 10, Apolod. 3.*

2 — Capitán dolio, muerto por el argonauta Clitio.

3 — Piedra preciosa que se colgaba al cuello para librarse de la peste. Además fortificaba el cuerpo, ponía a cubierto del rayo y aumentaba las riquezas, el honor, la prudencia y la sabiduría.

JACULACIÓN. Especie de juego que consistía en lanzar una piedra, un dardo o alguna otra cosa, con la mayor exactitud y lo más lejos posible. *Plutón* admitía dos especies de *jaculaciones*: llamaba *toxiké* a la primera, y a la otra *akontisma*; y *Galiano* nos enseña que fueron inventadas por Apolo y Esculapio. Los latinos traducían la primera por la palabra *sagittario* y la segunda por la de *jaculatio*. Se empleaba igualmente en estos ejercicios o el arco o la ballesta, u otro instrumento de que se servían para colgar a la flecha una correa que se tenía en la mano con el objeto de apuntar mejor.

JACUSI (*Mit. jap.*) Dios de la medicina. Los japoneses lo representaban en pie, sobre una hoja de nimfae; y coronada la cabeza de rayos.

JADDESES. (*Mit. índ.*) Nombre que los insulares de Ceilán dan a los sacerdotes del tercer orden, consagrados especialmente al culto de los espíritus o genios.

JADE o Piedra Divina. Los indios le atribuían, entre otras propiedades maravillosas, la de aliviar los dolores de riñones, cuando se aplicaba en ellos, y de hacer pasar la arena y la piedra por la orina. La consideraban también como un remedio soberano contra la epilepsia, y estaban persuadidos de que, llevada como talismán, era un preservativo contra las mordeduras de las bestias venenosas. Estas pretendidas propiedades la hicieron gozar mucho crédito en París, pero esta *piedra divina* ha perdido su reputación, y sus grandes virtudes se cuentan ya como fábulas.

JAFET. Uno de los tres hijos de Noé. Los musulmanes le ponían en el número de los profetas, enviados de Dios. Creían que era el mayor de los hijos de Noé, que su padre, después del diluvio, le dio las provincias que están al oriente y al septentrión de los montes de Armenia, sobre los cuales reposó el arca. Antes de partir Jafet al lugar que se le había destinado, Noé le regaló una piedra que los turcos orientales llaman *gindestach*, y *senk-jede*, sobre la cual se leía el gran nombre de Dios, por cuya virtud el que la poseía podía hacer llover a su gusto. Esta piedra, se dice, se ha conservado mucho tiempo entre los mongoles. Los orientales dan a Jafet once hijos, todos varones.

JAFA BABA. (*Mit. eslav.*) Belona de los eslavos. Tenía la forma de una gran mujer descarnada, cuyos pies son huesudos. Estaba armada de una barra de hierro con la cual, al parecer, procuraba hundir el zócalo sobre que estaba colocada. Se ignora el culto que le daban sus adoradores.

JAGARNAT. (*Mit. índ.*) Los indios adoran bajo este nombre a Visnú en la ciudad de Jagarnat, situada en el golfo de Bengala, donde tiene un soberbio templo. Se celebra en él todos los años una fiesta que dura de ocho a nueve días y se encuentran a veces en ella más de ciento cincuenta mil peregrinos. Se construye una enorme máquina de madera, adornada de toda especie de figuras extraordinarias. Se coloca sobre catorce o dieciséis ruedas, como las de cureñas de cañón, y cincuenta personas tiran de ello para hacerla rodar. En medio se eleva la estatua de Jagarnat, ricamente vestido y adornado, que se transporta de un templo a otro. Con frecuencia los devotos, inflamados de un santo celo por la gloria de Jagarnat, se echan bajo las ruedas del carro para ser aplastados. Según *Banier*, una joven aún virgen, consulta al oráculo y se la conduce al templo en triunfo como una esposa destinada al dios. Se la hace entrar en el santuario; entonces se le encarga, en calidad de esposa, que consulte a su marido en nombre de todos los habitantes de la comarca, si será desolado el país por alguna plaga, etc. La joven y el dios quedan solos, con un sacerdote, intérprete de Jagarnat. Al día siguiente se pregunta a la nueva diosa cuales son las respuestas de su esposo, y se la conduce en procesión al lado del dios.

JALDABAOTH. Divinidad que adoraban los nicolaites.

JAMAMBUXES, *soldados de los valles redondos* (*Mit. jap.*) Especie de fanáticos japoneses que iban errantes por las campiñas. Pretendían conversar familiarmente con el diablo, se azotaban cruelmente y algunas veces permanecían en pie largo tiempo sin descansar. Velaban muchas noches seguidas y rara vez comían, para adquirir por este medio la reputación de santidad.

JAMBUSCHA, o JAMUSCAR. El preceptor de Adán, según los preadamitas, que nombran aún otros dos, Boan y Zagtit.

JAMIS. (*Mit. mah.*) real. Mezquitas edificadas por los emperadores turcos, a las cuales han asignado rentas considerables. Estas mezquitas tenían en su recinto escuelas o academias, cuyos muderis estaban encargados de enseñar las leyes del Alcorán. Se asignaba a estos maestros una pensión anual proporcionada a las rentas del Jami. El gran señor sacaba de estas escuelas los mullahs.

JAMMABOS, (*Mit. jap.*) *montañes*. Sociedad laica y militar de ermitaños, instituida en Japón por *Gienno-Giossa*, en tiempo en que se introdujeron en Europa las órdenes monásticas. Por su instituto están obligados a combatir por el servicio de los *Camis*, y para la conservación de su culto. Un cisma les dividió en muchas ramas, dos de las principales son la de las *Tonsafaites*, y la de las *Fousanfaites*.

JAMMA LOCON. (*Mit. índ.*) Infierno indio de donde, después de cierto tiempo de penas y trabajos, volvían las almas al mundo para animar el primer cuerpo en que podían entrar. (*V. Antamtappes.*)

JAMNES. (*Mit. rab.*) Uno de los magos del faraón. El otro se llamaba Mambrés. Los rabinos querían que hubiesen sido hijos del falso profeta Balaam, y que habían acompañado a su padre cuando se presentó a Balac, rey de Moab.

JANÍCULA. Una de las siete colinas de Roma, que tomó su nombre de Jano, porque se decía que éste príncipe residía ordinariamente en ella, o porque había fijado en ella su primera habitación. En lo sucesivo, se edificó allí una capilla, o, según *Ovidio*, un altar en honor de Jano.

JANICUS. Hijo de Esculapio y Lampetia.

JANIDES. Adivinos descendientes de Jano, que predecían lo venidero por la inspección de las pieles cortadas de las víctimas.

JANÍGENA. Canente, hija de Jano.

JANIRA. 1 — Nereida.

2 — Oceánida.

JANITOR. Sobrenombre de Jano, como presidente de las puertas y de todo lo que depende de ellas.

JANNANINS. (*Mit. afr.*) Nombre que los quojas, pueblos del interior de Guinea, dan a los espíritus de los muertos. Piensan que estos espíritus toman un cuidado particular de sus parientes y de sus amigos, y les protegen en las ocasiones peligrosas.

JANO. 1 — Divinidad romana sobre cuyo origen no están acordes los mitólogos. Los unos la hacen escita; otros originarios del país de los perrebos, pueblos de Tesalia que habitaba sobre las orillas del Peneo.

*Aurelio Victor* refiere que Creusa, hija de Erecteo, rey de Atenas, princesa de gran hermosura, fue sorprendida por Apolo y tuvo de ella un hijo que hizo criar en Delfos. Erecteo casó a su hija con Xifeo, que no pudiendo tener de ella hijos, se fue a consultar el oráculo. El dios le ordenó que adoptase el primer niño que encontrase al día siguiente. El primero que encontró y adoptó fue Jano, hijo de Creusa. Llegado Juno a mayor edad, equipó una armada, abordó en Italia e hizo en ella muchas conquistas, y edificó una ciudad que llamó, de su nombre, Janícula. Arrojado Saturno del cielo, llegó a Italia, donde acogido por Jano, le asoció a su reinado, lo que ha sido representado por una cabeza con dos rostros. Saturno, en reconocimiento, dio a Jano una rara potencia, que le presentaba a sus ojos lo venidero, lo que se cree representado por dos rostros opuestos. *Plutarco* da otra razón. «Era, dice, para enseñarnos que este príncipe y su pueblo, habían pasado por los consejos de Saturno, del estado salvaje a la civilización.» El reino de Jano fue pacífico y esto le mereció ser tenido por dios de la paz. Con este título Numa le erigió un templo que permanecía abierto en tiempo de guerra y que se cerraba en tiempo de paz. Este templo se cerró una vez bajo el reinado de Numa; la segunda vez después de la segunda guerra púnica y tres veces bajo el imperio de Augusto. *Ovidio*, en el primer libro de los *Fastos*, hace contar al mismo Jano su historia. «Los antiguos le llamaban el caos, y solo en el momento de la separación de los elementos, tomó la forma de dios. Tiene dos rostros, porque ejerce su imperio sobre el cielo, sobre el mar, como también sobre la tierra: todo se abre o se cierra a su voluntad. El solo es el que gobierna la vasta extensión del universo, y él solo hace girar el mundo sobre sus polos... Preside en las puertas del cielo y las guarda en concierto con las horas. El día y Júpiter no van ni vienen sino por medio de él... Observa al mismo tiempo el oriente y el occidente.» *Macrobio* da razones más históricas. «El solo nombre de Jano ya indica que preside las puertas, *januœ*.» Se le representa teniendo una llave en una mano, y en la otra una vara, para indicar que es guardián de las puertas y que preside los caminos. Algunos pretenden que Jano es el sol, y que se le representa con dos rostros como señor de ambas puertas del cielo, porque abre y cierra el día. Dicen que se le invoca primero antes de hacer un sacrificio a cualquier otro dios, a fin de que por su medio se pueda dirigir a aquel a quien se sacrifica, como si por medio de él pasasen los ruegos de los suplicantes a las otras divinidades. Sus estatuas señalan frecuentemente el número trescientos con la mano derecha, y con la izquierda el sesenta y cinco, para indicar la medida del año. (*V.* Eano.)

Había en Roma muchos templos de Jano, los unos de Jano Bifrons, los otros de Jano Quadrifrons. Estos últimos tenían cuatro frontis y tres ventanas en cada uno. Los cuatro lados y las cuatro puertas indican, según parece, el número de las estaciones del año, y las tres ventanas los tres meses de cada estación. *Varrón* dice que se habían erigido a Jano doce altares, con referencia a los doce meses. Estos altares se hallaban fuera de Roma, más allá de la puerta Janícula. *Ovidio* refiere también de Jano otra particularidad; a saber, que en el reverso de las medallas se veía una nave, o simplemente una proa, en memoria, dice, de la llegada de Saturno a Italia en una nave. *Ovid. Fast. 1, Eneida. 7, Macrob. Saturn.1, Dion. Casio.* (*V.* Consevio, Patulcio.)

2 — Lugar de Roma donde se reunían los agióteros sacerdotes, llamados así porque había en él tres estatuas de Jano. *Hor. Ep. 1.* Del gr. *agiós*, santo, en lat. por extensión, persona de santidad o que se dedica a asuntos relacionados con la santidad o la divinidad: sacerdote.

JANUALES. Fiestas de Jano. Celebrábanse en Roma, el primero de enero, con danzas y otros regocijos públicos. Los ciudadanos, aderezados con sus más ricos vestidos, precedidos de sus cónsules, iban al Capitolio a hacer sacrificios a Júpiter. Se hacían presentes y se felicitaban; y se ponía mucho cuidado en decir algo que no fuese de buen agüero para lo restante del año. Se ofrecía a Jano dátiles, higos, miel y una especie de torta llamada *Janual*. La dulzura de estas ofrendas era considerada símbolo de presagios favorables para el año.

JANUALI. Versos que cantaban los salios en honor de Jano. Tenían que ser tan libres como los versos saturninos (dedicados a Saturno).

JANUALIS. Nombre de una de la puertas de Roma, que se hallaba situada bajo el monte Viminal, denominada así por un pretendido milagro acaecido en esta puerta por la protección de Jano. *Macrobio* y *Ovidio* refieren que, sitiando los sabinos Roma, se habían acercado ya a la misma puerta. A pesar de estar bien cerrada a los enemigos, se abrió de repente por sí misma hasta tres veces, sin que se la pudiese cerrar de ningún modo. «La celosa Juno, dice *Ovidio*, había quitado los cerrojos y todo lo que servía para cerrarla.» Instruidos de este prodigio los sabinos e incitados por la hija de Saturno, corrieron en gran número a apoderarse de aquella puerta, pero Jano, protector de los romanos, hizo salir al momento de su templo tan gran cantidad de agua hirviendo, que se ahogaron o quemaron muchos enemigos, obligando a los restantes a ponerse en fuga. «Por esto, añade *Macrobio*, el senado romano mandó que las puertas del templo de Jano fuesen en adelante abiertas en tiempo de guerra, para indicar que Jano había salido de su templo para volar en socorro de la ciudad y del futuro imperio.»

*Ovidio* da a este suceso otra interpretación. Se abre este templo, dice, para pedir al dios el regreso de los soldados que se hallan en el ejército; se cierra en tiempo de paz para que, cerrada la diosa en su asilo, no pueda volver a salir. Un mitólogo moderno, (*M. de Théis, Viaje de Polycléle*, t. 1, c. 8, 1821), explica este uso de un modo más natural. «Se invocaba a Jano, dice, para obtener la paz, y después de haberla obtenido, cesaban las súplicas, pues no tenían ya objeto.»

JAPETO. Hijo de Urano, y hermano de Saturno, el cual habiendo casado, dice *Hesíodo*, con Climena, hija del Océano, tuvo de ella a Atlas, Menetio, Prometeo y

Epimeteo. *Diodoro* le casa con la ninfa Asia, y en lugar de Menetio, le da por segundo hijo a Hérpero o Vespero. Fue, añade, un hombre poderoso en Tesalia, pero malvado, y más recomendable por sus cuatro hijos que por su mérito. Sin embargo, los griegos le consideraban como padre y no conocen otro más antiguo que él; de suerte que ni su historia ni sus tradiciones se remontan más allá. Se llamaban también por lo común Japetos a los ancianos decrépitos que empezaban a chochear. *Teog. Apolod. 1, c. 1. Met. 4.*

JAPETIÓNIDES. Atlas, hijo de Japeto.

JARDANE. Esclava de Onfale, tuvo de Hércules un hijo llamado Alceo.

JARDANUS. Rey de Lidia, padre de Onfale. *Herod. 1, c. 7, Diod. Sic.*

JARDINES DE BABILONIA. Una de las siete maravillas del mundo. Estaban sostenidos con columnas de piedra y arquitrabes de madera de palmera, que la lluvia no pudre jamás, y que lejos de doblarse con el peso, se eleva tanto más cuanto más se carga. Estos arquitrabes estaban bastante cerca los unos de los otros y sostenían un gran peso de tierra, y en el espacio que mediaba entre dichos arquitrabes se metían las raíces de los árboles del jardín. Era tanta la altura de la tierra que había en aquellos techos, que podían crecer muchas especies de árboles, y se encontraban en abundancia toda clase de plantas, legumbres y frutos. Estos jardines se regaban por canales de los cuales, los unos que venían de lugares más elevados eran enteramente derechos, y los otros se formaban con el agua que se sacaba por medio de bombas y otras máquinas. (*V.* Alcinoo, Flora, Maravillas del Mundo, Pomona, Príamo, Vertumno.)

JARED (*Mit. mah.*) Patriarca de quien los mahometanos refieren la siguiente fábula: «Gobernaba el mundo, dicen, y era monarca absoluto, por la virtud de un anillo que llevaba, el cual vino después por la sucesión de los tiempos a las manos de Salomón, y le dio el mismo poder que tenía Jared sobre los hombres y sobre los demonios.» Jared, según ellos, después de haber combatido contra Satanás, príncipe de los demonios, le hizo prisionero y llevó encadenado por todas las partes a que iba».

JARÍBOLO. Uno de los dioses de los palmirios, que se cree era el mismo que Lemus.

JASIDES. 1 — Palinuro

2 — Adrastro, el uno hijo y el otro nieto de Jasio.

JASIÓN. Hijo de Júpiter y Electra, una de los Atlántidas, casó con Cibeles, que le hizo padre de Coribas. Según otros fue amado de Ceres, de la cual tuvo a Pluto, esta diosa dio a luz en la isla de Creta: alegoría ingeniosa que indicó que la agricultura es el verdadero origen de la riqueza. Queriendo Júpiter distinguir a Jasión de los otros hijos, le enseñó los misterios sagrados. Habiendo permanecido en su patria, mientras que su hermano Dárdano había ido a establecerse en las costas de Troada, Jasión recibió en ella a Cadmo, y le dio a su hermana Harmonía en matrimonio. Este fue el primer himeneo al que asistieron los dioses. *Homero* y *Dionisio de Halicarnaso*, pretenden que este mismo Jasión, habiendo querido atentar al honor de Ceres, fue muerto por un rayo.

JASO. Hija de Esculapio y Epione, diosa de la enfermedad. Se la representa en un monumento donde se ve a Esculapio, teniendo en una mano una caja, que es quizá la pixis, o caja de los remedios. R. *iasthai*, curar. *Banier*, t. 1, 5.

JASÓN. Hijo de Esón y Alcímedes. Su padre, rey de Yolco, en Tesalia, había sido destronado por Pelias, y el oráculo había predicho que el usurpador sería arrojado del trono por un hijo de Esón. Por lo mismo, apenas él hubo nacido, cuando su padre hizo correr el rumor de que el niño estaba enfermo. Pocos días después publicó su muerte y preparó los funerales, mientras que su madre le llevó secretamente al monte Pelión, donde Quirón, el centauro más sabio y hábil de su tiempo, tomó la educación a su cargo y le enseñó las ciencias de que hacía profesión, particularmente la medicina; lo que hizo dar al joven príncipe el nombre de Jasón, en lugar del de Diómedes que había recibido en su nacimiento.

Queriendo Jasón, a la edad de veinticuatro años, abandonar su retiro, fue a consultar el oráculo, que le mandó vestirse como los magnesios, que juntase a este vestido una piel de leopardo, semejante a la que traía Quirón, que se armase de dos lanzas, y que con este equipaje se presentase en la corte de Yolco, lo que ejecutó. En el camino se vio detenido por el río o torrente Anauro, que había salido de madre. Felizmente, una vieja que encontró en la ribera se ofreció a pasarle sobre su espalda. Esta era Juno que, según algunos autores, estaba enamorada de su hermosura. *Servio* dice solamente que esta diosa le amaba, porque habiéndose presentado bajo la figura de una vieja, y habiéndole rogado que la pasase a la otra parte del río Anauro, este joven príncipe, sin saber que era Juno a quien le había hecho este servicio, que ella no olvidó jamás. Otros, en fin, pretenden que Juno no tenía a Jasón el menor afecto, sino porque le miraba como el héroe que algún día debía vengarse de Pelias, a quien aborrecía. *Diodoro* añade una circunstancia al pasaje del río, y es que Jasón en el tránsito perdió uno de sus zapatos. Esta particularidad minuciosa adquiere un poco más de interés, porque el oráculo que había predicho a Pelias que le destronaría un príncipe de la sangre de los Eólidas, había añadido que se guardase de un hombre que se le presentaría con un pie desnudo y el otro calzado. Llegado Jasón a Yolco, atrajo la atención de todo el pueblo por su hermosa fisonomía y por la singularidad de su equipaje, se dio a conocer por hijo de Esón y pidió atrevidamente a su tío la corona que había usurpado. Aborrecido Pelias por sus súbditos, habiendo observado el interés que inspiraba el joven príncipe, no osó emprender nada contra él y, sin rehusarle abiertamente, buscó el modo de eludir la súplica de su sobrino, y alejarlo de sí, proponiéndole una expedición gloriosa pero llena de peligros. Fatigado por unos sueños terribles, hizo consultar el oráculo de Apolo y supo que era menester apaciguar los manes de Frixo, descendiente de Eolo, asesinado cruelmente en la Cólquida, y conducirles a Grecia; pero su avanzada edad era un obstáculo para tan largo viaje.

Jasón se hallaba en la flor de su edad: su deber y su gloria le llamaban a él, y Pelias juró por Júpiter autor de su familia, que a su vuelta le devolvería el trono que le pertenecía. A esta relación, se añade que, obligado Frixo a alejarse de Tebas, se llevó consigo un Vellocino precioso dorado, cuya conquista debía colmarle a la vez de riqueza y de honor. Jasón se hallaba en la edad en que se ama la gloria, y aprovechó la ocasión de adquirirla. Se anunció su expedición por toda la Grecia; lo más escogido de los héroes se trasladó de todas partes a Yolco para tomar partido en ella, Jasón escogió a los cincuenta y cuatro más famosos; el mismo Hércules se les une, y dio a Jasón el honor de ser su jefe, como a quien interesaba más la expedición, por ser pariente cercano de Frixo.

Cuando estuvo todo preparado para el viaje, Jasón, antes de hacerse a la vela, ofreció un sacrificio solemne al dios autor de su raza, y a todas las divinidades que creía podrían ayudarle en su empresa: Júpiter, dice *Píndaro*, prometió por la voz de trueno, su socorro a esta tropa de héroes. Después de una navegación larga y peligrosa, cuyas diversas aventuras han abastecido de materiales a dos poemas, el uno griego de *Apolonio*; el otro latino, de *Valerio Flaco*, los Argonautas llegaron a Colcos. El Vellocino de oro, llevado allí por Frixo, era guardado por toros que despedían llamas y por un horrible dragón. Juno y Minerva, que amaban a Jasón, hicieron que Medea se enamorara de este príncipe, a fin de que el arte de los encantos en que se distinguía le hiciera salir vencedor de los peligros a que iba a exponerse. Entretanto, Jasón y Medea se encontraron fuera de la ciudad, cerca del templo de Hécate, donde ambos se habían dirigido para implorar el socorro de la diosa Medea, que tomaba ya interés en el héroe, le prometió los socorros de su arte si quería darle su amor. Después de sus mutuos juramentos, se separaron, y Medea fue a preparar todo lo necesario para salvar a su amante. Tales eran las condiciones a las cuales Etes consentía en volver el Vellocino de oro a Jasón: debía uncir al yugo dos toros, regalo de Vulcano, que tenían los pies y las astas de cobre, y que vomitaban torbellinos de llamas, a un arado de diamantes, y hacerles desmontar cuatro fanegas de un campo consagrado a Marte, para sembrar en ellas los dientes de un dragón de los cuales debían nacer hombres armados que era menester exterminar, en fin, matar al monstruo que velaba sin cesar en la conservación de este precioso depósito, ejecutar todos estos trabajos en un solo día. Seguro de los socorros de Medea, Jasón todo lo aceptó, amansó los toros, los puso el yugo, trabajó el campo, sembró en él los dientes del dragón, lanzó una piedra en medio de los combatientes que la tierra vomitó, los llenó de tal modo de furor que se mataron entre sí, adormeció al monstruo con hierbas encantadas y una bebida mágica, le quitó la vida y robó el precioso depósito. Perseguidos en la fuga los dos amantes, degollaron a Apsirto, hermano de Medea, y sembraron sus miembros esparcidos para retardar los pasos del rey. Circe les recibió sin conocerlos, los reconoció y los arrojó de su casa. Llegaron a la corte de Alcianoo, rey de los fescios, donde se casaron. Desde allí se dispersaron los Argonautas y los esposos llegaron a Yoleo, con la gloria de haber salido bien de una empresa en la que Jasón debía haber perecido. Sin embargo, Pelias no se apresuró a cumplir su promesa y conservó el trono que había usurpado. Medea encontró medio de deshacer a su esposo de este enemigo, haciendo degollar a Pelias por sus propias hijas, bajo pretexto de remozarle. Este crimen no volvió la corona a Jasón. Acasto, hijo de Pelias, se apoderó de ella y obligó a su rival a abandonar Tealia, y a retirarse a Corinto con Medea. Encontraron en esta ciudad amigos y una fortuna tranquila, y vivieron en ella diez años en la más perfecta unión, cuyo fruto fueron dos hijos, hasta que se turbó por la infidelidad de Jasón.

Este príncipe, olvidando las obligaciones que debía a su esposa y los juramentos que le había hecho, se enamoró de Glaucea, hija del rey de Corinto, se casó con ella y repudió a Medea. La venganza siguió de cerca la injuria; la rival, el rey su padre, y los dos hijos de Jasón y Medea

fueron las víctimas. Según unas antiguas poesías, Jasón no se había retirado a Corinto sino a Corcira. *Justino* (41, c.2.) refiere, según *Trogo Pompeio*, que Medea volvió a la Cólquida con Jasón, que se reconcilió con ella, que allí habían restablecido a Estes en el trono, del cual le había arrojado una facción poderosa; que Jasón había hecho la guerra a los enemigos de su cuñado; que había conquistado una gran parte de Asia, y se había granjeado tanta gloria, que se le honró como dios, y aun en tiempo de Alejandro el Grande, se veían algunos de sus templos que Efestión hizo demoler, a fin de que nadie pudiese compararse con su señor; pero esta narración queda destruida por las tradiciones griegas, que hacen morir a Jasón en Tesalia. Después del retiro de Medea y la muerte del rey de Corinto, su protector, Jasón llevó una vida errante sin tener establecimiento fijo. Medea, según refiere *Eurípides*, le había ofrecido que, después de haber vivido bastante para experimentar todo el peso del infortunio, pereciera abrumado bajo los restos de la nave de los Argonautas, lo que en efecto sucedió. Un día que descansaba en la orilla del mar, al abrigo de esta nave que se había sacado al seco, un madero que se desató le rompió la cabeza. *Eurip. y Sen. Ovid. Met. 7, Trist. 3, el. 9, Apol. Rod. Val. Flac. Pínd. Nem. 3, Diod. 4, Paus. 2, 5, Apolod. 1, c. 9. Cic., Estrab. 7, Higin, 5, Aten. 13. Plut.*

JEBIS o JEBISU. (*Mit. jap.*) Divinidad japonesa que se asemeja al Neptuno de los antiguos paganos.

JECHA. Divinidad honrada en Turingia.

JEDUD o Jedod. Divinidad de los germanos, que se cree corresponde al Mercurio griego, al Ogmius galo, y que domina como ellos el comercio y el fraude.

JEHOVAH. Nombre de Dios entre los hebreos. Este nombre suena mucho entre los cabalistas judíos. He aquí la explicación que le dan: Todos los nombres y sobrenombres de la divinidad vienen del de Jehovah, al modo que las hojas y las ramas de un gran árbol salen de un mismo tronco; y este nombre inefable es una fuente inagotable de maravillas y misterios. Este nombre es el lazo de todos los esplendores o sefiroth, es su columna y apoyo. Todas las letras que lo componen están llenas de misterios. El *Jod* o J. es una de las cosas que el ojo nunca ha visto. Está oculta a todos los mortales. No se puede comprender ni la esencia ni la naturaleza: está prohibido hasta el reflexionar sobre ella. Cuando se pregunta que es, se responde *No*, como si fuese la nada. Puede el hombre pasear su entendimiento de un extremo de los cielos a otro, pero le está prohibido acercarlo a esta luz inaccesible, a esta existencia primitiva que encierra la letra Jod. Es menester creer sin examinar y sin profundizar. Esta letra es la que procedente de la luz primitiva, ha dado el ser a sus emanaciones. Algunas veces se quedaba en el camino, pero adquiría nuevas fuerzas con el socorro de la letra *e*, que es la segunda del nombre inefable.

Las otras letras encierran también misterios, y tienen sus relaciones particulares a las *sefiroth*. La última letra, que es la *h*, descubre la unidad de un Dios y de un Creador; pero de esta unidad salen cuatro grandes ríos, las cuatro majestades de Dios, que los judíos llaman *Schekinah*. Moisés lo ha dicho, porque refiere que un río regaba el jardín del Edén, el paraíso terrestre, y que en seguida se dividía en cuatro ramales. El nombre entero de Jehovah encierra todas las cosas; por esto el que lo pronuncia pone en su boca el mundo entero y todas las criaturas que le componen. De aquí el motivo porque nadie debe pronunciarlo sin gran precaución. El mismo Dios lo dijo: *No tomarás en vano el nombre del Eterno.* Así se trata de los juramentos que se violan, y en los cuales muy mal a propósito se llama a Dios por testigo de las promesas que se hacen: pero la fe prohibe pronunciar este gran nombre, excepto en su templo, cuando el soberano sacrificador entra en el lugar muy santo, el día de las propiciaciones.

Es menester enseñar a los hombres una cosa que ignoran, y es que el que pronuncia el nombre del Eterno o Jehovah, hace mover el cielo y la tierra, a proporción que mueve su lengua o sus labios. Los ángeles sienten este movimiento del universo, se admiran, y se preguntan entre sí porque se estremece el mundo. Se responde que es porque un impío ha movido los labios para pronunciar este nombre inefable, y que este nombre ha movido todos los nombres y sobrenombres de Dios, que han comunicado su movimiento al cielo, a la tierra y a todo lo creado.

Este nombre ejerce sobre todas las criaturas una autoridad soberana. El es el que con su poder gobierna los nombres y sobrenombres que se forman a su alrededor, como los oficiales y soldados alrededor de su general. Algunos que ocupan la primera línea, son los príncipes y los porta-estandartes: los otros son como las tropas y los batallones que componen el ejército. Debajo de los LXX nombres, están los LXX príncipes de las naciones que forman el universo. Luego el nombre de Jehovah influye sobre los nombres y sobrenombres, se hace una impresión de estos nombres sobre los príncipes que dependen de ella, y los príncipes sobre los pueblos que gobiernan. De este modo el nombre de Jehovah lo gobierna todo. Se representa este nombre bajo la figura de un árbol que tiene LXX brancas y sacan su jugo y savia de un mismo tronco; y este es el árbol de que habla Moisés, que estaba plantado en medio del paraíso, y cuya fruta estaba prohibida a Adán. O bien este nombre es un rey que tiene diferentes vestidos, según los varios estados en que se encuentra; cuando este príncipe se halla en paz se pone soberbios vestidos, para deslumbrar a los pueblos; cuando está en guerra se arma de una coraza, y casco, y se desnuda cuando se retira a su aposento sin cortesanos y sin ministros; en fin, descubre su desnudez cuando se encuentra solo con su mujer.

Las LXX naciones que pueblan la tierra tienen sus príncipes en el cielo, donde rodean al tribunal de Dios como oficiales prontos a ejecutar las órdenes del rey. Rodean el nombre de Jehovah y le piden, todos los primeros días del año, sus albricias, es decir una porción de bendiciones que debe derramar sobre los pueblos que le están sujetos. En efecto, estos príncipes son pobres, y tendrían pocos conocimientos si no los sacasen del nombre inefable que les ilumina y les enriquece. Les da al principio del año lo que necesitan para cada nación y no tienen que añadir ni quitar nada a esta medida. Los príncipes tienen mucho que pedir y rogar durante todos los días del año, y estos pueblos mucho que pedir a sus príncipes, aunque sin ninguna utilidad. Esta es la diferencia que hay entre los pueblos de Israel y las demás naciones. Como este nombre de Jehovah es el nombre propio de los judíos, pueden obtener todos los días nuevas gracias: porque Salomón dice que estas palabras, con las cuales suplica a Dios, serán presentadas delante del Eterno, Jehovah, el día y la noche; pero David asegura, hablando de las demás naciones, que ellas rogarán a Dios, y que no las salvará.

La intención de los cabalistas es enseñarnos que Dios conduce inmediatamente al pueblo de los judíos, mientras que deja las naciones infieles bajo la protección de los ángeles. Pero ellos llevan más allá este misterio. Hay gran diferencia entre las diversas naciones, entre las cuales las unas se presentan menos agradables a Dios, y son tratadas con mayor dureza que las demás. Pero esto deriva de que los príncipes están diferentemente colocados alrededor del nombre de Jehovah; porque aunque todos estos príncipes reciben su alimento de la letra *Jod* ó *J*, que empieza el nombre de Jehovah, sin embargo la porción es diferente según la plaza que ocupan. Los que tienen la derecha, son príncipes dulces, liberales, pero los de la izquierda son duros y despiadados. De aquí viene también lo que dice el Profeta, que vale más esperar en Dios que en el príncipe, como hace la nación judía, sobre la cual Jehovah influye inmediatamente. Además, se ve aquí la razón de la conducta de Dios sobre el pueblo judío. Jerusalén es el ombligo de la tierra, y esta ciudad se encuentra en medio del mundo. Los reinos, las provincias, los pueblos y las naciones la rodean por todas partes, porque está inmediatamente bajo el nombre de Jehovah. Allí se halla su propio nombre; y como los príncipes, que son los jefes de las naciones, están arreglados alrededor de este nombre

en el cielo, las naciones infieles rodean al pueblo judío sobre la tierra.

**JEHUD** o **JEHOUD.** Hijo de Saturno y la ninfa Anobreth, según *Porfirio*. «Reinando, dice, Saturno en Fenicia tuvo un hijo de la ninfa Anobreth, al cual llamó *Jehud*, que en su lengua significa *único*. En una guerra muy peligrosa que tuvo que sostener, cubrió a su hijo con los adornos de rey y le inmoló en un altar elevado expresamente para este sacrificio.»

**JENXUANS.** (*Mit. jap.*) Una de las doce sectas que dividían Japón. (*V.* Fobem.)

**JEOUD.** (*V.* Jehud.)

**JEQUE.** (*V.* Sheik.)

**JEROGLÍFICOS.** (*Iconol.*) Primeros signos o caracteres de los que se sirvieron en otro tiempo los egipcios para expresar sus pensamiento sin el auxilio de la palabra. Las maderas, las piedras, las plantas, los animales, los artefactos, las partes del cuerpo humano, sirvieron para este objeto; y de expresiones simples que eran en su origen, se convirtieron en otros tantos enigmas, carácteres sagrados, objetos de culto y, en fin, en preservativos o talismanes. El método jeroglífico fue empleado de dos manera, o tomando la parte por el todo, o sustituyéndose una cosa que tiene cualidades semejantes, en lugar de otra. El primero formó el jeroglífico curiológico: el segundo el jeroglífico trópico. Por ejemplo: algunas veces se representaba la luna por un semicírculo, y otras veces por un cinocéfalo. La segunda especie produjo el jeroglífico simbólico, que se perfeccionó por sí mismo y se complicó de modo que vino a ser un lenguaje misterioso, cuyo conocimiento estaba reservado exclusivamente a los sacerdotes.

Algunos ejemplos darán una idea más exacta de los jeroglíficos en su origen: para representar al sol y sus efectos, pintaban un hombre con rostro de fuego y cuernos, un báculo en la mano derecha, siete círculos en la izquierda y con alas en sus espaldas. El fuego del rostro significaba el calor que vivifica todas las cosas; los cuernos, los rayos; la barba, los elementos; el báculo era el símbolo del poder que tenía sobre todos los cuerpos sublunares; sus muslos eran la tierra cargada de árboles y de mieses; salía el agua de su ombligo; sus rodillas indicaban los montes y las partes escabrosas de la tierra; sus alas, los vientos y la celeridad de su carrera; en fin, los círculos eran símbolos de los planetas. Cuando se quería dar a entender que un juez no debe ser sensible ni al interés ni a la compasión, se figuraba un hombre sin manos y con los ojos bajos. Una serpiente enroscada a modo de círculo era símbolo del universo; y, un pichón negro, el de una joven viuda solitaria que no piensa en casarse. Dos ejércitos formados en batalla se representaban por dos manos, una de las cuales tenía un arco y la otra un escudo. Para demostrar que nada se escapa al Todopoderoso, se prepresentaban ojos y orejas sobre los muros, y principalmente sobre los frontispicios de los templos. Para apartar a los importunos de la casa de un ministro, se pintaba sobre la puerta un viejo con los ojos bajos y un dedo en la boca. Un melocotón cargado de frutos denotaba un hombre que sus viajes le han mejorado. Egipto se hallaba simbolizado ya por un cocodrilo, ya por un incensario encendido y con un corazón encima. En el vestíbulo de un templo de Minerva en Sais, se veían las figuras de un viejo, un halcón, un pescado y un caballo marino, todo lo cual expresaba esta sentencia moral: «Vosotros, todos los que entrais en el mundo y los que salis de él, sabed que los dioses aborrecen la imprudencia.» R. *glypo*, yo gravo. *Villoison* piensa con bastante fundamento que estros jeroglíficos servían principalmente para indicar, el nacimiento y ocaso del Sol, las fases de la Luna, las observaciones astronómicas, las predicciones y el engrosamiento del Nilo. Se hallaban con mucha frecuencia en los calendarios egipcios, y esta opinión más que plausible, añade nueva fuerza al sistema que sólo ve en la mitología griega el cuadro astronómico del cielo y la sucesión de las estaciones. *Mem. de la Acad. de Inscr. t. 4, 5.*

**JESCHTS** (*Mit. pers.*) Himnos de Zoroastro, en alabanza de Ormuz. En uno de estos himnos, el profeta pide a Dios cual es esta palabra inefable que derrama la luz, da la victoria, conduce la vida del hombre, desconcierta los espíritus malignos y concede la salud del cuerpo y el espíritu, y Ormuz le responde: *Este es mi nombre. Esté continuamente en tu boca mi nombre, y no temerás ni la flecha del Tchakar, ni su puñal, ni su espada, ni su clava:* A esta respuesta, Zoroastro se postró y dijo: *Yo adoro la inteligencia divina, que encierra la palabra, su entendimiento que la medita y su lengua que la pronuncia sin cesar.*

**JESSA.** El Júpiter de los pueblos de la Sarmatia europea.

**JESUMI.** (*Mit. jap.*) Ceremonia que los japoneses celebraban todos los años, y cuyo objeto era inspirar horror por el cristianismo, e impedir que se introdujera de nuevo en el imperio. Los inquisidores encargados de esta función, se trasladaban a diferentes ciudades, visitaban puntualmente todas las casas, y tenían una noticia exacta de todos los que las habitaban. Después de esta ceremonia hacían comparecer todos aquellos cuyos nombres estaban inscritos en los registros, hombres, mujeres, niños y viejos, y les obligaban a posar un crucifijo y una imagen de la virgen, para probar de este modo, su horror hacia el cristianismo. Los inquisidores repetían el mismo acto, y enviaban al gobernador de la provincia una lista fiel de los miembros de cada familia, cuya lista iba sellada por uno de estos oficiales.

**JETIS.** Hijo de Atergatis, reina de Siria. (*V.* Mopso. 6.)

**JEZD, JEZDAN, IZED.** (*Mit. pers.*) Nombre del dios todo poderoso en la antigua lengua persa. Lo es también del primer principio del bien.

**JÉZIDE o JECIDEO.** Nombre que significa *hereje* entre los mahometanos. En este sentido, Jezideo es opuesto a musulmán.

Algunos hablan de los *jézides*, como de un pueblo particular que habla una lengua diferente del turco y del persa, aunque se semeja algún tanto a la primera. Dicen que hay dos especies de *jézides*, blancos y negros. Los primeros no traían el cuello de sus camisas hendido: no tenía más que una abertura redonda para meter la cabeza, y esto en memoria de un círculo de oro y luz bajado del cielo en el cuello de su gran *sheik*, o jefe de sus sectas. Los jézides negros son *fakires* o religiosos. (*V. Fakires.*)

Los turcos y los *jézides* se aborrecen mutuamente; de modo que la mayor injuria que podía hacerse a un hombre en Turquia era llamarle *jézide*. Al contrario, los jézides amaban mucho a los cristianos, porque una de sus tradiciones decia que Jezide hizo en otros tiempos alianza con los cristianos contra los musulmanes.

Bebían vino, y a veces en exceso, y comían tocino. No recibían la circuncision, sino cuando los turcos les obligan a admitirla. Su ignorancia era extremada: no tenían ningún libro; sin embargo creían en el Evangelio y en los libros sagrados de los judíos, sin leerlos ni tenerlos; hacían votos y peregrinaciones; pero no tenían ni mezquitas, ni templos, ni oratorios, ni fiestas, ni ceremonias, y todo su culto se reducía a cantar canciones espirituales en honor de Jesucristo, de la Virgen y de Mahoma. Cuando oraban se volvían hacia el lado del oriente, como los cristianos, mientras que los turcos miraban entonces al medio día: creían posible que el diablo se reconciliara con Dios, y lo miraban como ejecutor de su justicia en el otro mundo. De aquí se deduce que es un deber de religión el no maldecirlo, temerosos de que no se vengará. Así cuando hablaban de él le llamaban el ángel pavo; o el que los ignorantes maldecían.

Los jézides negros eran reputados por santos, y no estaba permitido llorar su muerte; al contrario todos se alegraban y la mayor parte de ellos eran pastores. Les estaba prohibido matar por sí mismos los animales que debían comer, y dejaban este cuidado a los *jézides* blancos. Los *jézides* caminaban juntos como los árabes, mudaban con frecuencia de residencia, y habitaban debajo de tiendas negras hechas de pelo de cabra, y rodeadas de cañas, y de espinas atadas juntas. Disponían estas tiendas en círculo y ponían en medio a sus rebaños. Compraban sus mujeres, cuyo precio, fueran cuales fueren, era por lo común de 200 escudos. Les era permitido el divorcio, cuando tenía por

objeto hacerse fakir. Era un crimen entre ellos afeitarse o cortarse la barba por poco que fuera. Tenían ciertas costumbres que parecían demostrar que descendían de los cristianos; por ejemplo en sus festines el uno presentaba al otro una taza llena de vino, y le decía: Tomad el cáliz de la sangre de Jesucristo. Este bajaba la mano del que le presenta la taza y bebía.

JOB. (*Mit. mah. y rab.*) Los alquimistas decían que Job, después de su aflicción, llegó a ser tan poderoso que llovía en su casa sal de oro, idea análoga a la de los árabes. *Isidoro* pone en la Ideuma una fuente del mismo nombre, clara tres meses del año, turbia otros tres meses, verde en el mismo tiempo y encarnada los meses restantes. Quizás es la fuente que, según los musulmanes, hizo salir el ángel Gabriel hiriendo la tierra, y en la cual lavó a Job y le sanó. *Bibl. orient.*

JOCO. Dios de la chanza y de los chistes (*V. Juegos, Momo.*)

JONIA. 1 — Provincia del Peloponeso de donde los jonios, arrojados por los aqueos, pasaron al Asia Menor. *Herod.* 2.

2 — Provincia marítima de Asia Menor, poblada de diferentes colonias griegas. *Estrab. 14, Mela, 1, c. 2. Paus. 7, c. 1.*

JÓNICO. 1 — Uno de los cinco órdenes de arquitectura. *Vitruvio* dice que conviene a Juno, Diana, Baco y otras divinidades de esta especie; y la razón que da es que este orden es un medio entre la severidad del dórico y la delicadeza del corintio, y que esta mediocridad cae bien a estas divinidades.

2 — Especie de danza, llamada así del país que la usaba. *Estrab.*

JONIO. 1 — Hijo de Dirraquio, que dio, según *Dídimo*, su nombre al mar Jonio, donde le arrojó Hércules después de haberle matado por descuido.

2 — Mar entre Grecia y Sicilia. Según otros, trajo su nombre de Io, que lo atravesó transformada en vaca. (*Estrab. 7.*) Según otros, lo debía a un tal Ión, padre de Adria, que dio su nombre al mar Adriático.

JONIOS. Colonia de jonios asiáticos. Llegaron a Egipto en tiempo en que Psamético, uno de los reyes egipcios, había sido destronado por los otros reyes. El oráculo le había predicho que sería vengado por unos hombres de metal que saldrían del mar, y así, cuando desembarcaron los jonios, este príncipe, juzgando que iba a cumplirse el oráculo, hizo alianza con ellos y triunfó de los otros reyes. *Herod. 2.*

JOPPEA. Hija de Eolo, mujer de Cefeo, se dice que dio este nombre a la ciudad de Palestina fundada por su marido. *Ptol. 5, Estrab. Mela.*

JOS. (*Mit. chin.*) Dioses penates de los chinos. Cada familia tiene el suyo, al cual honra con un culto particular.

JOU. Verdadero nombre de Júpiter, del cual *Jovis* es el genitivo. Los celtas o los galos llamaban a este dios *Jou*, joven, para significar que no envejecía. Le estaba consagrado el monte Jou, en los Alpes, llamado, por los latinos *mons Jovis*. El día de la semana que llevaba su nombre, *Dies Jovis*, se pronuncia aún en las provincias meridionales de Francia. *Di-Jou.*

JOVIALIA. Fiestas que celebraban los latinos en honor de Júpiter. Correspondían a las llamadas por los griegos. *Banier, t. 1.* (*V.* Diasias.)

JOVIO. Sobrenombre de Hércules, hijo de Júpiter. Diocleciano había tomado también este nombre. *Crevier, Hist. de los emper. t. 6.*

JUBA. Rey de Mauritania. *Minucio Félix* dice que los moros le honraban como dios. Tenía también un altar en el Atica.

JUBILEO. (*Mit. índ.*) Los habitantes del reino de Laos, en Asia, conservaban una especie de jubileo todos los años, en el mes de abril, durante el cual los sacerdotes distribuían indulgencias plenarias. Entonces se exponía a la estatua de Xaca, divinidad principal del país. Colocada sobre un altar muy elevado, en medio de un vasto patio, o según otros de un templo, en una torre de cien codos de altura, con gran número de ventanas, a través de las cuales se veía la estatua. Alrededor del dios Xaca colgaban un gran número de hojas de oro muy fino, que el menor viento agitaba y que, chocando entre sí, producía un sonido muy agradable, y formaban una especie de repique de campanas dulce y armonioso. Los talapones rodeaban la torre en la cual estaba encerrada la estatua de Xaca y recibían las ofrendas de toda especie que el pueblo llevaba en honor de la divinidad. Todas estas ofrendas quedaban colgadas en el templo, excepto la que los talapones reservaban para su uso. Para atraer más a los pueblos, estos monjes astutos cuidaban de adornar magníficamente los pórticos y los patios del templo. Hacían representar en ellos farsas y recitar versos en honor de Xaca. Se alegraba la fiesta con conciertos y hacían danzar al pueblo al son de los instrumentos. Esta fiesta duraba todo el mes de abril. Cada día, un talaponés hacía un sermón al pueblo; y para la conclusión de este jubileo, el más elocuente de entre ellos pronunciaba un discurso pomposo y trabajado, en el cual recapitulaba todo lo que sus cofrades habían dicho durante el mes.

(*Mit. mex..*) Los mejicanos tenían una especie de jubileo, que celebraban de cuatro en cuatro años. Consistía en una fiesta solemne, durante la cual se imaginaban recibir el perdón general de sus pecados. Las ceremonias eran con poca diferencia las mismas que las de la fiesta de Texcatlipoca, dios de la penitencia. (*V.* este nom.) Lo que había de particular en la fiesta del jubileo era que, muchos jóvenes de los más veloces y vigorosos, se desafiaban mutuamente en la carrera. Se proponían subir, sin tomar aliento, a la cima de un monte muy rápido, en el cual se hallaba el templo de Tezcatlipoca, y el que primero llegaba a él alcanzaba el premio. Recibía los mayores honores y, entre otros privilegios, se le permitía llevarse los manjares sagrados que se habían servido al ídolo, y los cuales solo los sacerdotes tenían derecho a tocar.

JUDEA. (*Iconol.*) En una medalla del emperador Adriano está representada por tres niños, que denotan las tres provincias de Judea propiamente dicha, Galilea y Arabia Pétrea. Otros la representan con ropaje, apoyada en un palmero. En una medalla de Vespasiano, se ve Judea dependiente, Judea Devicta, caracterizada por una mujer cubierta de un velo, cerca de un palmero. Tiene los brazos caídos, imagen de su debilidad.

JUECES DEL INFIERNO. *Platón* dice que antes del reinado de Júpiter, había una ley establecida desde el principio del mundo, que al salir de la vida, los hombres fuesen juzgados para recibir la recompensa o el castigo de sus buenas o malas acciones. Pero como este juicio se celebraba en el instante que presidía la muerte, estaba sujeto a grandes injusticias: los príncipes avaros y crueles comparecían delante de los jueces con toda la pompa y aparato de su poder, les deslumbraban y les ponían tímidos, de modo que pasaban sin dificultad a la morada feliz de los justos; al contrario, los buenos, pobres y sin apoyo, estaban expuestos a la calumnia y condenados como culpables. La fábula añade que movido Júpiter por las infinitas instancias que se le dirigían, mudó la forma de estos juicios: fijando el tiempo en el momento que sigue a la muerte. Radamantis y Eaco, hijos ambos de Júpiter, fueron establecidos jefes, el primero por los asiáticos, el segundo por los europeos; y Minos para decidir soberanamente en caso de oscuridad e incertidumbre. Su tribuna se hallaba colocada en un lugar llamado Campo de la Verdad, porque no se podía acercar a él la mentira y la calumnia; y confinaba por una parte con el Tártaro y por la otra con los Campos Elíseos. Allí comparecieron los príncipes; desnudos de su grandeza, reducidos a sí mismos, sin defensa y sin protección, mudos y trémulos por su suerte, después de haber hecho temblar toda la tierra. Si el juzgado se encontraba culpable de crímenes que podían ser expiados, se le confinaba por cierto tiempo al Tártaro, y con seguridad de salir de él cuando se hallara suficientemente purificado. Tales son las ideas que tenía sobre la otra vida un filósofo clásico. Los griegos habían sacado la idea de este juicio después de la muerte, de una antigua costumbre de los egipcios, que refiere *Diodoro*: «Cuando un hombre muere en Egipto, dice, se anuncia el día de los funerales, primeramente a los jueces, después a toda la familia y amigos del difunto; al instante se reunen cuarenta jueces y van a sentarse en su tribunal, erigido en la otra parte de un lago antes de hacer pasar el muerto por este lago. La ley permite a todos quejarse contra el muerto. Si alguno es convencido de haber vivido mal, los jueces dan la sentencia y privan al muerto de la gloria que se le había preparado, pero si el que ha intentado la acusación no la prueba, está sujeto a grandes penas. Cuando no se presenta ningún acusador, o los que se presentan son convencidos de calumnia, todos los parientes se quitan el luto, alaban al difunto, sin hablar siquiera de su raza, pues todos los egipcios se creen igualmente nobles, y en fin ruegan a los dioses infernales que les admitan en la mansión de los bienaventurados. Entonces todos los asistentes felicitan la muerte del que debe pasar a la eternidad a gozar de la paz y de la gloria».

JUDÆUS y HIEROSOL. MUS. Eran, según *Plutarco* (*Isis y Osiris*), hijos y hermanos de Tifón. El primero dio su nombre al país y a la nación, y el segundo a la capital.

JUEGOS. 1 — (*Iconol.*) Jocio, dioses a quienes hacen presidir en los placeres del cuerpo y del espíritu, y a los cuales se atribuyen todo lo que se encuentra, tanto en las personas como en los modales, y también en las obras del espíritu. Se les representa como niños, con alas de mariposa, desnudos, risueños, siempre festivos pero con gracia. Componen, junto con las Risas y los Amores, la corte de Venus, y jamás abandonan a su soberana.

2 — *Ludi*. Especie de espectáculos consagrados por la religión entre los griegos y los romanos. No había siquiera uno que no fuese dedicado a algún dios particular o a muchos a la vez. Aun más: existía un decreto del senado para que todos los juegos fuesen consagrados a alguna divinidad. Nunca se empezaba la solemnidad sin haber ofrecido sacrificios y otras ceremonias religiosas; y su institución tuvo siempre por motivo, por lo menos aparente, la religión o algunos otros deberes. Es verdad que la política llevaba también parte en ello, porque los ejercicios de estos juegos servían ordinariamente para dos fines. Por una parte, los griegos adquirían en ellos, desde su juventud, el espíritu marcial, y se hacían

de este modo aptos para las fatigas militares; por otra parte se hacían más dispuestos, más vigilantes, más robustos, siendo estos ejercicios muy propios para aumentar las fuerzas del cuerpo y procurar una vigorosa salud. Había tres especies de ejercicios: carreras, combates y espectáculos. Los primeros, que fueron llamados juegos *ecuestres* o *curales*, consistían en carreras que se hacían en el circo dedicado a Neptuno o al Sol. Los segundos llamados *agonales*, se componían de combates y luchas, tanto de hombres como de animales instruidos para este objeto, los cuales se hacían en el anfiteatro consagrado a Marte y a Diana. Los últimos, o juegos *escénicos*, consistían en tragedias, comedias y sátiras, que se representaban en el teatro en honor de Baco, Venus y Apolo. *Homero* describe en la *Ilíada* los juegos que hizo Aquiles en la muerte de su amigo Patroclo, y en la *Odisea* diferentes juegos entre los feacios, en la corte de Alcinoo; en Itaca, etc. *Virgilio* hace celebrar también juegos por Eneas en el sepulcro de su padre Anquises. Entre los romanos se distinguían también los juegos fijos y los juegos votivos y extraordinarios. Entre los primeros, los más célebres eran aquellos que se llamaban por excelencia *grandes juegos*, o *juegos romanos*. Se celebraban desde el 4 al 14 de septiembre, en honor de los dioses mayores, esto es, Júpiter, Juno y Minerva, para la conservación del imperio. La prodigalidad de los ediles para estos juegos rayaba en locura. Eran también muy célebres entre los juegos fijos los seculares (*V*. este nom.) Los *votivos* eran los que se habían prometido celebrar, si salía felizmente alguna empresa, o si alguno se libraba de alguna calamidad. Los *extraordinarios* eran los que daban los emperadores cuando iban a partir para la guerra, los de los magistrados antes de entrar en su dignidad, los juegos fúnebres etc. La pompa de todos estos juegos no consistía menos en la magnificencia de los espectáculos que en el gran número de víctimas, y sobre todo, de gladiadores, espectáculo favorito del pueblo romano. *Mem. de la Acad. de inscrip. t. 1*.

JUEVES. Estaba consagrado este día al planeta de Júpiter. Los atenienses lo contaban entre los días aciagos, y esta superstición, hizo diferir, largo tiempo, las asambleas que debían celebrarse en este día.

JUEZ . (*Iconol.*) Se representa bajo la figura de un hombre en la edad madura, cubierto de un largo vestido de púrpura, y con una gorra en la cabeza. Empuña un bastón de mando rodeado de una serpiente. Delante de él se ve abierto el libro de las leyes. El águila y el reloj que tiene a sus lados indican su penetración y su exactitud, y la piedra de toque, donde se ve una señal de oro y otra de cobre, anuncia que debe distinguir lo verdadero de lo falso.

JUGA. Nombre que se daba a Juno como presidenta de los matrimonios. Este nombre viene de *jugum*, aludiendo al yugo que se ponen en efecto los dos esposos en la ceremonia de las bodas, o porque el matrimonio les ponía bajo el mismo yugo. *Festo.*

JUGALIS. La misma acepción que Juga. *Servio.*

JUGALIUS VICUS. Calle de Roma, donde Juno Juga tenía un altar.

JUGATINA. La misma acepción que Juga.

JUGATINO. Los romanos tenían dos dioses de este nombre, uno de los cuales presidía los matrimonios, y el otro en las cimas de los montes, *juga*..

JUGURES. Tártaros que no reconocen más que un dios, pero que veneran las imágenes de sus padres y de los grandes hombres.

JUICIO. (*Iconol.*) *Gravelot* lo representa apoyado sobre una columna, símbolo de la experiencia. Se caracteriza por la madurez de la edad, una balanza y una regla anuncian que mide sus discursos y regula sus pasos; los crisoles, propios para probar los metales, significan que mete en ellos las opiniones; tiene un niño a sus pies, que prueba el oro con una piedra de toque, y una figurita de Minerva representa el parentesco que hay entre el juicio y la sabiduría.

JUICIO FINAL. (*Mit. mah.*) Los turcos admiten, como los cristianos, dos especies de juicios, el que se hace después de la muerte, o particular, y el juicio universal. Hay, sin embargo una diferencia entre ellos, acerca del juicio particular. «Dios, dice la *Sunna*, no se toma la pena de presidirlo, y da su comisión a los ministros de sus voluntades. Al instante que se pone el cuerpo en el sepulcro, dos ángeles terribles, Moukir y Nakir, le examinan su fe, sus obras, etc. y le castigan cruelmente, sino responde a este temible examen».

En cuanto al alma, un ángel de la muerte viene a recibirla al salir del cuerpo, con el mayor agrado si ha animado el cuerpo de un verdadero creyente, y con mucha aspereza si es de un infiel. Distinguen tres clases de fieles musulmanes: los profetas, cuyas almas son conducidas en triunfo a la morada de los bienaventurados por los otros ángeles que tienen este encargo; los mártires que van a reposar sobre el lomo de ciertos animales verdes, que se alimentan de los frutos del árbol de la vida; en fin, en la tercera clase se encuentran las almas de aquellos sobre cuyo estado están divididos los sentimientos.

«El juicio final, dicen, se celebrará al fin de los siglos, después de la resurrección general, sea de hombres, sea de animales, cuando la trompeta les haya reunido desde las extremidades de la tierra: esperarán cincuenta mil años en el valle de Siria, hasta que sea del agrado de Dios, de decidir su suerte. Durante este tiempo los miembros de los buenos musulmanes, que habrán tenido buen cuidado de lavarse bien antes de la oración, brillarán con la gloria; pero los infieles estarán prosternados en tierra, mudos sordos y ciegos: sus partes sexuales serán negras y deformes. Cuando llegue el fatal momento, el examen de cada hombre no durará más del tiempo necesario para ordeñar una oveja o dos camellas. El ángel Gabriel sostendrá la balanza donde se pesarán las acciones de los hombres: será de una magnitud tan prodigiosa que en sus platillos, de los cuales uno colgará sobre el paraíso y el otro sobre el infierno, podrán caber los cielos y la tierra. Después que los brutos sean juzgados, y que Dios les haya permitido vengarse los unos de los otros, volverán al polvo».

(*Mit. índ.*) Los antiguos persas admitían una especie de juicio universal al fin del mundo, y sus ideas acerca de este punto tenían mucha semejanza con las del cristianismo. Decían que Ormuz o el Ser Supremo, después de haber permitido a Arimán o el demonio, atormentar a los hombres por cierto tiempo, destruiría el universo, y llamaría a todos los hombres a la vida; que los buenos recibirían la recompensa de sus virtudes y los malvados la pena de sus crímenes, y que dos ángeles encargados de ello presidirían el suplicio de estos últimos. Pensaban que los malvados serían admitidos en la compañía de los buenos, después de haber expiado sus crímenes por cierto tiempo; pero que para ser distinguidos llevarían en la frente una marca negra y estarían a mayor distancia que los otros del Ser Supremo.

Según los parsis, las almas, al salir del cuerpo, están obligadas, para trasladarse al otro mundo, a pasar por un torrente cuyas aguas son negras y frías, extendido sobre la espalda de la gehena; éstos son los términos que usa un árabe al hablar de este puente: «En uno de sus extremos hay dos ángeles apostados, que esperan a las almas a su paso para juzgarlas. Uno de ellos tiene en la mano una balanza destinada a pesar las obras de todos los que se presentan. Cuando tales obras se encuentran demasiado ligeras, el ángel examinador da cuenta a Dios, que condena al desgraciado a ser precipitado al torrente, sentencia que se ejecuta inmediatamente. Aquellos cuyas obras tienen en la balanza un peso correspondiente, tienen libertad de pasar el puente para llegar a la morada de las delicias que ha destinado el Ser Supremo para los virtuosos».

(*Mit. afr.*) La mitología de algunas tribus de la Costa de Oro, en Africa (actual Ghana), parecen tener una idea vaga del juicio final. Pretenden que después de la muerte los difuntos serán trasladados a una célebre ribera que llaman *Bosmangue*, que corre en el interior de su país: allí estarán obligados a dar cuenta al ídolo, de todas las acciones de su vida. Si han sido fieles en la observancia de los deberes de su religión, pasarán la ribera y llegarán a una morada deliciosa, donde se les permitirán todos los placeres; pero si, por su negligencia, se han atraído la cólera del fetiche, serán precipitados en las aguas y sumergidos en ellas para siempre.

Algunas mitologías del golfo de Guinea explican que en lo más interior del territorio habitaba un fetichere, o sacerdote de los fetiches, dotado de un poder sobrenatural, que disponía a su gusto de los elementos y las estaciones, leía en lo venidero, penetraba en los más recónditos pensamientos y sanaba con una sola palabra las mayores enfermedades. Añadían que, después de su muerte, los hombres serían presentados delante de este hombre divino, que les haría sufrir un examen riguroso. Si había llevado una vida criminal, el juez tomaría un grueso palo, colocado expresamente delante de su puerta y les daría algunos golpes que les haría morir por segunda vez; pero si había sido irreprensible su conducta, el sacerdote les enviaría a una morada deliciosa a gozar de la felicidad que habría merecido.

JUITZ (*Mit. jap.*) Partidarios ortodoxos del sintoísmo, adheridos a los dogmas y al culto de sus antepasados, sin admitir jamás las innovaciones de la religión del bushido (*V.* Riobus, Sinto.)

JUKHNEH o BENJUKHNER. Ave de una magnitud increíble, que los rabinos dicen estaba destinada a servir al festín de los elegidos al fin del mundo. Esta ave es tan inmensa que si extiende las alas, ofusca el aire y el sol. «Cayendo un día, dicen, un huevo podrido de su nido, dobló y rompió trescientos cedros del Líbano; y habiéndose en fin roto el huevo con el golpe de su caída, arruinó cincuenta villas grandes, las inundó y se las llevó como pudiera hacerlo un diluvio.» (*V.* Behemoth, Leviatán, Mesías.)

JULES. Espíritus aéreos de la mit. lapona. No se representan con ídolos, pero se les tributan honores bajo ciertos árboles plantados a un tiro de dardo de sus habitaciones. Su culto consistía en ofrecer un sacrificio la vigilia de Navidad y al día siguiente. Se preparaban para él con un severo ayuno, y colocaban aparte una porción de sus provisiones. Esta porción se encerraba en una caja de abedul y se colgaba detrás de sus casas, para la subsistencia de los espíritus que suponían divagaban por los bosques.

JULIA. Sobrenombre de Juno. Tenía en Roma una capilla bajo este nombre.

JULIA GENS. La familia Julia pretendía descender de Venus, por Eneas padre de Julius. Se conservan algunas medallas de esta familia que tienen en el reverso un Eneas llevando a Anquises en el brazo izquierdo, teniendo con la mano derecha el Paladio y caminando aceleradamente. El hijo de Julius sucedió a su padre no en el torno, sino en el sacerdocio, y transmitió a su familia esta primera dignidad religiosa, de la cual la política de los emperadores romanos procuró armarse, consagrando en algún modo la usurpación del primer César. *Mem. de la Acad. de inscrip. t. 9, 16.*

JULIO. (*Iconol.*) A *Julio* de *Julius Cesar*. Llámabase *Quintilis*, por que era el quinto, pues el año empezaba por marzo. Júpiter era la divinidad tutelar de este mes. Los antiguos lo caracterizaron por un hombre desnudo, cuyos miembros están tostados por el sol; tiene los cabellos rubios, entretejidos con tallos y espigas, y lleva moras en un canastillo. Los artistas lo han vestido amarillo y coronado de espigas. El signo de León, indica el exceso de calor. Una cesta llena de frutas indica las que produce este mes. En el fondo de los cuadros puede observarse un dallador o guadaña, símbolo de que este mes da junto con el alimento del hombre, el de los animales que le sirven.

JULIOS. Sacerdotes romanos, que formaban uno de los tres colegios de los lupercales. *Ant. Expl. t. 2.*

JULIUM SIDUS. Cometa que apareció en la muerte de César, y que la superstición y la lisonja interpretaron como signo de su apoteosis.

JUNIA TOSQUATA. Vestal de una virtud digna de los tiempos antiguos, dice *Tácito*; fue honrada después de su muerte con un monumento público, en el cual se califica de celestial patrona.

JUNIO (*Iconol.*), *A Juvenibus*. El nombre de este mes se deriva o del de jóvenes, o del de Juno, cuyo templo fue consagrado el primero de este mes; o de Junio Bruto, que lo inmortalizó con la expulsión de los Tarquinos. (*V.* Mayo.) Los romanos pusieron este mes bajo la protección de Mercurio. Lo pintaban del siguiente modo: «Junio va enteramente desnudo: nos muestra con el dedo un reloj de sol, para indicarnos que el sol empieza a bajar. La antorcha ardiente que lleva es el símbolo de los calores de la estación. Detrás de él hay una hoz para indicar que se acerca la cosecha. Los artistas le visten de un color verde amarillento, y le coronan de espigas aun verdes. El signo de escorpión denota que llegado el sol al solsticio de verano, parece alejarse de nosotros, caminando hacia atrás. Este es el tiempo del esquileo de las reses».

JUNNER. (*Mit. escand.*) Gigante que las *Edda* miran como el principio eterno. Según esto, hizo salir del caos enanos que se arrojaron sobre él y le despedazaron. De su cráneo hicieron el Cielo, de su ojo derecho el sol, del izquierdo la luna; con sus espaldas formaron los montes, con sus huesos las rocas; con su vejiga crearon el mar, las riberas con su orina, y así de las demás partes de su cuerpo. De suerte que estos poetas llamaban cielo el cráneo de *Junner*, al sol su ojo derecho, a la luna su ojo izquierdo, etc. Es muy singular encontrar en Islandia las raíces de esta mitología.

JUNO. Los griegos lo denominaron Hera. Los etimologistas latinos derivan su nombre de *Juvans*, favorable, como el de Júpiter, *Juvans pater*. Esta diosa era hija de Saturno y Rea, hermana de Júpiter, y Neptuno, de Plutón, Ceres y Vesta. Muchos países se disputaban el honor de haberle dado cuna, y sobre todo Samos y Argos, donde era honrada con un culto particular. Según *Homero*, fue alimentada por el Océano y Tetis, su mujer; según otros, por Eubea, Porsimna y Acrea, hijas del río Asterión. Otros dicen que las Horas tomaron su educación a su cargo.

Júpiter se enamoró de su hermana Juno y la engañó bajo el disfraz de cuclillo. Se casó con ella y, según *Diodoro*, celebraron sus bodas en el territorio de los gnosios, cerca del río Terene, donde se veía en su tiempo un templo servido por los sacerdotes del país. para hacer más solemnes sus bodas, Júpiter mandó a Mercurio que convidase a ellas a todos los dioses, todos los hombres y los animales. Todo el mundo asistió, excepto *Quelonea*, que por ello fue castigada. (V. Quelonea, Tortuga.) Júpiter y Juno no vivieron mucho tiempo unidos, sino en eternas disputas y guerras. Juno reñía muy a menudo con Júpiter. Este la golpeaba, la maltrataba de todos modos, hasta colgarla un día con una cadena de oro entre el cielo y la tierra, y le puso un yunque en cada pie. Habiendo querido Vulcano, su hijo, librarle de aquel castigo, recibió un puntapié de Júpiter que le hizo caer del cielo a la tierra (V. Vulcano.) La inclinación de Júpiter hacia las hermosas mortales causó repetidas veces a Juno crueles celos y enconados rencores. Pero los mitólogos añaden que la diosa daba algunas veces ocasión a la cólera de su marido, no sólo por su mal humor, sino también por sus intrigas amorosas que tuvo con el gigante Eurimedonte y con muchos otros. Ella conspiró también con Neptuno y Minerva para destronar a Júpiter, y le cargó de cadenas. Pero la nereida Tetis vino en el socorro de Júpiter con el formidable Briareo, cuya sola presencia detuvo los perniciosos designios de Juno y sus cómplices. Juno persiguió a todas las amantes de Júpiter, y todos los hijos que nacieron de ellas. (V. Europa, Hércules, Io, Plateo, Sémele.) se dice que aborrecía en general a las mujeres cortesanas, y por esto, añaden, Numa les prohibió a todas, sin excepción, que entrasen en los templos de Juno. La misma leyenda añade además que tenía cerca de Argos una fuente, en la cual se lavaba todos los años y se volvía virgen.

Los autores están discordes sobre el número de hijos que tuvo Juno. *Hesíodo* le da cuatro, Hebe, Venus, Lucina y Vulcano. Otros añaden Marte y Tifón. Se alegorizan también estas generaciones diciendo que Juno concibió a Hebe comiendo lechugas; a Marte tocando una flor; a Tifón haciendo salir de la tierra vapores que recibió en su seno. (*V.* Arge, Hebe, Ilitia, Marte, Tifón, Vulcano.)

Como se daba a cada dios un atributo particular, a Juno le había tocado en parte, los imperios y las riquezas; todo lo ofreció a Paris si quería adjudicarle el premio de la hermosura. Se creía también que tomaba un cuidado particular de los atractivos y adornos de las mujeres, y por esto en sus estatuas se veían sus cabellos compuestos con mucha igualdad. Se decía como una especie de proverbio, que las peinadoras presentaban el espejo a Juno. Presidía los casamientos, las bodas y los partos (*V.* Dominica, Juga, Lucina, Opígena, Pronuba). Presidía también la moneda, por lo que se llamó *Juno Moneta.*

De todas las divinidades grecolatinas, no había una cuyo culto fuese más solemne y más extendido que el de Juno. La historia de los pretendidos prodigios que había hecho, y de las venganzas que había tomado de los que habían osado despreciarla, o compararse con ella, había inspirado tanto temor y respeto, que nada se olvidaba de lo que podía apaciguarla y halagarla, cuando alguno creían haberla ofendido. Su culto no estaba encerrado en Europa; había penetrado hasta Asia, sobre todo en Siria, Egipto y el imperio de Cartago. Por todas partes de Grecia Italia se encontraban templos, capillas o altares dedicados a esta diosa; y en los lugares considerables tenía muchos. Sin embargo, Argos, Samos y Cartago eran, podemos decir, el centro de su culto.

*Pausanias* describe la Juno de Argos del siguiente modo: «Al entrar en su templo, se ve sobre un trono la estatua de esta diosa, de una magnitud extraordinaria, toda de oro y marfil. Tiene la cabeza ceñida por una corona, encima de la cual se ven las Gracias y las Horas. Trae una granada en una mano y un cetro en la otra, encima del cual hay un cuclillo». Todo esto alude a las fábulas descritas. En el templo de Argos se ve representada en mármol la historia de Cleobis y Bitón. (*V.* Cleobis y Bitón.) Juno fue representada al principio, en esta misma ciudad, sólo por una simple columna, porque todas las primeras estatuas de los dioses no fueron más que piedras informes. No había cosa más respetada en Grecia que las sacerdotisas de Juno en Argos, y su sacerdocio servía para marcar las principales épocas de la historia griega; estas sacerdotisas cuidaban de hacer coronas de cierta hierba que se criaba en el río Asterión, en cuya ribera se hallaba el templo; cubrían asimismo su altar de las mismas hierbas. El agua de que se servían para los sacrificios y los misterios secretos la sacaban de la fuente Eleuteria, que se hallaba no lejos del templo, y que tan sólo servía para este uso. *Estacio,* hablando de la Juno de Argos, dice que lanzaba el rayo, pero es el único de los antiguos que atribuía este poder a la diosa.

La Juno del templo de Samos, se veía coronada, y era llamada por esto *Juno reina.* Por lo demás estaba cubierta de un gran velo desde la cabeza a los pies. (*V.* Admete,) hija de Euristeo.

La Juno de Lanuvio, en Italia, estaba representada de diferente modo: «Vuestra Juno tutelar de Lanuvio, decía *Cotta* a *Velei,* no se os presenta, ni aun en los sueños, sino con su piel de cabra, su jabalina, su escudito, y sus zapatillas encorvadas hacia delante». (*V.* Sospes.)

Por lo regular se representa a Juno bajo la forma de una majestuosa matrona, con el cetro en la mano algunas veces, y ceñida su cabeza de una corona radiante; tiene cerca de ella un pavo real, su ave favorita que no se encuentra jamás con otra diosa. Le estaban también consagrados el gavilán y el ansarón, y acompañaban alguna vez su estatua. Los egipcios le habían consagrado el buitre. No se le sacrificaban vacas, porque durante la guerra de los gigantes contra los dioses, Juno se había ocultado en Egipto bajo la forma de vaca. El fresnillo, la amapola y la granada eran las plantas que por lo común le ofrecían las Gracias, y con que se adornaban sus altares y sus imágenes. Su víctima más ordinaria era la oveja; sin embargo, todos los primeros días del mes se le ofrecía una marrana.

Se le daban diferentes sobrenombres, de los cuales los unos eran locales, y los otros tomados de alguna cualidad o del algún atributo: su explicación se encontrará en los artículos particulares. *Ilíada. 1. Apolon. 1. Eneida. 1. Ov. Met. 1. Fast. 5 Tíbul. 4, 13. Herod. 1, 2, 4. Sil. 1. Paus. 2. Apolod. 1, c, 3. Dion. Hal. 1. Tito Liv. 23, 24, 27, 28 30, etc. Plut. Aten. 15. Plin. 34. Diod. Mem. de la Acad. de Inscr. t. 1. 2, 3, 4, 5, 6, 16, 18.*

JUNO AVERNA. Proserpina.

JUNONIA. Ciudad de Juno; nombre que dio Cayo Graco a Cartago, cuando mandó reedificarla y poblarla, cerca de cien años antes que *Virgilio* escribiese la *Eneida*. Así este gran poeta, no hizo más que seguir una tradición ya recibida.

JUNONIA AVIS. El pavo real, ave consagrada a Juno en Roma, establecida con ocasión de ciertos prodigios; lo que dio lugar a que los pontífices mandasen que veintisiete doncellas, divididas en tres bandas, irían por la ciudad cantando un himno compuesto por el poeta Livio. *Tito Liv. 27, c, 37.*

JUNÓNIGENA. Vulcano, hijo de Juno.

JUNONIO. Uno de los sobrenombres de Jano, por haber introducido en Italia el culto de Juno, lo que hizo que se le considerase hijo de esta diosa; y porque presidía todos los principios de mes, cuyas calendas estaban consagradas a Juno, *Ant. Expl. t. 1.*

JUNOS. Genios de las mujeres. Cada una tenía su Juno, como cada hombre su genio; y las mujeres juraban por ellas como los hombres por ellos. *Sen. Ep. 110.*

JUNUS. Uno de los sobrenombres del dios Pan.

JÚPITER. En griego Zeus. El más poderoso de los dioses que ha conocido la antigüedad. Es, dicen los poetas, el rey de los dioses y los hombres, que hace estremecer el universo con un movimiento de cabeza. Los filósofos le tomaban por el aire puro, y a Juno por el aire craso o denso que nos rodea. Los antiguos no están acordes sobre el número de los que han llevado el nombre de Júpiter. Según *Varrón* y *Eusebio* podrían contarse hasta trescientos; lo que es fácil explicar por la costumbre que dominaba entonces de tomar los reyes este nombre. De aquí viene el que

tantos pueblos se gloriasen de haber nacido Júpiter entre ellos, y de que se enseñasen tantos monumentos que lo atestiguaban. *Cicerón* admite tres: dos de Arcadia, hijo el uno del Eter y padre de Proserpina y Baco, a los cuales atribuían los arcadios su civilización; el otro del Cielo y padre de Minerva, inventor de la guerra y rector de la misma; y un tercero hijo de Saturno, en la isla de Creta, donde ser conservaba su sepulcro. *Diodoro de Sicilia* no reconoce más que dos; el uno, que es el más antiguo, era príncipe de los Atlantes; el otro, que era su primo, y más célebre que su tío, era rey de Creta y extendió los límites de su imperio hasta los extremos de Africa y Europa. Se contaba también el Júpiter Ammón de los libios, quizás el más antiguo de todos; el Júpiter Serapis de los egipcios; el Júpiter Belo de los asirios; el Júpiter Urano de los Persas; el Júpiter de Tebas en Egipto; el Júpiter Papeo de los escitas; el Júpiter Asabino de los etíopes; el Júpiter Teranis de los galos; el Júpiter Apis, rey de Argos, nieto de Inaco; el Júpiter Asterio, rey de Creta, que robó a Europa y fue padre de Minos; el Júpiter padre de Dárdano; el Júpiter Preto tío de Danae, que robó a Ganímedes; en fin el Júpiter padre de Hércules y de los Dióscuros, que vivió setenta y ochenta años antes de la guerra de Troya, etc., sin contar los muchos sacerdotes de este dios que seducían las mujeres, y atribuían sus amores a la persona de Júpiter.

Creemos deber referir aquí las dos tradiciones que nos han dejado los antiguos sobre este dios. La primera, más histórica que la otra, la refiere *Diodoro de Sicilia* en estos términos. Celosos, los titanes del poder ilimitado de Saturno, se rebelaron contra él y, habiéndose apoderado de su persona la encerraron en una estrecha prisión. Júpiter, joven entonces, pero valiente, olvidando el mal trato que le había hecho sufrir su padre, que había querido tenerle en duro cautiverio, salió de la isla de Creta, a donde Rea, su madre, le había enviado ocultamente y hecho educar por los curetos, sus tíos, deshizo a los tiranos, puso a su padre en libertad, y habiéndole restablecido en su trono volvió victorioso a su retiro. Saturno, más celoso que agradecido de su hijo, le armó mil acechanzas con el objeto de deshacerse y acabar con él, pero Júpiter salió con facilidad de todos los lazos que le tendió su padre, le arrojó de Creta, le siguió al Peloponeso, le batió por segunda vez y le obligó a ir a buscar asilo a Italia. A esta guerra siguió la de los titanes que duró diez años y que terminó Júpiter derrotándoles completamente cerca de Tartesio, en España. Después de esta victoria y de la muerte de Saturno empezó el reinado de Júpiter. Dueño ya de un imperio muy vasto, se casó con Juno su hermana, siguiendo en esto el ejemplo de su padre que se casó con Rea su hermana, y de su abuelo Urano que había tomado por consorte a su hermana Titea o Gea. Siendo sus estados muy dilatados para poderlos gobernar por sí solo, los dividió en diferentes gobiernos y encargó a Plutón las regiones occidentales, es decir las Galias y España. Después de la muerte de Plutón se dio este gobierno a Mercurio, en el que se hizo célebre y pasó a ser la gran divinidad de los celtas. Júpiter se reservó para sí el oriente, es decir, Grecia, las islas y aquella parte del oriente de donde descendían sus ascendientes.

Poco satisfecho Júpiter del título de conquistador, quiso ser además legislador y arregló en efecto leyes justas que hizo observar con rigor. Exterminó los bandidos que había en la Tesalia y en otras partes de Grecia, y después se dedicó a su propia seguridad, estableciendo su morada principal en el monte Olimpo, haciéndose célebre por su valor, su prudencia, su justicia y las demás virtudes civiles y militares; ¡feliz si no hubiese mancillado el esplendor de sus virtudes con su pasión a los amores y placeres! De aquí el origen de tantas intrigas amorosas que la historia nos ha transmitido bajo la imagen de varias metamorfosis. Estas galanterías, demasiado frecuentes, indispusieron de tal manera a Juno, que llegó a conspirar contra él, pero Júpiter supo desvanecer la conspiración, siendo ésta la última de sus empresas. Postrado por la vejez murió en Creta, después de 62 años de reinado y de 120 de edad, donde se vio mucho tiempo su sepulcro cerca de Cnosos con esta inscripción: *Ci git Zan, el que se llamaba Júpiter*. Los curetos, sus tíos, cuidaron de los funerales.

La segunda tradición mucho más fabulosa, sin embargo, era la más dominante entre los griegos. Un oráculo del Cielo y la Tierra predijo a Saturno que uno de sus hijos le quitaría la corona con la vida o según otros autores como consecuencia de una alianza hecha con Titán, su hermano mayor, que le había cedido el imperio bajo la condición de que matara a todos sus hijos, a fin de que la sucesión pudiese volver un día a la rama mayor, y les devoraba a medida que nacían. Vesta, su hija mayor, Ceres, Juno, Plutón y Neptuno habían sido ya devorados, cuando Rea sintiéndose embarazada de nuevo y, queriendo salvar el fruto de sus entrañas, hijo un viaje a Creta y dio a luz, en una cueva llamada Dictea, a Júpiter, a quien hizo cuidar por dos ninfas del país, que se llamaban las Melisas, y recomendó su infancia a los curetes, los cuales danzando alrededor de la cueva hacían gran ruido con las lanzas y escudos, para que no se oyera el llanto del pequeño Júpiter. No obstante Rea, para engañar a su marido, le dio una piedra envuelta como un niño que devoró persuadido de que era hijo suyo. Cuando Júpiter llegó a ser grande se asoció con Metis (*V.* este nom.), se unió a sus hermanos Neptuno y Plutón, e hizo la guerra a Saturno y los gigantes. La Tierra le predijo una victoria completa si podía poner en libertad a los titanes que tenía aprisionados su padre en el Tártaro, empeñándoles a pelear con él. (*V.* Campe.) Entonces fue cuando los cíclopes dieron a Júpiter el trueno, el relámpago y el rayo, a Plutón un casco y un tridente a Neptuno. Con estas armas vencieron a Saturno, y después que le hubo tratado Júpiter del mismo modo que había tratado, él a su padre Urano, le precipitó con los titanes al Tártaro, bajo la custodia de los hecatonquiros, o gigantes de cien manos. Después de esta victoria, viéndose los tres hermanos dueños del mundo, lo dividieron entre sí. Júpiter se quedó el cielo, a Neptuno le dio el mar y a Plutón le tocó el dominio de los infiernos. A la guerra de los titanes se sucedió la de los gigantes, hijos del Cielo y la Tierra. Estuvo Júpiter muy inquieto porque un antiguo oráculo decía que los gigantes serían invencibles, a menos que los inmortales no llamasen a un mortal en su auxilio. Habiendo Júpiter prohibido a la Aurora, la Luna y el Sol que descubriesen sus designios, se dirigió hacia la Tierra que procuraba defender a sus hijos, y avisado por Palas, llamó a Hércules quien en unión con los demás dioses exterminó los gigantes. Júpiter, según *Hesíodo* se casó siete veces, y tuvo sucesivamente las siguientes mujeres; Metis, Temis, Eurínome, Ceres, Mnemosine, Leto y Juno que fue la última de sus esposas. Tuvo un gran número de amantes, y de unas y otras nacieron un gran número de hijos, y todos fueron puestos entre los dioses o semidioses. Sus nombres se encuentran en orden alfabético en el Diccionario.

Júpiter o Zeus ocupaba el primer lugar entre las divinidades greco-latinas y su culto fue el más solemne y generalmente extendido. Sus tres oráculos más famosos eran el de Dodona, el de Libia y el de Trofonio. Las víctimas que más comúnmente le inmolaban eran la cabra, el cordero y el toro blanco, cuyas astas solían dorarse. Otras veces se contentaban con ofrecerle harina, sal e incienso. En sus altares no se sacrificaban jamás víctimas humanas. *Cicerón*, hablando de Júpiter, dice «que nadie le honraba con un culto más puro y casto que las matronas romanas». Entre los árboles le estaban consagrados el olivo y la encina.

(*Iconol.*) El modo más común de representarle era bajo la figura de un hombre de aspecto majestuoso y con barba, sentado sobre un trono, teniendo en la mano derecha el rayo, representado por una especie de tea ardiente de ambos extremos, o por una máquina puntiaguda de ambos lados, y armado de dos flechas, teniendo en la mano izquierda una estatua de la Victoria, un águila a sus pies con las alas extendidas, que arrebataba a Ganímedes y con la parte superior desnu-

da y la inferior cubierta. El trono, dicen los mitólogos, indica la seguridad del imperio. La desnudez de la parte superior del cuerpo demuestra que era visible a la inteligencia y a las partes superiores del universo, al modo que la parte inferior cubierta denotaba estar oculta al mundo y a los mortales. El cetro anunciaba su poder sobre los dioses y los hombres. La Victoria daba a entender que salía siempre victorioso, y el águila que era señor del cielo, como esta ave lo es de todas las demás. Pero este modo de representar a dios no era uniforme. (*V*. Olimpias.) Los cretenses le figuraban sin orejas, para indicar su imparcialidad y su omnisciencia. Los lacedemonios, al contrario, le daban cuatro, con la idea de que pudiese atender mejor las súplicas que le dirigían. Los habitantes de Heliópolis le representaban con la mano derecha levantada y con un látigo, como un auriga, y en la izquierda el rayo y algunas espigas. Ordinariamente acompañaba a Júpiter la figura de la Justicia; y algunas veces se juntaban a la Justicia las Gracias y las Horas, para enseñarnos que la divinidad hace justicia a todas horas, a todo el mundo. *Orfeo* atribuye a Júpiter los dos sexos, como padre universal de la naturaleza. El poeta *Pamfo* le supone rodeado de estiércol de caballo para indicar que está presente en todas partes. Los griegos le representan ya sin rayo, con un cuerno de la abundancia vacío en la mano izquierda, y en la derecha una pátera, como dispensador de todos los bienes; ya con una guirnalda de flores, como origen de la alegría. Su corona solía ser de encina o de olivo y algunas veces de laurel. Los etruscos le representaban con alas. Cuando en lugar de corona, traía una nave sobre su cabeza, entonces era Serapis, y cuando se presentaba con cuernos se le llamaba Júpiter Ammón. Este último se representa algunas veces con cabeza de carnero, sobre la cual se ve una paloma. *Marciano* le describe en la asamblea del modo siguiente: «Trae, dice, una corona de fuego, sobre las espaldas un manto, obra de Minerva, y encima un vestido blanco sembrado de estrellas. Tiene dos globos, en la mano derecha el uno de oro y el otro de ámbar, mientras que con la izquierda se apoya sobre una tortuga. Trae zapatos verdes con los cuales aprieta a un ruiseñor, emblemas que representan muy claramente al señor de todo el mundo».

Entre los monumentos que nos quedan de la antigüedad, nos contentaremos con indicar dos que describe *Boissard*. El primero ofrece a Júpiter sentado, teniendo encima el petaso y el caduceo de Mercurio, para indicar que la prudencia debe siempre acompañar la fuerza y el poder; y el segundo lo presenta con dos esfinges para denotar la fuerza y la prudencia unidas a la sagacidad y a la penetración. En los monumentos se encuentran muchos otros símbolos de Júpiter, hijos del capricho de los artistas, de la imaginación de los que mandaron hacer las estatuas, o de las circunstancias en que se creía haber experimentado los efectos de su protección. (*V.* Brontes, Fulminans, etc.) Lo mismo puede decirse de los nombres y sobrenombres sacados los unos de los lugares donde era adorado, derivados los otros de los diferentes pueblos que habían abrazado su culto, o de los sucesos que habían dado lugar a la erección de los templos, los altares y las capillas que le estaban consagrados. La mayor parte se encontrarán en su artículos correspondientes. *Ilíada. 1, 3, Odis. 1, 4, Pínd. Olimp. 1, 3, 5, Met. 1, 2, Hor. 3, Od. 1. Paus. 1, 2, etc. Tito Liv. 1, 4, 5. Diod. 1, 3. Apolod. 1. Licofron. Estrab. Herod. 1, c. 44, 89, 171, 181, 182, l. 2, 7, 29, 42, 54, 56; l. 3, c. 24, 142, 158; l. 4, c. 59, 181, 203; l. 5, c. 46, 66, 119; l. 6, c. 56; l. 7, c. 40. 197. Diod. Sic. Mem. de la Acad. de Inscr. t. 1, 2, 3, 4, 5, 6, 7, 10, 12, 16, 18.*

**JURAMENTO DE LOS DIOSES.** El juramento solemne de los dioses era por las aguas de Estigia. La fábula dice, que habiendo la Victoria, hija del Estigio, socorrido a Júpiter contra los gigantes, el dios mandó en reconocimiento que los dioses juraran por sus aguas, y que si perjuraban serían privados de vida y sentimiento por espacio de nueve mil años, según *Servio*, que explica el motivo de esta fábula diciendo que siendo los dioses felices e inmortales, juran por el Estigio, que es un río de tristeza y de dolor, como por una cosa que les es enteramente contraria; lo que se llama jurar por modo de execración. *Hesíodo*, en su *Teogonía*, refiere que cuando alguno de los dioses ha mentido, Júpiter envía a Iris para que le lleve un vaso de oro lleno de agua de la Estigia sobre el cual el dios debe jurar; y si perjura está un año sin vida ni movimiento, pero este año contiene muchos millones de los nuestros. *Diodoro de Sicilia* dice que en el templo de los dioses Pálices, en Sicilia, se iban a hacer los juramentos acerca de los más importantes negocios, y que el castigo seguía siempre de cerca al perjuro: «Se ha visto, dice, salir algunos ciegos; y la persuasión en que se está de la severidad de los dioses que lo habitan hace que se terminen los mayores procesos por el solo juramento pronunciado en este templo. No hay ejemplos que hayan sido violados estos juramentos».

Los romanos juraban por los dioses y por los héroes puestos en el número de los semidioses, especialmente por los cuernos de Baco, por Quirino, por Hércules, por Cástor y Pólux. El juramento de Cástor se exprimía por esta palabra, *Ecástor*, por Pólux, *Edepol* por Hércules, *Hecle o me Hercle*. *Aulo Galio* observa que el juramento por Cástor y Pólux fue introducido en la iniciación de los misterios de Eleusis, y que de allí pasó al uso ordinario. Las mujeres juraban comúnmente por Cástor, y los hombres por Pólux. Juraban también aquellas por Juno como los hombres por su Genio. En tiempo de los emperadores, la lisonja introdujo jurar por su salud o por su genio. Tiberio, dice *Suetonio*, no quiso sufrirlo; pero Calígula hacía perecer a los que rehusaban hacerlo; y se llegó hasta el exceso de locura de mandar que se jurase por la salud y la fortuna del hermoso caballo que quiso fuese su colega en el consulado.

**JURITES.** Diosas de los romanos, que según *Aulo Gelio* presidían los juramentos. Este pasaje tiene algunas dificultades.

**JUSJURANDUM**, el juramento. Hijo del Eter y de la Tierra. *Higinio*.

**JUSTICIA** (*Iconol.*) Divinidad alegórica hija de Júpiter, en cuyo consejo tenía asiento, y de Temis. Los egipcios representaban su estatua sin cabeza, símbolo de que los jueces debían despojarse de sus propios sentimientos para seguir la decisión de las leyes. Sus atributos ordinarios son la espada y la balanza, y un haz de hachas rodeada de vergas, símbolo de la autoridad entre los romanos. *Eurípides* le da una clava; y otros autores la pintan con un ojo en la mano. Es también atributo de la justicia una mano encima de un cetro. Algunas veces se le pone una venda en los ojos para designar la rigurosa imparcialidad que conviene al carácter de juez. (*V. Temis.*) *Aulo Gelio* dice que se le representaba con rostro triste y severo, y con los ojos llenos de fiereza. Augusto le edificó un templo en Roma. *Hesíodo* asegura que la Justicia, hija de Júpiter, está junto a su trono en el cielo, y le pide venganza siempre que se quebrantan las leyes y la equidad. En las medallas de Antonio y Adriano está representada sentada, con medidas a su lado, teniendo un cetro en una mano y en la otra una pátera para indicar que está establecida por la divinidad. *Le Brun*, para representar su origen celestial, la ha pintado con una estrella sobre su cabeza. *Alciato* la representa bajo la figura de una hermosa vírgen, con corona de oro y túnica blanca, cubierta con un ancho ropaje de púrpura. Su mirar es dulce y su aire modesto. Trae sobre el pecho una rica joya, símbolo de su precio inestimable y pone el pie izquierdo sobre una piedra cuadrada. *Rafael* la ha pintado en el Vaticano, bajo la imagen de una mujer venerable, sentada sobre nubes. Trae adornada la cabeza con una rica corona de perlas, mira hacia tierra y parece advertir a los mortales que obedezcan las leyes. En una mano tiene la espada y en la otra la balanza. Su manto es verde y su vestido de color violeta. Tiene a sus lados cuatro niños, dos de los cuales traen cartones. Encima de ella se lee: *Jus suum cuique tribuens*: da a cada uno lo que es suyo. A estos atributos, *Gravelot* ha juntado un sol sobre su pecho, símbolo de la pureza de conciencia; los libros del *Código* y de las *instituciones*, que indican los conocimientos que debe tener un magistrado, y en fin un trono y una banda real, que indican la parte de la soberanía

que le está confiada. Cuando los antiguos representaban una cigüeña sobre sus cetros o bastones de mando y un hipopótamo debajo, este emblema significaba que la violencia está sujeta a la justicia, porque en Egipto este último era símbolo de la violencia.

**JUSTICIA DIVINA.** (*Iconol.*) Se representa por una mujer de una rara hermosura, con una corona de oro encima de la cual se ve una paloma más blanca que la nieve. Trae esparcidos sus cabellos y su ropa es de tisú de oro. Su mirar dulce y modesto se eleva hacia el cielo, y tiene en la mano derecha un puñal ardiente con la punta hacia abajo y una balanza en la izquierda.

**JUTURNA.** Diosa de los romanos venerada muy particularmente por las doncellas y las demás mujeres. De las unas para obtener un pronto y feliz casamiento, y de las otras para obtener un parto favorable. R. *juvare*, ayudar. Roma creía que Juturna, hija de Dauno y hermana de Turno, rey de los rútulos, había sido dotada de una rara hermosura, ya que Júpiter, en recompensa de sus favores, le había concedido la inmortalidad y la había transformado en fuente. Esta se hallaba cerca de Roma, y se servían de sus aguas para los sacrificios, sobre todo en los de Vesta, para los cuales estaba prohibido el servirse de otra: llamábase *agua virginal*. (*Ov. Fast. 2.*)

*Virgilio*, cuidadoso en poner en su poema todas las antigüedades romanas, no se descuidó de hacer entrar en él a esta diosa. *Eneida. 2, 12.*

Juno emplea su ayuda para romper el singular combate, que termina por la muerte de Turno; una furia enviada por Júpiter espanta a Turno y su hermana se cubre la cabeza con un velo azul, y se sumerge gimiendo en el seno del río Numico.

**JUVENALIS.** Ceremonia en la cual los jóvenes romanos ofrecían a la diosa Juventas los primeros pelos de su barba, que arrojaban con el incienso en un brasero. Se cree que fue establecido por Nerón, cuando se hizo afeitar la barba por primera vez.

JUVENTA, JUVENTAS o Juventus. (*Iconol.*) *Juventud*. Divinidad que invocaban los romanos cuando hacían quitar a sus hijos la pretexta. Presidía en el intervalo que media entre la infancia y la edad viril. Tenía su templo en el Capitolio. En una medalla de Marco Aurelio se la ve en pie teniendo una fuente en la mano izquierda, y en la derecha granos de incienso que derrama sobre un altar en forma de trípode. Un medallón del emperador Hostilio la representa teniendo un ramo, y apoyándose sobre una lira para indicar quizá la alegría de la juventud. En otra medalla de Caracalla, que lleva por inscripción, *Juventas*, al mismo emperador vestido de guerrero, se apoya sobre un asta y en un escudo que pone en tierra, y en la mano derecha trae un globo con la Victoria encima. Se ve a sus pies un cautivo desnudo. Este emblema significa seguramente que el imperio acababa de adquirir nuevas fuerzas con las virtudes presuntas del joven Augusto. *Tito Liv. 5, c. 54, l. 21, c. 62, l. 36.* (*V.* Hebe.)

JUVENTUD. Los griegos la llamaban *Hebe* (*V.* Juventa.)

JWIDIES. (*Mit. escand.*). Proféticas, ninfas de los bosques.

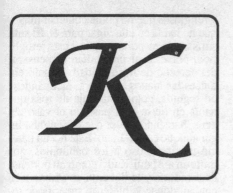

K. Se colocaba la *K* sobre los vestidos que había tocado el rayo, y que por este motivo eran mirados como impuros y funestos. R. *keraunos*, rayo. Se ponía asimismo la *Th*, letra inicial de *Thanathos*, la muerte.

KAABA. (*Mit. mah.*) Dado de juego, "el cubo". En medio de un espacio que encierra el templo de La Meca, se eleva un edificio cuadrado, de cerca quince pies y un poco más alto que largo y ancho. No se ve nada más en este edificio que una tela de seda negra que cubre enteramente las murallas, excepto la plataforma que sirve de cubierta a la casa, y que es de oro. Este célebre edificio está destinado para recoger las aguas de lluvia, que son muy raras en este clima. Es el que los musulmanes prefieren a todos los demás que han levantado los monarcas de los pueblos con tanto trabajo y gasto. «Abraham, dicen, edificó esta casita en tiempo de sus persecuciones, habiéndole revelado Dios que desde la eternidad había escogido aquel lugar, para derramar en él su bendición.» En este mismo edificio, Ismael heredó de su padre, y se muestra aún su sepulcro. En fin, esta es la santa casa conocida bajo el nombre de Kaaba, o casa cuadrada, hacia la cual dirigen los mahometanos su votos o preces. Esta Kaaba esta construida de las piedras del mismo país, unidas y ligadas con un simple mortero de tierra encarnada, que el tiempo ha endurecido. La luz entra tan sólo en él por la parte de oriente, donde hay una abertura en forma de puerta, que está cerrada con dos medias puertas de oro macizo, unidas a la pared con goznes y cercas del mismo metal. El suelo es de una sola piedra sobre la cual vienen los peregrinos a humillar su frente. La puerta se abre tres veces al año. En el interior no se ve sino el oro que cubre ambos pisos, como asimismo las paredes. (*V.* Ihram, Keblah.) En el ángulo oriental del edificio ("ángulo negro") a 1,50 metros sobre el nivel del suelo y no lejos de la puerta está empotrada la famosa "piedra negra", entregada por el arcángel Gabriel a Abraham, pieza de basalto de otro tipo de lava, en dos pedazos y unidos por un aro de plata. Los peregrinos islámicos la besan respetuosamente, Los otros tres ángulos se denominan iraquí (el del N.) y el del S. Yemení. Del lavado solemne del pavimento se encarga el *jerife* de La Meca en una escoba de hojas de palmera, primero con agua del pozo de Zemzem y luego con agua de rosas. La Kaaba se halla revestida, de acuerdo con una costumbre que se remonta a la época preislámica, con una funda de brocado negro, que se renueva cada año al final del mes de la peregrinación. La fórmula de la profesión de fe musulmana: "No hay más Dios que Allah y Mahoma es su profeta", "Allah es grande", está tejida en dicha funda que lleva una cinta bordada de oro y con versículos del Corán. Ante la puerta el velo colgante es de tejido egipcio.

KADARIS. (*Mit. mah.*) Sectarios mahometanos opuestos en un todo a los jabaris. Niegan absolutamente los decretos de la Providencia Divina y la predestinación: sostienen que el hombre es un agente libre, y que depende de su voluntad, como de un principio cierto, el hacer acciones buenas o malas. Esta opinión es desechada por los mahometanos como herética y contraria a los principios de su creencia.

KADEZALITES. (*Mit. mah.*) Secta particular de los mahometanos. Observan en los funerales, ceremonias que se alejan del uso común como el gritar en el oído del muerto: «Que se acuerde que no hay más que un Dios, y que su profeta es único.» Recitan asimismo oraciones particulares por los muertos. Esto es casi lo único que les distingue de los otros mahometanos.

**KADOLE.** Ministro de los sacerdotes en los sacrificios y misterios de los grandes dioses. Es el mismo que el que los romanos llamaban *Camille*.

**KADRIS.** (*Mit. mah.*) Religiosos turcos cuya devoción consistía en despedazarse el cuerpo a latigazos. Iban por completo desnudos y se herían con correjuelas hasta que estaban cubiertos de sangre, y repetían sin cesar el nombre de hai, que quiere decir, viviente, uno de los atributos de Dios: algunas veces, semejantes a los perros rabiosos, caían en tierra con la boca llena de espuma, e inundando el cuerpo de sudor. El famoso visir Kiuperlo, encontrando estos ejercicios indecentes, suprimió esta orden: pero apenas expiró, se restableció.

Los que querían hacer el noviciado en esta orden, recibían al entrar un pequeño látigo de madera de sauce verde, de 400 dracmas de peso: lo traían siempre colgado de la cintura y arreglaban el peso de su alimento con el del látigo, de modo que este disminuía a proporción que el látigo se secaba e iba haciéndose más ligero.

Todo Kadri estaba obligado a hacer un retiro de cuarenta días, una vez al año: entonces se encerraba en una celdilla, y no se dejaba ver por nadie. Les estaba permitido emborracharse con vino, aguardiente u opio, para ponerse en estado de sostener su danza un día entero. Tenían por lo común un espíritu muy sutil, eran grandes sofistas y mayores hipócritas. Se les permitía salir del convento para casarse: entonces vestidos, y para darse a conocer, ponían en ellos botones negros.

El fundador de esta orden religiosa se llamaba Abdul-Kadri, y de él trae su nombre. Era, según ellos, un gran jurisconsulto y filósofo. Entre los muchos milagros que los kadris refieren de su maestro contaremos el siguiente: Estando para llegar a Babilonia donde era su intento establecerse, los devotos y los santones de esta ciudad salieron a recibirle. Uno de ellos traía en la mano un vaso lleno de agua, queriendo dar a entender que así como aquel vaso estaba lleno hasta el borde y no se podía añadir nada más, su ciudad estaba tan llena de hombres sabios y religiosos que no podía contener más, y que no había en ella lugar para él. El sutil sofista, sin responder nada a este jeroglífico, por el cual pretendían dispensarse del derecho de hospitalidad, levantó entonces las manos al cielo e, inclinándose en seguida, cogió una hoja de rosa que había en tierra y la puso en el vaso del agua, haciéndoles ver que encontraba lugar aunque estaba lleno. Este hecho pareció tan ingenioso a los babilonios, que miraron a Abdul-Kadri como un portento de sabiduría y le llevaron en triunfo a su ciudad, donde le hicieron superior de todas las órdenes religiosas.

**KAIEM.** Nombre que tomó Hakem, divinidad de los drusos, en su quincuagésima encarnación. Apareció bajo este nom-bre en Mahadid, ciudad de Africa. (*V.* Hakem)

**KAIOMORTS.** (*Mit. pers.*) El primer hombre había salido de la pierna delantera del toro en el momento de su muerte: nació cuando Ahrimán vino al mundo y fue muerto por los dewes. Resucitará el primer día del juicio. Se invoca su alma. *Zend-Avesta.*

**KALPA-TAROU.** (*Mit. índ.*) *El árbol de la imaginación.* Arbol fabuloso de los indios en el cual podía cogerse lo que se deseaba.

**KAMAETZMA.** (*Mit. índ.*) Divinidad de los indios cuyo culto ofrece una ceremonia singular. Todos los años el día de su fiesta se trae delante de su pagoda una gran cantidad de frutos de diferentes especies y se adorna un niño con flores, al cual se deposita a la entrada de una profunda gruta que se comunica con varios pasadizos subterráneos. Llegada la noche, se cierra el templo del ídolo y se deja al niño solo, pero viene un ministro de dios que toma el niño y los frutos y al día siguiente los devuelve.

**KAMEN,** *roca.* Los pueblos tártaros que habitaban Siberia tenían mucho respeto a las rocas, sobre todo a aquellas que presentaban una figura extraña; creían que se hallaban en estado de hacerles mal, y se volvían cuando encontraban alguna en el camino: a veces para que les fueran favorables, ataban a cierta distancia de estas rocas, toda especie de andrajos de poco valor.

KAMINATSUKI. (*Mit. jap.*), *mes sin dioses*. Décimo mes del año japonés, llamado así porque en él no se celebra ninguna solemnidad en los templos de los sintoístas, porque se cree que los Camis están exentos de ellas, y que residen en la corte del Dairi. (*V.* Mikado.)

KAMISSINO. (*Mit. jap.*) Especie de vestido de ceremonia que los japoneses de la doctrina sintoista ponen encima de los demás vestidos, cuando van a visitar las pagodas.

KAMORTEN. (*Mit. jap.*) Uno de los cuatro grandes dioses del cielo trigésimo tercio, según los japoneses.

KANNO. (*Mit. afr.*) Nombre del Ser Supremo, entre los negros de las costas Malgaches como creador de todo lo que existe; creían que todos los bienes dimanan de él. Sin embargo no le concedían una duración eterna. Tendría, por sucesor, otro ser que debía castigar el vicio y recompensar la virtud. Todos los pueblos de esta costa hacen remontar a este dios el origen de la circuncisión, a la cual sujetan sus hijos desde la edad de seis meses. Aunque el pueblo parezca penetrado de respeto hacia este ser, y que tengan de él una idea muy elevada, hasta el punto de no atreverse a explicarlo, sin embargo todo su culto se dirige a los espíritus de los muertos. (*V.* Jannanins.)

KARAJAMEA, *colección de las revoluciones futuras*. (*Mit. mah.*) Este libro es, entre los persas, lo que los libros de las Sibilas entre los romanos. Se les consulta en los negocios importantes, sobretodo antes de emprender la guerra. Se compone de nueve mil versos, comprendiendo cada uno de éstos una línea de cincuenta letras. Fue compuesto por el célebre Schach Séphi, abuelo del príncipe que reinaba en tiempo del viajero *Chardin*, y se creía en Persia que contenía una parte de las principales revoluciones de Asia, hasta el fin del mundo. Estaba entonces guardado cuidadosamente en el tesoro real, como un original del cual no hay copia; porque estaba prohibido al pueblo su conocimiento. *Chardin*.

KASI. (*Mit. pers.*) El cuarto pontífice de Persia, y segundo lugarteniente, civil al mismo tiempo, que juzgaba los negocios temporales.

KASJA. (*Mit. jap.*) (*V.* Anna.)

KASSIOPA. (*Mit. índ.*) Hijo de Brama, y padre de los buenos y malos ángeles.

KASTA. (*Mit. índ.*) Arbol sagrado de los indios, llamado *Lul* en Persia; llámase también *Ber*.

KAULI. (*Mit. pers.*) Nombre que se aplica a todo hombre execrable, particularmente a un incestuoso. Los persas dicen que habiendo rehusado Abraham adorar al fuego, Nembroth le mandó poner en una hoguera, cuyo fuego no quiso nunca encenderse. Los sacerdotes le dijeron que sobre la hoguera había un ángel, que nadie podía apartarlo sino haciendo cometer a su vista un crimen execrable; como cometer un incesto por un hermano con su hermana. El primero se llamaba *Kau*, la otra *Li*, y de este enlace criminal salió el tronco de esta raza abominable que se llamó *Kauli*. Según otros el ángel se mantuvo allí, al lado de Abraham, y Nembroth confuso y furioso, arrojó al patriarca de su presencia y de su reino. *Chardin, t. 8 y 9*.

KAWIN. (*Mit. asiat.*) Sacerdote de la isla de Java.

KEBER. (*Mit. pers.*) Esta palabra que significa infiel, designa una secta persa. Los kebers creen en la inmortalidad del alma, pero reconocen muchos dioses.

KEBLAH o KEBLEH. Los turcos dan este nombre a la parte del mundo hacia la cual se vuelven al hacer sus oraciones, y a la acción misma de volverse en otro tiempo hacia el templo de Jerusalén: pero el presente hacia el de La Meca. Este templo se llama Kaaba o casa cuadrada. Dios, dice el *Alcorán*, ha establecido la Kaaba, que es la casa sagrada, para que sea la estación de los hombres. En el mismo lugar del *Alcorán* se describe el modo con que recibió Mahoma esta orden; porque habiendo dejado de volverse hacia el templo de Jerusalen, como acostumbraba, y divagando sus ojos mirando hacia el cielo como si buscase un lugar donde fijarlos, Dios le habló de esta manera: «Vemos que vuelves el rostro hacia el Cielo y por esto te señalaremos un Keblah que te guste. Vuélvete pues hacia al templo sagrado».

755

Dan así mismo el nombre de Keblah o Quibla a un altar o simple ara o pequeña pared que tienen en todas las mezquitas, y que mira siempre el templo de La Meca.

KEBLEH-NOMA o NUMA. (*Mit. mah.*) Brújula que los persas y los turcos llevaban ordinariamente consigo, para volverse, al hacer su oración, hacia el sepulcro de su profeta.

KELADEINOS, *el que ama la armonía*. Epíteto de Baco. R. *kelados*, sonido. *Antol.*

KEMA. Libro donde fueron escritos, según *Zósimo Panopolita*, los secretos de los genios que, alucinados de amor por las mujeres, les descubrieron las maravillas de la naturaleza, y que fueron desterrados del cielo por haber enseñado a los hombres el mal y lo que es inútil a las almas. De esta palabra deriva el nombre química, según algunos.

KENNE. Piedra fabulosa que según creían se formaba en el ojo de un ciervo y a la cual se atribuían varias virtudes contra los venenos.

KER. Los kers son seres personificados por medio de los cuales se representaba en la antigüedad las causas inmediatas, algunas veces violentas, pero siempre desagradables, de la muerte. *Hesíodo* habla de un Ker hijo de la Noche. Este poeta, como también en la Ilíada está representado teniendo un vestido cubierto de sangre, con ojos terribles, rechinando los dientes, arrastrando al campo de batalla, por las piernas, heridos moribundos y otros que no lo son. *Hesíodo* habla además de muchos kers: son de color negro: muestran sus dientes blancos, con gestos espantosos y lanzando miradas terribles. Siguen los guerreros que van al combate; cuando cae uno hunden en su cuerpo sus harpías terribles y beben su sangre hasta hallarse satisfechos: después de esto ponen el cadáver de lado y se apresuran a renovar la pelea para tener nuevas víctimas. Arrastran los cadáveres cerca de ellos, y matan a los moribundos con clavas y hachas de armas. Estas fábulas y representaciones se refieren al modo bárbaro con que se trataban los enemigos muertos en los tiempos más remotos, y de lo que la *Ilíada* nos da

un ejemplo en el trato que dio Aquiles al cuerpo de Héctor. En lo sucesivo, suavizándose las costumbres, se formaron los hombres ideas menos bárbaras de los kers. Así es que *Mimnermo* representa uno de ellos como guiando la vejez, y otro anunciando la muerte.

KERAMIOS (*Mit. mah.*) sectarios mahometanos, llamados así de Mohamed-Ben-Keram, su jefe. Los keranios eran entre los musulmanes, lo que los antropomorfistas fueron entre los cristianos. Tomaron a la letra las metáforas que ha usado Mahoma en el *Alcorán*, hablando de Dios, y se imaginaron que este ser espiritual tenía en efecto ojos, pies, manos y los demás sentidos que se le dan hablando en sentido figurado.

KERAÓN. Dios que los esparciatas honraban como inventor de los festines sobre la tierra. (V. Daites, Deipno, Splaninotomos.)

KEREMENT. Nombre de la divinidad principal después del Ser Supremo, que reconocían los tschouwasches, población de Siberia.

KESORA. (*Mit. índ.*) Idolo adorado en la famosa pagoda de Jaganat, con dos diamantes en lugar de ojos, y sobre el cuello un tercer diamante le baja hasta el estómago. El menor de estos diamantes es de cerca de cuarenta quilates, según refiere *Tavernier*. Los brazos del ídolo extendidos y cortados un poco más abajo del codo, están rodeados de brazaletes, ya de perlas, ya de rubíes: está cubierto desde las espaldas hasta los pies de un gran manto de brocado de oro y de plata según las ocasiones; sus manos son hechas de perlas, llamadas *perlas de onzas*; su cabeza y su cuerpo son de madera de sándalo.

A este dios de los indios, aunque bastante semejante a un mono, se le frotaba continuamente con aceites odoríferos que lo ennegrecieron por completo; con su hermana a mano derecha y a la izquierda su hermano, ambos vestidos y en pie; delante de él, su mujer de oro macizo. Estas cuatro estatuas, sobre una especie de altar rodeado de grillos, nadie podía tocarlas, sino ciertos brahmanes destinados a este honor. Alrededor de la cúpula debajo de esta familia, no se veían más que nichos llenos de otros ídolos, la mayor parte de los cuales representan monstruos espantosos, hechos de piedras de diferentes colores. Detrás de la diosa Kesora hay el sepulcro de uno de los profetas indios, a quien se le tributa también un culto.

KESSABIOS (*Mit. mah.*) Secta de mahometanos que sostenía que Mahomet-Ben-Hanefah, hijo de Alí, pero no de Fátima su esposa, no había muerto y que debía volver a aparecer algún día, y reinar con gloria sobre los musulmanes.

KHALIL-ALLAH, *amigo de Dios* (*Mit. mah.*) He aquí, dicen los doctores musulmanes, la ocasión en que obtuvo Abraham este favor. Habiendo el patriarca llegado a ser padre de los pobres del país en que habitaban, una hambruna le obligó a vaciar sus graneros para alimentarles. Cuando hubo agotado este recurso, envió sus criados y sus camellos a Egipto a uno de sus amigos, que era uno de los señores más poderosos de su comarca, para comprar trigo. Instruido del objeto de su viaje, respondió este amigo: «Nosotros tenemos también hambre; por otra parte Abraham tiene provisiones suficientes para su familia, y no creo que sea justo que para que él alimente a los pobres de su país, le enviemos la subsistencia de los nuestros». Esta repulsa, aunque decente, causó gran pesar a la gente de Abraham, y para sustraerse a la humillación de volver con las manos vacías, llenaron sus sacos de una arena muy blanca y fina. Llegados a presencia de su señor, uno de ellos le dijo al oído el mal resultado de su viaje. Abraham disimuló su dolor y entró en el oratorio. Sara nada sabía de lo sucedido y estaba descansando. Viendo al despertar tantos sacos llenos, abrió uno y lo encontró lleno de buena harina, y al momento se puso a cocer pan para los pobres. Abraham, después de haber terminado su oración, sintió el olor del pan y preguntó a Sara de qué harina se había valido.— «De la de vuestro amigo de Egipto, que han traído vuestros camellos.» - «Decid más bien de la del verdadero amigo, que es Dios, pues él es quien jamás no abandona en las necesidades.» En este momento en que Abraham tomó a Dios por su amigo, Dios le tomó también por amigo suyo. (*V.* Abraham, Resurrección.)

KHAROM. (*V.* Khordad.)

KHAREGIEN (*Mit. mah.*) Cismático mahometano rebelde al imán. Esta palabra significa *hombre desobediente*; y los que designa, es decir los que no se sujetan al imán legítimo y reconocido, eran considerados por los otros como rebeldes a los cuales era necesario hacer la guerra. Ha habido de ellos de muchas especies y en gran número y dieron mucho que hacer a los califas.

KHEDER, verdoso (*Mit. mah.*) Nombre que dan los musulmanes a su profeta Elías, a causa de la inmortal duración de su vida, que le mantiene siempre en un estado floreciente en medio de un paraíso o jardín elevado, que se podría tomar por el mismo cielo, y en el cual se encuentra el árbol de la vida. (*V.* Holmat, Modhallan.)

KHODA (*Mit. pers.*) Nombre del dios todo poderoso en la lengua moderna de los persas.

KHORDAD (*Mit. pers.*) Nombre de un buen genio entre los parsis, encargado de velar para el bienestar de los hombres. El es el que con los genios Rameschne, Kharom y Amerdad, da al hombre la abundancia y los placeres.

KHORS o Corcha (*Mit. eslav.*) El Esculapio de los eslavos, cuyo Apolo era Znitsch.

KHUMANO-GOO. (*Mit. jap.*) Especie de prueba que se usaba en Japón. Se llamaba *goo* un papel al cual los jammabos habían puesto su sello y que estaba lleno de caracteres mágicos, de figuras de cuervo y de otras aves. Se creía que este papel era un preservativo seguro contra el poder de los espíritus malignos, y los japoneses tienen cuidado de comprar de él a los jammabos, para ponerlo a la entrada de sus casas. Sin embargo, entre estos *goos* los que tenían mayor virtud son los que venían de un cierto lugar llamado Khumano, lo que hacía que se les llamara Khumano-goos. Cuando alguno era acusado de un crimen, y no había pruebas suficientes para condenarlo, se le obligaba a beber cierta cantidad de agua en la cual se ponía un pedazo de Kumano-goo. Si el acusado era inocente, esta bebida no producía en él el menor efecto, pero si era culpable se sentía atacado de una diarrea violenta, que le causaba horribles dolores y obligaba a confesar su crimen.

**KHÛTÛKTÛ** (*Mit. chin.*) Soberano pontífice de los tártaros Kalkas, cuya religión era igual que la de los mongoles no mahometanos. Este jefe no era antes sino un subdelegado del gran Lama del Tibet; pero con el tiempo llegó a ser independiente y a hacer el mismo papel. Estaba también establecida su autoridad, y al que pareciese dudar de su divinidad, o al menos de su inmortalidad, el pueblo entero le miraba con horror.

**KIAK KIAK** (*Mit. índ.*) *dios de los dioses.* Divinidad de Pegú (Birmania). Se representaba bajo una figura humana que tenía setenta y tres pies y cuatro pulgadas de altura, acostado en actitud de un hombre dormido. Según la tradición del país, duerme hace seis mil años y no despertará hasta el fin del mundo. Este ídolo estaba colocado en un templo magnífico, cuyas puertas y ventanas se hallaban siempre abiertas, y a todo el mundo se permitía la entrada.

**KIKIMORA** (*Mit. eslav.*) Dios de la noche. Se representaba como un espectro nocturno o como un espantoso fantasma. Sus funciones correspondían a las de Morfeo. (*V.* Morfeo.)

**KIMDI** (*Mit. mah.*) Este término corresponde, entre los turcos, a las vísperas de los cristianos y significa la hora de la oración que hacen entre el medio día y la tarde.

**KINCHOK** (*Mit. índ.*) Una de las dos principales divinidades antiguas del Tibet. Se cree que es el dios Fo de los chinos y de los tártaros idólatras.

**KINGS o CHINS.** (Mit. chin.) Nombre genérico de las principales obras que tratan de la moral y de la religión de los chinos antes de la Revolución. «La pasión de los chinos por el nombre *cing*, dice *Mr. de Paw*, es tal, que han querido a todo coste tener cinco libros canónicos, para igualarlos a los cinco elementos, o a los cinco manitous, que, según ellos, presiden en las diferentes partes del cielo, bajo los auspicios del genio supremo.» 1º) El primero lleva el nombre de *I King;* y es el más antiguo monumento de los chinos, y consiste tan solo en una tabla de suertes. Encierra sesenta y cuatro hexagramas, compuestos de líneas derechas, de las cuales las unas son quebradas y las otras enteras. El que consulta la suerte toma, un grupo de palillos y los arroja por tierra a la casualidad. Entonces se observa en que posición fortuita corresponde a los hexagramas del *I King,* y se asegura el bien o el mal, según los ciertos puntos que entre sí convienen. *Confucio* prescribió la mayor parte de las reglas para estos sortilegios, lo que ha mancillado mucho su reputación. 2º) El segundo es el *Chou-King,* colección imperfecta de hechos morales y de diferentes supersticiones, este libro ha sido quemado y restablecido después, lo que no deja de hacer sospechar de su veracidad. 3º) El que se llama *Tchun-Tsieou,* o la *Primavera* y el *Otoño,* que se atribuye sin fundamento a *Confucio,* no es más que una simple crónica de los reyezuelos de *Lou.* 4º) En cuanto al *Chi-king,* es una colección de versos donde se encuentran muchas piezas malas, extravagantes e impías. Lo que hay de más extraño es una oda sobre la pérdida del género humano, en la cual se atribuye esta desgracia a una mujer y se anuncia la destrucción del mundo como cercana. Algunos críticos juiciosos han mirado esta pieza como una interpolación rabínica, y toda la colección como sospechosa. 5º) Lo mismo dicen del *Li-Ki.*

**KIO,** o Foke-Kio, es decir, *el libro de las flores excelentes.* (*Mit. jap.*) Este libro que contiene la doctrina de Jaca, era muy respetado en el Japón. Jaca había dejado los principales artículos de su doctrina grabados de su propia mano sobre hojas de árboles. Dos de sus más celosos discípulos las recogieron con gran cuidado y formaron el libro que los japoneses llaman *Kio,* o *Foke-Kio.* Esta obra valió a los compiladores los honores divinos. Estaban representados en el templo de Jaca, el uno a la derecha y el otro a la izquierda de su maestro.

**KIRIE-KIRIETS.** (*Mit. eslav.*) Gran sacerdote de los antiguos prusianos. Veíase este pontífice debajo un gran dosel al pie de una encina rodeada de ídolos.

**KISTNERAPPAN.** (*Mit. índ.*) Nombre del dios del agua entre los indios. Cuando un enfermo se hallaba cercano a la muerte, le ponían agua en la mano y rogaban a *Kistnerappan* que ofreciera por sí mismo al Ser soberano, el enfermo moribundo purificado de todos sus pecados.

**KITOO.** (*Mit. jap.*) Oración que rezan por lo regular los japoneses en tiempo de alguna calamidad pública.

**KIUN.** Nombre judío de Saturno, según *Saumaise* y *Kircher. Basnage* cree que era la Luna.

**KIWELINGA.** (*Mit. índ.*) Producción de Isparetta, dios de los malabares y padre de Brahma, Visnú y Eswara. (*V.* estos nombres).

**KNOUPHÉIS.** Término que se encuentra frecuentemente en los Abraxas. *Ant. de Caylo, t. 6.* (*V.* Cnef.)

**KOBODAY.** (*Mit. jap.*) Fundador de un orden de monjes en Japón, cuyo convento servía de asilo a los criminales. Se le tributaban los honores divinos, y de noche y día ardían muchas lámparas delante de su ídolo.

**KOBOTE.** (*Mit. jap.*) Filósofo de la secta de Xeguia, el cual llevó a Japón el libro *Kio*, que contenía la doctrina de su maestro. Estableció allí la doctrina esotérica de Fo. Apenas llegó cuando le erigió el Fo-Kubasi, o el templo de caballo blanco, que subsiste aún. El edificio recibió este nombre porque Kobote apareció en el Japón sobre un caballo de este color.

**KODAFA.** (*Mit. mah.*) Jefe de la orden de los sufís, que Schach Sephi estableció en Persia, para atraer a su persona y a sus sucesores, vasallos fieles. Convocaba en los jueves por la tarde a los sufís en una mezquita. Allí rogaban juntos para la prosperidad del príncipe. Los días festivos, el Kodafa se presentaba delante de él con una bacía, en la cual había algunos dulces, hacía una oración como para bendecirlos, y después que el príncipe había tomado alguno, hacían lo mismo los señores de su corte.

**KODGIA.** (*Mit. mah.*) Nombre que daban los mahometanos a un oficial de las mezquitas.

**KOES, KOIES, KOIOLES.** Sacerdote que recibía la confesión de los que querían iniciarse en los misterios de Samotracia, y que purificaba a los que eran culpables de alguna muerte.

**KOINA.** Asamblea generales de los griegos. R. *koinos*, común.

**KONJU.** (*Mit. tárt.*) *Padre eterno.* Título que daban al Gran Lama los pueblos sometidos a su obediencia.

**KORDAT.** (*Mit. pers.*) Angel de la tierra y de sus frutos, según los guebros. *Chardin.*

**KOSE**, *el que ve*, profeta. Divinidad de los idumeos.

**KOSSI.** (*Mit. afr.*) Mokisso o ídolo de los negros del Congo. Consiste en un saco lleno de tierra blanca y guarnecido exteriormente de cuernos. Su capilla era una pequeña choza, rodeada de bananos. Libra del trueno, hace caer las lluvias en la estación conveniente y preside la pesca y la navegación.

**KOTBAH.** (*Mit. mah.*) Oración que hacía el imán todos los viernes cerca del medio día, en la mezquita, para la salud y prosperidad del soberano en los estados donde se encontraba. Esta oración era mirada por los príncipes mahometanos como una prerrogativa de la soberanía de la que estaban muy celosos.

**KOUANIN.** (*Mit. chin.*) Divinidad tutelar de las mujeres. Los chinos hacían muchas figuras de él sobre porcelana blanca. Se representaba por una mujer teniendo un niño en sus brazos. Las mujeres estériles tenían gran veneración a esta imagen, persuadidas que la divinidad que representa tenía el poder de hacerlas fecundas.

**KRATIM,** o **KATMIR.** (*Mit. mah.*) Los persas mahometanos daban este nombre al perro de los siete durmientes, y nunca dejan de escribir tres veces cerca del sello de sus cartas, sobre todo las cartas que van lejos o pasan el mar, como una especie de talismán que les asegura por la razón siguiente: este perro, dicen, estaba en la caverna de los siete Durmientes, y fue el que veló durante los tres siglos que pasaron durmiendo. Cuando Dios les arrebató el paraíso, el perro se agarró al vestido de uno de los siete durmientes y fue también elevado al cielo. Viéndole Dios allí le dijo: "Kratim, por que medio te encuentras en el paraíso? Yo no te he arrebatado, pero tampoco quiero arrojarte de aquí: y a fin de que no carezcas de patrón, como tampoco tus dueños, presidirás las cartas misivas, y tendrás cuidado de que nos las roben, mientras los pasajeros duermen". Este nombre se pone también en las cartas cerca de la firma. *Chardin.*

KRISHNA. (*Mit. índ.*) Divinidad de clase superior la que se encarnó del mismo modo que Rama y de la que los indios refieren muchas fábulas maravillosas. Los indios le adoran con entusiasmo religioso y cree ser el mismo Visnú bajo figura humana. Lo representan adornado con una guirnalda de flores silvestres que le baja hasta el tobillo, y adornado de perlas: su tez es de color azulado oscuro, un poco negruzco, significado de la palabra *Krishna*, por cuyo motivo se le ha consagrado la abeja de este color, a la cual pintan revoloteando con frecuencia alrededor de su cabeza. Son varios los nombres que tiene: *Vasadeva*, *Govinda*, pastor; *Vanamali*, adornado de flores, *Cesava*, de los hermosos cabellos. *Hastings* cree reconocer en este dios a Apolo llamado *Nomios* o Pastor en Grecia, y *Opifer*, en Italia, dios bueno, amoroso, guerrero, que condujo al pasto los rebaños de Admeto y mató por su mano a la serpiente Pitón.

KRIVE. (*Mit. eslav.*) Nombre de gran sacerdote de Peron, entre los antiguos prusianos o borrusios.

KRUTHLODA. (*Mit. escand.*) Nombre que Osián da a Odín.

KUGES. (*Mit. jap.*) Eclesiásticos que componían la verdadera clerecía del Japón y la corte del Dairi. Corresponden a los *Monsignori* de la corte romana y eran en general pobres e insolentes. Llevaban calzones largos y un ropaje muy ancho con la cola colgando. Traían el gorro negro, de forma diferente según la dignidad de las personas, de suerte que con él se reconocían como también con otras varias

distinciones en el vestido, de que cualidad es el eclesiástico y que dignidad ocupaba en la corte. Algunos añadían a su gorro una banda de crespón o de seda negra, que les bajaba hasta las espaldas. Otros traían delante de los ojos una pieza semejante, en forma de abanico. Muchos llevaban sobre el pecho una banda que les caía sobre las espaldas. Cuanto más larga era esta banda, mayor era la calidad de la persona que traía, porque el uso de los kuges era de no inclinarse cuando saludaban alguno sino lo que se necesita para que la banda toque la tierra. Las damas de la corte del Dairi traían también un vestido particular que las distinguía de las mujeres legas.

KULLOPODION. Epíteto dado a Vulcano por los que no le hacen cojo sino de un pie. (*V.* Tardipes.)

KUNITZ. (*Mit. jap.*) Una de las cinco fiestas solemnes del Sinto, que se parece, por la licencia, a los Saturnales y a las Bacanales de los romanos.

KUON-IN-PU-SA. (*Mit. chin.*) Divinidad monstruosa hacia la cual tenían los chinos mucha veneración. Los unos la hacen hija de un rey de los indios, y otros de una China que vivió en los montes cerca de Macao. Los cristianos chinos la toman por la Virgen. Sea lo que fuere, lo cierto es que este ídolo es uno de los más célebres de China. Se la representa con muchas manos, símbolo de su liberalidad y del gran número de sus beneficios.

KUPAI. (*Mit. peru.*) Nombre del diablo entre los peruanos. Cuando pronunciaban este nombre, escupían la tierra en señal de execración.

KURADES. (*Kalai*) Las buenas señoras: esto es las hadas, que son las ninfas de los griegos modernos. *Villoison* ha observado con frecuencia, en sus viajes, que son las que saludan los griegos respetuosamente en la isla de Miconos y otras partes, cuando antes de sacar agua de un pozo, repiten tres veces, *yo te saludo o pozo, y a tu compañía,* es decir las hadas. R. *kyrios,* señor. (*V.* Mires.)

KYRBIDES. Tablas triangulares y piramidales donde se escribían las leyes y las fiestas de los dioses. R. *kyroün bion,* llevar las leyes relativas a la vida civil.

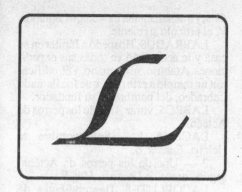

LA. (*Mit. tárt.*) Nombre que dan al Fo de los chinos, los lamas del Tibet. (*V. Manipa.*)

LAÁN, o LAPERSIA. Ciudad de Laconia de la cual se apoderaron Cástor y Pólux, lo que dio motivo a que se les llamase lapersas. Sus habitantes concurrieron al sitio de Troya. *Ilíada. 2.*

LABDA. Hija de Anfión, de la familia de los Bacchiades, coja, y despreciada por este motivo por sus compañeras, a las cuales abandonó para casarse con Eetión, hijo de Echecrate. Habiendo predicho el oráculo que amanecería un día en que un hijo de Labdas llegaría a ser tirano de Corinto, fueron enviados diez hombres a casa de la esposa de Eetión para matar al niño: pero en el momento en que uno de ellos iba a clavar el puñal en su tierno corazón, Cípselo le tendió sonriendo sus bracitos; acción que desarmó el brazo del matador y le quitó el valor de asesinarlo. Este alargó el niño a su compañero, que se vio conmovido también como el primero, y Cipselo pasó de mano en mano, hasta volver a su madre. Habiendo salido los que debían terminar su existencia, se echaron mutuamente en cara su debilidad, y cuando volvían a entrar para matarlo, Labda que le había escuchado todo, ocultó a su hijo en una medida de trigo, que los griegos llamaban Cipselo, y le arrancó de este modo del furor de sus enemigos. *Herod. 5, c. 92. Aristót. Polit. 5.*

LABDACIDES. Hijo de Labdaco. Dábase también algunas veces este nombre a los tebanos.

LÁBDACO. Hijo de Fénix, o según otros de Polidoro, rey de Tebas y padre de Layo. Estando para morir Polidoro, encargó la corona y su hijo a Nectéo. Habiendo este expirado, Lico su hermano, tuvo la tutela del joven príncipe con la administración del reino. Cuando Labdaco estuvo en edad de gobernar, Lico le entregó el timón del estado, mas habiendo muerto al cabo de pocos años, Lico se vio otra vez tutor de Layo, hijo de Lábdaco. *Apolod. 3, c. 5, Paus. 2, c. 6, l. 9, c. 5.*

LABERINTO. 1 — Recinto lleno de bosques y edificios dispuestos de manera, que cuando alguno ha entrado en él, le es muy difícil encontrar después la salida. Los antiguos hacen mención de cinco famosos laberintos.

2 — El más antiguo era el de Egipto. *Plinio* (*l. 36, c. 13*), que le coloca entre el lago Moeris, atribuye su construcción a Petesuco o Titoes. *Herodoto* lo hace obra de doce reyes. Este edificio, según refiere *Pomponio Mela* (*l.1, c.9*), contenía tres mil aposentos, cuya mitad eran subterráneos y los restantes a la vista, y encerraban en un solo recinto doce palacios. Estaba construido y cubierto de mármol: no había más que una sola bajada, pero dentro se encontraban una infinidad de sendas tortuosas. En tiempo de *Plinio* siglo I. d.C. era común la opinión de que era un templo consagrado al Sol. Posteriormente algunos viajeros conjeturaron que era un panteón. Los habitantes del país lo llaman los restos del palacio de Caronte y están persuadidos de que es obra del fabuloso Caronte, que según las leyendas después de haber recogido inmensas sumas por el tributo que exigía para el paso de los muertos, había hecho construir este edificio para encerrar en él estos tesoros puestos fuera del alcance de los ladrones por los poderosos talismanes que los guardaban. De aquí nace el miedo que los lugareños poseían de que los viajeros no vinieran a robar estos tesoros, y la repugnancia que tenían de conducirlos al laberinto.

3 — El laberinto de Creta fue edificado cerca de Cnosos por Dédalo, según el modelo del de Egipto, para encerrar en él, al Minotauro.

4 — En las memorias de la Academia

Francesa se halla descrito, por Tournefort, otro laberinto de la isla de Creta. Se trata de un conducto subterráneo en forma de camino, que con mil vueltas y revueltas irregulares, recorre todo el inferior de una colina situada al pie del monte Ida, hacia el medio día a tres millas de la antigua Gortina.

5 — El de la isla de Lemnos era célebre por las ciento cincuenta columnas, que estaban tan bien fijadas en sus quicios que un niño podía moverlas con mucha facilidad. Era obra de los arquitectos Zmilo, Rholo y Teodoro de Lemnos. En tiempo de *Plinio* se veían aún sus restos.

6 — El laberinto de Italia fue edificado debajo de la ciudad de Clusium por Prensa, rey de Etruria, que quiso asegurar en Italia la gloria de haber encendido la vanidad de los reyes extranjeros, edificándose un magnífico sepulcro.

*Plinio* habla de otro laberinto de Samos construido por Teodoro. *Estrab. 10, Diod. 1, Herod. 2, c. 148.*

LABIQUES. Pueblos de Italia, originarios de Glauco, hijo de Minos, llamado por otro nombre Lábico, de un escudo en cuyo interior podía pasarse el brazo, y cuyo uso llevó a Italia. R. *labe*, asa.

LABITH-HORCHIA. Los tirrenios y los escitas adoraron a Vesta bajo este sobrenombre.

LABITI. El mismo nombre que el precedente, pero desfigurado por los escitas.

LABRADEO, LABRANDIUS, LABRANDEUS. Sobrenombre de Júpiter bajo el cual era adorado en Caria, donde se veían sus imágenes con un hacha, en lugar del rayo y el cetro. Esta hacha había pertenecido a Hércules, quien la había dado a Onfale, del cual había pasado a los reyes de Lidia hasta Cándalo. Habiéndola entregado éste a uno de sus cortesanos, cayó después de la derrota de Cándalo en poder de los carios que armaron con ella a su Júpiter (*Plut.*) Sin embargo *Elio* pretende que este Júpiter tenía una espada en la mano, y que se le había dado el sobrenombre de Labradens, tan sólo por referencia a las repetidas y violentas lluvias que caen en esta comarca. Otros lo derivan del mismo lugar en que era adorado este dios, y que se llamaba Labrada, o Labranda. *V.* el artículo siguiente.

LABRADUS. Hospedó a Júpiter en su casa y le acompañó en todas sus expediciones. Atabirio, su hermano, y él, edificaron un templo a este dios, que fue llamado Labradeo, del nombre de su fundador.

LABROS, voraz. Uno de los perros de Acteón.

LACENA. 1 — Sobrenombre de Helena. *Eneida. 6.*

2 — Uno de los perros de Actéon, según parece de Laconia. *Met. 9.*

LACOPLUTES. Descendientes de Galias, porta-antorchas de los misterios en Atenas.

LACCOS. Fosos que servían de altares, cuando se ofrecían sacrificios a las divinidades infernales. En gr. laccos = cavidad, foso, cisterna.

LACEDEMÓN. Hijo de Júpiter y Taigete. Cuarto rey de Lacedemonia. Estaba casado con Esparta, hija del rey Eurotas. Este, al morir sin hijos, le legó el reino. Lacedemón dio su nombre al pueblo de los lacedemonios y el de su mujer a la ciudad de Esparta, su capital. Los lacedemonios atribuían a este príncipe la gloria de haber introducido en Grecia el culto de las Gracias, y creían que el templo que les había erigido en las riberas del Tiase era el más antiguo del país. Se le erigió después de su muerte un monumento heroico en Laconia. *Apolod. 3, c. 10, Hig. f. 155, Paus. 3, c. 1.* (*V.* Esparta.)

(*Iconol.*) En el *Gemmarum Thesaurus*, de Ebermayer, se ve un camafeo representando a Lacedemón, con larga barba, espesa y los cabellos largos y apiñados. Lleva un casco sin cimera y sin adornos.

LACEDEMONIA (*Iconol.*) 1 — Trae en sus medallas un vaso alto y el gorro de los Dióscuros.

2 — Sobrenombre de Juno en Crotona.

LACEDEMONIAS. Fiestas en que las lacedemonias, tanto casadas, como doncellas, niñas y criadas, se reunían en un aposento donde los hombres no podían entrar. Ateneo habla de una fiesta del mismo nombre durante la cual las mujeres asían a los viejos célibes y les acompañaban hasta el altar a puñetazos.

LACERTA. Adivino que adquirió una fortuna inmensa bajo el imperio de Domiciano. *Juv. Sat. 7.*

LACESTADES. Compartió el torno de Falces, hijo de Témeno.

LACINIA, o Laciniana. Sobrenombre de Juno, sacado de un promontorio de Italia, en el golfo de Tarento, donde poseía un templo respetable por su santidad, dice *Tito Livio* (*l. 3, c. 2.*), y célebre por los ricos presentes que los adornaban (*Met. 5, Val. Max. 1, c. Estrab. 6.*). Estaba cubierto de tejas de mármol, parte de las cuales fueron robadas por Q. Fulvio Flaco para servir de techo a un templo de la Fortuna que hacía edificar en Roma; pero habiendo muerto poco después miserablemente, se atribuyó su muerte a la venganza de la diosa, y por orden del senado fueron trasladadas las tejas al mismo lugar de donde se habían sacado. A este primer prodigio se añadió otro más singular, y fue que si alguno grababa su nombre sobre estas tejas se borraba desde el momento que aquel moría. *Cicerón* refiere otro milagro de Juno Lacinia. Queriendo Aníbal tomar de este templo una columna de oro, y no sabiendo si era macizo o no, la hizo sondar y, observando que era todo oro, resolvió llevársela, pero habiéndosele aparecido Juno la noche siguiente, y advertido que no la robase si no quería perder el único ojo bueno que le quedaba, Aníbal obedeció al sueño; y del oro que había sacado de la columna sondándola, hizo fundir un pequeño becerro y lo mandó poner sobre el capitel de la columna (*V. Lacinio.*)

LACINIO 1 —Temible bandido que asolaba las costas de la Magna Grecia y quiso robar los bueyes a Hércules. Este héroe le mató y, en memoria de su victoria, edificó un templo a Juno Lacinia. *Eneida. 3, Diod. Sic.*

2 — Héroe que dio nombre al cabo Lacinio, en el territorio de la colonia griega de Crotona (Italia meridional)

LACIO. País de los latinos, campiña hoy día de Roma, llamada así de la palabra latere, ocultarse, porque arrojado Saturno del cielo por Júpiter, vino a ocultarse en esta comarca de Italia. *Estrab. 5, Jus. 20, c. 1, Plin. 3, c. 12.*

LACIO. 1 — Héroe del Atica, a quien se había consagrado un bosque cerca de un lugar llamado la *villa de los lacidos*, patria de Miltiades y de Cimon. *Paus.*

2 — Sobrenombre de Júpiter. *Estacio. 5.*

3 — Uno de los que recibían los honores heroicos entre los griegos. *Mit. de Banier, t. 6.*

LACJANÓPTERES. Animales ideales, que *Luciano* pone en la luna, los cuales eran grandes aves cubiertas de hierbas en vez de plumas. R. *lajanon*, hierba, *pteron*, ala.

LACJNE. Uno de los perros de Acteón. *Met. 3.*

LACJUS. Genio celestial, cuyo nombre grababan los basilidios de Arcadia sobre sus piedras mágicas de imán.

LACÓN. El mejor de los perros de Acteón. *Met. 3.*

LACSGMI (*Mit. índ.*) Diosa de la abundancia, hija de Bhrigu, promulgador del primer código de los ritos sagrados, o según otros nacida en el mar de leche. Es una de las esposas de Visnú. Los seguidores de este dios la miraban como madre del mundo. Su hermosura se cita como modelo de perfección. Se la llama también Pedma y Camala, del loto o ninfea, y Sris que significa fortuna y prosperidad. Se ven aún en los antiguos templos las estatuas de esta diosa, con los pechos hinchados y una especie de cuerno de la abundancia enroscado por su brazo, atributos que la hacen muy semejante a la Ceres de los griegos y romanos. Se decía que esta diosa no tenía esencia propia, que era al mismo tiempo vaca, caballo, monte, oro, plata; en una palabra todo cuanto puede imaginarse. Llevaba su nombre atado al brazo o al cuello, como un preservativo contra toda especie de accidentes.

LACTENS, LACTURNO. Dios de los romanos (*V. Lacturcina.*)

LACTON. (*Mit. celt.*) Nombre con que los sarmacios adoraban el soberano de los muertos. *Banier, t. 3.*

LACTURCINA, LACTURCIA. Diosa de los romanos, que presidia la conservación de los trigos en leche. *Id. t. 1, 4.*

LADES. Hijo de Imbraso, y hermano de Glauco muerto por Turno.

**LADOCO.** Hijo de Equemo, que dio su nombre a la villa de Ladocea, en Arcadia. *Paus.*

**LADÓN.** 1 — Río de Arcadia, padre de Dafne y Siringa. Pan formó su flauta de siete cañutos de las cañas que crecían en las riberas. *Met. 1. Plin. Paus. Estrab.*

2 — Uno de los capitanes arcadios que siguieron a Eneas a Italia, donde fue muerto por Haleso. *Eneida. 10.*

3 — Uno de los perros de Acteón. *Met.*

4 — Nombre de la serpiente que guardaba las manzanas de las Hespérides.

**LÆLAPS,** *torbellino.* 1 — Uno de los perros de Acteón. *Met. 3.*

2 — Perro de Céfalo, que persiguiendo al monstruo enviado por Temis, fue transformado en piedra con el animal a quien perseguía. *Met. 7.*

**LAÉRCEO.** Dorador de quien habla *Homero. Odis. l. 3.*

**LAERTES.** Hijo de Arcesio y padre de Ulises, contado por *Apolodoro* en el número de los Argonautas. Fue en efecto contemporáneo y pariente de Jasón. Tuvo a Ulises de Anticlea, hija de Autólico, y murió poco tiempo después de la vuelta de Ulises. *Odis. 1l. Met. 13.*

**LAERTIADES, LAERTIDES, LARTIDES.** Ulises hijo de Laertes.

**LAERTIUS, LAERTIDIUS HEROS.** El mismo que el precedente.

**LAETITIA.** (*V.* Alegría.)

**LAETUSA.** Según *Higinio,* es la esposa del rey de Tracia, Linceo, a quien Tereo había confiado su cuñada Filomela. Tereo casado con Procne, hermana de Filomela, había forzado a ésta y para evitar ser descubierto le había cortado la lengua, pero Filomela se las ingenió para hacerse entender por su hermana.

**LAFIRA.** Sobrenombre de Palas, con el significado de despojos, porque es la diosa de la guerra y es la que hace alcanzar los despojos de los enemigos. Gr. *láfiron,* despojo.

**LAFISTIENES.** Sobrenombre de las bacantes, del monte Lafistio, en Beocia, donde Baco era venerado.

**LAFISTIUM.** Monte célebre por haber descansado en él Hércules, cuando salió de los infiernos, arrastrando al Cancerbero.

**LAFISITIUS.** 1 — Sobrenombre de Baco. *Paus.*

2 — Sobrenombre de Júpiter, a quien Frixo inmoló el carnero que había llevado a Colcos. Los orcomenios le dieron este nombre en memoria de su fuga; y después de esto Júpiter Lafistio fue considerado como dios tutelar de los fugitivos. (*Paus. 9, c. 34.*) R. *laphyssein,* huir precipitadamente. (V. Frixo)

**LAFRIA.** Sobrenombre que dieron los calidonios a Diana, cuando creyeron apaciguada con el tiempo su cólera contra Eneo y sus súbditos. Habiendo Augusto despoblado Calidón para trasladar los habitantes a Nicópolis, su nueva ciudad, dio a los de Patras, en Acaia, una parte de los despojos de Calidón, y entre otras cosas la estatua de Diana-Lafria, que estos pueblos guardaban con cuidado en su ciudadela. Esta estatua era de oro y de marfil y representaba a la diosa en vestido de caza. Los unos derivan su nombre del griego *Lafiron,* despojo; otros de *Lafrius,* otro en fin de *Elafros,* ligero, porque Eneo se había enamorado ciegamente de ella. (*Paus. 7, c. 18.*) M. *Pougueville, Viaje de la Grecia, t. 3, c. 97,* traduce este epíteto por *benigno,* que va incluido en el mismo sentido.

**LAFRIAS.** Fiesta anual que los habitantes de Patrás habían establecido en honor de Diana-Lafria. Duraba dos días: en el primero se hacían procesiones; en el segundo se pegaba fuego en una hoguera inmensa que se había preparado antes de la fiesta, y sobre la cual habían reunido frutos, aves y animales vivos, que consistían en lobos, osos, leones, etc. Como estos animales debían ser quemados vivos, se contentaban con atarlos en la hoguera; así es que, sucedía algunas veces, el fuego consumía las prisiones o jaulas antes de aniquilar las víctimas, y entonces saltaban éstas de la hoguera con gran peligro de los asistentes; pero la tradición popular griega pretendía persuadir que no resultaba de ello ningún daño. *Paus. 7, c. 18.*

**LAFRIO.** Hijo de Delfo. Se dice que fue el primero que erigió una estatua de Diana en Calidón de donde, según algunos, la diosa trae su sobrenombre de Lafria.

LAGA. (*Mit. escand.*) Guardiana de las frescas olas o los baños.

LAGABALO (*V.* Heliogábalo.)

LAGENOFORIAS. Fiestas célebres de Alejandría en tiempo de los Ptolomeos. Los que las celebraban, cenaban recostados en los lechos, y bebía cada uno de la botella que había traído. Esta fiesta era tan sólo célebre entre el vulgo. R. *lagena*, botella; *ferre*, llevar. *Ant. Expl. t. 2.*

LAGETAS, *el que conduce o guía los pueblos a su imperio.* Sobrenombre que da *Píndaro* a *Plutón.* R. *laos*, pueblo; *agein*, conducir.

LAGO. Los galos tenían un respeto religioso por los lagos, a los cuales consideraban como divinidades, o por lo menos como lugares que éstas escogían para su hogar terrenal. Daban asimismo a los lagos el nombre de algún dios particular. El más celebre de todos era el de Tolosa al cual arrojaban el oro y plata que tomaban a sus enemigos. Había también en el Gevaudán, al pie de un monte, un gran lago consagrado a la Luna, donde se reunían todos los años los pueblos de la comarca, para arrojar a él las ofrendas que hacían a la diosa. *Estrabón* habla de otro lago muy célebre, en las Galias, llamado el Lago de los dos cuervos, porque dos de estos animales habitaban en él, y de los cuales se referían mil cuentos ridículos. Sin embargo, lo que parece ser cierto es que, en todas las querellas, ambas partes iban allí y cada una de ellas arrojaba a los cuervos una torta; y aquel que tenía la fortuna que su ofrenda fuese comida primeramente, ganaba la causa.

LAGUS. Capitán rútulo, muerto por Palas, hijo de Evandro. *Eneida. 10.*

LAHRA. Divinidad honrada en Turingia.

LAIADES. Edipo, hijo de Laio. *Met. 7.*

LAICA. (*Mit. perua.*) Nombre que daban a las hadas los peruanos. Las Laicas eran por lo común bienechoras, en vez de que la mayor parte de los magos se alegraban en hacer mal.

LAIS. Famosa cortesana de Corinto, la cual pidió mil dracmas por una noche a Demóstenes, quien le respondió que no quería comprar tan caro un arrepenti-

miento. Algunas mujeres, envidiosas de su hermosura, la mataron a golpes de aguja en Tesalia, en un templo de Venus, que tuvo el sobrenombre de *Lomicida.* (*V.* Andrófonos.) En Corinto había el sepulcro de Lais, sobre el cual se veía una leona teniendo un cordero entre sus garras. *Plut. Paus. 2. c. 2.*

LAIUS, o Laio. Hijo de Labdaco, rey de Tebas y Nictéis. Estaba aún en la cuna cuando la muerte le robó su padre. Su tío Liclo, a quien su madre le había recomendado al morir, se apoderó del trono; pero los tebanos le restablecieron en él apenas murió el usurpador. Casó con Yocasta, hija de Creonte, rey de Tebas. *Hig. 9 f. 56. Diod. 4. Apolod. 3, c. 5. Paus. 9, c. 5. 26. Plut.* (*V.* Edipo.)

LALARIA. Hija del río Alemón, llamada así de la palabra griega *lelein*, hablar. (*V.* Lara, Muta.)

LALO. Divinidad que invocaban las nodrizas para impedir que los niños llorasen y hacerles dormir: otros decían que presidía los balbuceos de los niños.

LAMA, El gran. 1 — (*V.* Dalai Lama.)

2 — Nombre de los ministros y sacerdotes del gran Bodhisattva del Tibet. El amarillo es su color favorito; vestidos, cinturones, todo es de este color. Se afeitan el rostro y la cabeza. Las principales virtudes que la regla les recomienda son la continencia y la castidad. Están obligados a rogar continuamente, y así se les ve siempre con el rosario en las manos. Los tres preceptos principales de su doctrina son honrar a Dios, a nadie ofender y dar a cada uno lo que le pertenece. Durante sus oraciones hacen girar un instrumento cilíndrico.

LAMBDA. Sobrenombre dado a la mujer de Eetión, madre de Ciselo, cuyas piernas inclinadas hacia afuera tenían la forma de una L griega.

LAMEDONTE. Rey de Sición, hijo de Corno y hermano de Córax. Termina con él la estirpe directa de Aclaeo.

LAMIA. 1 — Hija de Neptuno, amada de Júpiter, del cual concibió a la Sibila libia. *Paus. 10, c. 12.*

2 — Reina de una extremada hermosura, que habitaba una espaciosa cueva

guarnecida de tejos y de hiedra; pero, en castigo a la ferocidad de su carácter, fue transformada en bestia feroz. Habiendo perdido todos sus hijos cayó en una tal desesperación que robaba los de las otras mujeres de entre sus brazos, y se complacía en despedazarlos. Por esto, dice *Diodoro de Sicilia*, se hizo esta mujer tan odiosa a los niños, que temían hasta su nombre. Cuando estaba borracha permitía hacer todo lo que querían, sin temer de su parte ninguna venganza de lo que había pasado durante su embriaguez. Por esto antes de beber metía sus ojos en un saco, esto es, que la borrachera le sumergía en un profundo sueño.

3 — Doncella oriunda de Libia, hija de Belo y Libia, amada por Júpiter. Cada vez que daba a luz un hijo Juno lo hacía perecer. Refugiada en una cueva, se convirtió en monstruo y devoraba a los hijos que caían en sus manos de las demás mujeres. Juno extremó su crueldad y le quitó el sueño, pero Júpiter, compadecido, le dio la virtud de poderse quitar los ojos a voluntad. Aficionada al vino, dormía después teniendo los ojos a un lado en una vasija. Entonces era inofensiva.

4 — Y Auxesia. (*V.* Litobolia.)

5 — Hija de Cleonor de Atenas, tañedora de flauta y famosa cortesana, amada de Ptolomeo I, rey de Egipto. Presa en un combate naval y conducida a Demetrio Poliorcetes, le pareció tan amable, aunque de edad avanzada, que la prefirió a todas las demás amantes. Aventajaba a todas en chistes y en respuestas agradables. Los atenienses y los tebanos le erigieron un templo bajo el nombre de *Venus Lamia, Plut. Aten.*

LAMIAS. Espectros de Africa que se representaban con el rostro y seno de mujer, y cuerpo de serpiente y se decía que se ocultaban en los zarzales cerca los caminos. No estaban dotadas de la facultad de hablar, pero silbaban de un modo tan agradable que atraían a los extranjeros y los devoraban. (*Hor. Art. poet.*) Esta fábula parece estar fundada en la de Lamia 2. R, *laimos*, voracidad. (*V.* Empusa.) Se daba también este nombre a los magos. Los árabes ponían los lamias en la línea de los demonios o genios malos, a quienes había dado dios el gobierno del mundo, antes de confiarlo a Eblis. Dicen que, habiendo Salomón vencido a uno de ellos, lo empleó en una infinidad de cosas maravillosas.

LAMIO. Uno de los hijos de Hércules, al cual atribuye un mitólogo la fundación de Lamia en Tesalia.

LAMIRO. Capitán latino, muerto por el mismo. *Ibid.*

LAMPADODROMÍA, *carrera de antorchas.* (*V.* Lampadoforías.)

LAMPADOFORÍAS. Fiestas en las cuales se encendían una infinidad de lámparas en honor de Minerva, que fue la primera que les regaló el aceite de Vulcano, inventor del fuego y de las lámparas, y de Prometeo que había robado el fuego del cielo. Se celebraban juegos, que consistían en disputar el premio con una antorcha en la mano. *Ilíada.* (*V.* Antorcha.)

LAMPADÓFORO. El que llevaba la lámpara en los sacrificios, o la antorcha en las lampadoforías. *Ant. Expl. t. 2.* (*V.* Daduches.)

LAMPADOMANCIA. Adivinación en que se observaba la forma, color y diferentes movimientos de la luz de una lámpara, a fin de predecir lo venidero. *Delrio* se refiere a esta adivinación comparándola con la práctica de los que encienden un cirio en honor de San Antonio de Padua, para encontrar las cosas perdidas.

LÁMPARAS. Los antiguos las empleaban para tres usos distintos: 1. en los templos para los actos religiosos: 2. en las casas, para las bodas y para los festines; 3 en los sepulcros.

(*Iconol.*) Los antiguos consagraban lámparas a sus divinidades y hasta a sus héroes. Casi todos los libros de la antigüedad, como el *Museum Romanun*, de la *Chausse*, las *Antigüedades del Herculanum*, y diferentes colecciones grabadas por *Bartoli* y comentadas por *Bellori*, presentan una multitud de ellas cuya elegancia en la forma y cuya hermosura se debe en gran parte a los símbolos de que están adornadas. Así por ejemplo la lámpara de Júpiter está coronada del águila teniendo un rayo. La de Vesta ofrece la figura de esta diosa, la del Sol está adornada con un grifo alado entre dos columnas. Uno de los pies del animal hace mover una rueda, como para indicar que el movimiento circular del sol es el que conserva y reproduce todas las cosas. Las columnas son el símbolo quizás de los trópicos de los equinoccios y los solsticios. Una lámpara de Leda ofrece la cabeza de ésta, formando las asas dos cabezas de cisne. Otra lámpara recuerda los amores de Júpiter con la misma Leda y con Europa. Está adornada de dos figuras enteras de cisne, y de dos figuras de toro. Una de Palas victoriosa, ofrece la estatua de ésta formando las asas dos cabezas de cisne. Otra lámpara recuerda los amores de Júpiter con la misma Leda y con Europa. Está adornada de dos figuras enteras de cisne, y de dos figuras de toro. Una de Palas victoriosa, ofrece la estatua de este dios sobre el umbral de la puerta de su templo, teniendo un ramo de olivo en la mano con esta inscripción: Palladi Victrici. -Se ve una lámpara de Neptuno todo entero formado del cuerpo de un caballo.- Una lámpara consagrada a Pegaso, muy notable, está coronada con la figura de este caballo dios, entre dos ninfas coronadas de juncos, una de las cuales tiene una botella y la otra le presenta una concha llena de agua, o de los vapores del rocío. Tiene a sus pies dos máscaras escénicas, y en medio de ella se ve grabado un cepo con una uva.- Muchas de las lámparas de Sileno están formadas de la cabeza de este dios campestre, coronada algunas veces de pámpanos y de su boca abierta, sale la mecha encendida.— Una lámpara de Venus está hecha bajo la forma de paloma.— Otra consagrada a Diana de Éfeso presenta una media luna en la extremidad del asa con esta inscripción:

ARTEMIS.EPHESION.EUTYCHOYS.

(ARTEMIS = DIANA; EFESION, EUTIJOIS).

ALEXANDRIU. MEILETOPOLETION.

En una lámpara de Pan está representado este dios con cuernos; y adornado de diferentes cabezas de aves terrestres y acuáticas que parecen salir de sus cabellos y de su barba.— Otra lámpara consagrada al genio del Invierno, está adornada con una cabeza de ánade.— Apolo la tenía figurada con un cuerpo de cisne, símbolo de la adivinación.— El cardenal Alejandro Albani poseía una lámpara consagrada a Esculapio adornada con dos serpientes entrelazadas que formaban el asa.— Se conserva también una lámpara circular de doce mechas, símbolo del Zodíaco. *Ant. Expl. t. 3.*

2 — Inextinguibles. Estas lámparas o nunca se extinguían, o se apagaban después de un tiempo limitado. En el templo de Minerva, en Atenas, había según *Pausanias*, una lámpara de oro, inextinguible, que quemaba un año entero día y noche, sin que en todo este tiempo hubiese necesidad de renovarla.— *San Agustín* (*Ciudad de Dios*) habla de cierto templo de Venus donde había un candelabro sobre el cual había una lámpara que ardía al aire, y de tal modo inextingible, que no tan sólo la lluvia, pero ni la tempestad más violenta podía apagar.— *Solín* habla de una lámpara semejante que había en un templo de Inglaterra.— *Plutarco* dice que *Cleombroto*, lacedemonio, visitando el templo de Júpiter Ammón, vio una lámpara, que los sacerdotes dijeron que ardía siempre con el mismo aceite. Se citan otros ejemplos de lámparas perpetuas encontradas en los sepulcros, y entre otros, en el de Tuliola, hija de Cicerón, cuyo sepulcro se descubrió en Roma en 1540. Se encontró, dicen, una lámpara encendida, que se apagó luego que el aire penetró allí. Algunos autores niegan todos estos pretendidos prodigios, fundados tan solo en el *oí decir*, y en la relación de algunos obreros, que viendo salir de estos monumentos descubiertos, una especie de humo y encontrando en seguida una lámpara, concluyeron que esta lámpara se había apagado, y que de ella salía el humo.

3 — De Príapo. Estas lámparas tenían una figura particular, y por lo común la forma del falo: estaban consagradas también al Sol, a Baco, a Isis, a Mercurio y a Cibeles. Había semejantes a éstas en las habitaciones de las prostitutas y en Roma se permitían encender por la noche después de las nueve.

4 — (Fiesta de las.) (*Mit. egip.*) Fiesta

que se celebraba en Sais en Egipto. *Herodoto* refiere que fue instituida con ocasión de la muerte de la hija única de un rey amado de sus súbditos. (*V.* Linternas.)

LAMPETIA, LAMPETUSA. 1 — Hija de Helio y Clímena, y hermana de Faetonte y de Faetusa: se afligió de tal modo por la muerte de su hermano, que los dioses la transformaron en álamo. *Met. 1l.*

2 — Hija de Helio y Neera, y hermana de Faetusa. El sol les había confiado la guardia de sus ganados en Sicilia. Habiendo sido los compañeros de Ulises, instigados por el hambre, mataron algunos de sus bueyes, Lampedia fue a quejarse al Sol, y el Sol a Júpiter, que hizo perecer en una tempestad todos los compañeros de Ulises. *Odis. 12.* Al confundirse con el tiempo Helios con Apolo-Febo se atribuyen los hijos de aquél a este dios. Una tradición aislada afirmaba que Lampetia fue la esposa de Asclepios (Esculapio) y madre de Macaón, Podalirio, Yaso, Panacea y Egle.

LAMPETO. 1 — Reina de las Amazonas. Gobernó con Martesia y extendió tanto la gloria de sus armas, que pasó por hija de Marte. Después de haber conquistado la mejor parte de Europa, sujetó algunas ciudades de Asia, y fundó Efeso y muchas otras ciudades florecientes. *Just. 2, c.4.*

2 — Héroe de Lesbos, hijo de Iro muerto por Aquiles cuando la toma de Metimna.

LAMPETOON. *resplandeciente.* Epíteto de Apolo. *Antol.*

LAMPEUS. Sobrenombre de Pan, del monte Lampea, en Arcadia.

LAMPÓN. 1 — Adivino de Atenas. Presentaron un día a Pericles, de su casa de campo, un carnero que no tenía más que un asta muy fuerte en medio de la frente, en vista de lo cual Lampón pronosticó que el poder, dividido hasta entonces en dos facciones, las de Tucídides y Pericles, se reuniría en la persona de aquél, a quien había sucedido este prodigio. Se desvaneció la maravilla a la disección del carnero hecha por Anaxágoras, pero Lampón salió vencedor cuando la caída de Tucídides hizo pasar toda la autoridad a manos de Pericles. Este adivino era rígido observador de la ley establecida por

Radamanto; no jurar por el nombre de las plantas o de los animales. *Plut. Suid.*

2 — Otro adivino de Atenas, ganaba su vida enseñando a las aves de cantar.

3 — Uno de los caballos de Diómedes.

LAMPOS, *resplandeciente.* 1 — Uno de los caballos del Sol hacia su medio día, cuando tiene todo su esplendor.

2 — Sobrenombre de la Aurora. *Ilíada. 8, Odis. 23.*

3 — Sobrenombre de Héctor.

LÁMPSACE. Hija de Mandrón, rey de los bebricios. Advirtió a Fobo y Blepso, foceos, que habían venido a establecerse en Pitiusa con una numerosa cantidad de jóvenes, que los habitantes del país habían jurado exterminarlos. Instruidos los foceos de la traición, aprovecharon el aviso e hicieron una gran matanza de sus enemigos. Algunos días después la muerte asaltó a Lámpsace, Fobo y sus compañeros le erigiron un suntuoso mausoleo y quisieron además que Pitiusa llevase el nombre de Lámpsacea, o Lámpsaca, ciudad de Asia Menor, donde Príapo era honrado con un culto particular. *Paus. 9, c. 31, Herod. 5, c. 37.*

LÁMPTER. Sobrenombre de Baco, tomado del gran número de lámparas que se encendían en una de sus fiestas. *Paus.*

LAMPTERIAS. Fiesta de Pelene en honor a Baco. Se celebraban después de la vendimia y consistía en una gran iluminación nocturna y una profusión de vino que se derramaba sobre los que pasaban. *Paus. 4, c. 21.*

LAMPURIS. Sobrenombre de Venus, de *Lampouris*, especie de zorra con cola blanca. R. *lampein*, brillar; *oura*, cola. Se dice que Ulises era tan astuto como la zorra lampuris.

LAMPUS. 1 — Una de las hijas de Laomedonte, y padre de Dólope. *Ilíada. 5.*

2 — Hijo de Egipto.

3 — Uno de los perros de Acteón. *Met.*

LAMUS. 1 — Hijo de Neptuno, y rey de los lestrigones, fundador de Formias. *Hor. 3, c. 17.*

2 — Hijo de Hércules y Onfale *Ovid. Heoric. 9.*

3 — Capitán latino, muerto por Niso. *Eneida. 9.*

**LANASA.** Hija de Cleodeo, nieto de Hércules, robada por Pirro, hijo de Aquiles, que la tomó por mujer y tuvo de ella ocho hijos. *Just. 17, c. 13.* (*V. Pirro.*)

**LANICERA.** Sobrenombre de Ceres cuando está representada precedida de un carnero, o sentada sobre él. Tenía bajo este nombre un templo en Megara, porque esta comarca era célebre por las obras en lana.

**LANITRO.** (*Mit. índ.*) Los habitantes de las Molucas adoraban con este nombre el demonio del aire.

**LANOMENA.** Hija de Hércules.

**LANUVIUM.** El territorio de esta ciudad contenía un campo llamado *Salonius campus*, en el cual había una serpiente, que cada año, a la vuelta de la primavera, venía en un día fijo a pedir su alimento, el cual no quería recibir sino de la mano de una hija de Lanuvium, que fuese aun virgen. La que se exponía a ello, sin tener derecho a hacerlo, era al instante devorada; a las otras al contrario, las llenaba de caricias y las volvía a sus padres; y este faborable augurio anunciaba al país la más abundante cosecha.

**LANZA.** (*Iconol.*) Los romanos, según *Varrón*, representaban al principio al dios de la guerra, bajo la forma de una lanza, y habían tomado este uso de los sabinos, entre los cuales este arma era símbolo de la guerra. (*V. Quirino.*) otros pueblos, según *Justino*, tributaban adoraciones a la lanza, y de aquí, dice, vino la costumbre de ponerla en las estatuas de los dioses. (*V. Aquiles, Anfiarao, Minerva, Patroclo, Pelias, Telefo.*)

**LANZO.** (*Mit. chin.*) Secta de magos en el antiguo Tonquín. Esta secta había adquirido el aprecio de los grandes y el respeto del pueblo. Se consultaban sus jefes en las acciones importantes, y sus respuestas o sus predicciones, pasaban por inspiraciones del cielo.

**LAOCOONTE.** 1 — Calidón, hijo de Portaón y hermano de Eneas, contado por *Higinio (f. 14)* en el número de los Argonautas.

2 — Hijo de Príamo y Hécuba según unos, y hermano de Auquises según otros. Siendo sacerdote de Apolo y de Neptuno, opuso la más tenaz resistencia a la intro-ducción del famoso caballo de madera en los muros de Troya, la representó como una máquina cuyos vastos costados ocultaban a sus enemigos, o a propósito para batir las murallas de Ilión, y lanzó su jabalina a las costillas del animal. Obcecados, los troyanos miraron esta acción como una impiedad, de lo cual acabaron de persuadirse, cuando dos horrorosas serpientes, viniendo del mar, fueron en derechura al altar donde sacrificaba Laocoonte, se arrojaron sobre sus dos hijos, Anfitafe y Timbreo, y después de haberlos despedazado, asieron a Laocoonte, que venía a socorrerles y le mataron miserablemente. (*Eneida. 2.*) *Higinio (f. 135)* atribuye esta catástrofe a la cólera de Apolo, que se vengó de este modo de que Laocoonte se hubiese casado contra su expreso mandato; y *Servio* refiere que Laocoonte fue víctima de la ira de Apolo por haber conocido a su esposa Antíope delante la estatua de este dios. Sea lo que fuera, esta aventura ha dado lugar a una de las mejores piezas de escultura griega que poseemos. Esta obra maestra salió del cincel de *Polidoro*, *Atenódoro* y *Agesandro*, tres célebres escultores de Rodas, que de común acuerdo la trabajaron de una sola pieza de mármol.

**LAOCOOSA.** Mujer de Afareo, madre de Idas y Linceo.

**LAODAMANTE.** 1 — Hijo de Eteocles, rey de Tebas. Su padre la dejó bajo la tutela de Creonte, hijo de Meneceo. Cuando estuvo en edad de gobernar, los argivos intentaron una expedición contra Tebas. Laodamante mató a Egialeo, hijo de Adrastro, pero no por esto dejó de ser vencido, y la noche siguiente se salvó en Iliria con poco acompañamiento. *Paus. 9, c. 15.* (*V. Tersandro.*)

2 — Hijo de Antenor, muerto por Ayax en el sitio de Troya. *Ilíada. 15.*

3 — Hijo de Alcinoo, rey de los feacios, desafió a Ulises en la lucha, pero este príncipe, reconocido a la hospitalidad que había recibido de él, no admitió el desafío. *Odis.*

4 — Una tradición aberrante inventa un hijo de Héctor y Andrómaca de este nombre.

**LAODAMANTO.** Hijo de Héctor y Andrómaca.

**LAODAMIA. 1** — Hija de Belerofonte y Aquemone, amada de Júpiter, del cual tuvo a Sarpedón, rey de Licia. Indignada Diana de su orgullo, la mató a flechazos, es decir que murió repentinamente, o de una enfermedad contagiosa.

2 — Hija de Acasto y esposa de Protesilao. Habiendo sido muerto su marido por Héctor, Ladoamia mandó hacer su estatua. Viéndola un criado en la cama con ella, fue a decir a Acasto que su hija dormía con un hombre; corrió a informarse con sus propios ojos y, no encontrando sino una estatua, la hizo quemar, para quitar a su hija tan triste espectáculo. Sin embargo Laodamia reparó el fuego y, arrojándose en él, pereció al lado de la estatua querida. He aquí, quizá, lo que dio ocasión a los poetas de decir que los dioses habían vuelto la vida a Protesilao tan sólo por tres horas, y que viéndose obligado a volver al sombrío reino de Plutón, había persuadido a su mujer a que le siguiera. *Hig. f. 102. Eneida. 9. Ovid. Heroic. 13.*

3 — Hija de Amiclas, rey de Lacedemonia y madre de Trifilo. *Paus.*

4 — Princesa del Epiro. (*V.* Laudamia.)

5 — Nodriza de Orestes.

6 — Hija de Alcmeón.

**LAODICE. 1** — Hija de Príamo y Hécuba, casada en primeras nupcias con Telefo, hijo de Hércules; pero habiendo este príncipe abandonado el partido de los troyanos para abrazar la causa de los griegos, dejó también su esposa. Príamo volvió a casar su hija con Helicán, hijo de Antenor, que fue muerto poco tiempo después, o según otros, reconocido y salvado por Ulises. Laodice no fue insensible al mérito de Acamante y concibió de él un hijo llamado Múnico. Después de la toma de Troya, para evitar Laodice la esclavitud, y principalmente temiendo caer esclava de la esposa de Telefo, se precipitó de lo alto de una roca. Otros refieren que dócil la tierra a sus deseos, se abrió debajo sus pies y la tragó. *Ilíada. 13. Paus. 13.*

2 — Hija de Agamenón y Clitemnestra, fue prometida por su padre a Aquiles en matrimonio. *Ilíada. 9.*

3 — Hija de Agapenor, rey de Arcadia. Después de la toma de Troya, habiendo sido arrojado este príncipe sobre las costas de Chipre, se vio obligado a establecerse en Pafos. Laodice envió desde esta isla a Tegeo, para Minerva Alea. *Paus.*

4 — Una de las hijas que los hiperbóreos enviaron a Delos, para llevar allí su ofrenda. *Herod. 4, c. 33, 35.*

5 — Hija de Ciniro, mujer de Elato. *Apolod. 3, 5, 14.*

6 — Oceánida.

7 — Mujer de Antíoco, uno de los lugartenientes de Filipo y madre de Selenco Nicanor. Nueve meses antes de parir su hijo, soñó que tenía en su misma cama al dios Apolo, y que le había dado una piedra preciosa donde estaba grabada la figura de un áncora, con orden expresa de darla al hijo que daría al mundo. El día siguiente encontró en su cama un anillo enriquecido con esta piedra preciosa, con la señal que había visto en sueños. Su hijo nació con su misma señal en el muslo, cuyo prodigio se repitió con todos sus descendientes. Por fin, Laodice dio este anillo a Seleuco, cuando pasó a servir a Alejandro. *Just.*

8 — Ninfa esposa de Foroneo, del cual tuvo a Apis y Níobe. *Apolod.*

**LAODOCO. 1** — Hijo de Antenor, joven troyano de gran valor. Engañada Minerva por la semejanza, aconsejó a Pándaro que le lanzase una flecha, para impedir el singular combate de Paris y Menelao. *Ilíada. 4.*

2 — Hijo de Apolo y Ptía. *Apolod. 1.*

3 — Hijo de Príamo. *Id. 3, c. 12.*

4 — Compañero de Antíloco.

5 — Hijo de Biante y hermano de Talao, Argonauta.

6 — Antiguo héroe, cuyo genio protegió a Delfos, contra los galos.

**LAOFONTE.** Hija de Pleurón y Xantipa, esposa de Testio y madre de Altea y Leda.

**LAÓGONO. 1** — Hijo de Bias o Biante y hermano de Dárdano, muerto por Aquiles en el sitio de Troya. *Ilíada. 20.*

2 — Hijo de Onetor y gran sacerdote de Júpiter Ideo, muerto por Merión en el sitio de Troya. *Ilíada. 16.*

**LAÓGORA.** Hija de Ciniras, hija de Pigmalión y Metarme, murió en Egipto. *Apolod. 3, c. 14.*

**LAOGORAS.** Rey de los dríopes, pueblos que saquearon el templo de Delfos. Hércules los derrotó, y mató a Laogoras y su hijo (*Apolod. 2, c. 7.*). *Diodoro de Sicilia* (*l.4*) da a este rey el nombre de Tilo, y añade que Hércules arrojó a todos los dríopes de su país.

**LAÓMACA.** Amazona.

**LAOMEDEA.** Una de las hijas de Nereo y Dóride. *Ant. Expl. t. 1.*

**LAOMEDONTE.** 1 — Hijo de Ilo, y padre de Priamo, reinó veintinueve años en Troya. Hizo rodear su capital de fuertes murallas, cuya obra se atribuyó a Apolo. Los robustos diques que hizo levantar para detener las olas del mar, pasaban también por obra de Neptuno; y como en lo sucesivo las inundaciones arruinaron parte de esta obra, se publicó que Neptuno, engañado de la recompensa prometida, se había vengado de aquel modo de la perfidia del rey. Algunos historiadores dicen que Laomedonte, para adornar y fortificar su capital, se sirvió de los tesoros consagrados a Apolo, y a Neptuno, depositados en sus templos, y que después no los quiso devolver, dando lugar a esta fábula. Apolo se vengó por su parte con la peste. Recurrió al oráculo para hacer cesar estas dos plagas, y la respuesta fue que el dios del mar no podía aplacarse sino exponiendo la hija del rey a un monstruo marino. Hércules, con sus compañeros, ofreció libertarla y venció al monstruo, detuvo la inundación por medio de diques; pero habiendo Laomedonte faltado de nuevo a su palabra, vio saquear su país y su ciudad, robar su hija a la fuerza, siendo él mismo víctima de su perfidia.—Una composición agradable al paso que poco conocida de *Dominiquin*, representa a Apolo y a Neptuno ofreciendo sus servicios a Laomedonte, para construir los muros de Troya. *Ilíada. 21, Eneida. 2, 9, Met. 11, Apolod. 2, c. 5, Paus. 7, c. 20, Hor. 3, Od. 3, Hig. f. 89,* (*V.* Fatalidades de Troya, Hesione.)

Una leyenda más moderna transmitida por *Diodoro de Sicilia,* narra que Hércules había enviado a Telamón e Ificlo como emisarios a Laomedonte para solicitar a Hesíone así como a los caballos prometidos, pero Laomedonte encerró en prisión a los embajadores e intentó exterminar a los Argonautas, entre los que se hallaba el propio Hércules. Todos los hijos de Laomedonte estuvieron de acuerdo con su padre, salvo Príamo que creía que con ello se vulneraban las leyes de la hospitalidad. Nadie hizo caso de Príamo y entonces éste envió en secreto armas a la cárcel en donde se hallaban Telamón e Ificlo con las cuales los prisioneros pudieron librarse de sus guardianes y reunirse con los Argonautas. Poco después, los expedicionarios griegos atacaron Troya y gracias a Hércules obtuvieron la victoria, pues mató a Laomedonte y tomó la ciudadela, colocando en el trono al fiel Príamo que entonces era todavía muy jóven. Hecho esto, los Argonautas continuaron su camino.

La tumba de Laomedonte se mostraba al viajero en Troya, frente a la puerta Escea y según una leyenda la ciudad no sería tomada mientras esta sepultura permaneciera intacta.

A veces se consideraba también a Laomedonte como padre de Ganímedes y Júpiter para compensarle del rapto de su hijo le había dado una cepa de vid de oro o unos caballos divinos, precisamente los que el monarca troyano había ofrecido a Hércules como premio.

2 — Hijo de Hércules y la testíada Melina.

**LAOMEDONTÍADES.** Príamo hijo de Laomedonte. En los poemas se toma algunas veces por el nombre de los troyanos.

**LAOMEDONTIUS HEROS.** El héroe troyano, Eneas.

**LAONOME.** Hija de Guneo, esposa de Alceo, y madre de Anfitrión.

**LAONOMENA.** Hija de Tespio, del cual Hércules tuvo dos hijos Celes y Menipido, y dos hijas, Lisídice y Stente dice. *Apolod. 2, c. 7.* Confundida a veces con Laonome. En una versión oscura de la leyenda de Hércules se le hace hermana del héroe de Alcmena y Anfitrión, casó con un Argonauta llamado Eufemo o Polifemo.

**LAOSAS,** *el que salva el pueblo.* Sobrenombre de Minerva.

**LAOTOE.** 1 — Hija de Altés, rey de los lélegos (*V.* Altes,) y una de las mujeres de Príamo, del cual tuvo muchos hijos, ente otros, Licaón y Polidoro. *Ilíada. 21.*

2 — Hija de Hércules, y mujer de Polifemo, el Argonauta.

3 - Tesíada, de la cual tuvo Hércules a Antito. *Apolod. 2, c. 7.*

LAPERSA o LAPERSIA. (*V.* Laán.)

LAPIDACIÓN. (*V.* Litobolia.)

LAPIS. 1 — Sobrenombre de Júpiter, bajo el cual se confundía frecuentemente con el dios Término. Otros dicen que se llamó así de la piedra en que se sacrificaba la víctima en los tratados o pactos o de la que Rea dio a devorar a Saturno. Según refiere *Apuleyo*, era muy respetado el juramento que se hacía por este nombre misterioso; que es lo que *Cicerón* llama *Joven lapidem jurare. Banier, t. 3.*

2 — Manalis. Piedra situada fuera de Roma, cerca la puerta Capena y del templo de Marte. Se dice que habiéndola hecho trasladar los romanos en una gran sequedad, dentro de la ciudad, llovió al momento de tal modo, que se dio a esta piedra el nombre de *Lapis Manalis.* R. *manare*, manar. *Rosin, Ant. Rom.*

3 — Auspicatus. Piedra consagrada que se ponía en los cimientos de los templos, y sobre la cual se gravaba una inscripción y equivalía a lo que en la actualidad llamamos primera piedra.— *divus*, estatua de Diana que Orestes e Ifigenia robaron del templo de Táuride, y cuya posesión se disputaban muchas ciudades de Asia y Europa.— *manalis (V.* Lapis 2) — *niger*, lugar en el comicio que Rómulo erigió por sepulcro—*pertusus*, piedra que se había puesto en Roma, en el lugar en que había caído un rayo.

LAPITAS. Pueblos de Tesalia que habitaban en las orillas del Peneo de donde habían arrojado a los pelasgos. Estos pueblos se hicieron famosos, no solamente por la invención de los frenos y por su destreza en manejar los caballos, sino también por la destreza de sus guerras contra los centauros. Habiéndose estos últimos emborrachado en las bodas de Piritoo, insultaron a las mujeres: Teseo y los lapitas mataron un gran número de ellos, pero los centauros volvieron con mayor fuerza, les vencieron a su vez, y obligaron a los vencidos a refugiarse, los unos a Foloe de Arcadia, los otros a Maleo.

Muchas pinturas antiguas y vasos griegos, presentan los combates de los centauros y de los lapitas *Rafel* se inspiró también sobre el mismo objeto. *Geórg. 3, Eneida. 6, Met. 12, 14, Hesíod. 4, Estrab. 9, Tebaid. 7.*

LAPITES. 1 — Hijo de Apolo y Stilbe, hermano de Centauro, esposo de Orsínome, que engendró a los lapitas, padre de Forbante y Perifante, según otros.*Diod. Sic.*

2 — Hijo de Eolo, nieto de Hípotes, y padre de Lesbo. *Id.*

LAQUEARIUS. Atleta que llevaba en una mano una red, con la cual procuraba embarazar a su antagonista, y con la otra un puñal para matarle. R. *laqueus*, red o lazo. *Newport, Cost. de los Rom.*

LAQUESIS. Una de las Parcas. R. *lanjanein*, tirar a la suerte. Era la que ponía el hilo en la rueca. *Hesíodo* le hace tener el copo, y *Juvenal* le hace también hilar. En los conciertos de las tres hermanas, Laquesis cantaba los acontecimientos pasados, según *Plutarco*. Habitaba en la tierra, y presidía los destinos que nos gobiernan. Sus vestidos estaban algunas veces sembrados de estrellas, y se reconocía con el gran número de husos que tiene esparcidos a su alrededor. *Restout*, en su cuadro de Orleo, le ha dado vestido de color de rosa, el brillo, la frescura, y todas las gracias de la juventud, persuadido de que el hilo de nuestra vida debía estar confiado a unos dedos tiernos y delicados. *Delandine, Infierno de los Antiguos.*

LAR. 1 — El dios doméstico que *Dionisio de Halicarnaso* llama el héroe de la casa, es el que presidía en ellas en particular. El lar familiar era Saturno, en opinión de algunos. (*V.* Lares.)

2 — El buen genio que los antiguos atribuían a cada hombre, y que semejante al ángel custodio de los cristianos, se complacía en librarles de todo peligro. (*V.* Larve.)

LARA. Náyade, hija del río Almón; según *Ovidio* se denominaba en realidad Lala, la charlatana, de Lalos= hablar. Enamorado Júpiter de Yuturna y no habiéndola podido detener, por haberse arrojado en el

Tiber, llamó a todas las Náyades del país y les rogó impidiesen que la ninfa se ocultase en sus riberas: todas le prometieron sus servicios. Tan sólo Lara fue a declarar a Juturno y a Juno los designios de Júpiter. Irritado el dios, le hizo cortar la lengua y dio orden a Mercurio que la condujese a los infiernos; pero en el camino, enamorado Mercurio de la hermosura de esta ninfa, se hizo amar de ella y tuvo dos hijos llamados Laras del nombre de su madre. *Ov. Fast. 2.*

LARANDA. (*V. Lara.*)

LARARIAS. Fiestas de los romanos en honor de los dioses Lares. Celebrándose el 11 antes de las calendas de enero, es decir el 21 de diciembre. *Macrobio* la llama la solemnidad de las pequeñas estatuas; *celebritas sigillariorum.*

LARARIUM. Especie de oratorio o capilla doméstica, destinada, entre los romanos, al culto de los dioses lares, pues cada familia, cada casa, cada individuo tenía sus dioses lares particulares, según su devoción o inclinación. Los de Marco Aurelio, eran los grandes hombres que habían sido sus maestros. Les tenía tanto respeto, dice *Lampride*, que en su larario no había más que sus estatuas de oro. Alejandro Severo dirigía todas las mañanas, en su primer larario, sus votos a las estatuas de los dioses, en cuyo número ponía a Apolo, Orfeo, Abraham y Jesucristo; y en segundo larario colocaba a Aquiles, Cicerón, Virgilio, y muchos otros grandes hombres.

LARDANE. Ninfa amada de Júpiter, del cual tuvo a Sarpedón y Argos. *Banier.*

LARENCIA. (*V. Acca.*)

LARENTALES. Fiesta romana en honor de Júpiter, había tomado su nombre de Acca Laurencia, nodriza de Rómulo, o de Acca Laurencia, célebre cortesana, que había dejado al pueblo romano por heredero suyo, bajo el reinado de Anco Marcio. Esta fiesta se celebraba el 10 de las calendas de enero, o 22 de diciembre, fuera de Roma, en las riberas del Tiber; y el sacerdote que la presidía se llamaba Flamen Laurentalis. *Ov. Fast. 3.*

LARES. Eran los dioses domésticos, los genios de cada casa, los guardianes de las familias. Apuleyo dice que los Lares no eran otra cosa que las almas de los justos y de los que habían llenado completamente los deberes de la vida. Al contrario, los que habían vivido mal erraban vagabundos y espantaban a los hombres. Según *Servio*, el culto de los dioses lares tiene su origen de la antigua costumbre de enterrar los cadáveres en las casas, lo que dio lugar a que el pueblo crédulo se imaginase que sus almas permanecían en ellas como genios benéficos y propicios, y que debían por lo tanto ser honrados como a tales. Se puede añadir también que habiéndose introducido la costumbre de enterrar a los muertos en los caminos, espoleó la credulidad a mirarlos como dioses de los caminos. Según los platónicos, las almas de los buenos eran los lares, y los lemures las de los malvados. Los lares se representaban antiguamente, dice *Plauto*, bajo la figura de un perro, sin duda porque los perros ejercen las mismas funciones que los lares, que es de guardar la casa, y estaban persuadidos de que estos dioses alejaban de ellos todo lo que hubiera podido dañarles. El lugar que por lo regular ocupaban en las casas, era detrás de la puerta o alrededor de los hogares. Se representaban sus estatuas en pequeño; se ponían en un oratorio particular, y se tenía cuidado de conservarlo bien aseado, y en las casas grandes había un criado ocupado únicamente en el servicio de estos dioses; encargó que los emperadores acostumbraban a confiar a un liberto. Sin embargo, sucedía algunas veces que se les perdía el respeto a su presencia, como en la muerte de alguna persona querida; pues entonces se acusaba a los lares de no haber velado bien en su conservación, y de haberse dejado sorprender por los genios malévolos. Un día Calígula hizo arrojar a los suyos por la ventana, porque decía que no estaba contento de su servicio. Cuando los niños romanos llegaban a la edad en que se les quitaban los joyeles, que sólo llevaban en su infancia, los colgaban al cuello de los dioses lares. «Tres jóvenes revestidos de túnicas blancas entraron, dice *Petronio*, dos de los cuales pusieron sobre la mesa los lares adornados de joyeles; y el otro, girando con una copa de vino en la mano, clamó: ¡Séanos propicios estos dioses!» Los esclavos les ponían también sus cadenas cuando recibían la libertad. Se distinguían muchas especies de lares: los públicos que presidían los edificios del procumunal; los de la ciudad, *Urbani*; los de las encrucijadas, *Compitales*; los lares de los caminos, *Viales*; los de las campiñas, *Rurales*; los enemigos, *Hostiles*, y otros que cuidaban de alejar al enemigo. *Familiares* los que presidían las casas y las familias; *Parvi*, los de los campos, cuyas estatuas eran muy sencillas tanto por lo que toca a la materia, como por lo perteneciente a la forma; *Publici*, reyes y príncipes que elevados al cielo después de su muerte, solicitaban el socorro de los dioses para el estado: se les sacrificaba un tocino en las encrucijadas.

Se establecieron lares marinos para las naves. Algunos autores creen que estos eran Neptuno, Tetis y Glauco. Parece no deben confundirse con los dioses pataicos, que se ponían en la proa de las naves.

Las doce divinidades de la primera jerarquía, eran contadas también entre los Penates. *Asconio Pediano*, explicando los *Diis magnis* de *Virgilio*, pretende que los dioses mayores, son los lares de Roma. Jano, según *Macrobio*, era uno de los dioses lares porque presidía en los caminos. Harpócratres era contado también entre los mismos. Apolo, Diana, Mercurio eran reputados como lares, porque se encontraban sus estatuas en las esquinas de las calles y en los caminos. En general, eran llamados lares, todos los dioses considerados como patronos y tutelares de los lugares y de los particulares, y todos los dioses cuya protección se deseaba o invocaba en cualquier género que fuese. *Propercio* nos dice que los lares arrojaron Aníbal de delante de los muros de Roma, porque se le aparecieron algunos fantasmas nocturnos que le atemorizaron.

Cuando se sacrificaba a los lares en público, se les ofrecía un cerdo, pero en particular se les ofrecía casi todos los días vino, incienso, una corona de lana y un poco de los que se ponía a la mesa. Se les

hacían frecuentes libaciones, que a veces pasaban a ser sacrificios.

*Ovidio*, en sus *Fastos* (*l.5*.) da a los dioses lares por atributo, un perro, y Plutarco dice que se les cubría con la piel de estos animales. — Una fuente Etrusca que publicó *la Chaussée*, representa dos lares públicos, sentados, apoyados en sus escudos, y teniendo sus picas como para alejar los enemigos.— *Dionisio de Halicarnaso* hace mención de un templo en Roma, cerca del foro, donde se veían las imagenes de los Penates troyanos que cada uno podía mirar libremente, y donde se leía esta inscripción DENAS, que significa PENATES.

Los lares tenían un templo en Roma en el campo de Marte. (*V.* Grudiles.) *Mem. de la Acad. de Inst. t. 1, 3, 9. Ant. Expl. t. 1. Ant. de Caylus, l. 3. Mit. de Banier, t. 4. 5.*

LÁRIDE. Hijo de Dauco, y hermano gemelo de Timber. Su semejanza era perfecta, pero el puñal de Palas, hijo de Evandro, puso entre ellos una cruel diferencia, pues cortó la cabeza a Láride, y la mano derecha a Timber. *Eneida. 10.*

LARIMNA. Hija de Cino, que dio su nombre a la ciudad de Larimna en Beocia. *Paus.*

LARINA. Joven itálica, compañera de la amazona Camila en los combates. *Eneida. 11.*

LARISEA. Sobrenombre de Minerva, adorada en las riberas del Lariso, río del Peloponeso, entre la Elida y la Acaya.

LARISENO, LARISEO, LARISIO. Sobrenombre de Júpiter y de Apolo, adorados el primero en Larisa, ciudad vecina del Caistro, y el segundo en una aldea de Efeso. *Estrab.*— Epíteto de Aquiles

LARISIA. Fiestas en honor de Baco, llamadas así de Larisia, monte de Laconia. Se celebraban al renovarse la estación de las flores. Entre otras maravillas, se veía siempre en ellas un racimo de uvas maduro.

LARISSA o LARISA. 1 — Hija de Pelasgo, que dio su nombre a dos ciudades de Tesalia. *Paus.*

2 — Hija de Piaso, violada por su padre. (*V.* Piaso.)

3 — Ciudad de Tesalia, en las riberas del Peneo, patria de Aquiles. En ellas

Perseo mató involuntariamente a Acrisio con un golpe de tejo. *Met. 2. Eneida. 2. Fars. 6.*

4 — Aldea de Efeso, donde Apolo tenía un templo.

5 — Ciudad cerca de Cumas, cuyos habitantes, que *Homero* llama pelasgos, fueron al sitio de Troya. *Ilíada. 2.*

6 — Ciudadela de Argos, edificada por Dédalo.

LARTHY TYTIBAL, *Señor del Tártaro.* Nombre etrusco de Plutón, que se lee sobre un antiguo monumento de Etruria, de que habla *Gori, tom. 1, pág. 195.*

LARUNDA. Divinidad que presidía en las casas. Júpiter la hizo madre de los lares, cuyo honor dan algunos a Mercurio: es según parece la misma que Lara. (*V.* Lara.)

LARVE. Genio maligno que los antiguos decían acompañaban a todos los hombres, y que se ocupaba tan sólo en atormentarles y extraviarles.

LARVES. Almas de los malvados que se suponían erraban de una parte a otra para atormentar a los vivientes. *Larve* significa máscara, y como las pintaban feas y espantosas ha venido a servir este nombre para designar los malos genios, que se llamaban por otro nombre Lemures. (*V.* Lemures) En efecto, se les representaba como viejos con rostro severo, teniendo la barba espesa, los cabellos cortos y llevando un búho en la mano, ave de mal agüero. (*Servio en Virg. Eneida.5.*) *Larves* es también el nombre que se daba a los manes. Todos los que perecían de muerte violenta, o que no recibían los últimos honores, venían a ser otros tantos larves, y cuando se hubo asesinado a Calígula, su palacio, dice *Suetonio*, se hizo inhabitable por los fantasmas atemorizadores que se aparecieron en él, hasta que se le hubo tributado la pompa fúnebre. *Mit. de Banier, t. 4, 5.*

LAS. 1 — Nombre de los ángeles entre los pueblos del Tibet. A los unos los pintaban hermosos y agradables, y a los otros feos y odiosos, prontos a combatir con los demonios, no es que sean realmente deformes, sino para expresar lo que hacían contra los malignos espíritus en favor del género humano. Creían que eran innumerables y los dividían en nueve órdenes, todos incorpóreos, los unos mayores, los otros menores.

2 — Antiquísimo héroe local de la península del Taigeto, en el Peloponeso. Muerto por Aquiles o por Patroclo cuando se presentó a solicitar la mano de Helena, pero en la versión más difundida Aquiles no figura como pretendiente de Helena.

LASCIVIA (*Iconol.*) *Cochin* la ha designado por una mujer joven y ricamente vestida, que se mira en un espejo, y se ocupa en su tocador, teniendo sobre sus rodillas dos gorriones que se acarician. El Brahmana, inspirado, traza este retrato de la Lascivia: «Acostada blandamente sobre un lecho de flores, mendiga las miradas de los niños y de los hombres, y les tiende lazos e incentivos amorosos. Su aire es delicado y su complexión débil, brilla en sus adornos un descuido que atrae, y en sus ojos se deja ver el deleite, como la seducción en su alma: pero siguen sus pasos la Vergüenza, la Enfermedad, la Miseria y el Arrepentimiento».

LASIO. Uno de los pretendientes que vencidos en la carrera, en que Hipodamia era el premio del vencedor, fue muerto por Enómao. *Paus.*

LAT. (*Mit. índ.*) Idolo de los árabes, adorado en la ciudad de Sommenat, en la India. Se dice que su estatua no era más que una piedra de cien varas de alto, colocada en medio de un templo sostenido por 56 pilares de oro macizo. Mahomet, hijo de Sebectegin, después de haber conquistado esta parte de la India destruyó el ídolo con sus propias manos y sustituyó el mahometismo al culto que se le daba.

LATAGO. 1 — Rey de Ponto, socorrió a Eetes contra los Argonautas y fue muerto por Darape. *Val. Flac. 5.*

2 — Capitán troyano, que Mecencio aplastó con una piedra enorme. *Eneida. 10.*

LATATIUS CATULUS. Romano que cerró el templo de Jano, después de ajustada la paz con Cartago.

LATERAGO, LATÉRCULO. Dios de la hoguera y el hogar, revestido de ladrillos. R. *later*, ladrillo.

LATH. Nombre del Ser supremo entre los antiguos árabes. (*V.* Allah.)

**LATHÍKEDES,** *el que hace olvidar los pesares.* R. *Lanthanein,* hacer olvidar; *kedos,* cuidado. *Antol.*

**LATRIA.** 1 — Hermana gemela de Alejandra, a las cuales los laconios tributaban los honores heróicos.

2 — En el Cristianismo: Latría, adoración y culto que sólo se deben a Dios (lat. *latria* = adoración < gr. *latreia* = culto)

**LAIRALIS, o LATIARIS.** Sobrenombre de Júpiter, llamado así del Lacio, comarca de Italia, donde este rey de los dioses era particularmente venerado (*Tito. Liv. 21, c. 63.*) Los romanos, según refiere *Porfirio,* le sacrificaban un hombre todos los años.

**LATIAR o LACIAR.** Fiesta establecida por Tarquino el Soberbio en honor de Júpiter Latiar. Habiendo este príncipe hecho un tratado de alianza con los pueblos del Lacio, con el fin de asegurar su perpetuidad, propuso que se erigiese un templo común en el cual se reuniesen todos los años los romanos, los latinos, los hérnicos y los volscos, para celebrar en él una feria, tratarse mutuamente y solemnizar juntos las fiestas y los sacrificios: tal fue el origen del Latiar. Tarquino había destinado tan sólo un día para esta fiesta: los primeros cónsules añadieron otro, después que hubieron confirmado la alianza con los latinos: se añadió un tercero cuando el pueblo de Roma, que se había retirado al monte sagrado, volvió a entrar en la ciudad; y en fin un cuarto después de haber apaciguado la sedición que se había encendido ente los plebeyos y patricios, con ocasión del consulado. Estos 4 días se llamaban ferias latinas: y todo lo que se hacía durante estas ferias, esto es, fiestas, ofrendas, sacrificios etc. se llamaba Latiar. Los pueblos que tenían parte en las fiesta, llevaban allí, corderos, quesos, leche, o cualquier otro licor propio para las libaciones. (V. Ferias latinas.)

**LÁTIGO.** Los romanos colgaban uno en los carros de triunfo, como para advertir al que triunfaba, de la visicitud de la fortuna y la venganza de las leyes, si la prosperidad le embriagaba hasta el punto de hacerle salir de la línea del deber. Era también uno de los atributos de Osiris.

Vosio pretende que los látigos sirvieron en otro tiempo para hacer una especie de armonía en la fiestas de Ceres y Baco. (V. Osiris.)

**LATINO.** 1 — Rey del Lacio, hijo de Fauno y Marica. Había tenido un hijo de Amata, pero los destinos se lo arrebataron en la flor de su edad. No le quedaba más que una hija joven, objeto de los amores de muchos príncipes de Italia, y sobre todo de Turno a quien Amata favorecía; pero temibles prodigios retardaron esta unión. Entonces fue cuando Eneas abordó en Italia y vino a pedir un asilo al rey Latino. El rey le recibió favorablemente y habiéndose acordado que un oráculo le había prescrito que no casase su hija sino con un extranjero, hizo alianza con Eneas y le ofreció su hija en matrimonio. Los latinos se resistieron a ello, y empeñaron a su príncipe a tomar las armas. Venció el troyano, y la mano de la princesa y los bienes del rey latino fueron su premio. (Eneida. *1, Met. 13, Dion. Hal. 1, c. 13, Tito. Liv. 1, c. 1, Just. 43, c. 1.*) Según *Focio,* este príncipe fue muerto por Hércules, enamorado de la hermosura de los bueyes de Gerión, se los llevaba ya, cuando vino Hércules, le mató con un dardo y volvió a tomar sus bueyes.

2 — Llamado por otro nombre Silvio, hijo de Eneas. Silvio reinó 51 años sobre los latinos. *Dion. Hal. 1, c. 15.*

3 — Uno de los troyanos fugitivos después de la toma de Troya. Casado con Roma, pasó con ella a Italia, y fundó la ciudad de Roma. *Mem. de la Acad. de Inscrip. t. 2.*

4 — Rey de los aborígenes, esposo de Roma troyana, y padre de Remo y Rómulo, fundadores de Roma.

5 — Hijo de Circe y Ulises o de Telémaco, casó con Reme, de la cual tuvo a Remo y Rómulo.

**LATMIO.** Sobrenombre de Endimión. *Ovid. 5.*

**LATMO.** Monte de Caria, famoso por la aventura de Endimión, donde la Luna venía a verle durante la noche. Había un lugar de este monte que en tiempo de *Pausanias* se llamaba gruta de Endimión. *Mela. 1. c. 17, Plin. 51, c. 29, Estrab. 14.*

LATOBIO. Dios de la salud ente los antiguos nóricos. Era su Esculapio si hemos de juzgar por su nombre, caso de que derive del griego o romano. R. *Fero*, llevo; *Dios*, la vida.

LATÓGENES. Epíteto de Apolo. *Antol.*

LATOIDES. Apolo y Diana, hijos de Latona.

LATOIS. Nombre patronímico de Diana.

LATOIUS. Nombre patronímico de Apolo. *Met. 6.*

LATONA. LETO. Hija del titan Ceo y Febe, su hermana, según *Hesíodo* (Teog.), o de Saturno según *Homero.* (*Ilíada. 21*) y muy amada de Júpiter. La celosa Juno hizo nacer la serpiente Pitón, para atormentar a su rival. Había exigido de la Tierra que lo le diera ningún retiro, pero Neptuno, movido a compasión, hizo salir del fondo del mar la isla de Delos, donde Latona, transformada por Júpiter en codorniz, se refugió, y en la cual parió debajo de la sombra de un olivo a Diana y Apolo. Según otra leyenda, Juno había jurado que Latona no podría tener hijos en ningún lugar donde brillasen los rayos del sol. Por orden de Júpiter, Bóreas condujo entonces a la joven a Neptuno, quien levantando las olas del mar, construyó una especie de bóveda líquida por encima de Delos y así al resguardo del sol, Latona pudo dar a luz a los gemelos Diana (Artemis) y Apolo.

Se cuenta que los dolores del parto le duraron nueve días y nueve noches. Todas las diosas acudieron a auxiliarla, salvo Juno e Ilitia (la diosa de los alumbramientos) lo que impedía que el parto se produjera. Iris fue la mensajera encargada de persuadir a Ilita para que asistiera a Latona, a cambio de un costoso collar de oro y ambar. Así pudo alumbrar Latona.

Se decía también que Latona, para escapar de Juno, se había transformado en loba. De aquí el epíteto aplicado a veces a Apolo de Licógenes = «nacido del lobo» (*Met. 6*) (*V.* Zeus, Apolo, Diana.) Después de estos partos, Juno no cesó de perseguirla. (*V.* Ranas.) Fue puesta en el número de las diosas de primer orden. Los argivos, los galos y otros pueblos le erigieron templos.

Tenía un oráculo en Butis en Egipto. Finalmente las mujeres le dirigían sus votos en los alumbramientos. *Herod. 2. c. 155, Diod. 5, Paus. 2. 3, Apolod. 3, c. 5, 10, Hig. f. 140.*

LATONÍGENÆ. Apolo y Diana hijos de Latona.

LATOS. Gran pez del Nilo, honrado en Egipto en la ciudad de Latópolis. *Ant. de Caylo. t. 5.*

LATRAMIS. Hijo de Baco y Ariadna.

LATREO. Centauro monstruoso por su grandor y por su forma. *Met. 12.*

LAÚD. (*V.* Anfión, Apolo, Arión, Quionea, Erato, Lino, Mercurio.)

LAUDAMIA. Hermana de Neréis. Estas dos princesas eran la única sangre real del Epiro que quedaba. Neréis se casó con Gelón, hijo del rey de Sicilia, y Laudamia fue muerta por el pueblo cerca del altar de Diana, donde había creído encontrar un asilo. Los dioses inmortales, dice *Justino*, vengaron este sacrilegio, por las continuas desgracias con que afligieron a los que lo habían cometido y con la ruina casi total de la nación. Habiéndose vuelto furioso Milón, asesino de Laudamia, volvió su furor contra él mismo, y después de haberse magullado a golpes de espada y de piedra, se desgarró las entrañas, y el día 12 de su rabia fue el último de su vida. *Just. 28, c. 3.*

LAUREA. 1 — Nombre de una divinidad que se lee en un monumento hallado en Cataluña, *Gruter.*

2 — Corona de laurel que los griegos daban a los atletas victoriosos, y los romanos a los que habían hecho o confirmado la paz.

LAUREL. Arbol consagrado a Apolo después de la aventura de Dafne. (*V.* Dafne.). Hay otra razón más verosímil, por la cual se creía consagrado a Apolo, y es que estaban persuadidos que los que dormían, teniendo la cabeza bajo alguna rama de este árbol, recibían unos vapores que les ponían en estado de profetizar. Los que iban a consultar el oráculo de Apolo de Delfos. se coronaban a su vuelta de laurel, si habían recibido del dios una respuesta favorable. Por esto en *Sófocles* se lee que, viendo volver Edipo a Orestes de Delfos con la cabeza coronada de laurel, conjeturó que iba a referir una buena nueva. Los antiguos predecían los futuros por el ruido que hacía el laurel al quemarse, lo que era de feliz agüero; pero al contrario, si ardía sin hacer chisporreteo era muy mala señal. Se ponían ramos de laurel en las puertas de los enfermos, a fin de que Apolo, dios de la medicina, les fuese propicio. Se daba la corona de laurel a los excelentes poetas, como favoritos de Apolo. Se dice que sobre la cúpula del mausoleo de *Virgilio*, cerca de Pozzol, habían nacido laureles que parecían coronar el edificio; y aunque se habían cortado dos de raíz, que eran lo mayores, renacían y sacaban nuevas ramas por todas partes, como si la misma naturaleza hubiese querido celebrar la gloria de tan gran poeta. La corona de laurel era el premio particular de los juegos píticos, por estar consagrados a Apolo. En fin, se coronaban de laurel a los victoriosos, y se plantaban ramos de este árbol, en las puertas del palacio de los emperadores, el primer día del año, y en otros tiempos cuando habían alcanzado alguna victoria; por esto *Plinio* llama al laurel el portero de los Césares, y fiel guardian de sus palacios.

El laurel estaba consagrado también a Diana y Baco. Los sacerdotes de Juno y Hércules se coronaban asímismo de laurel. — Un camafeo del *Gemmarum Thesaurus* de Ebermayer, ofrece a Dido coronada de laurel. La mayor parte de las medallas de los emperadores romanos le presentan con una corona, también de laurel.— Asímismo en algunas medallas del Bajo Imperio se ven algunas emperatrices con igual distintivo. — Julio César había obtenido del senado permiso para traer siempre corona de laurel a fin de ocultar la calva de su frente, y el gran Pompeyo podía presentarse también coronado del mismo modo en los juegos de circo y del teatro. —En las medallas, un ramo de laurel en la mano de un emperador, denota sus victorias, sus conquistas y sus triunfos.

**LAURENTALES.** (*V.* Larentales.)

**LAURENCIA.** (*V.* Larencia.)

**LAURÉNTINOS.** Pueblos antiguos de Italia, súbditos del rey Latino. Había en el palacio real, dice *Virgilio*, un laurel, conservado con respeto religioso. Lo encontró el rey plantado en el lugar que eligió para construir su palacio y lo consagró a Apolo. Este es el laurel célebre del cual los laurentinos tomaron su nombre. *Eneida. 7.*

**LAURINA.** Hija de Latino, casada, según refiere Phobius (Fobius), con Locro, esta tradición es un poco diferente de la que siguió *Virgilio*.

**LAURIPOTENS,** *dios del laurel*. Epít. de Apolo, en *Marciano Capella*.

**LAURIVORES.** Sobrenombre de los adivinos que vivían de lo que sacaban de sus producciones.

**LAUSO.** 1 — Hijo de Mecencio; guerrero joven y valiente, a quien *Virgilio* (*Eneida. 7, 10*) pinta como modelo de la piedad filial. Herido Mecencio y cuando iba a caer víctima del acero de Eneas, Lauso se puso entre los dos combatientes, paró el golpe y, cubriendo a su padre con el escudo, le dio el tiempo necesario para ponerse a salvo. Furioso Eneas de ver escapar a su víctima, sacrificó a Lauso.

2 — Hijo de Numitor, y hermano de Rea Silvia. Su tío Amulio la hizo perecer bárbaramente después de haber destronado a su padre. *Ovid. Fast. 4.*

**LAUTHU.** (*Mit. chin.*) Mago, que pretendía haber sido formado y llevado 70 años en el seno de su madre sin que ella hubiese perdido su virginidad. Sus discípulos le miraban como el creador de todas las cosas. Su moral es muy relajada; y es la que seguía el pueblo a pesar de que la corte seguía la de Confucio.

**LAVADEROS** (*Mit. índ. y mahom.*) Lugares que tienen los indios y también los mahometanos, cerca de sus pagodas y mezquitas, donde se lavan el cuerpo o los principales miembros, antes de entrar en ellas, por un precepto religioso.

**LAVATORIO DE LA GRAN MADRE DE LOS DIOSES.** Fiesta romana que se celebraba el 26 de Marzo. fue instituida en memoria del día en que esta princesa fue llevada del Asia, y lavada en el Almón. Los galos conducían la estatua de la diosa en un carro, acompañada de una gran parte del pueblo, al lugar donde había sido lavada la primera vez. Algunos danzantes cantaban delante de su carro canciones obscenas, y hacían mil gestos y posturas lascivas.

**LAVERNA.** Diosa de los ladrones, los tramposos, mercaderes, plagiarios e hipócritas. Se le había consagrado un bosque vecino a Roma, donde los bandidos venían a hacer sus reparticiones. Había allí una estatua de la diosa a la cual tributaban sus homenajes. Su estatua según unos, era una cabeza sin cuerpo, aunque otros decían que era un cuerpo sin cabeza. Sin embargo, el epíteto de hermosa que le da Horacio hace creer que estaba representada bajo una figura muy agradable, y que una deidad que prestaba a todos sus hijos las máscaras que necesitaban, no se había descuidado de reservarse una que le hiciese honor. Los sacrificios y los votos que se le dirigían, se hacían con el mayor silencio; pues semejantes votos eran demasiado vergonzosos para que pudiese articularse en alta voz: testigos los que *Horacio* (*Epist. 16, l. 1*) pone en boca de un impostor que apenas se atreve a mover los labios.«Hermosa Laverna, le hace decir, dame el arte de engañar, de parecer justo, santo, inocente; oculta mis crímenes y mis embellecos con las tinieblas y la oscuridad.» En *Plauto* un cocinero jura por Laverna y amenaza por la misma al que le ha robado los instrumentos de su arte, juzgando que ya que con esta profesión pertenece a la diosa, podía con este título reclamar su protección. Le estaba particularmente consagrada la mano izquierda, tenida por los antiguos como la mano del robo. Derívase su nombre o de *laverna* que significa ladrón, arma que usan los ladrones ladrón de profesión o del griego *laphyria* despojos, o del latín *latere* ocultarse, o de *larva*, máscara.

**LAVERNAL.** Puerta de Roma, cercana al bosque consagrado a Laverna.

**LAVERNIO.** Bosque o templo consagrado a Laverna, cerca de Formias. *Cic. 8.*

**LAVERNIONES.** Nombre genérico, bajo el cual estaban comprendidos todos los devotos a Lavernia, tales como los salteadores, los rateros, estafadores, etc.; clase tan numerosa que *Plauto* le designa por la palabra de *legiones.*

**LAVINA.** Hija de Anio, rey de Delos. Según los mitólogos, Lavinio tomó el nombre del de esta princesa, porque habiendo muerto en tiempo de la fundación de la ciudad, fue enterrada en ella: añaden que Eneas le había obtenido de su padre a fuerza de súplicas, que se había embarcado con los troyanos, y que era una hábil profetisa. *Dion. Hal. l. 1, c. 13.*

**LAVINIA.** Hija única de Latino y Amata, amada de Turno, rey de los rútulos. Un día que la princesa quemaba perfumes sobre el altar, tomó el fuego a su caballera, se comunicó a sus vestidos, derramó a su alrededor una luz pálida y la rodeó de torbellinos de llama y humo del que se llenó todo el palacio. Consultados los adivinos, auguraron que su destino sería brillante, pero fatal a su pueblo; y Fauno prohibió a Latino que casase su hija con un príncipe del Lacio, anunciando que vendría un extranjero cuya sangre mezclada con la suya debía levantar hasta las estrellas la gloria del nombre latino. En efecto, no tardó en presentarse Eneas, venció y mató a Turno y casó con Lavinia (Eneida. 7, 11.) Viuda de Eneas, y viendo ocupado su trono por Ascanio, y temiendo esta princesa por su vida, fue a ocultarse en los bosques, donde dio a luz un hijo que tomó el nombre de Silvio. La ausencia de Lavinia dio que murmurar al pueblo, y Ascanio se vio obligado a hacer buscar a su madrastra, y a cederle la ciudad de Lavinio. *Dion. Hal. 1, Met. 14, Tito. Liv. 1, c. 1.*

**LAVINIO.** Ciudad edificada por Eneas, en honor de Lavinia su esposa, en un lugar que le había sido designado por el oráculo. (*Eneida. 1, Estrab. 5, Just. 43, c. 2.*) La fundación de esta ciudad fue señalada por un prodigio que *Dionisio de Halicarnaso* (*l.1*) refiere del siguiente modo: «Habiéndose pegado fuego por sí mismo en el bosque, un lobo arrojó en él un tronco seco que había arrancado con la boca: vinieron al mismo tiempo un águila y una zorra, el primero de los cuales cooperó con el movimiento de sus alas a que se encendiese, mientras que la otra al contrario procuraba apagarlo arrojando agua con su cola, que acababa de mojar en el río. Ya vencían los que procuraban encenderlos, ya los que trabajaban en apagarlo, hasta que por fin, habiendo quedado vencedores el águila y el lobo, la zorra se fue sin haber adelantado nada. Se refiere que habiendo visto Eneas este prodigio, dijo que la colonia de los troyanos se haría algún día muy famosa; que sería conocida y admirada por casi toda la tierra; pero que a medida que aumentara en poder, sería onerosa y odiosa a los pueblos vecinos: que sin embargo, vencería a sus enemigos, y que el favor y la protección de los dioses haría que fuese la envidia de los hombres. Tales fueron los evidentes presagios de lo que debía suceder a esta ciudad. En la plaza pública de Lavinio se veían algunos monumentos, que consistían en figuras de bronce de estos animales, que se conservaban en él desde mucho tiempo.»

LAXO. Hija de Bóreas y Oritia.

LE-CAN-JA. (*Mit. chin.*) Ceremonia que los toquineses han imitado de los chinos, y consiste en bendecir la tierra. El príncipe solemnizaba esta bendición con muchos ayunos y oraciones, y trabajando la tierra, como el emperador de China, a fin de honrar la agricultura.

LEADES. Uno de los hijos de Astaco, que se distinguió en la defensa de Tebas contra los siete jefes. Apolod.

LEÆI DII o Fratres. Cástor y Pólux.

LEÆNÆ, leonas. Sacerdotisas de Mitra. (V. este nombre.)

LEANDRO. Joven de Abidos, amante de Hero. (V. Hero.)

Muchas medallas y camafeos ofrecen la cabeza de Leandro, bajo la figura de un joven de perfecta hermosura y cuyos cabellos largos y agitados por los vientos parecen estar embebidos del agua del mar.

LEANIRA. Hija de Amiclas y mujer de Arcas.

LEARCO. Hijo de Ino y Atamante, víctima de la rabia que Juno había concebido contra toda la raza de Cadmo. Su padre le mató en un acceso de furor inspirado por esta diosa. Ovid. *Fast. 6. Met. 4.* (*V.* Atamante, Ino.)

LEAS. Nieto de Egeo, según algunos autores.

LEBADIA. Ciudad de Beocia, célebre por el oráculo de Trofonio. No podían vivir en su territorio los taupas, *Plin. 16, c. 36, Estrab. 9, Paus. 9, c. 59.*

LEBÉADO. Junto con su hermano Eleuter no participó en el acto impío de su padre Licaón (*V.* este nombre). Después de la tempestad, huyeron a Beocia, donde fundaron las ciudades de Lebedea y Eléuteras.

LEBENA. Ciudad de Creta célebre por un templo de Esculapio, frecuentado por todos los pueblos de Grecia. *Paus. 1, c. 26.*

LEBIDÓN. Lugar donde según *Hesichio*, sacrificaban los árabes moabitas.

LECANOMANCIA. Especie de adivinación que se practicaba del modo siguiente: se ponía en una bacía llena de agua, piedras preciosas y láminas de oro y de plata, donde había grabados algunos caracteres, las cuales se ofrecían a los demonios, y después de haberlos conjurado con ciertas palabras, se les proponía la cuestión, sobre la cual se deseaba su respuesta. Entonces salía del fondo del agua una voz baja, semejante al silbido de la serpiente, que contenía la solución deseada. *Glicas* refiere que Nectanebo, rey de Egipto, supo por este medio que sería destronado; y *Delrio* añade que en su tiempo esta adivinación estaba aún en auge entre los turcos. R. *lekané*, vacía.

LECORIS. Nombre de una de las Gracias, según un antiguo monumento, a pesar de que no consta en ninguna otra parte. *Ant. Expl. t. 1.* (*V.* Comasia, y Gelasia.)

LECTISTERNA. Ceremonia religiosa que se practicaba en Roma en tiempos de calamidades públicas, y cuyo objeto era apaciguar a los dioses. Consistía en un festín que se daba durante muchos días a nombre y expensas de la República, a las principales divinidades, y en uno de sus templos, imaginándose que ellas tomarían efectivamente parte en estas ceremonias, porque se había convidado a sus estatuas y se les había presentado. A pesar de que los ministros de la religión no tenían el honor de asistir a dichos festines, sacaban todo el provecho regalándose muy bien a expensas de los supersticiosos. Se ponía una gran mesa, rodeada de camas y lechos cubiertos con los más ricos tapices o hierbas odoríferas, sobre las cuales se colocaban las estatuas de los dioses convidados al festín. Para las diosas no se ponían más que sillas. Todo el tiempo que duraba la fiesta, que solía ser de ocho días, se servía diariamente una comida espléndida que los sacerdotes cuidaban de preparar en la víspera. La primera lectisterna se celebró en Roma en el año 556 de su fundación. Habiéndose seguido un cruel invierno a otro muy riguroso, en el cual la peste hizo perecer un gran número de animales de todas especies, y como el mal no tenía remedio y no podía encontrarse su causa, ni el fin, un decreto del senado mandó que se consultasen los libros de las Sibilas. Los decenviros sibilinos refirieron que, para hacer cesar este azote, era menester hacer una fiesta con banquetes a seis divinidades que nombraron, a saber: Apolo, Latona, Diana, Hércules, Mercurio y Neptuno. Se celebró pues esta fiesta por espacio de ocho días, cuyo cuidado y ordenanza se confió a los decenviros, y en los sucesivo se les sustituyó con los epulones. Los ciudadanos particulares que asistían a esta fiesta, debían dejar sus casas abiertas, con libertad a cada uno de servirse de todo lo de dentro. Se ejerció la hospitalidad con toda clase de gente, conocida, desconocida, y extranjera. Desapareció al mismo tiempo toda animosidad: los que tenían enemigos conversaron y comieron con ellos, como si hubiesen estado siempre en la más perfecta armonía: finalizaron toda especie de procesos y disenciones: se soltaron los prisioneros; y por principio de religión, no se volvieron a las prisiones a los que habían libertado los dioses. *Tito Livio* (*l. 1, c. 13; l. 7, c. 2.*), que refiere las circunstancia de esta fiesta, no nos dice si esta primera lectisterna produjo el efecto que se deseaba: por lo menos era siempre un medio para distraerse durante aquellos tiempos en que a vista de las calamidades públicas la imaginación forma las ideas más tristes. Sin embargo, el mismo historiador refiere que, la tercera vez que se celebró la lectisterna para obtener de los inmortales la cesación de la peste, fue tan poco eficaz esta ceremonia que se recorrió a otro género de devoción, que fue la institución de los juegos escénicos, con la esperanza de que no habiendo aparecido aun en Roma, serían más agradables a los dioses.

*Valerio Máximo* (*l. 2, c. 1, 4.*) hace mención de una lectisterna celebrada en honra de sólo tres divinidades, Júpiter, Mercurio y Juno: hubo también alguna en que la estatua Juno fue puesta en el lecho, mientras que las de Júpiter y Mercurio eran colocadas en las sillas. *Arnobio* hace también mención de una lectisterna, preparada tan sólo para Ceres.

La lectisterna no es, como se creyó hasta el tiempo de *Gasaubon*, de institución romana; pues este sabio crítico ha hecho ver que estaba en uso ya en Grecia: En efecto, *Pausanias* habla en muchos lugares de esta clase de almohadas, *pulvinaria*, que se ponían debajo de las estatuas de los dioses y de los héroes. *Spon*, en su viaje a Grecia, dice que se veía aún en Atenas la lectisterna de Isis y de Serapis: consistía ésta en un pequeño lecho de mármol de dos pies de largo sobre uno de altura, sobre el cual se veían estas dos divinidades sentadas. Por este ejemplo, podemos juzgar de la forma de las antiguas lectisternas. El nombre de la ceremonia está tomado de la acción de preparar los lechos.

Esta ceremonia se mira representada en muchas medallas romanas.

LECTUM. Promontorio del Asia Menor en la Troada. Había en él un altar consagrado a los 12 dioses, altar que se creía elevado por Agamenón. *Tito Liv. 37, c. 27.*

LECTURA DE LOS LIBROS SANTOS. (*Mit. pers.*) Los parsis y guebros al leer los libros sagrados, hacen cierta cadencia o modulación, que parecen haber imitado de los judíos. (*Mit. chin.*) — Los insulares de Formosa tenían asambleas en las cuales se leía en alta voz los libros que contenían las ceremonias y prácticas de su religión. Durante este lectura tenían una rodilla en tierra y el brazo derecho elevado hacia el cielo.

LECHE. En los sacrificios se hacían frecuentes libaciones de leche. Los cosecheros la ofrecían a Ceres, los pastores a Palas, y en un cuartel de Roma llamado por esto Vicus sobrius ofrecían a Mercurio leche en lugar de vino.

**LECHEATES.** Sobrenombre con que Júpiter tenía un altar en Alifera, en Arcadia, en el mismo sitio en que había dado a luz a Minerva.

**LECHIES.** (*Mit. escand.*) Dioses de los bosques que corresponde a los Sátiros. El pueblo ruso, entre el cual se había conservado este concepto, les daba un cuerpo humano desde la parte superior hasta la cintura, con cuernos, orejas, barba de cabra; y desde la cintura abajo, forma de macho cabrío. Cuando caminaban por entre las hierbas se encogían hasta ponerse a su nivel; pero cuando corrían por el bosque igualaban en altura los mismos árboles y daban espantosos gritos. Erraban continuamente alrededor de los que se paseaban por los bosques, remedaban una voz que fuese conocida de ellos y les extraviaban de este modo en el bosque, hasta que se acercaba la noche; entonces les transportaban a sus cavernas, donde se complacían en hacerles cosquillas hasta matarles.

**LECHO.** 1 — (V. Ciniras, Marte, Sueño.)

2 — *Consagrado al dios Genius.* Esta divinidad romana que no debe confundirse con lo que se llama un *Genio*, era venerado como dios de la naturaleza, de ser, etc., etc. Por este motivo los romanos ponían bajo su protección el lecho de los recién casados, que llamaban *lectus genialis.*

**LECHUGA.** Los antiguos creían que la lechuga apagaba los fuegos del amor. Así es que Venus después de la muerte de Adonis, se tendió en un lecho de lechugas para moderar la violencia de su pasión.

**LECHUNE.** (*Mit. tárt.*) *Méndez Pinto*, cuya relación parece tener algo de fabuloso, llama esta ciudad la capital de la religión tártara. «Se ve en ella, dice, un templo suntuoso acompañado de diferentes edificios que contienen el sepulcro de 27 kams, o emperadores de Tartaria. El interior de las capillas estaba revestido de láminas de plata con diferentes ídolos del mismo metal. A alguna distancia del templo, hacia al norte, se nos hizo reparar un vasto recinto, en el cual había entonces 280 monasterios de ambos sexos, dedicados a otros tantos ídolos, en los cuales se nos aseguró se contaban no menos de 42.000 personas consagradas a la vida religiosa, sin comprender en ellas los criados empleados en su servicio. Vimos entre los edificios una infinidad de columnas de bronce y sobre cada una un ídolo dorado.

**LEDA.** 1 — Hija de Testio y mujer de Tindáreo. Habiendo encontrado Júpiter esta princesa en las orillas del Eurotas, hizo transformar a Venus en águila y tomando él la figura de un cisne perseguido por esta águila, corrió a arrojarse entre los brazos de Leda, la cual al cabo de 9 meses parió dos huevos. Del uno salieron Pólux y Helena, y del otro Cástor y Clitemnestra. Los dos primeros fueron considerados como hijos de Júpiter, y los otros dos como hijos de Tíndaro. (Me*t.* 6.) Apolodoro (*l.1,c.8;l.3,c.10.*) ha seguido otra tradición. Según él, Júpiter, enamorado de Némesis, se transformó en cisne, y a su enamorada en ánade. Esta dio a Leda el huevo que había concebido y que fue la verdadera madre de los gemelos. Según otros, Leda fue deificada bajo el nombre de Némesis. Algunos autores no dan otro fundamento a esta fábula que la hermosura de Helena, y sobre todo la blancura y elevación de su cuello semejante a la de los cisnes. Otros pretenden que, habiendo esta princesa tenido alguna aventura amorosa sobre las riberas del Eurotas, donde había quizá muchos cisnes, se divulgó, a fin de salvar su honor, que el mismo Júpiter, enamorado de ella, se había transformado en cisne y la había engañado bajo esta forma. En fin hay otros que pretenden que Leda introdujo su amante en el lugar más elevado de su palacio. Estos lugares eran por lo común de figura oval y los lacedemonios les llamaban *ovum*, de donde derivó sin duda la ficción del huevo. *Hes. Odis. 11. Hig. f. 77.*

En la galería de Orleans se veía un cuadro representando a Leda, acariciada por un cisne, una de las mejores obras de *Pablo Veronese. El Correggio* y el famoso *Miguel Angel* plasmaron con sus pinceles el mismo asunto.

2 — Danza lasciva de que habla Juvenal en su 6ª Sátira. Era, según parece, una pantomima un poco animada de la aventura de Leda.

3 — (*Mit. eslav.*) Dios de la guerra de la palabra *led*, hielo.

LEDÆA. Epíteto dado a Hermione, como hija de Leda. *Eneida.*

LEEK-AVEE, o Lie-Aven. Grandes piedras o monumentos megalíticos de la época del Bronce (2000 a.C.) atribuidos a los sacerdotes druidas de los primitivos celtas, que se encuentran cerca de Auray, en Bretaña, en número de 150 o 100 y agrupadas de 3 en 3. La gente del país se imaginaban que yendo allí en ciertos días señalados, y llevando sus ganados, se preservarían de toda especie de enfermedad.

LEEMA. Uno de los perros de Acteón. *Met. 3.*

LEGIFERA. Sobrenombre de Ceres.

LEGI-OXI. (Mit. jap.) Monjes japoneses. Tienen también religiosas de su orden, llamadas Hamacutes a las cuales sirven de directores.

LEIMONE. Heroína de una leyenda ateniense poco conocida. Hija de Hipómenes, noble de Atenas y quizá rey de la propia ciudad. Al darse cuenta su padre que no había conservado la virginidad y había tenido un amante, antes de casarse, la encerró en prisión sin alimentos, tan sólo en compañía de un caballo que terminó por devorarla impelido por el hambre.

LEIPÉFILE. Hija de Jolao, sobrino de Hércules, casó con Filante, hijo de Antíoco, quien al serlo también de Heracles fusionó en la persona de su hijo Hípotes una doble ascendencia de Hércules.

LEIS. Hija de Orus, rey de Trecenas (Trecén), que al principio había dado al país el nombre de Oreo. (*V.* Altepo.)

LEITO. Hijo de Alectrión (o Alector) uno de los jefes de los beocios en el sitio de Troya. Herido en la mano por Héctor, logró escaparse de la muerte por el socorro de Idomeneo, que atacó al héroe troyano. Se llevó de Troya las cenizas de Arcesilao. Otra leyenda lo coloca entre los Argonautas. *Ilíada. 2, 6, 17.*

LEKSEN. (*Mit. índ.*) Hermano de Shrirama, o del Baco indio, a quien ayudó en sus combates contra Ravana o Plutón.

LELA o Lelo. (*Mit. eslav.*) Hijo de Lada, tierno dios que encendía en los corazones el fuego del amor.

LELANTA. Esposa de Múnico, rey de las Molosas. Los dioses la transformaron en una ave llamada Pipo, cuando unos ladrones mataron a todos sus hijos.

LELEGEIDAS. Ninfas.

LÉLEGES. Nombre de los megarios, de Lélex su rey, y porque eran una mezcla de diversas naciones. *Etim. Le legmenoi*, reunidos. *Eneida. 8, Met. 9, Ilíada. 21, Estrab. 7, 8. Paus. 3, c. 1.*

2 — Nombre de los primeros habitantes de la Laconia, de su primer rey, Lélegue.

3 — Pueblos del Asia menor que fueron al sitio de Troya.

4 — Pueblos antiguos de Beocia.

LELEGIA. Antiguo nombre de Laconia, tomado de Lélex.

LÉLEX. 1 — Príncipe egipcio, hijo de Neptuno y Libia; pasó a Grecia, llegó a ser rey de Megara y dió su nombre a los megarios. *Paus. 3, c. 1.*

2 — Griego de origen, y primer rey de Lelegia, llamada después Laconia. Los lacedemonios le llamaban hijo de la tierra. Tuvo dos hijos, Miles y Policaón.

3 — Uno de los principales griegos que se encontraron en la caza del jabalí de Calidón. *Ovidio* lo pinta como hombre prudente y temeroso de los dioses. *Met. 8.*

LELUS y POLITUS. Dioses de los sármatas, que honraban bajo este nombre a Cástor y Pólux. Los poloneses los conservaron y los pronunciaban en señal de alegría en sus banquetes. *Mit. de Banier. t. 3.*

LEMNIA. Sobrenombre de Minerva honrada en Atenas. Su estatua, obra maestra de *Fidias*, había sido consagrada en la ciudadela por los habitantes de Lemnos.

LEMNÍADES. (Las) Mujeres de la isla de Lemnos, que habían descuidado por mucho tiempo el culto de Venus. Esta diosa las castigó infundiéndolas un hedor tan desagradable, que sus maridos las abandonaron y buscaron concubinas en Tracia; pero ellas vengaron esta afrenta matando en una misma noche a sus maridos. Siendo entonces dueñas de la isla, eligieron por su reina a Hipsipila, hija de Toante. Cuando los Argonautas abordaron en aquella isla las encontraron en este estado. Contrajeron luego amistad con ellas, de modo que cuando partieron, casi todas las lemníanas se encontraron embarazadas. Cuando después supieron que Hipsipila había salvado a su padre, contra la promesa que todas ellas habían dado, mataron a Toante y vendieron a su reina, como esclava, a unos piratas. (V. Hipsipila.)

LEMNÓCOLA y LEMNIO. Epítetos de Vulcano adorado en la isla de Lemnos. *Ovid.*

LEMNOS. Isla del mar Egeo, donde cayó Vulcano cuando Júpiter le arrojó del cielo. Los lemnios le detuvieron e impidieron que se hiciese pedazos. En recompensa de este señalado servicio, el dios estableció entre ellos su morada y sus fraguas y prometió ser la divinidad tutelar de la isla. Tributaban también una veneración particular a Baco y a Diana, pero no a Venus, a quien miraban con la mayor indiferencia, al paso que esta diosa dio muestras de aversión a los lemnios, desde que Vulcano la había sorprendido con Marte en aquel territorio y lo había manifestado a los dioses. *Ilíada. 1, Eneida. 8. Herodoto. 6, c. 140, Estrab. 1, 2, 7, Mela. 2, c. 7, Apolon. 1, Val. Flac. 2, Teb. 3.* (V. Hipsipila).

LEMURES. Genios malévolos y almas inquietas de los muertos que venían a atormentar a los vivos. (*Ovid. Fast. 5.*) Según *Apuleyo* se daba este nombre, en la antigua lengua latina, al alma libre de las pasiones del cuerpo. «De estos lemures, añade, los que están destinados al cuidado de los habitantes de las casas, donde tienen también ellos su morada, y que son dulces y pacíficos, se llaman Lares y familiares: al contrario, aquéllos que en castigo de su mala vida, no tienen habitación segura y van errantes y vagabundos; causan terrores y pánicos a la gente de bien, y hacen males reales a los malvados, estos son los llamados Larves».

LEMURIAS, LEMURALES. Fiesta romana que se celebraba en el mes de mayo, en honor de los lemures, o para apaciguar los manes de los muertos. Al principio no fue más que una fiesta particular instituida por Rómulo para satisfacer los manes de su hermano, y hacer cesar la peste que vengó su muerte, acompañada de sacrificios llamados Remurios. Se hizo poco a poco general para todos los muertos y entonces se le dio el nombre de Lemurias. Empezaba la ceremonia a media noche: el padre de familia lleno de un santo temor, se levantaba de la cama y se iba silenciosamente y con los pies desnudos a una fuente vecina, haciendo tan solo un poco de ruido para desviar las sombras mientras pasaba. Después de haberse lavado las manos tres veces, se volvía arrojando por detrás habas negras, que llevaba en la boca diciendo: *Yo y mi familia nos rescatamos con estas habas,* y repetía nueve veces lo mismo sin volver la vista atrás. La sombra que le seguía, recogía, según su opinión, las habas arrojadas, sin ser reparada. Tomaba agua por segunda vez, golpeaba un vaso de cobre, y rogaba a la sombra que saliese de su casa repitiendo por 9 veces *Salid, manes paternales.* Se volvía en seguida y creía que con esto quedaba la fiesta bien y debidamente solemnizada.

LENEAS. Fiestas anuales en Ática en honor de Baco. Los poetas se disputaban en ellas el premio, tanto con sus piezas satíricas, como por los combates de *tetralogía,* es decir de cuatro piezas dramáticas. *Ant. Expl. t. 2.*

LENEÓN. Uno de los meses del otoño entre los jonios, llamado así por estar consagrado a Baco, cuyas fiestas leneas se celebraban en este mes.

LENEUS. 1 — Uno de los sobrenombres de Baco. R. *lenos,* prensa. *Met. 4.*

2 — Hijo de Sileno, según *Nonnus.*

3 — Río de Creta, a cuyas riberas Júpiter condujo a Europa después de haberla robado. *Estrab.*

LENGUAS. (*Mit. mah.*) Los persas contaban que las tres lenguas primitivas habían sido el árabe, el persa y el turco. Decían que las tres estaban en uso y en un mismo tiempo en el paraíso terrestre. La serpiente que sedujo a nuestros primeros padres hablaba el *árabe,* lengua elocuente, fuerte y persuasiva, que llegará a ser un día la lengua del paraíso. Adán y Eva hablaban entre ellos el *persa,* idioma dulce, blando poético e insinuante. El ángel Gabriel, que les arrojó del paraíso, habiéndoles intimado la orden, primero en *persa* y después en *árabe* sin que produjese resultado, se expresó por fin en *turco*, lengua amenazadora que les atemorizó y les obligó a obedecer. *Chardin.*

LENTITUD. (*Iconol.*) Puede caracterizarse por una mujer sentada sobre una tortuga y coronada de hojas de moral, árbol cuyo fruto es el que tarda más en venir.

LEOCORIÓN. (V. Leonaticón.)

LEÓCRITO. Hijo de Aribas, muerto por Eneas. *Ilíada. 17.*

LEODACO. Padre de Oileo, al cual tuvo de Agrianome, hija de Perseo.

LEODOCO. Hijo de Biante, uno de los Argonautas. *Val. Flac.*

LEODICE. Hija de Marte.

LEÓN. 1 — *Plutarco* dice que el león estaba consagrado al sol porque es el único de todos los animales que tiene las garras encorvadas, por que ve al nacer, y porque duerme muy poco, y con los ojos abiertos. En Egipto estaba consagrado a Vulcano, con motivo de su temperamento fogoso. Se llevaba una efigie de león en los sacrificios de Cibeles, porque se dice que sus sacerdotes sabían amansarlo. Los poetas representan el carro de esta diosa tirado por los leones. Los leontinos adoraban al león y grababan su cabeza en las monedas. El león era el símbolo propio de Mitra. Este símbolo era tan regular en los misterios mitríacos, que se ve algunas veces a este dios con cuerpo de hombre y cabeza de león y se encuentra en las inscripciones llamadas *Leónticas.* Estaba consagrado también a Vesta y era símbolo de la tierra. En los Abraxas se veía sobre la figura de Harpócrates, un león corriendo al pie de un loto con esta inscripción: *Abraxas omnia sciens,* para indicar la fuerza del Sol. Se creía que el León presidía las inundaciones del Nilo, porque este fenómeno sucede en los primeros días de las canículas y cuando el sol entra en el signo de *Leo.* —La cabeza de león era considerada como símbolo del tiempo presente o de la hora del medio día.— Hércules se ve casi siempre representado cubierto con una piel de león. Eneas llevaba una, cuando salvó a su padre Anquises del incendio de Troya. —Otros reyes y héroes las llevaban después y se servían

de la cabeza en lugar de casco o diadema, y sobre todo cuando querían persuadir que descendían de Hércules.— Aventino, hijo de este héroe, estaba revestido con ella. *Eneida. Lib. 7.* (V. Admeto, Atalante, Cecrops, Cibeles, Nemeo, Príamo, Terror.)

2 — Danza ridícula que usaban los antiguos.

3 — La constelación del león era, según los antiguos mitógrafos, el león de la selva de Nemea.

4 — Citerón (*Citheronius leo.*) Desolaba un feroz león el monte Citerón, en cuya falda pacían los rebaños de Anfitrión y Testio. Hércules, que entraba entonces en la edad juvenil, tenía todo el fuego de esta edad, resolvió combatir aquella fiera. Comunicó este proyecto a Testio, el cual se alegró de tal modo, que dio todas las tardes a Hércules al volver de la caza una de sus hijas, las cuales no tardaron en hallarse todas embarazadas. (*V.* Hércules, Testíades, Testio.) *Apolodoro* refiere que Hércules, después de haber muerto este león, se sirvió de su piel para su vestido ordinario. Sin embargo, según la opinión común, la piel de que se servía era la del león de la selva Nemea.

Siempre que en los monumentos que representaban alguna aventura anterior al vencimiento del león del Nemea, se ve al héroe vestido con una piel de león, debe suponerse ser, la del león de Citerón.

5 — Nemea (*Nemeus leo.*) El primer trabajo que Euristeo impuso a Hércules fue el matar al león de Nemea, que devastaba la Argólida, en el Peloponeso. Esta fiera desolaba especialmente los bosques de entre Cleona y Nemea, por cuyo motivo se le nombra el león de Nemea, como el león de Cleona. Tenía la particularidad de no poder ser herido con ningún arma, sea porque según el escoliasta de *Apolonio,* había caído de la luna, sea porque según Apolodoro y otros, era hijo de Equidna, y Tifón. Cuando Hércules fue a combatir con este león, Molorco, pastor de Cleona, le acogió muy bien y le dio utilísimos consejos sobre el modo de domar al animal. Quiso también Molorco hacer un sacrificio en honor de Hércules, pero el héroe lo rehusó y le rogó lo ofreciese a

Júpiter conservador, si volvía de esta expedición, o de ofrecérselo como a héroe, si no volvía al cabo de treinta días. Llegado el plazo, Molorco se disponía ya para hacer el sacrificio en honor de Alcides (nombre primitivo de Hércules), cuando se presentó el héroe y el sacrificio entonces fue ofrecido a Júpiter. El león habitaba en una caverna con dos salidas, de suerte que se escapaba fácilmente de los que le perseguían. Hércules, después de haber cerrado una de estas dos, entró por la otra en la caverna y ahogó al león entre sus brazos, porque no podía ser herido a flechazos. Este combate, se halla frecuentemente representado en los monumentos antiguos. Después de ahogado el león, lo llevó sobre sus espaldas a Micenas. Euristeo, según algunos autores, concibió tal terror, que se ocultó bajo tierra en un tonel de metal. Según otros autores este pasaje aconteció al llevarle Hércules el jabalí de Erimanto. Con todo, no le permitió nunca que entrase en Micenas, y le enviaba sus órdenes por un heraldo llamado Copreo. (V. Euristeo.) Hércules se sirvió después de la piel de este león como de una coraza, y cubrió su cabeza con la piel de la del animal, para servirle de casco. (V. León de Citerón.) No siendo el hierro bastante duro para cortar esta piel, se valió para ello de las uñas del mismo animal.

**LEONASA.** Nieta de Hilo en una tradición oscura. Casada con Neptólemo habría tenido varios hijos: Argo, Pérgamo, Pándaro, Dorieo, Géneco, Euríloco y Dánae, todos ellos héroes y heroínas que por lo general tienen otras ascendencias.

**LEONATICÓN.** Templo en Atenas, llamado también Leocorión, erigido en honor a un ciudadano llamado Leos. (V. Leos.)

**LEONES.** Nombre que tomaban los iniciados en los mitríacos.

**LEONIDEAS.** Fiestas instituidas en honor de Leónidas, rey de Lacedemonia, muerto con los 300 espartanos defendiendo las Termópilas contra los persas. Se pronunciaba en ellas un discurso en honor de este héroe, y se celebraban juegos a los cuales nadie podía entrar a disputar el premio sin ser ciudadano de Esparta.

**LEÓNIMO.** Guerrero crotoniano herido en un combate contra los locrios, abordó el primero por orden del oráculo en la isla de Leuce, donde fue curado por la sombra de Ayax. (V. Leuce.)

**LEONTADOMA.** Ninfa.

**LEÓNTEO.** De la raza de los lapitas, hijo de Corono y nieto de Ceneo, y uno de los capitanes que fueron al sitio de Troya. Se dividió con Polípetes el mando de 40 naves. *Ilíada. 2, 12.*

**LEONTESERA.** Nombre que daban los antiguos a una especie de ágata. La apreciaban por la hermosura y por la propiedad imaginaria que le atribuían, de suavizar los costumbres de las fieras.

**LEONTIADE.** Hijo de Hércules y Auge, hija de Aleo. *Hig. f. 162*

**LEÓNTICAS.** Fiestas que por lo regular se confunden con las mitríacas. Los iniciados y ministros se disfrazaban de animales, cuyos nombres llevaban, y como el león pasa por el rey de los animales, estos misterios tomaron el nombre de leónticas. Este nombre se aplica también de otro modo. En estas fiestas se representaba al sol bajo una figura con cabeza de león radiante, y teniendo entre sus dos manos los cuernos de un toro que hacía vanos esfuerzos para escaparse. (V. Leones. Mitríacas.)

**LEÓNTICO.** *Estesícoro* canta una historia de amor protagonizada por Rádine que amaba a un joven llamado Leóntico. Desgraciadamente estaba prometida a un tirano de Corinto. Marchó por mar para casarse con éste y su amado la siguió por tierra. Al saberlo el tirano mató a los dos y puso sus cadáveres en un carro. Arrepentido, después les construyó un mausoleo que se convirtió pronto en un centro de peregrinación al que acudían los enamorados para solicitar un idilio feliz.

**LEONTÍQUIDES II.** Rey de Esparta. Habiéndose entrelazado una serpiente en la llave de una puerta vecina, los augures vieron en esto un funesto presagio. «El mayor prodigio, contestó el príncipe, hubiera estado en entrelazarse la llave alrededor de la serpiente».

**LEONTÓN** o **LEONTÓPOLIS.** Ciudad de Egipto en la cual era adorado el león. *Plin. 5, c. 10.*

LEOS. Uno de los héroes epónimos de Atenas, que en un tiempo de calamidad pública, sacrificó a sus 3 hijas para la salud de la Patria. *Plut.* (*V.* Leonaticón.)

LEPISTA. Concha o vaso en que tenían el agua los templos. *Varrón.*

LEPREA. Hija de Pirgeo, y hermana de Lepreos, que dio su nombre a Lepreón, hija de Elida.

LÉPREO. Hijo de Caucón y Astidamia. Habían pactado con Augias atar a Hércules, cuando pediría la recompensa de su trabajo, según la promesa hecha por Augias. Desde entonces Hércules buscó ocasión de vengarse; pero Astidamia reconcilió a Lépreo con el héroe. Después Lépreo desafió a Hércules a quien lanzaría mejor el disco, sacaría más agua en cierto tiempo, comería más presto un toro de igual peso y bebería más: Hércules salió siempre vencedor. En fin, Lépreo, enardecido por la cólera y el vino desafió al hijo de Alcmene, y murió en el combate. *Paus. 4, c. 5.*

LEPREOS. Hijo de Pirgeo, que parece ser el mismo que el precedente.

LÉPTINIS, *el que como el fuego o la tumba aniquila los objetos.* Etim. *Leptos,* delgado. Sobrenombre de Plutón.

LEPUS (*la liebre.*) Constelación que, según *Eratóstenes,* colocó Mercurio en el cielo, a causa de la celeridad de cierta liebre: pero según otros, esta liebre fue colocada entre las constelaciones a causa de Orión. *Higinio* refiere lo siguiente: Hubo un tiempo, dice, en que no había liebres en la isla de Leros. Sus habitantes llevaron allí algunas, que se multiplicaron de tal modo, que devoraron todo el trigo, resultando una gran hambre, en memoria de la cual fue puesta una de estas liebres entre las constelaciones.

LEQUES. Hijo de Neptuno y Pirene, hija de Aqueloo que había dado su nombre a un promontorio del Peloponeso, situado cerca del golfo de Corinto. Había en él un templo de Neptuno.

LERNA. Antiguo nombre de un lago en el territorio de Argos, cuya circunferencia no tiene más que un tercio de estadio, según dice *Pausanias.* Este lago es famoso entre los antiguos poetas, porque las danaides arrojaron a él las cabezas de sus maridos degollados, y sobre todo a causa de la hidra de Lerna. Esta hidra era un monstruo de muchas cabezas, cuya muerte fue uno de los doce trabajos de Hércules. (*Eneida. 6, 12. Met. 1. Estrab. 8. Mela 2, c. 3. Apolod. 2, c. 15.*) Algunos mitólogos han dicho que las cabezas de la hidra eran de oro, símbolo de la fertilidad que Hércules preparó en un lugar inaccesible. *Eurípides* dice también que la hoz de que se sirvió este héroe para cortar las cabezas del monstruo era de oro. Otros dicen que por esta hidra y sus 50 cabezas, debe entenderse una ciudadela defendida por 50 hombres, bajo el mando de Lerno, jefe de bandidos. El cangrejo que defendió la hidra, es otro bandido que vino en socorro de Lerno contra Hércules y Yolao, que los sitiaban, viéndose obligados estos dos héroes, para lograr su empresa, a poner fuego a la ciudadela. En fin, *Platón* quiere que esta hidra sea un sofista de Lerna que se desbocó en palabras contra Hércules, y que por sus renacientes cabezas, se hace alusión a las malas razones de que no carecen nunca esta clase de gente, para sostener sus paradojas. *Pausanias* refiere otras particularidades de este lago famoso. «Los argivos creen, dice, que Baco bajó a los infiernos por este lago, para sacar de ellos a Sémele su madre». Lo cierto es, añade el historiador, que este lago es de una profundidad excesiva, y hasta al presente no se le ha encontrado fondo, a pesar de haberse valido para ello de toda especie de máquinas; porque hasta Nerón hizo atar cables a ambos extremos de muchos estadios de largo, y por medio de un pesado plomo que les ató, hizo sondear el fondo del Lerna, sin que fuese posible encontrarlo. Se refiere también otra particularidad, y es que el agua de este lago que parecer estar siempre en la mayor calma, revoltea no obstante de tal modo que cualquiera que osase nadar en él se perdería irremisiblemente.

Si esto es cierto, no pudo tener lugar la explicación que da *Servio* del lago desecado y hecho fértil por Hércules. (*V.* Hidra de Lerna.)

LERNEAS. Fiestas o misterios celebrados en Lerna, cerca de Argos, en honor de Baco, Ceres y Proserpina. Los argivos llevaban allí el fuego que sacaban del templo de Diana en el monte Cratis. La diosa tenía allí un bosque sagrado de plátanos, y en medio de este bosque una estatua de mármol que la representaba sentada. Baco tenía también en él una estatua y se celebraban en su honor sacrificios nocturnos anuales, que *Pausanias* dice no poder revelar.

LESBO. Hijo de Lapites, hijo de Eolo. Para obedecer un oráculo vino a abordar con sus compañeros en la isla de Peasgia, casó con Metimma, hija de Marcareo, y dio su nombre a la isla llamada después Lesbos.

LESBOS. Isla del mar Egeo, cuyos habitantes inmolaban a Baco víctimas humanas. Se dice que las costumbres de los lesbios y sobre todo de las lesbianas estaban corrompidas; de modo que la mayor injuria que podía hacerse a alguno era decirle que vivía como un lesbio. Esta isla ha sido famosa por el culto que se daba en ella a Apolo, y por el nacimiento de Safo. *Estrab. 14. Diod. 5, Herod. 1, c. 160.*

LESIPÆGMON, *el que hace olvidar el juego*. Epíteto de Baco. R. *lethein*, olvidar; *paigma*, juego.

LESJENORE. Sobrenombre de Apolo. Este dios de las ciencias recibía diferentes nombres según el progreso que hacía en las minas. Para los principiantes se llamaba Pitio. R. *punthanesthai*, informarse. Para los que empezaban a traslucir la verdad, Delio y Faneo. R. *delos*, claro; *fanés*, visible. Para los sabios Ismenio. R. *isémi*, yo sé. En fin para los que hacían uso de sus conocimientos, que encontraban en las asambleas, y que hablaban y discurrían, Lesjenore. R. *lesje*, disputa, conferencia de filósofos.

LESTRIGONES. Pueblos de Sicilia, bárbaros y crueles, que *Homero* pinta antropófagos. (*Odis. 1. 10.*) Llegado Ulises a sus costas envió dos de sus compañeros a su rey. Estos encontraron su mujer en la entrada de su palacio, la cual era alta como una montaña. Luego que los vio llamó a su marido quien agarrando uno de ellos lo devoró en la comida. El otro quiso huir, pero el monstruo llamó con voz espantosa a los lestrigones: comparecieron de todas partes estos terribles gigantes, apedrearon cruelmente a los compañeros de Ulises,

cogieron algunos, y enfilándolos como peces se los llevaron para devorarlos. Ulises, que no había saltado en tierra, se alejó al momento de estas costas bárbaras, habiendo perdido un gran número de los suyos. *Met. 14, Sil. 7. Plin. 3, c. 5.*

LETEA. Mujer frigia que, orgullosa de su hermosura, osó anteponerse a las diosas. Queriendo estas vengarse, su esposo Oleno se ofreció en su lugar, pero fueron transformados ambos en rocas. *Ovidio.* (*V.* Oleno.)

LETEO. 1 — Sobrenombre del Amor, en cuanto hace olvidar. Los amantes fatigados de sus cadenas, le adoran bajo este nombre para obtener el olvido de su cruel amada. Se encontraba su estatua en el templo de Venus Erxcine, cerca de la puerta Colina. Estaba representado apagando su antorcha en el agua. Hija de Eride (la Discordia) y según una tradición madre de las Cárites (Gracias).

2 — Río que corría cerca de Trecenas. Se decía que Esculapio había nacido en sus orillas.

3 — Río de la isla de Creta. Llamábase así porque Hermione olvidó en él a Cadmo su marido.

4 — Uno de los ríos del infierno, llamado también el río del Olvido. R. *lethé*, olvido. Las sombras estaban obligadas a beber sus aguas, que tenían la propiedad de hacerles olvidar lo pasado, y a disponerles a sufrir de nuevo las miserias de la vida. Se llamaba también *el río del aceite*, porque su curso es siempre tranquilo; y por el mismo motivo *Lucano* lo llamaba *Deus tacitus*, dios silencioso, que nunca murmura. En sus orillas, como cerca del Cócito, se veía una puerta que se comunicaba con el Tártaro, la que no olvidó Adriano, cuando en el valle de Tíbur hizo representar el infierno y sus ríos. Se representaba al Leteo bajo la forma de un viejo que tiene la urna en una mano y en la otra la copa del olvido. Un artista moderno, *Macret*, lo ha figurado por un anciano coronado de amapolas y lotos, y que descansa sobre su urna. En español nos queda la palabra, *letal*, derivado de Leteo, como sinónimo de algo que da la muerte, el olvido.

5 — Fuente de Beocia. Cuando se sacrificaba a Trofonio se bebía de sus aguas. *Paus.*

6 — Río de Africa que desagua en el Mediterráneo, cerca del cabo de los Sirtos. Se dice que interrumpía su curso, que corría por debajo de tierra aun espacio de algunas millas, y salía con más furia cerca de la ciudad de Berenice: esto dio motivo a que se creyera que salía del infierno.

7 y 8 — Dos ríos de España, el uno en la Bética, y es el Guadalete, y el otro en Portugal, hoy día el Limia.

LETOS. Padre de Pileo e Hipotoo, dos héroes que se distinguieron en el sitio de Troya. *Ilíada. 2, 17.*

LETRADOS (*Mit. chin.*) La más noble y distinguida de las clases sociales de los chinos, que reconocían por fundador, o por lo menos por restaurador a Kung-fu-Tsé (Confucio). Adoraban un Ser Supremo, eterno y omnipotente, bajo el nombre de *Chang-Ti*, o señor del cielo. Tributaban honores divinos a las almas de sus antepasados, y hacían sacrificios a los genios tutelares. Algunos los acusaban de ateísmo, creyendo que por el nombre de *Chang-Ti*, o señor del cielo, entendían tan sólo el mismo cielo material y visible. Aunque declararan muchas veces que sus homenajes se dirigían al ser superior que reinaba en el cielo, se descubría cierta incertidumbre en su doctrina: no obstante, analizándola, parece, según algunos, poder considerarlos idólatras o ateos. Los hay sin embargo entre los seguidores de Confucio que se distinguían de los otros por opiniones que podrían con mayor probabilidad hacerles considerar como ateos, si la impenetrable oscuridad de sus sistemas permitiera formar un juicio cierto. Este sistema fue adoptado cerca del siglo XV por una nueva secta, que puede considerarse como una reforma de la de los letrados, la cual pasó a ser la doctrina dominante de la corte, los mandarines y los sabios. El emperador Yong-Lo, que reinaba entonces, protegió esta nueva secta y tomó la resolución de destruir las otras, principalmente la de Lao Tsé y de Fo, que habían introducido en el imperio un número prodigioso de doctrinas, sin embar-

go, se le representó que sería peligroso quitar al pueblo los ídolos que veneraba, y que el nombre de los idólatras era demasiado grande para que pudiese lisonjearse de anonadar la idolatría. En consecuencia la corte se limitó prudentemente a condenar todas las otras sectas como herejías: vana ceremonia que se celebraba anualmente en Pekín, sin que el pueblo atestiguara menor furor hacia los feos dioses que poblaban sus pagodas. Esta secta, tan famosa en China, estaba también muy extendida en Tonquín. Sin embargo, había alguna discrepancia entre los letrados tonquineses y los chinos. Los primeros pensaban que existía en los hombres y los animales una materia sutil que se desvanece y se pierde en los aires cuando la muerte disolvía las partes del cuerpo. Ponían las maderas y los animales entre los elementos, en los cuales no comprendían el aire. Tributaban los honores divinos a los siete planetas y a los cinco elementos que admitían. Adoraban también cuatro dioses, cuyos nombres y funciones ignoramos. (*V. Satibana.*) los letrados chinos no reconocían en la naturaleza sino la naturaleza misma, que definían el principio del movimiento y del reposo. Según ellos, era la razón por excelencia que produce el orden en las diferentes partes del universo, y que causaba en él todas las mutaciones que observamos. Distinguían la materia en dos especies. La una perfecta, sutil, y agitable, esto es que estaba en perpetuo movimiento; la otra tosca, imperfecta, inerte. Ambas eran eternas, increadas, inmensas y en algún modo omnipotentes, aunque sin discernimiento ni libertad. De la mezcla de estas dos materias nacían cinco elementos, que con su unión y temperatura hacían la naturaleza particular y la diferencia de todos los cuerpos: de aquí nacían las vicisitudes continuas de todas las partes del universo, el movimientos de los astros, el reposo de la tierra, la fecundidad o esterilidad de los campos. Esta materia, ocupada siempre en el gobierno del universo, obraba ciegamente en sus acciones, que no tenían otro fin que el que nosotros le damos, y que por consiguiente, no eran útiles sino en cuanto nosotros sabemos hacer de ellas un buen uso. Esta clase socio-religiosa, también en Tonquin como en la China, era dominante en la corte y entre los grandes.

LETREO. Hijo de Pélope, fundador de Letrio, ciudad de la Elida. *Paus.*

LEUCA .1 — Ciudad de Italia. Se mostraba en ella una fuente cuya agua despedía un hedor insoportable. Los gigantes llamados leuternios, después de haberse salvado de Fiegra, en Campania, se dice que habían sido perseguidos hasta allí por Hércules, y muertos por este héroe. Esta fuente había salido de su sangre, y hasta la costa había tomado el nombre de costa leuterniana. *Estrab. Fars. 5.*

2 — Ciudad del Asia Menor.

LEUCADIO. 1 — Según una leyenda conservada por Estrabón, era hijo de Icario y Policaste. Expulsado Icario de Laconia por Hipocoonte, permaneció en Acarnania, donde se constituyó un pequeño reino. Su hijo Leucadio dio su nombre a la ciudad de Léucade.

2 — Sobrenombre de Apolo, tomado de un templo que había en la isla de Leucadia, en la costa del Epiro.

LEUCANIA. Diosa de los antiguos latinos. En *Gruter* se veía una inscripción antigua en su honor. P. MLXXIV, nº 8.

LEUCANTES. Uno de los sobrenombres de Saturno.

LEUCARIA. Esposa de Italo, y madre de Romo, epónimo (es decir personaje que ha dado el nombre a Roma). O bien madre de Ansón, epónimo de Ansonia, antiguo nombre de Italia. *Plut.*

LEUCAS. Zacintio, uno de los compañeros de Ulises que edificó el templo de Apolo Leucadio.

LEUCASPIS. Capitán troyano, que siguió a Eneas, y pereció en una tempestad. Eneas vio su sombra en los infiernos. *Eneida.*

Es también un príncipe sicanio que entabló combate con Hércules cuando éste pasó por Sicilia de regreso del país de Geriones. Muerto junto con gran número de compatriotas suyos en la lucha contra el héroe. Se le tributaron honores divinos.

LÉUCATE. Promontorio en la isla de Leucadia, del cual se precipitó Safo para extinguir su pasión. Se creía que Apolo había encontrado en la roca leucadiana una propiedad particular para curar los amantes, y que él mismo había indicado el salto de Léucate, como una receta infalible para el amor. Los sacerdotes habían hecho circular un cuento que el pueblo había adoptado, y que bastaba para acreditar este maravilloso remedio. Cuando Venus supo la muerte de Adonis, su primer cuidado fue buscar su cuerpo para tener el triste consuelo de regarlo con sus lágrimas. Después de haber recorrido inútilmente muchos países, llegó a una ciudad de la isla de Chipre, llamada Argos; encontró allí el cuerpo objeto de su ternura y su dolor, en el templo de Apolo Eritio, y lo robó al instante. Bien lejos de mitigar su pasión la muerte de su amante, la había animado más y más: confió su dolor a Apolo como a dios de la medicina, y le pidió un remedio para poner fin a sus tormentos. Este dios obedeció sin titubear; y apenas llegó abajo, cuando se admiró de encontrarse sin amor. Quiso saber la causa de tan prodigioso efecto; Apolo le dijo que en cualidad de adivino, sabía que Júpiter, que amaba siempre apasionadamente a Juno su esposa, por más que hiciese para distraerse de este amor no podía conseguirlo, de modo que se había visto obligado a buscar remedios para calmarlo, y que no había encontrado ninguno más eficaz que el de sentarse en la roca leucadiana. Los mortales siguieron el ejemplo de los dioses y es casi increíble el número de amantes desgraciados que venían de todas partes a buscar el remedio de sus males. Se disponían a esta peligrosa aventura con sacrificios, ofrendas o invocaciones a Apolo. Entre los que se expusieron a esta prueba se cita a Deucalión, al poeta Nicostrato, Artemisa, reina de Caria, y sobre toda la famosa Safo. El salto de Léucate fue fatal a todas las mujeres que lo probaron; y sólo hubo un pequeño número de hombres vigorosos que salieron felizmente de este remedio. Alumbrados los hombres por la experiencia, no quisieron atreverse ya más a esta peligrosa prueba, y se contentaron con arrojar al mar cierta suma de dinero, desde el lugar de donde se precipitaban antes.

**LÉUCATES.** Joven que se arrojó al mar, desde el monte Léucate, para huir de las persecuciones de Apolo y dio su nombre a este promontorio.

**LEUCE.** Isla de Ponto Euxino de la cual hicieron los antiguos una especie de campos Elíseos, donde habitaban las almas de muchos héroes, como Aquiles, los dos Ayax, Patroclo, Antíloco, Helena esposa de Aquiles, etc. (*V. Leónimo.*) Se dice también que Leuce (La blanca) era una ninfa hija del Océano y de Tetis. Plutón, enamorado de ella la raptó y se la llevó a los infiernos, pero Leuce tuvo que morir y entonces Hades la transformó en el álamo blanco de los Campos Elíseos.

**LEUCEO.** Sobrenombre de Baco, quien tenía un templo en las orillas del Leucianias, río de Elida. *Paus.*

**LEUCIPA. 1** — Epíteto que da Píndaro a Diana, tomado de su carroza tirada por caballos blancos, la misma que le envió Júpiter, para que se trasladase por algún tiempo al Olimpo, desde el reino de Plutón. R. *leucos,* blanco; *hippos,* caballo.

**2** — Oceánida.

**3** — Hija de adivino Téstor. Separada de su padre y su hermana, consultó el oráculo, que le respondió que no tenía más que hacer que vestirse de sacerdote y viajar con este traje. Obedeció y encontró a ambos en la Caria donde unos piratas habían conducido a su hermana, y una tempestad había arrojado a su padre. Con el vestido de hombre inspiró amor a su hermana, que no la reconoció, y la irritó con sus desdenes, de tal modo, que la amante irritada, hizo venir alguno para que lo matase. Téstor, elegido para esta ejecución, deploró en desgracia, que le armaba la mano para el asesinato, pronunció el nombre de sus dos hijas, y reconocido por Leucipa la reconoció también, como igualmente a su otra hija. *Higinio f. 190.* (*V. Teonoe.*)

**4** — Una de las hijas de Minias.

**5** — Esposa de Testio, rey de Etolia.

**6** — Madre de Euristeo.

**LEUCÍPIDES.** Nombre que se daba a Hilaria y Febes, como hijas de Leucipo. Tenían por sacerdotisas a vírgenes, a las cuales se daba el mismo nombre. *Paus. 3, c. 17, 26, Apolod. 3, c. 10.*

Se cita a Arsínoe como tercera hija de Leucipo, pero sólo a Hilaria (o Ilaria) y Febes se les conoce como Leucípides, las cuales se casaron respectivamente con Cástor y Pólux, sus primos hermanos (puesto que eran hijos de Tindáreo, hermano de Leucipo).

Cuando el banquete que Cástor y Pólux ofrecieron en Esparta a Eneas y Paris, que habían ido a visitar a Menelao (con el propósito secreto de visitar a Helena), los hijos de Afareo excitados por el vino y que en otro tiempo habían pretendido a Hilaria y Febes, provocaron a Cástor y Pólux y fueron muertos por éstos. Algunas leyendas recogen bien que los gemelos raptaban a las Leucípides, bien éstas lo fueron por los hijos de Afareo, siendo muertos por Cástor y Pólux.

Otra tradición dice que el propio Apolo fue el padre «divino» de las Leucípides, y Leucipo habría sido sólo su padre «humano».

**LEUCIPO. 1** — Hijo de Enomao, rey de Pisa. Enamorado apasionadamente este joven príncipe de Dafne, conoció que, si la buscaba abiertamente para el matrimonio, se exponía a una repulsa, porque ella aborrecía generalmente a todos los hombres. En su consecuencia se valió de la siguiente estratagema. Dejó crecer sus cabellos, para sacrificarlos, decía, al río Alfeo; después de haberlos anudados como una doncella, tomó un vestido de mujer, y se fue a encontrar a Dafne, se presentó a ella, bajo el supuesto nombre de la hija de Enómao, y le atestiguó un gran deseo de acompañarla en la caza. Dafne cayó en el lazo, y Leucipo pasó por doncella. Como por otra parte, su nacimiento y su hermosura le daban gran ventaja sobre todas las otras compañeras de Dafne, y no olvidaba nada para agradarle, obtuvo bien pronto sus favores.

Los que mezclan los amores de Apolo con esta aventura añaden que este dios, enojado de ver a Leucipo más feliz que él; inspiró a Dafne y sus compañeras el deseo de bañarse en el Ladón; que obligado Leucipo a sacarse sus vestidos fue reconocido por lo que era; y muerto a flechazos o a puñaladas. *Paus. 8, c. 20.*

2 — Hijo de Perieres, hermano de Afareo, y padre de Arsínoe, Ilaria y Febea. *Paus.*

3 — Hijo de Hércules y Angeo, hija de Aleo. *Hig. f. 162.*

4 — Hijo de Turímaco. Sucedió a su padre en el trono de Sición. Calquinio, su hija, tuvo de Neptuno un hijo, cuya educación tomó a su cuidado, y al cual dejó la corona. *Paus.*

5 — Uno de los príncipes griegos que se hallaron en la caza del jabalí de Calidón. *Met. 8.*

6 — Hijo de Hércules y Marsia, hija de Testio. *Apolod. 3, c. 7.*

7 — Testio. (*V. Testio.*)

8 — Padre de Placia, una de las mujeres de Laomedonte.

9 — Hijo de Naxo y padre de Esmerdio, rey de la isla de Día o de Naxos.

10 — Hijo de Lampro y Galatea. Al principio era mujer, pero como su padre se afligía de no haber tenido un hijo, Latona a ruegos de su madre, la hizo cambiar de sexo.

11 — Por último, Leucipo es el protagonista de una novela de amor como hijo de un tal Jantio, descendiente de Belerofonte. Gran guerrero, le alcanzó la cólera de Venus, que hizo que se enamorara de su hermana. Durante mucho tiempo luchó contra el incesto, pero no pudiendo más le dijo a su madre que si no le ayudaba a satisfacer su deseo, se traspasaría con la espada. Consumado el hecho, sin resistencia por parte de la joven, debido a la intervención de Venus, ambos amantes gozaron de su amor hasta que, sospechando el prometido de la muchacha todo el asunto, lo contó le dijo al padre lo del amante. Este, pensando cogerlos «in fraganti», penetró en la alcoba de la joven y creyendo que era el amante la hirió. Acudió Leucipo, que se hallaba escondido, y a su vez mató a su padre, sin saberlo. Desterrado, huyó a la isla de Creta y posteriormente fundó en Asia Menor la ciudad de Cretineo, junto a Mileto.

LEUCIS. Pez sagrado que los pescadores inmolaban a Berenice divinizada, para obtener una pesca abundante, cuyo sacrificio le era muy agradable. El pescador después de haberlo despedazado entre sus uñas, arrojaba con confianza sus redes, seguro de sacarlas llenas de peces. *Teócrito.*

LEUCITO. Hijo de Hércules y Astioque. *Hig. f. 162.*

LEUCO. Compañero de Ulises, muerto de un dardo por Anfito en el sitio de Troya. *Ilíada. 4.*

LEUCOFRINA. Sobrenombre de Diana, tomado de un lugar situado en las orillas del Meandro, en Magnesia, donde esta diosa tenía un templo y una estatua, que la representaba con muchos pechos, y coronada por dos victorias. *Paus. 10, c. 14.*

LEUCOLENOS, *de los brazos blancos.* Epíteto de Juno en *Homero.* R. *leucos,* blanco; *olené,* codo.

LEUCÓN. 1 — Uno de los héroes a quienes los griegos ofrecían sacrificios. Era un hombre que la Pitia mandó a los griegos que le honrasen como dios, en tiempo de la guerra de Persia. Los plateios, principalmente, obedecieron las órdenes del oráculo. *Plut.*

2 — Hijo de Atamante y Temisto. *Paus. 6, c. 22.*

3 — Uno de los perros de Acteón, esto es, *blanco. Met. 3.*

LEUCONE. Hija de Afidas, que había dado su nombre a una fuente del Peloponeso. *Paus. 8, c. 44.*

LEUCONOE. Una de las miníades.

LEUCÓPETRA. (*V. Maces.*)

LEUCOSIA. Una de las sirenas que dio su nombre a una isla del mar Tirrenio, en la costa occidental de Italia, donde fue arrojada, cuando las sirenas se precipitaron al mar. *Met. 15, Estrab. 5.* (*V. Sirenas.*)

LEUCÓTEA. La misma que Ino, nodriza de Baco, a la cual los dioses dieron este nombre, después de haber sido admitida en el número de las divinidades marinas. Tenía un altar en el templo de Neptuno en Corinto. Fue honrada también en Roma, en un templo al cual iban las damas romanas a ofrecer sus votos para los hijos de sus hermanos, no osando rogar la diosa por los suyos, porque había sido muy desgraciada con los hijos. No era permitida la entrada en este templo a las esclavas, y cuando se encontraba alguna en él, se le azotaba hasta morir. (*V. Matuta.*)

LEUCÓTOE. Hija de Orcame, séptimo rey de Persia después de Belo, y Eurínome, la más hermosa de las mujeres de Arabia. Enamorado el Sol de su belleza, tomó la figura de su madre, y a favor de este disfraz, tuvo fácil acceso al lado de su amante. Advertida Orcame por Clitia de este comercio, celosa de su hermana, ordenó que Leucótoe fuese enterrada viva, y que se arrojase sobre su cuerpo un montón de arena. No pudiendo el Sol volverle la vida porque los destinos se oponían a ello, regó con néctar la tierra que rodeaba su cuerpo, y al momento se vio nacer un árbol que lleva el incienso, o también el heliotropo cuyas flores se vuelven hacia el sol. (Gr. *Helios*=Sol; *tropos*=vuelta, giro.)

LEUCTRIDES. Hija de un cierto Icedaso que, habiendo sido violadas por los espartanos, se dieron la muerte. No habiendo podido su padre obtener venganza, se mató sobre su tumba, después de haber lanzado contra Esparta las más terribles imprecaciones. Pelópidas, afianzado en la fe de un sueño, en que se le aparecieron y le mandaron que les sacrificasen una joven virgen encarnada, les inmoló una yegua y ganó la batalla de Leuctra. *Plut.*

LEUCTRO. Héroe que dio su nombre al país y a la ciudad de Leuctra. Sus hijas fueron violadas por unos embajadores espartanos, junto con las de Icedaso, y se mataron después de haber invocado las Furias contra Esparta. *Diod. Sic.*

LEUH. (*Mit. mah.*) Libro en que, según el *Alcorán*, están escritas por manos de los ángeles, todas las acciones de los hombres.

LEUTERNIOS. Especie de gigantes. (*V.* Leuca.)

LEVANA. Diosa que se invocaba cuando se levantaba un niño de tierra. Tenía sus altares en Roma, dónde se le ofrecían sacrificios. Luego que el niño había nacido la comadre lo ponía en tierra, y el padre o el que la representaba, lo levantaba y lo abrasaba; sin cuya ceremonia no hubiera el hijo sido reputado por legítimo. *S. Agust.*

LEVE o LEVA. Diosa honrada en el Brabante, en los tiempos antiguos, en Leewe o Leuwe.

LEVIATÁN. 1 — Pez fabuloso que ciertos rabinos decían estaba destinado para la comida del Mesías. Era tan monstruoso, que tragaba de un solo golpe otro, que aunque más pequeño que él, no dejaba de tener tres lenguas de largo. El Leviatán llevaba sobre sí la gran mole de las aguas. «Al principio, Dios crió dos, uno macho y otro hembra; pero temeroso de que arruinasen la tierra y llenasen el universo de los de su especie, mató la hembra y la saló para el festín de Mesías.» (*V.* Behemot, Jukhneh, Mesías, etc.

2 — Uno de los espíritus que presidían en las cuatro partes del mundo, según los magos. Este tenía bajo sus dependencia, el medio día. (*V.* Amaimón, Astaroth, Lucifer.)

LEXIAS. Sobrenombre de Apolo, considerado como dios de la elocuencia. R. *legein,* hablar.

LEY. (Iconol.) Divinidad alegórica, hija de Júpiter y Temis. Se representa como una mujer majestuosa, sentada en un tribunal y ceñida su cabeza de una diadema, simbolizando el imperio que debe tener en la sociedad; empuña un cetro y tiene a sus pies un libro abierto, en el cual se lee esa sentencia: *in legibus salus.– Gravelo* le da un yugo rodeado de flores, y un cuerno de la abundancia, símbolo de las ventajas que procura garantizando las propiedades; cerca de ella hay un niño que duerme con un sueño dulce y apacible, significando ingeniosamente que la ley, para llegar a su término, debe inspirar la seguridad.

LI-KI. (*Mit. chin.*) Quinto libro de U-Kim, o colección de máximas morales y de religión. Este quinto libro es una especie de ritual al cual se ha añadido la explicación de lo que debe observarse en las ceremonias sagradas y profanas, y los deberes del hombre en cualquier estado.

LI-PU. (*Mit. chin.*) Tribunal chino, encargado de los negocios de religión.

LIA. Sobrenombre de Diana entre los sicilianos, a quienes había curado de un mal de bazo. *Banier. t. 14.*

LIA-FAIL. Los irlandeses daban este nombre a una piedra famosa que servía en la coronación de sus reyes: pretendían que esta piedra, que en la lengua de su país significa piedra fatal, gemía cuando los reyes se sentaban en ella fuera de la coronación. Se dice que había profecía que anunciaba que en cualquier parte donde se conservara esta piedra, habría siempre en el trono un príncipe de la familia de los Scots. Fue robada a viva fuerza por Eduardo I, rey de Inglaterra, de la abadía de Scone, donde se conservaba con mucha veneración; y este monarca la hizo colocar en el sillón que sirve para la coronación de los reyes de Inglaterra, en la abadía de Wetsminster, donde se creía que todavía se encontraba en el s. XIX.

LIÁGORA. Nereida.

LIBACIONES. Ceremonias religiosas que consistían en llenar un vaso de vino, de leche, o de cualquier otro licor y derramarlo en seguida todo entero en honor de alguna divinidad sobre una víctima o en el suelo, después de haberlo probado o acercado a los labios. Acompañaban ordinariamente los sacrificios, que algunas veces se celebraban solos, en las negociaciones, los tratados, los casamientos, los funerales, antes de emprender algún viaje por tierra o mar, acostándose, al levantarse y al principio y al fin de los convites. Las libaciones de los convites eran de dos especies. La una consistía en quedar un pedazo separado de viandas, el otro en derramar algún licor sobre la hoguera en honor de los lares, o del genio titular de la casa, o de Mercurio que presidía a las felices aventuras. (V. Patellarii). Se ofrecía vino aguado a Baco y a Mercurio, porque este dios tenía comercio con los vivos y los muertos. Todas las demás deidades exigían libaciones de vino puro; en los actos solemnes la copa con que se hacía se coronaba de flores. Antes de hacer las libaciones, se lavaban las manos y recitaban ciertas oraciones. Estos ruegos eran una parte esencial de la ceremonia de los matrimonios. Además del agua, vino, aceite y leche, se ofrecía también miel a los dioses, y los griegos la mezclaban con agua para sus libaciones en honor del Sol, la Luna, y las ninfas. Las libaciones más frecuentes eran las de las primicias de los frutos, que se presentaban en platillos llamados *Patellæ*.

*Cicerón* observa que la gente poco escrupulosa comía estos frutos reservados a los dioses. En fin, los griegos y romanos hacían libaciones sobre los sepulcros, en la ceremonia de los funerales. Después de la batalla de Actium, el senado ordenó una para Augusto, en los festines públicos como también en los convites particulares.

— Los jekutzes, pueblos de Siberia, celebraban cada primavera una fiesta cuya principal ceremonia consistía en derramar el licor que usaban en un gran fuego que encendían expresamente, y que conservaban cuidadosamente todo el tiempo de la fiesta. Observaban también la costumbre de no beber durante esta solemnidad.– Los habitantes de Jedso, país vecino del Japón, eran grandes bebedores, y como su país era frío, se reunían para beber alrededor del fuego. Mientras bebían, arrojaban en diversas partes de este fuego algunas gotas del licor que bebían. Esta especie de libación era casi la única señal de religión que se conoce en dichos pueblos.

LIBAMINA PRIMA. Después de haber derramado el vino entre las astas de la víctima, el sacerdote, le arrancaba los pelos de la frente, y los arrojaba al fuego que había en el altar, lo cual se llamaba *Libamina prima*. *Newport, Cost. de los romanos*.

LIBANIOS. Especie de viña que olía a incienso, y por cuyo motivo se empleaba su vino en las libaciones. *Plin*.

LIBANOMANCIA. Adivinación que se hacía por medio del incienso. He aquí, según *Dión Casio*, las ceremonias que los antiguos practicaban en las libanomancia: se toma, dice, incienso, y después de haber hecho algunas oraciones relativas a las cosas que se piden, se echa este incienso en el fuego, a fin de que su humo eleve sus ruegos a los dioses. Si debe suceder lo que se desea, el incienso se enciende al momento; aun cuando caiga fuera del fuego, parece que éste va a buscarlo para encenderlo; pero si no deben llegar los votos que se han formado, o no cae el incienso en el fuego, el fuego huye de él y no lo enciende. Este oráculo, añade, lo predice todo menos la muerte y el matrimonio. Excepto estos dos artículos era permitido consultarlo en todo lo que se requería.

**LIBANUS.** Joven sirio, muerto por algunos malvados. Los dioses para recompensarle del culto que les había tributado, le transformaron en monte. (Líbano).

**LIBAS.** Uno de los compañeros de Ulises, que habiendo violentado a una joven de Temese, donde le había arrojado la flota, fue apedreado por sus habitantes.

**LIBATORIUM y LIBEUM.** Vasos que servían para hacer las libaciones. *Festo.*

**LIBENTIA, LIBENTINA.** Diosa a la cual atribuían los antiguos la intención del placer que se disfruta en hacer todo lo que dicta la fantasía, bien o mal, si rehusar nada a su inclinación. (*Varr.*) Algunos pretenden que Libentina era un sobrenombre de Venus, y que las niñas, cuando llegaban a la juventud, consagraban los juegos de su infancia a Venus Libentina. *Sat. 2.*

**LÍBER y LÍBERA.** 1 — *Varrón*, citado por S. *Agustín*, nos dice que eran dos divinidades que presidían cada una respectivamente a su sexo, o a la formación de los hombres.

2 — *Líber*, sobrenombre de Baco, o porque había procurado la libertad a las ciudades de Beocia, o más bien porque siendo el dios del vino, libra el espíritu de toda angustia, y hace que se hable libremente. Se añadía a menudo el nombre Páter, como padre de la alegría y de la libertad. Los romanos le hacía presidir bajo este nombre las semillas líquidas de dos reinos animal y vegetal, sería pues el Baco primitivo o Dionisio itálico. (*Ant. expl. t. 4.*) (*V.* Liberales.) Los indios daban también este nombre al sol.

**LÍBERA.** Diosa que *Cicerón* hace hija de Júpiter y Ceres. *Ovidio* dice que Baco dios este nombre a Ariadna. Algunas medallas ofrecen los retratos de Líber y Líbera coronados de pámpanos, esto es, según algunos anticuarios de Baco macho y de Baco hembra. *Ant. expl. t. 1, 2.*

**LIBERALES.** Fiestas diferentes de las bacanales, celebradas en Roma en honor también de Baco, el 17 de marzo. En estas fiestas licenciosas se paseaba en triunfo por la ciudad y por la campaña un falo, colocado en un carro. Lavinium se distinguía en este género de fiestas, en las cuales solía emplear un mes. Se cometían los mayores excesos hasta que el carro había atravesado la plaza pública y llegar a al lugar de su destino. Entonces la matrona más honesta de la ciudad debía coronar este simulacro a los ojos de todos los asistentes; con cuya ceremonia creían que Líber miraría favorablemente las semillas y las libraría de encantos y sortilegios. *Varrón* hace derivar el nombre Liberales, no de Líber, sobrenombre de Baco, sino de *líber*, adjetivo, porque los sacerdotes de Baco se encontraban entonces libres de sus funciones y desembarazados de todo cuidado. Mujeres ancianas, coronadas de hiedra, estaban sentadas a la puerta del templo de Baco, teniendo delante de sí una especie de ara y un licor compuesto con miel y agua, que ofrecían a los que pasaban, para que hicieran libaciones a Baco, arrojando al fuego agua y licor. En estos días se comía en público, y todos tenían la libertad de decir todo cuanto se les antojaba. *Ant. expl. t. 2.*

**LIBERALIDAD.** (*Iconol.*) Figura alegórica, cuyo emblema es una mujer que trae en una mano un cuerno de la abundancia lleno de perlas, piedras preciosas, medallas, etc. y con la otra presenta piezas de oro y plata, como para distribuirla. Se le dan también por atributo muchas bolsas abiertas. En las medallas romanas, lleva una tablilla cuadrada; en la cual se ven un cierto número de puntos, que indican la cantidad de grano, vino o plata que el emperador daba al pueblo o a los soldados. En una medalla de Pertinax, tiene en una mano un cuerno de la abundancia, y en la otra la mencionada tablilla, en la cual ven diversos nombres. Una medalla de Adriano la representa con un cuerno de la abundancia. (*V.* Generosidad.)

**LIBERALIS.** Sobrenombre de Júpiter, después de haberlo invocado en algunos peligros y haber recibido en ellos su protección.

**LIBERATOR.** (*V.* Liberalis.)

**LIBERIAS.** Fiestas en las cuales se quitaban los niños el vestido de la niñez, y tomaban la toga libre. Se celebraban con algunas solemnidad y se convidaban a ellas a los amigos. Caía esta fiesta el 16

795

de las calendas de abril, esto es, el 17 de marzo.

**LIBERTAD.** (*Iconol.*) Divinidad célebre entre los griegos y romanos. Tenía en Roma, sobre el monte Aventino, un Tibero Graco, y precedido de un patio llamado *Atrium libertatis.* La diosa estaba representada bajo la figura de una matrona romana, vestida de blanco, teniendo un cetro en una mano, un gorro en la otra y un gato a sus pies. (*Tito Liv. c. 16, 25, c. 7.*) La acompañaban Adeone y Abeone, dos deidades, para significar su poder de ir y venir a su voluntad. El gorro aludía a la costumbre que tenían los romanos de hacerlo llevar a los esclavos manumitidos. El gato es el animal que más impaciente se muestra cuando se le encierra. Por esto los alanos, vándalos, suevos y los antiguos borgoñones lo traían en sus escudos. Algunas veces se representa a la libertad con una varilla en vez de cetro, llamada *vindicta,* con la cual el magistrado tocaba los esclavos, para significar que les manumitia del poder de sus dueños. En algunas medallas se la ve teniendo en una mano la clava de Hércules, y en la otra un gorro con esta inscripción: *Libertas August. ex. S.C.* Cuando se quería representar la libertad adquirida por el valor se añadía un yugo roto, atributo que se encuentra en una medalla de Heliogábalo. En otra de Bruto, la Libertad tiene por atributo un gorro entre dos puñales, con la inscripción: *Idibus Martiis,* a los idus de marzo, día de asesinato de César. En una medalla de Galba se ve la libertad vuelta al imperio romano, *Libertas restituta,* representada por una mujer arrodillada, que el emperador vestido con toga levanta con la mano derecha para ponerla en las manos de Roma, personificada por una Palas armada de punta en blanco.

Los modernos la han representado algunas veces por un ave que escapa de su jaula, o que vuela con el hilo que la aprisionaba. *Ripa* nos da estos tres emblemas de la misma: 1º) una mujer vestida de blanco, que tiene un cetro en la mano derecha y un gorro en la izquierda; 2º) una mujer que tiene una clava y un gorro; 3º) una mujer que tiene un gorro, y pisa un

yugo roto. *Gravelot* la ha pintado caminando, porque la acción es su carácter. Diferentes atributos desparramados que tiene a sus pies, indican que es madre de los conocimientos y de las artes, que han tomado de ella el nombre de *Liberalis.* Se han añadido a sus atributos, algunas aves caminando; y aves que mudan de clima con las estaciones. *Cochin* sustituía al sombrero un gorro levantado en una pica.

**LIBETRA.** 1 — Ciudad de las fronteras de Macedonia, célebre entre los poetas por el sepulcro de Orfeo. Había predicho el oráculo que sería destruido, por lo que los griegos le llaman *Sus.* Los habitantes, entendiendo por esta palabra un *jabalí,* no hicieron mucho caso de tal profecía. Pero un día cierto pastor se durmió sobre su sepulcro, y durante el sueño se puso a cantar versos de Orfeo con tanta melodía que todos los habitantes de la ciudad corrieron a su alrededor para escucharle. A fuerza de empujarse los unos a los otros, arruinaron la columna que se elevaba sobre la tumba y se descubrieron los huesos de Orfeo. La noche siguiente, el Sus, uno de los torrentes que se desprende del Olimpo, salió de madre y tragó a Libetra.

2 — Fuente de Magnesia, cerca de la cual había otra llamada *La Roca.* Ambas salían de un gran peñasco, semejante, en su figura al pecho de una mujer, de suerte que el agua parecía brotar como leche de dos tetas. *Paus.*

**LIBÉTRIDES.** 1 — Ninfas del monte Libetrio.

2 — Sobrenombre de las musas, tomado de la fuente de Libetra, que les estaba consagrada. *Mela.*

**LÍBICA.** Nombre de una sibila de la cual habla *Eurípides.*

**LIBIES** o **LIBIA.** 1 — Hija de Epafo y Memphis; o de Casiopea, otros dicen del Océano y Pangólige, amada de Neptuno, del cual tuvo a Agenos, y Belo y dio su nombre a Libia. *Apol. 2, c. 1. 13, c. 1, Paus.*

2 — Hija de Palámedes, de la cual Mercurio tuvo un hijo llamado Libis.

**LIBIS.** 1 — Sobrenombre de Hércules, fundador de la ciudad de Capsa, en Africa.

2 — Uno de los marineros que Baco tranformó en delfín. *Met. 3.*

LIBISA. Sobrenombre que daban los argios a Ceres, porque el primer grano que sembró en su territorio era de Libia. *Festo.*

LIBISINO. Sobrenombre de Apolo, adorado en el promontorio Pachinio en Sicilia. Se le dio este sobrenombre por haber obligado a los libios, que habían venido a atacarlo, a volverse, enviándoles una peste desoladora.

LIBITINA. Diosa que presidía los funerales, llamada así, no porque no compadece a nadie, *quod nemini libeat,* sino porque arrebata a los humanos cuando le place, *ad libitum.–Plutacro* pretende que se daba este nombre a Venus, para dar a conocer a los hombres la fragilidad de la vida, y hacerles comprender que el fin no está lejos del principio, pues esta deidad presidía el uno y el otro. Otros creen que era Proserpina. Tenía un templo circundado de un bosque sagrado, al cual se llevaba una pieza de plata, por cada persona que moría. Esta plata se ponía en el tesoro de la diosa, y se inscribía el nombre del difunto, para quien se traía este tributo, en un registro llamado *Libilinæ ratio.* Por este medio se sabía cada año el número de los muertos. *Tito Livio, 40, c. 19; 41, c. 21.*

*Suetonio* nos dice que, en el reinado de Nerón, hubo un otoño tan funesto, que hizo llevar treinta mil piezas de plata al tesoro de Libitina.

Esta deidad dio su nombre al templo que le estaba consagrado, a los que vendían bajo sus órdenes y quizás a su provecho las cosas necesarias a los funerales; y a una puerta de Roma por la cual sacaban los cadáveres fuera de la ciudad; a una puerta del anfiteatro por la cual se sacaban los cuerpos de los gladiadores muertos en los juegos públicos; en fin, a las parihuelas en que llevaban los cadáveres a la sepultura. *Dion. Hal. 4.*

LIBITINARIOS. Los que vendían y abastecían de todo lo que se necesitaba en los funerales. El templo de Libitina era de su depósito. *Ant. expl. t. 5.*

LIBÓN. Célebre arquitecto griego que edificó el famoso templo de Júpiter, cerca de Pisa.

LIBRA. (*V.* Balanza.)

LIBRARIE DEUM. (*sectarios de los dioses.*) Nombre que *Marciano Capella* da a las Parcas, fundado en la opinión de *Platón* y *Cicerón,* que llaman a estas deidades los ministros del destino. La una, según estos sabios, dictaba los decretos de este dios; la otra los escribía, y la tercera los hacía ejecutar.

LIBRO. 1 — (*V.* Calíope, Clío.)

2 — Volante. Libro de que habla *Zacarías,* el cual tenía veinte codos de largo y de ancho; era uno de aquellos rollos antiguos compuesto de muchas pieles o pergaminos encolados por el extremo. Este volumen apareció a *Zacarías* en espíritu y contenía las maldiciones, amenazadas y desgracias que debían caer sobre los judíos.

*Libros sibilinos.* Estos libros, llamados así porque contenían las predicciones de las sibilas, estaban confiados en Roma, a un colegio de sacerdotes o de oficiales llamados *quindecenviros.* Los libros sibilinos eran preciosos, tanto a la religión como a la política, pues contenían, dicen los destinos del imperio, y los medios de apaciguar la cólera de los dioses cuando se manifestaban por medio de prodigios o calamidades. Sólo los quindecenviros tenían el privilegio de consultar cuando convenía este sagrado depósito. No podían mirar sin orden especial; pero sus relaciones eran admitidas sin examen, y se hacía ciegamente cuanto decían.

Los que aprendían a tomar los augurios por el rayo, se llamaban *Fulgurales.* Entre los toscanos la ninfa Bigois tenía un libro sobre este arte, y se conservaba su obra en el templo de Apolo.– *Lintei,* tablillas cubiertas de una tela de lino. Las predicciones de las sibilas, y los anales de la república redactados por los pontífices estaban escritos sobre esta especie de libros. (*Tito Liv.*) –Aquellos en los cuales se describía la edad del hombre según los principios del arte etrusco se llamaban *Fatales.* En tiempo de peste, de enfermedad o de desgracia los romanos los consultaban. Se llamaban *Rituales* los que enseñaban el modo de edificar y consagrar las ciudades, los templos, altares, muros, puertas principales, familias, tribus, campos, etc. *Ammio Marcelino* llama *Exercitualis* el libro donde estaban contenidos los augurios, auspicios y prodigios concernientes al ejército.

LIBUM. Torta compuesta de harina, miel, leche y sésamo que servía para los sacrificios, especialmente para los de Baco, de los lares, y para la fiesta de los Términos. *Ant. expl. t. 3.*

LICABAS. 1 — Etrurio que, desterrado de su patria por un asesinato, fue uno de los marineros que Baco transformó en delfín. *Met. 4.*

2 — Uno de los que perecieron en el combate suscitado en ocasión del casamiento de Perseo y Andrómeda *Met. 5.*

3 — Lapita que huyó del combate de las bodas del Piritoo. *Met. 12.*

4 — Nombre del año en las medallas, tomado de los egipcios, que daban al Sol el nombre de *lixos*, lobo.

LICAMBO. Oriundo de la isla de Paros, padre de Ncóbulo, que prometió la mano de su hija al poeta Aquíloco. Pero habiendo faltado a su palabra, irritó contra sí al poeta, el cual desplegó su venganza con versos llenos de rabia y de hiel. Licambo se vio abrumado por ellos y se colgó de desesperación. *Hor. Od. 6, 1. 5.*

LICÁNTROPO. En la idea de los demonógrafos, es un hombre a quien el diablo cubre con una piel de lobo y le hace ir errante por las ciudades y los campos, dando horribles aullidos, y levantándolo todo. No le transforma propiamente en lobo, pero le da una forma fantástica, o traslada su cuerpo a otra parte, y sustituye una figura de lobo en los lugares que este hombre acostumbra frecuentar. De aquí se desarrollaría la leyenda posterior del hombre-lobo que ha llegado hasta nosotros.

LICAÓN. 1 — Hijo de Foroneo, rey de Arcadia, a la cual dio el nombre de Licaonia. *Paus.*

2 — Hijo de Pelasgo y según otros de Titán y la Tierra, sucedió a su padre en el reino de Arcadia, y fue contemporáneo de Cécrope. Los historiadores griegos representan como un príncipe culto y religioso. Fue desde el principio amado de su pueblo, al cual le enseñó a llevar una vida menos salvaje. Edificó sobre los montes la ciudad de Licosura, la más antigua de toda Grecia, y levantó en ella un altar a Júpiter Liceo, al cual empezó a sacrificar víctimas humanas. Sin duda esa inhumanidad es la causa de su metamórfosis. Mataba, dice *Ovidio* (*Met. 1.*) a todos los extranjeros que pasaban a sus estados. Habiendo ido Júpiter a hospedarse en su casa, Licaón se preparó para quitarle la vida mientras dormía; pero antes quiso asegurarse si era o no dios, y le hizo servir los miembros de uno de sus huéspedes, o según otros, de uno de sus esclavos. Un fuego vengador encendido por orden de Júpiter consumió el palacio y Licaón fue transformado en lobo; metamórfosis basada tanto en su crueldad, como en su nombre. *Suidas* refiere esta fábula de otro modo: Licaón a fin de que sus súbditos observasen las leyes que acababa de establecer, publicó que Júpiter venía a visitarle a menudo en su palacio bajo la figura de un extranjero. Para averiguarlo, sus hijos mezclaron con las carnes de las víctimas la de un niño que acababan de degollar, al momento en que su padre iba a ofrecer un sacrificio a este dios; pero, habiéndose levantado de repente una furiosa tempestad, el rayo redujo a cenizas a los autores de este crimen; y entonces, se dice que fue cuando Licaón instituyó las lupercales. De los muchos hijos que tuvo este príncipe, sólo le sucedió Níctimo; los demás fueron a buscar fortuna cada uno por su lado. *Apol. 3, Hig. f. 176.*

3 — Otro Licaón posterior al precedente fue transformado en lobo estando sacrificando a Júpiter. Este volvía a tomar cada diez años la figura de hombre, si en este intervalo se había abstenido de comer carne humana, de lo contrario continuaba con la figura de lobo. *Paus. 8, c. 2.*

4 — Padre de Pándaro, uno de los capitanes que defendieron a Troya contra los griegos. *Ilíada. 2.*

5 — Hijo de Príamo y Laótoe, hecho prisionero por Aquiles, vendido en Lemnos y vuelto a comprar por Eetión. Volvió a Troya y consagró once días para celebrar con sus amigos su feliz evasión, pero al duodécimo cayó otra vez en las manos de Aquiles, quien lo mató. En otra ocasión, había prestado su coraza y espada a su hermano Paris, para combatir con Menelao. *Ilíada. 21.*

6 — Hermano de Néstor, muerto por Hércules.

7 — Hijo de Diómedes, muerto por Pándaro.

8 — Célebre obrero de Cnosos, que había hecho a Julio una espada cuyo puño era de oro, y la vaina de marfil. Y o lao la regaló a Euríalo. *Eneida.*

LICAONIÆ MENSÆ. Mesas de Licón, esto es de los manjares execrables. (*V.* Licaón.)

LICAONIO. Compañero de Eneas, muerto por Mesapo.

LICAONIS. Calixto, hija de Licaón.

LICAS. 1 — Capitán latino consagrado al dios de la medicina, porque al nacer había sido sacado del vientre de su madre ya muerta. Sucumbió a los golpes de Eneas. *Eneida. 10.*

2 — Otro capitán latino, perseguido por Eneas. *Eneida. 10.*

3 — Criado o compañero de Hércules. Un día le envió el héroe a buscar sus vestidos de ceremonia, los cuales necesitaba para un sacrificio que quería hacer. Deyanira, celosa por el amor que el héroe había concebido por Yole, encargó a Licas que le llevase la túnica teñida en la sangre de Neso. Apenas Hércules se la hubo puesto cuando se volvió furioso, tomó a Licas por el brazo y, después de haberle hecho dar tres o cuatro vueltas por el aire, le arrojó al mar Eubeo, con más violencia, que una honda lanza una piedra. El desgraciado Licas fue transformado en una roca que se veía en el mar Eubeo con algunas formas de figura humana, y a la cual no osaban acercarse los marineros, como si hubiese conservado alguna sensibilidad. *Met. 15.*

LICASTO. 1 — Ciudad de Creta cuyos habitantes fueron al sitio de troya. *Ilíada. 2.*

2 — Hijo de Minos II, e Itone, hija de Lictio, sucedió a su padre, casó con Idas, hija de Coribante y tuvo de ella a Minos 2. *Diod. 4.*

3 — Hijo de Marte y Filonome. *Paus. 8, c. 34.* (*V.* Filonome.)

LICEA. 1 — Amazona. *Val. Flac. 6.*

2 — Sobrenombre de Diana honrada en Trecenas, tomando de haber Hipólito limpiado el país de los lobos que lo infestaban, o de descender de las amazonas por parte de madre, entre las cuales tenía Diana un templo.

LICEAS. 1 — Fiestas de Arcadia, las mismas casi que las lupercales romanas. Se celebraban en ellas combates cuyo premio era una armadura de cobre. Se inmolaba una víctima humana en los sacrificios. *Paus.*

2 — Templo de Apolo en Atenas.

LICEO. 1 — Sobrenombre con que júpiter era adorado en Argos, y que explica la tradición conservada por Pausanias. Llegado Dánao a Argos con una colonia egipcia, disputó la soberanía de esta ciudad a Gelanor, pero ambos se sujetaron a la decisión del pueblo. El día en que debía decidirse la causa, asaltó un lobo un rebaño de becerras y despedazó el toro. Esta señal fue interpretada, sin otra deliberación, como una señal de la voluntad de los dioses, y Dánao, designado por el lobo, fue declarado vencedor. En memoria de este acontecimiento, el nuevo rey edificó un templo a Júpiter Liceo; de *licos,* lobos: lo que fue causa que Argos adoptase en sus armas una cabeza de lobo, como se ve en las medallas. *Fourmont, Mem. de la Acad. de Inscr. t. 16, p. 106.*

2 — Sobrenombre de Júpiter honrado en el monte Liceo. Se atribuía a Licaón, hijo de Pelasgo, el establecimiento de este culto. Estaba prohibido a los hombres el entrar en el recinto consagrado, y sin alguno se atrevía a poner el pie en él, moría infaliblemente dentro del año. Se dice también que todo lo que entraba en este lugar sagrado, hombres o animales, no hacía sombra. En la cima más alta había un altar hecho de varias tierras desde el cual se veía todo el Peloponeso. Delante de él, por la parte de oriente, se habían levantado dos columnas, coronadas de dos águilas doradas de un estilo muy antiguo. En este altar se sacrificaba con gran misterio a Júpiter Licaeo. Este culto había sido abrazado por los habitantes de Megalópolis.

3 — Sobrenombre de Apolo en Sicione, desde el que el oráculo de este dios había indicado a los sicionios un medio para librarse de los lobos que desolaban sus rebaños. Este medio consistía en tomar la

corteza de un pedazo de madera, que los enviados debían encontrar al volverse, mezclarla con el manjar y exponer esta mezcla en el lugar que frecuentaban los lobos. Todos los lobos que comían de aquello perecerían.

4 — Sobrenombre de Pan.

5 — Héroe que dio su nombre a los liceatos y a su país.

LICESTE. Nombre de ninfa.

LICETO. 1 — Uno de los guerreros muertos por Perseo, con ocasión de su casamiento con Andrómeda. *Met. 5.*

2 — Centauro muerto por Teseo. *Met. 12.*

LICIA. 1 — Ninfa que tuvo de Apolo un hijo llamado Icadio.

2 — Provincia de Asia Menor, célebre por los oráculos de Apolo y por la fábula de la Quimera, se daba a esta comarca el sobrenombre de *Hiberna*, porque se creía que Apolo pasaba el invierno en el templo que le habían erigido los licios en Patara, donde daba sus oráculos, llamados *Liciæ. Estrab. Herod. 1, c. 173, Estrab. 15.*

LICIARCO. Magistrado anual de Licia, que presidía los negocios civiles y religiosos, los juegos y las fiestas en honor de los dioses. *Estrab.*

LICIDAS. 1 — Uno de los lapitas, muerto por Drinte.

2 — Uno de los centauros. *Met. 12.*

3 — Nombre de Pastor. *Vir. Egl. 7. 9.*

LICIGÉNETE. Uno de los sobrenombres de Apolo.

LICIMIA. Esclava de Meonia, del cual tuvo un hijo llamado Helenor. Habiéndolo educado secretamente, le envió, contra las leyes de la milicia, al sitio de Troya. *Eneida.*

LICIMIO. Uno de los hijos de Electrión o de Marte, que siendo aun muy joven se encontró en un combate en que perecieron todos sus hermanos. *Ilíada. 2, Apolod. 2, c. 7. (V. Eono. Tlepólemo.)*

Acompañó a Anfitrión al destierro en Tebas. Casó con Perímedes, hermana de Anfitrión y tuvo varios hijos, Eono, Argeo, Melos que acompañaron a Hércules en la campaña de Ecalia y murieron en combate. Hércules, que había jurado a Licinio que le devolvería a su hijo, quemó el cadáver de Argeo y, para cumplir su palabra, le llevó la urna con sus cenizas.

Muerto Hércules, Licinio se refugió en Traquis y tomó parte en la guerra contra Euristeo. Se unió a Hilo en la primera y desastrosa expedición contra el Peloponeso. Invitado por los habitantes de Argos a establecerse en su ciudad, Licimnio murió a consecuencia de un bastonazo de Tlepólemo o quizás accidentalmente cuando intentaba golpear a un esclavo o un buey con una rama de olivo. Muerte semejante a la de Electrión, que pereció de la misma forma a manos de Anfitrión. (*V.* Electrión, Anfitrión.)

LICINIA. Ley promulgada en Roma en el año 58 de su fundación, bajo los auspicios de Licino Varo, para determinar el día de la celebración de los juegos apolinarios.

LICISCA. Perro de Acteón . *Met. 3.*

LICIO. 1 — Sobrenombre de Apolo, de su templo de Patara en Licia. *Eneida. 4.*

2 — Hijo de Licaón.

3 — Sobrenombre de Dánae.

4 — Hijo de Hércules y Toxícrate.

5 — Hijo de Clinis, transformado en cuervo blanco. Apolo lo cambio de blanco en negro, cuando le trajo la noticia de que Coronis había favorecido a Alcioneo.

LICNITES. Sobrenombre de Baco, del harnero (criba) místico que se usaba para sus fiestas.

LICNÓFOROS. Los que llevaban el harnero en las fiestas de Baco.

LICNOMANCIA. Adivinación que se hacía por medio de la inspección de la llama de una lámpara. R. *lichnos,* lámpara. (*V.* Lampadomancia.)

LICNÓN. El harnero (criba) tan necesario en los misterios de Baco, que sin él no eran legales ninguna de sus ceremonias.

LICNÓPOLIS, *ciudad de las lámparas.* Ciudad imaginaria de que habla *Luciano* en su *Historia verdadera.*

LICO. 1 — Hijo de Pandión, hermano de Egeo y tío de Teseo. Fue a buscar asilo contra las sospechas de Egeo al lado de Sarpedón, hermano de Minos, establecido en la isla de los Ternmilos, y dio su nombre a los licios. *Herod. 7, c. 92.*

2 — Uno de los centauros muertos por Piritoo. *Met. 12.*

3 — Uno de los compañeros de Diómedes transformado en ave.

4 — Hermano de Nicteo, tutor de Labdaco y de su hijo Laio, reyes de Tebas. *Paus. 9, c. 5, Apolod. 9, c. 5.*

5 — Tracio, muerto por Cigno en singular combate.

6 — Rey de Libia que inmolaba a los extranjeros. Habiendo Diómedes, a su vuelta de Troya, sido arrojado a sus costas, el tirano le puso en una estrecha prisión. Se atrajo la gracia de Calirroe, hija de Lico, que se colgó de desesperación cuando se vio abandonada.

7 — Rey de los mariandinios e hijo de Neptuno y Celeno, acogió a los Argonautas y les hizo guiar por su hijo hasta Termodón. Apurado hasta el último extremo por las armas de Amico, rey de los bebricios, llamó a Hércules en su socorro, quien derrotó a este príncipe y restableció los negocios de su amigo. Según otros autores, Hércules atentó contra el honor de Megara, mujer de Lico, y mató a este último como un obstáculo a sus deseos. *Sen. Apolod. 3, c. 10. Hig. f. 18, 31, 32, 137.*

8 — Hijo de Marte.

9 — Hijo de Egipto.

10 — Hijo de Príamo.

11 — Padre de Arcesilao.

12 — Compañero de Eneas muerto por Turno. *Eneida. 9.*

LICOATIS. Sobrenombre de Diana honrada en Licoa.

LICOCTONME, *el que mata lobos.* Sobrenombre de Apolo, por haber librado de los lobos el ganado de Admeto. R. *kleinein,* matar.

LICOFONTE. Hijo de Ancofano, uno de los capitanes tebanos que concurrieron al sitio de Troya, muerto por Teucro. *Ilíada. 4, 8.*

LICOFRÓN. Hijo de Néstor, de la isla de Citera, estaba muy unido a uno de los Ayax y fue muerto por Héctor. *Ilíada. 15.*

LICÓGENE, *nacido de una loba.* Sobrenombre de Apolo, porque Latona se transformó en loba en el acto de darle a luz.

LICÓMEDES. 1 — Hijo de Apolo y Partínope. *Paus.*

2 — Hijo de Creonte herido por Agenor. *Ilíada. 9.*

3 — Rey de Esciros, donde fue enviado Aquiles para que no marchase a la guerra de Troya. Obligado Teseo a abandonar Atenas se refugió a su lado. Licómedes, sobornado por Mnesteo, le condujo a lo más alto de un monte y le precipitó por las rocas. Según otros, Licómedes descubrió que Teseo conspiraba en la isla para arrojarle de ella, y que procuraba seducir su mujer. *Paus. 1, c. 71; 1. 7, c. 4, Apolod. 3, c. 13.*

4 — o Licómides. Familia ateniense que tenía la misión de las ceremonias y de los sacrificios que se hacían a Ceres y a las grandes diosas, y por la cual *Museo, Panfo* y *Orfeo* habían compuesto himnos, que los licomedes cantaban en la celebración de los misterios. *Paus. Plut.*

LICÓN. 1 — Capitán troyano muerto por Peneleo en el sitio de Troya.

2 — Padre de Antólico.

· LICÓPEO. Hijo de Agrio y hermano de Tesites, Onquesto, Prótoo, Celentor y Melanipo. Participó con ellos en la expedición contra Eneo, a quien arrebataron el reino de Calidón, fue muerto por Dióncoles, que había venido desde Argos para defender a Eneo.

Otros dicen que Licópeo fue muerto al mismo tiempo que su tío Alcátoo, por Tideo, que tuvo que huir de Etolia a Argos a consecuencia de este crimen.

LICOPÓLITO. Comarca de Egipto donde eran honrados los lobos. *Diodoro de Sicilia (l. 1.)* señala a este culto el siguiente origen fabuloso: Disponiéndose Isis y su hijo Horus para combatir a Tifón, Osiris volvió de los infiernos bajo la figura de un lobo y se les unió para ayudarles. Tifón sucumbió, y desde entonces se honró el animal que había contribuido a la victoria. Otros refieren que, viniendo los etíopes para atacar a Egipto, les detuvo un ejército de lobos y les puso en fuga cerca de Elefantina. *Estrab. 17. Diod.*

LICOREA. Ciudad de Fócida, en la cima de Parnaso, dónde, siguiendo las pisadas de los lobos, se refugiaron los delfios durante el diluvio de Deucalión. *Paus.*

LICOREO. 1 — Sobrenombre de Júpiter.

2 — Hijo de Apolo y Coricie, edificó una ciudad sobre el Parnaso, después del diluvio, en el mismo lugar que se había

parado la barca de Deucalión, y la llamó Licorea.

**LICORIAS.** Una de las ninfas compañeras de Cirene, madre de Aristeo. *Geórg. 4.*

**LICORIS.** Monte sobre el cual *Luciano* supone que se paró, durante el diluvio de Deucalión, la navecilla que contenía la esperanza de la reproducción del género humano, esto es, Deucalión y Pirra.

**LICORMAS.** Uno de los guerreros que se hallaron en el combate de la corte de Cefeo, con ocasión del casamiento de Perseo y Andrómeda. *Met. 5.*

**LICORNIO.** Unicornio.

**LICOTAS.** Centauro muerto por Teseo en las bodas de Piritoo. *Met. 12.*

**LICOTIERSES.** Rey de Iliria. Su esposa Agave, hija de Cadmo, lo mató para devolver el trono a su padre. *Higin.*

**LICTIO.** 1 — Sobrenombre de Idomeneo, de Lictos, ciudad de Creta donde había nacido. *Eneida. 3.*

2 — Cretense padre de Itone, de la cual Minos tuvo a Licasto.

**LICTO.** 1 — Natural de Festo en Creta, y padre de Ifis. *Met. 9.* (*V. Ifis.*)

2 — Uno de los hijos de Licaón que dio su nombre a Lictos, ciudad de Creta.

**LICTOS.** Ciudad de Creta cuyos habitantes fueron al sitio de Troya. *Ilíada. 2.*

**LICÚRGIDES.** Fiestas establecidas por los lacedemonios en honor de Licurgo. *Plutarco* dice que se dio este nombre a los días en que se reunían los parientes y amigos de este célebre legislador.

**LICURGO.** 1 — Hijo de Feres, rey de Tesalia y hermano de Admeto, instituyó los juegos nemeos en memoria de su hijo, muerto por una serpiente mientras que su ama de leche mostraba una fuente a los epigones. *Paus.*

2 — Hijo de Driante, que persiguió a las ninfas, nodrizas de Baco, que celebraban las orgías en el monte de Nise, logrando que el mismo Baco, lleno de terror se precipitase al mar. Júpiter, en castigo de su impiedad, le envió una ceguera en pos de la cual vino la muerte. (*Ilíada. 6.*) Otros dicen que Baco le inspiró tal furor que, creyendo cortar las viñas, cortó las piernas de su hijo Drías y luego después se mutiló

el mismo. (*Met. 4.*) El oráculo mandó a sus súbditos que le aprisionasen, y fuese despedazado por caballos salvajes. *Eneida. 4, Prop. 3, el 4. Hig. f. 32, Apolod. 3, c. 5.*

3 — Hijo de Aleo, rey de los tegeates, murió en edad muy avanzada después de haber perdido sus dos hijos, Anceo y Epoco. *Ilíada. 7, Apolod, 3, c. 9.*

4 — Uno de los amantes de Hipodamia, de que triunfó Enómao. *Paus.*

5 — Hijo de Pronax, representado en un monumento de Amicles. *Paus.*

6 — Gigante, muerto en Tracia por Osiris. *Diod. 1.*

7 — Hijo de Hércules y Praxteo, testíade. *Apolod. 2, c. 7.*

8 — Legislador de los lacedemonios que, queriendo que sus leyes fuesen recibidas, recurrió al oráculo que contenía todas las leyes que quería prescribir, y que prometían a los espartanos el estado más floreciente del mundo si las observaban. Cuando hubo terminado esta obra, hizo jurar al senado y al pueblo que las observarían hasta su vuelta, diciendo que él iba a Delfos a consultar con Apolo algunas dificultades; pero fue a ocultarse en un lugar, y no se oyó ya hablar más de él. Algunos historiadores han dicho que murió en Creta y que había mandado que su cuerpo fuese quemado, y sus cenizas arrojadas al mar, temerosos de que no las trasladasen a Lacedemonia, y el pueblo no se juzgase libre del juramento, teniendo de este modo un pretexto para infringir las leyes. Los lacedemonios tuvieron a su memoria el mismo respecto que habían tenido a su persona y le erigieron un templo como a Dios. *Plut. Just. 3, c. 2, Estrab. 8, 10, 15, Dion. Hal. Paus. 3, c. 2.*

9 — Nombre con que los amonitas adoraban al sol.

**LIDIA.** Mujer de Memfis, hijo de Júpiter.

**LIDIANAS.** Nombre dado a las mujeres del ejército de Baco. *Ptol. 5, a 17.*

**LIDIO.** Clase de música con la cual Orfeo amansaba las fieras, y Anfitrión edificó los muros de Tebas. Fue inventada por él según unos; por Olimpo Misio, discípulo de Marcias, según otros; y por Melanpídes, según una tercera opinión.

*Píndaro* dice que fue empleada por primera vez en las bodas de Níobe. El carácter de este género de música era animado, salado, patético y capaz de afeminar el espíritu, por cuyos motivos *Platón* lo desterró de sus repúblicas.

LIDIOS. (*Juegos.*) Ejercicios y divertimentos inventados por los lidios, los cuales los llevaron de Etruria.

LIDO. 1 — Hijo de Hércules y Yolao.

2 — Hijo de Atis y Calitea, y hermano de Tirreno, que dio su nombre a la Meonia, que se llamó Lidia. *Herod. l. 1, 7, c. 74.* Lidio reinaba en el país antes de la llegada de los heráclidas. Otra tradición lo hace descender de los propios heráclidas. Su hermano originará los tirrenos o etruscos.

3 — *Honrado entre los lidios.* Epíteto de Baco. *Antol.*

LIE. (*V.* Lía).

LIEBRE. (*Iconol.*) Este animal era hijo de los atributos del otoño. Entre los egipcios era el emblema del oído. (*V.* Miedo, Timidez.)

Entre los griegos se conservó durante mucho tiempo la superstición de que si una liebre cruzaba camino de una caravana, ésta debía hacer alto, hasta que un nuevo viajante disipara el encanto abriendo el camino.

LIEO, *el que aleja el pesar.* Sobrenombre de Baco. R. *Liein* desatar. *Hor. Ep. 9.*

LIF, *vida* (*Mit. célt.*) Mujer de Lif. Estos dos seres se alimentarán del rocío y producirán una posteridad, tan numerosa, que la tierra se cubrirá bien presto de nuevos habitantes. Es imposible desconocer en esta fábula la opinión céltica, de que quedaría en la tierra un principio o un germen de vida capaz de reparar la pérdida del género humano (V. Zamolxis.)

LIGADURA, o Atadura. Se llama así, hablando de magia, a un estado de impotencia causado por algún encantamiento o maleficio. Se habla con frecuencia en el derecho y en las decretales de los papas, de las disoluciones de matrimonios ordenadas por causa de impotencia proveniente de la ligadura o maleficio. La Iglesia excomulgaba aquellos que, por ligadura u otro maleficio, impedían la consumación del matrimonio.

*Delrio* dice, en sus *Dispositions magiques,* que los hechiceros hacían esta ligadura de diferentes modo, y *Boudin* que designa más de cincuenta clases, en su *Demonomonia* cuenta hasta siete causas, como puede verse en su obra. Observa que este maleficio caía con más frecuencia sobre los hombres que sobre las mujeres, ya sea por la mayor dificultad de hacerlas estériles, o ya sea, dice, que habiendo más hechiceras que hechiceros, los hombres se resienten más pronto de la malicia de las brujas. Puede darse, añade, esta ligadura, por el espacio de un día, de un año, por toda la vida, o por lo menos hasta que el nudo sea desatado, pero no manifiesta ni cómo se forma este nudo, ni cómo se desata.

*Kœmpfer* habla de una suerte de ligadura extraordinaria que estaba en uso en los pueblos de Macassar, de Java, de Siam, etc. Por medio del encantamiento o maleficio un hombre ata a una mujer o una mujer a un hombre, al estado de impotencia por lo que respecta a toda otra mujer, y todos los hombres quedan en el mismo estado con relación a dicha mujer.

Algunos filósofos de aquellos países pretendían que podía verificarse la ligadura dando la vuelta a una cerraja, haciendo un nudo, clavando un cuchillo en un muro al mismo tiempo, precisamente, que el sacerdote une las partes contratantes, o que una ligadura hecha de este modo podía reducirse a la nulidad si un esposo orinaba a través de un anillo. Se dice que esta superstición estaba también en uso entre los cristianos orientales.

LIGASTONES. Nombre que los prusianos y los pomeranios daban a los sacerdotes de sus ídolos, y que conservaron hasta mediados del siglo XIII. Alababan los crímenes y los desórdenes de los muertos en sus funerales. (*V.* Talisones.)

LIGDE. (*V.* Ifis.)

LIGEA. 1 — Una de las ninfas compañeras de Cirene; madre de Aristeo. *Geórg. 4.*

2 — o Ligia. Una de las sirenas; de *ligus*, suave, argentino. Se arrojó al mar con sus compañeras y su cuerpo fue trasladado a Terina, en la actualidad Nuceria (ciudad de Italia) *Ant. expl. t. 1.*

**LIGER.** Capitán latino que mató a Ematión pero, habiendo desafiado a Eneas, tuvo que sufrir el castigo de su insolencia y fue muerto por este héroe con un dardo que le precipitó de su carro. *Eneida. 10.*

**LIGIFONES,** con voz armoniosa. Sobrenombre de las Hespérides, consideradas como las estrellas de la noche, sacado de los comentadores amigos de los sentidos alegóricos, de la armonía que resulta del movimiento de los cuerpos celestes.

**LIGIRÓN.** Primer nombre de Aquiles.

**LIGIS.** Héroe epónimo de los ligures (*epónimo* = que da nombre), pueblo misterioso de la antigüedad que según recogen los historiadores clásicos dominó desde el golfo de Génova (región actual de la Liguria) al Levante español. Según la leyenda, Ligis es hermano de Alebión. Cuando Hércules, de regreso del país de los Geriones (Hispania), atravesaba el sur de la Galia. Ligis intentó sobar el rebaño que conducía el héroe y con sus compañeros, los ligures, atacó a Hércules, quien tras agotar sus flechas y verse perdido dirigió una súplica a Júpiter, su padre. Este envió una lluvia de piedras con las que el héroe pudo rechazar fácilmente al enemigo. Según la tradición el llano de la Grau es testimonio, todavía en la actualidad, de este suceso, por la cantidad de rocas y piedras que todavía pueden verse.

**LIGISTO.** Hijo de Faetonte que dio su nombre a la Liguria.

**LIGODESMA.** Sobrenombre de Diana, encontrado empaquetado con sarmientos, cuando fue transportada de la Táuride a Esparta. R. *Ligos,* sarmiento; *desmos,* atadura. *Paus. 3, c. 16.*

**LÍGULA o LÍNGULA.** Especie de espátula de que se servían los arúspices para registrar las entrañas de la víctima. *Ant. expl. t. 2.*

**LILEO.** 1 — Nayade, hija del Céfiso, que dio su nombre a la ciudad que sigue, los lileos para honrar al padre de su fundadora, echaban un pato sagrado en las aguas de este río, y aseguraban que después se le veía a parecer en la fuente Castalia.

2 — Ciudad de la Fócida cuyos habitantes fueron al sitio de Troya. *Ilíada. 2.*

3 — Pastor de la India. De todos los dioses sólo veneraba a Selene (la Luna). Irritados los demás dioses contra él, le enviaron dos leones que lo devoraron. Pero Selene le transformó en el monte Lileo.

**LILIT.** (*Mit. rab.*) Primera mujer de Adán, según las leyendas de los judíos modernos. «Queriendo dicen, esta mujer ser señora, y rehusando someterse a Adán, le abandonó, y por una virtud mágica se fue a ocupar la región del aire.» Se la tiene por un espectro nocturno, enemigo de los partos y de los recién nacidos. Muchos judíos modernos; imbuidos de esta tradición ponían en los cuatro ángulos del aposento donde dormían sus mujeres, unos billetes en los cuales escribían los nombres de Adán y Eva con estas palabras: «Lilit, fuera de aquí».

**LIMA, LIMENTINA, LIMENTINO.** Divinidades que presidían el umbral de las puertas. *Arnobio.* R. *limen,* umbral.

**LIMAX.** Río de Arcadia que tomó su nombre de la purificación de Rea después de haber dado a luz a Júpiter. R. *lima,* purificación. *Paus.*

**LIMENATIS.** Sobrenombre de Diana, presidente de las puertas. Bajo este nombre, su estatua tenía en la cabeza una especie de cangrejo marino R. *limen,* puerto. (*V. Limnea.*)

**LIMENESIA.** Sobrenombre de Venus, presidente de los puertos.

**LIMES,** *límite.* Divinidad romana (*V. Término.*)

**LIMFA.** Divinidad romana, o quizás el agua misma divinizada. *Varrón* la pone en el número de las doce divinidades rústicas que presidían la agricultura. En español nos ha quedado la palabra *linfa.*

**LIMI DII.** Dioses que presidían todas las cosas puestas al través. R. *limus,* oblicuo.

**LIMIO.** Sobrenombre de Apolo entre los indios.

**LIMNÁCIDES, LIMNADES, LIMNÍADES, LIMNEOS, LIMNÍACOS.** Ninfas de los lagos y estanques. *Ant. expl. t. 1.*

**LIMNEA, LIMNATIS, LIMNIATIS.** Sobrenombres dados a Diana por los pescadores que la invocaban como diosa de los lagos y los estanques. *Tác. Anal. c. 4.*

**LIMNEO.** Uno de los sobrenombres de Baco, tomado del culto que se le tributaba en un cuartel de Atenas, llamado Limnes.

**LIMNESIA.** Sobrenombre de Venus nacida de las aguas.

**LIMNETIDIAS.** Fiestas de los pescadores en honor de Diana Limnetis. *Ant. expl. t. 2.*

**LIMNIACEA.** Ninfa, hija del Ganges, madre de Atis el indio. *Met. 5.*

**LIMNORIA.** Nereida. *Ilíada. 18.*

**LIMONÍADES.** Ninfas de las pradera. Estaban sujetas a la muerte como los panes y los faunos. R. *leimon*, prado. *Ant. expl. t. 1.*

**LIMO.** Personificación del hambre. Hija quizá de Eride, posiblemente simple abstracción.

**LIMOSNA.** (*Iconol.*) Una mujer cubierta con un largo vestido encarnado, color simbólico de la caridad. Cubre su cabeza un velo transparente, porque busca el modo de ver las necesidades del infortunio sin ser vista. Esta coronada con un ramo de olivo. Cerca de ella hay dos niños a quienes socorre; pero sus manos están cubiertas con una ropa.

**LIMUS.** Especie de vestido bordado por debajo con una franja de púrpura a modo de volante, con la que se vestían los victimarios para los sacrificios. Se colgaba en el ombligo y bajaba hasta los pies, dejando lo restante del cuerpo desnudo.

**LIMYRA.** Fuente de Licia que por medio de los peces daba oráculos. Los que iban a consultarla presentaban a los peces algo para comer. Si saltaban encima, era un oráculo favorable. Si al contrario lo rehusaban, arrojándolo con las colas, era señal de un mal suceso. *Plin.*

**LINA.** (*Mit. célt.*) Duodécima diosa. Estaba encargada de la custodia de los que Frigia quería liberar de algún peligro.

**LINCE.** Animal fabuloso de una vista muy penetrante. Estaba consagrado a Baco. –Las estatuas de este dios y de muchos jóvenes faunos van acompañadas, por lo regular, de animales que pueden considerarse como linces. Tienen la naturaleza de la pantera y el lebrel, y son como una amalgama de diferentes formas, pero confundidas de estas dos especies de animales.

**LINCEO.** 1 — Uno de los guerreros que se reunieron en la caza del jabalí de Calidón. *Met. 8.*

2 — Hijo de Egipto, el único que pudo escapar del degüello de sus hermanos por las danaides. Hipermenestra le salvó y sucedió a Dánao. *Apolod. 2, c. 1. Paus. 2, c. 16, 19, 25.*

3 — Hijo de Afareo, rey de Mesenia, hermano de Idas y uno de los Argonautas. Tenía la vista tan penetrante que veía a través de los muros y descubría lo que pasaba en los cielos y los infiernos; mató a Cástor, pero fue muerto por Pólux. *Ov. Fast. 5. Apolod. 13, Paus. 4, c. 2.*

4 — Capitán troyano muerto por Turno. *Eneida. 9.*

5 — Hijo de Hércules y la testíada Tefisa.

6 — Uno de los perros de Acteón. *Met.*

7 — Algunos mitólogos han querido ver en Linceo al primer minero quien, al sacar el mineral con ayuda de una lámpara, había adquirido la reputación de ver por debajo del suelo.

**LINCESTE.** Uno de los perros de Acteón. *Met. 3.*

**LINCESTIUS AMNIS.** Río de Macedonia. Sus aguas causaban en algún modo los mismos efectos que el vino, cuando se bebe en exceso. *Met. 5.*

**LINDIA.** Sobrenombre de Minerva. *Banier, t. 4.*

**LINDIO.** Sobrenombre de Hércules tomado de Lindio, o mejor Lindo, en la isla de Rodas. *Ant. expl. t. 1.*

**LINDO.** 1 — Ciudad de la isla de Rodas donde los sacrificios a Hércules iban acompañados de imprecaciones, en vez de bendiciones. Estos sacrificios hubieran sido tenidos por profanos, si se le hubiese escapado a alguien, involuntariamente, una sola palabra de buen augurio.

2 — Uno de los hijos de Cércafo y Cidipe, que reinó en la isla de Rodas. *Cic.*

**LÍNEA.** (*Mit. índ.*) 1 — Esta línea o cordón que los brahmanes consideraban como señal distintivo del sacerdocio, se componía de un número determinado de hilos de algodón que se observaba escrupulosamente. Los brahmanes lo hilaban con sus propias manos sin rueca ni ninguna otra máquina. Debían tomar mucho cuidado en la calidad de algodón, en el modo de tenerlo entre los dedos, y en el número de los hilos que debían entrar en el tejido; se hacía en él un nudo llamado nudo de Brahma, que es un conjunto de muchos nudos. La línea de los novicios no tiene sino tres tallos, compuestos de muchos hilos, con un solo nudo. El que se daba al segundo Orden, en el momento del matrimonio debía tener seis tallos y dos nudos, y a medida que aumentaba el número de sus hijos, se aumentaba el numero de los hilos y de los nudos, hasta el término señalado por los *Vedas*.

2 — En la quiromancia, se llaman *líneas* a los cortes o incisiones que se ven en las manos, y cuya observación sirve de fundamento a esta pretendida ciencia. Descríbense por lo común catorce de las cuales hay tres principales. La primera que es la que se ve encima del pulgar, se llama *línea de vida, línea del corazón y línea de la edad*. La segunda se llama *hepática* o *línea del hígado*, o *saturnal* o *línea de prosperidad:* otros la llaman *línea de Marte*. Se llama *línea natural* o *mediana*, o *línea el cerebro*, la que corta al través la precedente, y que pasando por medio de la palma de la mano, va hasta el monte de la luna. La tercera que tiene la misma dirección, y que por consiguiente le es paralela; empieza desde el índice hasta el otro extremo de la mano, y se llama *mensal, thoral*, o *línea de Venus.*— Línea es también término de *metoscopía*. Tales son las rayas que se diseñan a lo largo de la frente, por las cuales se pretende juzgar de la buena o mala fortuna de los hombres. En este arte, se cree que las líneas de la frente se refieren a los siete planetas.

LINEAMIENTO *del rostro o de las manos*. Por él se imaginaban los astrólogos y adivinos, conocer cual debía ser la fortuna de una persona.

LINFAS. Divinidades de las fuentes en la mitología popular latina identificadas con las ninfas, volvían loco al que las veía; en latín *linfatus* significa loco.

LÍNGAM. (*Mit. índ.*) Los indios daban este nombre a una representación de Yxora, que únicamente se puede comparar al Príapo de los antiguos. El origen de este culto se refiere de diversos modos. Dijimos en el artículo de Yxora, que habiendo éste dios robado a los brahmanes muchas hermosas mujeres con las cuales vivían, estos religiosos pronunciaron tantas maldiciones contra las partes naturales de Yxora, que el dios perdió su uso; y entonces fue cuando declaró que escucharía los ruegos de los que honrasen estas mismas partes que los brahmanes habían maldecido; varios pretenden que este es el origen del Língam. Otros dicen que un día que Yxora se encontraba encerrado con su mujer, vino a visitarle un devoto. Era aquella ocasión muy importuna y por lo mismo no se le abrió la puerta. Sin embargo, el devoto se obstinó en entrar y, viendo que se persistía en no abrirle, empezó a lanzar invectivas contra Yxora. Lo oyó el dios y se lo echó en cara; pero el devoto le demostró que se arrepentía de su faltas y le pidió que los que adorasen a Yxora bajo la figura del Língam. En el reino de Canara había ciertos religiosos de esta secta que habitaban continuamente en sus pagodas e iban del todo desnudos. Cuando recorrían las calles, sonaban una campanilla, a cuya señal muchas mujeres, hasta las más cualificadas, y aun las reinas, corrían presurosas y tocaban devotamente lo que marcaba el sexo de estos religiosos, en honor de Yxora.

Algunos indios referían que el falo de su dios Yxora era de una magnitud tan prodigiosa, que le llegaba a la frente, por cuyo motivo, no pudiendo tener comercio con su mujer, se vio obligado a cortarlo en doce partes, que dieron el ser a todas las criaturas vivientes. Según esta idea, habían divinizado estas partes como el principio de la vida de los hombres y de los animales. Los devotos *lingamistas* traían colgada al cuello la imagen de las partes sexuales, al modo que los jóvenes romanos llevaban una pequeña imagen del falo.

En el reino de Canaore y en las cercanías de Goa, los indios conducían a los recién casados al templo de su Príapo, y le ofrecían las primicias de estas jóvenes mujeres, como una ofrenda digna de él.

LINGULACA. Adivinación por medio del canto de las aves. *Festo.*

LINIES. Fiestas en honor de Linus. *Banier, tom. l.*

LINIFICUS LAPIS. Piedra desconocida que tenía la virtud de curar el mal caduco y enfermedades como la epilepsia y un gran número de otras dolencias.

LINÍGER, el que favorece la cosecha del *lino.* Epíteto de Silvano. *Inscript.*

LINÍGERA. Epíteto de Isis, por haber sido la primera que enseñó el uso del lino.

LINO. 1 — Hijo de Apolo y Psámate, hija de Crotopo, rey de Argos, devorado en su niñez por los perros de su nodriza; y su nacimiento equivoco y sospechoso para su abuelo, costó la vida a su madre.

2 — Hijo de Apolo y Terpsícore, según algunos; de Urania y Mercurio, según *Diógenes Laercio;* o de Anfímaro, descendiente de Neptuno, según *Pausanias.* Recibió de Apolo, su padre, la lira con tres cuerdas de lino, pero habiendo sustituido a su instrumento cuerdas mucho más armoniosas, celoso, el dios le quitó la vida. Los habitantes del monte Helicón celebraban todos los años su aniversario antes de sacrificar a las Musas. *Apolod. 2, c. 4. Paus. 2, c. 15; t. 9, c. 20.*

3 — Tebano, hijo de Ismenio. Este es, según parece, el maestro de Hércules, y a quien el héroe mató con un golpe de lira, porque había remedado la poca gracia que tenía su discípulo en tañer aquel instrumento. Se le supone autor de varias obras, tales como las que trataban del origen del mundo, el curso del sol y la luna, la naturaleza de los animales y las plantas. Decía, como *Diógenes Laercio,* que todo había sido creado en un momento. *Diodoro de Sicilia* le hace inventor del ritmo y la melodía, y *Plutarco* de las elegías.

4 — Uno de los hijos de Licaón.

LINOS. Canción célebre en Fenicia, en Chipre y en otras partes, y consagrada a objetos tristes y fúnebres, se deriva este nombre de Linus, cuya muerte lloraron las naciones más bárbaras. *Paus.* (V. Maneros.)

LINTERNAS. (*Fiestas de las*) (*Mit. chin.*) La más solemne de las fiestas chinas se celebraba el 15 de la primera luna. En el día de esta solemnidad se hacían iluminaciones en todo el imperio con linternas pintadas y adornadas. Habían algunas de ellas tan grandes, que tres o cuatro podían formar, según se dice, una vivienda. Estaban cubiertas de una tela de seda fina y transparente sobre la cual se representan, con los más hermosos colores, flores, rocas, cabalgadas, naves, ejércitos batiéndose, etc. Encerrada la lámpara en la máquina, esparcía sobre estas figuras una brillantez extraordinaria. Esta fiesta iba siempre acompañada de fuegos artificiales, y en particular, en las ciudades. Como sobresalían los chinos en la pirotecnia, tenían la habilidad de representar en sus fuegos toda clase de objetos al natural, por ejemplo, la parra, los cepos de la viña, los granos, las hojas, todo se distinguía por su color; los racimos son colorados, las hojas parecen verdes y los troncos blanquzcos. Algunos autores chinos suponían que esta fiesta debía su origen a la muerte de la hija única de un mandarín, adorado en la provincia. Esta es una razón más, para apoyar el singular sistema del sabio *de Guignes,* que hace de los chinos una colonia egipcia. (*V.* Lámparas.)

LINURGO. Piedra fabulosa que, según se decía, se encontraba en el río Aqueloo. Los antiguos la llamaban también *Lapis lineus:* se envolvía en un lienzo y cuando se volvía blanca anunciaba feliz suceso en los amores.

LIÓCRITO. Uno de los pretendientes de Penélope, muerto por Telémaco a la vuelta de Ulises a Itaca. *Odis. 2. 22.*

LIODE. Hijo de Enope, adivino y uno de los pretendientes de Penélope, muerto por Ulises, aunque se opuso siempre a las violencias de los amantes de esta princesa. *Od. 22.*

LIPAREUS. Epíteto de Vulcano, de Lipara, una de las Eólidas, donde se suponía que tenía sus fraguas.

LÍPARO. Hijo de Ausón, destronado por sus hermanos, huyó de Italia y vino a abordar con los que se unieron a una de las islas Eólidas, a la cual dio su nombre. Edificó en ella una ciudad llamada Líparo, dio a su hija Ciané en matrimonio a Eolo, y volvió a Sorrento, donde murió después de un reinado glorioso. Se le levantó un suntuoso sepulcro, y los habitantes del país le tributaban honores heroicos. *Estrab. 6. Dios. 14. Tito Liv. 5*

LIPÉFILA. Hija de Yolao, esposa de Filas, del cual tuvo una hija llamada Tero.

LIPS. Viento del Sudoeste. Se pinta bajo la figura de un hombre adulto y tiene un *aplustrum* o adorno de nave, quizá para indicar los peligros de la navegación en las costas de Atica, mientras él domina.

LIRA. 1 — Instrumento músical de forma triangular, cuyo inventor fue Mercurio. Otros atribuyen su invención a Orfeo y Anfión, o Apolo. Algunos han dicho que era una concha de tortuga, que Hércules vació, agujereó y montó con cuerdas de intestinos, a cuyo sonido arreglaba su voz. La lira es muy variada por el número de sus cuerdas. La de Olimpo y Terpandro no tenía más que tres. El aumento de tora hizo el tetracordio completo. Pólux atribuye la invención del pentacordio a los escitas. El heptacordio fue la lira más usada de la antigüedad. *Simónides* añadió una octava cuerda para producir la octava, y después *Timoteo de Mileto,* contemporáneo de Filipo y Alejandro, multiplicó las cuerdas hasta doce. Se tocaba la lira de tres modos, o pulsándola con los dedos, o hiriéndola con el plectro, especie de varilla de marfil o de madera pulida, o pulsando las cuerdas con la mano izquierda, mientras que se herían las mismas con la derecha armada del *plectro.* Los antiguos monumentos representan la lira de diferentes figuras y montadas desde tres cuerdas hasta veinte. Se dice que tan sólo servían para celebrar los dioses y los héroes; y muchos de estos últimos era muy hábiles en tañer la lira, como, entre otros París, Aquiles y Quirón. (*V.* Anfión, Apolo, Arión, Erato, Lino, Mercurio, Orfeo.)

2 — (*Iconol.*) Es el atributo más común de Apolo. En las medallas antiguas, la lira unida al laurel y a un cuchillo, indica los juegos apolinares. Una o dos liras juntas, indican las ciudades donde Apolo era adorado como jefe de las musas. En las manos de un centauro da a conocer a Quirón. Este instrumento se emplea así mismo en un sentido alegórico, para designar, ya el amor conyugal, ya la concordia entre dos gobernantes, y otras veces la armonía del hombre consigo mismo y con sus semejantes. La más hermosa es la del amor que templa una lira, símbolo de la amistad recíproca de dos amantes. En las medallas modernas, denota la armonía política, que conserva en un imperio la sabiduría de un gobierno. *Mem. de la Acad. de Inscr. t. 4, 7, 8, 10.*

3 —*Constelación.* Es la lira inventada por Mercurio, el cual la dio a Orfeo. Después del trágico fin de este poeta, las musas rogaron a Júpiter que colocase esta lira, un poco maltratada por las bacantes, entre las constelaciones. *Ovid. Fast. 3.*

LIRCO. Hijo natural de Abante que dio su nombre a la ciudad de Linceo, en la Argólida. Había tomado este primer nombre de Linceo, que se había refugiado allí después de haber sido salvado por Hipermnestra, y desde allí dio a esta fiel esposa una señal convenida con una antorcha encendida.

*Paternio, Nicéneto* y *Apolonio de Rodas,* narran que Lirco era hijo de Foroneo y fue enviado por Inaco junto con otros jóvenes en busca de Io, cuando ésta fue raptada por Júpiter. Al no encontrarla y no atreviéndose a regresar a Argos, se instaló en Cauno, donde casó con Hilebia, hija de su rey Egíalo, que aportó como dote la mitad de su reino. Pero Hilebia, que le amaba mucho, pasaban los años y no le otorgaba descendencia. Lirco consultó al oráculo sobre el parecer y éste le dijo que pronto su primera unión con una mujer le daría un hijo. De regreso a su patria y pensando abrazar pronto a Hilebia, hizo escala en Bibasto, en la corte del rey Estáfilo, hijo de Dioniso. Este, conocedor del oráculo, embriagó a Lirco e introdujo en su lecho a una de sus hijas, Hemitea, deseoso de tener un heredero. Hemitea había ganado a su hermana Rea tal honor, pues ambas se habían enamorado de la belleza de Lirco. Al saber éste lo sucedido, prorrumpió en lamentos y dio su cinturón a Hemitea, para que lo entregara al hijo que debía nacer en señal de reconocerlo como padre. Al llegar a Cauno,

Egíalo, sabedor de la aventura, desterró a Lirco. Hilebia le perdonó y marchó como su esposa. Se produjo una guerra civil y Lirco recuperó el trono de Cauno, siendo sucedido, tiempo después, por el hijo habido de Hemitea, llamado Basilo.

LIRIOPE. Oceánida que, sorprendida por el dios del Cefiso, que le envolvió en las aguas, concibió un hijo que llamó Narciso, y que fue amado del Amor. Agitada de temores maternales consultó a Tiresías para saber si su hijo llegaría a la vejez. El adivino le respondió que llegaría a ser viejo mientras no se conociese. Respuestas que apreció por mucho tiempo ridícula, pero que se confirmó con la extraña muerte de Narciso. *Met. 3.*

LIRIS. Capitán troyano muerto por la amazona Camila. *Eneida. 11.*

LIRNESE. Esta ciudad fue tomada y saqueada por Aquiles, que partió su botín con los compañeros de sus victorias (*Ilíada. 2.*). Tenía la singular propiedad de que todos los que entraban en ella se veían al momento asaltados de una violenta inclinación a la música.

LIRNESIS. Sobrenombre de Briseida, porque era natural de Lirneso, en la Tróada. *Ov. Fast. 4.*

LIRO. Hijo de Anquises y Venus, muertos sin hijos.

LIROGHETES, *el que ama la lira, o el que es aficionado al sonido de la lira.* Epíteto de Apolo, R. *ghetein,* dar alegría.

LISANDRIAS. Fiestas de Juno, a los cuales los siamitas dieron por un decreto especial, el nombre de fiestas de Lisandro. El mismo decreto dio el nombre de Lisandria a los templos de esta diosa. *Plut.*

LISANDRO. Capitán herido por Ayax, hijo de Telamón. *Ilíada. 14.*

LISEA. Una de las testíades. *Apol.*

LISÍADAS. Ninfas, que tomaban su nombre de las aguas en que iban a refrescarse. *Ant. expl. t. l.*

LISIANASA. 1 — Hija de Épafo y madre de Busiris, rey de Egipto. *Apolod. 2, c.5.*

2 — Nereida. *Id. 1, c. 2.*

LISÍDICE. 1 — Hija de Pélope e Hipodamia, mujer de Electrión y madre de Alemena. Otros la hacen mujer de Nestor, hijo de Perseo, rey de Tirinto. *Apol. 2, c. 4.*

2 — Hija de Testio, a la cual Hércules hizo madre de Teles. *Id.*

3 — Sacerdotisa de Minerva Poliada, en Atenas. *Ant. expl. t. 2.*

LISILOS. Hijo de Príamo. *Apolod.*

LISIMACIA. 1 — Hija de Príamo. *Apolod. 3. c. 12.*

2 — Hija de Abante y mujer de Talao, del cual tuvo a Drastro, Partenopeo, Mecisteo, Aristómaco y Erifile.

LISÍMACO. Arcanio, preceptor de Alejandro Magno, luego rey de Tracia y Macedonia. Tomaba para sí el nombre de Fénix, y daba a su discípulo el de Aquiles, y el de Peleo a Filipo. *Plut. Jus. 15, c. 3.*

LISIMAQUIA. Planta llamada así, porque puesta sobre el yugo al cual se uncían los bueyes y otros animales, tenía la virtud de impedir que riñesen. R. *Licin,* disolver; *majestai,* combatir.

LISIMERIMNO, *el que aleja los pesares.* Epíteto de Baco. R. *Iyein,* desatar; *merimnè,* cuidado. *Ant.*

LISIMONIO. Uno de los hijos de Electrión y Anaxo.

LÍSIPE. 1 — Una de las hijas de Breto, enloquecidas por los dioses, fue curada por Malampo.

2 — Mujer de Céfalo, de Cefalonia.

LISIR. Sobrenombre de Baco, el mismo que Liaeo. Según otros se llamó así, o porque Peuter fue despedazado por las bacantes, o porque habiéndose los tracios llevándose cautivos algunos tebanos, este dios adormeció a los tracios, e hizo caer las cadenas de los prisioneros, dándoles el medio de matar a sus guardias y de ganar otra vez Tebas.

LISIZONA. (V. Solvizona.)

LISSA, esto es, la Rabia, hija de la noche. (*Iconol.*) Algunos hacen de ella una cuarta Furia y la presentan como las otras con serpientes en la cabeza, y un aguijón en la mano. Juno, en *Eurípides,* manda a Iris que conduzca esta furia cerca de Hércules, hará inspirarle los furores que le hicieron por fin perder la vida.

LISSIPA. 1 — Una de las hijas de Proto.

2 — Una de las testíades, a quien Hércules hizo madre de Eracippo.

**LITEA.** Hija de Jacinto, muerta por los atenineses. *Apolod.*

**LITERIO.** Bajo este sobrenombre tenía Pan, en Trecén, una capilla en memoria del beneficio que los tecenios recibieron de él; cuando con favorables sueños indicó a los magistrados de esta ciudad el medio de remediar el hambre que desolaba el país y hasta el Atica. R. *liein*, librar *literio*, libertador.

**LITERSE.** Canción rústica, según *Pólux.* Parece que Cibeles era su objeto, y quizá versaba sobre la aventura de Litierses.

**LITES,** esto es, *las Plegarias (Iconol.)* «Son, dice *Homero* (*Ilíada. 9.*), hijas de Júpiter, cojas, arrugadas, van siempre con los ojos bajos, siempre rastreras y humildes. Siguen los pasos de la Injuria, porque la injuria altiva, llena de confianza en sus propias fuerzas y con pasos veloces se les adelanta, y corre la tierra para ofender a los hombres; y las humildes Plegarias la siguen para curar los males que ella ha hecho. El que las respeta y las escucha recibe de ellas grandes socorros; le oyen en sus necesidades y llevan sus votos al pie del trono del gran Júpiter; pero el que las rehusa y las rechaza, experimenta a su vez su terrible ira; ruegan a su padre que manden a la injuria que castigue este corazón bárbaro e inalterable, y que vengue la repulsa que han recibido.»

**LITESIO.** Sobrenombre de Apolo de Melea o Melia. Se le llama así, dice *Esteban de Bizancio,* porque en esta ciudad había su estatua colocada sobre una piedra. R. *lithos*, piedra.

**LITHOMANCIA.** Adivinación por las piedras, consistía en hacer chocar muchos guijarros los unos contra los otros, y cuyo sonido más o menos claro o agudo daban a conocer la voluntad de los dioses. Refiérese también a esta adivinación la creencia de los que pensaban que la amatista tenía la virtud de hacer conocer a los que la llevaban los sucesos futuros por medio de los sueños; *Banier, t. 2.* (*V.* Astroite, Sideritas.)

**LITIERSES:** Hijo de Midas, rey de Celenes, en Frigia. Habiendo unos piratas robado a Dafnis, la vendieron a Litierses.

Su amado emprendió su búsqueda por todo el mundo hasta haberla encontrado, y recorrió con mil dificultades una infinidad de países llegando por fin a Celenes. Litierses, «rico en mieses», era al mismo tiempo el más hábil y el más poderoso cosechero que haya habido. Hacía detener a todos los extranjeros que pasaban por sus estados, y les obligaba a trabajar con él: no les señalaba más trabajo que el que tomaba para sí; sin embargo, era demasiado riguroso. Después de haber agotado sus fuerzas empezaban a debilitarse, les cortaba la cabeza con su hoz. Dafnis llegó como pastor ante Literses, que le dio una hoz para trabajar y hubiera Dafnis terminado su vida, si Hércules no hubiese llegado a tiempo para salvarle. Este héroe mata a Litierses, libra a la ninfa Pimplea, amada de Dafnis, que se hallaba confundida entre las esclavas del tirano, y la devuelve a Dafnis; se añade que les casó, y que les dio por presente de bodas el palacio de Litierses.

**LITIRAMBO.** Sobrenombre de Baco. *Píndaro* confunde con este sobrenombre la palabra *dityrambus*, dándole por origen el grito de Júpiter a Baco, en el momento que nacía. *Lythiramma*, abre la costura. (*V.* Ditirambo.)

**LITOBOLIA.** Fiesta que celebraban Epidauro, Egina y Trecena, en memoria de Lamia y Anxesia, jóvenes cretenses que algunos trecenios apedrearon en una sedición. Para apaciguar sus manes, se instituyó una fiesta en su honor. R. *lithos,* piedra; *ballein*, arrojar. *Ant. expl. t. 2..*

**LITOMANCIA.** Adivinación que consistía en golpear unos con otros muchos anillos, cuyo sonido más o menos claro o agudo manifestaba la voluntad de los dioses, y formaba un presagio bueno o malo para lo venidero. R. *litos,* lo que da un sonido claro y agudo.

**LITORALES.** Deidades del mar. (*V.* Glauco.)

**LITORALIS.** Se encuentra este epíteto, dado a Silvano, en un monumento donde se ve coronado de hiedra con sus cuernos que atraviesan la corona. Quizás era honrado bajo esta forma en las riberas del mar.

LITUO o LITUUS. Palo inaugural, corvo por el extremo como un báculo, pero mayor. Rómulo creó tres augures, y les dio el *lituus* como señal de su dignidad. Desde este tiempo, los augures los traían siempre en la mano, cuando observaban el vuelo de las aves. Por esto no se le representaba jamás sin este palo, y se encuentra comúnmente en las medallas junto a los otros adornos pontificales. El bastón augural era guardado en el Capitolio con mucho cuidado; se perdió en la toma de Roma por los galos, pero se volvó a encontrar, dice *Cicerón*, en una capilla de los salios, en el monte Palatino. Una piedra grabada representa al pastor Fáustulo, examinando los augurios en la ciudad de Roma, que debía ser fundada en el mismo lugar. Tiene su palo augural y está sentado sobre un lupercal, mientras una loba alimenta a Remo y Rómulo. (*Plut.*) —El *Lituus* era también una especie de clarín, de sonido muy agudo, que servía para la caballería. *Ant. expl. t. 2, 4.*

LITURGO. Uno de los ministros de Atenas y, según parece, es el mismo que hacía las súplicas y las preces públicas. R. *litai*, ruegos; *ergon*, obra. *Ant. expl. t. 2.*

LIVIO. Gran sacerdote que sacrificó a Desio a los dioses infernales.

LIXO. 1 — Hijo de Egipto y Caliadne. *Apolod.*

2 — Ciudad de Mauritania donde habitaba Anteo, y donde fue muerto este gigante por Hércules. *Sil. 3. Mela 3, c. 10.*

LOBA. (*Iconol.*) Nodriza de Rómulo y Remo. En las medallas romanas, una loba que da de mamar a dos niños es el símbolo del origen de Roma. Los antiguos han representado al Tíber con una loba a su lado (*V. Tíber.*) Varios monumentos antiguos representan también la loba alimentando con su leche a Rómulo y Remo; entre otros se cuenta una piedra grabada, publicada por *la Chausse*. Se ve al lado de ella la figura de Roma y el pastor Fáustulo. Esta echada al pie de la hoguera Ruminal. No sólo era la loba el símbolo de Roma, si no también de las colonias romanas que habían hecho acuñar su efigie en las monedas. La Avaricia tiene una loba por atributo. Es unida también como el símbolo de una mujer impúdica.

LOBO. (*Iconol.*) Animal consagrado a Marte. Entre los egipcios era el jeroglífico del valor. Los licopolitanos le tenían en gran veneración porque Osiris se había transformado algunas veces en lobo. (*V. Licopólito.*) Era también una de las enseñas militares de los romanos y se encuentra como tal en la columna de Trajano. (*V. Circe, Licaón.*) *Pausanias* nos refiere el motivo de estar consagrado a Apolo entre los griegos. Habiendo un malvado robado el dinero del templo de Delfos, se ocultó en el lugar más recóndito del Parnaso, donde habiéndose dormido, se arrojó sobre él un lobo y le despedazó. Este mismo lobo entraba todas las noches a la ciudad y la hacía resonar con sus aullidos. Se creyó ver en este hecho algo sobrenatural; siguieron al lobo y encontraron el dinero sagrado, que fue trasladado al templo. En memoria de este suceso, se mando fundir un lobo de bronce, que fue colocado cerca del altar mayor de Apolo en Delfos.

La cabeza de lobo era, según *Cuper*, símbolo del tiempo pasado y del sol en Occidente.

Se veía este animal representado como guardián en un gran número de monumentos: por ejemplo, en un relieve, en el museo Borgianio donde estaba colocado al lado de una tiara, y más comunmente en los sarcófagos, con una bandera en las almenas de una muralla. El uso primitivo que se hacía del lobo hizo nacer la idea de una divinidad tutelar, y bajo este respeto se le ve con Horus y Harpócrates.

Esta idea de un dios tutelar parece haber pasado de Egipto a los griegos, que tenían un Apolo Licio; pero éstos no se contentaban con la idea originaria. Hicieron luego de Apolo un licoctone, esto es, el Sol que mata la Noche o el Crepúsculo: porque se tiene como muy arbitrara la opinión de que el lobo esta consagrado al sol, a causa de su vista perspicaz. Apenas fue recibida esta opinión, cuando los griegos y principalmente los egipcios, en tiempos más modernos, se esforzaron en encontrar mayor relación entre el sol y el lobo, concluyéndose por atribuir al sol todas las cualidades de los animales. Así en una medalla de Trajano se ve un Harpócrates montado sobre un lobo, para designar el curso rápido del sol alrededor de la tierra. *Mem. de la Acad., de Inscr. t. 9.*

LOCJEATE. Sobrenombre de Júpiter a quien los habitantes de Alifero habían erigido un altar como a padre de Minerva, que creían había nacido y criado entre ellos. R. *locjeia*, parto.

LOCKEA (*Mit. índ.*) Dios de la fortuna entre los indios.

LOCRO. 1 — Hijo de Jeaso, rey de los feacios. Después de la muerte de este príncipe, Locro y Alcinoo, su hermano, se disputaban el reino, pero convinieron en que Alcinoo quedaría soberano de la isla de Locro, tendría de los efectos mobiliarios de la sucesión, y que con algunos de los insulares iría a establecerse a otra parte. Según este acuerdo, Locro se hizo a la vela para Italia, donde Latino, rey del país, no solamente le dio buena acogida, sino que le hizo su yerno, casándole con Laurina su hija. Por esta razón los feacios se tuvieron siempre como unidos por consaguinidad con estos locrios de Italia. Hacia el mismo tiempo sucedió que Hércules, que conducía desde Eritia los excelentes bueyes de Gerión, llegó a Italia y fue a alojarse en casa de Locro, quien le dio un recibimiento correspondiente a su clase. Quiso la casualidad que Latino, dirigiéndose a casa de su hija, viese los bueyes, que le parecieron extremadamente hermosos, así es que entrando en el momento, en deseos de adquirirlos se los llevaba ya, cuando Hércules advertido de lo que pasaba, salió contra él y le mató de un dardo, volviendo en consecuencia a recuperar sus bueyes. Informado Locro del combate, sin preveer los funestos resultados, temiéndolo todo por Hércules, porque conocía a Latino, que era de gran fuerza y de un valor extraordinario, mudó de vestido y voló al socorro de su huésped. Hércules, que vio venir un hombre corriendo hacia él, creyendo que era otro enemigo, disparó su flecha contra Locro y le mató, pero luego reconoció su error y deploró amargamente aquella desgracia; pero como el mal ya no tenía remedio, lloró sobre los restos de su desgraciado amigo y le tributó magníficos funerales. Se dice que, después de muerto, el mismo Hércules se apareció a estos pueblos y les mandó que edificasen una ciudad en Italia en el lugar donde existía el sepulcro de Locro. Así es que una gran ciudad llevó por mucho tiempo este nombre, y honró su memoria. *Mem. de la Acad. de Inscr.t. 14.*

2 — Hijo de Júpiter y Mera, ayudó a Anfión y Zeto a construir a Tebas.

LOCURA. (*Iconol.*) *Ripa* da por emblema de esta enfermedad una mujer echada en tierra, riendo con exceso. Le pone una luna entre sus manos porque los locos, dice, experimentan la influencia de sus mudanzas. Se caracteriza, más ordinariamente, por la *cabeza de muñeco que tiene,* y por un vestido de diferentes colores y guarnecido de cascabeles.

LOCUTIO. (*V.* Aius Locutius.)

LODA. (*Mit. célt.*) Dios de Lochein, o de Escandinavia, en la poesía Erses, según parece, el mismo que Odín.

LOEBASIO. Nombre de Baco R. *loibe,* libación.

LOFIS. Río de Beocia. Faltaba el agua en el territorio de Haliarte y sus habitantes estaban pereciendo de sed, cuando uno de los principales fue a consultar al oráculo de Delfos. La respuesta consistió en que debía, a su regreso a Haliarte, matar al primero que encontrase, así es que habiéndosele presentado un joven llamado Lofis, hijo de Pantómeno, le atravesó con su espada; herido el infeliz corría de una parte a otra, observándose que en el lugar donde caía su sangre brotaba inmediatamente una fuente; por cuyo motivo se dio al río el nombre de Lofis. Esta fábula, referida por *Pausanias*, demuestra que este río se formaba de varias fuentes.

LÓGICA. (*Iconol.*) Una joven pálida, con el cabello desgreñado teniendo en la mano derecha un pomo de flores, con este mote: *Verum et falsum,* y una serpiente en la izquierda; tal es la alegórica representación de la lógica. Otros la representan bajo la figura de una joven vestida de blanco, el rostro lleno de vivacidad, una larga espada en la mano derecha, cuatro clavos en la izquierda, que son las cuatro reglas de cada figura silogística, y con un casco en la cabeza, cuya cimera es un halcón. A estas alegoría oscuras preferiríamos nosotros la que sigue más sencilla y más clara: Intérprete de la razón, trae un brazo extendido como para demostrar alguna verdad. La antorcha y sus formas expresan la claridad y la impresión de sus argumentos, al modo que la columna y los libros en que se apoya significan su solidez. Holla con sus pies la ignorancia, siendo el fondo del cuadro el Liceo de Atenas.

**LOGIOS.** Sobrenombre de Mercurio como presidente de la elocuencia. R. *logos*, discurso.

**LOIBEIA.** Vasitos con los cuales se hacían las libaciones.

**LOIMIO.** Sobrenombre bajo el cual los lindios (isla de Lindos) honraban a Apolo como dios de la medicina, que podía curar los enfermos atacados de la peste y arrojar esta plaga de un país. R. *loimos*, peste.

**LONGUO.** (*Mit. amer.*) Los caribes daban este nombre al primer mortal: lo consideraron como el creador de los peces y estaban persuadidos de que, tres días después de su muerte, resucitó y se elevó al cielo.

**LOTIS.** Hija de Neptuno. Huyendo esta ninfa de Príapo, fue transformada en el árbol que lleva su nombre. *Met. 9.*

**LOTÓFAGOS.** Antiguos pueblos de África que habitaban las costas de Berberia. Arrojado Ulises por la tempestad sobre aquellas costas, envió a dos de sus compañeros, los cuales los habitantes obsequiaron con la bruta del Loto, cuyos efectos experimentaron desde el momento. Olvidaron todo, patria, parientes, amigos, de modo que para arrancarles del país que producía una fruta tan deliciosa fue preciso valerse de la violencia. R. *fragein*, comer. *Odis. 9. Herod. 4, c. 177.*

**LOTOS.** Se encuentra con frecuencia en los monumentos egipcios a Isis sentada sobre una flor, llamada comúnmente la flor de Loto. *Plutarco* dice que los egipcios pintaban al sol naciendo de aquella flor. En efecto, se encuentra también sentado en ella un joven con una corona radial; no porque creyesen que el sol hubiese nacido así, sino porque representa-

ban alegóricamente la mayor parte de las cosas. El loto es una planta acuática, que trae una cabeza y una semilla casi semejante a la amapola. Se hace muchas veces mención de ella en los misterios de los egipcios, a causa de la relación que los pueblos creían tenía con el sol, a cuya aparición se muestra sobre la superficie del agua y se zambulle cuando llega su ocaso. Fenómeno muy común por otra parte, a todas las clases de Ninfsea o plantas acuáticas. La flor de loto estaba consagrada también a Apolo y a Venus, pues algunas veces se encuentra en sus estatuas. Hay otra clase de lotos que nuestros botánicos llaman *persea*, que crece en las cercanías del gran Cairo y en la costa de Berbería, tiene las hojas muy semejantes al laurel, pero un poco mayores; su fruta es de la figura de una pera, encierra una especie de almendra o hueso y tiene el gusto de la castaña. La hermosura de este árbol siempre verde, el olor aromático de sus hojas, su semejanza a una lengua, y la de su hueso a un corazón, son el origen de los misterios que los egipcios le han atribuido, pues lo habían consagrado a Isis y ponían su fruto sobre la cabeza de sus ídolos, algunas veces entero, y otras veces abierto para manifestar la almendra. Esta descripción que es de un tratadista actual, se asemeja mucho a la que *Polibio* ha dado de esta especie de lotos. El autor griego añade que cuando el fruto está maduro, se hace secar, y se muele con el trigo. Moliéndole con agua, se saca un licor que tiene el gusto de vino mezclado con miel. Este es el licor que pareció tan agradable a los compañeros de Ulises.

**LOVINO.** (*Mit. célt.*) Octava diosa favorable a los votos de los mortales. Odín y Frigia le han dado el cuidado particular de reconciliar los amantes más desunidos.

**LOXIAS.** *El que tiene un cuerpo oblicuo.* Uno de los sobrenombres de Apolo, considerado como el sol, sacado o de la ambigüedad de sus oráculos, o de su marcha oblicua en el Zodíaco. *Ant. expl. t. 1.*

**LOXON.** Sobrenombre que se daba a Diana, según parece por el mismo motivo. R. *loxos*, oblicuo.

**LUA.** Diosa que presidía a las expiaciones, de *luere,* lavar, expiar. Se le honraba consagrándole los despojos de los enemigos. Los romanos le atribuían el gobierno del planeta Saturno, que los Egipcios llamaban el astro de Némesis, lo que da margen a creer que esta diosa era la misma. *Tito Liv. l. 8, c. 1.* (*V.* Némesis.)

**LUARASICI.** (*Mit. eslav.*) Llamábanse así las principales divinidades de los relairos, pueblos de las costas del Báltico. Eran los más honrados y tenían un templo que les estaba consagrado en medio de un bosque.

**LUBENTEA.** Diosa del deseo.

**LUBENTIA, LABENTINA.** (*V.* Libentia.)

**LUCAGO.** Capitán latino, hermano de Liger, muerto como él, por Eneas, *Eneida. 10.*

**LUCANIA.** Región de la antigua Italia, al sur de la Campania, en la Magna Grecia.

**LUCAR.** El dinero que se sacaba de los bosques sagrados de donde viene la palabra *lucrum,* ganancia. Según otros era el dinero que se gastaba para los espectáculos, y sobre todo para los honorarios de los actores. *Ant. expl. t. 2.*

**LUCARIAS o LUCERIAS.** Fiesta romana que se celebraba el 18 de julio en el bosque sagrado, Lucus, cerca de Roma, en memoria de que los romanos vencidos por los galos encontraron en él un asilo. Otros sacan el origen de esta fiesta de las ofrendas en dinero que se hacían a los bosques sagrados. *Plutarco* observa que en este día se pagaban a los actores de los dineros procedentes de la leña que se beneficiaba de los mismos bosques sagrados. *Tác. Ant. 1, c. 17.*

**LUCERIA.** Colonia romana en la Pounille. La fábula la atribuye a Diómedes, por fundador. *Tito Liv. 9.*

**LUCERIO.** Sobrenombre de Júpiter, tomado de *lux,* luz.

**LUCETIA.** Sobrenombre de Juno como diosa de la luz.

**LUCETIUS.** 1 — Sobrenombre de Júpiter que reconoce el mismo origen.

2 — Capitán latino, que Ilioneo aplastó con una piedra enorme en el momento en que daba fuego a una de las puertas del campo troyano. *Eneida. 9.*

**LUCIFER.** 1 — Hijo de Perseo, o según otros de Júpiter y la Aurora. Jefe y conductor de los astros, cuida de los corceles y el carro del Sol, que unce y desunce con las horas. Se le reconoce con sus cabellos blancos en la bóveda azulada, cuando anuncia a los mortales la llegada de su madre. Los caballos de mano, *desultorii,* estaban consagrados a este dios. Es la brillante estrella llamada *Venus* por la mañana, y *Héspero* por la noche. *Vir. Egl. 8. Eneida. 2, 8.*

2 — Nombre del espíritu que presidía al Oriente, según opinión de los magos. Lucifer era evocado al medio día en un círculo, en medio del cual estaba escrito su nombre.

3 — Sinónimo del príncipe de las Tinieblas. Jefe de los ángeles que, según las Escrituras, se rebelaron contra Dios (Jehovah.)

**LUCÍFERA.** Sobrenombre de Diana. Se la ve con este sobrenombre en un monumento, teniendo una antorcha en una mano, y en la otra un arco, y llevando la aljaba sobre sus espaldas. En otra parte está representada cubierta con un gran velo sembrado de estrellas, y teniendo en la mano una antorcha elevada. Los griegos invocaban a Diana Lucífera para los partos, así como los romanos a Juno Lucina. *Ant. expl, t. l.*

**LUCÍLUCO.** Bosque de Mesenia, donde Licus, hijo de pandión purificó a todos los que estaban iniciados en los misterios de la gran diosa. *Paus.*

**LUCINA.** Divinidad que presidía los partos de las mujeres, y al alumbramiento de los niños. Uno creen que era Diana, otros Juno. *Oleno* hace de ella una diosa particular, hija de Júpiter y de Juno y madre de Cupido. Se deriva su nombre de *lucus,* bosques sagrado, o más bien de *lux,* porque da la luz. Servían para las ceremonias de su culto, las guirnaldas y las coronas. Ya se representa a esta diosa bajo la figura de una matrona, teniendo en la mano derecha una copa, y una lanza en la izquierda; ya sentada en una silla, con un niño recién nacido al brazo izquierdo, y una flor en la mano derecha. Algunas veces se le da una corona de diétamo, porque se creía que esta hierba favorecía los alumbramientos. *Rubens* la ha pintado en su galería con una antorcha. *Eneida. 4. Ovid. Fast. 26. Met. 6. Cic.* (V. Ilitia, Natalis, Zifia, etc.).

(*Mit. chin.*) Los chinos adoran una divinidad, a la cual atribuían las mismas funciones. Los jóvenes la imploraban para obtener esposas, y las mujeres estériles le rogaban que le concediese hijos. *Viaje de Hüllner a China, en 1792, 1793, 1794.*

LUCINIA. Sobrenombre bajo el cual Juno tenía en Roma un altar. Las cenizas que quedaban después de los sacrificios permanecían inmóviles a pesar de todo evento. Las mujeres preñadas quemaban en él incienso.

LUCRECIA. Una de las mujeres de Numa. Casó con ella después de haber sido elegido rey. *Plut.*

LUCRII DII. Dioses que presidían las ganancias. R. *lucrum*, ganancia.

LUCTACIOS. Juegos de que habla *Cicerón* en su *Bruto. c. 36.*

LUCTUS, el *Luto.* Hijo del Eter y la Tierra (*Higin.*). *Estacio* le da un vestido sangriento y despedazado, y *Virgilio* lo pone en la entrada de los infiernos.

LUCULARIS. Nombre de un sacerdote.

LUCULIAS. Fiestas y juegos públicos que la provincia de Asia tributó a L. Lúculo, en memoria de sus beneficios. *Plut.*

LUCHA. Combate de dos hombres cuerpo a cuerpo para privar las fuerzas y echar por tierra el uno o el otro. Formaba parte de los juegos Istmicos, restablecidos por Teseo, y fue admitida en casi todos los juegos que se celebraban en Grecia. Se distinguía en tres especies, la que se hacía en pie firme, la de la arena y aquella en que empleaba tan sólo la extremidad de las manos, sin agarrarse por el cuerpo. Los poetas nos ofrecen varios ejemplos. Puede verse en *Homero* la lucha de Ayax y Ulises; la de Hércules y Aqueloo, en *Ovidio*, y en *Heliodoro* la de Teagenes y un gigante etíope. Los lidiadores se preparaban al combate con friegas, que daban mayor flexibilidad al cuerpo, y unciones, que hacían los miembros más resbaladizos y difíciles de agarrar, rodando por la arena.

LUCHADORES. Sus símbolos eran la redomita de aceite y el estrigit, como lo prueban diferentes antigüedades, entre otras una inscripción griega al pie de una estatua de un lidiador, que dice, que *Murió pobre, no habiendo podido llevarse de este mundo sino una redomita de aceite. Ateneo.*

LUGDUS. Rey fabuloso de los galos, hijo de Narbón y fundador de *Lugdunun*, en la actualidad Lyon.

LUGOVES. Dios de los antiguos pueblos iberos, del cual no nos ha quedado sino el nombre. Recuerda el Lugaus de los galos.

LÚGUBRE. (*Mit. amer.*) Ave de Brasil cuyo grito fúnebre no se deja oír sino por la noche, por lo que hace que la veneraran los habitantes de Brasil, persuadidos que estaba encargada de traerles noticias de los muertos.

LUI-SHIN. (*Mit. chin.*) El Júpiter chino o espíritu que preside al trueno; y en su emblema están representadas las violencia de este meteoro irresistible, la rapidez del rayo y sus efectos reunidos por una figura monstruosa rodeada de nubes. Tiene la boca cubierta con un pico de águila. Símbolo de los devorantes efectos del trueno, las alas muestran su extrema velocidad. En una mano tiene el rayo y en la otra una varilla para herir en diferentes timbales, que la rodean. Sus garras de águila están unidas algunas veces al eje de una rueda sobre la cual gira en medio de las nubes con una rapidez extraordinaria.

LUIN. (*Mit. chin.*) *Pasaporte.* Es una gran hoja impresa que tiene en un lado la marca de los bonzos. En el centro hay la figura del dios Fo, rodeado de un gran número de círculos encarnados. Se llevaba esta hoja en los funerales de los padres, en una cajita sellada por los bonzos. Era una especie de pasaporte para el viaje de este mundo al otro. Este precioso tesoro no se obtiene sino a peso de plata; pero lo pagan contentos, porque se mira como una prenda de la dicha futura.

LUJURIA. (*Iconol.*) Es una mujer vestida lascivamente, que trae la frente abierta, la cabeza alta, las mejillas encarnadas y encendidas, respira apenas, sus ojos están húmedos y lucientes. Sus atributos más comunes son una loba, un sátiro, una perdiz y conejos, porque se dice que el macho de estos dos animales mata con frecuencia los pequeñuelos para apartar de ellos a su hembra. *Ripa* junta a estos emblemas un escorpión y un cepo de viña.

LUKI. (*Mit. índ.*) (*Iconol.*) Diosa de los granos entre los gentous. Está representada en las pagodas, coronada de espigas y rodeada de una planta que da fruto, el cual pasa por entre sus manos, y cuya raíz tiene a sus pies. Esta diosa está rodeada de serpientes, como todas las divinidades superiores de los gentous. Se celebraban dos fiestas en su honor. La primera el primer jueves de diciembre, en que se hace la nueva cosecha. Se da gracias a esta diosa bienhechora por todos los beneficios que había hecho durante el año. Se pasaba el día en el ayuno oración, y en purificarse en el Ganges, y en la noche en banquetes y diversiones. La segunda fiesta, el último día de diciembre, en el cual se adoraba de nuevo a la diosa del mismo modo que acabamos de referir, excepto que en él no se ayunaba. Se distribuía este día pan a los pobres, según las facultades de cada uno.

LULAF. (*Mit. rab.*) Guirnaldas y pomos de mirto, de sauco, etc. con los cuales los judíos adornaban sus sinagogas en la fiesta de los tabernáculos.

LUNA. (*Iconol*) La mayor parte de las divinidades clásicas después del Sol. *Macrobio* pretende que todas pueden referirse a estos dos astros. *Hesíodo* (*Teog.*) la hace hija de Hiperión y Tea. *Píndaro* la llama el ojo de la noche y *Horacio* la reina del silencio. Una parte de los orientales la honraban bajo el título de Urania. Es la Isis de los egipcios, la Astarté de los fenicios, la Meni y la reina del cielo de los hebreos, la Milita de los persas, la Alicat de los árabes, la Selene de los griegos y la Diana, la Venus, la Juno de los romanos. *César* no da otras divinidades a los pueblos del Norte y los antiguos germanos, que el Fuego, el Sol y la Luna. El culto de este último astro traspasó los límites del océano germánico y pasó de Sajonia, en Gran Bretaña, a las Galias, donde la Luna tenía un oráculo servido por las sacerdotisas druidesas en la isla de Sain, en la costa meridional de la Baja Bretaña. Los magos de Tesalia decían tener un gran comercio con la Luna, y se gloriaban de poder, por medio de sus encantamiento, o librarla del dragón que quería tragarla, lo que se hacía con ruido de calderos cuando se eclipsaba, o hacerla descender a la tierra cuando querían. La idea de que este astro podía ser habitado ha dado margen a ficciones ingeniosas. Tales son entre otras los viajes de Luciano y de Cirano de Bergerac, y sobre todo la fábula del *Aristo*, que pone en la Luna un vasto almacén lleno de redomitas, en las cuales está encerrado el buen sentido de cada individuo. *Mem. de la Acad. de Inscr. t. 1, 3,,4, 5, 9, 10, 16, 18* (*V.* Diana.)

(*Mit. peru.*) Los peruanos tenían a la Luna como la hermana y mujer del Sol, y como la madre de sus incas. La llaman madre universal de todas las cosas y le tributan la mayor veneración. Sin embargo, no le habían erigido templos ni le ofrecían sacrificios. Creían también que las manchas negras que se perciben en la Luna las había hecho un zorro que se había enamorado de ella, y que habiendo subido al cielo la abrazó tan estrechamente que le hizo estas manchas a fuerza de apretarla.

(*Mit. chin.*) Cuando sucedía algún eclipse de Luna, los chinos vecinos de Siberia daban horribles gritos y aullidos, tocaban las campanas, golpeaban los maderos, las calderas y daban golpes redoblados sobre los tambores de la gran pagoda. Creían que el espíritu maligno del aire, Arachula, atacaba la Luna; y que sus aullidos debían espantarlo. *Viaje de Palas.*

Cuando la Luna es nueva, los taítos creían que las divinidades subalternas habían devorado al Eatua, y a medida que va creciendo se persuadían que el dios se renueva. Según ellos, las manchas que vemos en la Luna son bosquecillos de una especie de árboles que creían en otros tiempos en Taití; pero habiendo un accidente destruido estos árboles, los pichones llevaron sus granos a la Luna, donde han fructificado. *Viaje de Cook*.

2 — Ciudad marítima de Etruria, cuyos habitantes se dedicaban mucho a la ciencia augural. *Plin. 14, c. 16. Mela 2, c. 4.*

LUNES. (*Iconol.*) El segundo día la semana. Se halla personificado en los monumentos por una figura de Diana Luna, que llevó la media Luna en la cabeza.

LUNO. (*Mit. escand.*) Mago, artista y célebre herrero de Lochlin. Puede ser considerado como el Vulcano del norte.

LUNUS. Este dios no era otro que la misma Luna. En muchos idiomas orientales la Luna tiene un nombre masculino, o común a los dos géneros. De aquí viene el que unos lo han hecho un dios y otros una diosa, y otros una divinidad hermafrodita. Los hombres le sacrificaban disfrazados de mujeres, y las mujeres vestidas de hombre. *Espartio* nos dice que los que llamaban a la Luna con el nombre femenino y que la consideraban como mujer, estaban sujetos a las mujeres y gobernados por ellas; y que al contrario lo que la creían ser varón, tenían siempre el dominio sobre sus mujeres y nada que temer de sus lazos. «De aquí nace, añade, que los griegos y los egipcios, aunque llamen a la Luna con un nombre femenino, hablen de ella en sus misterios como de un dios». Muchos monumentos nos han conservado la figura del dios Lunus. Las medallas de Caria, de Frigia, de Pisidia lo presentan bajo la figura de un joven, con gorro armenio en la cabeza, una media luna sobre la espalda, teniendo unas riendas con la mano derecha, y en la izquierda una antorcha, y con un gallo a sus pies. Llevaba el gorro frigio, porque los habitantes de Frigia, que habían sido los primeros que divinizaron los meses, querían asegurarse la gloria de la invención con la media luna, para indicar su dependencia de este astro. Citaremos también una piedra grabada de la biblioteca del Rey, en la cual se le ve con vestido frigio, con una asta en la mano, símbolo de su poder, y en la otra un montecito, o porque la Luna desaparece a nuestros ojos detrás de los montes, o porque se hacen en ellos las observaciones astronómicas (*Mem. de la Acad. de Inscr.*

*t. 18.*) *Le Blond*, en su explicación de las piedras grabadas, pretende que la existencia del dios Lunus, que no es otros que el dios Men, es un error de *Espartiano*.

LUPANTO. (*Mit. índ.*) Nombre que los habitantes del Pegu daban a la serpiente que sedujo a la primera mujer. Estos pueblos, dice *Méndez Pinto*, tienen una tradición muy notable de la caída del primer hombre.

LUPEREA. Diosa que los pastores romanos invocaban contra los lobos.

LUPERCAL. Gruta al pie del monte palatino, donde Rómulo y Remo habían sido alimentados por la loba. *Servio* cree que esta gruta fue llamada así porque estaba consagrada a Pan, dios de la Arcadia, a quien lo estaba también el monte Liceo; que habiendo Evandro, arcadio, venido a Italia, le dedicó también un lugar, y lo llamó Lupercal. *Ovid. Fast. 2.*

LUPERCALES. Fiestas instituidas en Roma en honor de Pan. Se celebraban, según *Ovidio*, el tercer día después de los Idus de febrero. *Valerio Máximo* pretende que estas lupercales no empezaron hasta el tiempo de Rómulo y Remo, a instancias del pastor Fáustulo. Ofrecieron un sacrificio, inmolaron cabras e hicieron un festín en que los pastores, calentados por el vino, se dividieron en dos partidas, y habiéndose ceñido con las pieles de las bestias inmoladas, divagaban por todas partes y se maltrataban los unos a los otros. Pero *Justino* (*l. 43, c. 1*) y *Servio* pretenden, con mayor fundamento, que Rómulo no hizo más que dar una forma más regular a las instituciones de Evandro. En memoria de esta fiesta corrían los jóvenes enteramente desnudos, teniendo en una mano los cuchillos de que se habían servido para inmolar las cabras, y correas en la otra con las cuales herían a todos los que encontraban por el camino. La creencia de las mujeres de que estos latigazos contribuían a su fecundidad, o a su feliz libertad, hacía que lejos de evitar su encuentro, se acercaran a ellos para recibir aquellos golpes, a los cuales atribuían tal virtud. *Ovidio* refiere el origen de este uso. Bajo el reinado de Rómulo, todas las mujeres fueron estériles y corrieron a postrarse en el bosque sagrado de Juno, para desarmar el rigor de la diosa; la respuesta del oráculo fue que debían esperar de los machos cabríos el retorno de su fecundidad. El augur, como hombre de espíritu, interpretó este oráculo sacrificando una cabra y, haciendo cortar la piel en correas, mandó a azotar con ellas a las mujeres, las cuales adquirieron la fecundidad. El uso de correr desnudo se estableció, o porque representaban a Pan siempre desnudo, o porque un día que Rómulo y Remo celebraban fiesta unos ladrones aprovecharon aquella ocasión para robar sus ganados. Los dos hermanos y los jóvenes que con ellos estaban, se desembarazaron de sus vestidos para alcanzar mejor a los ladrones y tomarles el botín. *Ovidio* da otra razón. Onfale que viajaba con Hércules, se divirtió una tarde cambiando sus vestidos con los de este héroe. Enamorado el dios Fauno de Onfale fue chasqueado con este cambio y tomó tanto horror a los vestidos que le habían engañado, que quiso que sus sacerdotes fuesen desnudos durante la ceremonia de su culto. Se sacrificaba un perro, ya porque es enemigo del lobo, cuyos beneficios se solemnizaban, o ya porque los perros incomodaban bastante aquellos días a los que corrían en aquel estado de desnudez. Augusto dio a esta fiesta todo su auge, y prohibió solamente a los jóvenes que no tenían aún barba el correr desnudos las calles en los lupercales, con un látigo en la mano. Estas fiestas se conservaron hasta fines del siglo V. *Eneida. 8.*

LUPERCES. (*V.* Lupercos.)

LUPERCUS. (*V.* Liceas.)

LUPERCOS. Sacerdotes destinados al culto particular de Pan, y que celebraban las lupercales. Se atribuían su institución a Rómulo que fue el primero que erigió las lupercales en colegio, y quiso que las pieles de los animales inmolados les sirviesen de cinturón. Estaban divididos en dos colegios, Los Quintilianos y los Fabios, jefes, el uno del partido de Rómulo, y el otro del de Remo. Entre otras ceremonias de su culto era necesario que dos jóvenes de las ilustres familias se pusiesen a reír a carcajadas, mientras que uno de los lupercos les tocaba la frente con un cuchillo

sangriento, y que otro se lo limpiaba con lana mojada en leche. César añadió, o mejor, dejó crear por sus amigos en su honor un tercer colegio llamado de los Julios; y *Suetonio* insinua que este paso fue una de las cosas que le hicieron más odioso, así como estas ceremonias, que hacían el divertimento de la plebe. Este sacerdocio no disfrutaba de gran honor en Roma. Cicerón trata el cuerpo de los lupercos de sociedad agreste, anterior a toda civilización, y echa en cara a Marco Antonio el haber deshonrado al consulado, subiendo a la tribuna perfumado de esencias y ceñido el cuerpo de una piel de oveja, para hacer con bajeza la corte a César. *Newport.*

LUSCINA. (*V.* Aedón.)

LUSIA, *que se baña,* (R. *luein,* lavar.) Sobrenombre de Ceres, por alusión a su aventura con Neptuno, cuando arrojada de entre las cuevas de Onco, fue sorprendidas por este dios. Se creía que, aunque airada al principio de verse violentada, se suavizó después y se complacía en irse a bañar en el Ladón. *Paus.*

LUSTRAL (*Agua.*) Además de la costumbre de lavarse con esta agua antes de entrar en los templos, se rociaban con ella al salir de casa, en un viaje, en un camino, e incluso en las calles. En las fiestas de Baco se llevaba una ampolla llena de agua lustral. Los vasos que contenían esta agua se llamaban *aquiminaria.* El uso del agua lustral era conocido también de los egipcios, los etruscos, los hebreos y casi todos los pueblos de la antigüedad. (*V.* Agua lustral.)

LUSTRAL (*Día.*) *Lustralis dies.* Día en que los recién nacidos recibían su nombre y la ceremonia de la ilustración. La mayor parte de los autores aseguran que era el día nono de su nacimiento para los varones, y el octavo para las hembras. Otros pretenden que era el quinto sin distinción de sexos; otros, el día último de la semana en que había nacido la criatura. Las parteras, después de haberse purificado lavándose las manos, daban tres vueltas alrededor de la hoguera con el niño en los brazos; lo que designaba por una parte su entrada en la familia, y por la otra, que se le ponía bajo la protección de los dioses de la casa, a la cual la hoguera servía de altar; enseguida se tiraban por aspersión algunas gotas de agua sobre el recién nacido. Se celebraba en el mismo día un banquete con grandes muestras de alegría, y se recibían en estas ocasiones los regalos de los amigos. Si el nacido era varón, se coronaba la puerta de la habitación con una guirnalda de olivo; si era hembra, se adornaba la puerta con madejas de lana, símbolo del trabajo en que debía ocuparse este sexo.

**LUSTRACIONES.** Ceremonias religiosas, frecuentes entre los griegos y los romanos para purificar las ciudades, los campos, los ganados, las casas, los ejércitos, los niños, las personas manchadas de algún crimen, por la infección de un cadáver, o cualquier otra impureza. Se hacían por lo común con aspersiones, procesiones, sacrificios de expiación. Las lustraciones propiamente dichas se hacían de tres modos: o por el fuego, el azufre encendido y los perfumes; o por el agua que se derramaba; o por el aire que se agotaba alrededor de los que querían purificarse. Eran o públicas o privadas. (*V. Armilustro.*) La lustración de los niños entre los antiguos se ve representada de un modo curioso en una medalla de Lucilla, mujer del emperador Lucio Vero. La misma Lucilla está en pie, teniendo un ramo de laurel, una sacerdotisa de rodillas, puesta a la orilla de un río, saca agua, y a su lado hay un niño desnudo que espera en pie la aspersión. Tres pequeños amores, el uno en pie sobre el altar, el otro cayendo, como si la ceremonia le hubiese matado, el tercero mira por encima de un muro un jardín, que representa los Campos Elíseos; imagen ingeniosa que pudiera significar la muerte de un niño antes del bautismo. En las lustraciones de los rebaños, que celebraban los romanos, el pastor rociaba una parte escogida del ganado con agua, quemaba sabina, laurel, y azufre, daba tres vueltas a su coto o aprisco, y ofrecía en seguida a Palas leche, vino cocido y una torta de miel. Por lo que respeta a las casas particulares, se purificaban con agua y perfumes de laurel, de nebrina, olivo, sabina, y otros vegetales semejantes. Si se añadía a esto el sacrificio de alguna víctima, era por lo regular el de un lechón. Las lustraciones para las personas eran propiamente expiaciones, y la víctima se llamaba *hostia piacularis*.

**LUSTRALES.** Fiestas que se celebraban en Roma cada cinco años, de donde viene el uso de contar por lustros. Así en los monumentos antiguos un censor romano está representado con un vasito de agua lustral en la mano, y un olivo en la otra. Esta ceremonia tenía lugar después de hecho el catastro y la repartición del impuesto. (*V. Souvetaurilia.*)

**LUSTRO.** Espacio de cinco años, llamado así de un sacrificio expiatorio que hacían los censores al cerrar el censo, para purificar el pueblo. *Varrón* deriva este nombre, no de *lustrare*, purificar, sino de *luere*, pagar la cuota que los censores habían impuesto a cada ciudadano. *Niewport. Cost. de Rom.*

**LUSTRIA.** Fiesta de Vulcano. *Ovid.*

**LUSTRICA.** Uno de los nombres del hisopo que servía para esparcir el agua lustral. *Ant. expl. t. 2.*

**LUSUS.** Uno de los lugares terrestre de Baco, que se pretende haber dado su nombre a Lusitania. (*Portugal.*)

**LUTZ.** (*Mit. rab.*) Pequeño hueso que, según los rabinos se hallaba en la espina del lomo, por medio del cual Dios resucitaría los muertos. Este huesecito que nadie conoce era, según ellos, incorruptibl, y a su alrededor se reunirán todas las partes del género humano, por dispersas que estén, para formar el cuerpo que los hombres habrán tenido durante la vida. *Besnage. Hist. de los judíos.*

**LUZ.** (*Iconol.*) La pintan desnuda. Su único atributo consiste en un sol sobre su pecho, que la alumbra enteramente.

MA. 1 — Compañera de Rea y encargada por Júpiter de la educación de Baco. Rea tomó también el nombre de Ma, bajo el cual los lidios la honraban, sacrificándole un toro: finalmente de Ma tomó el nombre la ciudad de Mastour.

2 — (*Mit. Jap.*) *Espíritu maligno.* Nombre que los japoneses sintoístas daban a la zorra, la cual causaba muchos estragos en su país. Creían que había una especie de demonios destinados exclusivamente a animarla.

MAB. Reina de las hadas en Shakespeare.

MABOIA. (*Mit. Amer.*) Nombre que daban los caribes, habitantes de las islas Antillas, en América, a un principio del mal a quien adoraban. A él atribuyen todos los acontecimientos siniestros y todas las desgracias que sufrían, esto es, las tempestades, los truenos, los eclipses, las enfermedades, etc. y creían que se les aparecía con frecuencia bajo diferentes formas hediondas para atormentarles cruelmente. A fin de evitar su cólera, hacían unas figuras semejantes a las que había tomado el Maboia, y creían que llevándolas pendientes del cuello quedaban a salvo de sus persecuciones y golpes: muchísimas veces se hacían voluntariamente más daño del que el Moboia podía causarles, pues se cortaban la carne con cuchillos en su honor y se extenuaban con ayunos.

MACAR. Hijo del Sol y de Roda, que habiendo contribuido a la muerte de su hermano Tenages, se refugió en la isla de Lesbos, a la cual dio el nombre de Macaria.

MACAREO. 1 — Hijo de Crámaco y nieto de Júpiter, que se estableció en la isla de Lesbos. *Iliad. 24.*

2 — Hijo de Licaón, dio su nombre a una ciudad de Arcadia, fundada por él. *Paus. 3. c. 3.*

3 — Hijo de Eolo, tuvo un hijo de Canacea, su hermana. Instruido Eolo de este incesto, hizo exponer el fruto a los perros, y envió a su hija una espada, con la cual se mató. Macareo evitó con la fuga el castigo que merecía y se refugio en Delfos, donde fue admitido en el número de los sacerdotes de Apolo.

4 — Del monte Nereto en la isla de Itaca, que siguió a Ulises en sus combates, y se estableció por fin en Conete, donde Eneas lo encontró. *Met. 14.*

5 — Hijo de Jasón y de Medea, que otros llaman Mermero.

6 — Lapita, que mató al centauro Erigdompo en las bodas de Piritoo.

MACARIA. Hija de Hércules y de Deyanira que se sacrificó para asegurar la victoria a los atenienses, protectores de los heráclidas, contra Euristeo, confiada en la respuesta del oráculo que había vaticinado que debía sacrificarse uno de los hijos de Hércules. Reconocidos, los atenienses dieron su nombre a la fuente de Maratón en el Atica, y le consagraron después un templo bajo el nombre de Endemonia, o Felicidad. *Paus. 1, c. 32.*

MACARTATO. Héroe que tenía su sepulcro en Atenas. *Paus.*

MACASOR. Libro de oraciones de los judíos para las solemnidades. Es muy difícil entenderlo por estar escrito en un verso muy conciso.

MACEDNO. Hijo de Licaón. *Apolod.*

MACEDONES. Hijo de Osiris, y según otros, nieto por parte de madre de Deucalión. Dio su nombre a Macedonia. *Diodoro de Sicilia* (*l.1.*) dice que era uno de los generales de Osiris, y que su vestido de guerra consistía en una piel de lobo. *Plut. de Iside.*

MACEDONIA. (*Iconol.*) 1 — Antiguo reino de Europa meridional, que aparece personificado en las medallas como una mujer vestida de cochero con el látigo en la mano, porque abastecía de excelentes caballos, o porque honraba particularmente al Sol. Las medallas de este país llevan también la clava de Hércules, de quien los reyes de Macedonia se gloriaban descender.

2 — Hija de Júpiter y de Tisa, hija de Deucalión que según algunos autores, dio su nombre a la Macedonia.

MACEDONIANA. Especie de danza de los antiguos.

MACERANE. Diosas indígenas de los ecgios, pueblo de Sicilia.

MACES. Batracio que hizo cuatro veces el salto de Leucate, y cada vez curó de su amor. Adquirió el sobrenombre de Leucopetra, esto es de la roca blanca. *Mem. de la Acad. de Inscrip. t. 7.*

MACISTE. 1 — Uno de los sobrenombres de Hércules.

2 — Hijo de Atamante que dio su nombre a Macisto, ciudad de Trifilia.

MACHAÓN o MACAÓN. Hijo de Esculapio y de Epionea, y según otros de Arsínoe, y hermano de Podaliro. Ambos fueron grandes cazadores, hábiles cirujanos y guiaron las tropas de Ecalio en el sitio de Troya. Machaón curó a Menelao herido de un flechazo, y fue muerto por Euripilo, hijo de Telefo. *Virgilio (Eneida. 2.)* le cuenta entre los guerreros que se encerraron en el caballo de madera. Tenía un sepulcro y un templo entre los mesenios, quienes le invocaban en las enfermedades.*Ilíada. 2. 4.*

MACHIMOS. *Guerreros.* Ciudad fabulosa, cuyos habitantes nacían todos armados, y estaban siempre en guerra. *Elio.*

MACHIMUS. *Guerrero.* Uno de los perros de Acteón. *Met.3.*

MACHINATRIX. Sobrenombre de Minerva, honrada en Arcadia como inventora de las artes. *(V. Ergana.)*

MACHLEOS. Pueblo de los indios, vecino al Indo. *Luciano* pone tres fuentes maravillosas en un bosque de su territorio, de agua clara y cristalina, la una consagrada a Pan, la segunda a Sileno y la tercera a los Sátiros. Los jóvenes bebían en la primera, los ancianos en la segunda y los niños en la tercera, y se reunían en ellas los días señalados para este objeto. Los viejos

se volvían estúpidos y mudos, y poco tiempo después les asaltaba un flujo de elocuencia que nada podía detener, y esta especie de furor les duraba hasta la noche. Lo más maravilloso era que, habiendo empezado un discurso, si no les daba el gusto de acabarlo, volvían a tomar el hilo y lo continuaban el año siguiente.

MACHLIES. Pueblo fabuloso de Africa, que *Plinio* pretende haber tenido dos sexos, y dos pechos, el derecho semejante al de un hombre y el izquierdo al de una mujer.

MACHO CABRÍO. *(Mit. egip.)* Los habitantes de Mendés, en Egipto, tenían gran veneración a este animal y en general los egipcios jamás le inmolaban porque representaba a su dios Pan con el semblante y las piernas de macho cabrío. Bajo este símbolo creían adorar el principio de la fecundidad de toda la naturaleza expresada por el dios Pan. Entre los griegos se inmolaba el macho cabrío a Baco, como destructor de los viñedos. Además, el macho cabrío era la montura muy común de Venus y particularmente de la Venus popular. La venus marítima andaba sobre las ondas llevada de un macho cabrío marino. *Pausanias* dice que los cleonios inmolaron uno al Sol naciente, porque les liberó de la peste, y en memoria de este feliz acontecimiento, dedicaron otro de bronce, en el templo de Delfos. Una piedra grabada en *Beger* representa un macho cabrío luchando con el dios Pan; dos pinturas de Herculano ofrecen también el mismo objeto. *Diod. Sic. Herod. (V.* Baco, Venus.)

MACOCHE o Macoche, o Makole. *(Mit. eslav.)* Deidad de Kiev, de la cual no se sabe más que el nombre. Los autores sólo hacen mención de ella con los otros dioses a quienes el príncipe Vladimiro hizo erigir estatuas en Kiev, y mandó hacer sacrificios en 980: ejemplo que fue seguido de su tío Dobrinin, gobernador entonces en Novogorod.

MACRIS. Hija de Aristeo, recibió a Baco luego que Mercurio lo sacó de entre las llamas y le dio miel. Este buen comportamiento le atrajo la indignación de Juno: perseguida por esta diosa y obligada a abandonar la isla Eubea, donde residía, se refugió en la de Feacia, de cuyos habitantes se mostró agradecida, colmándoles de beneficios. *Ant. expl. t. l.*

**MACROBIOS.** Pueblos fabulosos, *Onomacrito* nos los pinta virtuosos y afortunados, de una juventud eterna; dice que se alimentan de hierbas saludables, que crecen bajo sus pisadas, y que apagan su sed con un rocío que cae todas las mañanas, y finalmente añade que los macrobios después de haber pasado mil años en esta feliz morada caen en un sueño tranquilo que les arrebata de este mundo. R. *macros*, largo; *bios*, vía. *Herod. 3. c. 17. Mela 3. c. 9. Plin. Val. Máx. 8. c. 3.*

**MACROSIRIS.** Gigante cuyo cuerpo, según *Flegon*, se encontró cerca de Atenas, en un sepulcro de cien pies de largo.

**MACSURAH.** (*Mit. maho.*) Lugar separado de la mezquita y cerrado con cortinas, donde se colocan los príncipes.

**MACTARE.** Palabra usada en los sacrificios de los romanos. Cuando la torta de harina de trigo y sal había sido arrojada sobre la víctima, se llamaba entonces *Macta*, esto es, *Magis Ancta*. Esta ceremonia era considerada como una especie de consagración, que daba a la víctima el grado de perfección necesaria para ser favorablemente recibida de la divinidad, a la cual iba a ser inmolada. Así *mactus est aturus* quería decir, *el todo está pronto y perfecto*. De aquí *mactare*, tomado en el sentido de *degollar*, porque teniendo algo de siniestro *cœdere, jugulare*, se evitaban cuidadosamente estas palabras en los sacrificios.

**MACTRISMA.** Una de las danzas de los antiguos, de la cual no nos ha quedado sino el nombre. *Ant. expl. t. 3.*

**MADÁN.** (*Mit. ind.*) Altar de ladrillos, cubierto de una bóveda adornada por todas partes de esculturas, y edificado en los templos para exponer en él la divinidad.

**MADBACCO.** Sobrenombre Sirio de Júpiter. *Huet.* lo traduce, *él que lo ve todo*, él que está en todas partes.

**MADIANITAS.** Este pueblo adoraba los ídolos de Abda e Ninda, y fue exterminado por haber persistido en su idolatría a pesar de las exhortaciones del profeta Jetro.

**MADONADASOUNI.** (*Mit. per.*) Traducido palabra por palabra significa: *El ser absorbido en sus excelencias*: nombre de Dios en el *Pallivi*, lengua sagrada de los parsis.

**MADRE.** Sobrenombre con que era honrada Minerva entre los eleos.

**MADRE De los Dioses**, Gran Madre, Madre de Leche o simplemente Madre. *V.* Cibeles, Tellus.

**MADRES.** *V.* Matres.

**MÆANDRIUS.** Juvenis. Camno, nieto de Meandro.

**MÆMACTE.** *Furioso violento.* Sobrenombre que los griegos daban a Júpiter. Este dios era considerado como el dueño de las estaciones, y bajo este respeto, se le hacían sacrificios al principio del invierno (en el mes Mæmacterion), a fin de que moderase su rigor. *Eitm. maimazein* desear vivamente, saltar, hacer ruido.

**MÆMACTERIAS.** Fiesta que celebraban los atenienses en honor de este dios: *Festus* refiere que se le rogaba en ellas, concediese un invierno dulce a los navegantes. *Antr. expl. t. 2.*

**MÆMACTERION.** Mes en que celebraba esta fiesta, y era el primero del invierno. El 16 los de Platea celebraban el aniversario de los guerreros muertos en la batalla de aquella ciudad. *Plut. t. 1.*

**MÆNALIS.** Ursa. Constelación de la Ursa. Esta constelación es la Calisto, ninfa de Arcadia, donde se hallaba el monte Menelao.

**MÆNALIDES** y **MÆNALIO.** Pan honrado en el monte Menelao. *Ausonio.*

**MÆNOLES.** *Todo furioso.* Sobrenombre de Baco, R. *mainesthai*, estar furioso, *olos*, todos.

**MÆOTIDE.** (*el Palus.*) Era venerado por los Masagetes como dios, según *Maximo de Tiro.*

**MÆOTIDA.** Las amazonas, porque habitaban las orillas del lago Meotide, hoy día mar Zabaco.

**MÆOTIS ARA.** Altar de Diana de Quersoneso Táurico, llamado así por estar cerca del lago Meótide, a cuyo sudoeste se hallaba Crimea. (*V.* Táurica.)

**MÆRA.** Una de las cincuenta nereidas. *Hesiodo*.

**MÆRRGETES.** *Conductor de las Parcas*. Sobrenombre de Júpiter, porque se creía que estas divinidades infernales nada hacían sin orden suya.

**MAGADES.** Vírgenes de los guanches, antiguo pueblo de las Canarias; estaban encargadas de derramar el agua sobre la cabeza de los recién nacidos.

**MAGANTIO.** Uno de los desgraciados troyanos que escaparon de las llamas de Troya, que una tradición fabulosa hace fundador de Magencia, y apoyan esta opinión en que las antiguas crónicas llaman a esta ciudad *Magonitia*.

**MAGARSIS.** Sobrenombre de Minerva adorada en Magarso, ciudad de Cilicia.

**MAGIA.** Arte de producir en la naturaleza cosas que están fuera del poder de los hombres, con el auxilio de los dioses, o de los diablos, empleando ciertas palabras y valiéndose de ciertas ceremonias. Se distingue de la magia divina y de la magia natural, que no son del objeto de esta obra, por el nombre de *Magia negra*, y se la divide en *Celestialis*, esto es astrología judiciaria, y en *Ceremonialis*. Esta última consiste en la invocación de los demonios y se arroja en consecuencia de un pacto formal o tácito hecho con los poderes infernales, el pretendido poder de dañar y producir efectos perniciosos, a los cuales las víctimas de su poder no pueden sustraerse. Sus diversas ramificaciones u operaciones son la cábala, el canto, el sortilegio, la evocación de los muertos o de los espíritus malignos, el descubrimiento de los tesoros ocultos y de los mayores secretos, la adivinación, el don de la profecía, el de curar, con términos mágicos y por medio de otras prácticas, las más obstinadas enfermedades, de preservar de todos los males, de todo peligro por medio de los talismanes, preservativos. etc.; *Mem. de la Acad. de inscrip. t. 1, 2, 4, 7, 10*.

**MÁGICO.** Encantador que parece hacer acciones sobrenaturales; adivino o el que dice la buenaventura.

**MAGIONS.** (*Mit. per.*) Nombre dado a los guebros como descendientes de los antiguos magos.

**MAGISTER.** Collegii Augurum. El jefe de los augures. *Ant. expl. t. 2*.

**MAGLANTE.** (*Mit. índ.*) *El que arroja el rayo*. Una de las principales divinidades de las Filipinas.

**MAGNENTUM.** Lo que se añadía como aumento a los sacrificios. Manjares que los habitantes del campo ofrecían a Jano, Silvano, etc. R. *Magis Angeo. Festo*.

**MAGNES.** 1 — Joven sirviente de Medea que fue transformado por ella misma en piedra imán. *Nicandro* nos da el sentido de esta fábula. Hace de Magnes un pastor que, apacentando sus ganados, se encontró pegado a una mina de imán por los clavos de sus zapatos.

2 — Hijo de Eolo y de Enáreta, que dio su nombre a Magnesia donde reinó. Se casó con Nais, de la cual tuvo muchos hijos, siendo su sucesor primogénito Alector. *Apolod. 1, c. 7*.

3 — Gran poeta y famoso músico, nacido en Esmirna, a quien sus talentos le granjearon la estimación de Giges. *Suidas*.

4 — Padre del sexto Apolo. *S. Clemente de Alejandría*.

5 — Hijo de Argos y Perimela que dio su nombre a Magnesia. *Servo* y *Antonis Liberalis* le hacen padre de Himeneo.

**MAGNESIA.** Sobrenombre de Minerva tomado de la ciudad de Magnesia, donde tenía un templo que era considerado obra maestra de arquitectura.

**MAGODIAS.** Espectáculos en que se presentaban los magodos.

**MAGODOS.** Pantomimos que se disfrazaban de mujeres en los espectáculos de los antiguos, y representaban con propiedad sus papeles, como los de borrachos, haciendo toda especie de gestos lascivos. *Mem. de la Acad. de inscr. t. 16*.

**MAGOFONÍA.** Fiesta de los antiguos persas en memoria del degollamiento de los magos, y en particular de Smerdis, que había usurpado el trono después de la muerte de Cambises. Darío hijo de Histaspo, elegido rey en lugar del mago, quiso perpetuar la memoria con una fiesta anual. *Herod*.

MAGOS. Ministros de la religión entre los persas. Gozaban una gran reputación y eran buscados tanto de los grandes como del pueblo. Se les confiaba la educación de los príncipes y, como refiere *Suidas*, no coronaban ningún rey sin que sufriese antes una especie de examen entre los magos. Darío, hijo de Histaspo, creyó honrarse haciendo grabar sobre su tumba, que había sido perfectamente instruido en todos sus conocimientos. Por lo que respeta al culto divino, no querían templos ni altares, diciendo que disminuyen la majestad de Dios, de aquel que lo llena todo con su presencia y sus beneficios encerrándole, por decirlo así, entre paredes. Por lo mismo cuando los persas querían cumplir los deberes de la religión, se retiraban a los montes más elevados, y allá se postraban ante Júpiter, es decir, ante el cielo mismo, que creían todo penetrado por la divinidad, y celebraban sus diferentes sacrificios. Los magos creían en una especie de metempsícosis astronómica, diferente enteramente de la de Pitágoras. Se imaginaban que las almas, después de su muerte, estaban obligadas a penetrar por siete puertas, pasando de este modo muchos millones de años antes de llegar al sol, que es el cielo empíreo o la mansión de los bienaventurados. Cada puerta, diferente en estructura, se componía también de un metal diferente, y Dios le había puesto en el planeta que presidía este metal. Se encontraban, la primera en Saturno, y la última en Venus. Como no había nada más misterioso que esta metempsícosis, los magos la representaban mediante una escala muy alta, dividida en siete pasajes consecutivos, cada uno de los cuales tenía su señal y su color particular; siendo esto lo que ellos llamaban la gran revolución de los cuerpos celestes, el fin de la naturaleza entera. *Estrab. Herod. 3, c. 62, Cic.*

Según *Tomas Hide*, sabio inglés, los magos reconocían tan sólo un ser soberano, que simbolizaban por el fuego; y si daban un culto religioso a este elemento, no era más que un culto relativo a la divinidad que representaba. Esta religión, llamada *Magismo*, subsiste aún entre los guebros, de la cual, según el mismo autor, se encuentran todavía algunos restos en Asia. Zoroastro pasa por el fundador de esta religión y por jefe de los magos, a los cuales dio el nombre de Hirbad o Hirbood. Los magos de los parsis o guebros, sólo se afeitaban las mejillas, y tenían una barba muy larga. No tenían casi bigotes. Cubrían su cabeza con un gran gorro en forma de cono que les bajaba hasta la espalda. Traían por lo común el cabello muy largo, y sólo se lo cortaban cuando llevaban luto. En otro tiempo, sus gorros se alargaban por delante hasta cubrirse la boca, pero después se la cubrieron con un pedazo de tela cuadrada. El cinturón de que se servían para aguantarse su vestido, que se llamaba *Judra*, tenía cuatro nudos, que significan cuatro cosas diferentes. El primero les advertía que no hay más que un dios; el segundo que la religión de los magos es la única verdadera; el tercero que Zoroastro era un profeta enviado por Dios; el cuarto, que debían procurar siempre hacer buenas obras. Este cinturón también lo llevaban los legos y lo acostumbraban a tomar a la edad de doce o quince años. Los guebros encontraban en este divino cinturón una fuente abundante de bendiciones, y una defensa segura contra los ataques del espíritu maligno. El perderlo era la desgracia mayor que podía afligirles, y hasta que algún mago les había dado otro, no se atrevían a hacer la menor acción: no decían una palabra, ni querían dar un paso, persuadidos de que todo lo que harán sin el cinturón se les convertiría en mal.

El Sadder, uno de los libros sagrados, excomulga al que a la edad de quince años no había recibido aún dicho cinturón y, considerándole profano, prohibía el que le dieran pan y agua. En cuanto a los magos, estaban distribuidos en diferentes lugares, en los cuales ejercían el culto religioso. Vivían de los diezmos y algunas contribuciones voluntarias que el pueblo se imponía. Por ejemplo, todos los guebros tenían costumbre de apagar su fuego cada año, el 25 de abril, y lo compraban de nuevo a su sacerdote. Los magos podían casarse. El sacerdocio estaba concentrado en ciertas familias y sólo los hijos de los magos podían seguir la profesión de sus padres: pero si se habían engañado en su elección y la mujer que habían tomado era estéril, no podían tomar otra, sino con el piadoso designio de aumentar el número de los fieles: pero era necesario que la mujer estéril consintiera en ello, sin lo cual el mago estaba obligado a guardarla.

MAGOS DE CAPADOCIA. Se llaman así los herejes que se levantaron entre los antiguos persas y corrompieron la pureza de su culto. El homenaje que los persas tributaban al fuego era puramente religioso. Construían en honor del fuego templos que llamaban *pireos*. Hacían imágenes que representaban este elemento, las llevaban en procesión y les ofrecían sacrificios. Se servían de un mazo de madera para aturdir a las víctimas que le sacrificaban. Sus templos o pireos no eran más que un vasto recinto, en medio del cual había una especie de altar u hoguera donde los sacerdotes o magos conservaban un fuego eterno con gran cantidad de cenizas. Recitaban sus oraciones, y practicaban sus ejercicios religiosos delante de este fuego. Traían la cabeza cubierta con una mitra cuyos largos cordones les ocultaba la boca y casi todo el rostro: llevaban un puñado de vergas en la mano. Estos magos, enterraban sus muertos contra la costumbre de los persas.

MAGUS. Capitán rútulo, muerto por Eneas. *Eneida. 10.*

MAGUSANUS. Sobrenombre de Hércules, en una inscripción encontrada en Zelandia. *Olaüs Rudbeck*, lo traduce *Valens*, dios de la fuerza. Este Hércules lleva un gran velo que le cubre la cabeza y no le baja sino hasta el brazo. En una mano tiene una gran horquilla apoyada en tierra, y en la otra un delfín. En uno de sus lados hay un altar, de donde salen largas hojas puntiagudas como de juncos marinos, y en el otro hay un pez o monstruo marino. Según estos símbolos parece más bien el Neptuno de estos pueblos. Se encuentra también este sobrenombre en las medallas de Póstumo y se deriva de Magusum, ciudad del Africa.

MAHADEVA. (*Mit. índ.*) El mismo que Shiva. (*V. Shiva.*) Bajo este primer nombre es considerado como jefe de los dioses. Se le representa en los templos de Bengala, montado en un toro blanco; porque según las ideas de los *vedantis*, indios, de los *sufís* persas, y de muchos filósofos europeos, no siendo el destruir otra cosa que reproducir bajo otras formas, el dios de la *destrucción* es considerado en estas regiones como presidente de la generación, simbolizada por el toro.

MAHADI. Nombre bajo el cual se hizo la cuarta encarnación de Achem, divinidad de los drusos.

MAHA-GURÚ. (*Mit. índ.*) Uno de los títulos de Lama; nombre sacado del sánscrito y que significa gran maestro espiritual.

MAHA-MAI, o Boam. Diosa adorada por los habitantes del Nepal, país situado al pie de los montes del Tibet. Esta diosa es probablemente el símbolo de la naturaleza o de la madre universal, pues tal es el sentido del nombre de *Maha-Mai* (*Viaje de Kirk-Patrick*, en 1792).

MAHA-SUIRGU. (*Mit. índ.*) El cielo, según el *Shastah*, libro sagrado de los gentos.

MAHALIGUE-PATCHON. (*Mit. índ.*) Fiesta que empieza al día siguiente del plenilunio de *Prestachi*, septiembre. Dura quince días, y se celebra dentro las casas. Su objeto es obtener el perdón de los muertos; para ellos se hace el *Darpenon*, y se da la limosna a los bramas o brahmanes, sea en plata, sea en telas o bien en legumbres.

MAHAMOUNIA. (*Mit. índ.*) La principal de las divinidades del Tibet y de Bután.

MAHAR-NAOMI, (*Mit. índ.*) *fiesta de las armas*. Empezaba el día siguiente de la nueva luna del séptimo mes, *Archipi*, octubre, y duraba nueve días. La más célebre después del *Pongol*. Mientras duraba se hacían procesiones en el templo. Los estudiantes, vestidos como tales, corrían las calles acompañados de sus maestros, se paraban en las puertas de las personas distinguidas y cantaban versos compuestos en su honor. Obtenían así dinero para divertirse, y el maestro regalos. El día nono se hacía el *aidapotché*, o ceremonia de las armas. *Sonnerat.* (*V.* Aidapotché.)

**MAHARAM,** *mes sagrado* (*Mit. pers.*) El primero de los meses persas. Era uno de los cuatro meses que los árabes llamaban *meses de tregua o sagrados*, durante los cuales cesaba toda hostilidad entre los enemigos, a fin de que pudiesen dedicarse a la agricultura y al cuidado de su ganado, sin temor ni peligro. Estos *meses sagrados* recibían también un nombre que significaba: *los meses en que están colgadas las armas en el garfio. Chardin*

**MAHARAVAISAGUI.** (*Mit. ind.*) Fiesta que celebraban los brahmanes el día del plenilunio del mes Vayassi, mayo. Rogaban y hacían ceremonias por la muerte de sus antepasados.

**MAHAREGI-TIROUMANCENON.** (*Mit. ind.*) Fiesta del día del plenilunio del nuevo mes, *Margaji*, diciembre. Dedicado a Shiva, y sobre todo en el templo de Shalembron, donde se adora este dios bajo el nombre de *Sabadi*.

**MAHMEL.** (*Mit. mah.*) Gran pabellón o cubierta del sepulcro de Mahoma y de Abraham, que las caravanas llevaban todos los años a La Meca, y que estaba fabricado a expensas de los bajás de Egipto. La base de este pabellón cuadrado se elevaba en forma de pirámide y estaba adornado de un rico bordado de oro, sobre un fondo verde. El camello elegido para llevar este precioso pabellón era criado expresamente para tan noble destino. Estaba pintado de amarillo como los demás camellos de la caravanas. La rica colcha que le cubría le bajaba hasta los pies. Tan sólo llevaba descubierta la cabeza, pues el cuello y las ancas y cada una de estas partes tenían su adorno particular. Este dichoso animal era tenido como sagrado, después de haber sido empleado en este trabajo, y cualquier musulmán tendría escrúpulo en hacerlo servir en trabajos profanos. Al cabo del año, el emir-hadjhi, o conductor de la caravana, llevaba otra vez el pabellón al gran señor, que lo hacía cortar en pequeños pedazos para distribuirlos a los príncipes mahometanos y a los grandes de su corte; pero después, los emires llegaron a apoderarse de este precioso despojo, cuyos pedacitos vendían a los peregrinos a un precio excesivo. (*V.* La Meca.)

**MAHOMA.** (*Mit. mah.*) La vida de este hombre extraordinario es tan conocida, que nos limitaremos a trazar sus principales acontecimientos. El objeto de este artículo es tan sólo la parte milagrosa, esto es, fabulosa, de su pretendida misión.

Mahoma, profeta, legislador y soberano de los árabes, nació de padres pobres, pero nobles, en el año 6163 de la creación del mundo, y 578 del nacimiento de J.C. Los autores árabes le hacen descender por línea recta de Ismael, hijo del patriarca Abraham. Su padre, llamado Abdolah, era pagano, y Amenah, su madre, judía: los perdió en tierna edad; como también a su abuelo Abdol-Montalleb, que se había encargado de su tutela; pero Abu-Talib, su tío, cuidó de su educación. A los catorce años hizo sus primeros ensayos en las armas, en una guerra que los koreishitas, tuvieron que sostener contra los kenanitos. Tenía veinticinco años cuando cierta Kadicha, viuda de un rico comerciante árabe, le nombró para que fuese su factor y le envió a Siria para vender sus mercaderías y comprar nuevas; en cuyo viaje se dice trabó amistad con un monje nestoriano, llamado Félix o Bossaira, y según otros Sergio, y con un hereje jacobita, llamado Batiras, y que de concierto con ellos, compiló su *Alcorán*. A su vuelta de Siria, Kadicha, su señora, se enamoró de él y se casaron. Mahoma era de carácter sombrío y meditabundo. Esta disposición le atrajo naturalmente al retiro y a la soledad, y le sugirió, sin duda alguna, o el plan de legislación que ejecutó después, o simplemente los medios para ponerlo en obra, si es verdad que concibió dicho plan en su viaje a Siria. Dotado de una singular elocuencia, muy poco le costó persuadir a su mujer, que tenía un íntimo contacto con el cielo, de que Dios lo había escogido entre todos los hijos de Ismael para abolir el culto de los ídolos y dar a los hombres una nueva ley. Alí, primo de Mahoma y

827

algunos otros de sus parientes, lisonjeados sin duda con la consideración que iban a adquirir por este sistema, lo autorizaron al principio con sus discursos y después con la fuerza y la violencia. Fueron desterrados y proscritos por los magistrados de La Meca, ciudad de la Arabia feliz, su patria común, y se refugiaron en Medina. No tardó el amor al pillaje y a la novedad, en reunir en sus banderas un gran número de bandidos y de gentes sin domicilio, y el profeta se vio bien pronto en estado de ejercer su misión con las armas en la mano. Al mismo tiempo que caía su espada sobre los que le oponían la menor resistencia, atraía otros con promesas lisonjeras de una eternidad de placeres sensuales más propios para inflamar la imaginación oriental, como por ejemplo el gozar de las doncellas más amables, la posesión de los más preciosos tesoros, el recreo de los más deliciosos bosquecillos, las aguas de las fuentes más puras y cristalinas. En país árido, seco y arenoso como Arabia, no podían dejar de hacer una gran impresión al pueblo imágenes tan risueñas; así fue que la nueva doctrina progresó admirablemente. Mahoma continuó sin embargo, llevando el hierro y el fuego a los pueblos idólatras que quería someter a sus dogmas, y este objetivo le salió conforme a sus deseos, llegando al punto de trazar a sus sucesores un vasto camino para conquistas más extensas. Murió en Medina, a los 73 de su edad, en el 632 o 633 d. C.

Hemos visto ya parte de los hechos de Mahoma y de las leyendas en los artículos *Hendidura de la Luna*, Hégira, etc.; añadiremos ahora algunas otras que trae *Gagnier*, en la *Vida del profeta de los árabes*. En tiempo en que Mahoma, temiendo ser atacado por los habitantes de La Meca, se encerró en Medina e hizo rodear la ciudad de un ancho foso, los trabajadores encontraron, cavando la tierra, una gran roca de una materia muy dura. El profeta mandó que le trajesen agua, la tomó en su boca, y mientras se gargarizaba el paladar y las cavidades de sus hinchadas mejillas, invocaba a Dios con una oración mental, después de lo cual arrojó el agua sobre la roca y dijo estas palabras: «Por el que me envía, que esta roca se embeba de tal modo de este fluido, que se disuelva por sí misma en una arena muy fina, sin que sea menester aplicar a ella el pico, y la azada». Al mismo tiempo se ablandó la roca de tal modo que se caía por sí misma antes que los picos y los azadones la tocasen.

El segundo milagro obrado en el mismo tiempo, fue una multiplicación de dátiles secos. Enviada la hija de Bashir, hijo de Saad, por su madre para coger dátiles secos por su padre, pasó casualmente por delante el apóstol de Dios, el cual le dijo: «Que llevas aquí, hija mía?». Ella le respondió lo que era y le presentó generosamente sus dátiles. Había quizá tan sólo dos puñados. El apóstol hizo extender un vestido ancho y lo derramó, luego envió a llamar a los trabajadores para que viniesen a comer. Vinieron y mientras comían, se multiplicaron los dátiles de tal modo, que después que estuvieron completamente satisfechos, quedó tan gran cantidad de ellos, que no cabían en el vestido ancho. Esta leyenda recuerda la «Multiplicación de los panes y los peces» de los *Evangelios* de Jesús.

El tercer milagro, continua nuestro sabio traductor, fue la segunda bendición del profeta, dada en un convite hecho por Giaber, hijo de Abdo-lab, testigo ocular. Tenía en mi casa, dice, un carnero flaco: dije a mi mujer que cociese una torta de pan de cebada e hiciese asar este carnero para el apóstol de Dios. Estábamos ordinariamente todo el día en el foso, ocupados en trabajar, y por la tarde nos volvíamos a nuestra casa. Retirándonos pues aquella tarde, dije al profeta: «Os he preparado un pequeño cordero con un poco de pan de maíz, hacedme pues el honor de venir a cenar a mi casa». El apóstol de Dios consintió en ello; pero al mismo tiempo hizo gritar por el heraldo que la gente del foso fuesen con él a casa de Giaber, hijo de Abdolah. Cuando oí esto, prosigue Giaber, recité estas palabras del *Alcorán*. «Estamos con Dios y a él debemos volver». Palabras que se dicen cuando sucede una cosa no esperada. En efecto la intención de Giaber era que el apóstol viniese solo; pero él vino acompañado de los que había hecho convidar, y con el designio de hacerles cenar todos con él. Cuando se sirvió el carnero, lo bendijo recitando la fórmula; «En nombre de Dios clemente y misericordioso». Comió con su huesped y con una parte de los convidados: luego que estuvieron satisfechos, vinieron otros y les sucedieron y así sucesivamente, hasta que todos los trabajadores hubieron cenado. La historia recuerda la precedente en una especie de «comunión» o celebración de la Pascua por los musulmanes.

He aquí otro milagro que refiere el caballero *Chardin*, sacados de las leyendas persas. Entrando Mahoma en guerra, poco antes de dar un combate, un criado ganado por los enemigos había puesto, para envenenarle, un escorpión en una de sus botas pensando que lo picaría y moriría. Al tomar la bota para ponérsela, tuvo noticia del hecho y, sin conmoverse, sacudió la bota e hizo caer el escorpión. Mandó al mismo tiempo a sus tropas que nadie se calzase las botas o zapatos sin sacudirlos; derivando de esto, según la tradición persa, la costumbre de no calzar jamás botas o zapatos sin sacudirlos antes.

Un paisano de las cercanías de Medina tenía en su jardín muchas serpientes, casi tan grandes y furiosas como las de las Indias, que devoraban los ciervos y las personas enteras. Un día en que uno de sus hijos había sido devorado por una de estas serpientes, el infeliz jardinero, fue lleno de dolor y de desesperación a echarse a los pies de Mahoma para implorar su socorro, Mahoma se trasladó al jardín y mandó a las serpientes que no dañasen a la familia del jardinero. Fue tan eficaz, dicen, esta orden, que en adelante cuando una serpiente se les acercaba, traía tan milagrosamente cerrada su boca y dientes, que ni aun el aliento podía salir.

Un comerciante de aceite, uno de los más ricos habitantes de Medina, alimentaba siempre muchos camellos para sus molinos de aceite. Es menester notar que en los países cálidos de Oriente, faltos de olivos, el aceite se sacaba de unos granos muy duros, haciéndolos moler entre dos muelas de una magnitud extraordinaria. Además, cuando la edad y el trabajo habían extenuado de tal modo un camello que no fuese bueno para nada, el comerciante de aceite lo enviaba al campo, donde lo abandonaba. Sucedió que, un camello que había sido conducido durante el invierno a un campo muy árido, volvió a la ciudad, fue a encontrar a Mahoma y se lamentó de la injusticia y crueldad de su dueño. Mahoma mandó llamar al comerciante, le reprendió agriamente y le ordenó que en lo sucesivo alimentase hasta la muerte a los camellos que hubiese empleado en sus molinos.

El parto de la piedra es tan admirable como el del monte de la fábula. Habiendo un pobre hombre perdido el único camello que tenía, daba gritos y extrañas quejas. Pasó Mahoma por allí y se compadeció de la desgracia de aquel hombre. Tocó una piedra y al momento salió de ella un camello y lo dio al afligido.

**MAHOMERÍA.** Palabra antigua que significa *mezquita*, templo, entre los turcos.

**MAHOMETISMO (ISLAMISMO)** o religión de Mahoma. (*Mit. índ.*) Para hacer prosélitos, el apóstol de los árabes estableció el origen divino de su religión. Hábil en política, hizo descender el Alcorán del trono de Dios, de donde el ángel Gabriel venía todos los años para revelarle los puntos de fe que había omitido el año precedente: este ángel Gabriel era un pichón a quien había enseñado a venir a picar los granos de arroz de la oreja. Simbología que recuerda al Espíritu Santo y también a algunos profetas del Antiguo Testamento que son alimentados por aves o pájaros.

El fundamento de esta religión consiste en creer, 1º) la unidad de Dios, su eternidad, su invisibilidad; 2º) la misión de Mahoma. A estos dos puntos se reduce todo el mahometismo. El primero encierra los artículos siguientes: Creer en Dios, en los ángeles, en las escrituras, en los profetas, en la resurrección, en el día del juicio, en los decretos de Dios y en la predestinación absoluta por el bien o el mal. El segundo tiene por objeto los preceptos que se dedican a la práctica; estos son la oración, las obligaciones, el zacal o zacao (limosna), el ayuno del Ramadán y la peregrinación a La Meca.

La religión mahometana hizo en Africa grándes progresos. Los pueblos de esta parte del mundo, más voluptuosos, recibieron con ansia una doctrina que halaga los sentidos y favorece las pasiones; pero quitando todas las prácticas austeras que Mahoma había introducido en ella. Muchos no observan los ayunos, las abluciones, ni las frecuentes oraciones prescritas por la ley del profeta. Beben vino y comen sin escrúpulo carne de cerdo: no observan tampoco el Ramadán o la *cuaresma* con mucha regularidad; pero celebran con una licencia desenfrenada el Bairam, especie de pascua que sigue al Ramadán, siendo para algunos la única fiesta mahometana que conservan.

Muchos negros que habitan los países interiores de Guinea, siguen la religión de Mahoma, pero han alterado mucho esta doctrina. Todo su mahometismo consiste en observar el Bairam, el Ramadán, la circuncisión y creer en un solo Dios. Los que habitan ambas orillas del Gambia, no invocan a Mahoma aunque creen en su misión. Con frecuencia no tienen mezquitas, hacen sus ejercicios de devoción en los campos, y algunas veces a la sombra de algún árbol.

**MAHUZZIM o MAOZIM.** Dios de los caldeos, cuyo culto quiso Antioco establecer entre los judíos. Los intérpretes están divididos acerca la naturaleza y las funciones de este Dios. Los unos ven en él el Anti-Cristo, los otros al dios Marte, otros las águilas romanas que la superstición había también divinizado, y algunos a Júpiter Olímpico, cuya estatua había hecho poner en el templo de Jerusalén.

**MAIA.** 1 — Hija de Atlas o Atlante y de Pleionea o Pléyone, una de las siete Pleyades, amada de Júpiter del cual concibió a Mercurio. Este dios le dio también a criar a Arcas, hijo de Calisto, lo que le atrajo el resentimiento de Juno. (*Apolod. 3; c. 10.*) Ovidio deriva el nombre del mes de mayo del suyo. Algunos autores dan también este nombre a Cibeles *Tellus*,

porque se inmolaba a Maia una marrana preñada, víctima propia de la tierra.

2 — Hija de Fauno y mujer de Vulcano. El Flamen de Vulcano le hacía un sacrificio el primer día de mayo, y le ofrecía vino en un bote de miel. *Macr.*

**MAIS.** (*Mit. índ.*) Tercer sustituto de Visnú, según una de las sectas de Bengala. Su poder se extiende sobre los muertos. Sirve de secretario a Visnú para examinar las buenas o malas obras. Hace una relación exacta a su señor de ellas, el cual después de haberlas pesado, envía el alma al cuerpo que le conviene. Las almas enviadas al cuerpo de las vacas son las más felices, pues teniendo este animal algo de divino, esperan purificarse más de las manchas que han contraído. Al contrario los que habitan un cuerpo de elefante, de camello, de búfalo, de macho cabrío, de asno, de leopardo, de puerco, de serpiente, o de alguna otra bestia inmunda, son muy dignas de lástima, porque pasan de ellas a los cuerpos de los animales domésticos y menos feroces, donde acaban de expiar los crímenes que les han merecido esta pena. En fin, Mais presenta las almas ya purificadas a Visnú, quien las reconoce en el número de sus sirvientes.

**MAIUS.** Epíteto de Júpiter, que indicaba su superioridad sobre los demás dioses. Era la divinidad suprema de los tusculanos y, según parece, la representación viril de la tierra divinizada.

**MAÍZ.** (*Mit. mex.*) En México, los sacerdotes hacían solemnes procesiones para bendecir el maíz, lo rociaban con sangre sacada de las partes viriles y dividían las tortas que de él hacían, como pan bendito, que daban a comer al pueblo. (*Herrera.*).

**MAJESTA.** Divinidad romana, hija del Honor y de la diosa Reverencia que, según algunos, había dado nombre al mes de mayo. *Ovid. Fast. l. 5.*

**MAJUMA.** Fiestas que pasaron desde las costas de Palestina a los griegos y romanos. Tienen su origen de una de las puertas de Gaza, llamada *Majuma*, del fenicio *masin*, las aguas. Al principio esta fiesta no era más que una diversión que se celebraba en las aguas, dada por los pescadores y barqueros, semejante a las justas modernas. Después vino a ser un espectáculo regular que los magistrados daban en ciertos días. Este espectáculo degeneró en fiesta licenciosa, en la cual aparecían sobre el teatro mujeres desnudas.

Los romanos celebraban estas mismas fiestas el primer día de mayo en honor de Flora. Las instituyó el emperador Claudio para corregir, bajo este nombre, la indecencia de los juegos Florales. Duraban siete días; se celebraban en Ostia en la ribera del mar, y en el siglo III se extendieron por todas las provincias. La fiesta de Maia, que se conservaba en varias ciudades de Provenza, no era, dicen los historiadores, sino una reliquia de la antigua Majuma. *Ant. expl. t. 2.*

MAKEMBA. (*Mit. afr.*) Mokiso o ídolo de los negros del Congo, cuyo empleo es presidir la salud del rey. Se le adora bajo la figura de una estera, cuya extremidad superior está bordada de una banda de seda de la cual penden pequeños canastillos, plumas conchas, cañoncitos de hueso, campanillas y otros objetos semejantes, pintados de rojo. Una de la singularidades de estas fiestas, es que el Ganga (sacerdote) moja en un licor encarnado un hisopo, con el que rociaba al rey y a toda la nobleza.

MAL DE OJO. Los portugueses y los españoles creían que ciertas personas tenían en los ojos algo de nocible, y que podían comunicar esta mala cualidad por medio de las miradas, especialmente a los niños y a los caballos. Los habitantes del reino de Marruecos tenían la misma preocupación, a la cual parece que todas las naciones antiguas y modernas han pagado su tributo. (*V.* Quebranto.)

MALA. Denominación bajo la cual tenía la Fortuna un templo en Roma en el cuartel de los esquilios. *Cic.* (*V.* Fortuna.)

MALABAR. Teología Suprema Ley (*Mit. índ.*) La sustancia es la esencia por excelencia, la esencia de las esencias y de todo: es infinita, es el ser de los otros seres. El Veda le llama Vastón: este ser es invisible, no tiene figura, no puede moverse, es incomprensible.

Nadie lo ha visto; no está limitado ni por el espacio, ni por el tiempo.

Todo está lleno de su ser, él es el que ha creado todas las cosas.

Es el origen de la sabiduría, de la ciencia, de la santidad y de la verdad.

Es infinitamente justo, bueno y misericordioso.

Creó todo lo que existe y es el conservador del mundo; le gusta conversar con los hombres, y les conduce a la felicidad.

Es feliz el que gusta de honrarle. Hay hombres que le son propios y que solo a él pueden convenir.

No hay ídolo ni imagen que pueda representarlo; solamente pueden figurarse sus atributos con símbolos o emblemas.

¿Cómo pues se le adorará siendo incomprensible?

El Veda sólo manda adorar a los dioses subalternos.

El toma parte en la adoración de estos dioses, como si fuese dirigida a él, y la recompensa.

No es un germen, aunque sea el germen de todo lo que existe. Su sabiduría es infinita; ningún lunar le afea; tiene un ojo en la frente; es justo, es inmóvil, es inmutable y toma infinidad de formas diferentes.

Delante de él no hay excepción; su justicia pesa del mismo modo sobre todos. Se anuncia de varios modos; pero siempre es difícil de comprender.

Ninguna ciencia humana es tan profunda como su esencia.

Todo lo ha creado, todo lo conserva; ordena lo presente, lo pasado y lo futuro, aun que no reconozca tiempo.

Es el pontífice soberano. Lo preside todo y por todas partes: llena la eternidad; tan sólo él es eterno.

Está abismado en un océano profundo y oscuro que le rodea. Nadie puede acercarse al lugar en que habita sino por el reposo. Es necesario que todos los fines que el hombre busca se concentren en uno solo.

Nunca se manifiesta más claramente que en su ley, y en los milagros que obra sin cesar a nuestros ojos.

El que no le reconoce ni en la creación

ni en la conservación, descuida el uso de su razón y no le verá nunca. Antes de ocuparse en el arreglo general de las cosas, tomó un forma material, porque el espíritu no tiene ninguna relación con el cuerpo; y para obrar sobre el cuerpo es necesario que el espíritu se revista de él.

Orígen de todo, raíz de todo, tiene en él la esencia, la naturaleza, las propiedades, la virtud de ambos sexos.

Cuando hubo producido las cosas, separó las cualidades masculinas de las femeninas, que confundidas hubieran quedado estériles.

He aquí los medios de que se sirvió para la propagación y la generación.

Ha permitido que hiciésemos tres ídolos o símbolos inteligibles que fuesen objeto de nuestras adoraciones, de la separación de las cualidades masculinas y femeninas, de la generación y de la propagación.

Le adoramos principalmente en nuestros templos, bajo la forma de las partes de la generación de ambos sexos, que se acercan, y esta imagen es sagrada.

Han emanado de él otros dos dioses poderosos: el *Tschiven* que es masculino. Este es el padre de todos los dioses subalternos. El *Tsheaidi*, que es la madre de todas las divinidades inferiores.

El Tschiven tiene cinco cabezas, entre las cuales hay tres de principales, *Brahma*, *Visnú*, y *Shira*.

El ser de cinco cabezas es inefable e incomprensible: se ha manifestado bajo este símbolo por condescendencia a nuestra debilidad; cada uno de sus rostros es un símbolo de sus atributos, relativos al orden y al gobierno del mundo.

El ser de cinco cabezas es el dios gobernador. De él emana todo el sistema teológico.

Las cosas que ha ordenado, volverán un día a él: es el abismo que lo tragará todo.

El que adora las cinco cabezas adora el Ser-Supremo: ellas son todo en todo.

Cada dios subalterno es masculino: y la diosa subalterna es hembra.

Además de los primeros dioses subalternos, hay debajo de ellos otros trescientos treinta millones: y debajo de ellos cuarenta mil. Estos son profetas, que los últimos y el Ser-Supremo crearon.

Hay catorce mundos, siete superiores y siete inferiores.

Son infitinitos en extensión, y tienen cada uno sus habitantes particulares.

El Padálogo, o el mundo de este nombre, es la morada del dios de la muerte: Iemen, es el infierno.

En el mundo padálogo hay también hombres, su figura es la de un cuadro oblongo.

El magálogo, es la corte de Visnú.

Los mundos tienen una infinidad de períodos finidos: el primero y el más antiguo, que llamamos Anaden, ha durado ciento cuarenta millones de años; los otros han seguido después de éste.

Estas revoluciones se suceden durante muchos millones de tiempos y años, de un dios a otros. El uno de estos dioses nace, cuando el otro muere.

Terminados todos estos períodos, vendrá el tiempo de Ysuren o del Increado.

En el quinto mundo hay el sol y la luna; en el sexto ángeles tutelares, en el séptimo y octavo los engendradores de los nubarrones.

El mundo actual es el peor de todos: todo lo que hay en él es malo.

El mundo ha nacido de un huevo.

Terminará por ser abrasado por los rayos del sol.

Hay buenos y malos espíritus nacidos de los hombres.

La esencia y la naturaleza del alma humana no es diferente de la del alma de los brutos.

Los cuerpos son las cárceles del alma: ellas se escapan para pasar a otros cuerpos o prisiones.

Las almas emanaron de Dios: existían en él; fueron arrojadas por algunas faltas que expían en los cuerpos o prisiones.

Un hombre grande después de su muerte, llegará a ser, con transmigraciones sucesivas, animal, piedra y hasta diablo.

El alma del hombre será feliz después de su muerte en los otros mundos, en los cielos.

Esta felicidad se adquirirá por la práctica de las buenas obras y la expiación de las malas.

Las malas acciones se expían con las peregrinaciones, las fiestas, la abluciones y los sacrificios.

El infierno será el lugar del castigo de las faltas no expiadas: allí serán atormentados los malvados; pero hay pocos cuyo castigo sea eterno.

Las almas de los muertos están esparcidas en todas las sustancias vivientes, y es necesario no matar a un ser viviente, ni alimentarse con él, sobre todo la vaca que es santa entre todas: sus excrementos son sagrados.

MALABOCA, maldiciente. Personaje metafísico que los antiguos poetas franceses introducían en la escena.

MALACHBELO. Nombre que daban los palmirios a la luna, la adoraban como dios y la representaban bajo la forma de hombre, con una media luna y una corona. R. *malach*, rey; *baal*, señor. *Ant. expl. t. 3*, (V. Luna.)

MALAINCHA. (*Mit. afr.*) Nombre genérico de los ángeles de primer orden entre los habitantes de Madagascar. Estos ángeles hacen mover los cielos, las estrellas, los planetas y están encargados del gobierno de las estaciones: los hombres están confiados también a su custodia; los ángeles velan sobre sus días y desvían los peligros que les amenazan. (V. Angaro, Billis.)

MALEÆUS. Sobrenombre de Júpiter, adorado en el cabo Maleo, en Laconia.

MALEANDRO. (*Mit. egip.*) Rey de los biblos, a cuyas tierras llevaron el cofre en el cual Tifón encerró los miembros de Osiris, y en cuya corte se refugió Isis por algún tiempo.

MALEATES. Apolo adorado en el cabo de Maleo.

MALEFICIO. Especie de magia que se emplea para causar el mal, por la intervención de los espíritus de las tinieblas.

MALEVOLA SIGNA. Estatuas de mal agüero. Eran las estatuas de Mercurio llamadas así, porque recordaban la idea de los infiernos. (V. Mutini Tutivi.) *Cicerón* observa que la estatua de Mercurio jamás

se ponía en los sepulcros. Sin embargo, no parecía natural que el conductor de las sombras debiese, más que otro alguno, tener lugar en la última morada del hombre.

MALICA. Nombre de Hércules entre los amatusios. *Hesiq.*

MALIGNIDAD. (*Iconol.*) Mujer fea y pálida. Lleva una codorniz, porque se dice que esta ave tiene la malicia de enturbiar el agua, a fin de que los otros animales no puedan beber.

MALIS. Una de las secuaces de Onfale, amada de Hércules durante la esclavitud del héroe en la corte de esta princesa. *Mem. de la Acad. de Inscr. t. 4.*

MALKUT. (*Mit. rab.*) Flagelación usada entre algunos judíos de época más o menos moderna. El que debía ser azotado se extendía en tierra con el rostro vuelto hacia el norte y la espalda hacia el mediodía, y no de oriente a occidente porque estos lugares son especialmente consagrados con la presencia de Dios. En este estado hacía más humilde la confesión de sus pecados, y se daba terribles golpes en el pecho, mientras que su compañero llovía sobre sus espaldas golpes de nervios de buey recitando el versículo 38 del salmo 78, acompañando cada palabra de un latigazo: este versículo está compuesto de trece palabras y, recitándolo tres veces, el flagelante daba treinta y nueve latigazos al paciente, número fijado por los judíos para no pasar de los límites que la escritura prescribe. El flagelante se echaba a su vez en tierra y, recibía el mismo servicio que acababa de hacer a su compañero.

MALOEIS. Sobrenombre de Apolo.

MALUMIGIS. (*Mit. mah.*) Herejes mahometanos que sostenían que la criatura podía llegar a tener en este mundo un perfecto conocimiento del creador.

MALUS. Hijo de Anfictión, que dio su nombre a la ciudad de Malieus. *Est. de Biz.*

MALVA. Esta planta era entre los antiguos el símbolo de la dulzura y de la facultad, porque humedece y suaviza; lo que dio margen a Pitágoras para dictar el siguiente precepto: *Sembrad la malva, pero no la gustéis*: esto es, *sed dulces con los otros, pero no con vosotros*.

**MALVALES.** Fiestas que celebraban las damas romanas en honor de Matuta. *Niewport. Cost. de los rom.*

**MALLOPHORA O MALOFORA.** Sobrenombre de Ceres como diosa tutelar de los ganados y de las ovejas. Los megarios la honraban bajo este nombre, porque les enseñó a alimentar los rebaños y a aprovechar su lana. R. *mallos*, vello.

**MALLUS.** Lugar donde se reunían los celtas para las ceremonias. Entendían por esta palabra el santuario donde se manifestaba la divinidad de un modo particular. Estaba prohibido acercarse a él sin hacer su oración o su ofrenda.

**MAMACHOCHA.** (*Mit. perua.*) Nombre con el que los peruanos adoraban el Océano. *Acosta, l. 5, c. 2, 4.*

**MAMACONAS.** (*Mit. perua.*) Los peruanos, bajo el gobierno de los incas, llamaban así a las más ancianas de las vírgenes consagradas al Sol, las cuales estaban encargadas del gobierno de las vírgenes más jóvenes. (*V.* Vestales.)

**MAMBRES.** Uno de los magos que se opusieron a Moisés en Egipto, y que imitaron con sus encantamientos los prodigios del legislador hebreo.

**MAMERCO.** (*V.* Mamers.)

**MAMERS, MAMERTO.** Nombre que los oscos daban a Marte, y del cual las familias romanas habían tomado los sobrenombres de Mamerco, y de Mamercino.

**MAMÓN o MAMONA.** Dios de los Sirios que presidía las riquezas. Milton le pone en el número de los ángeles rebeldes, y le hace obrar y hablar conforme a su carácter. (*V.* Pluto.)

**MAMOSA.** 1 — Sobrenombre de Ceres, representada con una infinidad de pechos, como nodriza del género humano.

2 — Epíteto de la Fortuna.

**MAMURIO.** Fabricó los once escudos semejantes al que había caído del cielo, y no quiso otra recompensa de su trabajo que la gloria de haberlos hecho. *Ov. Fast. l. 3.*

**MANA.** 1 — Diosa de los romanos, que presidía las enfermedades de las mujeres. Se le ofrecían perros de leche en sacrificio, porque, dice *Plinio*, esta carne es reputada tan pura, que se sirve en los manjares preparados para los dioses. *Banier, t. 5.*

2 — O MANUANA. Diosa madre de los dioses Manes. *Mart. Capell.* (*V.* Mania.)

**MANA GENATA.** (*V.* Genita.)

**MANAH** (*Mit. arab.*) Idolo que adoraban los antiguos árabes: era una gran piedra a la cual ofrecían sacrificios.

**MANCO-CAPAC.** Legislador y dios de los peruanos. Según la tradición de estos pueblos, Manco-Capac y su mujer eran hijos del Sol. Habiéndoles encargado este astro que instruyesen y civilizasen el Perú, se guiaron por medio de una varilla de oro que su padre les había dado. Llegados al valle de Cuzco, la vara se abismó en tierra, de lo que dedujeron que este lugar debía ser la silla de su imperio. Al momento empezaron su misión, y convirtieron un gran número de hombres al culto del Sol. Luego, Manco-Capac fue su Inca o rey, y les dio leyes sabias. Después de su muerte fue divinizado por sus súbditos, que erigieron por todas partes altares en su honor. (*V.* Pachacamac, Inca.)

**MANDANE.** Hija de Astiages rey de los medos, esposa de Cambises, rey de los persas, y madre de Ciro. *Herod. l. 1, c. 207.*

**MANDANIS.** Filósofo indio, jefe de los bramanes, en tiempo de Alejandro el Grande.

**MANDRÁGORA.** Planta a la cual atribuían los antiguos propiedades maravillosas. Según ellos su raíz, por razón de su semejanza con la figura humana produce efectos sorprendentes, entre otros el de la fecundidad de las mujeres. Las más excelentes de estas raíces son la que están regadas con el semen de un ahorcado; no pueden arrancarse sin morir, y para evitar esta desgracia se cava la tierra alrededor de esta raíz, se fija a ella una cuerda cuyo extremo opuesto se ata al cuello de un perro; luego se suelta este perro, el cual huyendo arranca la raíz: muere en esta operación pero feliz el mortal que coge la raíz, no corre el menor peligro; al contrario, posee en ella un tesoro inestimable contra los maleficios; una fuente eterna de felicidad.

MANDRÁGORO. Diablo familiar, que aparecía bajo la forma de un hombrecillo negro, sin barba y los cabellos esparcidos.

MANDACUS. Especie de muñeco feo. Eran ciertos personajes que los romanos producían en la comedia, para hacer reír a los unos y amedrentar a los otros. El origen de este nombre viene del que se daba a la máscara que hacia este papel: grandes mejillas, una enorme boca abierta, largos dientes y puntiagudos, que hacía castañetear maravillosamente. Los niños, dice *Suetonio*, estaban muy asustados, y las madres hacían de ellos un espantajo.

MANE. (*Mit. célt.*) Nombre de la luna en los *Eddas*. Este era hijo de un hombre llamado *Mundilfare*, que orgulloso de la hermosura de sus dos hijos, había dado al hijo el nombre de Luna, y a su hija el de Sol. Irritados los dioses de tal arrogancia, los arrebataron al cielo, y obligaron a ella a conducir el carro del Sol, que habían formado de fuegos voladores además de *Muspelshein* (el mundo inflamado) para iluminar el mundo. En seguida pusieron sobre cada caballo dos pellejos llenos de aire para refrescarlos. De aquí viene el frescor de la mañana. Mane arregla el curso de la Luna y sus diferentes fases. Un día, arrebató dos niños llamados *Bil* y *Hiuke*; al volver de una fuente, llevando un cántaro colgado de un palo. Estos dos niños acompañan siempre la Luna. Esta es perseguida sin cesar por un lobo que está próximo a devorarla y que debe algún día tragarla. (*V.* Luna.)

MANEROS. Hijo único del primer rey de Egipto. Habiendo sido arrebatado por una muerte prematura, los egipcios honraron su memoria con una especie de canto lúgubre que llaman *Maneros*, semejante al canto que usaban los griegos llamado *linos*. (*V.* Linos.)

MANES. Divinidades a quienes los antiguos han dado por madre la diosa *Mania*, y *Hesíodo* les da por padres los hombres que vivieron en la edad de plata: pero su verdadero origen, según *Banier*, debe buscarse en la opinión que entonces reinaba, de que todo el mundo estaba lleno de genios, que los había para los vivos y para los muertos; que los unos eran buenos y los otros malos, y que los primeros se llamaban Lares y los segundos Larves o Lemures. Los antiguos no tenían ideas bien fijas acerca los Manes. Ya los tomaban por almas separadas de los cuerpos, ya por dioses infernales, o simplemente por los dioses o genios tutelares de los muertos. Algunos, como refiere Servio, han querido que los grandes dioses celestiales fueran las almas de los muertos; que no ejercían su imperio sino en las tinieblas de la noche a la cuales presidían, lo que da lugar a llamarlos mañana, *mane*. El nombre Manes ha sido tomado también algunas veces por los infiernos en general. Se han dado varias etimologías a este nombre: 1º *manare*, manar o fluir, porque los Manes habitan el aire de donde bajan para atormentar a los hombres, o mejor porque por esta vía descubren los males o los bienes de la vida privada: 2º *manus*, antiguo nombre latino que equivale a *bonus*, y según esta idea los manes son deidades bienechoras, que toman parte y se interesan por la felicidad de los hombres con los cuales han tenido durante su vida relaciones o de amistad o de sangre; 3º *mann*, hombre, y en este caso esta palabra significa hombres por excelencia, porque tan solo las almas virtuosas pueden esperar el llegar a ser divinidades capaces de hacer bien a los que aman la virtud; 4º *Moun*, raíz oriental, de donde se han formado los hombres *moan*, *man*, imágen, fantasma, etc. Los persas, los egipcios, los fenicios, los asirios y todas las naciones del Asia honran las sombras. Los bitinios, al enterrar los muertos, les suplican en alta voz que no les abandonen enteramente y que algunas veces vuelvan entre ellos; y hasta pueblos bárbaros del interior del Africa conocieron y practicaron este culto.

*Orfeo* fue el primero que trajo a Grecia la costumbre de invocar los Manes y los tesprotos les dedicaron un templo en el lugar en que se creía había evocado la sombra de Eurídice. Este templo se hizo muy famoso, y muchos siglos después, Periando vino a él para consultar la sombra de su mujer Melisa. El culto de estos dioses se extendió por todo el Peloponeso y se les hacían rogativas en las desgracias públicas. Según *Homero*, Ulises les ofreció un sacrificio para obtener un feliz regreso a sus estados. De todos los sacerdotes griegos, los tesalios eran los más adelantados en el arte de evocar los Manes. Cuando los espartanos hicieron perecer a Pausanias en el templo de Minerva, se vieron obligados a hacer venir sacerdotes de Tesalia para evocar su sombra. En un campo cerca de Maratón se veían los sepulcros de los guerreros atenienses muertos peleando contra los persas. Con frecuencia, dice *Pausanias*, salían de ellos gritos espantosos que llenaban de terror los viajeros. A veces se oía tan sólo un sordo ruido semejante al murmullo de hombres que combaten; los que lo escuchaban con atención eran maltratados de los Manes; pero los pasajeros que sin pretender averiguar la causa, proseguían su camino, sin pararse, no experimentaban ningún obstáculo. Para apaciguar los Manes irritados de aquél a quien un homicidio o algún accidente había privado de la vida, se le inmolaban víctimas humanas erigiéndole una estatua. Así queriendo los éforos satisfacer los Manes de Pausanias, le erigieron estatuas de metal delante de las cuales se ofrecían todos los años sacrificios. (*V.* Eutimo.) Los atenienses celebraban una fiesta solemne en honor de los Manes, en el mes Anthesterión, durante la cual nadie podía casarse. (*V.* Yalemo.) Los plateos tributaban un culto religioso a los muertos. Ofrecían sacrificios sobre sus tumbas; y la víctima coronada de mirto y de ciprés, era inmolada al son de flautas y de los más lúgubres instrumentos. Celebraban también una fiesta general, en la cual todos los más principales del país, venían cerca de los sepulcros a ofrecer incienso a los dioses del infierno. El mayor de entre ellos inmolaba con un hachazo un toro negro, y se rogaba a los Manes que saliesen de sus habitaciones para sorber la sangre del animal. (*V.* Silicernio.)

Tanto los griegos como los romanos invocaban los Manes en Italia; se les erigían altares; y se les ofrecían toros para empeñarlos a proteger los campos y a espantar los ladrones de los frutos. Catón nos han conservado la fórmula con que se mandaba a las víctimas a quienes se sacrificaban en los campos a velar en su conservación. (*V.* Novemdiales, Terento, etc.) Desde Roma pasó el culto de los Manes a todas las comarcas de Italia. Por todas partes se les erigieron altares, pusiéronse los sepulcros bajo su protección, y cada epitafio llevaba en cabecera, *Dis Manibus*. Estos dioses podían salir de los infiernos con permiso de Summanus, su soberano, y más de una vez creían distinguirlos en medio de las tinieblas. Los lugares destinados a la sepultura de los muertos, y que estaban dedicados a los dioses infernales, *diis inferis*, eran llamados *loca sacra*. Los altares que se elevaban a los Manes, en la Lucania, Etrurria y Calabria, eran siempre en número de dos, y colocados el uno cerca del otro. Se les rodeaba de ramos de ciprés y sólo se inmolaba la víctima cuando tenía los ojos clavados en tierra. Sus entrañas, arrastradas tres veces alrededor del recinto sagrado, se arrojaban a las llamas, que avivaban más y más derramando en ellas aceite; era necesario que se consumiese todo el animal, los lazos que los ataban y toda la madera del sacrificio: debía empezar la ceremonia al anochecer. Los que tenían devoción a los Manes y querían conservar con ellos un comercio particular se quedaban a dormir cerca de los sepulcros, a fin de tener sueños proféticos por la intercesión de las almas de los difuntos. El ciprés era el árbol consagrado a los dioses Manes. Se les representaba en los monumentos, unas veces sosteniendo los árboles funerarios, otras dando hachazos, y esforzándose en derribar un ciprés, porque este árbol, una vez cortado, no da renuevos, y para indicar que después que la muerte nos ha dado el golpe no debemos esperar ya renacer. El número 9 les estaba dedicado, como el último término de la progresión numérica; por cuya razón se le consideraba como el emblema del término de la vida. Las habas, que según los antiguos se parecen a las puertas de los infiernos, les estaban también consagradas. El sonido del bronce y del hierro les era insoportable y les ahuyentaba lo mismo que a las sombras infernales; pero les era grata la vista del fuego, por cuyo motivo casi todos los pueblos de Italia solían poner una lámpara en las urnas o sepulcros. Los ricos confiaban a los esclavos el cuidado de encenderlas y conservarlas. Era un crimen el apagarlas, y las leyes romanas castigaban severamente a los que violaban la santidad de la tumba. En los monumentos antiguos los dioses manes son llamados tan pronto *Dii sacri*, dioses sagrados, como *Dii patrii*, dioses protectores de la familia. En los tiempos heroicos era opinión común que los Manes de los que habían muerto en tierra extranjera andaban errantes buscando el camino de su patria. *Gronovio* dice que la máscara alada que se ve representada en los retratos de Virgilio, era emblema de las sombras o Manes cuyos secretos había divulgado, y que parecían inspirarle. *Georg. 4, Eneida. 3, 6, 12, Mem. de la Acad. de Inscr. t. 1, 3, 4, 7, 9.*

Los lapones tributan a los Manes una especie de culto religioso, efecto del temor que estas almas les inspiran; pues se imaginan que hasta después de haber entrado en nuevos cuerpos, van errantes entre los vivos, buscando el modo de dañar al primero que encuentran. Para evitar los efectos de su humor malévolo, los lapones les ofrecen sacrificios. Las víctimas destinadas a este objeto van señaladas con un hilo negro atado a sus astas, y que pasa por la oreja derecha. Estos sacrificios van siempre seguidos de un festín, en el cual comen carne de la víctima, a excepción de una parte del corazón y del pulmón. Cada una de esta partes se divide en tres porciones diferentes. Se mojan brochitas de madera con la sangre de la víctima y se hunden en estos seis pedacitos de carne y luego se entierran con los huesos y los restos de la víctima.

**MANES.** Hijo de Júpiter y de la Tierra, esposo de Calírroe hija del Océano, padre de Cotis y sucesor de Meón, en el reino de Lidia. *Mem. de la Acad. de Inscr. t. 5.*

**MANGELIAS.** Fiestas de los romanos. *Banier. t. 1.*

**MANIA. 1** — Diosa romana que pasaba por madre de los Lares. El día de su fiesta se le ofrecían tantas figurillas de lana cuantos eran los individuos de cada familia; le rogaban que se contentase con ellas y que perdonase las personas que le tributaban este homenaje. *Macrob.*

**2** — Diosa de los locos.

**MANÍAS.** Diosas que *Pausanias* cree son lo mismo que las Furias. R. *mainesthai*, estar furioso. Tenían un templo en la Arcadia, cerca del río Alfeo; en el mismo sitio donde Orestes perdió la razón después de haber muerto su madre. Inmediato al templo había una especie de tumba, en la cual se veía grabada la figura de un dedo, por cuyo motivo los arcadios le llamaban el sepulcro del dedo, y decían que, habiéndose vuelto Orestes furioso, se cortó allí mismo un dedo de la mano con los dientes.

**MANIGREPIS.** (*Mit. índ.*) Ermitas de las indias.

**MANILIA.** Hija de Telégono nacida en Túscula. La familia romana de los manilios pretendía descender de ella.

**MANITÚ.** (*Mit. amer.*) Los habitantes de la bahía de Hudson y la mayor parte de los salvajes de la América septentrional llamaban así a cierto espíritu que creen está encerrado en todos los seres animados e inanimados. Cada uno de estos salvajes escogía para su Manitú el primer objeto que hería sus sentidos, y lo veneraba como a su numen tutelar. Los ilinois exponían sus Manitús en sus cabañas y les rendían sacrificios de perros y otros animales. Los guerreros lo llevaban en una estera y lo invocaban en los combates para alcanzar la victoria. Los charlatanes recorrían igualmente a sus Manitús, etc. Finalmente podían considerarse estas divinidades en la misma línea de los fetiches y mokisos.

**MANIUS.** El historiador *Zózimo* dice que un tal Valerio, que fue el primero que rindió sacrificios a los dioses Manes, trajo este pronombre a la familia Valeria.

**MANLIA.** Ley romana promulgada en el año 557 de Roma bajo los auspicios del tribuno Manlio. Esta orden restableció los epulones, orden de sacerdotes instituida por Numa y encargada de preparar el banquete de Júpiter y de los demás dioses en las fiestas públicas.

**MANMADÍN.** (*Mit. índ.*) *el que excita el corazón.* Dios del amor, hijo de Visnú y de Latchimi, diosa de las riquezas. Manmadín se diferencia muy poco del Cupido de los antiguos; se le pinta también bajo la figura de un niño con un carcaj en la espalda y un arco, y flechas en las manos, advirtiendo que el arco es de caña de azúcar y las flechas de toda clase de flores. Se le representa montado en una hembra de papagayo. Aunque niño se le supone casado. (*V.* Amanga, Radi) Cuando la toma del fuerte de Tardjevier se encontró un cuadro de este dios, donde se le ve montado en un elefante. Este elefante se compone de siete jóvenes doncellas tan ingeniosamente agrupadas que representan perfectamente la figura de este animal.

**MANNÁ.** (*Mit. rab.*) Los rabinos pretenden que este milagroso alimento era como el aceite para los niños, como la miel para los ancianos, y lo mismo que las tortas para las personas robustas. Según ellos tenía todos los gustos imaginables excepto el de hortaliza, cebollas, ajos, melones y pepinos, que era lo que más apetecían los hebreos, y lo que más les recordaba, y les hacía suspirar por la tierra que acaban de abandonar, a pesar de la esclavitud que en ella habían sufrido. Han querido suponer también que reunía el manná todos los olores de las diversas plantas aromáticas que abundaban en el paraíso terrestre. Ha habido alguno que han llegado a asegurar que se convertía en pollos, perdices, capones, etc. Según los mismos rabinos cada grano del manná llevaba la letra *Vau,* muy bien representada, para indicar que era necesario recogerlo durante los seis día porque esta letra significa el número 6, símbolo entre ellos de las penalidades del trabajo.

Era una de las seis cosas creadas al fin del sexto día, para la perfección del mundo. Añaden a la relación de Moisés que los montones del manná eran tan altos que los veían los reyes de Oriente y Occidente.

*Akiba* pretende que el manná había sido producido por la condensación de la luz del cielo, que vuelta material, era propia para servir de alimento al hombre. Los orientales en general tributaban al manná una veneración particular y lo llaman *los confites del Todopoderoso.*

**MANNUS.** Hijo de Tuistón, pasaba por uno de los fundadores de los germanos, que le honraban como dios. Tuvo tres hijos, cada uno de los cuales dio su nombre a tres poblaciones diferentes de Germania, los inquevones, los nermiones y los ostevones, *Tác.*

**MANOUT.** (*Mit. índ.*) Nombre que daban los siamitas a los habitantes de este mundo.

**MANCIONES SALIORUN.** Casas donde depositaban los salios sus escudos mientras duraba la fiesta, en cuya ocasión se paseaban toda la noche por la ciudad ocupados en galanteos.

**MANSOUR.** Nombre de Hakem, divinidad de los drusos en su sexta encarnación, y bajo la cual apareció a Mansourak. (*V.* Hakem.)

**MANTICHIS.** Sobrenombre bajo el cual tenía Hércules un templo fuera de los muros de Mesina, edificado por Meticlo, jefe de una colonia de mesenios, seiscientos cincuenta y cuatro años antes de la era cristiana.

**MANTINIRA.** Ciudad de Arcadia en la cual, era tradición, Penélope pasó el tiempo del destierro al que Ulises la había condenado por adúltera. Antinoo, favorito de Adriano, tenía en ella un templo, sacrificios y juegos célebres cada cinco años. Sus estatuas le representaban bajo la forma y los atributos de Baco. Adriano mandó que se le tributasen estos honores, porque este joven era de Bitininm, colonia de Mantinea. *Paus.*

**MANTINEO.** Hijo de Licaón primer fundador de Mantinea. *Paus.*

**MANTIS.** Adivino. Epíteto de Apolo. *Antol.*

**MANTO.** 1 — Profetisa, hija de Tiresías. Habiendo sucumbido Tebas a los esfuerzos de los epígonos, en la segunda guerra de Tebas, Manto fue conducida con los prisioneros a Claros en Asia, en donde estableció un oráculo a Apolo. Allí, llorando las desgracias de su patria, se derritió en lágrimas; y su llanto formó una fuente y un lago cuyas aguas comunicaban el don de la profecía; pero por otra parte abreviaban la vida. Según *Apolodoro*, Almenón, general del ejército que tomó Tebas, se enamoró de Manto y tuvo de ella dos hijos, Anfíloco y Tisífone. Se dice que había dejado escritos varios oráculos, de los cuales *Homero* hizo uso en sus poemas. Según *Diodoro*, la hija de Tiresías se llamaba Dafne, y fue enviada por los argivos a Delfos, donde dio un gran número de oráculos. En tiempo de *Pausanias* se veía en Tebas, delante del vestíbulo de un templo, la piedra en que Manto ensayaba para responder sus oráculos y que se llamaba *la cátedra de Manto. Met. 6, Diod. 4, Apolod. 3.c.7, Paus.9, c.10, Estrab. 14. 16.*

2 — Hija de Pólido. Se veía su sepulcro en Megara, antes de entrar en el templo de Baco. *Paus.*

3 — Profetisa de Italia, que tuvo del Tíber un hijo llamado Aucno, el cual fundó una ciudad, y la llamó Mantua, del nombre de su madre. Algunos mitólogos la confunden con Manto 1. *Eneida.10.*

MANTURNA. Diosa de los romanos a la cual se dirigían para que la nueva esposa no se entristeciese en la casa de su marido. R. *manere*, habitar. *Ant. expl. t. 3, 4.*

MANTUS o Manus. Diminutivo de Summanus, nombre etrusco de Plutón. *Festus.*

MANZANAS. (*V.* Atalante, Discordia, o Tetis, Hespéridas, Paris.)

MANZANO. (*Mit. mah.*) Los turcos creen que hay un manzano al lado derecho del trono de Dios, y que nadie, ni aun los ángeles, pueden subir más que sus ramas. *Alcorán, cáp. de la Estrella.*

MAORIDATH. (*Mit. mah.*) Preservativo contra los encantos. Es el nombre que dan los musulmanes a los dos últimos capítulos del Alcorán, que recitan con frecuencia para librarse de los sortilegios y otros malos encuentros.

MAR. No solamente había divinidades que presidían sus aguas; ella misma era una gran divinidad personificada bajo el nombre de Océano, a la cual se hacían frecuentes libaciones. Cuando los Argonautas estuvieron para hacerse a la vela, Jasón ordenó un sacrificio solemne, y cada uno se apresuró a satisfacer sus designios. Se erigió un altar en la playa y después de las oblaciones ordinarias, el sacerdote derramó encima del altar flor de harina mezclada con miel y aceite, inmoló dos bueyes a los dioses del mar y les rogó que les fuesen favorables durante su navegación. Este culto estaba fundado en la utilidad que se sacaba de él, y en las maravillas que se veían en el mar: la incorruptibilidad de sus aguas, su flujo y reflujo, la variedad y magnitud de los monstruos que cría, todo esto producía la adoración de los dioses que se suponía gobernaban este elemento. El sacrificio que se ofrecía al mar, es decir al Océano y a Neptuno, para reconocer su soberano poder sobre las olas, consistía, según *Homero*, cuando estaba agitado, en un toro negro, así que a la tempestad, y al lago Averno, como dice *Festo*. Cuando el mar estaba en calma se le sacrificaba, según el mismo poeta, un cordero o un puerco. Sin embargo, *Virgilio* dice que el toro era la víctima que por lo regular se inmolaba a los dioses del mar. Algunas veces se le ofrecían sacrificios de caballos; siendo testigo Mistríades, que para hacérselo favorable, hizo precipitar en él carros uncidos con cuatro caballos.

Cuando el sacrificio se hacía en las orillas del mar, se acostumbraba a recoger la sangre en vasos, la cual se derramaba en seguida, recitando las oraciones convenientes. Si el sacrificio se celebraba a bordo de alguna nave, se dejaba caer al mar la sangre de la víctima, como lo observa *Apolonio de Rodas*. Virgilio añade a esta ceremonia la de arrojar a las aguas las entrañas de la víctima, haciendo libaciones de vino; y así, según *Tito Livio*, lo hizo Escipión al partir de Sicilia para Africa.

Pero el sacrificio que Cirene hizo al Océano, en medio del palacio de Peneo, en la fuente de este río, derramó el vino, tres veces seguidas, en la llama del fuego que ardía sobre el altar. (*Georg. 4.*) Se derramaba también incienso, en estos sacrificios, acompañado siempre de votos y oraciones.

En los mismos sacrificios se ofrecían también diferentes especies de frutos. En la columna Trajana se ve una pirámide, representada sobre el altar, delante de la cual el emperador, con una fuente en la mano, hace degollar un toro a bordo de su nave. Sin embargo, *Justino* nos dice que Alejandro el Grande, de vuelta de sus expediciones, queriendo granjearse el favor del Océano, se contentó con hacerle libaciones, sin ningún sacrificio; y según refiere *Tucídides*, Alcibíades, Nicias y Lámaco, generales de la armada ateniense, al salir del puerto del Pireo, tampoco habían hecho más que simples libaciones de vino al mar, en copas de oro y plata, entonando cánticos. En cuanto a los egipcios, aborrecían al mar, porque creían que era Tifón uno de sus antiguos tiranos. *Mem. de la Acad. de inscr. t. 12.* (*V.* Neptuno, Tifón.)

(*Mit. índ.*) Tevenot describe un sacrificio que se acostumbraba hacer al mar en las costas de las Indias, y que se celebraba en diversas ocasiones, principalmente cuando los gentiles tenían amigos o parientes en viaje. Un día fue testigo de este sacrificio y lo refiere en estos términos.«Una mujer llevaba en sus manos una nave de paja cubierta con un velo; la acompañaban tres hombres tocando la flauta, y otros dos traían en la cabeza una canasta llena de manjares y frutos. Llegados a la playa, arrojaron al mar la nave de paja, y después de algunas oraciones dejaron allí los manjares que habían traído». Los mahometanos celebran el mismo sacrificio.

—Los primitivos hacían también otro sacrificio a este elemento a fines de septiembre, a lo que llamaban *abrir el mar*, a causa de que nadie podía navegar aquellos mares desde mayo hasta este tiempo. Toda la ceremonia consistía en arrojar cocos al mar, y cada uno arrojaba el suyo.

(*Mit. afric.*) El mar era la divinidad tutelar del reino de Saka, situado en la costa de Marfil, en Africa. El rey de este país enviaba todos los años, hacia el mes de septiembre, una canoa llena de cierto número de sus súbditos, los cuales estaban encargados de ir a la Costa de Oro a ofrecer al mar un sacrificio. Este consistía en viejos andrajos, astas de macho cabrío llenas de pimientas y piedras de muchas especies. Con estas ofrendas creían obligar al mar a que favoreciera el comercio y la navegación. Cuando la canoa estaba de vuelta, partía otra para la misma misión y así sucesivamente hasta fines de abril. Al partir alguna canoa, los comerciantes acostumbraban a hacer marchar muchas otras, persuadidos de que no podía sucederles ningún contratiempo yendo en compañía de la canoa sagrada.

En el cabo Lorso, en la costa de Guinea, se inmolaba todos los años una cabra sobre una roca que avanzaba hacia el mar, y era tenida como el principal fetiche de la comarca. El sacrificador comía una parte de la víctima y arrojaba lo restante al mar, invocando la divinidad con exageradas posturas y contorsiones. Anunciaba en seguida a los asistentes la estación y los días más favorables para la pesca, asegurando que el fetiche se los había dicho con su propia boca. Ningún pescador dejaba de pagar este aviso con un regalo.

Los habitantes de los reinos de Benín y de Ardra, en Africa, acostumbraban a jurar por el mar o por su soberano.

MAR. (*Mit. per.*) El ángel de los astros según los guebros. Es también el nombre del Sol. *Chardin.*

MARACAS. Idolos de los naturales del Brasil. Este nombre es una corrupción de *Tamaraca*, fruto de la magnitud de un huevo de avestruz, y de la forma de una calabaza. Estos ídolos consistían en dicha fruta adornada de las más elegantes plumas, y colgada de una pértiga que los sacerdotes clavaban en tierra, mandando a las gentes que trajeran víveres y bebieran en su presencia. Los brasileños tenían muchas devoción a estos ídolos que se llevaban a sus casas después de consagrados por los sacerdotes y continuaban honrándoles como dioses domésticos, consultándoles en las ocasiones más importantes.

MARAMBA. (*Mit. afr.*) Divinidad adorada por los habitantes de Maiamba, provincia del reino de Loango (antiguo reino del bajo Congo), y a la cual se consagraban desde la edad de doce años. En el momento que los cumplían se presentaban al jefe de los sacerdotes: éste les encerraba en un lugar oscuro, y les hacía observar un largo ayuno, después les ponía en libertad y les mandaba que permanecieran algunos días en un profundo silencio bajo pena de no ser admitidos a las ceremonias. Cuando habían sufrido felizmente esta prueba, eran conducidos delante del ídolo por el sacerdote, quien hacía dos incisiones en forma de media luna en las espaldas de los pretendientes, exigiéndoles juramento, por la sangre que se derramaba, de guardar una fidelidad inviolable al ídolo. Luego, les mandaba en su nombre que se abstuvieran de ciertos manjares y les prescribía muchas prácticas que observaban escrupulosamente, persuadidos que el ídolo castigaría su desobediencia con alguna enfermedad peligrosa. Para señal de su iniciación les colgaban del cuello una cajita que les caía debajo del brazo izquierdo, en la cual había encerradas algunas reliquias del mismo ídolo.

Los negros de Angola y Congo, en Africa, también adoraban esta divinidad. Estaba colocada junto al templo dedicado a su culto en un canastillo en forma de colmena. Cuando iban de caza, pesca, o a curar enfermedades, se dirigían a esta divinidad. Los sospechosos de un crimen estaban obligados a refugiarse ante ella. El acusador se postraba a los pies del ídolo, los abrazaba respetuosamente, y pronunciaba estas palabras: «O Maramba, tu servidor ha venido a justificarse delante de ti». Si era realmente culpable, los negros estaban persuadidos que moría repentinamente. Acostumbraban a llevar imágenes de Maramba, alrededor del cuello o del brazo izquierdo. Esta divinidad marchaba siempre a la cabeza de sus ejércitos, y se le presentaba el primer bocado y la primera copa de vino que se servía en la mesa del rey.

MARATÓN. 1 — Hijo de Epopeo y nieto de Atolo, que temiendo la cólera de su padre, se estableció en las costas del Atica. Muerto Epopeo, volvió al Peloponeso, dividió el reino entre sus hijos y volvió al Atica. Plutarco habla de otro Maratón, honrado como héroe, por haber seguido al oráculo, ofreciéndose voluntariamente para ser sacrificado al frente de sus tropas. *Paus.*

2 — Aldea del Atica, en la tribu ayantida, célebre en la fábula y en la historia: en aquélla por la victoria que alcanzó Teseo sobre un toro furioso que domó, llevó en triunfo a la ciudad y sacrificó al Apolo Delfio: y en la otra por la victoria que *Milcíades* alcanzó sobre los persas. Sus habitantes honraban a Hércules con un culto particular. *Paus. Estrab. Herod. l. 1, c. 62. l. 7, c. 107. 113. Diod. Mem. de la Acad. de Inscr. t. 18.* (V. Erecteo, Manes.)

MARATONIA VIRGO. Erigone, natural del Atica.

MARATUS. (V. Maratón 1.)

MARAVILLAS DEL MUNDO. (Las Siete.) Obras célebres que aventajan a todas las otras en hermosura y en magnificencia, tales como los jardines de Babilonia, las pirámides de Egipto, la estatua de Júpiter Olímpico, el Coloso de Rodas, los muros de Babilonia, el templo de Diana en Efeso, y el sepulcro de Mausoleo. Algunos han añadido a estas maravillas: el Esculapio de Epidauro, la Minerva de Atenas, el Apolo de Delos, el Capitolio y el templo de Adriano en Cícico.

MARCELLEAS. Fiesta que instituyeron los siracusanos en honor de Marcelo, y en memoria de la sabiduría y de la suavidad de su gobierno.

MARCIA. Una de las ninfas. *Banier.*

MARCIALES. Juegos establecidos en honor de Marte, que se celebraban en Roma el 1º de agosto, día en que se había dedicado el templo de esta diosa. Se hacían corridas de caballos y combates contra las fieras. Germánico mató en ellos, según refieren los historiadores, doscientos leones.

MARCIO. Famoso adivino cuyos libros habían predicho la derrota de Cannas. Los libros de *Marcio* fueron, desde aquella época, guardados cuidadosamente con los demás libros públicos sagrados. *Rollin, Hist. Rom. t. 2.*

MARCOLIS. (*Mit. rab.*) Nombres que, según los rabinos, dan los bárbaros al Teatates de los galos.

MARES. (*Iconol.*) Jamás se dan urnas a los mares. Este símbolo conviene únicamente a los ríos. Pueden si designarse por ballenas, delfines, y otros peces monstruosos, o por naves que se dejan ver a lo lejos. Conviene observar aquí, que la ballena se usa con más propiedad para designar el Océano.

*Coustou* el joven, escultor, ha expresado de un modo ingenioso en la pieza de los Vientos, de Marly, la conjunción de los dos mares, una de las maravillas del siglo de Luis XIV. El Océano está personificado por un anciano, y el Mediterráneo por una mujer acompañada de un niño, símbolo de un río. El Océano se apoya en una urna puesta entre él y el Mediterráneo, que cruza su brazo sobre el suyo, para designar el canal del Languedoc.

Ha sido designada esta unión en la gran galería de Versalles, por Neptuno y Tetis dándose la mano. La ballena puesta cerca del dios, indica el Océano, así como el delfín y el remo que hay cerca de la diosa anuncian el Mediterráneo.

MARIANDINO. Fundador de los mariandinos en Bitinia. Algunos autores le suponen hijo de Frixo, otros de Fineo, y otros de Cimmerio.

MARIANUS. Sobrenombre de Júpiter, tomado de C. Mario, quien entre otros monumentos hizo erigir un templo a este dios.

MARIATALA. (*Mit. índ.*) Diosa de las viruelas, la misma que Ganga. Era esposa del penitente Chamadagnini, y madre de Parasdrama (Visnú en una octava encarnación). Esta diosa mandaba los elementos: sin embargo debía perder este imperio cuando su corazón dejase de ser puro. Un día que sacaba agua de un estanque, y que según su costumbre hacía de ella una bola para llevarla a su casa, vio en la superficie del agua varias figuras de Granduvers que revoloteaban encima de su cabeza. Enamorada de su hermosura entró el deseo en su corazón; el agua sacada se derritió y fue a confundirse con la del estanque; jamás en lo sucesivo pudo sacarla sin el auxilio de un vaso. Esta impotencia descubrió a Chamadagnini que su mujer había dejado de ser pura, y en el exceso de cólera, obligó a su hijo que la arrastrase al lugar destinado para los suplicios y la decapitase. Fue ejecutada la orden; pero Parasurama se afligió tanto por la muerte de su madre, que Chamadagnini le dijo que tomase su cuerpo, lo juntase a la cabeza, y que le dijese al oído una oración que le enseñó, y al instante resucitaría. El hijo corrió apresuradamente; pero por una equivocación singular, había junto la cabeza de su madre el cuerpo de un Parichi, sentenciado por sus infamias; unión monstruosa que dio a esta mujer las virtudes de una diosa y los vicios de un desgraciado. La diosa hecha impura con esta mezcla, fue arrojada de su casa y cometió toda clase de crueldades. Los Deverkels, viendo el destrozo que hacía, la apaciguaron dándole el poder de curar las viruelas y prometiéndole que sería implorada para esta enfermedad.

Mariatala era la gran diosa de los parias, que la ponían después de Dios. Muchos de esta casta vil, que se ofrecían a su culto para honrarla, acostumbraban a danzar, teniendo en la cabeza muchos cántaros de agua puestos los unos sobre los otros, los cuales estaban guarnecidos de hojas de mangosier, árbol consagrado a esta diosa. Durante las viruelas se colgaba una rama de este árbol en el lecho del enfermo, el cual sólo podía rascarse con ella. Se ponía también debajo de las camas en los otros aposentos, en los techos, y hasta los vecinos la colocaban en sus casas.

Los indios temían mucho a Mariatala; y en todas las aldeas le eregían templos. En el santuario ponían tan sólo su cabeza, a la cual dirigían sus súplicas los indios de buena casta. Su cuerpo colocado a la puerta del templo era el objeto de la adoración de los parias.

Hecha esta diosa impura por la unión de su cabeza con el cuerpo de un Parichi, y temerosa de no ser adorada en adelante de su hijo Parasurama, rogó a los Deverkels que le concediesen otro hijo, y le dieron a Catavarayen. Los parias repartían sus adoraciones entre él y su madre, siendo aquel el único de los dioses a quien ofrecían manjares cocidos, pescado salado, tabaco, etc. por haber salido de un cuerpo de parias. Mariatala era la misma que *Ganga-Gramma. Sonnerat.*

MARICA. Ninfa que tenía un bosque sagrado cerca de Minturne. *Virgilio (Eneida.7.)* la hacía esposa de Fauno y madre de Latino. *Servio* la confundía con Venus, y *Hesíodo* con Circe. Los habitantes vecinos al bosque donde era honrada, tenían hacia este lugar una profunda veneración; y una ley religiosamente observada, prohibía salir del bosque a todo lo que hubiese entrado en él, sea lo que fuere, quizá para compadecerse del dolor que había tenido Circe de que Ulises la hubiese abandonado. *Estrab. 3. Tit. Liv. 27, c. 37.*

MARINA. Epíteto dado a Venus, como hija de la olas de mar.

MARINI. Dioses marinos: tales eran Neptuno, Nereo, el Océano y una multitud que estaban bajo las órdenes de estos tres primeros. Se les representaba bajo la figura de ancianos con canas, aludiendo a la espuma del mar, y algunos terminaban en forma de pez.

MARIANIANA. Segunda esposa de Valerio, que hecha prisionera con su esposo por Sapor, rey de los persas, murió en la prisión de dolor, por el mal trato que se le daba. Fue colocada entre las diosas, y se dice en una de sus medallas «que hacía en el cielo la felicidad de los dioses».

MARINUS. Sobrenombre de Júpiter considerado como rey de las aguas.

MARIPOSA. (*Iconol.*) Símbolo de la inconsideración, de la ligereza y de la inconstancia. El amor y los placeres se representan con frecuencia con alas de mariposa. Entre los antiguos la mariposa era también el símbolo del alma, que los griegos llamaban *Psiquis.* En varios monumentos antiguos, se ve a Cupido teniendo por las alas a una mariposa, a la cual atormenta y destroza, para expresar la esclavitud de una alma dominada por el amor. Finalmente representan también al mismo Cupido llevando en una mano su arco armado, y quemando con un antorcha las alas de una mariposa.

MARIS. Hijo de Amisodar que, queriendo vengar a su hermano Atimnio muerto por Antíloco, fue muerto por Trasímedes, otro hijo de Néstor. *Ilíada. 16.*

MARISTINES. (*Mit. jap.*) Uno de los dioses de la Guerra. Su fiesta era de las más solemnes del Japón: se celebraba en el mes de abril. A las dos de la tarde, se veía aparecer dos cuerpos de ejército, cuyos soldados llevaban en la espalda, en forma de librea, la imágen del dios por el cual peleaban. Puestos los dos ejércitos el uno frente al otro, salían de ambas partes muchachos que empezaban las escaramuzas: media hora después salían algunos escuadrones que daban varias vueltas, mientras que avanzaba el cuerpo de la armada. Al hallarse a tiro de mosquete, todos disparaban y luego se batían más cerca, avanzando siempre los unos contra los otros hasta que uno de los partidos se confesaba vencido.

MARITIMUS. Uno de los sobrenombres de Júpiter entre los sidonios, pueblo dado a la navegación.

MARMARINUS. Sobrenombre de Apolo, tomado de un templo que tenía en Marmarium. *Estrab. 10.*

MARMAX. Uno de los amantes de Hipodamia, muerto por Enomao.

MARMESSUS. (*V. Mamers.*)

MARÓN. 1 — Compañero de Osiris, que entendía perfectamente el cultivo de la viña, y dio su nombre a la ciudad de Maronea en Tracia, famosa por sus buenos vinos. Ulises embriagó a Polifemo con vino de Maronea. Los egipcios honraron a Marón como dios. *Diod. 1, Mela, 2. c. 2.*

2 — Hijo de Evantes, gran sacerdote de Apolo en Ismara. Regaló a Ulises un excelente vino, en reconocimiento de que el héroe griego, respetando su carácter, le había salvado del pillaje a él, a su mujer y a sus hijos. *Odis.*

3 — Hijo de Oesifante, espartano, uno de los capitanes que se distinguieron más en valor en el combate de las Termópilas. Después de su muerte se le erigió un templo como dios. *Erod. 7, c. 227.*

MARONEUS. Sobrenombre de Baco, de Maronea, ciudad de Tracia, y según otros de Mereotis, viñedo célebre, cerca de Alejandría.

MARPESE. Hija de Eveno, rey de Etolia, robada por Idas, hijo de Afareo, sobre el carro de Neptuno, al mismo tiempo que Apolo la buscaba para casarse con ella (*V.* Eveno 3.) Apolo se hizo dueño de Marpese, que Idas había conducido a Mesenia. Este se lamentó a Júpiter, que dio a Marpese la elección de uno de los dos rivales: ella decidió en favor de Idas, temerosa de que Apolo, conocido ya por la inconstancia de sus amores, la abandonase cuando la edad hubiese borrado sus gracias. *Ilíada. 6, Apolod. 1, c, 7, Paus. 4, c. 2, l, 5, c, 18.*

MARPESIA. Reina de las Amazonas. Sometió los habitantes del Cáucaso y dio, dice *Jordanes*, su nombre (*Marpesia Cautes*) a este monte, porque había vivido algún tiempo en él. *Just. 2, c. 4.*

MARRANA. Este animal era la víctima más común de Ceres y de la diosa Tellus. Se sacrificaba a Cibeles una marrana preñada; Cuando se juraba una alianza, o se ajustaba la paz, se confirmaba con la sangre de una marrana. Así es que Virgilio representa a Rómulo y Tacio jurándose alianza eterna al pie del altar de Júpiter, e inmolando una marrana, *cæsa porca.*

2 — Que sirve de presagio a Eneas. Según refiere *Dionisio de Halicarnaso*. Este príncipe supo por el oráculo de Dodona que, cuando llegara a Italia, debía tomar por guía un animal de cuatro pies, y que en el lugar donde éste se dejara caer de cansancio, debía edificar una ciudad. Luego de haber desembarcado se preparaba para sacrificar una marrana preñada cuyos pequeñuelos debían también ser inmolados, pero habiendo la marrana roto los lazos, en el momento que los sacerdotes se preparaban para empezar el sacrificio, se escapó de entre sus manos y emprendió la fuga atravesando la campiña. Eneas comprendió entonces que aquélla era la guia anunciada por el oráculo, así es que la siguió de lejos con algunos de sus compañeros, por miedo de esquivarla y de separarla de la ruta marcada por los destinos. La marrana se alejó de la mar cerca de veinticuatro estadios y ganó la cima de una colina, donde se dejó caer de cansancio. Habiendo reflexionado Eneas la situación de aquél lugar poco cómodo, dudaba de si debía obedecer al oráculo, cuando oyó una voz que salía del bosque vecino que le mandaba construir lo más pronto posible una ciudad en aquel lugar, y le decía que los destinos reservaban a los troyanos un establecimiento más considerable, para después que hubiesen morado en él tantos años como pequeñuelos haría la marrana. Eneas obedeció la voz celestial y edificó la ciudad de Lavinia. Al día siguiente la marrana parió treinta pequeñuelos, lo que dio a conocer a Eneas que treinta años después los de su nación construirían otra ciudad mayor. Este príncipe inmoló, en el mismo lugar en honor de sus dioses penates, a la madre con los treinta pequeñuelos. (*V.* Lavinia.)

MARSEA. Hija de Testio.

MARSES. Pueblos de Italia. Se vanagloriaban de poseer el secreto de adormecer y manejar sin peligro las terribles serpientes. Los unos les hacían venir del Asia con Marsias el Frigio, a quien Apolo venció en la lira, otros les creían descendientes de un hijo de Ulises y de Circe. *Estrab. Ptol. 3.* (*V.* Psilos.)

MARSIAS. 1 — Hijo de Hiagnis, natural de Celea en Frigia. Juntaba, dice *Diodoro de Sicilia*, a un gran espíritu de industria, una sabiduria y una continencia a toda prueba. Su genio brilló especialmente en la invención de la flauta, en la cual supo reunir todos los sones que se encontraban antes esparcidos, digámoslo así, en los diversos canutos de la zampoña. Fue el primero que puso en música los himnos consagrados a los dioses. Unido a Cibeles, la acompañó en todos sus viajes, en los cuales llegaron a Nisa, donde encontraron a Apolo. Orgulloso con sus nuevos descubrimientos tuvo la osadía de desafiar al dios, quien aceptó el desafío con la condición de que el vencido quedaría a discreción del vencedor. Los nisios fueron llamados para árbitros. No sin mucho trabajo y peligro alcanzó Apolo la corona sobre su contendiente. Indignado de tal resistencia, ató a Marsias al tronco de un árbol, y lo desolló vivo o, como dice Higinio, mandó hacer esta operación por un escita. Pero cuando hubo pasado el calor de su resentimiento, reprendiéndose de su barbarie, rompió las cuerdas de su guitarra, y la depositó con sus flautas en una cueva de Baco, al cual consagró estos instrumentos. Elio dice que, cuando alguno tocaba la flauta, la piel de Marsias se agitaba y resonaba milagrosamente, al paso que no le producía efecto el sonido de la lira. Algunos autores explican el sentido de esta fábula por el ruido desagradable que causaba el curso de las aguas del río Marsias, y Liceti por la superioridad de la lira comparada con la flauta, que arruinó a los que tocaban este último instrumento. Se le atribuye también la invención de la zampoña compuesta de dos flautas y de la atadura que impedía la hinchazón de las mejillas tan ordinaria en la ejecución de los instrumentos de viento, al paso que daba más fuerza al que la tocaba. Las representaciones de Marsias decoraban muchos edificios. En la ciudadela de Atenas se veía una estatua de Minerva que castigaba al sátiro Marsias por haberse apropiado de las flautas que la diosa había rechazado con desprecio. Las ciudades libres tenían en la plaza pública una estatua de Marsias, símbolo de su libertad, a causa de la íntima unión de Marsias, tomado por Sileno, con Baco, llamado *Liber*; porque los poetas y los pintores le representan alguna vez con orejas de Fauno o de Sátiro, y una cola de Sileno. En Roma, había en el Foro, cerca de un tribunal, una de estas estatuas. Los abogados que ganaban alguna causa la coronaban para remunerar a Marsias por el feliz suceso de su elocuencia, y hacerle propicio en la declamación, en su cualidad de excelente tocador de flauta. Se veía aun en Roma, en el templo de la Concordia, un Marsias atado, pintado por *Zeuxis. Met. 6, Paus. Mem. de la Acad. de inscr. t. 5, 8.10.* (V. Olimpus, Tortor.)

2—Río de Frigia que debió su nombre al sátiro Marsias, o porque Apolo movido de compasión, le transformó en río de este nombre, o porque desesperado por su derrota, y fuera de sí, se precipitó a él: o como dice Ovidio, porque las ninfas, los sátiros, etc., privados del placer que le causaban los acordes de su flauta, derramaron tantas lágrimas, que formaron un río; o porque su sangre fue transformada en un río que atravesaba la ciudad de Celea, donde, según dice *Herodoto*, se veía en la plaza pública la piel de este músico colgada en forma de una gran pelota llena de viento.

MARSPITER. Uno de los sobrenombres de Marte, compuesto de *Mars*, y de *Pater*.

MARSUS. Hijo de Circe, rey de los toscanos, trescientos años antes de la fundación de Roma, considerado como el inventor de la ciencia de los augures. (*Cic.*) Los marsos pretendían descender de él.

MARTE. Dios de la guerra, hijo de Júpiter y Juno, según Hesíodo. Belona, su hermana, conducía su carro; el Terror y el Temor, sus dos hijos, le acompañaban. Los poetas latinos le dan otro origen. Celosa Juno de que Júpiter hubiese hecho nacer a Palas de su cerebro, resolvió ir a Oriente a buscar el medio de ser madre sin el socorro de su marido. Fatigada del camino, se sentó cerca del templo de Flora, la cual le preguntó el objeto de su viaje. Apenas lo supo cuando le enseñó una flor que crecía en el campo de Oleno, y cuyo solo tacto producía este admirable efecto. *Apolodoro* dice también que Juno dio a luz a Marte sin participación de varón, pero nada explica. *Bocaccio* interpreta la fábula latina por el carácter feroz de Marte, a quien no se ha podido creer hijo de un príncipe tan galán como Júpiter. Juno hizo educar a su hijo por Príapo, uno de los Titanes o dáctilos indios, los cuales le enseñaron la danza y otros ejercicios, preludios de la guerra. Por esto dice Luciano, en Bitinia ofrecían a Príapo el diezmo de los despojos consagrados a Marte. Los mitólogos y los historiadores antiguos han distinguido muchos Martes. El primero fue Belo, a quien *Diodoro de Sicilia* hace inventor de las armas y del arte de preparar las tropas en batalla. *Higi-*

*nio* dice que se dio el nombre de Belus a este antiguo rey de Babilonia, por haber sido el primero que hizo la guerra a los animales. R. *belos*, dardo. El segundo Marte era un rey de Egipto; el tercero un rey de los tracios llamado Odín, que se distinguió de tal modo por su valor y conquistas que mereció entre estos pueblos belicosos los honores del dios de la guerra, y es denominado Marte Hiperbóreo. (*V.* Odín, Tero.) El cuarto es el Marte griego, llamado también Ares. El quinto y último es el Marte de los latinos, que hizo a Rhea Silvia, madre de Remo y Rómulo, y que se creía ser el mismo que Amulio, hermano de Numitor. En fin, se dio el nombre de Marte a la mayor parte de los príncipes guerreros y cada país se honró con un Marte, lo mismo que con Hércules. En efecto se encuentra el dios de la guerra entre los galos, bajo el nombre de Hesus, como también entre los escitas y los persas, quienes le honraban, los primeros bajo la forma de una espada, y los segundos bajo el nombre de Orión. En fin, el emperador *Juliano* hace mención de un Marte de Edesa llamado Arizas.

Los griegos han llenado la historia de su Marte con las aventuras de los que acabamos de nombrar. Todo el mundo conoce después de *Homero*: 1º) el juicio de Marte en el consejo de los dioses por la muerte de Halirrotio, hijo de Neptuno: Marte se defendió tan bien que fue absuelto; 2º) la muerte de Ascalafo, muerto en el sitio de Troya, al cual vengó por sí mismo; pero Minerva le arrancó del campo de batalla y le hizo retirarse a pesar de su furor; 3º) su herida por Diomedes, cuya pica guiaba la misma diosa; Marte, al retirarla, arrojó un grito como el de todo un ejército que marcha para cargar sobre el enemigo: el médico del Olimpo puso un bálsamo sobre su herida, que curó sin dolor; 4º) en fin, los amores de Marte y de Venus, cantados en la *Odisea* y por *Ovidio*; la red invisible tendida por Vulcano, y los cautivos puestos en libertad por el esposo deshonrado, y huyendo el uno a Tracia y el otro a Pafos. Los poetas dan a Marte muchas mujeres y muchos hijos. Tuvo a Hermine de Venus, a Remo y

Rómulo de Rea y de Tebea a Evadne, mujer de Capaneo. Parece que su culto no estuvo muy extendido entre los griegos. *Pausanias* no habla de ningún templo a Marte, y no nombra sino dos o tres de sus estatuas, en particular la de Esparta, que estaba atada a fin de que este dios no les abandonase en las guerras que hubiesen de sostener. Pero su culto triunfaba entre los romanos, que tenían a este dios como el protector de su imperio. En la guerra contra los lucanios, los romanos creyeron verle marchando a su cabeza y armado de un casco alado. El más célebre de sus templos en Roma era el que Augusto le dedicó después de la batalla de Filipos, bajo el nombre de Marte Vengador. En la batalla de Filipos (Macedonia). (42 a.C.) Octavio y Marco Antonio derrotan a los asesinos de César Bruto y Casio. *Vitruvio* observa que los templos de Marte eran de órden dórico, y que se edificaban por lo común fuera de los muros, a fin de que el dios fuese como un baluarte para resguardar los muros de los peligros de la guerra. Pero este uso no era general, pues en Halicarnaso el templo de este dios se hallaba en medio de la fortaleza. Los salios, sacerdotes de Marte, formaban en Roma un colegio sacerdotal muy célebre. Se inmolaba a Marte el toro, el verraco y el carnero; algunos pueblos le sacrificaban caballos: los lusitanos, machos cabríos y caballos, y hasta los prisioneros de guerra; los carios, los perros, los escitas y los saracaores, asnos. Le estaban consagrados el gallo y el buitre. Algunas veces era contado entre las divinidades infernales. ¿Y a quien convenía mejor este título, que a un dios asesino, cuyo placer era poblar sin cesar al reino de Plutón? Se le daban, como a Aquiles, el epiteto de *Pectorosus*.

Los antiguos escitas representaban a Marte bajo la forma de un sable viejo medio enrojecido por el herrumbre. Inmolaban uno de sus enemigos en su honor, y rociaban con su sangre esta divinidad asesina. Le sacrificaban también cada año bueyes y caballos.– Los galos habían puesto este dios en el número de sus deidades inferiores. Lo adoraban bajo la forma de una espada desnuda, depositada sobre un altar en uno de sus sotos. Consagraban a este dios los despojos de sus enemigos, los reunían a montones, los dejaban expuestos en el campo y nadie se atrevía a tocar las riquezas consagradas a la divinidad.

(*Iconol.*) Los monumentos representan a Marte de un modo bastante uniforme, bajo la figura de un hombre armado de un casco, una pica y un escudo; ya desnudo, ya con el vestido militar, y aun con el manto en las espaldas; alguna vez barbudo, y más a menudo sin barba; a veces con el bastón de mando en la mano, y llevando en el pecho una égida con la cabeza de Medusa. Se le ve también sobre un carro tirado por caballos fogosos, que conduce o deja dirigir por Belona.

*Estacio.* (*Teb. l.7.*) Dice que Mercurio, enviado por Júpiter, vino a evocar a Marte del fondo de la Tracia donde tenía un templo en medio de un bosque, para excitar a tomar partido en la guerra de Tebas. Este pasaje está representado sobre una ágata publicada por *Elermoyer*. Otra ágata de la misma colección ofrece a Marte armado de una pica y de un escudo, y en pie sobre un lotus.—Los habitantes de Cádiz, representaban a Marte rodeado de rayos, porque, dice *Macrobio*, el movimiento violento de la sangre y de los espíritus animales, principal causa del valor, es el efecto del calor, del sol o bien porque, según algunos autores, Marte es el mismo sol.

Marte armado de un látigo, como vengador, se encuentra sólo en algunas medallas. En otras se le ve con la lanza y el caduceo, como árbitro de la guerra y de la paz. Algunas veces está representado sobre una biga arrastrada por sus hijos, el Terror y la Fuga. Solo una figura del palacio Borghese lo muestra con un anillo en una pierna, según la costumbre de los antiguos griegos, que los pintaban con los pies desnudos, tratamiento que el dios había sufrido de los hijos de Aloeo. *Ilíada. 5, Odis. 1, Teog. Eneida. 8, Ovid. Fast. 5, Flac. 5. Juv. 9, Paus. 1, c. 28, 128, Apolod. 1. Hig;' f.148.*

MARTEA. (*V. Heres.*)

MARTESIA. Reina de las amazonas, que gobernó con Lampeto.

MARTHA. Mujer del pueblo sirio y reputada por profetisa: C. Mario la llevaba siempre consigo en sus expediciones, y no celebraba ningún sacrificio sin consultarla antes. Iba cubierta con un gran manto púrpura y la conducían en andas, con el mayor respeto y veneración. *Plut.*

MARTIA. Juno tenía en Roma un templo, bajo el nombre de *Juno Martia*, madre de Marte.

MARTIA ACUA. Fuente de Roma en la cual se bañó Nerón en menosprecio de la opinión pública. Atentado que le cubrió de infamia y que expuso su vida a inminente peligro. Los romanos se persuadieron que este sacrilegio había atraído a Nerón la venganza de los dioses, pues desde aquel momento perdió la robustez y las fuerzas, disfrutando tan sólo en lo sucesivo, de una salud débil y lánguida. *Plin. 31, l. 26, c. 15.*

MARTIALES LARINI. Ministros públicos del dios Marte. *Cicerón. R. cluentio, c. 32.*

MARTIALIS. Sobrenombre de Juno armada con tenazas de herrero que llevaba en ambas manos, como se la ve en un altar etrusco en la villa Borghese. *Ant. expl. t. 1.*

MARTILLO. (*V. Vulcano.*)

MARTIUS. Sobrenombre de Júpiter, al cual invocaban los guerreros al empezar el combate. *Banier. t. 3.*

MARUNO. Sobrenombre de Mercurio, venerado como divinidad tutelar de los viajeros, en los Alpes, donde había guías llamados *marones*. Además la protección de los caminos, era entre los galos uno de los atributos de Mercurio.

MARZANA. Nombre con que adoraban a Venus los sármatas. *Banier. t. 3.*

MARZO (Mes de). (*Iconol.*) Este era el primer mes del año; los romanos le habían señalado Minerva por divinidad tutelar, a pesar de que tomó su nombre del dios Marte. En las calendas de Marzo se encendía fuego nuevo en el altar de Vesta; se quitaban las ramas secas, de laurel, y las coronas tanto de la puerta del rey de los sacrificios, como de las casas de los flamines y de las hachas de los cónsules, para renovarlas: finalmente se celebraban las fiestas matronales y la de los escudos sagrados. Este mes se hallaba simbolizado con un hombre cubierto por una piel de loba, alusión a la nodriza de Remo y Rómulo. Los antiguos colocaban cerca de él un macho cabrío, una golondrina, un vaso lleno de leche, que con la hierba que principia a verdear, anunciaban el retorno de la primavera. Los modernos le representan bajo un aspecto fiero y adornado de un casco y de un vestido de color tierra para indicar que todavía no se halla cubierta de verdura. Dícese que se le dio el signo de Aries, o el carnero, porque este animal es muy valiente por delante o avanzado, y muy débil por detrás: símbolo del sol que débil en un principio, va aumentando y adquiriendo progresivamente mayor grado de calor. La guirnalda que circuye el signo indica la primera verdura, y un buey, que ara, anuncia la siembra que se hace en este mes. *Ov. Fast.*

MASAGETAS. Estos pueblos no conocían ni adoraban otra divinidad que el sol, a quien sacrificaban caballos. *Máximo de Tiro* refiere que adoraban también el Tanais y el Palus-Meótides; que les erigían estatuas y que juraban en su nombre. *Estrab. 17, Just. 33, c. 1, l. 38, c. 6.*

MASARIS. Sobrenombre de Baco entre los carios; de Ma, una de las nodrizas de Baco, y de Ares, nombre griego del dios de la guerra, porque Ma persuadió a Juno que su hijo de leche lo era de Marte. *Esteban de Bizancio.*

MASAUPADA.(*Mit. ind.*) Esta palabra, que significa *mes de ayuno*, designa una especie de cuaresma que celebran los indios y que dura cuarenta días, empezando el último día de octubre hasta el 10 de diciembre. Durante este tiempo el devoto debe observar un ayuno riguroso: su único alimento consiste en leche e higos. No les está permitido gozar de los placeres del matrimonio. Este ayuno debe ir acompañado de muchas prácticas de devoción, cuya principal consiste en girar ciento una vez alrededor de la pagoda de Visnú, pronunciando en voz baja uno de los nombres de este dios. Los que quieren distinguirse con un fervor extraordinario, dan hasta mil y una vuelta. El indio que ha observado esta cuaresma por espacio de doce años seguidos, queda libre de ella todo el resto de su vida.

MÁSCARA. En las medallas romanas, es un símbolo de los juegos escénicos. (*V.* Fábula, Hipocresía, Momo, Talia.)

Los antiguos se servían de las máscaras, no solamente en el teatro, sino también en los festines, en los triunfos, en las guerras, en las fiestas de los dioses, sobre todo en los Bacanales, y algunas veces en los funerales. Estas máscaras cubrían el rostro y también la cabeza. Las había que tenían los ojos guarnecidos de plata, y a veces su boca estaba abierta, en forma de concha, a fin, según parece, de dar mayor fuerza y extensión a la voz.–Las máscaras que representaban mujeres, fueron las últimas que se introdujeron en la escena.– Las de los esclavos eran notables por su deformidad. – Sabemos por *Marcial* que las máscaras servían de espantajo para los niños. En los misterios de Isis se servían de una máscara con figura de perro, que cubría toda la cabeza. Los isíacos la llevaban hasta por las calles.– Los monumentos antiguos nos han conservado máscaras que representan campesinos, pastores, esclavos, filósofos, padres de familia, reinas, danzantes, faunos, sátiros bacantes y varias divinidades, como Apolo, Baco, Calíope, Cupido, Helena, la Luna, Minerva, la ciudad de Roma, dioses Marinos, Talía, la Verdad, etc. *Mem. de la Acad. de inscr. t. 4.*

MÁSCULA. Sobrenombre de Venus y de la Fortuna.

MASSANKRACHER. (*Mit. ind.*) En el antiguo reino de Camboya se llamaba así el primer orden de los clérigos, que mandaba a todos los demás, y que era superior a los mismos reyes. Los sacerdotes del segundo orden se llamaban *Nassendeches*; estos eran una especie de obispos iguales a los reyes. El tercer orden era el de los *Mitires*, o sacerdotes que tomaban asiento después de los soberanos y eran superiores a los *Chaynisses* y a los *Sazes*, otra clase de sacerdotes.

MASSIA. (*Mit. jap.*) Oratorio o capillas edificadas en honor a los dioses subalternos: son servidas por un hombre llamado Canusi, que está allí para recibir los dones y las ofrendas de los viajeros devotos que van a invocar al dios. Estos Canusi son seculares a quienes los kuges, o sacerdotes de la religión del Sinto, han confiado y concedido el cuidado y el provecho de estas capillas.

MASSIGUS o MASIGO. Uno de los jefes que se embarcaron con Eneas en la armada etrusca. Conducía los guerreros de Chisium (Cisio) y de Cos, armados de dardos, de flechas, de arcos terribles, y de ligeras aljabas sobre las espaldas. *Eneida, 10.*

MASTIFAL. Príncipe de los demonios. Este es el nombre que se da a un libro apócrifo citado por *Cedreno* y que tiene por título: *Pequeño Génesis.*

MASTIGÓFORO. Sobrenombre de Diana, en cuyo altar los jóvenes espartanos se dejaban azotar cruelmente.

MASTIGÓFOROS, porta-vergas. Especie de líctores o porteros de los helanódicos, o agonotetes, que herían con las vergas por orden de estos magistrados, y aun algunas veces a ruegos de los espectadores, a los atletas que entraban en la lid, fuera o antes de la señal, a aquellos que se valían de trampas, y a los que excluidos de los juegos no dejaban de presentarse a ellos.

MASTOR. 1 — de Citere, padre de Licofrón. *Ilíada. 15.*

2 — Padre del adivino Haliterse. *Odis. 2.*

MATALI. (*Mit. índ.*) Conductor del carro de Indra. (*V.* Indra.)

MATCHIA-VETARAM. (*Mit. índ.*) Nombre con que se adora a Visnú en su primera transformación en pez. (*V.* Visnú.)

MATEMÁTICAS. (Iconol.) (Ciencias.) Una mujer de mediana edad, cubierta por un velo blanco y transparente, con un globo a sus pies, tiene en la mano derecha un compás; con él forma un círculo sobre un papel en el cual se ven ya dibujadas muchas figuras. La alegoría de Gravelto es más completa. Este artista ha representado una mujer con alas en la cabeza, y la esfera armilar, todo lo cual significa que este arte mide la inmensidad.

Parece estar ocupada en el cuadrado de la hipotenusa, unos de sus principales descubrimientos. El cubo que sostiene la mesa sobre la cual está trazada la figura, designa las tres dimensiones clásicas posibles de longitud, latitud y profundidad. Los diferentes solidos y los instrumentos esparcidos en torno a ella, lo mismo que la figura que se ve a lo lejos que parece tomar la altura de un objeto elevado, caracterizan más sus estudios y su utilidad.

MATERA. Uno de los sobrenombres de Minerva, a la cual estaban consagradas las picas. Se colgaban estas armas en sus altares y estatuas. Matera era una especie de dardo que usaban los galos.

MÁTERES. Diosas veneradas en Enquium, en Sicilia. Se cree que fueron las ninfas que cuidaron de la infancia de Júpiter; a saber, Tisoa, Neda, y Hagno.

MATHAN. Sacerdote de Baal, muerto delante del altar de su dios por orden del gran sacerdote Joiada.

MATILALCUIA. (*Mit. mex.*) Diosa de las aguas entre los antiguos mexicanos. Está revestida de una camisa de color azul celeste.

MATRA. Nombre que daban los persas a Venus,

MATRÆ. Nombre con el cual los romanos invocaban las Parcas después de Pertinax (193 d.C), como cuidadoras de los emperadores y de sus familias.

MATRALES. Fiestas que celebraban las matronas romanas en el día 11 de junio en honor de Matuta o Ino. Entraban aquellas en el templo acompañadas de una sola esclava que despedían después de haberla abofeteado ligeramente, en memoria de los celos de la diosa Ino contra una de sus esclavas. Durante esta fiesta las matronas romanas no hacían más votos a la diosa que por los hijos de sus hermanos y de sus hermanas en atención a que Ino fue desgraciada con los suyos. Ofrecían a la misma diosa tortas de harina, de miel, y de aceite, cocido debajo de una campana de tierra. *Ov. Fast. 6.*

MATRES. Nombre que los italianos y los galos daban a las Parcas, bien sea por el cuidado que se dignaban a tomar para favorecer el tránsito del hombre a la vida, o bien en reconocimiento de los socorros, que según se creían prestaban a las mujeres en los dolores de parto.

*Banier* dice que presidían principalmente en los campos y en los frutos de la tierra. Se les invocaba también para la salud y prosperidad de los emperadores y de su familia, así como por la de los particulares. Se las confunden muchas veces en las inscripciones, así como se las confundía en el culto con las Commodevas, las Sulevas, las Junos, las Matronas, las Silbaticas, y otras divinidades campestres. *M. de Jaucour* las hace derivar de Fenicia. Parece que en general no eran otra cosa que los genios de los lugares, ciudades o campiñas, donde eran veneradas. *Ant. expl. t. 2.*

MATRES SACRORUM. Sacerdotisas de Mitra. *Ant. expl. t. 2.* (*V.* Mitra.)

MATRIMONIO. (*Iconol.*) *César Ripa* nos los representa con emblemas no muy agradables. Según este iconologista, es una mujer ricamente vestida, con un yugo en el cuello, trabas en los pies y una víbora encima. Trae un membrillo, porque dice que Salomón había mandado presentar esta fruta a las recién casadas. En efecto, era el símbolo de la fecundidad, como lo prueban las medallas en las cuales se ve el membrillo en la mano del joven Himeneo.

(*Mit. jap.*) Los japoneses contrataban el casamiento en medio de una tienda octógonal, en la cual se levantaba un altar muy adornado. En él se veía al dios del casamiento, representado con cabeza de perro, abiertos los brazos y un hilo de latón en las manos. La cabeza de perro era para ellos símbolo en la vigilancia y fidelidad necesarias en este estado; y el hilo de latón, la unión que debía existir entre los esposos.

MATRONA. Nombre de Juno, protectora de las casadas que estaban embarazadas.

MATRONALES. Fiestas que celebraban las matronas romanas en las Calendas de marzo. *Ovidio* (*Fast.*) señala cinco causas de la institución de esta fiesta: 1º el modo con que las sabinas terminaron la guerra entre sabinos y romanos; 2º el deseo de obtener de Marte la misma felicidad que había concedido a sus hijos Remo y Rómulo; 3º para que las damas romanas disfrutasen la misma fecundidad que tienen las tierras en el mes de marzo; 4º la dedicación de un templo a Juno Lucina en el monte Esquilino, hecha en las calendas de este mes; 5º porque Marte era hijo de la diosa que presidía las bodas y los partos. Se celebraba esta fiesta con tanta pompa como placer. Las mujeres iban por la mañana al templo de Juno, y le presentaban flores, que se coronaban ellas mismas. De vuelta a sus casas pasaban lo restante del día en extremo adornadas, y recibían las felicitaciones y los regalos que sus amigos o esposos les enviaban, en memoria de la feliz mediación de las sabinas. En la mañana del mismo día los casados iban al templo de Juno para ofrecerle también sacrificios. Terminaba la solemnidad con los suntuosos banquetes que los esposos daban a sus esposas. En esta fiesta las matronas concedían a sus sirvientas los privilegios que gozaban los esclavos en las Saturnales.

MATRONAS. Nombre de las Parcas. (*V.* Matres.)

MATROUM. Sonido de la flauta inventado, según se dice, por Marsias. Se servían de él en la fiesta de la madre de los dioses, de donde tomó su nombre. *Paus.*

MATSURI. (*Mit. jap.*) Fiesta de los banieros. Es la más célebre de las solemnidades de la primitiva religión japonesa y la principal del dios protector de cada ciudad. Los cuarteles hacían sucesivamente los gastos del espectáculo, que consistía en procesiones y representaciones teatrales, mezcladas con bailes y cantos. Estas piezas se ejecutaban en una plaza pública magníficamente decorada. Cada cuartel prestaba sus adornos, sus máquinas, su música, y sus actores; por lo mismo la escena variaba muchas veces. Los actores eran jóvenes de una figura agradable, y doncellas que sacaban de los lugares de desórdenes. Uno y otros tenían las costumbres y el carácter conformes a los papeles de debían representar. *Kœmpfer* asegura que trabajan con mucha gracia y que hasta en Europa es raro encontrar tan bellos talentos.

MATURNA. Diosa que se invocaba cuando los trigales llegaban a la madurez. *Banier t. 4.*

MATUTA. 1 — Era entre los romanos la misma que Leucótea o Ino hija de Cadmo entre los griegos. *Cic.*

2 — Bajo este nombre tenía Juno un templo en Roma en el mercado de las hierbas.

MATUTINUS PATER. *Padre de la mañana.* Nombre con el cual era adorado Jano, como dios del tiempo.

MAUSOLEO. Monumento que erigió Artemisa a su esposo Mausolo, y cuyo nombre ha pasado, en lo sucesivo, a todos los que se distinguían por la magnificencia de su estructura, Artemisa ocupó en él a los cuatro más hábiles arquitectos de Grecia, que hicieron de este edificio una de las siete maravillas del mundo. Tenía cuatrocientos once pies de circunferencia, y ciento cuarenta de altura, comprendiendo dentro una pirámide de la misma altura que el edificio.

MAUSOLO. Rey de Caria, célebre por el amor de su esposa Artemisa hacia él. Después de la muerte de su marido, ésta mezcló sus cenizas con perfumes, las arrojó en el agua, y las tragó de este modo, poco a poco, como si hubiese querido convertir el cuerpo de su esposo en su propia sustancia. No contenta con esta prueba de amor, elevó un monumento soberbio a sus manes, estableció juegos fúnebres, y señaló grandes premios para los oradores y poetas que fuesen a desplegar sus talentos en honor de Mausolo. Sobrevivió a su esposo tan sólo dos años, y terminó su luto con la vida. (*Herod. 7, Plin. 35, 55. Estrab. 14. Dios. 16. Paus. 8, c. 7. Aul. Gel. 10, c.18.*) *Bayle* supone que todas estas maravillas están sacadas de algún romance de su tiempo.

MAVORTE. El mismo que Marte. *Cicerón* cree que este nombre viene de *Magna vorto*, porque la guerra produce grandes cambios. (*V. Marte.*)

MÁXIMUS. Epíteto de Júpiter, como el más grande de los dioses.

MAYA. (*Mit. índ.*) Madre de la naturaleza y de todos los dioses del segundo órden. Algunos hindúes explican por esta palabra la primera inclinación de la divinidad a personificarse creando el mundo. Pero en la filosofía de los *Vedas* que la interpreta por *delusión*, tiene un sentido más sútil y más abstracto, y significa el sistema de las precepciones primarias y secundarias, que Platón, Epicarmo y algunos otros filósofos han creído producidas por la presencia de la divinidad en el espíritu de las criaturas, sin tener una existencia independiente.

MAYESSOURA. (*Mit. índ.*) Aire divinizado, según los indios, que lo tienen como una de las cinco potencias primitivas engendradas por el creador. (*V. Panjacartaguel.*)

MAYO, a *majoribus*, de los ancianos. (*Iconol.*) Nombre dado por Rómulo a este mes, en memoria de la división del pueblo en jóvenes y viejos, o según *Ausonio*, hija de Atlas. Este mes tenía por su divinidad tutelar a Apolo. Los romanos le pintaban como un hombre de mediana edad, vestido de un ropaje largo y muy manchado, teniendo en una mano un cesto lleno de flores, y llevando con la otra una flor en la nariz. Algunas veces ponían a su lado un pavo, imagen natural de la variedad de flores con que adorna este mes el vestido del año. Los modernos le han dado un vestido verde y florido, una guirnalda de flores, un ramo verde en una mano, y en la otra el signo de los Gemelos, rodeado de rosas; emblema, según algunos, de la acción del sol, que tiene doble actividad. Todos los accesorios anuncian los efectos del amor. Cl. *Andran* lo ha simbolizado, representando a Apolo bajo un toldo de ciprés, rodeado de laureles, coronado con el trípode y con la serpiente Pitón: a su lado tiene la lira y la flauta de Marsias. Las coronas y los trofeos de instrumentos anuncian al dios de la poesía y de la música. Al pie del cuadro se ven los dos cuervos, el uno blanco y el otro negro, consagrados al dios del día y de la noche.

Los griegos modernos anuncian el paso de la ninfa del mes de mayo coronando de flores las puertas de las casas. Celebran esta fiesta paseándose por los ribazos para respirar el aire regenerado, que es mirado como un específico contra las calenturas.

**MAYRS.** (*Mit. célt.*) Nombre que daban los antiguos germanos a tres divinidades que presidían los partos y que, como las hadas, dotaban a los niños en el momento de su nacimiento.

**MAZA.** (*Iconol.*) Símbolo ordinario de Hércules. Después del combate de los gigantes consagró su maza a Mercurio. Era de olivo; la clavó en tierra, hechó raíces y vino a ser un gran árbol. Algunas veces se da también la maza a Teseo: *Eurípides* la llama epidauriana, porque Teseo la arrebató a Perifetes, a quien mató en Epidauro, y se sirvió después de ella.

**MAZO MALLEUS.** Instrumento de que se servían los victimarios, para derribar los toros antes de degollarlos. *Ant. expl. t. 2, 3.*

**MEANDRO.** 1 — Hijo de Cércafo y de Anaxibia. Durante una guerra contra la ciudad de Pesinunta, prometió a la madre de los dioses que si salía vencedor le sacrificaría la primera persona que vendría a felicitarlo, e inmoló a Arquelo, su hijo, su hermana y su madre, a quienes la casualidad presentó primero a su vista. Otros dicen que dividió entre los soldados las ofrendas hechas a la madre de los dioses. Fuese remordimiento, o bien fuese furor inspirado por esta diosa, se precipitó al *Anabenon*, al cual dio su nombre. *El falso Plut.*

2 — Río de la gran Frigia, célebre en las fábulas de los poetas, quienes le hacen hijo de la Tierra y el Océano, y padre de Cianea. En las diferentes sinuosidades que describe antes de perecer en el archipiélago, se ha pretendido encontrar todas las letras del alfabeto griego. *Herod. 2, c. 29. Met. 8.*

3 — Hijo de Licaón. *Apolod.*

**MECA.** (LA) Ciudad de la Arabia feliz, célebre por haber sido cuna del mahometismo, Mahoma no es el primero que la ha ilustrado. Se pretende que existe en este lugar el sepulcro de Abraham. Según *Nicolás de Damasco*, la famosa encina de Mambre, bajo la cual conversó este patriarca con los tres ángeles, era la que atraía a La Meca este concurso de pueblos vecinos, paganos, judíos y cristianos. La doctrina del islamismo no ha hecho más que darle nuevo lustre. Todos los años llegan allí numerosas caravanas de peregrinos, de las cuales una de las más bellas es la de El Cairo, que van al santuario de su religión a prestar sus homenajes a Mahoma. La ley de Mahoma obliga a ello, y esta creencia les está tan fuertemente inculcada desde su infancia, que hasta las mujeres emprenden la peregrinación con sus maridos, y a veces solas. Reunidas todas las caravanas se van en un día determinado al monte Arafat, a La Meca, donde creen que Abraham ofreció a Dios el sacrificio de su hijo Isaac. La fiesta que se celebra en este augusto lugar se llama *Korban-Bairam*, o el segundo Bairam: pero los árabes la llaman *Je al Korban*, y *Je al Adha*, esto es, la fiesta del sacrificio; porque en este día se inmola una multitud prodigiosa de animales de toda especie.

En este lugar, los peregrinos se afeitan la cabeza y el rostro, y toman un baño. Después de haber hecho sus oraciones, se vuelven a La Meca. Visitan la casa de Abraham llamada Kaaba, y los otros lugares consagrados por la religión de los mahometanos. Se colocaba en la mezquita el pabellón llevado nuevamente de El Cairo, y se retiraba el antiguo, que se ponía entre las manos del emir-hadgi.

No siendo La Meca bastante grande para contener tan prodigiosa multitud de gente con sus equipajes, las caravanas se veían obligadas a acampar en las cercanías de la ciudad, y vivir en las tiendas por espacio de nueve a diez días. Se celebraba allí una feria, la mayor del mundo, y el comercio que se hacía era el más prodigioso. Es admirable sobre todo el silencio y la tranquilidad que reina en este concurso encantador de comerciantes y peregrinos.

Los que antes de Mahoma tenían la presidencia del templo de La Meca, eran tanto más venerados, en cuanto gobernaban la ciudad, como al presente. Mahoma tuvo la política, de establecer en una tregua que había entablado con los habitantes de La Meca, sus enemigos, de ordenar a sus seguidores la peregrinación a La Meca y conservar esta costumbre religiosa que daba la subsistencia al pueblo, cuyo terreno es de los más ingratos, llegó así a imponerle fácilmente el yugo de su dominio.

La Meca es la metrópoli sagrada de los mahometanos a causa de su templo o Kaaba, *casa sagrada*, que dicen haber sido edificado en esta ciudad por Abraham, y están tan firmemente persuadidos de esto, que harían empalar a cualquiera que osase decir que en tiempo de aquel patriarca no había tal ciudad de La Meca. Esta Kaaba que tantos viajeros han descrito, está en medio de la mezquita llamada por los turcos *haram*: el pozo de Zemzem, tan respetado de los árabes se halla también en el recinto del haram.

La ciudad, el templo, la mezquita y el pozo, estaban hasta la aparición del Estado de Arabia Saudita en 1932, bajo el mando de un sheriph, o como escribimos nosotros cherif o serif, príncipe soberano como el de Medina, y descendientes ambos de la familia de Mahoma: el monarca saudí, con toda su autoridad, no puede deponerle a menos que sea colocando en su lugar un príncipe de su sangre.

**MECÁNICA.** Sobrenombre de Palas como presidenta de la construcción de las ciudades.

**MECASFINS.** Brujos caldeos que se servían de hierbas, drogas particulares y huesos de muerto, para sus operaciones adivinatorias y mágicas.

**MECENCIO.** Rey de Etruria; despreciador de los dioses, ejercía sobre sus súbditos las más atroces crueldades. Se complacía en extender un hombre vivo sobre un cadáver, en juntar sus bocas, sus manos y todos sus miembros, haciendo morir de este modo, en medio de la más horrenda infección, los vivos en brazos de los muertos. Los etruscos, cansados de obedecer a semejante monstruo, tomaron las armas, degollaron sus guardias y le sitiaron en su palacio, al cual pegaron fuego. Mecencio escapó en medio de los asesinatos y se refugió al lado de Turno. Combatió vilmente contra los troyanos y fue muerto por Eneas. *Eneida. 7, 8, y 10. Dion. Hal. 1, c. 15, Tito Liv. 1, c. 2, Just. 49, c. 1, Ovid. Fast. 4.*

**MECISTEO.** 1 — Hijo de Egui, uno de los compañeros de Ayax, muerto por

Polidamante en el sitio de Troya. *Ilíada. 6.*

2 — Padre de Euríalo uno de los capitanes griegos que fueron al sitio de Troya.

3 — Hijo de Licaón. *Apolod.*

**MECHENEUS (MECENEO).** Sobrenombre de Júpiter que bendice las empresas de los hombres. R. *mechaneomai*, yo emprendo. Había en medio de Argos un cipo de bronce que sostenía la estatua del dios con este sobrenombre. Delante de esta estatua, los argivos, antes de ir al sitio de Troya, se obligaron, con juramento, primero perecer que abandonar su empresa. *Paus. 2. c. 22.*

**MECHANITIS.** Sobrenombre que los megalopolitanos daban a Minerva y a Venus, como diosas favorecedoras de los hábiles proyectos, asegurando su concurso.

**MEDEA.** Hija de Eetes, rey de la Cólquida y de Hécate, que habiendo visto llegar a Jasón a la cabeza de los Argonautas, se enamoró del hermoso rostro de este héroe, le hizo victorioso de todos los monstruos que guardaban el Vellocino de oro, le puso en posesión de este preciado botín y emprendió la fuga con el héroe. Eetes hizo perseguir a los griegos por Apsirto, su hijo, que pereció en esta empresa. (V. Apsirto) Medea, después de diversas aventuras, llegó felizmente a la Tesalia, rejuveneció a Esón e hizo perecer a Pelias, usurpador de su trono. (V. Esón, Jasón, Pelias.) Después de la infidelidad de Jasón, Medea, según *Diodoro*, al salir de Corinto fue a refugiarse al lado de Hércules, quien le había prometido en otro tiempo socorrerla, si Jasón le faltaba a la fe. Llegada a Tebas, encontró a Hércules furioso y le curó con sus remedios. Pero viendo que no podía esperar ningún socorro de él, en el estado en que se hallaba, se retiró a Atenas cerca del rey Egeo; que no solamente le dio asilo en sus estados, sino que también se casó con ella, con la esperanza que le había dado de que podía, con sus encantos, hacerle tener hijos. Habiendo en este tiempo vuelto Teseo a Atenas para darse a reconocer por su padre, Medea buscó el modo de hacer perecer por el veneno a este heredero del trono. *Diodoro* dice que tan sólo fue sospecha, y viendo que se la miraba como una envenenadora, huyó otra vez de Atenas, y escogió Fenicia para su retiro. Enseguida, habiendo pasado al Asia superior, se casó con uno de los reyes más poderosos de este país, y tuvo de él un hijo llamado Midas, que habiéndose hecho famoso por su valor, sucedió a su madre en el trono y dio a sus súbditos el nombre de medos.

Muchos antiguos historiadores nos representan a Medea con colores bien diferentes: según unos era una persona virtuosa que no había cometido otro crimen que el amor que profesó por Jasón, quien la abandonó cobardemente, a pesar de las pruebas que había recibido de su ternura, para casarse con la hija de Creonte. Según otros era una mujer que empleaba los secretos que su madre le había enseñado, en favor de los que venían a consultarla; que en Colquida se había ocupado en salvar la vida a los extranjeros que el rey había querido hacer perecer, y que tan sólo había huido por el horror que tenía a las crueldades de su padre; en fin, una reina abandonada, perseguida, que después de haber creído las promesas y los juramentos de su esposo, se vio obligada a ir errante de corte en corte, y por último a cruzar los mares para buscar asilo en los países lejanos. Otros han visto en el remozamiento de Esón un sentido alegórico. Era, dicen éstos, una mujer prudente, que oponía a la debilidad causada por una vida de molicie y sensualidad, los remedios de una gimnástica bien entendida.

Medea se había retirado a Corinto porque, según *Pausanias*, tenía derecho a esta corona. Efectivamente reinó allí con Creonte. *Diodoro* añade que los corintios fueron los que la invitaron a dejar a Yolco para venir a tomar posesión de un trono que le pertenecía. Pero estos pueblos inconstantes, bien fuese para vengar la muerte de Creonte, que atribuían a Medea, o bien para poner término a las intrigas que formaba, con el fin de asegurar la corona en las sienes de sus hijos, los apedrearon en el templo mismo de Juno, donde se habían refugiado. Algún tiempo después, Corinto fue afligida de una peste, o de una enfermedad epidémica que arrebataba todos los niños. El oráculo de Delfos advirtió a los corintios que no verían el término de sus males hasta que hubiesen expiado el sacrílego asesinato, de que se habían hecho culpables. Al momento establecieron sacrificios en honor de los hijos de Medea, y les consagraron una estatua que representaba el Miedo. Para hacer más solemne la reparación que los corintios se veían obligados a hacer a estos desgraciados príncipes, mandaban llevar luto a sus hijos y les cortaban el cabello hasta cierta edad. Este hecho era conocido de todo el mundo, cuando Eurípides quiso presentar a Medea en la escena. Los corintios regalaron al poeta cincuenta talentos, para instigarlo a suponer que Medea había cometido el asesinato de los jóvenes príncipes. Esperaban, con razón, que esta fábula se acreditaría por la reputación del poeta y que así se ofuscaría una verdad que les era poco favorable. Para hacer creíble esta primera calumnia, los poetas trágicos inventaron todos los otros crímenes de que está llena la historia de Medea; los asesinatos de Apsirto, de Pelias, de Creonte y de su hija, el envenenamiento de Teseo, etcétera.

Se la hizo también pasar por una gran maga; porque había aprendido de su madre Hécate el conocimiento de las plantas y de los muchos secretos útiles, de que se servía para el bien de la humanidad. En fin, los que la han calumniado, suponiéndole tantos crímenes, no han podido menos de reconocer que, nacida virtuosa, si se vio arrastrada al vicio, no fue más que por una especie de fatalidad y por el concurso de los dioses, y en particular de Venus, que persiguió sin compasión la familia del Sol, que había descubierto su intriga con Marte. *Met. 7, Eurípid. Apolod. 1, c. 3; l. 8, c. 11. Diod. 4. Estrab. 7, Cic. Apolod. Arg. 3. Orf. Val. Flac. Fars. 4.*

MEDEBRONTES. Uno de los hijos que tuvo Hércules con Megara, y al cual mató en un exceso de furor.

MEDEIDES. Piloto de los piratas tirrenios, que por causa de su piedad, fue perdonado por Baco, que transformó a sus compañeros en delfines.

MEDEÓN. Hijo de Pílades y de Electra, que dio su nombre a la ciudad de Medeón en Beocia.

MEDESICASTE. Hija natural de Príamo, casada con Imbrio, habitante en la ciudad de Pedaso. Los griegos se la llevaron cautiva, después del sitio de Troya. *Ilíada. 13.*

MEDIA LUNA. (*V.* Diana, Io.)

MEDICA. Sobrenombre de Minerva, presidente de la medicina.

MEDICINA. (*Iconol.*) (*Ciencia.*) Se la representa bajo la figura de una mujer anciana, para expresar que la experiencia es la base de este arte. Tiene una figura de la naturaleza, objeto continuo de sus observaciones, y el palo nudoso sobre que se apoya indica la dificultad que acompaña su estudio. La serpiente, cuya piel se renueva, emblema de la salud, rodea el bastón que reposa sobre las obras de Galeno y de Hipócrates. El gallo consagrado a Esculapio puede ser tomado por símbolo de la vigilancia, tan necesaria al médico; la rienda y el freno a los pies de la figura son emblema de la templanza indispensable al convaleciente. (*V.* Esculapio.) *Pausanias* cree que la medicina estaba representada sobre el cofre de Cipselo, en el templo de Juno, en Elida, por dos mujeres que tienen la una un mortero y la otra un pilón.

MEDICURNUS. Primer nombre de Mercurio según algunos autores, y llamado así porque la elocuencia es el medio más seguro de reunir los hombres y reconciliar sus intereses.

MEDICUS. 1 — Sobrenombre de Apolo, considerado como dios de la medicina. En cualidad de tal, tiene la serpiente a los pies de sus estatuas.

2 — Sobrenombre con que Esculapio era honrado en Balanagre, en la Cirenaica, donde se le inmolaban cabras.

MEDIDA. (*V.* Abundancia. Serapis.)

MEDINA. Ciudad de la Arabia feliz, a 91 leguas al noroeste de La Meca, y a 95 de Constantinopla. En ella estableció Mahoma el asiento de su imperio. En el centro de la ciudad se ve la famosa mezquita donde van los mahometanos en peregrinación, y en sus esquinas los sepulcros de Mahoma, Abubeker y Omar: el sepulcro de Mahoma es de mármol blanco, levantado y cubierto como el de los sultanes turcos. Este sepulcro está colocado en una torrecita o edificio redondo, revestido de una casa que los turcos llaman *Turbé*: hay alrededor de la casa una galería cuyo interior, según dicen, está adornado de piedras preciosas de un precio inestimable; pero estas riquezas no se dejan ver sino de lejos. Medina estaba gobernada por un serif que se decía era de la familia de Mahoma, y soberano independiente.

MEDIO DÍA. (*Iconol.*) 1 — Una de las cuatro partes del día. El calor del medio día se halla representado en dos bajorrelieves del palacio Mattei, por un Prometeo que toca a Tetis con una antorcha ardiente para indicar el calor que abrumó a esta diosa y la hizo sucumbir, después de haber escapado de las persecuciones de Peleo tomando la figura de varios animales. Los artistas, para representar el medio día, pintan algunas veces el sol en su carro, detenido en medio de su carrera.

2 — (*Iconol.*) Uno de los cuatro puntos cardinales. *C. Ripa* los simboliza por un joven moro de mediana talla, a quien el sol rodea con sus rayos, cayendo perpendicularmente sobre su cabeza: su vestido es de un rojo amarillento, trae un cinturón azul turquesa, en el cual se ven los signos de Tauro, Virgo y Capricornio. Tiene algunas flechas en la mano derecha, y en la izquierda un ramo de loto, arbusto acuático que según los antiguos naturalistas sigue la marcha del sol, se levanta con él, se abre al medio día, se inclina en su ocaso y se oculta en el agua. A sus pies hay esparcidas algunas flores desecadas por los rayos del sol.

MEDIOXIMES. Dioses intermedios o aéreos, que se creía habitaban los aires, y eran intermediarios entre los del cielo y los de la tierra. *Servio* dice que eran marinos, y *Apuleyo*, genios inferiores a los dioses celestes, y superiores a los hombres.

MEDITRINA. Divinidad que presidía los remedios y las curas. R. *mederi*, curar. *Varr.*

MEDITRINALES. Fiestas en honor de Meditrina. Se ofrecía a la diosa vino añejo y nuevo, porque el vino tomado con medida era un excelente preservativo contra todo género de enfermedades.

MEDIUS, o Modius. Hijo de Marte y de una hija de Reate, apellidada *Fabidius*, *Fidius*, fundó la ciudad de Curés, que llamó así del nombre del genio que pasaba por su padre; o según otros de una pica llamada en sabino *curis*.

MEDÓN o MEDONTE. 1 — Marinero transformado en pez. *Met. 3.*

2 — Centauro herido en la espalda, que se vio obligado a huir. *Ib. t. 12.*

3 — Uno de los pretendientes de Penélope, salvado por Telémaco. *Odis. 22, 24.*

4 — Hijo de Codro y hermano de Nileo, a quien disputó la corona después de la muerte de su padre. El oráculo decidió a su favor. *Paus. 7, c. 2.*

5 — Hijo de Antenor, uno de los que perecieron en el sitio de Troya. Eneas vio su sombra en los infiernos. *Eneida 6.*

6 — Hijo natural de Oileo y hermano de Ayax, muerto por Eneas. *Il. 13, 15.*

7 — Hijo de Pílades y de Electra. *Paus. 2, c. 26.*

MEDÓNTIDES. Descendientes de Medón, arcontes después de Codro, pues los atenienses no quisieron más reyes.

MEDUS o MEDO. Hijo, según *Justino*, (*l.* 42) de Jasón y de Medea. Edificó la ciudad de Medea en honor de su madre y dio su nombre a los medos. *Higinio* (*f.* 17), que le hace hijo de Egeo, refiere que fue reconocido por su madre, en el momento en que instaba a Perses, rey de la Cólquida, que le hiciese perecer, creyéndole hijo de Creonte. Vuelta de su error, pidió hablarle en particular y le dio una espada, de la cual se sirvió para matar al mismo Perses. Medus subió de este modo al trono de Eetes, su abuelo, que Perses había usurpado. *Paus. 2, Apolod. 1.*

MEDUSA. 1 — (*Iconol.*) Una de las tres Gorgonas; era mortal, dice *Hesíodo.* (*Teog.*), al revés de sus hermanas Euríale y Esteno, que no estaban sujetas a la vejez ni a la muerte. Era muy hermosa, pero de todos sus atractivos nada tenía tan bello como su cabellera. Una multitud de amantes se apresuraron a buscarla en matrimonio. Neptuno se enamoró también de ella y, habiéndose transformado en ave, arrebató a Medusa y la trasladó a un templo de Minerva, que profanaron. El conde Noël dice solamente que Medusa osó disputar en hermosura con Minerva. La diosa se irritó de tal modo que mudó en horrendas serpientes los hermosos cabellos de que Medusa hacia alarde y dio a sus ojos el poder de transformar en piedra a todos los que miraba. Muchos experimentaron los perniciosos efectos de sus miradas. y muchos fueron petrificados cerca del lago Tritonis. Los dioses, queriendo librar a la tierra de esta plaga, enviaron a Perseo para matarla. Minerva le regaló su espejo y Plutón su casco: este casco y este espejo tenían, dice *Higinio* (*F.* 151), la propiedad de dejar ver todos los objetos sin que el que lo llevaba pudiese ser visto. Perseo se presentó pues delante de Medusa sin ser visto, y conducido por Minerva cortó con su propia mano la cabeza de la Gorgona, que llevó después en todas sus expediciones. Se sirvió de ella para petrificar a sus enemigos; haciendo lo mismo con respecto a los habitantes de la isla de Sérife (Sérifos), a los que transformó en rocas, y a Atlas, que se convirtió en monte. De la sangre que salió de la herida de Medusa, después de cortada su cabeza, nacieron Pegaso y Crisaor; y cuando Perseo alzó su vuelo por encima de Libia, todas las gotas de sangre que cayeron de la cabeza fatal se transformaron en otras tantas serpientes: de aquí nacieron, dice Apolodoro, la prodigiosa cantidad de estos animales venenosos, que han infestado desde entonces esta comarca.

Vencedor Perseo de todos sus enemigos, consagró a Minerva la cabeza de Medusa, que desde entonces quedó grabada en la temible égida de la diosa. «Se veía en medio de esta égida, dice Homero, la cabeza de la Gorgona, monstruo horrendo, cabeza enorme y formidable, prodigio admirable del padre de los inmortales.» Virgilio la coloca también en la coraza de Minerva, en el lugar que cubría el pecho de la diosa. Hay además apariencia de que era el adorno más común de los escudos del tiempo de los héroes; pues Homero dice también que esta cabeza estaba grabada sobre el escudo de Agamenón, rodeada del Terror y la Fuga, es decir, que se grababa este horroroso aspecto para aterrorizar a los enemigos. Sin embargo, las Medusas que nos han conservado los monumentos antiguos no tienen este rostro espantoso y terrible. Hay algunos que nos presenta el rostro ordinario de mujer; y las hay también que son muy hermosas, tanto en la égida de Minerva como fuera de ella. Entre otras se ve una sentada en las rocas, llena de dolor, de ver que no solamente sus hermosos cabellos se convierten en serpientes, sino que también vienen serpientes de todas partes y le rodean los brazos, las piernas y todo el cuerpo. Apoya la cabeza en la mano izquierda, la hermosura y la dulzura de su rostro hacen que, a pesar de la extrañeza de esta fábula, no se la pueda mirar sin sentirse interesado de su desgracia.

«Sin detenerme en lo que han inventado las fábulas sobre Medusa, dice *Pausanias*, repetiré lo que la historia nos refiere de esta mujer singular: algunos dicen que era hija de Forco; que después de la muerte de su padre gobernó los pueblos que habitan en las cercanías del lago Tritonis; que se ejercitaba en la caza y que hasta iba a la guerra con los libios, que le estaban sometidos; que habiéndose acercado Perseo al frente de un ejército griego, Medusa se le presentó con sus tropas en batalla; que este héroe la noche siguiente, armó una emboscada en que pereció Medusa; que al día siguiente habiendo encontrado su cuerpo, se sorprendió de la hermosura de aquella mujer, le cortó la cabeza y la llevó a Grecia para servir de espectáculo, y como un monumento de su victoria. Pero otro historiador lo refiere de un modo más verosímil. Dice que en los desiertos de Libia se ven con frecuencia fieras de una forma y magnitud extraordinarias; que sus habitantes son también salvajes, y en fin que en su tiempo fue llevado a Roma un Libio que parecía diferente de los demás hombres y que excitaba la admiración de cuantos le miraban. Fundado en esto cree que Medusa era una de estas salvajes que conduciendo su rebaño, se apartó hasta las cercanías del lago Tritonis, donde orgullosa por su fuerza física, quiso maltratar

los pueblos del alrededor, a quienes Perseo libró en fin de este monstruo. Lo que ha dado margen a creer, añade el mismo, que Minerva le ayudó, es que toda esta comarca está consagrada a aquella diosa, y que los pueblos que la habitan se hallan bajo su protección.»

El mismo *Pausanias* refiere también una circunstancia singular de Medusa, y es, que en el templo de Tegea se guardaban sus cabellos, los que, según se decía regaló Minerva a Cefes, hijo de Aleo, asegurándole que por ellos, Tegea llegaría a ser una ciudad que nunca podría tomarse: lo que tiene conexión con lo que dice *Apolodoro* (l.2,c.4;l.4.) de que se atribuía a los cabellos de Medusa una virtud particular, y que Hércules dio a Europa, hija de Cefes, un bucle de los cabellos de aquella Gorgona, diciéndole que para poner en fuga a sus enemigos no debía hacer más que enseñarles aquellos cabellos. (*V.* Gorgonas, Perseo.)

En el museo de Florencia se ve una cabeza de Medusa agonizando. Obra maestra de la mano del famoso *Leonardo de Vinci.*— Muchas veces se representaba, dicha cabeza, con alas.

2 — Hija de Príamo

3 — Hija de Estenelo. *Apolod.*

MEGABIZES, MEGÁBOBIZES. Sacerdotes eunucos de Diana de Efeso, pues como dice *Estrabón* a una diosa virgen no le competen otros. Eran tenidos en mucho honor, y jóvenes vírgenes partían con ellos las funciones del sacerdocio: pero este uso cambió según los tiempos y lugares.

MEGABRONTES. Dolio, muerto por Hércules en un combate de los Argonautas, sobre las costas de Cízico.

MEGALARTIAS. Fiestas de Ceres en la isla de Delos. Se celebraban en ellas una procesión, en la cual llevaban un gran pan. R. *megas* grande, *artos*. pan.

MEGALARTO. Inventor, con Megalomazo, del arte de convertir el trigo en harina, y esta en pan, y fue el primero que llevó tan útil invención a Beocia. En reconocimiento de este beneficio, los beocios le habían erigido estatuas en Scolos, una de sus principales ciudades.

MEGALARTOS, *la que da grandes panes.* Sobrenombre de Ceres en Scolos, Beocia.

MEGALASCLEPIADES. Fiesta que se celebraba en Epidauro, en honor de Esculapio, cuyo nombre en griego es *Asclepios. Banier t. 3.*

MEGALE. *Grande.* Uno de los sobrenombres de Juno, que indicaba su superioridad sobre los demás dioses. *Ibid. t. 3.*

MEGALESIAS. Fiestas instituidas en Roma en honor de Cibeles, hacia el tiempo de la segunda guerra púnica. Los oráculos sibilinos indicaban según los decenviros, que el enemigo sería vencido y arrojado de Italia, si la madre de Ideona era llevada de Pesimuta a Roma. El senado envió algunos diputados hacia Attala, los cuales le mandaron una piedra que los habitantes del país llamaban *madre de los dioses.* Llegada esta piedra a Roma, fue recibida por Escipión Nasica, quien la depositó en el templo de la victoria en el monte Palatino, el 14 de abril, en cuyo día se establecieron las Megalesias. *Tito Liv. 29, c. 14.*

MEGALESIOS. Juegos que acompañaban las Magalesias. En ellos las matronas romanas danzaban delante del altar de Cibeles. Los magistrados asistían a los mismos, vestidos de púrpura y la ley prohibía a los esclavos presentarse en ellos. Durante estos juegos muchos sacerdotes frigios llevaban en triunfo por las calles de Roma la imagen de la diosa, y se representaban las más escogidas comedias. Asistían muchos extranjeros y una gran multitud de pueblo a estos juegos, cuya celebración caía el día antes de los idus de abril, día en que los Romanos había recibido el culto de esta diosa.

MEGALESIUM. Templo de Ceres.

MEGALETOR. 1 — Fue transformado en Icneumón.

2 — *de gran corazón.* Epiteto de Apolo. R. *hetor,* corazón *Antol.*

MEGALOMAZO. (*V.* Megalarto.)

MEGALOSACO. Dolio muerto por Cástor y Pólux, en un combate entre los dolios y los Argonautas en las costas de Cízico.

MEGAMEDES. Hija de Arneo que tuvo de Testio las cincuenta testiades. *Apolod. 2.*

MEGANIRA, o METANIRA. 1 — Esposa de Celco, que tenía una capilla en el Atica, sobre el camino de Eleusis a Megara, cerca de un pozo llamado el *Pozo florido. Paus. 1, c. 37.* (*V.* Celeo.1)

2 — Esposa de Arcas. *Apolod.*

MEGAPENTO. 1 — Hijo de Præteus y sucesor de Acrisio, Perseo le cedió el reino de Argos al retirarse a Micenas. *Paus.*

2 — Hijo de Menelao y de su esclava Terídae, casado con una princesa de Esparta, hija de Alector Odis.

MEGARA. 1 — Templos de Ceres *Eustac.Pas.* Se les daba este nombre porque eran más grandes que los edificios ordinarios y los más aptos para excitar la envidia o la veneración. R. *megairein,* envidiar respetar.

2 — Ciudad de la Grecia cuyas murallas, según sus habitantes, habían sido construidas por el mismo Apolo. Ellos enseñaron a Pausanias la piedra donde este dios dejaba su lira, durante su trabajo, la cual herida con un guijarro daba armoniosos sonidos.

3 — Hija de Creonte, rey de Tebas y mujer de Hércules, quien la obtuvo en recompensa del socorro que había prestado contra Ergino, rey de los orcomenios. Mientras que Hércules descendía a los infiernos, Lico quiso apoderarse de Tebas y obligar a Megara a casarse con él; pero Hércules vino tan a propósito, que mató a Lico y restableció a Creonte. Indignada Juno por la muerte de Lico, inspiró a Hércules aquel furor, en uno de cuyos excesos mató a Megara con todos los hijos que de ella había tenido. Según otra tradición descargó todo su furor sobre sus hijos, y después repudió a Megara, porque su presencia le recordaba continuamente aquel exceso terrible. *Hig. f. 28, Apolod. 2, c. 6, Diod. 4.* (*V.* Yope.)

MEGAREIUS HEROS. Hipómeno, hijo de Megareo, nieto de Hércules. *Met. 10.*

MEGAREOS. Si atendemos a un oráculo que declaró que los Megareos no estaban en la duodecima clase, que no merecían ninguna, ni menos consideración, veremos que este pueblo era muy poco apreciado en la Grecia, y la imprecación entre los pueblos vecinos, *que nadie sea más sabio que los Megareos*, acaba de dar una idea de la estupidez de sus habitantes.

**MEGAREUS.** 1 — Hijo de Apolo, a quien se atribuye la fundación de Megara. *Met. 10.*

2 — Hijo de Neptuno, muerto llevando socorro a Niso, sitiado por Minos, inhumado al pie de los muros de la ciudad, a la cual dio el nombre de Megara. *Paus.*

**MEGARUS.** Hijo de Júpiter y de una ninfa Sithinde. Se salvó del diluvio de Deucalión, ganando a nado una montaña, guiado por el grito de una bandada de gruas, de donde este monte se llamó Geranio. *Paus.*

**MEGAS.** Padre de Príamo, muerto por Patroclo. *Ilíada. l. 16.*

**MEGERA.** La segunda de las tres Furias, cuyo nombre indicaba ya la rabia y las disputas que excitaba entre los mortales. R. *megala eris*, gran disputa. Hacíase derivar también su nombre de la envidia que causaba. R. *megarein*, tener envidia. Era la que castigaba con mayor encarnizamiento a los mortales, y la que en *Virgilio* (*Eneida. 12*) hace perecer a Turno, y en *Claudio* a Rufino.

**MEGES.** 1 — Uno de los pretendientes de Helena, capitán griego, hijo de Fileo. Partió con cuarenta naves para el sitio de Troya. *Il. 2, 5, 15, 16.*

2 — Capitán troyano, herido por Admeto, de Argos, la noche de la caída de Troya. Estaba representado en Delfos con el brazo enredado. *Paus.*

**MEGESARES.** Padre de Farmacea, esposa de Sándaco y madre de Ciniras.

**MEGISTIAS.** Famoso adivino de Melampo, en Acarnania, que después de haber examinado las entrañas de las víctimas que Leónidas hizo inmolar a los dioses antes de la batalla de las Termópilas, predijo a todos los que estaban presentes que morirían. Leónidas, no queriendo que pereciese, le mandó retirarse, pero él no creyó deber obedecer y se contentó con hacer partir un hijo único que tenía a su lado. *Herod. l. 7, c. 2, 9.*

**MEHADU.** (*Mit. índ.*) Divinidad subalterna que los brahmanes dicen haber sido creada antes de la formación del mundo, y que debe venir un día, por orden del Ser Supremo, a destruir todas las obras de la creación.

**MEHCHER.** (*Mit. mah.*) Lugar cercano a La Meca donde, según los persas, debe celebrarse el juicio final. *Chardin.*

**MEHER.** (*Mit. pers.*) Angel que da la fertilidad a los campos cultivados. Las obras más gratas a sus ojos son la agricultura, el cuidado de los animales, la sepultura de los muertos, y la caridad con los pobres. (*V. Derondi.*)

**¡ME HERCULE!** Juramento que corresponde a esta expresión: *Ita me Hércules jubet*; así Hércules me ayude. Estaba prohibido a las mujeres el jurar por Hércules porque, dice *Macrobio*, algunas le habían rehusado el agua cuando padecía una sed ardiente al conducir a España los bueyes de Gerión, o porque, según otros, no convenía a un sexo débil y tímido provocar con un juramento al héroe vencedor de la Tierra.

**MELA.** Estanque de Licia, en cuyas orillas Latona transformó en ranas a los paisanos que enturbiaron el agua, para impedir que apagase su sed en ella. *Met. 6.*

**MELÆNEUS.** Uno de los hijos de Licaón.

**MELAINA.** Epíteto de Ceres tomado del vestido de luto que llevó en señal del dolor que sentía por la violencia que le hizo Neptuno, o según otros de la pérdida de su hija.

**MELAMPADAM.** (*Mit. índ.*) Quinto paraíso de los indios, el más magnífico y elevado de todos. En él ha establecido su morada el Ser Supremo, que ellos llaman Parabaravastu, el cual tan solamente admite en este lugar de delicias el alma de aquellos que han observado en la tierra una vida santa e irreprochable.

**MELAMPO.** 1 — Hijo de Atreo, llamado también Dióscuro, con sus hermanos Aleón y Eumolo. *Cic.*

2 — Hijo de Amitaón y de Doripa o Idómene, y primo hermano de Jasón: se dedicó a la medicina y llegó a ser muy

hábil en botánica. Se le dio este nombre porque, siendo niño, su madre le había acostumbrado a no llevar calzado y el sol le había ennegrecido los pies. Se dice que incluso entendía el lenguaje de los animales; ventaja que debía a la anécdota siguiente, que refiere Apolodoro: habiendo sus criados descubierto una familia entera de serpientes en un viejo roble, y muerto al momento el padre y la madre, le llevaron los pequeñuelos, que hizo criar cuidadosamente. Siendo ya grandes los animales, habiéndolo encontrado un día dormido, se unieron cada uno a una de sus orejas y se las limpiaron tan perfectamente con sus lenguas, que al despertarse se llenó de admiración al entender las conversaciones de los animales. Habiendo las hijas de Preto perdido el uso de la razón, hasta llegar a creerse vacas, Melampo las curó por medio del eléboro, que se llamó después *melampodium*, y se casó con una de las tres hijas del rey.(*Geórg.3.*) Bajo el reinado de Anaxágoras, las mujeres argivas fueron asaltadas por la manía de correr los campos, y Melampo las volvió también al uso de la razón. Anaxágoras, en reconocimiento, le cedió la tercera parte de sus estados, en la cual reinaron los descendientes de Melampo hasta la sexta generación. *Herodoto* (2 y 9) le pinta como un hombre sabio, instruido en el arte de la adivinación, que enseñó a los griegos las ceremonias de los sacrificios que se ofrecían a Baco, y todo lo perteneciente al culto de los dioses de Egipto, que había aprendido de los mismos egipcios. Este príncipe fue honrado, después de su muerte, como semidiós; ofrecíanse sacrificios sobre su sepulcro; y fue contado también entre los dioses de la medicina. *Paus. 1, c. 18; l.4, c.3. Odis. 11, 15. Apolod. 2, c. 2.*

3 — Compañero de los trabajos de Hércules, a quien *Virgilio* hace padre de Cise y de Cías, quizás el mismo que el precedente. *Eneida.10.*

4 — Uno de los perros de Acteón. *Met. 5.*

MELÁMPIGO. El hombre de las "nalgas negras": Hércules (*V.* Acmón).

MELANEA. Una de las hijas de Neptuno, de la cual el río Nilo tomó el nombre de Melas.

MELANEGIS. Sobrenombre de Baco en Hermione, donde se celebraban todos los años juegos en su honor. Los músicos, los nadadores y los remeros se disputaban un premio.

MELANEO. 1 — Uno de los perros de Acteón. R. *mela*, negro. *Met. 3.*

2 — Famoso Centauro, gran cazador de jabalíes. *Met. 12.*

3 — Griego tan hábil en uso del arco, que se le decía hijo de Apolo.

4 — Etíope, muerto en las bodas de Perseo. *Met. 5.*

MELANGETE. Uno de los perros de Acteón. Metam. R. *melas*, negro; *chaite*.

MELANIDA; MELANIS, MELÆNIS. Sobrenombre de Venus, que ama las tinieblas de la noche favorables a sus placeres. Tenía bajo este nombre un templo en el bosque Cranae: en la base occidental del Acrocorinto.

MELANIO. 1 — El mismo que Hipómenes. *Apolod. 3.*

2 – Uno de los discípulos de Quirón. *Ant. expl. t. 3.*

MELANIPA. 1 — Ninfa que tuvo un hijo de Itonus, llamado Beotus. *Paus. 9. c. 1.*

2 — Hija de Eolo, la cual tuvo clandestinamente dos hijos de Neptuno. Eolo, irritado, los hizo exponer luego de nacidos y mandó arrancar los ojos a Melanipa, encerrándola después en una estrecha prisión. Los niños, encontrados y criados por pastores, salvaron posteriormente a su madre del encierro, y habiéndole Neptuno vuelto la vista, casó con Metaponto, rey de Icaria. *Hig. f. 186.*

3 — Hija de Quirón que, seducida por Eolo, rogó a los dioses que ocultasen su preñez a los ojos de su padre. Entonces fue transformada en yegua y colocada entre las estrellas de modo que Quirón no pudiese verla. Según otros esta metamorfosis fue en castigo de su indiscreción, porque en su cualidad de adivina había revelado a los hombres el secreto de los dioses, y prodigó entre otras cosas el destino de su padre y el del joven Esculapio. Es la misma a la que *Ovidio* llama Ocíroe.

4 — Reina de las Amazonas, cuyo cinturón debía Hércules traer a Euristeo. Según *Diodoro de Sicilia* ella misma se lo dio sin ninguna violencia, y Hércules la dejó en libertad.

5 — Una de las Meleágridas

MELANIPIAS. Fiesta de Sicione en honor de Menalipa, amante de Neptuno: otros dicen de Melanipo, hijo de Astaco.

MELANIPO. 1 — Joven buen mozo que amó apasionadamente a Comeo, sacerdotisa de Diana Triclaria en Patras, ciudad de Acaia: pero no habiendo podido alcanzarla de sus padres, llegó a sorprenderla en el mismo templo de la diosa. La profanación de este templo fue seguida de una esterilidad general y de epidemias mortales. Al fin, consultado el oráculo de Delfos sobre los medios de hacer cesar tantos males, reveló la impiedad de los dos amantes, que la pagaron con la vida; y mandó apaciguar a la diosa con un sacrificio anual de un joven y una doncella que aventajasen a todos los demás en hermosura. *Paus. 7. c. 19.* (*V. Euripile.*)

2 — Hijo de Marte y de la ninfa Tritia, hija del río Tritón y sacerdotisa de Minerva; fundó en Acaia una ciudad, a la cual dio el nombre de su madre.

3 — Hijos de Teseo y de Perigona, hija de Sinis: alcanzó el premio de la carrera en los juegos Nemeos instituidos por Adrasto y celebrados por los epigones, después de terminada la segunda guerra de Tebas. Condujo a Caria una colonia griega.

4 — Hijo de Astaco, uno de los primeros capitanes tebanos, que hirió a Tideo y fue muerto por Anfiarao. Tideo, antes de morir, mandó que le trajesen su cabeza y la despedazó con los dientes. En castigo a esta barbarie, Minerva, su protectora, le retiró el remedio que podía curarle. *Apolod. 1, c. 8. Paus 9, c.8.*

5 — Hijo de Hicetaón, uno de los más valientes capitanes troyanos, muerto por Antíloco en el sitio de Troya. *Ilíada, 13.*

6 — Otro capitán troyano muerto por Patroclo. *Ib. 16.*

7 — Otro capitán troyano muerto por Teucro, hijo de Telamón. *Ib. 8.*

8 — Compañero del poeta Alceo. *Herod. 5, c. 95.*

9 — Hijo de Príamo.

10 — Hijo de Teseo y de Perigone.

11 — Sacerdote de Apolo en Cinea, muerto por el tirano Nicócrates.

12 — Hijo de Agrio, rey de Etolia: se distinguió por su valor en el sitio de Troya.

13 — Uno de los hijos de Melas, muerto por Tideo.

MELANOPO. Natural de Cumas, autor de un cántico en honor a Opis y a Hecaerge, en el cual decía que estas diosas habían venido del país de los hiperbóreos a Acaia y a Delos. *Paus.*

MELANTEO. Padre de Anfimedón, uno de los pretendientes de Penélope. *Odis. 24.*

MELANTIA. Hija de Deucalión y de Pirra.

MELANTIDE. Los atenienses habían erigido bajo este nombre un templo a Baco, en memoria de haber aparecido detrás de Xanto durante su combate con Melanto, con una piel de cabra negra sobre las espaldas, lo cual había dado a éste la idea de una travesura cuyo resultado había sido una victoria que hizo pasar el cetro de Atenas de la casa de Erecteo a la de los Neleidas. (*V. Apaturias, Melanto, Xanto.*)

MELANTIO. 1 — Capitán troyano muerto por Euriale, hijo de Mecisteo. *Ilíada. 17, 20, 22.*

2 — Hijo de Dolio, inspector de los rebaños de Ulises, el cual habiendo osado contarse en el número de los amantes de Penélope, fue preso por Eumeo, atado, colgado en una columna, mutilado y muerto el día siguiente. *Odis. l. 22.*

MELANTO. 1 — Ninfa de los mares. Enamorado Neptuno de ella, tomó la forma de un delfín, la siguió algún tiempo y después la arrebató. *Met. 6.*

2 — Una de las mujeres de Penélope, que la había criado desde joven. Melanto, poco reconocida a las bondades de su señora, la arrastraba a favor de sus amantes y tenía un comercio criminal con Eurímaco. *Odis. l. 18, 19.*

MELANTO. 1 — Uno de los compañeros de *Ovidio* da a Baco. *Met. 3.*

2 — Hijo de Andropompo, de la clase de los Neleidas que, arrojado por los herá-

clidas de la Mesenia y refugiado en Atenas, arrebató la corona a Timoetes con una ficción que dio principio a las fiestas Apaturias. Fue padre de Codro, último rey de Atenas. *Paus. 2, c. 18, Herod. 1, c. 147; l. 5, c. 65.*

MELARIUM. Nave de vino que se llevaba a las fiestas de la buena diosa. Se le hacían libaciones con este vino, al cual daban el nombre de leche.

MELAS. 1 — Río de Beocia, al cual atri-buye Plinio la virtud de teñir de negro los corderos que bebían de sus aguas, mientras que el Cefiso tenía una virtud contraria.

2 — Hijo de Proteo. *Ilíada.* 15.

3 — Uno de los Argonautas, hijo de Frixo y de Calciope, que se ahogó en el camino. *Apolod. 1.*

4 — Hijo de Neptuno.

5 — Hijo de Ops. Palas tomó su figura para obligar a Teutis a que no condujera sus tropas de la Aulide.

6 — Uno de los tirrenios, transformados por Baco en delfines.

7 — Etolio, hijo de Portaón y de Eurite. Sus nueve hijos fueron muertos por Tideo, en el momento en que ellos iban a matar a Eneo.

MELCART, *señor de la ciudad*. Divinidad en honor de la cual los tirios celebraban cada cuatro años juegos solemnes. La conformidad de su culto con el de Hércules ha dado margen a los griegos para llamarle el Hércules de Tiro. Los mitólogos actuales creen que es Baal, cuyo culto llevó Jezabel a Tiro. Como este nombre parece el mismo que el de Melicerte, *rey de la ciudad*, hay una gran posibilidad de que fuera en que era un antiguo rey de Tiro, célebre por sus grandes acciones.

MELCHOM. Dios de los amonitas, que se cree igual a Meloch. Salomón le había erigido un templo en el valle de Ennon; y Manasés rey de Judá, le erigió, en el templo de Jerusalén, un altar que Josías, su nieto, arruinó.

MELEÁGRIDAS. Hermanas de Meleagro. Inconsolables por la muerte de su hermano, se acostaron cerca de su tumba y su luto duró hasta que Diana, aplacada por las calamidades de la familia de Eneo, las transformó en aves, excepto a Gorge y Dejanira. Estas aves era una especie de pollos, llamados aves de Meleagro, porque se creía que pasaban todos los años de África a Beocia para venir a su sepulcro. *Apolod. 1, c. 8. Plin. 10 c. 26.*

MELEAGRO. Hijo de Eneo, rey de Calidón y de Altea, hija de Testio. En su juventud formó parte de la expedición de los Argonautas, teniendo por jefe a Leodaco, hermano natural de Eneo. Fue después jefe de la famosa caza del jabalí de Calidón. Diana, irritada contra Eneo, que la había olvidado en los sacrificios que hacía a los demás dioses, para darles gracias por la fertilidad del año, envió un jabalí furioso que devastó las campiñas. Meleagro, habiendo reunido un gran número de cazadores y de perros, triunfó sobre él: pero Diana excitó una violenta riña entre los etolios y los curetes, por la piel y la cabeza del animal. Se enciende la guerra; y los etolios, aunque inferiores en número, vencen, mientras se halla a su frente Meleagro: pero éste los abandona irritado de que Altea, su madre, desesperada por la muerte de sus hermanos, que él mismo había vencido en el combate, le había entregado a las Furias. La fortuna muda, y la ventaja, se pone de parte de los curetes. Meleagro resiste a las súplicas y los ruegos de sus conciudadanos, a las lágrimas de un padre... Sólo Cleopatra, su esposa, le determina a echar al enemigo, dueño ya de las avenidas del palacio y a punto de incendiar la ciudad. Meleagro toma las armas, rechaza a los enemigos, pero no obtiene las recompensas que le habían sido prometidas; y llamadas las Furias por las imprecaciones de una madre, abrevian sus días. Tal es la relación que pone *Homero* (*Ilíada.* 9) en boca de Fénix, cuando este anciano guerrero quiere determinar a Aquiles a que cierre los oídos al resentimiento. Otros autores pretenden que fue muerto por el mismo Apolo. *Frínico*, poeta trágico, es el primero que ha referido la fábula del tizón, cuya tradición ha seguido *Ovidio*. Meleagro, dice, (*Met. 8,*) habiendo muerto el jabalí, dio la piel y la cabeza a Atalanta. Los dos hermanos de

Altea, envidiosos de esta distinción, arrancaron a la princesa el regalo que acababa de recibir. La amante, fuera de sí, se arroja contra sus tíos y les atraviesa con su espada. Altea furiosa, olvida que es madre para no pensar más que en la venganza. Al nacer Meleagro, las Parcas habían puesto en el fuego un tizón, al cual habían unido el destino de este príncipe, y empezado a hilar sus días, predijeron que duraría tanto como el tizón. Altea había retirado del fuego el leño fatal y lo guardaba cuidadosamente, para prolongar la vida de su hijo. Entonces, no escuchando más que su furor, arroja el tizón al fuego. Meleagro se siente devorar al momento por un fuego secreto, desfallece, se consume con el tizón, y da el último suspiro. Cleopatra no pudo sobrevivirle, y Altea, que había sido la causa de su muerte, se colgó de desesperación. *Apolod. 1, c. 8 Apolon. Arg. 1, Val. Fast. 1 y 6. Paus. 10, c. 31, Hig. f. 14.*

La muerte de Meleagro está representada en muchos bajorrelieves antiguos.— *Carlos le Brun* se ha explayado en el mismo objeto. Su cuadro formó parte de la colección del Museo imperial.

MELEC Y MOUT. (*Mit. pers.*) Nombre que los antiguos persas daban al ángel de la muerte. Los persas modernos le llaman también el *Angel de veinte manos*, para dar a entender que él solo basta para retirar todas las almas. Este ángel es el *Azrael* de los judios y el *Mordad* de los Magos.

MELECHER. Idolo que han adorado los judíos. Era, según unos, el sol y según otros la luna. Las mujeres le ofrecían una torta marcada con una estrella, y los griegos presentaban a la luna un pan con la figura de este planeta.

MELES. 1 — Rey de Lidia, el último de los heráclidas, padre de Cándalo.

2 — Joven ateniense, amado de Timágoras, al cual mandó un día que se precipitase desde lo alto de la fortaleza. Timágoras, desesperado de aplacar su rigor, se conformó a su voluntad. Un arrepentimiento tardío siguió a este mandato: Meles se arrojó de la misma roca y pereció del mismo modo. En esta ocasión, Atenas vio

erigir en sus muros un templo a Anteros, como vengador de la muerte de Timágoras. *Paus. 1, c. 30*, (*V.* Anteros.)

3 — Río del Asia Menor, cerca del cual nació Homero, lo que ha dado ocasión para decir que era hijo de este río. Otros pretenden que Meles es el nombre del padre del poeta y que de él le vienen los de Meleteus y Malesigene. En la fuente de este río había una gruta, donde se dice que componía sus poemas. *Etsrab. 12, Paus, 7, c. 5, Estrab. 2, Silv. 7.*

MELESIGENE. (*V.* Meles.) 3.

MELIADE. Hija de Mopso.

MELÍADES, MELIES, MELIDES, EPIMÉLIDES. Ninfas que cuidaban de los rebaños. (*V.* Melas.1.) R. *Melon*, cordero. Los que derivan este nombre del fresno, árbol que les estaba consagrado, dicen que se les suponía madres o protectoras de los niños cuyo nacimiento era furtivo, o que se encontraban expuestos debajo de un árbol.

MELIASTE. Epíteto de Baco, de una fuente cerca la cual se celebraban sus orgías.

MELIBEA. 1 — Ciudad cuyos habitantes fueron al sitio de Troya. *Ilíada. 2.*

2 — Pastor que Virgilio introduce en sus Eglogas. R. *melein*, cuidar; *bous*, buey.

3 — Hija de Océano, esposa de Pelasgo.

4 — Una de las hijas de Níobe, cuyo nombre mudó en el de Cloris, a causa de la palidez que le ocasionaron la suerte de su familia y el temor de experimentarla. Ella y su hermana Amicla fueron las únicas que Diana perdonó: y en su reconocimiento erigió a Latona, en la ciudad de Argos, un templo en donde Melibea tuvo una estatua cerca de la diosa.

MELIBEO. Sobrenombre de Filoctetes, de Melibeo, ciudad de Tesalia, su patria. *Eneida.3, Herod. 7, c, 188.*

MELICERTES. 1 — Hijo de Atamante y de Ino que huyendo con su madre de los furores de su padre se precipitó a las olas. Le recibió un delfín y le llevó al istmo de Corinto, en las riberas cercanas a Cromión, donde habiéndole encontrado Sísifo, le hizo enterrar honoríficamente; y cambiando su nombre en el de Palenión, instituyó en su honor los juegos istmicos. Melicerte fue honrado especialmente en la isla de Ténedos, donde se llegó hasta a ofrecerle niños en sacrificio. *Apolod. 2, c. 9. l. 3, c. 4, Paus. 1, c. 44, Hyg. f. 1, 2, Met. 4.* (*V.* Palemón, Portumno.)

2 — Sobrenombre de Hércules (*V.* Melcart.)

**MELÍCOLA.** Sobrenombre dado a Gárgoris, rey de Iberia, por haber sido el primero que supo usar la miel.

**MELIE.** 1 — Hija del Océano, amado de Apolo, del cual tuvo dos hijos, Tereno e Ismeno. Fue también madre de las ninfas Meliades. *Paus. 9, c. 10.* (*V.* Caante.)

2 — Ninfa que tuvo de Neptuno un hijo llamado Amico. *Apolod.*

**MELIES.** Ninfas nacidas, según Hesíodo, como las Erinias y los gigantes, de la sangre que cayó en tierra, de la herida que recibió Urano. Una de ellas tuvo de Sileno a Folus.

**MELIGUNIS.** Hija de Venus, que dio su nombre a una de las islas Eolias, llamada después *Lipari.*

**MELIÁN.** Hija de Tespio.

**MELINÆA.** Sobrenombre de Venus en *Licofrón. Tzetzés* lo deriva de las dulzuras del amor físico, y *Esteban de Bizancio,* de Melina, ciudad de la Argólida.

**MELINOE.** Nombre que da un himno órfico a la hija que Júpiter, bajo la figura de Plutón, tuvo de su propia hija Proserpina. Nació en las aguas del Cócito, y vino a ser reina de las tinieblas: ya se la pinta blanca, ya negra, con un vestido amarillento, toma formas espantosas y aterroriza a los mortales con formas fantasmales aéreas.

**MELISA.** 1 — Es también el nombre que daban los cretenses a la sacerdotisa de la gran madre. *Ant. expl. t. 2.*

2 — Hija de Procles, esposa de Periandro, rey de Epidauro. *Paus.*

3 — Una de las oceánidas, esposa de Inaco y madre de Foroneo.

4 — Corintia que fue despedazada por haber rehusado admitir a los iniciados en los misterios de Ceres. La diosa hizo nacer de su cuerpo un enjambre de abejas.

**MELISES.** Mujeres inspiradas, dedicadas al servicio de los altares.

**MELISEO.** 1 — Sobrenombre de Júpiter, tomado del nombre de una de sus nodrizas o curetes, genios que rodearon a Zeus niño. *Mit. de Banier, t. 3.2.*

2 — Rey de Creta, su hija Melisa en concierto con su hermana Amaltea, alimentó a Júpiter. Otros las llaman Adrastea Elda, y las caracterizan por la denominación común de *Melisses,* abejas. *Id.*

**MELISO.** Rey de Creta, padre de las ninfas Amaltea y Melisa. *Hig.*

**MELITE.** 1 — Nereida. *Ilíada. 18.*

2 — Ninfa. *Eneida. 5.*

3 — Hija del río Egeo. Hércules tuvo de ella un hijo llamado Hilo.

**MELITEO.** Hijo de Júpiter y de la ninfa Otreis. Temiendo su madre que fuese objeto de las venganzas de Juno, le expuso en un bosque, donde fue alimentado por las abejas. Fue descubierto por Frago, otro hijo de Otreis y de Júpiter, a quien el oráculo había predicho que un día encontraría a su hermano en este estado. Se lo llevó pues consigo y le llamó Meliteo, del nombre griego *melitta,* que significa *abeja.* Este último se hizo después dueño de un territorio bastante considerable y edificó una ciudad llamada *Melita.*

**MELITIRA.** Tortas sagradas hechas de miel, que se ofrecían a Trofonio. R. *tihein,* sacrificar. *Ant. expl. t. 2.* (*V.* Buey, Torta, Popana, Protimata.)

**MELITOSPONDA.** Sacrificio que no consistía sino en libaciones de miel.

**MELIUS.** 1 — Sobrenombre con que los tisbios y tebanos honraban a Hércules y cuyo orígen se refiere del modo siguiente. En los tiempos antiguos, se acostumbraba sacrificar en esta fiesta una oveja. Un día no habiendo permitido la crecida de las aguas del Asopo traer a la víctima, los jóvenes, amparándose en el equívoco del nombre griego *melon,* que significa *manzana* y *cordero,* le ofrecieron manzanas sostenidas por palitos a modo de piernas. El dios se rió de la invención, y después se le ofrecieron manzanas en esta solemnidad, en memoria de aquel suceso. *Mit. de Banier t. 4.*

2 — Uno de los hijos naturales de Príamo.

**MELOBOSIS.** Una de las oceánidas.

**MELÓFORO.** Sobrenombre de Ceres, que significa la que da rebaños. Tenía en Megara un templo sin techo. R. *melon*, cordero.

**MELONE.** Divinidad campestre, que tenía bajo su protección las abejas y sus obras. El que robaba miel o desperdiciaba las colmenas de su vecino, se exponía a su cólera. *Banier. t. 4.*

**MELPEO.** Lugar de la Arcadia, llamado así, porque se dice que Pan inventó en él el arte de tocar la flauta. R. *melpein*, cantar. *Paus.*

**MELPÓMENE.** (*Iconol.*) Una de las musas, diosa de la tragedia. *Etim. melpo*, yo canto. Se la representa por lo regular vestida ricamente, con aire grave y serio, calzada con un coturno y teniendo cetros y coronas en una mano y un puñal en la otra. Algunas veces se le dan por compañeros el Terror y la Piedad. Se pinta también con una clava, para indicar la tragedia de los tiempos heroicos, en que estaba en uso esta arma. Se ve sobre una piedra del gabinete de Florencia con una hoja del laurel en la mano, que puede ser emblema del entusiasmo poético. La tragedia se ve con frecuencia representada por un macho cabrío, porque en los primeros tiempos del arte era el premio que alcanzaba la mejor pieza en este género.

En las pinturas del Herculano se halla también representada Melpómene.

**MELPÓMENOS**, *cantante, o que merece ser cantado.* Sobrenombre de Baco entre los arcananios y bajo el cual le honraban los atenienses, como presidente de los teatros, que los griegos habían puesto bajo su protección.

**MELUSINA.** Hada que nuestros romances de caballería hacen descender de los reyes de Albania y es el tronco de las casas de Lusignan, Luxemburgo, Chipre, Jerusalén y Bohemia. Se creía que aparecía cuando debía morir alguno de la familia de Lusignan, y que llenaba el aire de gritos y gemidos.

Esta *Melusina* o *Merlusina* era muy tiránica, y mandaba con tal autoridad, que cuando enviaba letras o patentes selladas con su anillo o sello, sobre el cual se veía grabada una sirena, no era menester pensar, sino obedecer ciegamente. De aquí nació el que se dijese que era maga, y que algunas veces se transformaba en sirena.

**MÉMALO.** Padre de Pisandro, uno de los capitanes griegos que se encontraron en el sitio de Troya. *Ilíada, 16.*

**MEMBLÍARO.** Uno de los compañeros de Cadmo, que buscó con él a Europa y dio su nombre a una isla.

**MEMERCO.** Hijo mayor de Jasón y de Medea que, habiéndose retirado con su padre a Córcira, fue despedazado en la caza por una leona. Esta tradición diferente de la comunmente recibida, de que Memerco fue muerto por Medea, se había perpetuado en antiguas poesías, que los griegos llamaban *Naupactianas*, porque estaban escritas por *Carcino de Neupacte*. *Banier, t. 6.*

**MEMFIS.** 1 — Hija de Ucoreo, rey de Egipto, amada del Nilo que se transformó en toro y tuvo de ella un hijo llamado Egipto, de una fuerza y una virtud extraordinarias. Se la hace también esposa de Epafo, y madre de Libia. Dio su nombre a la ciudad de Memfis. *Apolod. 2, c. 1.*

2 — Hijo de Júpiter y de Protogenia, esposo de Lidia. *Banier. t. 3.*

**MEMINIA.** Sobrenombre de Venus. *Quod*, dice Servio, *omnium meminerit.*

**MEMNÓN.** Hijo de Titono y de Aurora; vino del fondo de Susiana, con diez mil persas, otros tantos etíopes orientales y un gran número de carros, al socorro de Troya. Hacia el año décimo de su sitio se distinguió por su valor y mató a Antíloco, hijo de Néstor; pero Aquiles, a instancias del sabio anciano, vino a atacarle y le hizo caer a sus pies después de un obstinado combate. Aurora, desesperada, fue con los cabellos esparcidos y los ojos bañados en lágrimas a arrojarse a los pies de Júpiter y le suplicó concediese a su hijo algún privilegio que le distinguiese de los demás mortales, rehusando si no se le concedía a iluminar al mundo. El padre de los dioses escuchó su súplica; la hoguera, encendida ya, se desplomó y se vieron salir de sus cenizas una infinidad de aves, que dieron tres vueltas alrededor de la hoguera, dando todos el mismo grito. A la cuarta se separaron en dos bandadas y se batieron entre sí con tal furor y terquedad, que cayeron cerca de la hoguera como víctimas que se inmolaban a las cenizas de que acababan de salir, demostrando de este modo que debían su existencia a un hombre lleno de valor. De aquí tomaron el nombre Memnónidas (*Met. 13.*) *Elio* dice que estas aves eran negras, y como gavilanes, las cuales venían todos los años del país de Cízico para repetir el mismo combate. *Pausanias* (*l. 1, c. 42; l. 10, c. 31.*) añade que, todos los años el mismo día, venían estas aves, según refieren los habitantes de las costas del Helesponto, a barrer un cierto espacio del sepulcro de Memnón donde no crece ningún árbol ni hierba, y luego lo riegan con sus alas, que van a mojar para este fin, en las aguas del Esepo. Este honor no calmó los dolores de Aurora, y desde entonces ha derramado lágrimas todos los días, cuyo llanto forma el rocío que cae por la mañana. *Odis. 4.*

Lo que se dice de la estatua de este príncipe que se veía en Tebas en Egipto, no es menos maravilloso. Cuando la herían los primeros rayos del sol, hacía un sonido armonioso; lo que tan sólo puede atribuirse, dice *Rircher*, a algún truco, como por ejemplo, un resorte o una especie de clave encerrado en la estatua, cuyas cuerdas aflojadas por la humedad de la noche se tendían con el calor del sol y se rompían con ruido, como una cuerda de viola. Queriendo Cambises descubrir este misterio que creía un efecto mágico, hizo romper esta estatua desde la cabeza hasta la mitad del cuerpo, y la otra parte continuó haciendo el mismo sonido. *Estrabón* atestigua este hecho, aunque no puede asegurar si el sonido venía de la estatua, o de otra parte. *Antíclides* citado por *Plinio* (l.5, c. 11.) le atribuye la invención del alfabeto. Se creía también que Memnón daba cada siete años un oráculo.

Según *Huet*, que se atiene a la sencillez de la historia antigua, Memnón, hijo de Titono, hermano de Príamo, mandaba el ejército de Teutrante, rey de Misia, quien le encargó que fuese en socorro del rey de Troya, su tributario. Como su madre era de un país situado al oriente de Grecia y de Frigia, los griegos, que convertían toda su historia en ficciones, dijeron que era hijo de la Aurora. La ciudad de Susa, edificada por su padre, se llamó ciudad de Memnón: la ciudadela, Memnonium y el palacio y los muros Memnonios, erigió un templo al cual iban a llorarle los pueblos de la Susiana.

*Virgilio* (*En. 1.*) supone que Memnón era uno de los guerreros cuyos combates vio representados Eneas en las paredes del templo de Cartago. Hay otros dos príncipes del mismo nombre, uno de los cuales se cree que es Amenofis, rey de Egipto, y el otro Memnón el Troyano.

**MEMORIA.** (*Iconol.*) Algunos antiguos la han representado por una mujer de mediana edad, con peinado adornado de perlas y pedrerías; teniendo la extremidad de la oreja con los dos primeros dedos de la mano derecha. *C. Ripa*, le da dos rostros, un vestido negro, una pluma en la mano derecha y un libro en la izquierda. *Gravelot* la representa por medio de una mujer con la cabeza ricamente adornada para designar que tiene su asiento en el cerebro. El buril con que la arma, manifiesta que es allí donde se gravan las concepciones: algunos elementos de dibujo, como una nariz, un ojo, una oreja, etc., anuncian que las ideas nos vienen por el sentido: el perro que tiene al lado representa que estos animales disfrutan de memoria. En los monumentos se halla designada por una joven que clava un clavo.

En las ceremonias del oráculo de Trifonio, se hacia beber a los que veían a consultarle el agua de la Memoria y el Olvido, haciéndoles sentar también sobre el trono de la primera (*V.* Mnemosina,Trifonio.)

*León Augustino* piensa que la máscara alada de los retratos de Virgilio no es más que la imágen de la Memoria, que los poetas tanto invocan.

**MEMORIA ANTIGUA.** Divinidad particular adorada en Roma.

**MEMORIALES.** (*Mit. pers.*) Nombre que según *Selden* llevaban todas las fiestas de los magos, que no eran, como las fiestas de casi todas las religiones antiguas, sino conmemoraciones de los grandes fenómenos de la naturaleza.

**MEMRUMO.** Dios de los fenicios, hijo de los primeros Gigantes. Enseñó a los hombres el modo de cubrirse con pieles de bestias. Habiendo un viento impetuoso hecho arder un bosque cerca de Tiro, tomó un árbol, cortó las ramas y, arrojándolo al mar, lo hizo servir de nave. Tributó un homenaje religioso a dos piedras que había consagrado al viento y al fuego, y derramó en su honor la sangre de los animales. Después de su muerte, sus hijos le consagraron pedazos informes de madera y de piedra, los cuales adoraban, estableciendo fiestas anuales en su honor; primer ejemplo del culto religioso tributado a los muertos. *Id. t. 1.*

**MEN,** *mes.* Se había hecho del mes una divinidad particular. Según *Estrabón* es el dios Lunus. (*V.* Lunus.) En el Asia menor, y en Persia, donde se juraba por el *Men* del rey, esto es, por la fortuna, tenía muchos templos en honor suyo.

**MENA o Mene.** Divinidad que preside las molestias periódicas de las mujeres. Se creía que era la luna. *Plin. 29, C. 4.*

**MENAC.** Uno de los hijos de Egipto, muerto por su esposa Nelo.

**MÉNADES.** Nombre de las Bacantes. R. *mainesthai,* entrar en furor. Se dio este nombre porque en la celebración de las orgías estaban agitadas de furiosos transportes, corriendo enloquecidas, medio desnudas, agitando el tirso entre sus manos, haciendo resonar los montes y las selvas con sus aullidos y el ruido de los tambores, y llegando su furor hasta matar a los que encontraban, y llevar sus cabezas saltando de rabia y de alegría. Las Ménades, coronadas de hojas de hiedra y de abeto, se ejercitaban en la danza y en correr; se divertían cazando los animales silvestres, y se vestían con sus despojos.— A pesar de que concurrían a la celebración de las fiestas de Baco, las doncellas, las casadas, y las viudas; sin embargo, parece que las verdaderas Ménades eran doncellas. *Nonus* dice que estaban tan celosas de guardar su castidad, que por no ser sorprendidas mientras dormían, se hacían un cinturón de una serpiente; y en la Antología se ve que las bacantes Eurinoma y Porfírida dejaron los misterios de Baco, porque

iban a casarse.— Eurípides refiere que las Ménades o Bacantes sabían conservar su castidad en medio de la agitación y el furor de que estaban poseídas, se defendían a golpes de tirso, de los hombres que querían forzarlas; pero *Juvenal* es de otra opinión, y *Licofrón* da el epíteto de Bacante a una prostituta.— Había en Esparta once doncellas llamadas Dionísiadas quienes, en las fiestas de Baco, se disputaban el premio de la carrera, llamado *Endromia:*— Varias pinturas del Herculano representan Ménades dormidas, de las cuales un sátiro pretende abusar. Otra de estas pinturas ofrece una Bacante, a quien un joven Fauno besa la mano con amor.

**MENAETIO. 1** — Hijo de Actor y de Egina, esposo de Steneleo y padre de Tatroclo, y uno de los Argonautas. Habiéndose sublevado contra su padre, a quien quería destronar, se vio obligado a retirarse al país de los locrios, a quienes subyugó. *Ilíada. 1, Apolod. 3, c. 24, Hig. f. 97.*

**2** — Hijo de Japeto y de Clímene, Júpiter le precipitó al Erebo con un rayo en castigo de su maldad y de su orgullo, dice *Hesíodo,* o según *Apolodoro,* por haber ayudado a los Titanes en la guerra contra los dioses.

**3** — Hijo de Centónimo y guardián de los ganados de Plutón. Hércules le venció cuando bajó a los infiernos. Le rompió las costillas y le hubiera matado de no interceder por él Proserpina. Había excitado ya la cólera del héroe, avisando a Gerión que Hércules le había robado los bueyes. *Ant. expl. t. 1.*

**MENAH.** (*Mit. mah.*) Valle a cuatro leguas de La Meca. Los peregrinos deben arrojar a él cuatro piedras por encima las espaldas. Los doctores musulmanes señalan tres motivos de esta costumbre: los unos dicen que es para renunciar al diablo y rechazarlo, a imitación de Ismael, a quien quiso tentar en el momento en que su padre Abraham iba a sacrificarlo, y que hizo huir arrojándole piedras: otros que, habiendo querido impedir que Abraham sacrificase a Ismael, y no habiendo podido alcanzar nada ni de Ismael ni de Agar, le alejaron todos de su lado, por este medio; y los últimos, que es en memoria de las piedras que tiró Adán al diablo, cuando volvió delante de él, después de haberle hecho cometer el pecado original.

MENALCES. Uno de los hijos de Egipto, muerto por su esposa Adite. *Apolod.*

MENALCO. Uno de los pastores que introduce Virgilio en sus bucólicas. R. *menos,* valor; *alce,* fuerza.

MÉNALE o MÉNALO. Monte de la Arcadia, famoso en los escritos de los poetas. Apolo iba a cantar en él, con su lira, la transformación de Dafne en laurel. Era la morada ordinaria del dios Pan, de modo que los arcadios creían que algunas veces se oía el sonido de su flauta. Se supone también que fue el teatro de uno de los trabajos de Hércules. Allí persiguió por orden de Euriesteo aquella cierva de pies de cobre y astas de oro, que nadie pudo alcanzarla más que el héroe. Se dice que le dio mucho que hacer y que, no queriendo matarla con sus dardos, porque estaba consagrada a Diana, la alcanzó por fin al vadear el Ladón. Hércules cargó con ella y la llevó a Micenas. El Ménale estaba consagrado también a Diana, como un terreno propio para la caza. *Estrab. Plin.*

2 — Ciudad de Arcadia, célebre por el culto que se tributa al dios Pan. *Paus.*

3 — Hijo de Licaón, dio su nombre a la ciudad y el monte de este nombre. Fue, según Apolodoro, el que aconsejó a sus hermanos que matasen a un niño para probar la divinidad de Júpiter.

4 — Padre de Atalanta, el arcadiano.

MENALIO. Padre del cuarto Vulcano. *Cicerón.*

MENALIÓN. Padre de Atalanta. (*V.* Atalanta.)

MENARGUTES. Sacerdotes de Cibeles, que hacían todos los meses sus colectas.

MENASINO. Hijo de Pólux, que tenía una estatua en Corinto, en el templo edificado en honor de su padre.

MENAT. *Distribuidor de las gracias.* Divinidad de los antiguos árabes.

MENAVI. (*Mit. mah.*) Libro de teología mística, comentario de Gulchendras, código sagrado de los sufíes. En una parte están descritos con términos estáticos el amor de Dios y la unión íntima con Dios: en la otra se encuentran claramente representadas la vanidad del mundo, la dignidad de la virtud y la enormidad del vicio. En el se ve que la vida interior consiste en tres cosas: el conocimiento, la purgación y la iluminación. En él se lee en fin que hay en el hombre tres señales de la vida de Dios; el desprendimiento del mundo, el contínuo deseo de Dios y la perseverancia en la oración. *Chardin* (*V.* Gulchendras.)

MENCIO. (*Mit. chin.*) Filósofo que apareció en China después de Confucio. Tiene la reputación de haberle aventajado en sutileza y elocuencia, pero de haberle cedido por la inocencia de las costumbres, la rectitud del corazón y la modestia del lenguaje.

MENDÉS. Dios egipcio. Los mendesios que llevaban su nombre le contaban entre los ocho principales dioses. Los egipcios adoraban al macho cabrío consagrado a Pan, o mejor al mismo Pan en forma de macho cabrío, símbolo del principio de la fecundidad de la naturaleza entera. En la tabla Isíaca se ven los cuernos del macho cabrío por encima de los del carnero, formando de este modo cuatro cuernos. En el bajo Egipto había una ciudad de este nombre, donde este dios era honrado particularmente. Los mendesios no inmolaban nunca estos animales, porque creían que su dios se ocultaba bajo la forma de ellos. Cuando moría el macho cabrío a quien honraban más que a los otros, el luto era general. *Ant. expl. t. 1.*

MENDIGOS. (*Mit. jap.*) En Japón, una orden de mendigos, que sin ser religiosos ni estar sujetos a ninguna regla, se obligaba con voto formal a vivir de limosnas. Esta piadosa desidia está autorizada y aun consagrada con solemnes ceremonias. Se cortaban públicamente los cabellos al que quería alistarse en esta cofradía de pordioseros; y en algún modo se les instaba en la nueva profesión con algunas oraciones.

MENE. Diosa; la misma que la Luna. *Jeremías* (*c.7,v.18;c,44,v.17*) habla de ella con el nombre de reina del cielo, e *Isaías* (*c. 67, v. 11*) con el nombre de Meni. Su culto era muy general en Palestina, y hasta los hebreos tenían mucha inclinación al mismo. Jeremías dice que los padres encendían el fuego, las mujeres amasaban las tortas y los niños recogían la madera para cocer estas tortas, en honor de la reina del cielo. Se pretende por algunos que es Mercurio, cuyo nombre deriva de *Manoh Numararii*. Otros reconocen en ella, el Mena de los armenios, y la luna o el sol de los egipcios.

**MENECEO.** 1 — Padre de Creón o Creonte y Yocasta.

2 — Hijo de Creón, rey de Tebas. Tiresías declara a Creonte, de parte de los dioses, que si quiere salvar a Tebas es necesario que perezca Meneceo. Creón quiere saber con qué fundamento piden los dioses la sangre de sus hijos, y el adivino le revela que la causa es el dragón consagrado a Marte y muerto por Cadmo; pues el dios quiere vengar su muerte con la sangre de uno de los príncipes nacidos de los dientes del dragón. Meneceo era el último de esta raza; no estaba casado: en una palabra, era la víctima que pedía Marte y era menester que su sangre tiñiese la misma caverna del dragón. Creonte quiere sacrificarse por su hijo y le manda que huya. Meneceo no resiste el dolor de su padre y parte, determinado a bañar con su sangre la cueva del dragón. (*Eurip. Phenic.*) Se veía sobre su sepulcro un granado cuyo fruto se abría cuando estaba maduro, y parecía arrojar sangre. Este árbol nacía de su cadáver, y se reproducía continuamente por los renuevos que sacaba de cuando en cuando.

**MENECLA.** Hija de Hilo, que tuvo a Eolo de Hipotas.

**MENEDEMO.** 1 — Hijo de Buneas, el cual indicó a Hércules el método de poder limpiar prontamente los establos de Augias. Combatió luego con Hércules contra Augias; pero fue muerto en combate e inhumado por el héroe, con toda especie de honores, sobre el promontorio Lepreo; hizo además celebrar juegos fúnebres en los cuales combatió él mismo contra Teseo, quien se defendió tan bien que los asistentes le dieron el nombre de segundo *Hércules*.

2 — Loco de Cínico, que se presentaba al público vestido de Furia, con un ropaje negro ceñido de un tahalí encarnado y se decía enviado por los dioses infernales para reconocer y denunciar los crímenes de los mortales.

**MENEFIRAO.** Uno de los gigantes, hijo del Tártaro y la Tierra.

**MENEFÓN.** Tesalio que, habiendo querido sorprender a su madre dormida en el monte Cillare, fue transformado en bestia. Otros dicen que su misma madre le hizo morir antes que hubiese ejecutado su detestable designio. *Banier. t. 8.*

**MENELAIES.** Fiesta de Terafne, ciudad de Laconia, en honor de Menelao, quien tenía allí un templo. Los habitantes creían que los dos esposos estaban enterrados en el mismo sepulcro. *Ant. expl. t. 2.*

**MENELAO,** o Menelaus. Hermano de Agamenón e hijo de Atreo, según la opinión común. (*V.* Atridas.) Casó con la famosa Helena, hija de Tíndaro, rey de Esparta, y sucedió al reino de su suegro. Algún tiempo después, Paris vino a Esparta durante la ausencia de Menelao, a quien los negocios de sus hermanos habían llamado a Micenas; habiéndose hecho amar de Helena, la robó y causó por este medio la guerra de Troya. Ultrajado Menelao por esta afrenta, la divulgó a todos los príncipes de Grecia, los cuales se habían empeñado con los más sagrados juramentos a socorrer al esposo de Helena, si alguno la robase. Los griegos toman las armas y se reunen en la Aulida; y prontos ya todos para partir, se ven detenidos por un oráculo que exige que Ifigenia sea inmolada para procurar a los griegos un éxito feliz. Ganado Agamenón por las razones de Menelao, consiente en el sacrifico de su hija y escribe a Clitemnestra para que conduzca su hija al campo; pero luego la piedad le mueve y envía una orden contraria. Instruido Menelao de su mudanza, detiene el mensajero, se apodera del escrito y hace a su hermano las más vivas reconvenciones sobre su inconstancia. Pero cuando ve llegar a la princesa y correr las lágrimas de su padre, no puede detener las suyas y no quiere que Ifigenia sea sacrificada a sus intereses. Los griegos y los troyanos se hallan ya frente unos de otros bajo los muros de Troya, prontos a combatir. Paris y Menelao proponen un singular combate y poner en sus aceros la decisión de la guerra. Si Paris mata a Menelao, serán suyas Helena y todas sus riquezas, y los griegos volverán a su patria amigos de los troyanos; pero si Menelao mata a Paris, los troyanos devolverán a Helena con todas sus riquezas, y pagarán a los griegos y a sus descendientes para siempre, un tributo que les satisfaga los gastos de la guerra. Arreglado ya todo, entran en la lid y Menelao consigue las primeras ventajas: pero Venus, viendo a su favorito pronto a sucumbir, lo aparta de los golpes de su enemigo y lo lleva a la ciudad, es decir que Paris huyó. El vencedor pide el premio del combate; pero los troyanos rehúsan cumplir el trato y uno de ellos le arroja una flecha que le hiere levemente. Esta perfidia abre la puerta a las hostilidades.

Después de la toma de Troya, los griegos ponen a Helena en las manos de Menelao, y le dejan dueño de su destino, el cual se determina a conducirla a Grecia, para inmolarla a su resentimiento y a los manes de los que perecieron en el sitio de Troya. Helena pide justificarse y pretende que Menelao debe dirigirse a Venus y no a ella. «¡Oh! ¿cómo –dice– resistir a una diosa que obedece el mismo Júpiter?» Luego echa en cara a Menelao el haberse ausentado, después de haber recibido a Paris en su palacio. En fin, hizo valer como una prueba de su amor el sacrificio que le hizo de Deifobo, que había sucedido a Paris al lado de la princesa, y que fue entregado a Menelao. Esta última razón, causó mucha impresión al esposo, que se reconcilió con Helena y la condujo a Esparta. *Pausanias* hace mención a una estatua de Menelao que, con la espada en la mano persigue a Helena, tal como realmente lo hiciera después de la toma de Troya. Menelao no llegó a Esparta hasta ocho años después de haber salido de aquella ciudad. Los dioses, dice *Homero*, le arrojaron a las costas de Egipto, donde le detuvieron mucho tiempo, por no haberle ofrecido las hecatombes que les debía. Hubiera sin duda perecido sin los socorros de Eidotea y de Proteo. (*V.* Eidotea y Proteo.) Allí fue, donde, según una tradición de que habla Herodoto, Menelao encontró a su pérfida esposa, como lo dijimos ya en el artículo de Helena. El historiador añade que este príncipe, después de haber encontrado entre los egipcios su mujer y sus tesoros, se mostró ingrato con ellos y pagó con una bárbara acción los beneficios que había recibido; pues queriendo embarcarse para volver a Grecia, y siéndole siempre contrarios los vientos, recurrió a un medio muy horrible para descubrir la voluntad de los dioses. Tomó dos recién nacidos de los habitantes del país, les mandó matar y les abrió para leer en sus entrañas los presagios de su partida. Esta crueldad, una vez conocida, le hizo odioso en todo Egipto; y perseguido como un bárbaro, se embarcó para Libia.

*Eurípides* atribuye a Menelao otras maldades en su *Andrómaca* y en su *Orestes*. Celosa Hermione del amor que siente Pirro hacia Adrómaca, medita la muerte de esta princesa y de su hijo. Menelao se presta a los furores de su hija y les hace conducir él mismo a la muerte: pero el anciano Peleo, padre de Aquiles, hace a Menelao terribles cargos, imputa a él solo los males que sufre Grecia para adquirir una Furia, que hubiera debido dejar en Troya llena de oprobio, dando aun una recompensa a sus raptores para no verse obligado a volverla a tomar con sus propias manos. No respeta el honor de Menelao como valiente: lo representa como un héroe de parada, el único que vuelve sin ninguna herida, y que bien lejos de ensangrentar sus armas, las ha tenido cuidadosamente ocultas, no saliendo de Troya más que con las que se había llevado. Le coloca delante de los ojos el sacrificio de Ifigenia, que ha arrancado de los brazos de Agamenón, sin avergonzarse de obligar a un padre a que sacrificase su propia hija. Le recrimina no haber tenido bastante entereza para matarla al verla, y de haberse dejado aplacar vilmente con sus artificiosas caricias. En fin, lo confunde con motivo de la acción indigna que quiere cometer con Moloso y Andrómaca, y manda por último al padre y a la hija que vuelvan prontamente a Esparta.

Orestes, después de haber muerto Clitemnestra, su madre, se ve perseguido por Tíndaro, que pide su muerte a los argivos, y recurre a su tío Menelao: éste se halla interesado en perderle, para apoderarse de sus estados: finge tomar interés por él, pero temiendo, dice, tomar abiertamente su defensa, ofrece tan sólo emplear los ruegos a su favor, con los argivos. *Ilíada. 2, 3, 4, 7, 11, 17, etc. Eneida. 6. 11. Paus.* (V. Helena. Orestes.)

*Virgilio* (*Eneida 2.*) cuenta a Menelao en el número de los griegos que se encerraron en el caballo de Troya.

MENELEO. 1 — Famoso Centauro.

2 — Uno de los perros de Acteón. (*Met. 3.*)

MENEPTOLEMO. Hijo de Ificlo, célebre por su ligereza. En el sitio de Troya se halló con Medón, a la cabeza de los pitios, en el combate cerca de las naves. *Ilíada. 13.*

MENES. Legislador y primer rey de Egipto, sucedió a los dioses y a los héroes en el gobierno de los hombres, fundó Memfis y consagró un templo a Vulcano, enseñando a sus súbditos el culto de los dioses y el modo de ofrecer sacrificios. Después de su muerte, fue puesto en el número de las divinidades bajo el nombre de Osiris. Se le atribuye el origen de la idolatría, fundado en la necesidad de retener cerca de él a los egipcios que se dispersaban. *Herod. 2, c.1, 90. Diod. 1.*

MENESTEO. 1 — Biznieto de Erecteo.

2 — Hijo de Peleo, que ascendió al trono de Atenas por los socorros de Tindárides y obligó a Teseo a buscar asilo en la isla de Sciros. Fue al sitio de Troya y sirvió mucho a Agamenón por el gran talento que desplegaba en conducir las tropas en batalla. Murió a su vuelta de esta expedición en la isla de Melos, después de un reinado de veintitrés años. *Ilíada. 13. Plut.*

MENESTES. Hábil capitán griego, muerto por Héctor. *Ilíada. 5.*

MENESTO. Una de las oceánides, llamada así porque se acordaba de todo. *Ant. expl. t. 1.*

MENESTRATO. Célebre escultor que había hecho en el templo de Diana, en Efeso, una Hécate de un mármol tan brillante que las guardias del templo avisaban a los espectadores que no tuviesen los ojos fijos en ella.

MENESTRATOR. Sobrenombre dado a Mercurio en una medalla, como copero de los dioses, oficio que ejerció antes de Hebe. En *Homero*, son los heraldos que sirven siempre el vino.

MENETÍADES. Nombre patronímico de Patroclo.

MENETIO. 1 — Uno de los capitanes de Aquiles, hijo del río Spergio y de Polidora, hija de Peles. Sin embargo, pasaba por hijo de Borus, esposo de esta princesa. *Ilíada. 16.*

2 — Rey de Arne, hijo de Areitlo y de Filomedusa, muerto por Paris en el sitio de Troya. *Ilíada. 7.*

MENGLADES. (*Mit. escand.*) Virgen gigante que habita en un castillo encantado.

MENILEK o, MENELIK. Hijo de Salomón, según las leyendas fabulosas de los abisinios. Se cree que robó a su padre el arca de la alianza y una copia de la ley, lo que llevó a Axum, capital de la antigua Etiopía. Estaban persuadidos que se conservaba aun en esta ciudad, esta especie de Paladio.

MENIOSEPENESTE (*Mit. pér.*) Nombre de Dios en el Zend, lengua sagrada de los parsis.

MÉNIPE. 1 — Nereida, madre de Orfeo. *Ant. expl. t. 1.*

2 — Una de las amazonas que fueron a socorrer a Eetes, rey de la Cólquida.

3 — Hija de Orión y hermana de Metioca. Minerva enseñó a estas dos hermanas el arte de tejer y Venus las dotó de una admirable hermosura. Habiendo contestado un oráculo que cesaría la peste que devastaba el país, si se inmolaban dos jóvenes doncellas, ellas mismas se mataron y cesó la peste. Plutón y Proserpina arrebataron sus cuerpos y los colocaron en el cielo en número de los cometas. Los

aonios les construyeron en Orcómenes, un célebre templo en el cual los muchachos y las jóvenes les ofrecían todos los años sacrificios.

MENIPIDES. Hijo de Hércules y de la testia de Entedis.

MENIS. (*Mit. egip.*) Rey de Egipto y el primero que enseñó a sus súbditos el uso de las monedas de plata, y les hizo disfrutar de la vida sobria y frugal que hasta entonces habían observado. En una columna, colocada en su templo de Tebas, se leía una imprecación contra este príncipe, sobre la cual se refiere lo siguiente. Estando empeñado Techatis (¿Tutmés?) rey de Egipto en una expedición contra los árabes, y habiendo hecho adelantar sus equipajes, se vio obligado a alimentarse con los sustentos groseros que la casualidad le presentó, y a acostarse sobre una estera de juncos. Se encontró tan bien con este método de vida, que maldijo la memoria de Menis y por consejo de sus sacerdotes, hizo esta imprecación pública y perpetua.

MENISQUES. Planchas que ponían en la cabeza de las estatuas de los dioses, a fin de que las aves no viniesen a reposar sobre ellas, y no las ensuciasen.

MENIUS o MENIO. Hijo de Licaón, transformado con su padre en lobo. Fue despedazado por Júpiter, al haber blasfemado contra este dios.

MENOETE. 1 — Piloto de la nave de Gías, a quien este capitán arrojó al mar por haberle hecho perder el premio. *Eneida. l. 5.*

2 — Arcadio, que siguió a Eneas y murió en las manos de Turno. *Eneida. 12.*

MENOFANE. General de Mitrídates que, habiendo saqueado Delos, entró en el templo y robó la estatua de Apolo, arrojándola después al mar. Mas cuando volvía cargado con los despojos sagrados, el dios le hizo perecer en las olas.

MENÓN. Capitán troyano muerto por Leonteo en el sitio de Troya. *Ilíada. 12.*

MENOTRIANO, *rey de los meses.* Sobrenombre con el cual los frigios adoraban a Atis, tomado por el sol.

MENS, *el pensamiento.* Los antiguos lo habían divinizado, y lo adoraban como el alma general del mundo y de cada ser en particular. Le invocaban para que les sugiriese tan sólo buenos pensamientos y desviase aquellos que sólo sirven para extraviarnos. El pretor T. Octacilio le consagró un templo que hizo erigir en el Capitolio, cuando fue decenviro. *Tit. Liv. 22, c. 9, 10, l.23, c. 31.*

*Plutarco* habla del otro templo edificado en el Cuartel octavo de Roma, y dedicado después de la batalla de Trasimeno.

MENSALIS, *el que preside en la mesa.* Bajo este título, cada curia hacía sacrificios a Juno.

MENTES. 1 — Rey de los ciconios cuyos dardos tomó Apolo para impedir a Atreo que se llevase las armas de Panto. *Ilíada. l. 17.*

2 — Hijo de Anfilao rey de los tafios, cuya forma tomó Minerva para acercarse a Telémaco y anunciarle la vuelta de Ulises. Desapareció después como un ave y dejó a Telémaco persuadido de que había oído la voz de un dios. (*Odis. 1.*) Este Mentes era un célebre negociante de la isla de Lucade, que tomó a Homero en Smirna y lo llevó consigo en todos sus viajes. El poeta, en reconocimiento, consagró el nombre de su amigo.

MENTHE (MENTA). Hija de Cócito, ninfa amada de Plutón: la celosa Proserpina la transformó en una planta de su nombre que los griegos llaman *Hediosmos*, a causa de su agradable olor. R. *Hedis*, agradable; *osmos*, olor. (*Met. 10.*) *Appio* atribuye la desgracia de Menthe a Ceres, que la pisó, y su metamorfosis a la compasión de los dioses. (*V.* Amentes.)

MENTIRA. (*Iconol.*) Cosa falsa e inventada que se quiere hace pasar por verdadera. Este vicio nace de la bajeza de los sentimientos, de indiscreción de la lengua y la falsedad del corazón. Por lo mismo se la representa fea, mal peinada y peor vestida: su ropaje está guarnecido de lenguas y de máscaras, tiene un haz de paja encendida, para indicar que sus proposiciones no tienen fuerza, y mueren casi apenas han nacido. Se le da una pierna de madera, para indicar su poca solidez. *Manual de los Artistas.* etc.

Algunos la cuentan entre las divinidades infernales. Se le atribuye el cuidado de conducir las sombras de los muertos al Tártaro. Sin duda por esta divinidad alegórica quieren significar a Mercurio. Se la representa con un aire afable y seductor, aire que le conviene también como dios de los comerciantes y de los ladrones, que están bajo su protección.

**MÉNTOR.** 1 — Padre de Imbrio. *Ilíada. 13.*

2 — Uno de los más fieles amigos de Ulises, y a quien antes de embarcarse para Troya confió el cuidado de su familia. Minerva tomaba con frecuencia su figura y su voz para exhortar a Telémaco a no degenerar del valor y la prudencia de su padre. *Fénelon*, siguiendo esta idea, la ha pintado bajo esta figura a Minerva acompañando al joven Telémaco en sus viajes. Una tradición que honra el corazón de *Homero*, nos enseña que, sensible este poeta a la amistad, colocó a este Méntor en su poema, en reconocimiento de que habiendo abordado Itaca en su vuelta de España, y encontrándose muy incomodado por una fluxión de ojos que le impedía continuar su viaje, fue recibido en casa de Mentor, que le cuidó con todo el esmero imaginable. *Odisea. 2.*

3 — Hijo de Hércules y la Testiade Asopia.

4 — Uno de los hijos de Euristeo, muerto en el combate contra los atenienses.

**MENUTIS.** (*Mit. egip.*) Deidad adorada en una aldea del mismo nombre, cerca de la ciudad de Canopo. Según *Jablonski*, *men-uti*, en egipcio significa la *diosa del agua*. Otros la confunden con Eumenutis, esposa del piloto de Menelao.

**MENYS o MINES.** Lacedemonio, padre de Pedias, esposa de Cránao, rey de Atenas.

**MEÓN.** 1 — Rey de Frigia, esposo de Dindima y padre de Cibeles. Dio su nombre a Meonia. Habiendo reparado que su hija estaba encinta, hizo matar a Atis, su amante, y a sus mujeres, y arrojar sus cuerpos al muladar. *Diod.* (*V. Cibeles.*)

2 — Capitán tebano, hijo de Hemón, el único que escapó de los cincuenta guerreros que Eteocles apostó para asesinar a Tideo, y volvió a Tebas a llevar la noticia de su derrota. *Ilíada. 4.*

3 — Capitán latino, herido con un dardo por Eneas. *Eneida. 10.*

4 — Padre de Homero.

**MEÓNIDES.** Sobrenombre dado a las musas, porque se creía que la Meonia era patria de Homero, su más célebre favorita.

**MEONIDES.** Sobrenombre de Homero. *Ovid.*

**MEONIS.** 1 — Aracne, natural de Meonia. *Met. 6.*

2 — Onfale, reina de Lidia y de Meonia. *Ovid.*

**MEONIUS.** 1 — Sobrenombre de Baco, tomado del culto que se le tributaba en la Meonia.

2 — Sobrenombre de Homero, o de Meón, su padre, o de Lidia, llamada Meonia.

**MERA.** 1 — Hija de Proteo y de la ninfa Ausia, una de las compañeras de Diana. Un día que seguía a la diosa en la caza, Júpiter, bajo la forma de Minerva, extravió a la ninfa y la sorprendió. Diana, irritada la atravesó con sus flechas y trasformó en perra. Otros dicen que murió siendo aún doncella. *Metam. 7.*

2 — Hija de Atlante, casada con Licaón, del cual tuvo al héroe Tegeates. *Paus. 8, c. 48.*

3 — Sacerdotisa de Venus en *Stacio. Teb. 8.*

**MERCEDONA.** Diosa que presidía las compras y los pagos. R. *merx, cis,* mercancía.

**MERCURIALES.** Fiestas que se celebraban en la isla de Creta con una magnificencia que atraía muchos extranjeros: devoción provechosa en extremo al comercio. Se celebraba la misma fiesta en Roma el 14 de julio, pero con mucho menos aparato. *Banier. t. 1.*

**MERCURIALES VIRI.** Nombre que da *Horacio* (*l.2, Od. 14.*) a los poetas que están bajo las protección de Mercurio.

**MERCURIO.** De todos los dioses antiguos, éste es a quien la fábula atribuye más funciones. Los griegos le llaman *Hermes*, intérprete o mensajero. Según *Festo*, su nombre latino venía de las mercancías, *a mercibus*, y según otros, de *medius* *currere, queasi medieurius*, como inventor de la palabra, intérprete de los pensamientos de los hombres. Intérprete y ministro fiel de los otros dioses, y en particular de Júpiter, su padre, les servía con un celo infatigable y aun en comisiones poco honestas. Cuidaba de todos sus negocios, tanto de los tocantes a la paz como de los pertenecientes a la guerra, y así mismo, del interior del Olimpo: de abastecerles y servirles ambrosía, de presidir los juegos y las asambleas, escuchar los discursos públicos y responder a ellos, etc. Estaba encargado también de conducir a los infiernos las almas de los muertos, y de sacarlas de ellos, y nadie podía morir sino cuando este dios había roto del todo los lazos que unían el alma al cuerpo. Era además el dios de la elocuencia, la oratoria, los viajeros, los comerciantes, y hasta de los ladrones. Embajador plenipotenciario de los dioses, asistía a todos sus tratados de paz y de alianza. Ya se le ve acompañar a Juno, o para guardarla, o para velar sobre su conducta: ya es enviado por Júpiter para entablar una intriga amorosa con otra amante. Aquí traslada a Cástor y Pólux a Penene; en otra parte acompaña el carro de Plutón cuando éste roba a Proserpina. Embarazados los dioses con la disputa iniciada entre tres diosas sobre cual de ellas era la más hermosa, aquéllos le envían con éstas al pastor Paris. En fin, era invocado en los matrimonios, para hacer la felicidad de los esposos. Tan diferentes funciones hacen creer que hubieron varios Mercurios, y que dieron al hijo de Júpiter atributos que debieran haberse dividido entre muchos dioses del mismo nombre.

Los mitólogos reconocen en efecto muchos Mercurios. *Lactancio el Gramático* cuenta cuatro: el uno hijo de Júpiter y Maia; el segundo del Cielo y el Día; el tercero de Liber y Proserpina, el cuarto de Júpiter y Cilene, que como dicen los griegos, mató a Argos y huyó a Egipto, donde llevó el conocimiento de las letras. Según *Cicerón* había cinco: el uno hijo del Cielo y el Día; el·otro del Valor y de Foronis, el cual era el que habitaba en la tierra y se llamaba Trofonio. El tercero

era hijo de Júpiter y Maia, el cuarto del Nilo, que los egipcios creían estaba prohibido nombrar; el quinto, honrado por los feneates, era el matador de Argos. Todos estos Mercurios pueden reducirse a dos: el antiguo Mercurio o Thot, o Thant de los egipcios, contemporáneo de Osiris; y el que *Hesíodo* llama hijo de Júpiter y Maia.

Los tiempos heroicos no tienen un personaje más célebre que el Mercurio egipcio. Era el alma del consejo de Osiris, quien se servía de él en los negocios más delicados, y que antes de partir para la conquista de las Indias dejó a Isis, a la cual había nombrado regenta, como su más hábil ministro. Se aplicó, en efecto a hacer florecer el comercio y las artes en todo Egipto. Ocupado en los conocimientos más sublimes, enseñó a sus gobernados el modo de medir las tierras, cuyos límites eran frecuentemente alterados por las crecidas del Nilo. En fin, pocas ciencias hubo en que no hiciese los más rápidos progresos; siendo él, en particular, el inventor de los caracteres misteriosos llamados jeroglíficos. *Diodoro de Sicilia* añade que Osiris le honró mucho, porque le había dotado de un talento extraordinario para todo lo que puede contribuir a la perfección de la sociedad. En efecto, Mercurio fue el primero que creo un idioma exacto y regular, de los dialectos inciertos y toscos que se usaban entonces, puso nombre a una infinidad de cosas nuevas y usuales, inventó los primeros caracteres, arregló hasta la armonía de las frases, instituyó muchas prácticas religiosas y dio a los hombres los primeros rudimentos de astronomía. Luego les enseñó la lucha, la danza, como también la fuerza y la gracia que el cuerpo humano puede obtener con estos ejercicios. Inventó la lira, a la cual puso tres cuerdas, aludiendo a las tres estaciones del año. En fin, él fue, según los egipcios, el que plantó el olivo que los griegos creen deber a Minerva.

El segundo Mercurio, hijo de Júpiter y Maia, se hizo célebre entre los príncipes de los titanes. Después de la muerte de su padre, le tocó en herencia Italia, las Galias y España, de donde fue dueño absoluto después de la muerte de su tío Plutón; y de los mauritanos, al fallecer su abuelo Atlante. Era un príncipe astuto, artificioso y simulador: viajó más de una vez por Egipto para instruirse en las costumbres de este antiguo pueblo, y para aprender en él la teología, y sobre todo la magia, que entonces estaba muy en auge, y en cuya ciencia se aventajó después: por lo mismo fue tenido como gran augur de los príncipes de los titanes, quienes le consultaban continuamente. Su elocuencia y habilidad en las negociaciones, de las cuales Júpiter sacó gran provecho en las guerras que tuvo con los príncipes de su familia, le hicieron tener por mensajero de los dioses. Sus defectos no fueron menores que sus bellas cualidades; y su conducta artificiosa y humor inquieto obligaron a los demás hijos de Júpiter a declararle la guerra, durante la cual vencido muchas veces, tomó por último el partido de retirarse a Egipto, donde murió. Otros creen que terminó sus días en España, donde se veía su sepulcro. Tal es la historia de Mercurio, alterada por los griegos y mezclada con muchas fábulas; porque en primer lugar, parece que dieron su nombre a muchos príncipes que tuvieron algunas de sus cualidades; 2º estas mismas cualidades han dado lugar a muchas alegorías. Por ejemplo, la cadena de oro que salía de su boca y que terminaba en los oídos de los que quería conducir, significaba que encadenaba los corazones y los espíritus con la dulzura de su elocuencia. Si se le pintaba con medio rostro claro, y el otro negro y sombrío, es porque se creía que conducía las almas a los infiernos y que por lo tanto tan pronto se hallaba en el cielo, como en la tierra, como en el reino de las tinieblas. Si los egipcios le representaban con cabeza de perro era, dice *Servio*, para significar su vigilancia y su sagacidad.

En cualidad de dios de los ladrones y mercaderes se atribuyen a Mercurio muchas picardías: y sabemos por Luciano que siendo aun niño robó el tridente a Neptuno, las flechas de Apolo, la espada de Marte y el cinturón de Venus, lo que parece indicar que era hábil navegante, diestro en el tiro con arco, valiente en los combates, y que unía a estas cualidades todas las gracias del discurso. *Apolodoro* hace mención de otro robo que hizo a Apolo siendo aún pastor. Salió, dice este autor, de su cuna para robar los bueyes de Apolo y los hizo caminar atrás para hacer perder sus pisadas. El dios vino a pedir sus bueyes, encontró a Mercurio en la cuna, disputó con él y lo amenazó. En fin, como compensación, Mercurio regaló a Apolo el nuevo instrumento que había inventado, y Apolo le cedió los bueyes. Esta fábula se encuentra representada en un monumento, en el cual se ve a Mercurio presentando a un buey un puñado de hierbas. A pesar de sus buenas cualidades y de los beneficios hechos a Júpiter, Mercurio no conservó siempre la amistad con este dios, quien arrojó del cielo y redujo a guardar ganados, en tiempos en que Apolo, en su desgracia, tuvo que acudir al mismo recurso.

El culto de Mercurio nada tenía de particular, sino el que se le ofrecían las lenguas de las víctimas, emblema de su elocuencia. Por esta misma razón se le ofrecía miel y leche. El primer higo que se cogía, se ponía delante de la imagen de Mercurio, que lo cogía cuando quería; de donde vino el proverbio griego, *Ficus ad Mercurium*, para denotar una cosa que es presa del primer ocupante. Se le inmolaban también becerros y gallos. Era especialmente honrado en las Galias, donde le ofrecían víctimas humanas; en Egipto, donde los sacerdotes le consagraban la cigüeña, animal famosísimo entre ellos después del buey; en Creta, como ciudad comerciante; en Cilene, en Elida, porque se creía que había nacido en el monte del mismo nombre, situado cerca de esta ciudad. Había en el monte una estatua colocada en un pedestal en postura indecente, símbolo de la fecundidad. Tenía también un oráculo en Acaia, que sólo ofrecía por las tardes. Después de muchas ceremonias se hablaba al dios al oído, para pedirle lo que se quería. Luego se salía del templo con los oídos tapados con las manos, y las primeras palabras que se oían eran la respuesta del dios. Anfión fue el primero que le erigió un altar. En Italia fue puesto en el número de las ocho divinidades principales, llamadas *Dii selecti*. Se le concedió el sexto lugar, porque se le atribuía el gobierno del sexto planeta. Los crotoniates, quienes habían adoptado el sistema egipcio, renovado por Pitágoras, él cual atribuía al curso de cada planeta un sonido musical, creían que Mercurio dejaba oír el *ut* y la Luna el *sí*. Los *ex-votos*, que los viajeros le ofrecían de vuelta de un largo y penoso viaje, eran pies alados. Los comerciantes romanos celebraban una fiesta en su honor el 15 de mayo, en cuyo día se le había dedicado un templo en el Gran Circo, en el año 675 de la fundación de Roma. Sacrificaban a este dios una marrana preñada y se rociaban con el agua de una fuente llamada *Agua Mercurii*, a la cual atribuían una virtud divina, rogando a Mercurio que les fuese propicio en sus tráficos, y que les perdonase, dice *Ovidio*, sus pequeñas trapisondas.

Como a su divinidad tutelar, le pintaban por lo regular con una bolsa en la mano. Algunos monumentos lo representan con la bolsa en la mano izquierda, y en la otra un ramo de olivo y una clava; símbolos el uno de la paz, útil al comercio; el otro de la fuerza y de la virtud, necesarias al tráfico. En calidad de negociante de los dioses, lleva el caduceo, emblema de la paz, que además tiene la virtud de conducir a los párpados, el sueño y los sueños. Las alas de su gorro, de sus pies, y de su caduceo, denotan su ligereza en ejecutar las órdenes de los dioses, sobre todo en conducir y sacar de los infiernos las almas de los muertos, de estas alas unas son negras y otras blancas. Las primeras anuncian al Mercurio celeste y las otras le sirven para penetrar en los infiernos. La vigilancia que exige tantos deberes, hace que se le de un gallo por símbolo. En un monumento se le ve caminando delante de un gallo, mucho más grande que él, y que lleva una espiga en el pico, símbolo quizá de que la sola vigilancia produce la abundancia de las cosas necesarias a la vida. Como los pastores le tomaban por patrono, se le ve algunas veces con un carnero. La tortuga que hay cerca de él denota que es inventor de la lira, en latín *testudo*. Se le

pinta joven, hermoso, de una estatura elevada, ya desnudo, ya con una capa en las espaldas, que sólo le cubre la mitad. Cuando se le da barba larga y figura de anciano, se le rodea con una larga capa que le baja hasta los pies. De este modo, se ve en un mosaico de Herculano. Los griegos entonces le hicieron presidir como Príapo, los placeres desordenados de los sentidos. Algunas veces trae lanza, una pértiga armada de garfios o un tridente: bajo estos atributos protegía el comercio marítimo. Se le concedía el tridente, según *Macrobio*, porque en la distribución que hizo Júpiter de los elementos entre varios dioses, Apolo tuvo el encargo de cuidar del fuego, Febo de la tierra, Venus del aire y Mercurio del agua. Fue considerado en lo sucesivo como inventor de la clepsidra. Los griegos, que designaban el guia divino de cada planeta por una letra de su alfabeto, la Luna por *alpha*, Venus por *eta*, el Sol por *iota*, Marte por *omicrón*, Júpiter por la *ipsilon*, Saturno por *omega*, figuraron jeroglíficamente a Mercurio por *épsilon*. Así en las medallas griegas la A y la E indican con frecuencia una invocación a la Luna y a Mercurio. Algunas veces se ve cerca del dios la cabeza de Argos, como un trofeo de su victoria. En otras tiene ambos sexos, porque se le atribuía el poder transformarse a su voluntad en uno u otro. Se le representa también con un manto medio negro y medio blanco, porque como emblema del sol no ilumina más que la mitad del globo, y con su ausencia hace suceder las tinieblas a la luz. En algunos monumentos, Cupido pone alas a los talones de Mercurio; en otros, aparece al lado de Venus, emblema ingenioso de que los placeres del amor no tienen precio sino cuando el placer sabe apreciarlos. Mercurio se ve también cerca de Pitágoras, porque este filósofo enseñó la inmortalidad de las almas, y que el dios era su conductor. Una estatua de bronce del gabinete del rey de Prusia, da a Mercurio atributos que no le son ordinarios. Está colocado en medio de dos cuernos de la abundancia, y sobre el petaso que le cubre se levanta una cabeza de cisne. El cuerno de Amaltea representa la abundancia que lleva consigo el comercio, y el cisne indica los discursos del dios en la elocuencia. Como conductor de las sombras va desnudo, tiene en una mano el caduceo, y en la otra una antorcha para guiarle en la morada de las tinieblas. Por esta razón se encuentra su nombre en las urnas sepulcrales. Y por la misma se imaginaban que aquellos que creían verle en sueños, debían morir luego.

Entre otras estatuas de este dios se distinguen las cuatro siguientes. La primera es un Hermes que se ve en los jardines de Versalles. La esculpió *Lerambert*, y *le Pautre* la ha grabado. El dios lleva el petaso alado y los cabellos replegados bajo este gorro. Tiene la frente espaciosa como la que pintan los griegos; al pie del busto se ven dos caduceos cruzados, en bajorrelieve. La segunda es una estatua antigua de cuatro pies y medio de alto que se ve en las Tullerías. El dios lleva un petaso con las alas encorvadas y replegadas. Está casi desnudo y tan sólo cubre su espalda una simple capa. En una mano tiene una bolsa y en la otra un caduceo sin alas, entrelazado con dos serpientes. Esta estatua ha sido grabada por *Mellana*. La tercera de *Pigal*, fue expuesta en el salón, obtuvo los más lisonjeros elogios. La cuarta de *Pajou*, en mármol blanco, trabajada en 1780, es de seis pies de proporción y representa a Mercurio como protector del comercio. Entre los pintores modernos, se distingue *Julio Romano*, que en su historia de *Psiquis* ha representado al dios preparando el banquete de bodas. Un cuadro de *Pierre* ofrece a Mercurio enamorado de Herse, y transformando a Aglauro en piedra. Otro de *Lagraneo*, el joven, expuesto en el salón, en 1781, presenta a Mercurio protector del comercio, derramando sobre Francia los tesoros que manan de esta rica fuente.

Una de las obras maestras de la antigüedad, conocida anteriormente bajo el nombre de Antinoo del Belvedere, y que enriquecía el Museo de París, representa un Mercurio griego. Esta admirable estatua, de mármol blanco, es de proporción heroica.

He aquí la nomenclatura de los principales atributos dados a este dios alas en la cabeza y en los pies, a veces una negra y otra blanca: balanza, bastón, carnero, bolsa, o palo enroscado con dos serpientes y con alas, cadena de oro, gallo, cuerno de la abundancia, higo, antorcha, manto, a veces medio negro medio blanco: clava, fuente, petaso, coronado con una cabeza de cisne, ramo de olivo, cabeza de Argos, cabeza de adormidera, tortuga, tridente, etcétera.

Antes de terminar este artículo, no debemos olvidarnos de observar que las fábulas de Mercurio no han parecido a los sabios más distinguidos sino alegorías del curso del sol y de los fenómenos que produce este astro. El Mercurio celeste representa al sol o solsticio de verano. El Mercurio infernal es el sol de invierno. Si mata un gigante, es un lago que se diseca. Por otra parte, Argos no es más que el emblema del cielo, donde brillan cien ojos, esto es, innumerables estrellas; e Io lo es de la tierra representada por una vaca, animal terrestre utilísimo. Si Juno, esto es, la lluvia, persigue a Io hasta Egipto, el sol, más ardiente en las orillas del Nilo, disipa la niebla y hace más fértil la tierra. Si Mercurio desciende por fin a los infiernos para sacar las sombras, es el sol ocultándose en el horizonte; y su nacimiento parece lanzar de su alrededor a las tinieblas y los fantasmas, hijos de la noche. El autor del *Mundo primitivo*, y el sabio *Dupuis*, han llegado a demostrar esta opinión. En este caso el caduceo, que *Homero* llama verga dorada, no es más que un rayo solar que disipa la noche y las tinieblas, y siendo la serpiente entre todas las naciones el símbolo de la vida; se une su representación a la del rayo solar para significar que el astro del día, que fecunda la tierra, es el padre de la vegetación y parece dar vida a toda la naturaleza. Se dice que Apolo había dado el caduceo a Mercurio; lo que demuestra una vez más que era un rayo solar. Estos dioses, en efecto han sido confundidos muchas veces. Mercurio tiene, como Apolo, la cabeza radiante. Si este último ha inventado la lira, hace nacer los útiles necesarios para la medicina y es considerado como dios de los poetas; el primero ha inventado el laúd, es el mejor médico de su siglo y el dios de los oradores. Así ambos tenían un altar común en el templo de Júpiter Olimpico. Por todas partes se celebraban las fiestas principales de este dios a principios de mayo, porque entonces sus fuegos son más activos y resplandecientes. Una estatua del gabinete *Cospiano* representa a Mercurio con un capacete alado que le cubre casi enteramente las orejas. Va revestido con un ropaje que le baja hasta los pies. Detrás de su cabeza se ven escapar muchos rayos solares que indican claramente la faz del día. *Ilíada. 1, Od. 1, Ov. Fast. 5, Met. 1, 4, 11, 15, Teb. 4, Teb. 4. Paus. 1; 7, 8, 9, Orf. Plut. Platón. Tito Liv. 37, Geórg. 1, Eneida. 1, Diod. 45, Apolo. 1, 2, 3, Apolon. Arg. 1, Hor. 1, Od. 10, Marc. 1, sat. 19.*

2 — (*V.* Trismegisto.)

3 — Nombre que daban los atenienses al primer criminal que se sentenciaba cuando eran muchos, porque enseñaba a los demás el camino de los infiernos.

**MERCURIOS.** Jóvenes de ocho, diez o doce años, empleados en la celebración de los misterios. Cuando alguno iba a consultar el oráculo de Trofonio, dos muchachos del lugar llamados *Mercurios* venían, dice *Pausanias,* a frotarle con aceite, lavarle, limpiarle y hacerle todo lo necesario. Los romanos les llamaban *Camilli.*

**MERERIS.** Jefe de los demonios que se mezclan con los rayos y los relámpagos, con el designio de infectar el aire y ocasionar la peste. *Demonogr.*

**MERETRIX.** Epíteto de Venus, tomado de la naturaleza del culto que le daban los habitantes de Chipre, cuyas mujeres se prostituían en su honor a bajo precio. *Aten. 13.*

**MERGIAM-BANOU.** (*Mit. ori.*) Hada citada con frecuencia en los romances orientales. Era de la raza de los Peris; esto es, de los gigantes o demonio de la hermosa especie. En una incursión que hicieron en Persia los Dives, sus enemigos, mandados por Demsruch, Mergian Peri fue hecha prisionera y llevada cautiva. Demsruch, a quien tocó en suerte, quiso obtener sus favores, pero viéndose despreciado, la

maltrató y encerró en las cavernas del monte Caf. Permaneció allí hasta la derrota de su perseguidor, muerto por Thahamurat, quien la dejó libre. Habiendo empeñado a su libertador en una guerra desgraciada, en la cual perdió la vida, Mergiam, desconsolada, abandonó Persia y se retiró a Europa, donde se granjeó una gran reputación bajo el nombre de Hada Mergiana o Morgina. De su nombre formaron nuestros antiguos romanceros el nombre de Morgante la Desconocida. *Bibl. orient.*

**MERGUS.** Nombre de Esaco transformado en cuervo marino.

**MERIDIANOS.** Gladiadores que entraban a la arena hacia el medio día y se batían entre sí con una especie de puñal.

**MERIÓN.** 1 — Hijo de Molus y Melfis, uno de los amantes de Helena. Obligado por juramento a defender al esposo que Helena había escogido, condujo con Idomeneo las ochentas naves de la isla de Creta. Se distinguió en el sitio de Troya y en los juegos celebrados a la muerte de Patroclo, en los cuales alcanzó el premio en el arco y el dardo. *Homero (Ilíada. 2, 13.)* le supone semejante al homicida Marte. En los combates conducía el carro de Idomeneo. *Met. 13,*

2 — Hijo de Jasón, célebre por sus grandes riquezas y su avaricia.

**MERLIN.** Encantador famoso en la historia de Inglaterra, del siglo V. Se le supone nacido del comercio de una inglesa con uno de los demonios llamados íncubos. Un consejo de espíritus malignos determinó crearlo para anonadar la obra de la Redención. Sin embargo, esto no ha sido obstáculo para que, en los romances de caballería, se le atribuya un celo católico. El nombre de Merlín se ha generalizado y comúnmente se da a los grandes magos.

**MERMEROS.** Centauro famoso por la velocidad de su carrera, muerto en las bodas de Piritoo. *Met. 12.*

**MERMERUS (MERMERO).** 1 — Capitán troyano, muerto por Autílo. *Ilíada. 14.*

2 — Hijo de Jasón y de Medea, apedreado con su hermano Feres por los co-

rintios a causa de los regalos envenenados llevados a Glauce, de parte de Medea. En castigo de esta barbarie, los corintios vieron morir en las cunas a todos sus hijos, hasta que avisados por el oráculo establecieron sacrificios en honor de los hijos de Medea y les consagraron una estatua que representaba el Miedo. *Odis. 1, Paus.*

MEROCTE. Piedra fabulosa de que *Plinio* hace mención. Era, dice, de un verde de puerro y rezumada de leche.

MERODACH. Rey de Babilonia, puesto entre los dioses y adorado por sus súbditos.

MÉROPE. 1 — Hija de Erecteo y madre de Dédalo. *Plut.*

2 — Hija de Cipselo, rey de Arcadia, casada con Cresfonte, uno de los heráclidas, rey de Mesenia, del cual tuvo muchos hijos y reconoció a uno de ellos en el momento en que iba a matarlo. *Maffei y Voltaire* han dado a conocer suficientemente este hermoso pasaje de esta tragedia. *Apolod. 2, c. 6. Paus. 4, c. 3.*

3 — Una de las Pléyades, o hijas de Atlas (Atlante). Casó con Sísifo, que no pertenecía a la familia de los titanes, mientras sus seis hermanas se desposaron con los príncipes de esta casa, de donde la fábula sacó tantos dioses; y como de las siete estrellas llamadas Pléyades hay una que no se repara mucho, se decía que era Mérope, que se ocultaba de vergüenza por haberse casado con un mortal. *Ovid. Fas.l.4, Hig. 192, Apolod. 1, c.9.*

4 — Hija de Enopión, amada de Orión. *Id. 1, c. 4.*

5 — Hija de Sangario, mujer de Príamo.

6 — Hija de Cebreno, nuera de Príamo.

7 — Una de las tres hijas de Pandaro, hijo de Merops.

8 — Una de las hermanas de Faetón.

9 — Esposa de Megarens, quien la hizo madre de Hipómenes.

MEROPIS. Hija de Eumelo, transformada en mochuelo.

MEROPS. 1 — Uno de los gigantes que quisieron arrojar a los dioses del cielo.

2 — Oriundo de Percote, en Tracia, célebre adivino, predijo la muerte de sus hijos Amfio y Adrastro. Estos, sordos a las amonestaciones de su padre, fueron a la guerra de Troya y murieron ambos a golpes de Diomedes. *Ilíada. 2, 1l.*

3 — Rey de la Isla de Cos, a la cual dio su nombre. Movida Juno del extremo dolor que le causaba la muerte de su esposa, la transformó en águila y colocó entre las constelaciones. *Met. 1, Apol. 3.*

4 — Esposo de Climena, después que hubo concebido de Febo a Faetón. *Met. 1.*

5 — Uno de los capitanes troyanos que siguieron a Eneas a Italia. Fue muerto por Turno. *Eneida. 9.*

MERORRAFES, *cosido en el muslo.* Sobrenombre de Baco. R. *meros*, muslo; *raptein*, coser.

MEROS. Monte de las Indias, consagrado a Júpiter. Se creía que Baco había sido educado en él; opinión que no tenía otro fundamento que la equivocación de la palabras *meros*, en griego, muslo, la cual había dado margen a la fábula de Baco encerrado en el muslo de Júpiter; y nacido dos veces, porque se había librado con todo su ejército de la peste, refugiándose en este monte. *Met. 2. Plin.8, c.13. Quinto Curcio, 1.*

MERU. (*Mit. índ.*) Monte de oro en medio de la tierra. Sólo los dioses pueden llegarse a él. Los indios lo ponen en el norte, en la parte del polo septentrional, y dicen que se compone de mil ocho montecillos. Los dioses los trasladaron al *mar de leche*, para hacerlo mover y procurarse el *amoudou* que debía hacerlos inmortales.

MES. 1 — (V. Men.)

2 — De Abril. (*Iconol.*), *Aperire*, porque en él se abre el seno de la tierra. Este mes está bajo la protección de Venus. *Ausonio* lo pinta como un joven coronado de mirtos que parece danzar al son de instrumentos musicales. Cerca de él hay una pequeña cazuela donde se exhala el incienso y la antorcha que brilla en su manos esparce olores aromáticos. En *Gravelod*, coronado de mirto y vestido de verde tiene el signo de Tauro, guarnecido de las flores con que la naturaleza empieza a adornarse. La figura de Cibeles, teniendo

una llave y que parece apartar su velo, es una alusión ingeniosa a la etimología del nombre. Adorna el fondo del cuadro una lechera. En *Cl. Audran*, la diosa de los amores tiene en la mano una manzana de oro: está sentada con su hijo sobre una nube, bajo un toldo de mirto y de flores. Más abajo se ve una fuente sostenida por delfines y un cisne nadando en su vaso, a cuyo alrededor se ven palomas que tiran su carro. Encima del toldo, cuelgan trofeos amorosos de los rosales, y a su lado se ven gorriones, aves consagradas a la diosa.

3—De agosto *ab Augusto*, de Augusto. Llamábase antes *Sextilis*, pues era el sexto mes del año. Ceres lo presidía. *Ausonio* lo caracteriza por un hombre desnudo, que sumerge los labios en una gran taza para beber y refrescarse. Por el mismo motivo se le da un abanico de plumas de pavo. He aquí la alegoría de los mitólogos modernos. Su vestido es de color fuego, su corona de Damasco, de jazmín, etc. El perro que hay cerca de la figura anuncia claramente el mes de la canícula. Se le da el signo *Virgo*, el cual sostiene una espiga, para indicar el tiempo de las mieses. *Winckelman* propone para designar este mes un águila ejercitando a sus pequeñuelos en el vuelo, porque esta ave, que hace su nido al principio de la primavera, empolla por espacio de treinta días y sus hijuelos no se hallan en estado de volar y buscar su alimento hasta al cabo de seis meses, esto es, en agosto. *El Audran* ha dibujado este y los demás meses, que su hermano *J. Audran* ha grabado, y se han trabajado en tapicería. En cada mes se encontrará la idea de cada una de estas estampas. He aquí como representa al agosto: Ceres está caracterizada por su vestido blanco, su antorcha, su haz de trigo y la hoz; encima se ven los dragones de su carro. Sus atributos son el arado, el yugo, el trillo, etc.; las espigas, las adormideras y otras flores con las cuales se hacían coronas para esta diosa.

MESA. En los tiempos heroicos se sentaban en la mesa, como se verifica hoy día: cada uno tenía su asiento separado. *Homero* nos describe siempre a los guerreros sentados alrededor de la mesa. Las comidas públicas no se componían, por lo regular, más que de la carne de las víctimas inmoladas en los sacrificios.— Los egipcios, dice *Apolodoro* en el *Ateneo*, en los tiempos antiguos se sentaban a la mesa y lo mismo se practicó en Roma hasta fines de la segunda guerra Púnica. Sin embargo, no se han conservado monumentos que nos presenten esta circunstancia, por el contrario, casi todos lo que existen nos representan a los asistentes echados.— Un gran número de bajorrelieves antiguos ofrecen al marido y a la mujer en un lecho o cama, y delante de ellos una mesa, lo que se considera como una comida familiar; pero los esculpidos en los sepulcros representan la *coenae ferales* o la comida de los funerales; algunas veces se celebra esta comida en los mausoleos y en los hipogeos.— La verdadera costumbre de estos banquetes, cuenta *Varrón*, citado por *Aulo Gelio*, era que los convidados no podían ser menos de tres, ni pasar de nueve; pero los griegos celebraban muchísimos, donde se reunían un gran número de personas, y por lo regular se observaba en ellos la mayor magnificencia.— Entre los egipcios aposentados, al concluir la comida se presentaba un simulacro de momia, y les decían: "Comed y alegraos; porque bien pronto seréis semejante a éste". Estos pueblos, dice *Ateneo*, no usaban de mesas, pero sí presentaban sucesivamente los platos a los convidados, a fin de que cada uno se sirviese a su gusto.— Entre los romanos, por el contrario, al igual que muchos otros países, se llevaban las mesas cargadas y se las devolvían luego con los platos: algunas veces en una misma comida se hacían suceder hasta siete mesas y aun más.— Los galos, dice el mismo autor, cuando comían con el rey no tocaban el pan ni ninguna clase de manjar, antes que el rey lo hubiese probado: cuando los grandes de esta nación iban a la guerra admitían en su mesa *parasitas*, que entonaban durante la comida cánticos en alabanza de sus bienhechores. Estos poetas pertenecían a la clase de los bardos.— De los manjares que se servían en sus comidas, los antiguos preferían la caza. Los romanos eran muy apasionados al pescado: conocían el uso de las salsas exquisitas y de la pastelería. Los huevos se servían al empezar y los frutos al concluir la comida. En los grandes banquetes se nombraba un rey que señalaba a cada uno de los asistentes el lugar que le correspondía. Este rey era elegido o por sorteo, o por el que daba la comida. Todos los demás estaban obligados a obedecerle.— Todas las grandes comidas se hacían por la tarde. El almuerzo y la comida eran muy pequeños en comparación a la cena.— Los griegos hacían cuatro comidas al día, el desayuno o almuerzo, *ecratisma*; la comida, *dorpiston*, la merienda *herperisma*, en latín *merenda;* y la cena, *dipnon* o *epidorpis*, en latín *cœna*.— Según las leyes áticas, dice Samuel Petit, los convidados no podían pasar de treinta. Los cocineros alquilados para las grandes comidas daban sus nombres a los ginecónomos; esto es a los que tenían su cargo la inspección de los banquetes y vigilar que las mujeres se comportasen con modestia. No se bebía vino puro hasta concluir la comida y una vez en honor del buen genio.— Los aeropagitas debían castigar a los que en estas comidas cometían algún exceso.— Los antiguos se hacían servir por escanciadoras, *posillatoras*, que eran jóvenes y hermosas esclavas. Las mujeres también servían en la mesa. En la época del lujo entre los griegos y los romanos se introducían al final de la comida cantoras danzantes y cómicas.— Los antiguos confirmaban casi siempre sus tratados con una comida religiosa que llamaban *comida de confederación*. La que estaba obligado a dar el que era promovido a la dignidad de Augur o de pontífice, se llamaba *comida de recepción*.— La *comida fúnebre* entre los griegos era una ceremonia religiosa instituida para honrar la memoria de un muerto. Esta comida se verificaba en casa de uno de los parientes del difunto y cuando se despedían se abrazaban como si no fueran a verse más.

Entre los romanos había de dos clases: las primeras se hacían en la casa del difunto, cuando volvían de acompañarle: la segunda sobre su tumba. Se servían también manjares para las almas errantes y se creía que Hécate, que bajo el nombre de Tribia presidía los caminos, se encargaba de recoger estos manjares para entregarlos a las almas. Lo que realmente sucedía era que los pobres, favorecidos por la oscuridad de la noche, iban a recoger todo lo que se hallaba encima de la tumba. Entre los hebreos la comida funeraria se llamaba *comida de muertos*, y en ella se observaba a cortas diferencias entre las mismas ceremonias.

**MESA DEL SOL.** Los etíopes van a buscar todos los años a Tebas, en Egipto, la estatua de Júpiter Ammón y la llevan hacia los límites de Etiopía, donde celebran una gran fiesta que ha dado lugar a la tradición de la *Heliotrapeze* o Mesa del Sol, la cual vienen a comer los dioses

**MESAULIO.** Esclavo que Eumeo había comprado a algunos mercaderes tafios, después de la partida de Ulises, y pagado de su propio dinero. *Odis. 14.*

**MESCHIA** o Meschiane. (*Mit. pers.*) Autores del género humano, nacidos del cuerpo de un árbol llamado Reivas, el cual había sido producido de la semilla de Kaiomorts (el primer hombre) en el instante que expiró. *Zend-Avesta.*

**MESE.** Una de las siete cuerdas de la lira, la del medio, dedicada al Sol. *Vitr. R. mesos*, medio.

**MESGIOGIBACHI.** (*Mit. mah.*) Sacerdotes que sirven las mezquitas interiores, en las cuales van a orar las mujeres del serrallo.

**MESIAS.** Diosas de las casas. Había una de particular para cada tipo de casa.

**MESÍAS.** (*Mit. rab.*) Es bien sabido que los judíos esperan uno; pero no será inoportuno dar un compendio de los dogmas rabínicos acerca de su libertador. Entre los rabinos, unos le han visto en Ezequiel, otros, sin fijar época, precisa no dudan que según los antiguos oráculos en el Mesías no ha venido en los tiempos señalados por el espíritu de Dios, pero creen que no envejece, que permanece oculto en la tierra y espera para manifestarse y establecer su pueblo con fuerza, poder y sabiduría a que Israel haya celebrado como debe el sábado lo que aún no ha hecho, y que los judíos hayan reparado las iniquidades de que están manchados y que les ha privado de las bendiciones del Eterno. Los antiguos hebreos creyeron que el Mesías había nacido el día de la última destrucción de Jerusalén por los ejércitos romanos. El rabino *Kimchi*, que vivía en el siglo XII, creía que el Mesías, cuya venida se imaginaba que estaba cerca, arrojaría a los cristianos de Judea. Saladino fue este libertador, pero los judíos nada ganaron. Muchos quieren que el Mesías esté actualmente en el Paraíso terrestre; otros le ponen en Roma, y los talmudistas pretenden que este ungido del Altísimo está oculto entre los leprosos y los enfermos que hallan en la puerta de esta ciudad, esperando que Elías, su precursor, se manifieste a los hombres. Pero la opinión más seguida ente los rabinos es que el Mesías no ha venido aún, que habrá dos que deberán sucederse el uno al otro, el primero en un estado humilde, el segundo glorioso y triunfante; el uno y el otro simples hombres; los hebreos han tenido siempre la idea de la unidad, carácter distintivo del Ser Supremo. Precederán su venida diez grandes milagros. Desde luego, y este será el primero, Dios suscitará los tres tiranos más abominables que jamás hayan existido, que perseguirán atrozmente a los judíos. Vendrán de los extremos del mundo hombres negros con dos cabezas y siete ojos resplandecientes, ante los cuales no osarán presentarse lo más atrevidos. Pestes, hambres, mortandades, el sol transformado en espesas tinieblas, la luna en sangre, la caída de las estrellas, de los dominios insoportables, son el segundo, tercero, cuarto, quinto y sexto milagros. El séptimo es el más notable. Un mármol que Dios tiene formado desde el principio del mundo y que ha esculpido con sus propias manos bajo la figura de una hermosa doncella, será objeto de una abominable impudencia. De este comercio impuro nacerá el Anticristo Armilio (*V.* este nombre) Este vencerá al primer Mesías (*V.* Nehemías) y será vencido por el segundo. Este volverá la vida al primero, reunirá a todos los judíos vivos y muertos, reedificará los muros de Sión, restablecerá el templo de Jerusalén, sobre

el plano presentado a Ezequiel en una visión, hará perecer a todos los enemigos de su pueblo, establecerá su imperio sobre toda la tierra habitable y fundará así la monarquía universal: se casará con una reina y un gran número de mujeres, de las cuales tendrá una numerosa familia que le sucederá. Para celebrar su victoria, dará a su pueblo reunido en la tierra de Canaán, un banquete, cuyo vino será el mismo que . Adán hizo en el Paraíso y que se conserva en vastas bodegas ahondadas por los ángeles en el centro de la tierra. Se servirá en él, el pez Leviatán, y para carne el Behemoth. *V.* estos dos nombres.

**MESITES.** (*Mit. pers.*) Nombre que daban los persas a su dios Mitra, como intermediario entre Ormuz, y Arimán. R. *mesos*, medio.

**MESOPONTIUS.** Sobrenombre de Neptuno. R. *mesos*, medio; *pontos*, mar.

**MESOPOTAMIA.** (*Iconol.*) Se representa entre dos ríos, el Tigris y el Eufrates con una mitra en la cabeza.

**MESOTEUS.** Sobrenombre de Baco tomado de una ciudad de Acaia.

**MESOTROFONIOS.** Días en los cuales los lebios ofrecían sacrificios públicos.

**MESAPO.** Hijo de Neptuno, hábil en el arte de manejar un caballo. Fue socorro de Turno contra los troyanos y se distinguió en esta guerra con brillantes hazañas. *Eneida. 7, 8, 9, 10, 11, 12, Met. 14.*

**MESAPEUS.** Sobrenombre de Júpiter, honrado en el pie del monte Taigeto, en Laconia.

**MESENE.** Hija de Triopas, rey de Argos, casó con Policaón, hijo menor de Lélege, rey de Laconia. Orgullosa esta princesa por su nacimiento, no queriendo sufrir al verse unida con un simple mortal, persuadió a su marido que se hiciese rey y se apoderase de una comarca vecina de Laconia, a la cual dio el nombre de Mesenia, en consideración a su esposa. Mesene introdujo en su nuevo reino el culto y las ceremonias de Ceres y Proserpina, y recibió, después de su muerte, los honores heroicos. Tenía un templo en Itome, y una estatua, mitad de oro y mitad de mármol de Paros. *Paus. 4, c. 1, 13.*

MESTLES. Hijo de Telemeno que fue con su hermano Antifo en socorro de los troyanos. mandaba los meonios que habitaban al pie del monte Tmolo. *Ilíada. 2.*

MESTOR. 1 — Hijo de Perseo y de Andrómeda, rey de Micenas y esposo de Lisídice, hija de Pélope, de la cual tuvo a Hipótoe, que fue robada por Neptuno. *Baniet. t. 7.*

2 — Uno de los descendientes del precedente, hijo de Pteralao. Ibid.

3 — Uno de los hijos naturales de Príamo. *Apolod.*

META. Hija de Oples, esposa de Egeo.

METAFÍSICA. (*Iconol.*) Ciencia de las cosas sobrenaturales, o que están fuera del alcance humano. Cochin, imitando a *Ripa*, le da un cetro como a la reina de las ciencias; contempla un globo celeste adornado de estrellas; la venda que tiene en los ojos, sin quitarle la luz que recibe de lo alto, le impide solamente mirar hacia el globo de la tierra, sobre el que está apoyada, y al cual cubre con una parte de su ropaje, para ocuparse en contemplaciones más elevadas.

METAGIRTES o METRAGIRTES. Ministros subalternos de Cibeles, mendigos de profesión, llamados así por las limosnas que recogían en nombre de la madre de los dioses. (*V.* Agirtes.) Su empleo consistía en hacer sonar los címbalos y tocar los tambores, instrumentos que llevaban colgados al cuello.

METAGITNIAS. Fiestas del Atica instituidas por los habitantes de Mélito, que bajo la dirección de Apolo abandonaron la villa que habitaban, para ir a establecerse en una comarca vecina llamada Diomea. R. *geitnia*, vecindad. *Ant. expl. t. 2.*

METAGITNIÓN. Segundo mes del año ateniense, cuyo nombre está tomado de las fiestas que se celebraban en él. *Plut.*

METAGITNIOS. Sobrenombre de Apolo, tomado de un templo vecino de Atenas, erigido a este dios. (*V.* Metagitnias.)

METALCES. Uno de los hijos de Egipto, muerto por Cleopatra, su mujer.

METAMORFOSIS. 1 — Los mitólogos las dividen en dos especies, las unas trasparentes, como las de los dioses, que sólo conservaban por algún tiempo la forma que tomaban, y las otras reales, como la de Licaón en lobo, etc. que permanecían en su nueva forma. *Banier. t. 1.*

2 — (*Iconol.*) Zacarías, poeta alemán, hace de ella una diosa bajo el nombre de Arminda, que personifica del modo siguiente: «Arminda está sentada en un trono de cristal, cuyos brillantes matices, de una variedad infinita, deslumbran al que clava en él los ojos. El dosel es una piel falaz de camaleón. Un ropaje brillante, en el cual los listones mágicos imitan artísticamente con sus nudos los pliegues tortuosos de la serpiente, flota majestuosamente sobre las espaldas de la diosa. Un nuevo rayo de luz parece pintar a cada instante la engañosa estofa; y se ven desaparecer los últimos matices que ha trazado, mientras acaban de borrarse los primeros colores, al modo en que se suceden los matices sobre el cuello de la paloma cuando el sol hiere con sus rayos su plumaje inconstante. Su varilla poderosa hace la ley al universo: habla y la naturaleza cambia de forma». *Las metamorfosis,* poema heroico-cómico.

METANIRA. (*V.* Meganira.)

METANOEA. Diosa del arrepentimiento. Etim. *meta*, preposición que en la composición denota mudanza, pasaje; *noos*, espíritu, consejo.

METAPONTO. 1 — Ciudad edificada en el golfo de Tarento, por los pilios, que abordaron a estas costas con Néstor, después del sitio de Troya.

2 — Hijo de Sísifo y esposo de Tleano.

METARE. 1 — Jefe de los privernates y padre de Camila que, perseguido por sus súbditos, la consagró a Diana. Los metapontinos le honraban como dios, porque era su fundador. *Eneida.* 11.

2 — Hijo de Sísifo, que dio su nombre a la ciudad de Metaponto, en la Etolia inferior. *Esteban de Biz.*

METARMA. Hija de Pigmalión, rey de Chipre, y madre de Adonis, a quien tuvo de Cinira. *Apolod. 3.c . 14.*

METELO. *Plutarco* refiere de él una historia maravillosa. «Este capitán romano encargado de la guerra contra los cartagineses y los sicilianos unidos, hizo un sacrificio a todos los dioses para que los vientos le fuesen favorables, y tuvo la desgracia de olvidarse de Vesta. Irritada, la diosa hizo soplar vientos contrarios. Entretanto, el tiempo pasaba, cuando un adivino llamado C. Julio vino a declararle que los vientos mudarían si inmolaba a su hija. Metelo, en tan eminente peligro, hizo venir a la joven Metela con el objeto de sacrificarla. Preparado todo para la ceremonia, compadecida la diosa, la sustituyó por una becerra». Esta Metela quizá no sea más que una copia de la Ifigenia de los griegos. *Plut.*

METEMSÍCOSIS o METEMPSÍCOSIS. Transmigración de una alma de un cuerpo a otro. Pitágoras enseñó la Metemsícosis en Grecia y en Italia hacia la Olimpiada del 62, pero parece haberla tomado de los egipcios, quienes enseñaban que, después de la muerte, el alma pasaba sucesivamente a los cuerpos de los animales terrestres, acuáticos y volátiles, circuito que consumía tres mil años, después de los cuales el alma volvía a animar el cuerpo del hombre. Los sacerdotes egipcios explicaban con esto la prodigiosa desigualdad de las condiciones humanas. El infortunio es una expiación de los crímenes cometidos en una vida precedente; y la dicha, la recompensa de las virtudes de una vida anterior. Creían también que el hombre que con un cierto número de transmigraciones había expiados sus faltas, era trasladado a una estrella o planeta, que le estaba señalado por habitación. Este dogma podía tener dos ventajas: la primera servir de fundamento a la opinión de la inmortalidad del alma; lo que da margen a que *Lucano* la llame mentira oficiosa, que aparta los temores de la muerte: la segunda, de hacer odioso el vicio, y amable la virtud, enseñando el considerarlos que el alma pasaba a otros cuerpos nobles o despreciables, según el mérito de las acciones. Pero conducía naturalmente al culto de los animales, enseñando el considerarlos como un domicilio de los que habían sido los bienhechores de su patria y la humanidad. (*Herod.* 2.) *Orígenes* pretendía que Dios no había creado el mundo

sino para castigar las almas que habían pecado en el cielo. La metemsícosis sufrió tres revoluciones: 1º) los orientales y la mayor parte de los griegos adoptaron la opinión de los egipcios que hemos visto más arriba; 2º) muchos discípulos de Pitágoras y de Platón, persuadidos de que todo lo que vegeta tiene sensación y participa de la inteligencia universal, añadieron que la misma alma, por aumento de pena, iba a sepultarse en una planta o en un árbol; 3º) en fin, al nacer el cristianismo, *Celso Porfirio* y otros filósofos paganos no admitieron sino el pasaje del alma de un hombre al cuerpo de otro hombre. Esta era la opinión de los galos y germanos, y lo es aún de los indios y de los chinos. Entre los judíos, la mayor parte de los fariseos admitían la transmigración de las almas. *Mem. de la Acad. de Inscr. t. 3.*

(*Mit. índ.*) La metemsícosis es uno de los puntos fundamentales de la religión de los banianos, y de ella nace el afecto que tienen a toda clase de animales. Aunque por naturaleza son avaros, nunca dejan de rescatar la vida de una bestia. Los fakires se valen a menudo de este experimento para usurparles el dinero. A su ejemplo los jóvenes comerciantes ingleses iban armados de un fusil a algún campo cerca del cual sabían que había banianos, y fingían querer tirar a los pájaros. Los banianos corrían armados, trataban con los cazadores y, mediante el pago de una cierta suma, les obligaban a retirarse. Si había un hombre que teniendo un buey o una vaca, la enfermedad o la vejez le obligaba a matarla, no faltaba un baniano que, por miserable que fuera, no comprara el animal a su dueño para ponerlo en un hospital fundado al efecto. A consecuencia del mismo dogma daban todos los años un banquete solemne a todas las moscas de sus casas. Los manjares consistían en un plato de leche con bastante azúcar, que ponían sobre el piso o sobre una mesa; algunas veces iban de paseo por el campo llevando debajo del brazo un saco lleno de arroz, y cuando encontraban un hormiguero, arrojaban en él algunos puñados. Su ternura no se limitaba a proveer el sustento de los animales, se complacían en adornarlos como harían con sus propios hijos, y ponían en las piernas de una vaca o de una cabra anillos de diferentes metales. Se dice que se divertían adornando del mismo modo los árboles frutales de sus jardines. He aquí el modo con que el *Shastah* refiere el origen de la transmigración de las almas. Habiendo los debtahs, o ángeles rebeldes, caído de la gracia del Eterno, fue creado el universo para su domicilio. Dios formó cuerpos que debían servirles de prisión y morada, sujetó estos cuerpos a la mudanza, a la decadencia, a la muerte, y sometió a los debtahs culpables a ochenta y siete transmigraciones, que debían ser su estado de castigo y expiación. A la octagésima octava debían animar el cuerpo de una vaca, y a la octagésima nona el del hombre, debiendo ser ésta última prueba, la más fuerte. Estas diferentes transmigraciones, divididas en cuatro épocas, debían abrazar un espacio de ciento once mil cien años (*V.* Yoguis.) y si finalizado este término se encontraba algún debtah que no hubiera pasado por las diversas regiones de castigo, de prueba y de purificación, Sieb o Shiva, armado del poder del eterno, debía precipitarlo para siempre en las tinieblas.– Entre varios pueblos que admitían el sistema de la metemsícosis, algunos creían que no son las almas las que pasaban de un cuerpo a otro, sino tan solo las operaciones y las facultades de las mismas, y que acercándose bien a un hombre moribundo se adquieren sus virtudes o sus vicios. Esta opinión dio lugar a la costumbre de estos indios, que al recibir en sus casas a extranjeros distinguidos por la sabiduría y los talentos, les mataban persuadidos de que todas sus virtudes permanecían en el lugar donde había sido muerto.

(*Mit. siam.*) La metemsícosis es la piedra fundamental de la religión tradicional de Siam. Según la explicación de los telapones, no hay acción virtuosa que no sea recompensada en los cielos, ni crimen que no sea castigado en los infiernos. Un hombre que muere en la tierra adquiere nueva vida en el cielo, para gozar en él de la dicha que merecen sus buenas obras; pero terminado el tiempo de la recompensa, muere en el cielo para renacer en el infierno, si tiene un pecado grave; y si no es culpable más que de una ligera falta, entra otra vez al mundo bajo la figura de algún animal; y después de haber satisfecho en este estado a la justicia, vuelve a ser hombre. Las almas de los hombres que renacen en el mundo salen del cielo o del infierno o del cuerpo de los animales. Los primeros llevan algunas ventajas que los distinguen, como la virtud, la salud, la hermosura, el talento o las riquezas: animan los cuerpos de los grandes príncipes o de las personas de un mérito extraordinario: de aquí deriva el respeto que tienen los siameses a las personas de gran dignidad o nacimiento: las miran como destinadas al estado divino, o al estado de santidad que han empezado a merecer con sus buenas obras. Aquellos cuyas almas salen del cuerpo de los animales son menos perfectos, pero, sin embargo, lo son más que las de aquellos que vienen de los infiernos. Estos últimos son tenidos como malvados, a quienes sus crímenes hacen dignos de toda especie de desgracias. *Tachard.*

(*Mit. jap.*) Los japoneses de la secta de Budsd o de Xaca creen que las almas de los malvados, después de haber expiado sus crímenes en el infierno, durante cierto tiempo, vuelven a la tierra y pasan a los cuerpos de los diferentes animales cuyas inclinaciones se asemejan a los vicios que han tenido cuando habitaban cuerpos humanos. Algún tiempo después pasan a animar otros animales un poco más nobles y llegan, por grados, a habitar por segunda vez en cuerpos humanos. Bajo esta persuasión, los monjes de Capsana, en Japón, se ocupan principalmente en alimentar animales de toda especie que habitan en un bosque vecino al convento. Los habitantes de Corea, los talapones de Siam y los salvajes del Mississipí tenían la misma creencia.

(*Mit. afri.*) La doctrina de la transmigración de las almas se halla tan bien establecida entre los negros de Issini, que no esperando nada de real y permanente en este mundo ni en el otro, limitan todos sus deseos a gozar cuanto pueden del poder, de las riquezas y de los placeres. Están persuadidos que el mundo es eterno y el alma inmortal; y después de la muerte, el alma debe pasar a otra región que ponen en el centro de la tierra, para recibir un nuevo cuerpo en el seno de la mujer; que las almas de esta región pasan del mismo modo a la nuestra, de suerte que hay entre ambos mundos un cambio continuo de habitantes.

Los negros de los países interiores de Guinea creen que las almas de sus padres pasan a los lagartos, insectos comunes en su país. Cuando los ven aparecer alrededor de sus casas, dicen que son sus parientes que vienen a *folgar*, es decir, a divertirse y danzar con ellos, y tendrían en gran escrúpulo, matar a uno de estos animales. Otros de la costa de Oro, se imaginan que después de su muerte, sus almas irán a habitar estos cuerpos y serán trasladados al país de los blancos.

(*Mit. amer.*) Los chipiyanos, población salvaje de la América septentrional, tienen también algunas ideas de este sistema. Si por casualidad nace un niño con dientes, se imaginan al momento que se asemeja a alguno de los suyos que ha vivido mucho tiempo, y que renace con estos signos extraordinarios de su existencia anterior. *Viaje de Alejandro Machkensio al interior de la América septentrional*, etcétera.

Lo calmucos y los mongoles, del mismo modo que los indios, creen en la transmigración de las almas. Mas la situación física respectiva de estos pueblos ha producido una diferencia notable en sus sistemas de metemsícosis. En la India, el alma errante, antes de entrar en el cuerpo humano, tiene por último destierro y lugar de purificación el cuerpo sagrado de una vaca; en Mongolia las vacas destinadas a la subsistencia del pueblo no pueden ser animales sagrados; el perro, fiel compañero de los nómadas, goza entre ellos del mayor concepto, pues según creen el alma sale de este animal para habitar en el cuerpo humano.

METEO. Uno de los caballos de Plutón.

METEOCIES. Sacrificio establecido por Teseo, que se ofrecía el 16 de agosto, no por los extranjeros que se establecían en Atenas, sino por los habitantes, en memoria de haber abandonado sus aldeas para tener sus asambleas en la ciudad *Plut*.

METEOROMANCIA. Adivinación por medio de los meteoros; y como los meteoros ígneos son los que más temor causan a los hombres, la meteoromancia designa propiamente la adivinación por el trueno y los relámpagos. Esta especie de adivinación pasó de los toscanos a los romanos. *Séneca* refiere que dos autores graves, que habían sido magistrados, escribieron en Roma sobre esta materia. Parece también que uno de ellos llegó a agotarla enteramente, pues daba una lista exacta de las diferentes especies de truenos.

METIADUSA. Hija de Eupálamo, mujer de Cécrope y madre de Pandión. *Apolod. 3, c. 15*.

METIDOTES, *que causa la embriaguez*. Epíteto de Baco. *Antol*.

METIDRIUM. Ciudad de Arcadia, cerca de la cual había un templo de Neptuno y un monte milagroso llamado *Taumacia*. Los habitantes de aquel país creían que en este monte, Cibeles había hecho devorar a Saturno la piedra Abadir. Se mostraba en ella la caverna de esta diosa, a donde tan sólo podían entrar las mujeres consagradas a su culto. *Paus*.

METIER. Sobrenombre de Isis que, según *Plutarco*, significa la plenitud y la causa.

METIMNE. Hija de Macareo y esposa de Lepetimno que dio su nombre a una ciudad de la isla de Lesbos. *Estrab. 13*.

METIMNEO. Vates, Arión, nacido en Metimne.

METINE. Divinidad que presidía el vino. Se adoraba en Roma el último día de noviembre. R. *metki*, el vino del año.

METIÓN. Hijo de Erecteo, rey de Atenas y de Praxitea; casó con Alcionea, hija de Marte y Aglauro. Sus hijos, después de haber destronado a Pandión, fueron a su vez arrojados del trono por los hijos de este príncipe. *Apolod. 3, c. 15. Paus. 2, c. 6*.

METIS. 1 — Diosa cuyas luces eran superiores a las de todos los demás dioses y hombres. Júpiter se casó con ella, pero habiendo sabido por el oráculo que estaba destinada para ser madre de un hijo que vendría a ser soberano del universo, devoró a la madre y al hijo, para conocer el bien y el mal. *Hesíodo, Teog.* De este modo concibió a Minerva. *Apolodoro* dice solamente que, siendo Júpiter ya mayor, se asoció con Metis, eso es, la Prudencia; lo que designa la prudencia que hizo brillar en todas las acciones de su vida. Por consejo de Metis hizo tomar a Saturno un brebaje cuyo efecto fue primero vomitar la piedra que había tragado, y luego todos sus hijos que había devorado. *Platón,* que la llama *diosa de la buena conducta,* la hace madre de Prous, dios de la abundancia.

2 — Oceánida.

**METISCO.** Conductor del carro de Turno. *En. Il.*

**METÓN.** Hijo de Orfeo. Edificó en Tracia una ciudad a la cual puso su nombre. *Estrab. Paus.*

**METOPE.** 1 — Esposa de Sangario y madre de Hécuba.

2 — Hija de Ladón y esposa de Asopo.

**METOPOSCOPIA.** Arte de descubrir el temperamento, las inclinaciones y el carácter por la inspección, o de la frente, o del rostro. Los metoposcopos distinguen siete líneas en la frente, a cada una de las cuales preside un planeta: Saturno, la primera, Júpiter la segunda y así sucesivamente.

**METRA.** Hija de Eresictón, amada de Neptuno; obtuvo de este dios el poder de tomar varias figuras. Usó esta facultad para aliviar el hambre devoradora de su padre, dejándose vender a muchos dueños para comprar, con el precio de su servidumbre, alimento a Eresictón. *Ovidio (Met. 8.)* dice que habiendo sido vendida Metra a un dueño que la llevó a la ribera del mar, se transformó a sus ojos en un pescador que tenía un sedal en la mano, y que se escapó de las manos de sus diferentes amos, ya bajo la forma de una becerra, ya bajo la de un ciervo, ave, etc. Después de la muerte de su padre se casó con Antólico, abuelo de Ulises. *Hes. Teog. Apolod. 1, c. 3. Hig*; (*V.* Autólico, Eresictón.)

**METRAGIRTE.** Sobrenombre de la madre de los dioses.

**METRAGIRTES.** Nombre de un hombre muerto por los atenienses, mientras que iniciaba a las mujeres de Atenas en los misterios de Cibeles. Tenía en esta ciudad una estatua.

**METRES** o Methres. Padres de Pigmalión y de Dido, según *Servio.* (*V.* Belo.)

**METRO.** En general era un templo consagrado a Cibeles, y en particular el que le erigieron los atenienses con ocasión de una peste que los afligió por haber arrojado en un foso a uno de los sacerdotes de la madre de los dioses. R. *meter,* madre.

**METRÓPOLIS.** Ciudad de Frigia fundada por Cibeles, madre de los dioses.

**MEULIVIARO DEO.** Inscripción encontrada en España que se dirigía al parecer a alguna divinidad local.

**MEULOUD.** (*Mit. mah.*) Nacimiento de Mahoma, fiesta musulmana. No es menos célebre que la del Bairam, aunque diferente en las solemnidades. En este día se honra especialmente el nacimiento del profeta con el recogimiento, con largas oraciones y por la sencillez de los vestidos. El gran Señor daba el ejemplo de la modestia; por la mañana iba a la mezquita, seguido de algunos pajes, vestido de paño blanco, sin dorados ni pedrerías. Asistía al panegírico de Mahoma, acompañado del muftí, del gran visir y de los bajás vestidos todos modestamente. Después de las oraciones que siguen al panegírico, el sultan se retiraba sin ceremonia. Entraba en el serrallo por una puerta secreta y pasaba el resto del día en una especie de retiro.

**MEVELEVA.** (*Mit. mah.*) Fundador del orden de los derviches, que se llaman mevelevis por su nombre. (*V.* Derviches.)

**MEVELEVIS.** (*Mit. mah.*) Religiosos turcos. (*V.* Derviches. Meveleva.)

**MEZQUITAS.** (*Mit. mah.*) Templos de los musulmanes. En ellos no se ven ni altares, ni figuras, ni imágenes; pues el Alcorán los prohibe expresamente. Su principal adorno consiste en un gran número de lámparas y muchas cúpulas sostenidas por columnas de mármol o de pórfido. Antes de entrar en ellas, se pasa por un patio de cipreses, higueras, morales y otros árboles frondosos; en medio del patio, debajo de un vestíbulo, hay una fuente con muchos aguamaniles de mármol, en la cual los musulmanes hacen el *abdes* (ablución) antes de la oración. Este patio se halla rodeado de claustros que comunican a las casas destinadas a los imanes, pagados para leer al pueblo el Alcorán, y rogar por las almas detenidas en el Araf o purgatorio. En ellas se alojan también estudiantes y pobres, a los cuales se les distribuye cada día un potaje de arroz, lentejas, farro, y tres veces la semana carnero. Las rentas de las mezquitas eran inmensas, especialmente la de los Jamis, o reales, y se juzgaba que absorbían la tercera parte de las tierras del imperio turco. Santa Sofía de Constantinopla poseía bienes demasiado considerables para unos hombres, cuyo estudio consiste en calcular dichos bienes y ponerlos en orden. En cuanto a las mezquitas de los derviches, o las fundadas por una devoción particular, su renta consiste en legados piadosos, cuyo dinero prestan a interés, lo que entre los turcos no era permitido sino en ciertos casos. Las mezquitas no pueden llevar el nombre de su fundador, siendo esto un privilegio que los emperadores (califas o sultanes) se habían reservado.

MEZUZOT. Nombre que dan los judíos a ciertos pedazos de pergamino que ponen en los postes de las puertas de sus casas, tomando a la letra lo que les manda su legislador en el *Deuteronomio*, diciendo *No olvidaréis jamás la ley de Dios: la esculpiréis sobre los postes de vuestras puertas*. Estas palabras no significan otra cosa sino que se habían de acordar siempre de ella, tanto al estar en su casa como a la salida de la misma; y tanto en los negocios como fuera de ellos *mismos*; sin embargo, los doctores hebreos han creído que Moisés les exige algo más. Han dicho que para no hacerse ridículos, escribiendo fuera de sus puertas los mandatos del Eterno, o si se quiere para no exponerlos a la profanación de los impíos, debían al menos escribirse en un pergamino y ence-

rrarlos dentro de alguna cosa. Escribían pues sobre un cuadro de pergamino, preparado de antemano para este objeto, con una tinta particular y en carácter bien hermoso, estas palabras: *Deut. v. 4, 5, 6, 7, 8, 9. Escucha o Israel: yo soy el Señor*, etc. Luego se dejaba un pequeño espacio y se continuaba: *Deut. 11, 13. Si obedeces mis mandatos, sucederá*, hasta estas palabras: *Tú los escribirás sobre los postes de tus puertas*, etc. En seguida se enrollaba el pergamino, se metía en un canuto de caña o de cualquier otra materia, y se escribía en la extremidad de dicho canuto la palabra *Sciadai*, uno de los nombres de Dios. Se ponía en las puertas de las casas de los aposentos y de todos los lugares frecuentados. Se ataba en la aldaba de la puerta, al lado derecho; y cada vez que se entraba en la casa se tocaba aquel lugar con la extremidad del dedo, que se besaba luego por devoción.

MÍA. Amante de Endimión y rival de Diana, hermosa, pero habladora y gran cantora; despertaba al pastor dormilón con su hablar, sus cantos y sus caricias; en castigo de lo cual Diana la transformó en mosca. Desde entonces se ocupa en turbar el sueño; sobre todo de la juventud, que tiene la piel tierna, no por su sed de sangre sino en memoria de su amor hacia el hermoso Endimión. *Luciano, Elogio de la mosca.*

MIAGOGO. Nombre que se daba por chanza, a los padres que, haciendo inscribir a sus hijos el tercer día de los Apurios, en una tribu sacrificaban una cabra, o un cordero, con mayor cantidad de vino que la mandada.

MIAGORO o Miagrus. Genio imaginario, al cual se atribuía la virtud de cazar las moscas durante los sacrificios. R. *mia*, mosca; *agra*, captura. Los arcadios tenían días de reunión y empezaban por invocar a este dios y rogarle que los preservase de las moscas. Los eleos incensaban constantemente los altares de este dios, persuadidos de que sino lo hiciesen vendrían las moscas por enjambres a infestar su país a fines del verano, y a traer a él la peste. *Plin. 10, c. 28, Paus.* (V. Acoro, Apomio, Belzebuth, Moscas.)

MÍAS. (*Mit. jap.*) Templos o pagodas de los japoneses. Son, propiamente hablando, la habitación de los *camis*, o de las almas inmortales. Están situados por lo regular en agradables colinas. Decora su entrada un risueño sotillo, regado por un riachuelo. No se puede, dicen los bonzos, escoger un lugar más agradable para la morada de los dioses. Esta morada de los inmortales es también la suya. A primera vista se encuentra ya un magnífico portal sobre el cual se ve escrito el nombre del dios que se adora en el Mía; después se encuentra una larga calle de abetos, que dirige, no a un magnífico palacio, sino a un miserable edificio de madera, muy poco elevado, que apenas se distingue entre las espaciosas copas de los árboles que lo rodean. El único adorno que sobresale en los templos es un espejo con papel blanco cortado que cubre las paredes y las puertas. Están rodeados por lo común de una especie de galería de madera.

MÍCALE. Famosa maga que hacía descender la luna, por la fuerza de sus encantos. Fue madre de dos célebres Lapitas, Bróteas y Orión. *Met. 12*.

MICALESE. Ciudad de Beocia. *Pausanias* (9, C, 19.) dice que tomó este nombre, de cuando la vaca que guiaba a Cadmo se puso a berrear en el sitio en que esta ciudad fue edificada.

MICALESIA. Sobrenombre de Ceres. Los habitantes del país decían que todas las noches Hércules, el Dáctilo Ideo, cerraba y abría este templo. Ofrecían a los pies de la diosa todos los frutos del otoño, y se dice que se conservaban todo el año frescos como el momento de cogerlos.

MICENAS. Hijo de Espartón y nieto de Foroneo. Se le atribuía la fundación de Micenas; pero los lacedemonios desechaban esta fábula, a pesar de que lisonjeaba su vanidad.

MICENAS. Ciudad de la Argólida cuya fundación se atribuye a Perseo, que la edificó en el mismo lugar en que cayó el puño de su espada, lo que tomó él por un signo de la voluntad de los dioses; y porque el puño de la espada se llama en griego *mires*, dio a su ciudad el nombre Micenas. otros pretenden que habiendo cogido un hongo llamado también *mikes*, encontró debajo una fuente de agua donde apagó su sed. Micenas pasó después bajo el poder de los pelópidas, y más adelante al de los heráclidas, y fue destruida por los argivos después de la batalla de Salamina, enojados por que mientras ellos miraban a sangre fría la irrupción de los persas, los de Micenas enviaban a las Termópilas ochenta de sus conciudadanos, que compartieron con los espartanos la gloria de esta jornada inmortal. *Eneida. 2, 6, Ov. Fast. 3. Paus. 2, c. 15. Estrab. 8.*

MICENE. Hija de Inaco y mujer de Arestor, que dio su nombre a la ciudad de Micenas.

MICENIS. Ifígenia, hija de Agamenón, de la ciudad de Micenas. *Met. 12. Tucíd. Ptol.*

MICERINO. Hijo de Keops y sucesor de su tío Kefrén en el reino de Egipto. Su reinado fue célebre por dos infortunios que turbaron su tranquilidad. El primero fue la muerte de su hija única. Esta desgracia la afligió tanto que, por no perder de vista el objeto de sus pesares, hizo encerrar su cuerpo en una vaca de madera dorada, que fue colocada en un aposento ricamente amueblado, donde quemaban de día los inciensos más exquisitos, y de noche ardía siempre una lámpara. Todos los años era llevada en público, porque la hija de Micerino había pedido a los egipcios, al morir, que le enseñasen todos los años el sol. Su segundo infortunio fue un oráculo de Buto, por el cual supo que no le quedaban más que seis años de vida. Micerino, enojado contra los dioses, cuyos templos, cerrados por sus dos predecesores, había abierto, buscó como eludir la predicción del oráculo y convecerle de falsedad, doblando los seis años que le restaban. A este fin mandó hacer muchas antorchas que encendía todas las noches, pasaba el tiempo en banquetes y regocijos, no cesando de noche y día de recorrer los bosques y las llanuras por todas partes donde supiese que había banquetes y diver-siones de jóvenes. *Herod. 2. c. 129. Diod. Sic.*

MÍCETAS. Sobrenombre bajo el cual se inmolaban a Neptuno dos toros negros. R. *mican, mujir*.

MICONO. Hijo de Ennio, que dio su nombre a la isla de Miconos. *Esteban de Biz.*

MICONOS. Isla del mar Egeo, una de las Cícladas. Los poetas han hecho de ella el sepulcro de los centauros derrotados por Hércules. *Estrab.*

MICHAPÚ (*Mit. amer.*) Nombre de un dios de los salvajes de América septentrional. Según ellos, creó el cielo y los animales, a quienes puso una gran calzada que flotaba sobre las aguas, pero previendo que no podrían vivir mucho tiempo en esta posición, y no teniendo entonces imperio más que en el cielo, se dirigió a Michinisi, dios de las aguas, y quiso tomarle prestado un pedazo de tierra para colocar en él sus criaturas. No mostrándose este dios dispuesto al préstamo, Michapú envió la nutria y la rata para buscar tierra en el fondo del mar, pero estos enviados no llevaron sino algunos granos de arena con los cuales compuso el dios el globo terrestre. No aviniéndose los animales entre sí, Michapú los destruyó todos y de su putrefacción nació la especie humana. Uno de estos seres creados, separado por casualidad de los otros, descubrió una cabaña en la cual encontró a Michapú. Dios le dio una mujer y ligó la nueva pareja con convenciones matrimoniales; luego abasteció de mujeres a los demás hombres, poblándose de este modo el mundo.

MICHIMISI. (*V.* Michapú.)

MIDAMO. Uno de los hijos de Egipto, muerto por su mujer, Aminoe.

MIDAS. Hijo de Gorgias y Cibeles, rey de aquella parte de la gran Frigia, donde corre el Pactolo. Habiendo venido Baco a este país acompañado de Sileno y de los Sátiros, el buen hombre se paró cerca de una fuente en la cual Midas había hecho derramar vino para atraerle a ella. Algunos paisanos, que le encontraron borracho en este lugar, después de haberlo adornado con guirnaldas, le llevaron a la presencia de Midas. Este príncipe, instruido en los misterios por Orfeo y Eumolpo, recibió de buen grado al viejo Sileno, le retuvo por diez días que se pasaron en regocijos y festines, y le volvió a Baco.

Admirado el dios de verlo otra vez, dijo al rey de Frigia que le pidiese todo lo que quisiera. Midas le pidió que todo lo que tocase se convirtiese en oro y Baco se lo otorgó. Los primeros ensayos de Midas le deslumbraron; pero tranformándose también en oro sus alimentos, se vio pobre en medio de esta falsa abundancia que le condenaba a morir de hambre y se vio obligado a pedir a Baco que le quitase aquel don fatal, que tan sólo tenía de bueno la apariencia. Baco, conmovido de su arrepentimiento, le mandó que se sumergiese en el Pactolo. Midas obedeció y, perdiendo la virtud de convertir en oro todo lo que tocaba, la comunicó a este río, que desde entonces lleva arenas de oro (*Hig. f. 191, 274.*) *Conon* interpreta esta fábula diciendo que Midas, habiendo encontrado un tesoro, se vio de repente posesor de inmensas riquezas. Otros ven un príncipe ahorrador hasta la avaricia, que reinando sobre un país fértil sacaba sumas considerables de la venta de sus granos, su vino y sus rebaños. *Ovidio* (*Met. 11*) añade a esta fábula la siguiente: «Alabándose un día Pan en presencia de algunas ninfas de su voz armoniosa y de los dulces sonidos de su flauta, tuvo la temeridad de preferirla a la lira y el canto de Apolo, y llegó su vanidad hasta desafiarle. Midas, amigo de Pan, tomado por ambos rivales como juez, adjudicó la victoria a su amigo. Apolo se vengó dándole orejas de asno. Midas procuraba con cuanto esmero podía ocultar esta deformidad y la cubría con una tiara magnífica. El barbero que cuidaba de sus cabellos, lo advirtió pero no osó decirlo. Fatigado de llevar tanto tiempo este secreto, se fue a un lugar solitario, hizo un hoyo en la tierra y, aplicando su boca en él, pronunció en voz baja que su rey tenía orejas de asno. Algún tiempo después nacieron en aquel lugar unas cañas que, secas al cabo del año y agitadas por el viento, repitieron las palabras del barbero y enseñaron a todo el mundo que Midas tenía orejas de asno». Unos han explicado esta segunda fábula por la estupidez de este príncipe, y otros por su cuidado en tener espías por todas partes. *Herodoto* (1, c. 14.) dice que Midas envió a Delfos, entre otros presentes, una cadena de oro de un precio inestimable. *Estrabón* (l.1.) refiere que Midas bebió sangre de toro por no caer vivo en poder de los cimerios que invadían la Frigia; y *Plutarco* (*De superst. 16*) pretende que hizo esto para librarse de los sueños incómodos que le atormentaban desde hacia mucho tiempo. *Máxim. de Tir. 30. Paus. 1, c. 4, Val. Max. 1, c. 6. Mem. de la Acad. de Inscr. t. 5, 7, 9, 10,1 4, 19.*

MIDEA. 1 — Frigia, amada de Electrión, del cual tuvo a Licimnio. *Apolod.*

2 — Hija de Filas. Hércules tuvo de ella a Antioco.

3 — Ninfa de la cual Neptuno tuvo a Aspledón. Dio su nombre a la ciudad de Midea, en Beocia. *Paus. 9, c. 38.*

MIDIAS. Tesalio cuyo hijo, Euridamante, dio muerte a Trasilo-Simón. Un hermano de éste mató a Euridamante y arrastró su cadáver alrededor de la tumba de la víctima del homicida, cosa que quedó como costumbre.

MIDÓN. 1 — Uno de los guerreros troyanos muertos por Aquiles. *Ilíada. 21.*

2 — Hijo de Atimnio, conductor del carro de Pilemene, muerto por Antíloco en el sitio de Troya. *Ibid. 5.*

3 — Hermano de Amico, hábil en el combate del cesto, muerto por Hércules, a socorrer a su amigo Licas.

MIEDO. (*Iconol.*) Divinidad griega y romana. Tenía un templo en Esparta cerca del palacio de los éforos, tal vez para no perder de vista el temor de cometer algún acto indigno de su clase, o bien para inspirar mejor a los otros el temor de violar sus ordenamientos. Teseo sacrificó al Miedo a fin de que no se apoderase de sus tropas. Alejandro siguió este ejemplo antes de la batalla de Arbelas. *Hesíodo*, en la descripción del broquel de Hércules, representa a Marte acompañado del Miedo; y en su *Teogonía* hace nacer esta deidad de Marte y Venus. *Pausanias* cita una estatua del Miedo, elevada en Corinto. *Homero* la coloca en la égida de Minerva y en el broquel de Agamenón. En el libro trece compara a Idomeneo y Merión, su escudero, con el dios Marte seguido del Miedo y la Fuga, de quienes es padre. En el XV,

Marte, irritado por la muerte de su hijo Ascálafo, manda a estas mismas deidades uncir el tiro en el carro. En el XVI, personifica el espanto de los troyanos puestos en desorden, bajo los nombres del Miedo y de la Fuga, que saliendo de las naves griegas persiguen a los defensores de Troya. *Esquilo* hace formar a sus siete jefes delante de Tebas, por el Miedo, por el dios Marte y por su hermana Belona. Finalmente Roma honraba al Miedo junto con la Palidez, después del voto hecho por Tulio Hostilio en una batalla contra los albanos. Las medallas antiguas representan al Miedo con los cabellos erizados, rostro asombrado, boca abierta y un mirar que marca el espanto, efecto de un peligro imprevisto. *Mem. de la Acad. de Inscr.*

MIEL. (*V. Brisaeo. Melisa. Melone.*)

MIEMBROS. Cada miembro estaba consagrado a alguna divinidad: la cabeza a Júpiter, el pecho a Neptuno, la cintura a Marte, la oreja a la Memoria, la frente al Genio, la mano derecha a la Fe, las rodillas a la Misericordia, las cejas a Juno, los ojos a Cupido o a Minerva, la parte posterior y externa de la oreja derecha, a Némesis; la espalda a Plutón, los riñones a Venus, los pies de Mercurio, los calcañares y las plantas de los pies a Tetis, los dedos a Minerva, etc. *Atanasio* pretende también que estas diferentes partes del cuerpo humano eran adoradas como dioses particulares. *Ant. expl. t. 2.*

MIENO. Epónimo de la montaña de idéntico nombre. Hijo de Telestor y de Alfelibea. Su madrastra lo calumnió ante su padre, acusándole de haber sentido por ella una pasión culpable. Mieno se retiró al monte y, al perseguirlo su padre, se arrojó por un acantilado.

MIÉRCOLES. 1 — (*Iconol.*) Cuarto día de la semana, era personificado por una figura de Mercurio, que se reconocía por los alones de su petaso.

2 — (*Mit. mah.*) Los persas consideraban generalmente el miércoles como un día *blanco*, esto es, afortunado porque, decían, la luz fue creada en este día. Así es que hasta este día no principiaban a aplicarse al estudio y a las letras. Exceptuaban, sin embargo, el último miércoles

del mes de Sefar, al cual daban el nombre de *miércoles desgraciado*, que para ellos era el más temible de los días negros. *Chardin.*

3 — (*Mit. ind.*) El miércoles es entre los cingaleses uno de los días consagrados a las ceremonias religiosas.

MIERDGIDGI. (*Mit. mah.*) Oficiales de los eunucos blancos del serrallo, que cuidaban de limpiar y tener bien arreglada la mezquita del gran Señor, el sultán turco.

MIGDON. 1 — Rey de Tracia, hijo de Ciseo, hermano de Hécuba y padre de Corelo, amante de Casandra. *Ilíada. 3.*

2 — Otro Migdón es hermano de Amico, rey como él de los bébrices. Fue vencido por Hércules, que fundó la ciudad de Heraclea del Ponto.

MIGDONIA. Sobrenombre de Cibeles, honrada en Migdonia. *Met. 6.*

MIGDONIDES. Corebo, hijo de Migdón. *Eneida. 2.*

MIGDONIDES NURUS. Mujeres de Migdonia.

MIGONITIS. Sobrenombre de Venus, adorada en Migdonia, ciudad de la isla de Helena, en el golfo de Laconia, al cual dio Paris este nombre en memoria de haber cedido Helena a sus instancias, y en la cual erigió un templo en su honor. R. *mignumi*, yo mezclo, yo uno con los lazos del amor. *Paus.*

MIKADO o MICADO. (*Mit. jap.*) Jefe y soberano pontífice de la religión del Sinto. No solamente tiene el poder de hacer dioses, sino que también es adorado y venerado por los sintoístas. Como se supone que desciende por línea recta de los *Camis* de la nación, y que ha heredado las virtudes y el carácter augusto de sus abuelos, se le considera como la imagen viviente de estas mismas divinidades, y se le tributan casi los mismos homenajes que a los camis de primer orden. Se cree que todos los dioses del país tienen un respeto infinito hacia su persona, y que se hace un deber el visitarlos una vez al año. Pretenden que escoge para esta visita el décimo mes y que entonces permanecen a su lado aunque de un modo invisible. (*V.* Dairi, Kaminatsuki.)

MIKIAS. (*Mit. índ.*) Símbolo de los egipcios en su escritura jeroglífica. Era la figura de una larga pértiga que terminaba en forma de T, atravesada de una o muchas barras, indicio de los progresos de la creciente del Nilo. Esta figura era el signo ordinario de una felicidad deseada o de un mal evitado. Se hizo de él un talismán que se colgaba al cuello de los enfermos, y en la mano de todas las divinidades bienechoras.

MILANIÓN. Amante de Atalanta, que habiéndose retirado a una caverna con ella, fue devorado por un león y una leona. *Ovid. Arte de amar, 2.* (*V.* Atalante.)

MILCART. (*V.* Melcart)

MILES 1 — Soldado. Uno de los nombres de Mitra.

2 — Héroe lacedemonio inventor del molino, hijo de Lélege y Peridia y padre de Eurotas.

MILESIA. Sobrenombre de Ceres en Mileto. Cuando los soldados de Alejandro quisieron saquear su templo, salió de él una llama resplandeciente.

MILETIA. Hija de Scedaso. Fue ultrajada con su hermana por unos jóvenes tebanos. *Plut. Paus.*

MILETIS, BIBLIS. Hija de Mileto.

MILETO. 1 — Ciudad de Creta, cuyos habitantes fueron al sitio de Troya. *Ilíada, 2.*

2 — Ciudad célebre en el Asia menor. *Estrab. 14.*

MILETO. Rey de Caria; hijo de Apolo y de una hija de Minos, que se llamaba Arce, según Apolodoro (3, c. 1.) y según otros Acacálide. Habiendo estado expuesto en un bosque desde su infancia, los mismos lobos le alimentaron, hasta que le encontraron unos pastores y le criaron. Siendo ya Mileto mayor de edad, fue a Caria, donde su valor y su mérito le granjearon la voluntad de la princesa Idótea y la estimación del rey Eurito, del cual llegó a ser yerno. Elevado a tan alto honor, no pensó sino en perpetuar su memoria, haciendo edificar en Caria una ciudad a la que puso su nombre, y llegó a ser la capital del reino. *Paus.* (*V.* Biblis y Caumus.)

MILEX. Hijo de Lélege.

MILINO. Rey de Creta, muerto por Júpiter. *Diod.*

MILIQUIO. 1 — Sobrenombre de Júpiter, que le dieron los helenos después de una guerra civil.

2 — Sobrenombre de Baco, por ser, según se creía, el primero que plantó una higuera y que dio a los hombres higos, que antiguamente se llamaban *milicha. Ant. expl. t. 1*.

MILITARIS. Sobrenombre de Júpiter adorado en Labranda, en Caria.

MILITTA. Nombre que daban los asirios a Venus Urania. Tenía bajo este nombre un templo en Babilonia, donde las mujeres debían, una vez en su vida, entregarse a los extranjeros, quienes a cambio de sus favores les daban una moneda, pronunciando esta fórmula: *Tanti ego tibi deam Mylittam imploro*, a este precio me granjeo la voluntad de Militta. *Herod. 1, c. 131, 199, Estrab. 16*.

MILÓN DE CROTONA. Hijo de Diótima, uno de los más celebres atletas de Grecia: *Pausanias* dice que salió seis veces vencedor en la lucha, en los juegos olímpicos. En los juegos Píticos tuvo igual resultado. Se presentó por séptima vez en los juegos olímpicos, pero no pudo batirse por no tener antagonista. Muchas otras cosas se refieren de él, continúa el mismo autor, que indican una fuerza extraordinaria. Tomaba una granada y con solo tenerla entre sus dedos, sin romper ni apretar esta fruta, nadie podía arrancársela. Ponía el pie sobre un tejo untado con aceite y por consiguiente muy resbaladizo, sin embargo y a pesar de los mayores esfuerzos, nadie podía hacerle caer, ni hacerle resbalar el pie. Se ceñía la cabeza con una cuerda a modo de cinta; después retenía su respiración, y en este violento estado, subiéndole la sangre a la frente, le hinchaba de tal modo las venas que rompía la cuerda. Ponía el brazo derecho detrás de la espalda; con la mano abierta, el dedo pulgar levantado y los demás juntos, y ningún hombre podía separar el dedo índice de los demás. Lo que se dice de su voracidad es casi increíble: apenas le bastaban para el alimento del día, veinte libras de carne, otras tantas de pan, quince azumbres de vino. Ateneo refiere que habiendo corrido un estadio llevando sobre sus espaldas un toro de cuatro años, lo derribó con un puñetazo y se lo comió todo en un día. En otra ocasión pudo hacer un buen uso de sus fuerzas. Un día que estaba escuchando las lecciones de Pitágoras, pues era uno de sus más aplicados discípulos, la columna que sostenía el cielo raso de la sala donde estaba reunido el auditorio, se rompió, se ignora de que modo; pero él lo sostuvo por sí solo, dando lugar a los oyentes de retirarse, y después de haber puesto los demás en seguridad, se salvó el mismo. La confianza que tenía en sus fuerzas le fue por último fatal. Habiendo encontrado en un camino una vieja encina entreabierta por algunas cuñas que habían clavado en ella a la fuerza, quiso acabar de partirla con sus manos: pero, como con los esfuerzos que hacía para lograr su fin, cayeron las cuñas, sus manos quedaron presas y sujetas entre las dos partes del árbol, de modo que no pudiendo desembarazarse de ellas, fue devorado por los lobos. *Met. 15. Cic. Plin. Val. Max. 9, c. 12. Paus. 6, c. 11. Diod. Sic. Estrab. Aten*.

La muerte de Milón de Crotona es el objeto de un magnífico grupo de mármol que se admira en los jardines de Versalles, obra del famoso *Puget*, quien encontró más digno de su héroe hacerle devorar por un león.

2 — Otro atleta de Crotona. *Teócr. Ilíada. 4*.

3 — Fue castigado por la muerte de Laodamia, apedreado al pie de los altares de Diana. (*V. Laodamia.*)

MILTA. Epíteto de Diana, entre los fenicios, los árabes y los capadocios.

MIMALONES, MIMALÓNIDES. Nombre que se daba a las Bacantes, las cuales a imitación de Baco llevaban cuernos. Los unos derivan este nombre de Mimas, monte de Asia menor donde se celebraban las Orgías con mucho aparato, otros de la licencia desenfrenada de los discursos de las Bacantes. *Pers. Sat. 1*.

MIMAMSA. (*Mit. índ.*) Secta filosófica que se aleja del Niyam y del Vedanta. Admite un destino invencible y se dedica, como la secta académica de Grecia, al análisis crítico de las opiniones de las otras escuelas.

MIMANS. Jefe de los brebicios, muerto por Pólux en la expedición de los argonautas.

MIMANTE: Uno de los gigantes que combatió contra los dioses. Júpiter lo fulminó con uno de sus rayos, o tal vez lo hizo Juliano con proyectiles incandescentes.

MIMAS. 1 — Monte del Asia menor, famoso por la celebración de las Orgías. *Met. 2.*

2 — Gigante que Júpiter mató con un rayo. Hor. *Od. 4, l. 3.*

3 — Hijo de Amico y Teano, nacido en la misma noche que Paris y vino a ser su compañero. Siguió a Eneas, y Mezencio lo mató en los campos de Laurente. *Eneida. 10.*

4 — Uno de los centauros que concurrieron a las bodas de Piritoo. M*et.*

5 — Uno de los hijos de Eolo.

MIMIS. (Mit. scand.) Escandinavo que gozó durante su vida, de una gran reputación de sabiduría. Para mejor imponer al pueblo, Odín le llevaba por todas partes consigo, le consultaba en los negocios civiles y fingía recibir de él oráculos. Otros le hacen un dios de la sabiduría, que el mismo Odín debe ir a consultar antes del combate fatal que tendrá con el lobo Fenris, antes del fin del mundo. Los sabios del norte han querido reconocer a Minos en esta alegoría.

MIMÓN. Nombre de uno de los dioses telchines o telequinos.

MINARETES llamados también alminares (*Mit. mah.*) Especie de torres cuya base tiene tres o cuatro pies de diámetro. Terminan en puntas coronadas de media luna y están por lo general cubiertas de plomo. No hay en ellos ni campanas, ni relojes para sonar las horas; pero en sus galerías, más o menos repetidas, se acostumbran a hacer una especie de nichos para que se coloquen en ellos los iman, encargados de anunciar las horas de la oración. (*V.* Muecines.)

MINCHA. Oración de los judíos después de mediodía, que corresponde a las *nonas* de los cristianos.

MÍNEA. (V. Mínia.)

MÍNEIAS. Hija de Mínea.

MINEIDAS. Hijas de Minia, tebano.

Eran tres, según Ovidio. Iris, Clímene y Alcítoe (o Alcátoe). Rehusaron asistir a la representación de las Orgías, sosteniendo que Baco no era hijo de Júpiter, y, mientras todo el mundo fue a la fiestas, ellas continuaron trabajando. De repente un ruido confuso de tambores, flautas y trompetas, llenó la casa. Pareció iluminada de antorchas y de lucientes fuegos, y además resonaba con horrendos alaridos. Espantadas, las Mineidas quisieron ocultarse, pero les alcanzó la venganza de los dioses, pues fueron transformadas en murciélagos. (*Met. 4*) *Plutarco*, que llama a las dos primeras Leucipe y Leucotoe, en sus *Cuestiones griegas* pretende que el castigo de su impiedad fue un violento deseo de comer carne humana. Recurrieron a la suerte, para saber cual de ellas daría su hijo a las otras. Cayó la suerte en Leucipa, la cual entregó a su hijo Hispaso, que fue devorado al momento por las tres hermanas. En memoria de este crímen de las Mineidas, después del sacrificio, el gran sacerdote de Orcómenes perseguía con el puñal en la mano a las mujeres que iban al templo y mataba la primera que encontraba.

MINEOS o Nazarenos. Secta judaica. (V. Nazaret.)

MINERVA (en griego, Atenea). Hija de Júpiter, diosa de la sabiduría, la guerra, las ciencias y las artes. Los antiguos han reconocido muchas Minervas. *Cicerón* admite cinco: una madre de Apolo; otra nacida del Nilo, honrada en Sais, en Egipto; la tercera hija de Júpiter; la cuarta hija de Júpiter y Corifea, hija del Océano, llamada Coria por los arcadios y a la cual se debe la invención de los carros de cuatro caballos de frente; la quinta, a quien se pinta con taloneras, tuvo por padre a Palas, al cual se dice que mató porque quiso violarla. *San Clemente de Alejandría* cuenta también cinco: la primera ateniense, e hija de Vulcano; la segunda egipcia, hija del Nilo; la tercera hija de Saturno, inventora del arte de la guerra; la cuarta de Júpiter; y la quinta de Palas y Tibanis, hija del Océano, que después de haber matado a su padre le quitó la piel y se cubrió con ella. (V. Palas.) *Pausanias* habla de una Minerva, hija de Neptuno y Tritonia, ninfa del lago Tritón; la pinta con ojos azules, como su padre, dice que se hizo célebre por las obras de lana que inventó. Seguiremos pues la opinión más generalmente recibida. Después de haber Júpiter devorado a Metis, sintiendo un gran dolor de cabeza, recurrió a Vulcano, quien se la abrió de un hachazo, y de su cerebro nació Minerva, toda armada y en una edad que le permitió socorrer a su padre en la guerra de los gigantes, en la cual se distinguió mucho. Uno de los hechos más famosos de la historia de Minerva son sus disputas con Neptuno para dar nombre a la ciudad de Atenas. Los doce dioses de primer orden, elegidos por árbitros, decidieron que aquel de los dioses que produjera una cosa más útil para la ciudad, le daría nombre. Neptuno dio un golpe con su tridente e hizo nacer un caballo, y Minerva un olivo, lo que le aseguró la victoria. *Varron* nos dice que dio lugar a esta fábula, el que, edificando Cécrope los muros de Atenas, encontró un olivo y una fuente; que consultando el oráculo de Delfos confirió a Minerva y Neptuno el derecho de dar nombre a la nueva ciudad, y que el pueblo y asamblea decidieron a favor de la diosa. *Vosio* ve en esta fábula una disputa de los marineros, que reconocían a Neptuno por su jefe, con el pueblo unido al senado, gobernado por Minerva, y la preferencia dada a la vida campestre sobre la piratería. Quizá sería más natural explicar esta fábula, muy válida ente los corintios y los argivos, por la introducción de un nuevo culto que se establecía con detrimento de otro más antiguo.

Sea como fuere, puede decirse que los antiguos tenían a esta diosa como la más noble obra de Júpiter; así es que ella fue la única que mereció el participar en las prerrogativas de la divinidad suprema. Esto es lo que nos enseña el himno de *Calímaco sobre los baños de Minerva*. En él se ve que esta diosa concede el don de profecía, que prolonga a su voluntad los días de los mortales; que procura la felicidad después de la muerte; que todo lo autoriza con un signo de cabeza es irrevo-

cable; y que lo que promete, se cumple infaliblemente; porque, añade el poeta, ella es la única en el cielo, a quien Júpiter ha concedido el glorioso privilegio de ser en todas las cosas como él, y de gozar de las mismas prerrogativas. Ya guía a Ulises en su viajes, ya se digna enseñar a las hijas de Pándaro el arte de representar flores y combates en las obras de tapicería. Ella es la que embellece con sus propias manos el manto de Juno. En fin, construye la nave de los Argonautas, donde traza un dibujo, y coloca en la proa la madera que hablaba, cortada en el bosque de Dodona, la cual dirigía su navegación, les avisaba de los peligros e indicaba el modo de evitarlos: lenguaje figurado bajo el cual se reconoce fácilmente el timón.

Muchas ciudades se distinguieron por el culto que daban a Minerva, entre otras, Sais, en Egipto, que lo disputaba a todas las demás ciudades del mundo. La diosa tenía en él un templo magnífico. Los rodios se habían puesto bajo su protección y se dice que el día de su nacimiento cayó una lluvia de oro; pero que después, enojada porque se habían olvidado una vez de llevar fuego a uno de sus sacrificios, la diosa olvidó la moradas de Rodas, para darse enteramente a los atenienses. En efecto, estos republicanos le erigieron un templo magnífico y celebraron fiestas en su honor, cuya solemnidad atraía a Atenas espectadores de toda Grecia. (*V. Atenea.*) En los diferentes sobrenombres de Minerva se verán los lugares donde era particularmente venerada.

En sus estatuas y pinturas se representa hermosa, sin afectación, sencilla, modesta, con un aire grave y lleno de fuerza y majestad. Trae ordinariamente casco, una pica en una mano, un escudo en la otra, y la égida sobre el pecho.— La égida de Minerva era su coraza, en medio de la cual se veía la cabeza de Medusa. Hay autores que querrían que estuviese hecha de la piel del gigante Palas, a quien había matado defendiéndose de sus persecuciones. Algunas veces, aunque raras, se toma el escudo por la égida de Minerva. Casi todos los monumentos antiguos que representan a esta diosa concuerdan en darle la égida por coraza, y el error de tomar el escudo por la égida, ha nacido, según parece, de contener el uno y la otra, la cabeza de Medusa. *Herodoto* dice que los griegos tomaron a unas mujeres africanas los vestidos y la égida con que acostumbraban cubrir a Minerva. Comúnmente la representan sentada; y el mochuelo y el dragón que la acompañan le estaban particularmente consagrados. Esto dio margen a que, viéndose Demóstenes desterrado, exclamase que Minerva se complacía de vivir en compañía de tres bestias ruines o malas: el mochuelo, el dragón y el pueblo.

Minerva, según los griegos, permaneció virgen; pero no según los egipcios, que la consideraban esposa de Vulcano. La estatua de esta diosa, obra de *Fidias*, tenía en la mano una pica, debajo de la cual había un dragón, para demostrar, dice *Plutarco*, que la virginidad necesitaba ser custodiada. Los galos representan a Minerva como inventora de las artes, revestida con una túnica sencilla, sin mangas, cubierta con una especie de capa, sin lanza ni égida, adornado el casco con una garzota, los pies cruzados y la cabeza apoyada sobre la mano derecha, en actitud de meditar. Los artistas modernos la caracterizan por diversos instrumentos de música, pintura y matemáticas, que ponen a su lado y que dan a conocer a la diosa de la ciencias y las artes.

Minerva o Palas era también el símbolo de la providencia divina. Se la suponía virgen porque la prudencia no comete faltas, o porque, según *Diodoro*, representaba la incorruptibilidad de su naturaleza, siendo la opinión de San *Agustín* que los antiguos veían en Minerva el aire más sutil o la luna. *La Chausse* dio a conocer una piedra antigua representando a Mercurio abrazado con Minerva, alegoría ingeniosa que indica que la ciencia para agradar, debe ir acompañada de la persuasión. Los antiguos hacían sacrificios en común a estas dos divinidades. –Minerva lleva generalmente el casco alado para expresar la rapidez de las concepciones del espíritu. Se le atribuía también la invención de la astronomía.– En Velletri se descubrió una estatua de Minerva, que se asegura es la más hermosa de las conocidas de esta diosa. *Ilíada. Odis. Hes. Teog. Pínd. Olimp. Sófocl. Apolon. 1. Eneida 2, Hor. 1. Od. 16; l. 3, od. 3, Ovid. Fast. 3, Met. 6, Fars. 9, Herod. 5, Tucíd. 1, Plut. Paus. 1, 2, 3. Estrab. 6, 9, 13. Filost. Cic. Apol. 1, Diod. 5, Hig. f. 168. Mem. de la Acad. de Inscr. t. 1, 2, 3, 4, 5, 6, 7, 8, 9, 13, 15, 16, 18.*

**MINERVALES.** Fiestas romanas en honor de Minerva, de las cuales, una se celebraba el 3 de enero, otra el 19 de marzo, y que duraban cada una cinco días. Los primeros se pasaban en votos dirigidos a la diosa, y los otros se empleaban en sacrificios y combates de gladiadores. Representábanse también tragedias y los sabios, por la lectura de diversas obras, se disputaban un premio fundado por Domiciano. Durante estas fiestas los estudiantes llevaban a sus maestros un honorario llamado *minerval. Ov. Tris. 3, Tit. Liv. 9, c. 90.*

**MINERVIUM.** Edificio consagrado a Minerva. Este nombre se aplica en particular a un pequeño templo dedicado a *Minerva Capitolina*, en la undécima región de Roma, al pie del monte Celio.

**MINES.** Rey de Linesa, esposo de Briseida, muerto por Aquiles, quien le robó su mujer. *Ilíada. 3, 19.*

**MINETRA.** Nombre de ninfa.

**MINEUS.** Guerrero de que se hace mención en la *Eneida*

**MINIA.** 1 — Hija de Crises, que dio su nombre a los pueblos que gobernó, aventajó a todos sus antecesores en riquezas, y fue primera entre los reyes que hicieron levantar un edificio para depositar su tesoro. Tuvo por hijo y sucesor a Orcómenes. *Paus. 9, c. 36.*

2 — Tebano, padre de las mineidas. *Met. 4.*

**MINIADES.** Hijas del rey Minia, soberano de Orcómenes. Se llamaban Leucipa, Arsipe y Alcítoe. Baco las castigó por no asistir a una de las fiestas dadas en su honor y preferir quedarse en casa hilando y bordando, mientras las mujeres de Orcómenes recorrían la montaña como bacantes. Baco envió a las Miníades una locura desenfrenada y presa de ella desgarraron al pequeño Hipaso, hijo de una de ellas. (*V.* Mineidas)

MINIEAS. Fiestas establecidas por los orcomenios, llamados antes minios. *Ant. expl. t. 2.*

MINIEIUS MINIUS. Río que Hércules hizo pasar por la Elida, para que llevase todo el estiércol que infestaba la campiña. *Ilíada. 1l, Paus. Estrab.*

MINIOS. 1 — Pueblo de Grecia que habitaba desde Yolcos (Iolcos) hasta Orcómenes. *Hig. f. 14, Paus. 9, c. 6, Apolod. 1, Herod. 4, c. 145.*

2 — Sobrenombre de los Argonautas, porque venían del país de los minios, o porque la mayor parte de ellos, con Jasón, descendían de las hijas de Minia.

3 — Hijos que tuvieron los Argonautas de las lennianas. Cuatro generaciones después, arrojados por los pelasgos, se retiraron a Laconia, de donde fueron también desterrados y pasaron a ocupar la isla de Calista.

MINITO. Uno de los siete hijos de Níobe. *Apolod.*

MINOIS. Ariadna, hija de Minos. *Met. 8.*

MINOPENA. Nombre de ninfa.

MINOS. 1 — Hijo de Júpiter Asterio, rey de Creta y Europa; gobernó su reino con mucha sabiduría y prudencia e hizo edificar muchas ciudades, entre otras Cnossos y Festo. Legislador de los cretenses, para dar mayor autoridad a sus leyes se retiró por espacio de nueve años, en una cueva, donde decía que Júpiter su padre se las dictaba, lo que dio margen a que *Homero* le llamase hijo de Júpiter.

*Josefo* es el único de los antiguos que dice que Minos recibió sus leyes de Apolo, y sostiene que hizo un viaje a Delfos para que este dios se las dictase. La sabiduría de su gobierno, y sobre todo su equidad, han hecho que los poetas le llamasen después de su muerte juez soberano de los infiernos. Minos era considerado soberano de la corte infernal.

*Homero* lo representa con un cetro en la mano, sentado entre las sombras, una de las cuales se lamenta en su presencia.

*Virgilio* le pinta agitando entre sus manos la urna fatal, en la cual está encerrado el destino de todos los mortales, citando las sombras ante su tribunal y sometiendo su vida entera al más severo examen. *Odis. 19, Eneida. 6, Hor. 1, od. 28. Diod. 4, Apolod. 3, c. 1, Hig. f. 41, Herod. l. 1, c. 173, l. 7, c. 69, 70. Met. 7 Just. 20, c. 4. Paus.*

El Minos de los calmucos, el justiciero y severo Aerik–Chan, fue un rey injusto durante su vida y, precipitado en los infortunios, sufrió penas crueles, hasta que sus penitencias le granjearon el perdón. Conociendo los tormentos de los culpables, sabe compadecer las faltas de los mortales.

2 — Hijo de Licaste y nieto de Minos I. Fue temible para sus vecinos, sometió muchas islas cercanas y se hizo dueño del mar. Habiendo querido sus dos hermanos disputarle la corona, rogó a los dioses que le diesen una señal de aprobación; y Neptuno, cediendo a sus ruegos, hizo salir del mar un toro de una blancura maravillosa. Las fábulas de Pasifae, del Minotauro, de la guerra contra los atenienses y de Dédalo, deben referirse a este Minos. Pereció persiguiendo a Dédalo hasta Sicilia, donde Cócalo le hizo ahogar en un baño. *Met. 8 Val, Flac. 14. Plut. Paus. 4. Diod. 4. Hig. f. 4. Aten. Tusíd.* (*V.* Adrogea, Dédalo, Minotauro, Pasífae, Sila.)

MINOTAURO. Monstruo medio hombre y medio toro, fruto, según los atenienses, interesados en mahcillar el honor de su vencedor, de la antinatural pasión de Pasifae, mujer de Minos, por un toro blanco. Minos sacrificaba cada año a Neptuno el toro más hermoso de su rebaño. Una vez encontró uno tan bello, que Minos lo sustituyó por otro de menos valor. Irritado Neptuno, inspiró a Pasifae una vergonzosa pasión por aquel toro, que Dédalo favoreció construyendo una vaca de cobre hueca con la que ésta, introduciéndose dentro, satisfacía su pasión amorosa por el animal. El nacimiento del Minotauro fue el fruto de estos amores. El mismo Dédalo construyó entonces el famoso laberinto de Creta, para encerrar en él a este monstruo que se alimentaba de carne humana. Vencidos los atenienses, se vieron obligados a enviar, cada siete años, a Creta, siete jóvenes y otras tantas muchachas para servir de alimento al monstruo. Tres veces se pagó el tributo, pero a la cuarta Teseo se ofreció para librar a sus conciudadanos. Mató en efecto al Minotauro y libró a su patria del humillante tributo a que estaba obligada. Esta fábula está fundada en la equivocación del nombre. El toro es un guerrero llamado Tauro; y el hijo de padres dudosos recibió el nombre de Minotauro, como suponiendo ser hijo de Tauro y de Minos. *Eneida. 6.*

Las pinturas de Herculano presentan al Minotauro derribado bajo los pies de Teseo. Su cuerpo es humano, pero tiene cabeza de toro. *Diod. Paus. Plut.*

MINOUS. Nombre de uno de los meses que *Luciano* atribuye a los habitantes de las islas Afortunadas. Este mes daba doble cosecha.

MINUTIA. Lugar donde sudó la clava de Hércules, que era de metal. *Lamprid.*

MINUTIO. Dios que invocaban los romanos para las cosas de poca entidad. Tenía un pequeño templo en Roma, cerca de la puerta Minutia llamada así de este dios. De aquí la palabra *minucia* o pequeñez.

MIO. (*Mit. chin.*) Nombre que daban los chinos a sus templos. Cerca de ellos había por lo común un monasterio.

MIOAN. Genio que invocaban los basilidios.

MIOCTONOS, *destructor de los ratones.* Sobrenombre de Apolo.

MIOMANCIA. Adivinación por medio de las ratas y ratones. Se sacaban presagios desgraciados o de su chillido o de su ferocidad. *Elio* refiere que el chillido agudo de un ratón bastó para que Fabio Máximo desmereciese la dictadura; y, según *Varron*, Casio Flaminio, por un presagio semejante, abandonó el encargo de general de la caballería. Plutarco dice que se auguró mal de la última campaña de M. Marcelo, porque los ratones habían roído el oro del templo de Júpiter. Un romano vino un día a consultar a Catón, todo azorado, porque los ratones habían

roído uno de sus calzados. Catón le contestó que el verdadero prodigio habría sido que una de sus sandalias hubiese roído al ratón.

MION. (*Mit. jap.*) Divinidad japonesa del orden de los camis y de los fotoques. Patrón de la secta llamada los foquexans.

MIPLESETH. Idolo que mandó hacer la abuela de Asa, y que Asa hizo quemar. Según unos; es Príapo o Mitra; y según otros, Hécate. Entre los pueblos del Nordgau, era el dios del terror. Los sabios alemanes derivan este nombre del hebreo. Estaba representado como el Príapo de los romanos.

MIR o Mihir. Dios de los persas que los griegos y romanos llamaban Mitra. (*V.* Mitra.)

MIRAB. (*Mit. mah.*) Nicho donde se pone el *Alcorán.* Este Mirab está siempre vuelto hacia La Meca, del modo que los judíos vuelven el *Talmud* hacia la parte de Jerusalén. Cuando los mahometanos van a la oración, antes de ponerse en su lugar, hacen al Mirab una profunda reverencia o una genuflexión, al modo de los católicos cuando pasan por delante del sagrario.

MIRADA. La mayor parte de los pueblos antiguos y modernos han creído que las miradas tenían una virtud peligrosa y mágica, que tan sólo podía conjurarse con ceremonias particulares. Domina muy particularmente esta creencia entre los indios, quienes para conjurar los efectos que pueden causar las miradas, usan varias ceremonias en las ocasiones más importantes, tales como en la iniciación de los jovenes brahmanes y en los casamientos. En efecto, se acostumbra entre las familias ricas, pasear a los desposados antes y después de su unión, y si observan que alguno se muestra envidioso de haber encontrado el esposo una mujer amable, o que sus gracias hayan hecho nacer en los espectadores deseos indiscretos, están persuadidos que el resultado de estas miradas imprudentes ocasionarían grandes males, sino procuraban prevenir su efecto. Para esto se valen comúnmente de la ceremonia de hacer pasar tres veces, por delante del rostro del esposo, una palangana llena de agua colorada preparada al efecto, y después la derraman en la calle. Emplean en este ministerio a mujeres ancianas, pues desconfían de las jóvenes hasta el punto de creer que el maleficio podría aumentarse. Sí consideran que esta práctica no es suficiente, rasgan un lienzo delante los ojos de los casados y arrojan los pedazos a lados opuestos. Algunas veces, sin rasgar la tela, se contentan con hacerla voltear tres veces delante de sus ojos y después la tiran como si estuviera impregnada del veneno de la envidia. Otra invención, que, según ellos, sirve más bien para preservar de la malignidad de las miradas que para disiparlas, consiste en atar en las cabezas de los desposados ciertos aros misteriosos. Los indios están tan persuadidos de la existencia de las hechicerías, que atribuyen a ellas las enfermedades, y en particular las de los niños; y por este motivo se ocupan siempre en variadas prácticas a fin de desvanecer el encanto. Creen que están expuestos a ellas no sólo los hombres, sino también los árboles, los frutos, las semillas, las casas y que de allí proviene su pérdida o menoscabo: así es que acostumbran a plantar en los campos los troncos de árboles, y en los jardines tiestos redondos blanqueados con cal y marcados con varios puntos negros o figuras misteriosas.

**MIRAGAN.** (*Mit. pers.*) Fiestas que celebraban los persas en honor de Venus Urania.

**MIRES.** Esta palabra, entre los griegos modernos, corresponde al *Moira* (Parcas) de los antiguos. La joven griega que experimenta una conmoción desconocida, hace exponer, por su criada, una ofrenda de tortas y de miel en alguna fruta, para suplicar a las Mires que le envíen un esposo. Las recien casadas invocan estos genios desconocidos para obtener la fecundidad. El día quinto después del parto, se celebra la visita de las Mires, que han reemplazado la anfidromía. La cabaña más miserable toma entonces un semblante de fiesta para recibir a las *buenas mujeres*, las cuales son invisibles, aunque se llevan la calentura de leche de la partera. A pesar de esta atenta bondad, es menester guardarse

de dejarla sola, por temor de que no le tuerzan el cuello, pues estas hadas, aunque benignas, son vírgenes añejas que envidian a las esposas la dicha de ser madres. *Poucqueville, Viaje a la Grecia, t. 4, pág. 132.*

**MIRGIAN.** (*Mit. pér.*) Nombre que dan los persas al equinoccio de otoño, del cual hacen un día festivo.

**MIRICOEO.** Sobrenombre dado a Apolo como presidente de la admiración, por las ramas de brezo, en latín *mírica*, planta a la cual se daba el nombre de profética; en este caso se le ponía un ramo de esta planta en la mano.

**MIRIMO.** 1 — Fundador de la ciudad de Mirine en Eólida.

2 — Sobrenombre de Apolo honrado en esta ciudad, donde tenía un templo y un oráculo antiguo.

**MIRINA.** Reina de las amazonas, que después de grandes victorias y rápidas conquistas, fue muerta por un cierto Mopso, en una gran batalla, en la que fueron despedazadas la mayor parte de sus compañeras. *Dion. 5.*

2 — Mujer de Toante, rey de Lemnos y madre de Hipsipila.

**MIRINE.** Ciudad de la Eólida, que se caracterizaba por el trípode Apolo, y por un ramo de mirto.

**MIRIOMORFOS**, *el que toma toda especie de formas.* Epíteto de Baco y de Apolo. *Antol.*

**MIRIONIMA**, diosa de los mil nombres. Sobrenombre de Isis, por que se le pinta de mil modos diferentes según las diversas funciones que se le atribuyen. *Mem. de la Acad. de inscr. t. 4.*

**MIRMEX.** 1 — Esposa de Epimeteo y madre de Efiro.

2 — Joven doncella que Minerva transformó en hormiga, por haberse atribuido la invención del arado, que debía a la diosa, y al cual había tan sólo añadido una reja. Fue madre de una multitud de hormigas que Júpiter, a ruegos de Eaco, transformó en hombres.

**MIRMIDÓN.** Príncipe que dio su nombre a los pueblos de las cercanías del río Peneo, que Aqueo, su tío, había llamado aqueos.

**MIRMIDONES. 1** — Nombre que se dio a los habitantes de la isla de Egina, porque siendo hormigas pasaron a ser hombres (*Met. 7.*) como dice *Estrabón*, porque imitaron a las hormigas con su diligencia y su celo hacia los trabajos agrícolas. *Hig. f. 52.* (*V.* Eaco, Egina.)

2 — Nombre de los tesalios que acompañaron a Aquiles en el sitio de Troya. *Eneida. 2.*

**MIRMILONES.** Gladiadores armados de un escudo y de una hoz, que llevaban un pescado sobre lo alto de su casco. Combatían contra los reciarios.

**MIRRA.** Hija de Ciniras, rey de Chipre que, estando embarazada, sin que su padre lo supiese, se vio obligada para evitar su cólera, a huir a Arabia. *Ovidio* (*Met. 10*) dice que prendida de un amor criminal hacia su propio padre, llegó al objeto de sus deseos a favor de la noche, durante una fiesta que había separado a la reina de su esposo; que Ciniras habiendo hecho traer luz, la reconoció y quiso matarla, y que Mirra fue a buscar un asilo en los desiertos de Arabia, donde avergonzada de su crímen, rogó a los dioses que la transformasen en una cosa en la cual no fuese ni del número de los vivientes ni de los muertos. Los dioses, movidos de sus remordimientos, la transformaron en el árbol que trae el precioso perfume, al cual ha dado su nombre. Esta fábula está fundada en el equívoco del nombre Mor, que llevaba, y que en árabe significa la mirra, y sobre las virtudes afrodisíacas que los antiguos antribuían a este incienso. En cuanto al crímen de esta princesa, *Ovidio* es el único que lo lleva hasta el incesto. *Hig. f. 58, 275. Apolod. 3.* (*V.* Adonis, Cinyro.)

**MIRSILO.** Nombre que los griegos daban a Candaulo.

**MIRSO.** Uno de los heráclidas, rey de Lidia y padre de Mirsilo. *Herod. 1, c . 7.*

**MIRTEA.** (*V.* Murtea.)

**MIRTILENE.** Nombre del mar, donde Pélope precipitó a Mirtilo.

**MIRTILO.** Cochero de Enomao, rey de Pisa, siendo él mismo un personaje considerable, pues el oficio de escudero y conductor de carros era entonces muy honorífico. Los griegos le llamaban hijo de Mercurio, sin duda porque era diestro y astuto. Conducía los caballos del rey con tal arte, que su dueño esperaba en el término de la carrera, a los que habían osado entrar en esta lucha con él para obtener a Hipodamia, y les atravesaba al momento con su dardo. Habiéndose el mismo Mirtilo enamorado de esta princesa, hizo traición a su señor en favor de Pélope, después de haber hecho prometer a éste que le concedería a Hipodamia una noche. Furioso Pélope e instado por Mirtilo para que le tuviese la palabra, se indignó de tal modo de su insolencia, que le arrojó de su nave al mar. Su cuerpo, rechazado por las olas, fue recogido por los feneates, quienes lo sepultaron detrás del templo de Mercurio e instituyeron en su honor una fiesta anual y nocturna. Todas las desgracias de los pelópides eran atribuidas a sus manes irritados. *Ovid. Diod. 4, Hig. f. 84. 224. Paus. 8, c.14. Apolod. 1.*

**MIRTO. 1** — Hija de Menetio, hermana de Patroclo y esposa de Hércules, del cual tuvo una hija llamada Euclea. *Plut.*

2 — Amazona que tuvo de Mercurio un hijo llamado Mirtilo.

**MIRTO.** Arbusto consagrado a Venus, porque un día le había hecho un gran servicio. «Hallándose esta diosa en la playa del mar, dice *Ovidio*, (*l. 4. Fast.*) ocupada en secar sus hermosos cabellos, vio a lo lejos una multitud de sátiros, y encontró un abrigo debajo unos mirtos copados que la ocultaron de su petulancia. En memoria de este suceso, llenó este arbusto de olor y quiso que las mujeres en el baño se coronasen de mirto.» Estas coronas de mirto se daban también a los lares, según *Horacio*, a lo menos en las cosechas poco afortunadas. En Atenas, los suplicantes y los magistrados llevaban coronas de mirto, como también los vencedores en los juegos ístmicos.

El mirto está consagrado así mismo a las ninfas del mar.

**MIRTOESIA.** Una de las ninfas que educaron a Júpiter en Arcadia.

**MIRTUM MARE.** El mar Egeo, llamado así de Mirtilo, o según otros de una mujer llamada Mirto. *Paus, 8, c. 14. Hig. f. 84. Plin. 4, c.11.*

**MISCELO.** Argivo, hijo de Alemón; vio en sueños a Hércules que le mandaba abandonar su país e irse a establecer sobre las orillas del Esare. Las leyes del país castigaban con pena de muerte esta deserción, y Miscelo no hizo caso del sueño; pero Hércules se le apareció de nuevo y le amenazó que castigaría una segunda desobediencia. El hijo de Alemón hizo en consecuencia todos los preparativos necesarios, pero habiéndose extendido por toda la ciudad la noticia de su partida, fue citado ante los magistrados. Inquieto por el resultado del proceso, imploró la protección de Hércules, que le había puesto en el peligro, y el dios sustituyó las piedras negras que habían metido en la urna otras por blancas. Este prodigio hizo que fuese absuelto y, poniéndose en camino, llegó por mar a la embocadura del Esare, donde los destinos le habían señalado una nueva habitación. No muy distante del lugar donde había saltado en tierra, se encontraba la sepultura de Crotón, lo que dio margen a que pusiese a su ciudad el nombre de Crotona. El escoliasta de *Aristofanes* añade que, habiéndole mandado un oráculo que edificase una ciudad en el sitio en que le sorprendería una lluvia estando sereno, este desgraciado desesperaba de poderlo obedecer jamás. Un día que se hallaba en Italia y que se paseaba muy inquieto, una ramera que encontró se puso a llorar. El tiempo estaba hermoso y sereno; Miscelo tomó estas lágrimas por la lluvia de que le había hablado el oráculo y edificó en este lugar la ciudad que Hércules le había mandado fundar. *Met. 15, Estrab. 6.8.*

**MISE.** Es según las *Orficas*, la madre de Baco, la casta, la reina inefable. Tiene ambos sexos; ya recibe los inciensos del templo de Eleusis, ya celebra con Cibeles los misterios en Frigia; tan pronto se divierte en Chipre con Venus, como recorre alegremente las llanuras sagradas y fértiles del Nilo, donde acompaña a Isis envuelta en vestidos de luto y adornada de cuernos. Mise es sin duda la misma Proserpina. En los pormenores dados por los Orficos, se encuentran las ideas de la madre de la naturaleza, de la luna y de la fertilidad.

**MISENE.** Hijo de Eolo, uno de los compañeros de Eneas. No había quien le igualase en el arte de tocar la trompeta y de excitar el ardor de los combatientes con sus sones guerreros. Estando en el puerto de Cumes, osó desafiar los dioses del mar. Tritón, trompetero de Neptuno, celoso del talento de Misene, le cogió y sumergió en las olas. Avisado Eneas de su desgracia por la Sibilia, le hizo los honores fúnebres y le erigió un soberbio monumento sobre un monte llamado después cabo Misene. *Eneida, 6, Estrab. 5, Met. 2.*

**MISENO.** Compañero de Ulises que dio nombre al cabo Miseno, en Campania.

**MISEO.** Templo de Arcadia consagrado a Ceres Misia. *Paus.*

**MISERIA.** Hija del Erebo y de la Noche. Los antiguos la habían divinizado. *Ant. espl. t. 1.*

**MISERICORDIA.** Había una diosa de este nombre que tenía un templo en Roma y Atenas. Servía de asilo a los criminales y a los desgraciados perseguidos por sus enemigos. Los nietos de Hércules se refugiaron en el de Atenas, para librarse del furor de los sediciosos, que les perseguían con el designio de vengarse de los males que el héroe les había hecho sufrir. *Paus.*

(*Iconol.*) *Cesar Ripa* la pinta bajo la figura una mujer muy blanca, nariz un poco aguileña, con una guirnalda de olivo en la cabeza, el brazo izquierdo tendido, un ramo de cedro en la mano derecha, y a sus pies una corneja, ave, dice *Horus Apolonio*, que los egipcios veneraban particularmente como el más inclinado de todos los animales a la compasión.

**MISIA.** Sobrenombre de Ceres y de Diana en Laconia.

**MISIAS.** Fiestas en honor de Ceres, llamadas así de Misio, argivo que había erigido un templo a la diosa en las cercanías de Palene, las cuales duraban tres días. En el tercero, las mujeres arrojaban del templo a los hombres y a los perros, y se encerraban en él durante el día y la noche siguiente con las perras. Al día siguiente los hombres volvían a ver a las mujeres en el templo, lo que daba lugar a muchos regocijos por una parte y otra.

MISIO. Argivo que alojó a Ceres en su casa. *Paus.*

MISIÓN DE MAHOMA. (*Mit. mah.*) Uno de los puntos esenciales de la religión musulmana. Mahoma, en su Alcorán, se califica siempre de enviado de Dios, de consolador de los verdaderos creyentes. Según los mahometanos, Jesucristo, nacido de una virgen que le concibió oliendo una rosa, es un gran profeta, pero inferior a Mahoma, elegido por Dios para presentar a los hombres la ley de gracia contenida en el Alcorán, que le llevó el árcangel San Gabriel, mensajero del trono de Dios, en cierto número de cuadernos. (*V.* Mahoma, Mahometismo, Alcorán.)

MISO. (*V.* Misio.)

MISÓN. Espartano y uno de los siete sabios de Grecia. Habiendo Anacarsis preguntado al oráculo quien era el más sabio de los griegos, Pitia le respondió que era aquel que en aquél instante trabajaba en su campo, y éste era Misón. *Diog, Laerc.*

MISOR. Según el *Sanchoniatón*, fue hijo de Amino o de Mago, padre de Tauto, el Thot de los egipcios, el Togito de los alejandrinos y el Hermes de los griegos. *Banier. t. 1.*

MISTAGOGO. Lo era entre los antiguos el que introducía a los iniciados en los misterios. *Cic.*

MISTERIOS. Ceremonias secretas que se practicaban en honor de ciertos dioses, y cuyo secreto conocían únicamente los iniciados, quienes no eran admitidos en ellas sino después de haber sufrido muchas y penosas pruebas, pagando con la vida el revelarlos. Llámanse, tales no porque contuviesen algo de incomprensible, sino porque estaba prohibido al vulgo su conocimiento. Ha sido llevada hasta la evidencia la opinión de que los sistemas cosmogónicos y los fenómenos astronómicos eran el fondo de la doctrina que se revelaba a los iniciados. Los signos y las figuras bajo las cuales las presentaban al crédulo pueblo no tenían otro objeto que reservar su conocimiento a los sacerdotes y a los hombres de estado como también en el excitar la veneración del vulgo, dispuesto siempre a admirar lo que no entiende.

Estos misterios degeneraron bien pronto, cosa que el celo religioso favorecía, y se celebraban en grutas más propias para exageraciones que para celebrar ceremonias religiosas. Cada deidad tenía sus misterios particulares. R. *miein*, cerrar; *stoma*, boca. (*V.* Baco, Eleusis, Isis, Mitra, Priapo, Samotracia.)

MISTERIOS DE CERES. Los misterios de Ceres estaban inscritos y conservados en hojas de plomo.

MISTERIOSO. Sobrenombre de Baco, honrado en la Argólida.

MISTES, *el que preside o inicia en los misterios*. Epíteto de Baco. *Antol.*

MISTIL-TEINN. (*Mit. célt.*) Nombre céltico del muérdago venerado, no solamente por los antiguos galos, sino también por todas la naciones celtas de Europa. Los pueblos de Holstein y de las comarcas vecinas le designan aun hoy día por el sinónimo, ramo de los espectros, a causa de sus pretendidas propiedades mágicas. En algunos lugares de la alta Alemania, el pueblo ha conservado el mismo uso que se practica aun en muchas provincias de Francia: los jóvenes van, al principio del año, a golpear las puertas y las ventanas de las casas, gritando, *guthil*, que significa muérdago.

MISTOPOLOS, *el que preside los misterios*. Epíteto de Apolo. R. Mistes, iniciado: *polein*, volver. *Antol.*

MISTOS. Los iniciados en los misterios secundarios de Ceres. No podían entrar sino en el vestíbulo del templo. Necesitaban por lo menos un año para ser admitidos por los grandes misterios, y poder entrar en el templo; y entonces se les llamaba epoptos. (*V.* este nombre.) Estaba prohibido conferir estos dos títulos a la vez.

MITAMA. Genio que oponen los basílidios al poder de los malos demonios, y cuyo nombre llevan escrito en sus talismanes.

MITG. Nombre con que veneran al mar los habitantes de Kamstchatka. Le adoran como un dios y le representan bajo la forma de un pez. Este dios sólo piensa en sí mismo. Envía los peces a las riberas para ir a buscar madera para la construcción de sus canoas, y no para servir de alimento a los hombres. Estos pueblos no creen que dios pueda hacerles bien.

**MITIDICE.** Hermana de Adrasto, uno de los siete jefes que sitiaron a Tebas.

**MITILENE.** Hija de Macaris, edificó la ciudad de Mitilene a la cual puso su nombre. *Estrab. 13. Mela 2 c. 7.*

**MITILENIAS.** Fiestas que celebraban los de Mitilene fuera de la ciudad en honor de Apolo.

**MITIR.** (*V.* Mitra.)

**MITO.** Hijo de Mitilene y Neptuno, que edificó la ciudad de Mitilene, y le puso su nombre.

**MITODIS.** Una de las tres divinidades inferiores de los cimbrios, quizá la misma que Mitotin. (*V.* Fro.)

**MITOLOGÍA.** Discurso o tratado sobre la fábula, o mejor sobre los Mites o Mitos de los antiguos, que no siempre daban a esta palabra el sentido fabuloso y alegórico que los modernos le han concedido. Se comprende también bajo este nombre el conocimiento general de las creencias y religiones antiguas o primitivas, de sus misterios, de sus ceremonias, y del culto con que honraba a sus dioses y héroes, como así mismo las diferentes alegorías de los poetas, de los artistas y de los filósofos. Este es el objeto de nuestro diccionario. Este mismo cuerpo informe e irregular ha sido el objeto de mucho sistemas: *Fulgencio* ha buscado en él un sentido alegórico; el conde *Noël* un sentido moral. *Banier* un sentido histórico; *Pluche* instrucciones simbólicas. *Durocher* ha pretendido encontrar su explicación en la Biblia; *Bergier* en la física, *Rabaut de Saint-Etienne*, en la geografía; *Court de Gebelin*, en la agricultura; y *Dupuis* en los fenómenos astronómicos.

**MITÓLOGO.** El que posee o estudia la historia de las divinidades de los pueblos primitivos o de la antigüedad, de sus fiestas, de sus misterios, y de los monumentos que tienen relación con la misma.

**MITONE.** 1 — Ciudad de Mesenia, una de las siete de Agamenón, en la *Ilíada*, ofrece a Aquiles para apagar su resentimiento.

2 — Hijo del gigante Alcioneo.

**MITOS.** (*Iconol.*) *la fábula.* Un monumento antiguo, la apoteosis de Homero, la ofrece personificada por un muchacho que tiene un preferículo en una mano, y en la otra una especie de palangana. *Ant. espl. t. 5.*

**MITOTIN.** (*Mit. escand.*) La mayor de todas las magas. Habiendo Odín sido deshonrado por su mujer Friga, se retiró; y Mitotin se hizo dios en su lugar. Odín volvió al cabo de diez años de destierro, y obligó a deponer la divinidad a todos los que la habían usurpado durante su ausencia.

**MITRA 1** — (*Iconol.*) Divinidad persa que los griegos y romanos han confundido con el Sol, pero que según *Herodoto* (*l. 1, c. 31*) no es sino la Venus celeste, o el amor, príncipe de las generaciones y de la fecundidad, que perpetúa y renueva el mundo. Mitra había nacido según ellos, de una piedra, lo que da a entender el fuego que sale de una piedra cuando se golpea. (*V.* Diorfo.) Los romanos adoptaron este dios de los persas del mismo modo que lo habían hecho con los de las demás naciones. Sólo de ellos nos han quedado algunos monumentos de Mitra, pues no tenemos de este dios ninguna imagen persa. Sus figuras más comunes representan un joven con gorro frigio, una túnica y un manto que sale ondeando de la espalda izquierda. Tiene la rodilla sobre un toro derribado, y mientras le toma el hocico con la mano izquierda, le clava con la derecha un puñal en el cuello: símbolo de la fuerza del sol cuanto entra en el signo Tauro. La figura principal va por lo regular acompañada de diferentes animales, que parecen referirse a los otros signos del zodíaco, y que hacen de estos varios monumentos otros tantos planisferios celestes. Por lo que no hay duda de que Mitra fuese un símbolo del sol, lo que acaba de confirmar esta inscripción: *al dios Sol, el invencible Mitra*, la cual se encuentra en muchos monumentos: epíteto muy conveniente al sol, cuyo curso e influjo nada puede detener. Habiendo venido el culto de Mitra a Grecia y Roma, pasó de los persas a la Capadocia, donde *Estrabón* dice que ocupaba un gran número de sus sacerdotes. Este culto fue transportado a Italia en tiempo de la guerra de los piratas en el año 687 de la fundación de Roma, y se hizo después célebre, especialmente en los últimos siglos del imperio.

Le ofrecían a Mitra las primicias de los frutos.— Algunas veces se le confundía con Osiris. *Mem. de la Acad. de Inscr. t. 12, 16.*

2 — Era el nombre de Venus Urania entre los persas. *Herod. 1, c. 131.*

3 — Adorno que llevaban en la cabeza los antiguos, especialmente las mujeres, y era una especie de listón muy largo.— *Nonus* dice que Baco llevaba una mitra en forma de serpiente, como símbolo de su eterna juventud. *Mem. de la Acad. de Inscr. t. 4.*

MITRES. Algunos hacen de él un dios diferente de Mitra. Según éstos, Mitres era adorado por los persas, como el primero y más grande de los dioses; y Mitra como el sol y el fuego.

MITRÍACAS. Fiestas y misterios de Mitra. La principal de estas fiestas era la de su nacimiento, que un calendario romano pone en el 25 de diciembre, día en que además de los misterios que se celebraban con la mayor solemnidad, se daban también juegos de Circo, consagrados a Mitra. Con esto se quería significar que alejado el sol de nuestro hemisferio, después del equinoccio de otoño, se acercaba el solsticio de invierno para derramar por todas partes el calor y la fertilidad. A ejemplo de los persas, que no tenían templos y celebraban las fiestas de Mitra en una cueva, los romanos se entregaban a este culto en cuevas donde serpenteaban algunas fuentes, y cuyos suelos estaban alfombrados de verdura: pero nada podía compararse con las fatigas y tormentos que era necesario sufrir antes de ser iniciado en este misterio. *Nomus* dice que era necesario pasar por ochenta pruebas diferentes. Desde el momento en que se bañaban los candidatos, se les obligaba a arrojarse al fuego; enseguida eran enviados a un desierto donde estaban sujetos a un ayuno de cincuenta días, después de lo cual los azotaban por espacio de dos días, y los metían otros veinte en la nieve. Sólo

después de estas pruebas, sobre cuya rigurosa observación velaba un sacerdote y en las cuales morían muchos de los candidatos, eran admitidos a los misterios. Entre otras ceremonias de la iniciación, se arrojaba agua sobre los iniciados y les presentaban pan y vino, a fin, según se decía, de regenerarlos, y les ponían, dice *Arnobio*, una serpiente de oro en su seno; pues la serpiente que muda todos los años su piel, era uno de los símbolos del sol, cuyo calor se renueva en la primavera. Imprimían una señal en su frente, y se les presentaba una corona sostenida por una espada, que era necesario arrojar hacia atrás, diciendo: «Sólo Mitra es mi corona». Al momento se declaraba el iniciado soldado de Mitra, y se le mandaba el más riguroso secreto. En estas fiestas se inmolaban víctimas humanas; costumbre bárbara abolida por Adriano y restablecida por Cómodo. Después de estos horrorosos sacrificios les mostraban a Mitra bajo la figura de un joven y los hierofantes les explicaban los símbolos de este dios. Los que pretenden que la metemsícosis era la verdadera doctrina de los *mitríacos*, dicen que estos símbolos se referían al tránsito del alma del hombre a los diferentes planetas antes de llegar al sol, donde iba por fin a habitar. El soberano sacerdote de Mitra gozaba de una gran consideración. Tenía bajo sus órdenes ministros de ambos sexos de los cuales, los primeros se llamaban *Patres*; y los otros *Matres Sacrorum.* (V. Coracios, Leónticas, León, etcétera.) Este culto hizo maravillosos progresos: pasó de Roma a Italia, a Dacia, Noricia, Egipto, Creta etc., y duró mucho tiempo, pues se encuentran señales de él en el siglo IV de la Iglesia. *Mem. de la Acad. de Inscr. t. 16.*

MITRIO. Cueva de Alejandría, consagrada al culto de Mitra. *Sócrates,* autor cristiano, refiere que habiendo los cristianos de Alejandría descubierto esta cueva, cerrada desde mucho tiempo, encontraron en ella huesos y cráneos humanos, que fueron paseados por toda la ciudad

MNASILO. Pastor o sátiro que se unió a Cromis y a Egle para atar a Sileno. *Virg. Eglo. 6.*

**MNASINO.** Hijo de Pólux y de Febea. *Paus. 1.*

**MNEMÓNIDES.** Las musas hijas de Mnemosina.

**MNEMOSINA o MNEMOSINE. 1** — (la diosa de la Memoria.) Era hija del cielo y la tierra y hermana de Saturno y de Rea. Júpiter, transformado en pastor, la hizo madre de las nueves musas, a las cuales parió en el monte Pierio, llamadas por esta razón *Piéridas. Diodoro de Sicilia* dice que se le atribuía el arte de razonar y de la imposición de nombres convenientes a todos los seres, invención que otros atribuyen a Mercurio. Sin embargo, se atribuye generalmente a Mnemosina el primer uso de todo lo que sirve para renovar la memoria de las cosas, que queremos acordarnos, como lo indica bastante su nombre. *Hes. Teog. Met. 6. Pínd. Istm. 6. Paus. Plin. Mengs* es el primer artista se encuentra en el Parnaso pintado por este pintor célebre, en el cielo raso de la soberbia galería de la quinta del cardenal Alejo Albani. Está sentada en un sillón, con los pies sobre un taburete, tocándose la extremidad de la oreja por alusión a su nombre. (*V. Recuerdo.*) Tiene la cabeza algo inclinada y los ojos bajos, a fin de que los objetos que la rodean no turben su memoria, ocupada en repasar lo pasado. Su otra mano descansa con descuido sobre su seno; actitud ordinaria en las personas sumergidas en profundas reflexiones.

2 — (*V. Memoria.*)

**MNEMOSÍNIDAS.** (*V. Mnemónides.*)

**MNESILAO.** Hijo de Pólux y de Febe. *Apolod. 2.*

**MNESIMACA.** Amada de Euritión, y librada, según algunos, por Hércules, de este amante que la quería por esposa a la fuerza. *Apol. 2.*

**MNESINOE.** Nombre que llevó Leda. *Plut.*

**MNESO.** Uno de los capitanes troyanos muertos por Aquiles. *Ilíada. 21.*

**MNESTEO.** Capitán troyano, hijo de Clitio y hermano de Acmón, que siguió a Eneas a Italia, donde *Virgilio* le hace tronco de los memios. Distinguióse en los juegos que se dieron en Sicilia, con ocasión de la muerte de Anquises, alcanzó el segundo premio en la carrera de barcas, y en el combate del arco, señalándose en las guerras de Italia, sobre todo un día en que rechazó a Turno, que había venido a atacar a los troyanos hasta su campamento. *Eneida. 4, 5, 9, 10, 12.*

**MNESTES.** Griego, muerto por Héctor.

**MNESTRA.** Danaide. Mató a su marido Egio. *Apolod.*

**MNEVIS.** Toro consagrado al sol en la ciudad de Heliópolis. Era, después del Apis, el primero de los animales que veneraban los egipcios, aunque su culto fuese más antiguo. Debía tener el pelo negro y erizado. *Diod. 1, Plut. de Isid. Estrab.*

**MOANSA.** (*Mit. afr.*) Gran sacerdote de los negros del Congo.

**MOANULE.** Flauta de un solo canuto. Unos atribuyen su invención a Osiris, otros a Mercurio. *Aten.*

**MOATAZALITES.** (*Mit. mah.*) Clase de mahometanos que, para aparentar que no admiten la multiplicidad de Dios, no le distinguen por sus atributos, aunque lo comprenden todo en su esencia.

**MOBEDS.** (*Mit. pers.*) Sacerdotes de los parsis. Eran los únicos que tenían derecho a entrar en el *Astech-Gah*, o lugar del fuego, para guardarlo y conservarlo con maderas y perfumes. Sin embargo, en caso de necesidad, un simple parsi podía ejercer sus funciones.

**MOCHUELO. 1** — Estaba consagrado a Minerva como símbolo de la vigilancia, y por esta razón los atenienses tenían por esta ave un respeto particular. Entre ellos y los sicilianos era de buen agüero: para los demás el encuentro de un mochuelo era un mal presagio. En las monedas de los atenienses se ve parado un mochuelo sobre vasos. Los atenienses, según la opinión de muchos anticuarios, han querido conservar, por medio de este emblema, la memoria de la invención de los vasos de barro, que debía hacerles precioso el gran comercio de aceite que ellos hacían.

2 — Especie de danza griega que se cree ha sido una pantomina burlesca.

MODE. 1 — caza moscas. El mismo que Miagoro.

2 — Sobrenombre de Hércules y de Júpiter.

MODHALLAN. Esto es, *mar oscuro y tenebroso*. (*Mit. arab.*) Los autores árabes daban este nombre al océano Atlántico, a causa de que nadie sabía lo que había en él. Allí ponían aquella fuente de la vida, tan célebre en los romances orientales, y que dio la inmortalidad al profeta Elías. (*V.* Holmat, Kheder.)

MODIMPERATOR. Era el que designaba en los convites, los brindis que debían hacerse; que cuidaba de que ningún convidado se embriagase, y que prevenía las disputas. La suerte decidía esta dignidad.

MODIO FABIDIO. Hijo de una doncella que lo concibió de forma milagrosa cuando bailaba en honor del dios sabino Quirino: entró en el templo inspirada por el dios y salió encinta. Nació así Modio Fabidio que llegó a ser un gran guerrero. Un día deseó fundar una ciudad y crearse un reino. Así lo hizo con un grupo de fieles seguidores, dando origen a la ciudad de Cures, que en sabino es sinónimo del nombre de su padre: Quirino, nombre que también había puesto a su lanza.

MOERA. 1 — Perra de Icario que con sus ladridos enseñó a Erígone el lugar donde yacía su amante. En recompensa por su fidelidad, Júpiter la colocó en la constelación llamada Canícula. Otros escriben *Mœra*, y lo derivan de *mairein*, quemar. *Met. 7, Hig. f. 130.*

2 — Hija de Apolo y de Smirna.

MOEZ. Nombre de Hakem, divinidad de los drusos en su séptima encarnación. Bajo este nombre pasó de Mahadid donde se había encarnado con el nombre de Kaiem, a Egipto, y allí se mostró con todo el esplendor de la divinidad, y fundó en las riberas del mar una ciudad que llamó Rosetta.

MOGIASSEMIOUN. (*Mit. mah.*) Secta musulmana que da un cuerpo a Dios.

MOGOSTOCOS. Sobrenombre de Diana, como presidenta en los partos.

MOGOURIS. (*Mit. ind.*) Consejeros de justicia y religión de los maldivos. (*V.* Catibe, Naybes, Pandiaro.)

MOHEL. (*Mit. mah.*) Es entre los judíos el que circuncida el niño al día octavo de su nacimiento.

MOHISE. (*Mit. afr.*) Especie de Dios. Según los habitantes del Dembo, el cielo es el receptorio de las aguas. Una corteza transparente separa estas aguas del aire; en esta corteza hay cuatro agujeros o cataratas, puestos en los cuatro puntos cardinales. Un Mohise guarda la puerta de cada uno de estos agujeros, el cual abre tan sólo en tiempo de las lluvias, según la orden que le da el gran *Manygachis* (rey del cielo.) El aguacero viene del norte, del sur, del este, o del oeste, según el agujero que está abierto. Cuando todas las cataratas están cerradas, el agua que hay en la otra parte de la corteza trasparente, filtra siempre un poco, como en los casos de tierra, causando la humedad, las nieblas y las nubes de verano, más o menos abundantes en un país, según está más o menos cerca del cielo. *Viaje de M. de Etrourville.*

MOIRAGETES. 1 — Sobrenombre con que era adorado Júpiter en Arcadia, en Elida, etc., como director de las Parcas o de la Suerte. R. *moira*, suerte; *agein*, conducir. *Paus. 5, c. 15.*

2 — Sobrenombre de Plutón.

MOISASOUR. (*Mit. ind.*) Jefe de los ángeles rebeldes, sublevó a los otros jefes de los bandos angelicales y les excitó a apartarse de la obediencia que debían al Ser Supremo. A instancias del mismo, rehusaron someterse a Birmaj, su teniente provisor, y a sus auxiliares Bistnoo y Sieb y se apartaron del trono del Eterno. Irritado Dios por el crimen de estos rebeldes, después de haberles amonestado a que entrasen en su deber, mandó a Sieb que los arrojase del cielo y les precipitase en las eternas tinieblas. Algún tiempo después, habiéndose dejado apaciguar por los ruegos de los tres primeros ángeles y de los demás que le habían permanecido fieles, mitigó sus castigos y les sometió a ciertas pruebas, dejándoles la facultad de reparar su falta y recobrar el estado feliz del que habían sido privados.

**MOISÉS.** (*Mit. rab.*) Los rabinos cuentan, sobre este legislador de los hebreos, fábulas que no podemos pasar por alto: «Habiendo, dicen, huido Moisés de Egipto, se retiró a la tierra de Medián y se sentó cerca de un pozo. Un momento después vio llegar a Séfora, una de las hijas de Jetro, y se enamoró de tal modo de su hermosura, que le propuso pedirla en matrimonio. Séfora le respondió que seguramente no conocía el peligro de la propuesta que hacía, pues su padre acostumbraba mandar a todos sus amantes a que fuesen a arrancar cierto árbol que mataba a todos los que se le acercaban. Moisés le pidió saber cual era aquel árbol: "Es menester que sepáis, le dijo Séfora, que Dios en la tarde del sexto día de la creación del mundo, produjo entre las dos vísperas del sábado un palo que dio al primer hombre: después de la muerte de Adán, pasó sucesivamente a Enoc, Noé, Sem, Abraham, Isaac, Jacob y José, el cual, habiéndolo traído a Egipto, a los egipcios se apoderaron de él después de su muerte, y lo llevaron al palacio del Faraón: mi padre, que entonces era uno de los primeros magos del rey, conoció luego la virtud de aquel palo y se apoderó de él, y lo clavó en seguida en su jardín, donde se arraigó y se cubrió de flores y frutos. Desde entonces, mi padre manda a mis amantes que vayan a arrancar este árbol y tantos como se acercan a él, perecen." La revelación de Séfora no espantó a Moisés, el cual quiso probar esta aventura. Habiendo ido a la casa de Jetro, pidió a éste la mano de su hija. Jetro nada le respondió, sino la propuesta de la prueba ordinaria. Moisés fue al jardín, arrancó el árbol y se lo llevó. Esta acción sorprendió en gran manera al padre de Séfora: consultó su arte y vio que este extranjero debía causar grandes males a Egipto. En vista pues de esto, le hizo arrojar en un profundo hoyo, donde hubiera muerto infaliblemente de hambre, sin los socorros de Séfora, la cual cuidó de alimentarle secretamente por espacio de siete años al cabo de los cuales esta generosa mujer habló a su padre de Moisés y le pidió ver si estaba aún vivo. Jetro, no sabiendo como se había alimentado, le creía muerto después de tanto tiempo, y se admiró en gran manera al encontrarle todavía vivo, este prodigio hizo sobre él una tal impresión que abrazó a Moisés, le pidió perdón de los males que le había hecho y le dio la mano de su hija, no dudando de que fuese un profeta y amigo de Dios. En cuanto al palo que había arrancado del jardín de Jetro, se sirvió siempre de él como de una varilla, por medio de la cual obró después tantos prodigios.»

(*Mit. mah.*) He aquí lo que refieren los mahometanos de la muerte de Moisés: errando este legislador sólo en el desierto, encontró por casualidad un sepulcro vacío y abierto, hecho a su medida. Mientras lo estaba considerando se le acercó el ángel de la muerte. Moisés lo reconoció y le preguntó que era lo que le traía allí. «El designio de arrancarte el alma». «Y ¿por donde? no puedes arrancármela por la boca, porque he hablado con Dios; no por las orejas pues han oído las palabras del Señor; ni por los ojos, pues han visto su divino rostro; ni menos por las manos pues recibieron las tablas de la ley; ni en fin por los pies, pues con ellos subí al monte Sinaí». El ángel desaparece sin responder a tantas dificultades, se transforma, vuelve y presenta a Moisés una manzana del paraíso; éste, sin desconfianza alguna, la acerca el rostro para disfrutar su olor. Entonces el ángel le toma la nariz, se la aprieta y le arranca el alma por aquella parte, de suerte que el cuerpo cayó y permaneció en este sepulcro, que nadie ha podido encontrar jamás.

**MOKISOS.** (*Mit. afr.*) Dioses o genios venerados por los habitantes de Loango, subordinados empero al Ser Supremo. (*V.* Pongo.) Creen que estos dioses pueden castigarles y hasta quitarles la vida sino cumplen fielmente sus obligaciones. Cuando un hombre vive feliz y tranquilo, se cree está en buena gracia con su Mokiso. Si está enfermo, o sufre algún contratiempo, atribuye siempre la causa a la cólera del mismo genio. Examina al momento en qué puede haberle ofendido y nada descuida de lo que puede reconquistarle su amor. Estos pueblos daban el mismo nombre a su soberano y le atribuían un poder divino y sobrenatural, como el de alejar o enviar las lluvias, de dar la muerte a millares de hombres, de transformarse en bestia feroz, de doblar un colmillo de elefante, y hasta, si quería, hacer de él un nudo. Las figuras que representan estos Mokisos son de madera o piedra, los unos se hallan en los templos, los otros que son la mayor parte, se ven en las calles y los caminos. Les hacen votos y sacrificios, para apaciguar su cólera o granjearse su amistad. Algunos de estos genios son honrados bajo la figura de cuadrúpedos o aves.

MOKOSCH. (*Mit. eslav.*) Una de las deidades inferiores de los eslavos.

MOKURIS. (*Mit. jap.*) Discípulo de Xequias y secuaz de Darma. Se dejó ver al principio en las costas de Malabar y Coromandel. Allí anunció la doctrina de un dios ordenador del mundo y protector de los hombres, bajo el nombre de Amida. Esta idea fue bien acogida y se extendió por todas las comarcas vecinas, llegando a China y Japón.

MOLA. Pasta de harina salada con que se frotaba la frente de las víctimas antes de degollarlas. De aquí viene *inmolare* que significa propiamente preparar la víctima al sacrificio, y de donde nació nuestro nombre *inmolar*, tomado en otro sentido.

MOLEA. Fiesta de Arcadia, instituida en memoria de un combate, en el cual mató Licurgo a Ereutalión. R. *molos*, combate.

MOLES. Diosas de los molineros. Se las creía hijas de Marte, porque desparrucha los hombres como quien desparrucha el trigo. *Aul. Gal.* Se llamaban también *Moles* las estatuas colosales que se levantaban en honor de los dioses.

MOLFEO. Muerto por Perseo en el combate que se dio en la corte de Fineo. *Met. 5.*

MOLIÓN. 1 — Escudero de Timbreo, muerto por Ulises en el sitio de Troya. *Ilíada. 11.*

2 — Uno de los hijos de Eurito, muerto por Hércules en Ecalia.

MOLIONE. Esposa de Actor y madre de los molionidas. Habiendo Hércules matado a sus dos hijos, Molione pidió justicia a los eleos. Pero no habiendo Corinto, a donde estos se dirigieron, atendido sus súplicas, esta desgraciada madre hizo caer su maldición sobre aquellos ciudadanos que osaron en lo sucesivo asistir a los juegos ístmicos; y el temor de incurrir en ella tuvo bastante fuerza sobre los eleos como para obligarles a abstenerse de estos juegos, aun en tiempo de *Pausanias.* (*8, c. 14*).

MOLIÓNIDES. Sobrenombre de dos hermanos, llamado el uno Eurito y el otro Ctéato, hijos de Actor y Molione, o según otros, de Neptuno y Molione. Neptuno los salvó de los golpes de Néstor, sacándoles de la pelea y cubriéndoles de una espesa nube que les sustrajo de su furor. Célebres conductores de caballos, tenían dos cabezas y cuatro manos con un solo cuerpo y trabajaban con mucha inteligencia. Hércules, en su guerra contra Augias, viendo disipadas todas sus medidas por su valor y actividad, fue a esperarles sobre el camino de Corinto y les armó emboscadas en las cuales perecieron. *Apolod. 2, c. 7.*

MOLO. 1 — Padre de Merión, era uno de los capitanes griegos que fueron al sitio de Troya. *Odis. 6. Ilíada. 10.*

2 — Uno de los hijos o nietos de Minos 2, Rey de Creta. *Banier, t. 6.*

3 — Uno de los hijos de Marte y Demonice, hija de Agenor.

MOLOCH, *rey.* Uno de los principales dioses del Oriente, honrado por los amonitas, que le representaban bajo la forma monstruosa de hombre y becerro. Los rabinos aseguran que este ídolo era de bronce, sentado sobre un trono del mismo metal, con la cabeza de becerro y los brazos extendidos, como para abrazar. Cuando se quería sacrificarle niños, se encendía un gran fuego en el interior de esta estatua; y cuando llegaba ya a quemar ponían entre sus brazos aquellas desgraciadas víctimas, a quienes el exceso de calor consumía en breve. Sin embargo a fin de sofocar sus lamentables gritos, los sacerdotes hacían gran ruido con tambores y otros instrumentos, alrededor del ídolo. Según otros, la estatua tenía los brazos caídos hacia tierra, de suerte que el niño puesto entre ellos caía al momento en unas hogueras que había a sus pies. No se le ofrecían únicamente víctimas humanas. Los rabinos pretenden que dentro de la estatua había siete armarios: uno para la harina, otro para las tórtolas, un tercero para una oveja, un cuarto para un carnero, el quinto para un becerro, el sexto para un buey y el séptimo, en fin, para un niño. Esto ha dado margen a confundir a Moloch con Mitra, con las siete puertas misteriosas con las cuales tienen estos siete armarios mucha semejanza. Algunos han creído reconocer en esta divinidad a Saturno o Príapo, y otro al Sol: *D. Calmet*, al Sol y la Luna. El célebre autor del *Diccionario de las Antigüedades, Sabatier de Chalons*, ha procurado reconciliar estas diversas opiniones, diciendo que Moloch era una de aquellas divinidades que los griegos llaman Panteas, y que representaba entre los ammonitas, los siete planetas, a cada uno de los cuales se ofrecía la víctima que la creencia le había consagrado. *Mem. de la Acad. de Insc. t. 3.*

MOLORCO. Pastor del país de Eleone en el reino de Argos, que acogió hospitalariamente a Hércules, quien agradecido, mató en su favor al león nemeo que devastaba las cercanías de aquel lugar. En memoria de este beneficio se instituyeron en honor de Molorco fiestas que se llamaron Molorquenas, de su nombre. *Geórg. 4. Apol. 2, c. 5.*

MOLOSO. Pie de verso compuesto de tres sílabas largas. Había tomado este nombre de una danza de los *molosos*, sea porque se cantasen odas, en que entraba este pie, en el templo de Júpiter *Moloso*, hijo de Pirro y Andrómaca, sea porque la marcha que tocaban los molosos cuando caminaban al combate, tenía una cadencia en la que dominaba este mismo pie.

MOLOSO. 1 — Sobrenombre de Júpiter, adorado entre los molosos, pueblos del Epiro. *Ant. expl. t. 5.*

2—Hijo de Pirro y Andrómaca. Subió al trono de su padre después de la muerte de Heleno, y dio su nombre a los pueblos que gobernó *Paus. 1, c. 1l.*

3 — Uno de los perros de Acteón. *Met. 3.*

MOLY. Planta que remitió Mercurio a Ulises, para impedir el efecto de las bebidas de Circe. Su raíz era negra y la flor blanca como la nieve, y casi ningún mortal podía arrancarla. *Odis. 10, Met. 14, Madame Dacier* ha reconocido en esta planta, la sabiduría, cuyas raíces son desagradables, pero cuyas flores son muy suaves y los frutos en extremo nutritivos. Los botánicos reconocen de ella, muchas especies, y entre otras una que es la *amarga*.

MOLLAK o MULAH. (*Mit. mah.*) Dignidad eclesiástica que corresponde con poca diferencia a la del arzobispo. El gran Señor los elegía de entre los muderis. Su jurisdicción no se limitaba a los asuntos eclesiásticos: y como los turcos estaban persuadidos de que tanto sus leyes civiles como canónicas vienen igualmente de su profeta, los mollaks eran cada uno en su provincia, los primeros magistrados encargados de toda especie de negocios así civiles como criminales. De entre ellos se elegía siempre el mufti.(Entre los chiitas, el Ayatolah Jomeini tenía el título de Mulaho Mullah.)

MOMEMFIS. Ciudad del Egipto. Sus habitantes honraban particularmente a Venus y tenían una becerra sagrada, al modo en que los de Memfis tenían a su dios Apis. *Estrab. Diod. Sic.*

MOMIME Uno de los dos asesores que los fenicios de Edesa daban al Sol. El otro era Azizus. *Jámblico* decía que el primero era Mercurio y el segundo Marte.

MOMO. Hijo del Sueño y la Noche, dios de las burlas y de las agudezas. Satírico hasta el extremo, nada había perfecto a sus ojos, y los mismos inmortales eran a veces objeto de sus punzantes chanzas. Elegido por Neptuno, Vulcano y Minerva como juez de sus respectivas obras, a las tres encontró defectos. Neptuno hubiera, según él, debido poner al toro las astas delante de los ojos, para herir con más seguridad, o a lo menos en el lomo para dar los golpes más fuertes. La casa de Minerva le pareció mala, porque era demasiado pesada para ser trasladada de una parte a otra, cuando se topaba con malos vecinos. En cuanto al hombre, obra de Vulcano, hubiera querido que le hubiese hecho una ventanita en el corazón para que pudiesen verse sus más secretos pensamientos. La misma Venus no pudo estar a cubierto de sus tiros malignos, sin embargo, como era demasiado hermosa para poder ser criticada, Momo encontró en su calzado un objeto de risa. Se le representa levantándose la máscara y sosteniendo en la mano un muñeco, símbolo de la locura. *Hes. Teog.*

MÓNACO. Antigua ciudad de Liguria. Cerca de sus puertas había un templo consagrado a Hércules, porque se detuvo en él cuando iba a España para combatir con Gerión. *Eneid. 6. Estrab. 4.*

MÓNAGO. Nombre del inventor de los juegos del Circo.

MONASTERIOS. (*Mit. chin.*) En Corea, los gastos necesarios para la construcción de las pagodas y monasterios, corrían a cargo del público. Cada ciudadano concurría a tan laudable objeto según sus facultades. Estos lugares consagrados a la piedad son, no obstante los sitios de los placeres. Todos iban a divertirse en los risueños paseos que adornaban por lo regular estos conventos; y las mujeres públicas vivían, casi todas, cerca de estos respetables lugares, las cuales escogían estas cercanías a causa del inmenso gentío que la devoción atraía a los mismos.

MONEDA. La primera moneda de los griegos llevaba la marca de un buey. Luego grabaron en sus monedas figuras enigmáticas, particulares a cada provincia. Los de Delfos representaban en ella un delfín; los atenienses el ave de Minerva, un mochuelo, símbolo de la vigilancia aun durante la noche; los beocios un Baco con un racimo de uvas y una gran capa, para indicar la fertilidad de su terreno. Los macedonios un escudo, símbolo de la fuerza y valor de su milicia; los rodios el disco del sol, a quien habían dedicado su inmortal coloso. Entre los romanos el tipo de un *as* era la cabeza de Jano, y la proa de una nave en el reverso; reverso que se ve igualmente en todas las partes del *as*. El medio *as* o *semisis* estaba marcado con una cabeza de Júpiter coronada de laurel, y a Baco la letra S. El tercio o *triens* traía una cabeza de mujer que ya se toma por Roma, ya por

Minerva. Al lado se veían cuatro puntos grandes o globulillos, que indicaban las cuatro onzas. El cuarto o *cuadrans*, tenía por cuño la cabeza de Hércules, cubierta de una piel de león, y al lado los tres puntos o globulillos, que denotaban las tres onzas. El *sextans o demi-triens*, presentaba la cabeza de Mercurio con su gorro alado y los dos puntos, para indicar dos onzas. En las medallas romanas, se ve representada la moneda por tres figuras, cada una de las cuales tenia un hornillo al pie, relativo al oro, plata y cobre que se empleaban para fabricarlas. En lugar de los hornillos, se veían a veces tres montones de moneda. Dichas figuras traen, por lo regular, una balanza en una mano y un cuerno de la abundancia en la otra. (*V.* Moneta.)

MONEGO. Guerrero de Cólquida, muerto por Jasón.

MONETA. 1 — (*Iconol.*) Juno tenía en Roma un templo con este sobrenombre. En las medallas se ve representada con el martillo, el yunque, las tenazas, la cuña y el nombre latino *moneta*. Algunos autores derivan este nombre a monendo, porque durante un terremoto, una voz desconocida que salió del templo de Juno, dijo que para apaciguar a los dioses era necesario que les sacrificasen una marrana preñada. Otros dan diferente origen a esta etimología. Estando los romanos en guerra contra Pirro, en la extrema necesidad que tenían de dinero reclamaron el socorro de Juno. Arrojado Pirro de Italia, erigieron un templo a esta diosa con el título de *Junoni* Monetta, donde se guardaba el dinero. *Cic. Plut. Tito Liv. c. 20, l.7, c. 28. Suid.*

2 — Las medallas representan tres, que indican los tres metales que entran en la fabricación de la moneda; y como la figura del medio que designa el oro, tiene los cabellos anudados sobre la cabeza; a modo de una joven doncella, se podría creer que se ha querido indicar con esto la pureza de este metal. (*V.* Moneda)

3 — Madre de las Musas, según *Higinio*. Sería sin duda poco honorífico para estas divinidades el hacerlas hijas de la *moneda*.

MONGAS. Una de las danzas furiosas de los antiguos. *Ant. expl. t. 3.*

MONJES. (*Mit. jap.*) En Japón, conventos erigidos en honor de Amidas, los cuales habitaban unos monjes que se obligaban a perder la vida, si no guardaban la continencia. Otros estaban exentos del celibato, y hasta se les permitía educar a sus hijos varones en el interior de estos conventos.– En Corea se veían muchos monjes que habitaban en monasterios en lo más alto de los montes, y que estaban bajo la jurisdicción de la ciudad más vecina. Había monasterios donde se contaban hastas seiscientos, y ciudad en que no bajaban de cuatro mil. Se dividían en secciones de diez, veinte y a veces hasta treinta; el más anciano los gobernaba, y hacía castigar por los mismos monjes al que faltaba a su deber. Si el delito era grave, era entregado el culpable al gobernador de la ciudad que tenía jurisdicción sobre el convento. Estos monjes debían abstenerse de comer todo lo que había tenido vida. Les estaba absolutamente prohibida toda comunicación con las mujeres. Se afeitaban la cabeza y el rostro. Al entrar en el convento les imprimían en el brazo una señal que conservaban toda su vida. Admitían a cuantos se presentaban, dejándoles sin embargo, la libertad de volver al mundo cuando les fastidiara la vida monástica. Envilecidos y despreciados, estaban sujetos a tantas causas y servicios, que más parecían esclavos que religiosos. Sin embargo, sus superiores, mayormente cuando eran instruidos, son muy venerados. Se les daba el título de monjes del rey, y esta dignidad les hacía iguales a los más grandes señores del país, y les daba el derecho de traer en sus hábitos una señal distintiva, que podía tenerse como una especia de orden. El desprecio en que eran tenidos estos monjes, no impedía que se les confiara la educación de los niños. Muchos de sus discípulos permanecían a su lado, y abrazaban el mismo género de vida. Después de la muerte de sus maestros heredaban sus bienes, y les guardaban luto.

MONKIR o Nekir. (*Mit. mah.*) Angeles que, según la creencia de los musulmanes, preguntan al muerto luego que se halla en el sepulcro, empezando su interrogatorio del modo siguiente: *¿Quién es vuestro señor? ¿y quién es vuestro profeta?* Tienen además el encargo de atormentar a los réprobos. Estos ángeles que son muy feos, y cuya voz es horrible como el trueno, después de haber reconocido que el muerto debe ser entregado a los tormentos eternos, lo azotan con un látigo, medio hierro y medio fuego. Los mahometanos han tomado esta idea del *Talmud.*

MONÓCOLOS. Pueblo de Africa, vecinos de los trogloditas, que no tenían sino una pierna con la cual corrían y daban brincos con mucha velocidad. R. *monos,* solo, *kolon,* miembro. *Plin. 7, c. 2.*

MONOCORDIO. Instrumento de los antiguos, que según Cesarino, fue inventado por Apolo, quien le dio la forma del arco de su hermana Diana. Se ve representado en un sarcófago antiguo.

MONOCREPIS, *El que no trae sino un borceguí.* Epíteto de Mercurio que prestó uno de sus borceguies a Perseo, cuando este héroe fue a combatir con las gorgonas. R. *krôpis,* borceguí.

MONÓCULOS. Pueblos que, según refieren *Herodoto, Ctesias* y otros, no tenían más que un ojo. Según parece, estos pueblos fabulosos eran los escitas, los cuales, tirando continuamente con el arco, tenían siempre un ojo cerrado, para acertar mejor.

MONODIA. Canto de una sola voz; el mismo que el llamado *Sicilium.*

MONODIARIA. Cantatriz del *monodia.*

MONOECO. Sobrenombre de Hércules, porque está solo en su templo. *Ant. expl. t. 1.*

MONOFAGIA. Fiesta que celebraban los eginetas en honor de Neptuno. Se llamaban monófagos a los celebrantes, porque comían juntos, sin tener ni siquiera un criado que les sirviese. Sólo podían asistir en ella los habitantes de Egina.

MONOGRAMA. O sea, de un solo e igual carácter. Se daba este nombre a los dioses para significar su inmutabilidad.

MONOMERI, *los que tienen tan sólo un muslo. Aulo Galio.* (*V.* Monócolos.)

MONÓPOLOS. Epíteto de la Aurora, a la cual los poetas no dan sino un caballo. R. *polos*, caballo.

MONOPTERO. Templo de una forma redonda, sin muros, y cuya cubierta estaba sostenida por columnas.

MONOS. Estos animales eran muy venerados en Egipto, de donde pasaron a la isla de Pitecusa, que les dio su nombre. Entre los romanos al contrario, el encontrar un mono cuando salían de casa era un presagio fatal. El mono es el símbolo de la imitación. Se ha dado por atributo a la comedia. (*V.* Talía.) En los jeroglíficos egipcios, un mono que tiene tras de sí otro pequeño, es la imagen de un hombre que cuenta por heredero a un hijo aborrecido. *Plinio* pretende probar que las madres llenan de caricias a los pequeñuelos que llevan en sus brazos, mientras aborrecen a los que las siguen.

MONOSCELES, *los que tienen tan sólo una pierna.* R. *skelos*, muslo. (*V.* Monócolos.)

MONSTRUOS. (*V.* Andrómeda, Cadmo, Quimera, Circe, Egesta, Egida, Gláuco, Harpías, Hesione, Fedro, Sirena.)

MONTAÑA. Sobrenombre de Diana, tomado del culto que se le tributaba en los montes, o bien de la caza, de la que hacía su principal ocupación. *Ant. expl. t. 1.*

MONTAÑAS QUE ARROJAN FUEGO Y LLAMAS. (*V.* Atlas (Atlante), Etna, Gigantes.)

MONTAÑESES. Diablos que según *Scot*, viven en las minas, debajo de los montes, y atormentan a los mineros. Tienen tres pies de alto, un rostro horrible, un aire de vejez, una camisola y un delantal de cuero, como los obreros que trabajan en las minas.

MONTE. En término de quiromancia, se llama así a las pequeñas eminencias de la palma de la mano cerca de los dedos, a las cuales se da el nombre de los planetas. El monte de *Marte* es abajo del dedo pulgar; el de *Júpiter* debajo del índice; el de *Saturno* debajo del dedo medio; el del *Sol*; cerca del dedo anular; el de *Venus*, debajo del dedo meñique; el de Mercurio está en el espacio que media entre el pulgar y el índice, que se llama *Tenar* o *ratón*, y por último el *monte de la Luna*, opuesto a este último en el lugar llamado *Hipotenar*.

MONTES DE ALEGRIA. Montes de piedras que levantaban los antiguos en los caminos alrededor de las estatuas de Mercurio, y que se llamaban *Acervi Mercurii*.

MONTEVELI. (*Mit. mah.*) Jefe de una mezquita.

MONTINUS. Dios romano protector de los montes.

MONUSTE. Danaide. *Hig.*

MONYCHUS. Centauro, tan fuerte que arrancaba los árboles y los lanzaba como dardos. Se le dio este nombre porque tenía pies de caballo. *Juv. Sátir. 1. Met. 12.*

MOPSE. Una de las cinco sirenas.

MOPSO. 1 — Hijo de Apolo y de Manto, hija de Tiresías, famoso adivino y gran capitán: fue honrado en Claros con el sacerdocio de su padre, donde dio sus oráculos, y de su mucha habilidad, nació el proverbio, *Más cierto que Mopso*. Hizo brillar su talento en el sitio de Tebas, y sobre todo en la corte de Anfímaco, rey de Colofón. Meditando este príncipe una expedición importante, consultó a este adivino sobre su resultado: Mopso tan sólo le predijo calamidades si ejecutaba su empresa. Anfímaco, sin embargo, se dirigió a Calcante, otro célebre adivino, quien le prometió una victoria señalada: pero el suceso justificó a Mopso, pues el rey fue enteramente derrotado y Calcante, avergonzado de haberlo adivinado tan mal, murió de pesar. Se refiere también de otro modo esta victoria de Mopso. Propuso a Calcante que le dijese cuantos chiquillos traía una marrana que pasó por delante de ellos, o según *Hesíodo*, cuantos higos tenía una higuera que le enseñó: Calcante no pudo adivinarlo, y Mopso dio su número cabal. Después de su muerte fue honrado como semidios, y tuvo un famoso oráculo en Melea, en Cicilia (*Estrab. 9, Paus. 7, c. 3.*) *Plutarco* refiere que el gobernador de esta provincia, no sabiendo que creer de los dioses, porque estaba obcecado por los epicúreos que, le habían llenado de dudas, se resolvió, dice, agradablemente el historiador, a enviar un espía a los dioses para saber que eran, y le dio una esquela cerrada para que la llevase a Mopso. El enviado se durmió en el templo, vio en sueños un hombre muy perfecto que le dijo *negro* y llevó esta respuesta a su señor. Esta pareció muy ridícula a todos los epicúreos de su corte; pero él quedó muy encantado y lleno de admiración; y abriendo la esquela, les mostró que había escrito en ella estas palabras: *¿Te inmolaré un buey blanco o negro?* Desde entonces fue toda su vida muy devoto al dios Mopso.

2 — Otro adivino, que ejerció esta facultad en el viaje de la Cólquida, pues es contado entre los Argonautas. Era hijo de Cloris, ninfa, y de Amico, y por lo mismo se le designaba algunas veces con el nombre de Amicides. Se refiere que después de esta expedición fue a establecerse en Africa, cerca de Tenquira, en el golfo donde se edificó después Cartago: allí se hizo tan recomendable por su habilidad en el arte de adivinar, que después de su muerte los habitantes le tributaron los honores divinos y le consagraron un oráculo que fue por largo tiempo frecuentado. *Estrab. 9, Hig. f. 14, 128, 173.*

3 — Lapita, que se hizo célebre en el sitio de Tebas. Se cree que éste es el que era honrado en Cilicia, y que puso su nombre a la ciudad de Mopsuete.

4 — Capitán de los argivos; condujo una colonia a los montes de Colofonia o Colofón, donde fundó la ciudad de Fasele.

5 — Hijo de Nicodamante y Enea, reina de los pigmeos. Enea vejaba mucho a su pueblo, y por lo mismo los pigmeos arrebataron a Mopso para educarle a su modo. *Mem. de la Acad. de inscrip. t. 5.*

6 — Lidio que pasó a Siria donde reinaba Atergatis. Habiendo esta bárbara princesa, así como su hijo Jetis, causado el sufrimiento de sus súbditos con inauditas crueldades, cayeron madre e hijo en poder de Mopso, quien la hizo ahogar en un lago vecino de Ascalón. *Ibid.*

7 — Tracio que, desterrado de su patria por el rey Licurgo, arrastró tras sí un gran partido, se juntó a otro desterrado,

escita de nación, llamado Sipilo, atacó a las amazonas e hizo en ellas un gran destrozo. (*V.* Mirina 1.)

**MOPSOPIA.** Antiguo nombre de Atica. *Estrab.*

**MOPSOPIUS JUVENIS.** Triptolemo, natural de Atica.

**MOPSOPO.** Dio su nombre a Atica.

**MOQUA.** (*Mit. mah.*) Ceremonia de los mahometanos indios. Vueltos de la peregrinación de La Meca, uno de ellos hacía una corrida sobre los que no seguían la ley de Mahoma; tomaba para este objeto un puñal envenenado y, corriendo por las calles mataba a cuantos encontraba que no fueran mahometanos, hasta que alguno le mataba a él. Estos furiosos creían agradar a Dios y a su profeta, inmolándole semejantes víctimas, y la multitud fanática los reverenciaba después de su muerte como santos y les hacía magníficos funerales.

**MOQUISIE.** (*Mit. afr.*) Los habitantes de Loango y Cacongo, y otros pueblos de la baja Etiopía, invocaban a los demonios domésticos y campestres a los cuales atribuían todos los efectos de la naturaleza. Llamaban Moquisie a todo ser en quien residía una virtud secreta para obrar el bien o el mal, y para descubrir las cosas pasadas y futuras: sus sacerdotes llevaban el nombre de Gauga Moquisie, y se les distinguía por un sobrenombre tomado del lugar, del altar, del templo y del ídolo a quien servían.

La Moquisie de Thirico era la más venerada: la de Kikokoo presidía los mares, prevenía las tempestades, y hacía llegar felizmente las naves a puerto: es una estatua de madera representando un hombre sentado. La Moquisie de Malembra era la diosa de la salud: no siendo sin embargo más que una estera de pie y medio cuadrado, en lo alto de la cual se ata una correa para colgar en ella botellas, plumas, conchas, campanillas, huesos, todo de color encarnado. La Moquisie Mimie era una cabaña de verdura que había en el camino, a la cual daban sombra algunos árboles. La Moquisie Coffi era un saquito lleno de conchas para la adivinación. En cuanto a la Moquisie de Kimaya, no era más que pedazos de ollas rotas, formas de sombreros, y de gorros viejos. La Injami, a seis leguas de Loango, era una gran imagen puesta sobre un pabellón. La de Moanri era una olla puesta en tierra, en un hoyo entre dos árboles sagrados; sus ministros traían brazaletes de cuero encarnado. Estos son los ídolos de todo el país de Loango, bastantes para probar que, era uno de los pueblos más singulares del universo. (*V.* Mokissos.)

MORABITAS.(*Mit. mah.*) Los musulmanes dan este nombre a los que siguen la secta de Mohaidín, nieto de Alí, yerno de Mahoma. Los más celosos de esta secta abrazan la vida solitaria, y se dedican en los desiertos al estudio de la filosofía moral. Están opuestos en muchos puntos a los seguidores de Omar, y pasan por otra parte un vida bastante licenciosa, persuadidos de que los ayunos y las otras mortificaciones que han practicado les da derecho para ello. Concurren a las fiestas y a las bodas de los grandes, en casa de los cuales entran cantando versos en honor de Alí y de sus hijos; toman parte en los banquetes y en las danzas hasta caer en excesos, que sus discípulos hacen pasar por éxtasis. Su regla está fundada únicamente en tradiciones.

En Africa se daba también el nombre de morabitas a los que profesaban las ciencias, y la santidad. Vivían, con poca diferencia, como los filósofos paganos, o como nuestros ermitaños: el pueblo los veneraba en extremo, y no han faltado ejemplos de sacar alguno de la soledad para subirlo al trono.

MORABITOS. (*Mit. índ.*) Sacerdotes mahometanos cuya secta estaba muy extendida en Africa. El término morabito traducido literalmente, dice M. de Pau, que significa hijo ardiente de la caña, sea porque estos charlatanes quemaban algunas veces sus víctimas con cañas, sea porque se gloriaban de saber escupir fuego, lo que hacían teniendo debajo de sus vestidos estopas encendidas, como se vio un ejemplo en 1731. Eran tenidos en gran veneración, sobre todo entre los moros y los árabes. Se distinguían entre órdenes. Los primeros habitaban las ciudades, villas, y aldeas; los segundos no tenían habitación fija y llevaban una vida errante; los últimos establecían sus habitaciones en los bosques y en los más áridos desiertos.

Los morabitos del primer orden pensaban que el hombre podía elevarse, por medio de una vida austera, hasta la naturaleza de los ángeles y que el corazón, purificado con la mortificación de toda afección viciosa, se hacía por último incapaz de pecar; pero sostenían que nadie podía llegar a tan alto grado de santidad sino por medio de 50 ciencias. Es verdad que enseñaban que no les son imputados los pecados cometidos antes de haber adquirido el conocimiento de las veinte primeras ciencias. Uno de sus principales dogmas era que los elementos encierran algo de común, y que por lo mismo, puede, sin temor de impiedad, adorarse el objeto que se quiera. Pretendían también que el primer hombre, llamado según ellos *El-Chot*, recibió por infusión todos los conocimientos concernientes a la divinidad y que Dios le comunicó una ciencia igual a la suya; que después de la muerte de este hombre privilegiado, los ancianos, o jefes de la secta, en número de cuarenta, escogieron de entre ellos un sucesor, y que habiendo muerto este, los ancianos en número de 765, escogieron otros, también de su cuerpo.

Pasaban los primeros años practicando la mayores austeridades y los más rigurosos ayunos; pero luego se hartaban de ellos y se entregaban sin reserva a los más infames excesos. Se les veía vagar de ciudad en ciudad, cubiertos de andrajos y las demás veces medio desnudos: corrían como locos, y las mujeres honestas que encontraban al paso eran por lo regular las víctimas de su brutalidad. Uno de estos impostores, según refiere *Leon-de-Africa*, estando en El Cairo, se apoderó de una mujer que salía del baño y la violentó en presencia de una gran multitud. Los débiles espectadores, lejos de oponerse a tal violencia, se imaginaron que esta mujer había adquirido un grado particular de santidad por el tacto del morabito, y se agolpaban a besar sus vestidos. El marido, aunque muy descontento se vio obligado a mostrarse alegre y hasta dio al morabito un convite magnífico, en reconocimiento del pretendido favor que había hecho a su mujer.

El número de los morabitos era considerable en Nigricia (tierra de negros africanos); muy temidos, pues tenían la habilidad de persuadir a los habitantes que estaban en su poder y hacerlos morir cuando querían. Poseían pueblos y hasta ciudades enteras sobre el Niger, y vivían allí en forma de república. Consoon era considerada como capital de los morabitos, en esta parte del Africa. Esta ciudad era muy grande y bien edificada; las casas eran todas de piedra y cubiertas de tejas. El *P. Labat*, en relación a Africa, refiere que los morabitos persuadieron a un reyezuelo de aquellas cercanías para que enviase a buscar al jefe de los franceses en este país, la paga de un cierto derecho: llegaron a ser bastante insolentes para amenazar de su parte a este oficial que le harían perecer a él y a toda la guarnición. El oficial les hizo contestar que sus cañones disiparían sus conjuraciones.

Los morabitos del segundo orden se llamaban cabalistas. No comían carne y ayunaban a menudo. Se gloriaban de conocer todas las cosas por medio del comercio diario que tenían con los ángeles. Acostumbraban a llevar tablitas cuadradas con caracteres y cifras extrañas. Reconocían por primer institutor de sus reglas a uno de sus principales doctores, llamado Beni. Este era el que compuso sus oraciones y el que inventó las tablillas. Todas sus constituciones se dividían en ocho partes. La primera llamada *Al omba eunonorita*, o demostración de la luz, arreglaba sus oraciones y los día de ayuno. Las tablillas, su utilidad y el modo de servirse de ellas hacían la materia de la segunda parte, llamada *Seme al meariff*, o el sol de las ciencias. La tercera que llamaban *Lenuo al chasne*, contenía una tabla de las 99 virtudes que creían que encierra el nombre de Dios. Las otras partes tratan de diferentes objetos concernientes a su modo de vivir.

Los morabitos del tercer orden tomaban el nombre de sumakistas. Huían del comercio de los hombres y hacían en los bosques una vida solitaria. Las hierbas y los vegetales eran su único elemento. Practicaban la circunsición, pero ésto a la edad de 30 años, lo que sin embargo no impedía que recibieran el bautismo en nombre de Dios vivo. Se observa en su religión una mezcla de paganismo, judaísmo y cristianismo. Parece bastante probable que desciendan de aquellos solitarios célebres por sus austeridades y conocidos en varias partes de Africa bajo el nombre de *terapeutes*.

Todos los morabitos eran considerados generalmente como malvados, dados a los vicios y sin ningún conocimiento de artes ni ciencias. Todo su saber consistía en engañar a un pueblo ignorante, y sólo eran ingeniosos cuando se trataba de buscar medios de imponer a la multitud y conservar la autoridad.

Los morabitos árabes eran un poco menos ignorantes. Explicaban el Alcorán a los moros, a los negros mahometanos y a los árabes. Se observaba que, cuando predicaban, tenían cuidado de añadir al principio y fin de cada período el nombre de Dios y de Mahoma: pero esta afectación de piedad no impedían que fueran traidores, crueles y vengativos. Representaban gran celo por la conversión de los negros; pero se contentaban con obligarles a circuncidarse, y se limitaban a enseñarles algunas oraciones y ceremonias del Alcorán. Sin embargo, con una instrucción tan superficial, poseían el arte de unirlos solidamente a la religión mahometana, y aun a los negros por lo común muy inconstantes, era muy raro ver un negro circuncidado renunciar a esta religión.

Estos sacerdotes impostores se atribuían el conocimiento del futuro, y hasta pretendían poder hacer milagros. Se gloriaban de ejercer la medicina, y se conservaba aún una ordenanza de Sidi Mahomet Zenaka, famoso médico, contra la peste cuya ordenanza estaba concebida en estos términos. «Dios tiene en su mano la vida de todos los hombres; y cuando suena la hora de la muerte, nada puede librarnos de ella. Sin embargo la providencia ha permitido que muchas personas fuesen preservadas y curadas de la peste, tomando todas las mañanas una o dos píldoras de la composición siguiente: Mirra dos partes; azafrán, una parte; áloe, dos partes, jarabe de granos de mirra». Realmente los morabitos no entendían nada de medicina. En vez de remedios convenientes, no empleaban en muchas enfermedades, sino encantos y sortilegios. Habían persuadido al crédulo pueblo de que las enfermedades atacan a los hombres por la venganza de los jenones, especie de criaturas intermedias, según los mahometanos, entre los ángeles y los demonios. Aconsejaban por consiguiente a los enfermos que apaciguarían la cólera de los jenones, sacrificándoles, o un gallo, o un cordero, o una cabra, según les viniera en gana. Algunas veces enterraban el cuerpo de la víctima, frecuentemente hacían beber su sangre a los enfermos, o bien quemaban las plumas, el pelo y la lana, a la dispersaban según las circunstancias, o mejor según su capricho. Con semejantes artificios robaban estos charlatanes el dinero del pueblo, abusando de su ciega confianza.

Los negros mahometanos que habitaban los países interiores del golfo de Guinea daban también este nombre a sus sacerdotes. Estos morabitos en nada se distinguían del pueblo en cuanto al vestido; pero su método de vida era muy diferente. Eran avaros y orgullosos. Estos vicios estaban atemperados por algunas buenas cualidades, sobrios y templados, y se distinguían por su hombría de bien, y sobre todo por la caridad que observaban entre sí. Jamás contraían alianza sino con las familias de los morabitos, y todos los hijos varones estaban destinados a llenar las mismas funciones que sus padres. Una de las principales era la instrucción de los niños. Sus escuelas eran numerosas, y el viajero *Japson* aseguraba haber visto alguna en la que se contaban muchos centenares de estudiantes. Les enseñaban a leer y escribir y les explicaban el Alcorán. La mayor parte eran ricos, porque además del producto de sus ganancias se dedicaban mucho al comercio. Iban casi siempre errantes de país en país bajo pretexto de enseñar por todas partes la religión y la moral; pero la verdadera causa de estos frecuentes viajes era el comercio considerable que hacían con los diferentes pueblos. Tenían una pasión loca por el oro. Lo ocultaban en la tierra y la muerte que logra despojar a los hombres de todos sus bienes; no podía arrancar a los morabitos sus riquezas pues las enterraban consigo. Estos sacerdotes eran enteramente respetados, especialmente entre los negros del Senegal. Estaban persuadidos que el que ultrajaba a un morabito era castigado con la muerte al cabo de tres días. Las personas más distinguidas hincaban delante de ellos la rodilla, y pedían su bendición cuando los encontraban en el camino. Lo mismo sucedía cuando entraban al palacio del rey.

El gran morabito, o gran sacerdote del reino de Ardra, en Africa, tenía en cada ciudad una casa, ocupada siempre por un número de mujeres que enviaba en ella sucesivamente, bajo pretexto de enseñarles una danza sagrada. Algunas ancianas dueñas, destinadas para este objeto, dividían estas mujeres en varias secciones; cada sección entraban a su vez en la sala de los ejercicios; las viejas les ataban a la piernas pedazos de hierro y planchas de cobre, y las hacían danzar hasta que caían de fatiga y desvanecimiento, y entonces hacían lugar a otra sección. Se tenía una estimación particular a las mujeres que sostenían por más tiempo este ejercicio sin cansarse.

MORAIS. Lugar consagrado por las ceremonias religiosas, a la sepultura de los muertos, en las islas de los Amigos y el mar del Sur. Era también un lugar de veneración. El Taitio se acercaba a su Morai con mucho respeto; no consideraba que contuviera una cosa sagrada, sin embargo iba a venerar en él una divinidad invisible, y aunque no esperaba recompensas, ni temía castigos, no dejaba por esto de tributarle sus homenajes del modo mas respetuoso. Cuando un indio se acercaba a un Morai o para admirarlo o para llevarle una ofrenda, descubría el cuerpo hasta la cintura, y sus miradas y su actitud anunciaban que la disposición de su alma correspondía con la de su exterior. Por lo demás, el objeto principal de la ambición de estos pueblos, consistía en tener un Morai magnífico. Así se ve en los sencillos pueblos del mar del Sur el deseo de ostentación en los sepulcros, como en la fastuosa Europa.

MORDAD, *muerte* (*Mit. pers.*) Angel de la muerte, según los guebros, de los cuales los mahometanos han tomado su ángel, su nombre y sus funciones. *Chardin.*

MORDATES. (*Mit. mah.*) Nombre que daban los turcos a los que habiendo protestado del cristianismo volvían a él, y que por última vez tornaban a entrar en el mahometismo. Los turcos les tenían mucho desprecio, y éstos para vengarse se presentaban más celosos mahometanos que los mismos turcos.

MORFEO. (*Iconol.*) Hijo del Sueño y la Noche, el primero de los sueños y el único que anuncia la verdad; era, dice *Ovidio* (*Met. 11.*), el más hábil de todos en revestirse del modo de andar, del semblante, del aire, del sonido de la voz de aquellos a quienes quería representar; y de esta circunstancia deriva su nombre. No toma más que las semejanzas de los hombres. (*V.* Fobetor.) Se le dan por atributos una planta de adormidera, con la cual toca a los que quiere adormecer, y alas de mariposa para expresar su ligereza. *Eneida. 5.*

MORFO. (*Iconol.*) Sobrenombre de Venus bajo el cual tenía un templo en Lacedemonia, en el que se veía a esta diosa cubierta de un velo y con los pies encadenados. Según la tradición, Tíndaro se le había puesto, sea para significar la fidelidad y la subordinación de las mujeres, sea lo que parece más natural, para vengarse de Venus, a la cual imputaba la incontinencia y los desórdenes de sus propias hijas. *Paus.*

MORGANA. Nombre que los habitantes de Reggio, en el antiguo reino de Nápoles, daban a un admirable espectáculo que aparecía, decían, así todos los años en el aire, cerca de su ciudad. El espectáculo empezaba por un especie de teatro en el que se veía un grupo de vapores, con una decoración magnífica. En seguida se veían soberbios castillos y palacios sostenidos por un gran número de columnas, después se presentaban espesas selvas, y cipréses, y otros árboles alineados en el llano. Creían ver así mismo compañías de hombres y ganados. Todo, decían, aparecía tan animado, que uno no sabía dejar de admirar efectos tan sorprendentes. El P. *Kircher* que hace una larga descripción de estos fenómenos, trae una carta de *Ignacio Angelucci*, en que se dice testigo de vista de este admirable espectáculo, que aparece ordinariamente hacia mitad del verano.

Igual fenómeno se observa en los montes Sudetes o montañas de los gigantes que dividen Bohemia de Silesia. Cuando se eleva alguna multitud de nubes espesas encima de los valles, delante del sol, se pintan en su superficie las sombras de los árboles, las moles de rocas y los ganados. Tales escenas eran muy propias, en los tiempos de ignorancia, para inspirar y alimentar la idea de que estos montes estaban bajo la dominación de los espíritus.

MORGES. Rey de una comarca de Italia, que sucedió a Italo e hizo tomar a los enotrios el nombre de Morgetes.

MORGION. Hijo de Vulcano y Aglae, una de las Gracias.

MORGITES o Morgis. (*Mit. mah.*) Una de las principales sectas del mahometismo. Los morgis eran celosos defensores de la religión. Pretendían que la impiedad nunca sería castigada con tal que fuese acompañada de una buena fe, y que la piedad y las buenas obras hijas de una creencia erronea, no podían dar ningún derecho a la bienaventuranza.

MORIBUNDO. Los antiguos recogían como proféticas las últimas palabras de los moribundos, persuadidos de que sus almas, medio desenlazadas ya de los vínculos del cuerpo, veían a descubierto lo venidero.

MORICO. Sobrenombre que los sicilianos daban a Baco, cuando en tiempo de las vendimias, manchaban su estatua con vino dulce e higos.

MORIÓN. Especie de ónix que se trae de las Indias, de Alejandría, de Chipre, etc. Se ha creído generalmente que colgado del cuello alejaba la melancolía y la epilepsia.

MORIS. Uno de los hijos de Hippotión, muerto por Merión en el sitio de Troya. *Ilíada. 13.*

MORISAKI. (*Mit. jap.*) Uno de los dioses de la religión del Sinto. (*V.* este nombre.)

MORIUS, *parcial.* Uno de los sobrenombres de Júpiter. R. *meirein,* divisar. Otros lo derivan de *moron,* moral (árbol) porque se plantaban en las academias que estaban bajo su protección. Una inscripción consagraba a las furias a los que no los respetaban: así los lacedemonios, habiendo hecho una irrupción en Atica, se guardaron muy bien de tocar estos árboles.

MORMOLIKEFÓN. Especie de máscara teatral que servía para representar las sombras. *Ant. expl. t.3.*

MORMONOS. Genios que tomaban la forma de los animales más espantosos, e inspiraban el mayor terror.

MORPFARSMA. Una de las danzas de los antiguos, en la cual se remedaban con muchas figuras las transformaciones de los dioses. R. *morphé,* forma. *Ant. expl. t. 3.*

MORRAFIO. Uno de los hijos de Menelao y Helena.

MORTA. Nombre que algunos han dado a una de las tres Parcas que presidía el destino de los que, nacidos antes o después del término ordinario, morían inmediatamente. (*V.* Décima, Nona.)

MOSCAS. Los arcanios honraban estos insectos. Los habitantes de Acarón ofrecían incienso al dios que las cazaba. (*V.* Belcebuth.) Los griegos tenían también su dios cazamoscas. (*V.* Miagoro.) *Elio* dice que las moscas se retiran por sí mismas de las fiestas olímpicas, y pasan a la otra parte del Alfeo con las mujeres que permanecen en este lado. Añade que, en el templo de Apolo en Actium, cuando se acerca la fiesta, se inmola un buey o un toro a las moscas, las cuales vuelan sobre la víctima y cuando están saciadas de su sangre, se retiran, mientras que las de Pisa, retirándose por sí mismas, parecen manifestar la veneración que tienen hacia la divinidad. Había un templo en Roma, dice *Plinio,* donde nunca entraban las moscas; tal era el templo de Hércules vencedor. (*V.* Aristeo, Io.) Haciendo Hércules un sacrificio a Júpiter no pudo jamás apartar las moscas, y *Teófilo Paracelso* (*l.3,*) añade que el mismo Júpiter no podía hacerlo con todo su poder.— Las moscas volaban a montones a los sacrificios de Moloch, de Astaroth y de otros ídolos de los paganos; y los judíos tenían por un feliz agüero el que nunca se viesen estos insectos en el templo de Salomón.— En las medallas de los beocios se veían también algunas moscas.

MOSCHABEEN. (*Mit. mah.*) Estos musulmanes creían que Dios era tal a la letra como lo describe en muchos lugares el *Alcorán;* que tenía pies, manos, ojos, etc. Han heredado muchas de las fábulas del *Talmud. Bibl. orient.*

MOSCHTARA. Dios de los árabes, el mismo que Júpiter. *Banier. t. 2.*

MOSLEM o MUSLIM, *verdadero creyente.* (*Mit. mah.*) Nombre que dan los árabes a los que profesan la religión de Mahoma. (*V.* Musulmanes.)

MOSSIMAGÓN. (*Mit. índ.*) Fiesta que se celebra el día siguiente del plenilunio del undécimo mes, *Massi,* febrero. Consiste en purificarse en una agua santa. Los habitantes de Pudiogeri, no tienen en sus pagodas estanques sagrados, y por lo mismo van al río de Tircangi, a una legua de la ciudad, un poco más allá de Villenour. Durante la misma se ayuna y ruega por los muertos.

MOTAZALITES. (Los) (*Mit. mah.*) Mahometanos cuyo principal ciencia consiste en creer que el Alcorán ha sido formado, y que no es eterno con Dios. Esta opinión anatematizada por el mismo Alcorán, y proscrita por los sunnitas, no ha dejado de encontrar celosos partidarios; excitó también persecuciones bajo algunos de los califas abasidas que decidieron que el Alcorán había sido creado, hasta que al fin Motawakil permitió a todos sus súbditos que pensasen lo que quisiesen sobre la creación o la eternidad de esta obra. Un docto musulmán encontró un término a la disputa diciendo que la idea del original del Alcorán existía realmente en Dios, por consiguiente que era co-esencial y co-eterno; pero que las copias que de él se han sacado eran obra de los hombres.

MOTIA. Mujer que reveló a Hércules quien la había robado sus toros, Motia, ciudad de Sicilia recibió su nombre. *Diod. Cic. Ptol.3, c.4, Tucíd.*

MOTONE. Hija de Eneo y de una amante de este príncipe, que dio su nombre a Motone o Metone. *Paus.*

MOUDEVI. (*Mit. ind.*) Diosa de la discordia y de la miseria que, nacida del mar de leche, no encontró entre los dioses quien la quisiese por esposa. Los indios creen que aquel a quien esta diosa proteja no encontrará un grano de arroz para apaciguar su hambre. La pintan de color verde, montada en un asno y trayendo en la mano un banano en medio del cual se ve pintado un cuervo. Los indios le dan estos animales por atributos porque los tienen por infames.

MOULADSI. (*Mit. afr.*) Clase secundaria de los sacerdotes madecases.

MOUNI. (*Mit. índ.*) Espíritus que reconocen los indios, aunque ninguno de sus libros sagrados haga mención de ellos, y a los cuales atribuyen las cualidades que los europeos dan a los duendes. No tienen cuerpo, pero toman la forma que les acomoda y salen, especialmente por la noche, para dañar a los hombres; procuran hacer caer a los viajeros extraviados en precipicios, en los pozos y en los ríos transformándose en luz, casas, hombres o animales; ocultando el peligro a que los conducen. Los indios, para granjearse su amor, les erigen estatuas colosales a las cuales dirigen también sus oraciones.

MOUT. (*Mit. sir.*) Nombre fenicio del dios de los muertos, sinónimo de *aides* la muerte.

MOUTERILE. (*Mit. mah.*) El que recibe el dinero de las rentas de las mezquitas. El producto limpio que quedaba, pagados todos los gastos, era enviado a Constantinopla y encerrado en siete torres, donde era cuidadosamente guardado. El gran Señor no osaba tocarlos sin violentar su conciencia y violar la ley, a menos que fuese para emplear este dinero en defensa del islamismo, sin embargo como todas las guerras para los turcos, eran guerras de religión, nunca faltaban al mufti razones para autorizar la disposición de estos piadosos tesoros.

MOYENI. (*Mit. ind.*) Nombre de Visnú cuando se transformó en mujer para seducir a los gigantes y robarles el *amourdon* (la ambrosía) que habían hecho salir del mar de leche. (*V.* Amourdon.)

MUBAD MUBADAN. (*Mit. pérs.*) Tal era el nombre del jefe soberano de la religión de los antiguos persas, antes de la reforma de Zoroastro. Este palabra significa *obispo de los obispos.* Aquel célebre legislador lo mudó en el de *Desturi Destur*, que tenía el mismo significado.

MUCIAS. Fiestas instituidas por los pueblos del Asia Menor en honor de Mucio Scévola, gobernador de esta provincia, en el año 654 de Roma. *Cic.*

MUCIO. Famoso romano, a quien Vespasiano debió su imperio, el cual juntaba la debilidad de la superstición a todas las cualidades de un gran hombre. *Plinio* dice que para preservarse del mal de ojos traía sobre él una mosca viva envuelta en un lienzo blanco.

MUCTI. (*Mit. índ.*) Felicidad celestial, que la escuela Vedanta hace consistir en una absorción profunda en la esencia divina, sin excluir no obstante el sentimiento de esta dicha.

MUDA. (*V.* Muta.)

MUDERIS. (*Mit. mah.*) Se llaman así, entre los turcos, a los profesores de las academias que los príncipes otomanos han mandado erigir en el recinto o cercanías de las mezquitas, cuyo encargo consiste en enseñar el derecho civil y el canónico. El muderis de la mezquita del Solimán era jefe de todos, y ascendía muchas veces a la divinidad de Mufti.

MUECINES, *o los que gritan.* (*Mit. mah.*) Imanes cuyo único empleo es anunciar en alta voz, desde lo alto de los minaretes, la hora de la oración. El muecín se vuelve hacia el mediodía, el septentrión, el oriente y el occidente y termina con estas palabras: «¡Ven, o pueblo, al lugar de la tranquilidad y de la justicia; ven al asilo de la salud!». Repite esta señal cinco veces cada día: pero el viernes, el imán añade una sexta invitación a causa de la solemnidad del día. (*V.* Ezán, Imán, Minaretes, etcétera.)

MUÉRDAGO. Planta parásita que se enlaza con el roble. Los druidas, sacerdotes, galos, la tenían en gran veneración e iban a cogerla con mucha solemnidad en el mes de diciembre, a cuyo mes llamaban sagrado. Los adivinos abrían la marcha entonando himnos en honor de sus divinidades, después seguía un heraldo que llevaba el caduceo, acompañado de tres druidas, que marchaban de frente, con todo lo necesario para el sacrificio. Cerraba la comitiva el jefe de los druidas, acompañado de todo el pueblo; subía al roble, cortaba el muérdago con una hoz de oro; los sacerdotes los recibían con el mayor respeto, y en el primer día del año se distribuía al pueblo como una cosa santa; exclamando *Al muerdago del año nuevo*, para anunciar el principio del año. El agua de muérdago, según ellos, daba la fecundidad a los animales estériles y era un preservativo contra toda clase de venenos.

MUERTE. (*Iconol.*) Los griegos contaron a la muerte entre sus divinidades. Hija de la Noche, sin reconocer padre, hermana del Sueño y enemiga implacable de la especie humana, tenía su trono y su domicilio, según los poetas griegos y entre otros *Hesíodo*, en los horrores del Tártaro. *Virgilio* sin embargo, la coloca en los puertas de los Infiernos, y en estos lóbregos lugares, fue donde la encadenó Hércules con cadenas de diamantes cuando vino a libertar a Alcestes. Grecia la nombrada muy rara vez, pues la creencia temía despertar una idea espantosa, recordando al espíritu, la imagen de nuestra destrucción.

Nada nos ha trasmitido la historia acerca de su culto: tan sólo sabemos que los eleos y los lacedemonios la honraban como una divinidad, y que estos últimos, como refiere *Pausanias*, habían colocado su estatua al lado de la de su hermano, el Sueño. El mismo escritor habla de una estatua de la Noche que tenía entre sus brazos a sus dos hijos, el Sueño y la Muerte, el uno que dormía profundamente, la otra afectando estar dormida. Roma erigió también altares a la diosa de los sepulcros; pero España y Fenicia parece quisieron distinguirse en tributarle honores. Esta le edificó un templo en la isla de Gadira, y subsistió por poco tiempo. He aquí lo que dice de ella el duque de Buckinham.

«En aquellos fríos climas, que el sol visita apenas, donde aparece su rostro cubierto siempre con un velo de lágrimas, hay una isla desierta, y en ella un triste valle que nunca vio la dulce sonrisa del cielo. Allí se eleva un bosque espeso de cipreses, cuyo aspecto hace temblar de horror. Bajo la sombra de los brazos secos y desnudos de las hojas, miles de plantas ponzoñosas son los únicos vegetales que vivifica el sol. Este bosque, triste morada del invierno, sirve de asilo a enjambres de siniestras aves. Millares de sepulcros cubren la espaciosa llanura, y los ríos de sangre que se cruzan, detenidos a cada paso por huesos y despojos humanos, hacen oír lamentables gemidos en vez de placenteros murmullos. En el centro del valle se levantaba un famoso templo tan antiguo como el mundo, al cual da leyes. Su forma es circular: cuatro puertas cuyos goznes no enmohecen jamás, acoge a los míseros mortales, que sujetos a los mandatos del destino, vienen a buscar en él el asilo común del sepulcro: Jóvenes, viejos, reyes, esclavos todos se confunden allí. La vejez y las enfermedades, azotes de la humanidad, son las inflexibles guardias que velan en estas puertas fatales, cubiertas de lúgubres vestidos, semejantes a las colores que tapizan los sagrados muros de esta oscura mansión; y los cirios de resina que arden en ella exhalan nubes de humo que aumentan las tinieblas. En este reino de la Noche manda un monstruo ciego, inexorable, tirano cruel de la muerte.»

La Muerte, dice *Hesíodo*, tiene corazón de hierro y entrañas de cobre. Los griegos la representaban a menudo bajo la figura de un niño negro, con los pies torcidos y acariciado por la Noche, su madre. Algunas veces los pies, sin ser deformes, se ven tan sólo cruzados, alegoría natural de la postura en que se ven los muertos en el sepulcro.

*Horacio (Od. 18, l. 3, Sát. 1, l. 12.)* le da alas negras, y la arma con una red, con la cual envuelve la cabeza de sus víctimas.

Se presenta sentada en los grabados antiguos, con el rostro pálido y desfigurado, los ojos cerrados, cubierta de un velo y teniendo una hoz en la mano, como el Tiempo. Este atributo espantoso anunciaba a todos que, semejantes a aquellas débiles y ligeras plantas que el menor soplo hace inclinar y desfallecer, los mortales son heridos con fuerza, por esta divinidad, y arrancados a montones del mundo.

Los escultores y pintores han conservado la costumbre de dar la hoz a la muerte y parece se han complacido en pintarla bajo las figuras más feas. Por lo regular la representan bajo la forma de un esqueleto.

Los etruscos pintaban también a la Muerte con un rostro horrible. Y a le daban la cabeza de la Gorgona, a quien Perseo había quitado la vida, llena de serpientes, ya la de un monstruo fabuloso llamado *Voltar*, que tenía la forma de un lobo furioso. *Buonaroti* describe una urna fúnebre, encontrada cerca de Perusa, donde se ve este monstruo con la boca abierta, emblema de la ferocidad con que la muerte viene a veces a tragarnos.

Se consagraba a esta divinidad el tejo, el ciprés y el gallo, porque el canto de esta ave parece turbar el silencio que debe reinar en los sepulcros.

*Andrés Orcagna*, dice *Cione*, ha pintado en Verona la muerte furiosa. Se ve vestida de negro y tiene una hoz, con la cual ha privado de la vida a una multitud de hombres que están tendidos a sus pies.

Los atributos comunes a la Noche y a la Muerte son las alas, y la antorcha vuelta al revés: sin embargo a veces se ve ésta, distinguida de la otra, por una urna y una mariposa.

En una cornerina del Gabinete de las Antigüedades, en París, se ve grabado un pie alado cerca de un caduceo de Mercurio y encima se deja ver una mariposa volando, emblema de la esperanza de la otra vida: el pie alado indica la rapidez con que se pasa de la existencia a la muerte; el caduceo parece avisar a los mortales que estemos prontos para ser conducidos por Mercurio delante de los jueces infernales; la mariposa es, en fin, el alma libre de los lazos del cuerpo que se eleva a las regiones celestiales.

Cuando los antiguos querían representar la muerte prematura de un joven príncipe, objeto de sus pesares, pintaban a Hilas arrebatado por las Ninfas; a Jacinto robado por Apolo; o a la Aurora ocultando a Céfalo.

Una rosa cuya frescura ha desaparecido con su belleza, era para ellos otro emblema de la Muerte. La vida que se nos concedió para disfrutar un instante, era para ellos el brillo y la duración de esta flor.

En el salón de 1781, *M. Bartelemi* se ha conformado a estas ideas antiguas, rehusando la fealdad de la diosa de los sepulcros.

Apolo mandó a esta divinidad y al sueño que llevasen a Licia el cuerpo de Sarpedón; y el ilustre artista, dando a esta un color fresco y encarnado, se ha contentado con representar a la muerte por una mujer pálida, con los labios descoloridos y los ojos estugnidos y cerrados.

Se ha personificado también a la muerte por un esqueleto cubierto con un rico manto de brocado, rechazando su rostro feo colocándole una máscara que oculta su deformidad.

MUERTE REPENTINA. Se atribuía a la rabia de Apolo y de Diana, con la diferencia que la de los hombres eran imputadas a Apolo, y la de las mujeres a su hermana.

MUERTOS. El honrar a los muertos era un punto esencial del culto religioso; y el último esfuerzo de la tiranía era el impedir que se les tributasen los últimos deberes. Este respeto para con los muertos se encuentra hasta en los pueblos más bárbaros, y sigue el progreso de la civilización: así desde el momento que este disminuye, presagia la relajación y bien presto la dislocación del cuerpo social. (*V.* Funerales, Manes.)

Entre los egipcios el cadáver de un pariente cercano era una prenda sagrada. Los romanos ponían al muerto en pie, durante los funerales y lo cubrían con sus mejores vestidos y con las insignias de su dignidad.

El uso de quemar los muertos, no era, como algunos piensan, general entre los antiguos.

MUFTI. (*Mit. mah.*) Jefe de la religión y soberano pontífice de los mahometanos. Se llama también *legislador, oráculo de los juicios, prelados de la ortodoxia*, etc. El día de su instalación, el emperador turco lo revestía de un rico vestido de marta cibelina y le regalaba mil escudos de oro. No tenía más pensiones que dos mil aspros cada día, lo que venía a ser como unas sesenta y cinco libras de nuestra moneda, pero sacaba todo el dinero que podía de los empleos dependientes de las mezquitas reales. En otro tiempo su poder no reconocía límites. Era consultado por todos los súbditos del imperio, y hasta por el mismo Gran Señor en los negocios de mayor interés; pero en el s. XIX este pontífice no conservaba ya la confianza del monarca y su crédito, sino sacrificando la religión a la política. Apenas acababa de ser instalado, cuando venían a felicitarle los embajadores, los agentes de los bajás, y le hacían un regalo de cerca cinco mil escudos. Rara vez se condenaba a muerte al mufti: cuando se había hecho reo de Estado se le degradaba de su dignidad antes de enviarlo al suplicio, que consistía en ser machacado en un gran mortero de mármol, que se guardaba en las torres de Constantinopla. Amurates IV, inventor de este cruel suplicio, decía con este objeto: «Es menester que las cabezas exentas del corte de la espada, sean machacadas con el pilón».

MUJER. (Creación de la) He aquí la idea que nos da Simónide: «Al principio, creo Dios las almas de las mujeres en un estado separado del cuerpo y las formó de diferentes materias».

«Formó las unas con los ingredientes que entran en la composición de un cerdo. Una mujer de estas, es sucia en su casa, y glotona en la mesa: fea en sus vestidos, y en su persona, y la casa que ocupa parece un muladar.

Sacó una segunda especie de almas femeninas de los materiales que sirven para formar la zorra. Estas mujeres tienen espíritu y dicernimiento; conocen el bien y el mal y nada escapa a su penetración. En esta clase las hay virtuosas, y otras viciosas.

La tercera especie salió de las partículas caninas, y las mujeres que las reciben son las que llamamos comúnmente regañonas, esto es, que imitan los animales de que han sido sacadas, los cuales ladran sin cesar a los que se les acercan:

La cuarta fue tomada de la tierra. Esta anima las perezosas que viven en la ignorancia y en la inacción, que no abandonan el hogar en todo el invierno, y sólo caminan con ardor cuando van a la mesa.

La quinta fue sacada del mar. Esta produjo humores desiguales, que pasan algunas veces desde la más terrible tempestad, a la más profunda calma, y del tiempo más sombrío al más bello sol del mundo. Un desconocido que viese una de estas mujeres de buen humor la tomaría por una maravilla de la naturaleza; pero si espera un momento, muda de repente sus miradas y sus palabras, y no respira más que rabia y furor: es entonces un verdadero huracán.

La sexta está compuesta de los ingredientes que sirven para formar el asno o una bestia de carga. Estas mujeres son naturalmente en extremo perezosas; pero si sus maridos despliegan su autoridad, se contentan con vivir mezquinamente, y mueven todos los resortes para agradarles.

El gato proporciona materiales para la séptima especie: éstas son de una natural melancólico, extravagante, pesaroso y siempre prontas a reñir con sus maridos. Además esta especie está sujeta a cometer pequeños hurtos y picardías.

El jumento con su crín flotante, que no había sufrido jamás el yugo, sirvió para la formación de la octava especie. Estas que tienen poco miramiento a sus maridos, pasan todo el tiempo en ajustarse, arreglarse el cabello y adornarse con flores.

Una mujer de estas es muy agradable a los extraños, pero muy ruinosa para el posesor, a menos que éste sea un rey o un príncipe que se encalabrina con semejante pompa.

La nona ha sido extraída del mono. Estas son feas y maliciosas. Como no tienen nada de hermoso, se ocupan en tachar y mancillar lo que parece tal en los otros.

En fin, la décima y última especie, ha sido tomada de la abeja, y feliz el hombre que encuentra una de este origen: ningún vicio la hace despreciable y su familia florece con su sabia economía: ama y es amada por su marido: cría a sus hijos hermosos y virtuosos, y se distingue de las demás de su sexo. Esta rodeada de gracias; jamás se acompaña con mujeres de vida desarreglada, y no pierde el tiempo en vanas hablillas: está adornada de virtud y de prudencia. Esta es, en una palabra la mejor mujer que Júpiter puede dar al hombre.»

(*Mit. rab.*) Los rabinos pretenden que Dios no quiso crearla desde el principio, porque previó que el hombre tendría que lamentarse bien pronto de ella. Esperó a que Adán se la pidiese, lo que hizo este, luego que reparó que todos los animales se le presentaban de dos en dos. Dios tomó, pero en vano, todas las precauciones necesarias para que fuese buena. No quiso sacarla de la cabeza, temiendo que tuviese el espíritu y el alma cortejante; pero no por esto dejó de faltar la desgracia, y el profeta Isaías se lamentaba: "No ha... mucho tiempo que las hijas de Israel iban con la cabeza levantada y el cuello desnudo. No quiso Dios sacarla de los ojos, para que no diese ojeadas (hiciese guiños): sin embargo, Isaías se lamentaba también de que las doncellas de su tiempo se habían entregado a la galantería. No quiso formarla de la boca para que no hablase demasiado; sin embargo no ha habido hasta el día poder capaz de refrenar su lengua, o poner un dique a las palabras que fluyen de su boca. No la sacó de la oreja para que no fuese inclinada a escuchar; sin embargo, dice que Sara escuchaba en la puerta del tabernáculo, a fin de saber el secreto de los ángeles. No la formó Dios del corazón,

temiendo que no resultase celosa: no obstante, ¡cuántos celos y envidia despedazan el corazón de las mujeres y de las doncellas! No quiso formarla de los pies ni de las manos a fin de que no fuese demasiado corredora, y no le asaltase la envidia de robar; sin embargo, Dina corrió y se perdió; y Raquel había robado los dioses de su padre; más breve; se vió obligada a escoger una parte honesta y dura del hombre, de la cual parecía no podía salir ningún defecto, y no obstante parece que la mujer los ha heredado todos. (*V.* Gamaliel.)

MUJER, *junto a una roca.* (*V.* Andrómeda); *sobre un delfín.* (*V.* Melanto); *armada de punta en blanco.* (*V.* Belona, Minerva); *sobre un toro.* (*V.* Europa, Júpiter); *alada.* (*V.* Fama, Victoria) *metida en un gran envoltorio.* (*V.* Io.)

MULCÍBER. Uno de los nombres de Vulcano, *quasi mulcifer*, porque posee el arte de ablandar el hierro por medio del fuego. R. *mulcere ferrum. Met.* 2.

MULET-ODET. Especie de fantasma, en cuya existencia creía el pueblo de Orleans.

MULIEBRIS. Bajo este título tenía la Fortuna un templo en Roma, en el mismo lugar donde Veturia y Volumnia habían desarmado con sus lágrimas el furor de Coriolano. En él se celebraba todos los años un sacrificio, el cual presidía una matrona romana, nombrada por las mujeres para esta función.

MULIER ET VIRGO. Sobrenombre de la Fortuna honrada por las mujeres y las doncellas.

MULIO. 1 — Capitán troyano muerto por Patroclo. *Ilíada. 16.*

2 — Capitán de los epeos, arrojado de su carro por Néstor. *Ibid.* 11.

3 — Heraldo, natural de Duliquido, al servicio de Anfínomo, uno de los perseguidores de Penélope. *Odis. 18.*

MULTIMAMMIA. Sobrenombre de Diana de Efeso, tomado del número de sus pechos, que la distinguían de las otras Dianas. *Ant. espl. t. 1.*

MUNASICHITES. (*Mit. mah.*) Los turcos llamaban así a ciertos filósofos que formaban una secta particular y que adoptaban el sistema de Pitágoras sobre la metempsícosis. Este es el sentido de su denominación.

MUNDO. 1 — Nombre del foso que mandó hacer Rómulo cuando fundó Roma. Se tiró una línea sobre este foso que señaló su recinto, y el mismo fundador trazó un profundo surco sobre esta línea. He aquí el origen de esta ciudad, que debía ser señora de todo el mundo: de suerte que el foso de Rómulo y el universo, *mundus*, tuvieron en latín igual nombre.

2 — Caballero romano que no habiendo podido seducir una matrona distinguida, llamada Paulina, logró sus designios por medio de los sacerdotes de Isis, quienes persuadieron a Paulina que su dios, Anubis, se había enamorado de ella. Esta escandalosa aventura hizo mucho ruido y dio lugar a que se revisasen las antiguas ordenanzas contra las ceremonias egipcias, prohibiéndose en Roma su práctica. Los sacerdotes aquellos fueron puestos en cruz, el templo de Isis destruido y arrojada al Tiber la estatua del dios.

MUNDUS PATENS, *el mundo abierto*. Templo dedicado a los dioses infernales. Se abría tan sólo tres veces al año, a saber, el día siguiente a los Volcanales, el 5 de octubre y el 7 de los idus de noviembre, y durante este tiempo nadie se hubiera atrevido a pelear, tener asambleas, casarse, ni tratar un negocio público ni particular, por razón, dice *Macrobio*, de estar abierto el infierno.

MUNIQUIA. Nombre de Diana, honrada en una villa de Atenas.

MUNIQUIAS. Fiesta anual celebrada en Atenas en honor de Diana Muniquia, en el puerto del mismo nombre, el 16 del mes Munychion. *Paus, 1, c.1, Etsrab. 9.*

MUNIQUION. Décimo mes del año ateniense, llamado así de las Muniquias, correspondía a fines de marzo y principios de abril.

MUNIQUS o Múnico. Hijo de Laodice y Demofoon o de Acamante, educado en Troya por Etra; dio su nombre a una villa Atica. (*Estrab.*) Según *Partenio* (*l.* 16) habiéndole su padre reconocido en el momento de la toma de Troya, le salvó la vida y le condujo a la Tracia, donde murió de una mordedura de serpiente.

2 — Hijo de Driante, hábil en el arte de la adivinación y célebre por su piedad. Tuvo muchos hijos de su esposa Lelante que se distinguieron también por su bondad, llamados Alcandeo, Megaletor, Fileo e Hiperipe. Encontrándose un día solos en el campo, fueron sorprendidos por unos bandidos que, les persiguieron hasta un edificio donde se vieron obligados a encerrarse y al cual pegaron aquellos fuego. Los dioses se compadecieron de ellos y les transformaron en aves. Muniqus fue transformado en una ave llamada Trioquis.

MUNUS. Nombre de los espectáculos de gladiadores dados en honor de los muertos y tenidos entonces como deber. *Niewport, Cost, de los rom.*

MURCIA. Diosa de la pereza que quitaba a sus devotos toda la fuerza y voluntad de obrar. Su nombre venía de *murcur, mucidus*, estúpido, cansado, perezoso. Tenía un templo en Roma al pie del monte Aventino, llamado antiguamente Murcus. La representaban en sus estatuas cubierta de musgo, para expresar su dejadez. Muchos autores pretenden que este nombre no era más que un sobrenombre de Venus, para simbolizar la molicie que inspira, y que hace al hombre incapaz de lo grande y generoso. *Banier.t. 1, 5.*

MURIAS. Sal machacada cocida al fuego de que se servían las Vestales para sus sacrificios. *Festus.*

MURMULIONES. (*V. Mirmilones.*)

MURRANO. Descendiente de los reyes de Lacio, precipitado de su carro por Eneas. *Eneida. 12.*

MURTEA. Sobrenombre de Venus, tomado del mirto, que le estaba consagrado.

MUSAF. (*Mit. rab.*) Oración usada entre los judíos modernos que rezan el primer día de cada mes, el día del sábado, y al principio de cada año.

MUSACA. (*Mit. afr.*) Nombre del Diablo en algunos pueblos del Africa. Es muy temido y considerado por aquellos habitantes como enemigo del género humano; sin embargo no le tributan ningún homenaje.

MUSAGETE, (*Iconol.*) *conductor de las Musas.* Sobrenombre de Apolo, porque se le representaba muchas veces acompañado de sus doctas hermanas. Hércules llevó el mismo nombre porque limpiando la tierra de los monstruos que la infestaban, procuraba el reposo a las musas. C. Fulvio trajo su culto de Grecia a Roma, el cual erigió un templo donde estaban también las nueves hermanas. Las puso bajo la protección de Hércules, porque el héroe debe proteger y asegurar la tranquilidad de las Musas y éstas deben celebrar las virtudes de Hércules. Se distingue al Hércules Musagete por la lira que tiene en una mano y por la clava en que se apoya. Tiene en sus pies una máscara, atributo ordinario de una de las musas. *Ant. expl. t. 1.*

En el Louvre se ve una hermosa estatua antigua de Apolo Musagete, que representa a este dios vestido de una larga túnica y una capa. Está coronado de laurel y camisa sonando la cítara.

MUSAS. (*Iconol.*) Diosas de las ciencias y de las artes. *Hesíodo.* (*Teog.*) cuenta nueve, hijas de Júpiter y Mnemosina. «Ellas, dice, cantan en el Olimpo, las maravillas de los dioses, conocen lo pasado, lo presente y lo venidero, y divierten la corte celestial con sus armoniosos conciertos.» *Cicerón* cuenta al principio cuatro: Telsiopea, Mnemea, Aedea y Meletea hija del segundo Júpiter, después nueve hijas de Júpiter tercero y de Mnemosine; y en fin nueve, llamadas como las precedentes, pero hijas de Pierio y de Antíope. *Pausanias.* (9, c. 29.) cuenta tres a saber: la Memoria, Mnemea; la Meditación, Meletea; y el Canto, Aedea, cuyo culto fue establecido en Grecia por los alodes, es decir que fueron personificadas las tres cosas que constituyen el poema. *Varrón* no admitía más que tres y dice que Siciones mandó a tres escultores que hiciesen tres estatuas de las musas cada uno, para colocarlas en el templo de Apolo, con la intención de comprar las de aquel que las hiciese mejor; pero habiéndose encontrado todas igualmente hermosas, la ciudad las compró para dedicarlas a Apolo. Además el número de tres nacía de que

había tres especies de canto: la voz sin instrumentos, el soplo con los instrumentos de viento y la pulsación con las liras, etc. (*V.* Pierio.)

*Diodoro* (*l. 1.*) da a las musas otro origen. «Osiris, dice, era muy alegre y se complacía en cantar y bailar. Tenía siempre a su lado muchos músicos entre los cuales había nueve doncellas instruidas en todas las artes que tienen alguna relación con la música, de donde toma origen su nombre de Musas: eran conducidas por Apolo, uno de sus generales. Y de aquí nació quizás el sobrenombre de Musagete, dado también a Hércules que había sido como él uno de los generales de Osiris». *Leclerc* dice que la fábula de las Musas viene de los conciertos establecidos por Júpiter en Creta; que este dios no ha sido tenido por padre de las Musas, sino en cuanto fue el primero entre los griegos, que tuvo un concierto arreglado; y que se les llama hijas de Menemosina, porque la memoria abastece la materia de los poemas.

La opinión comúnmente admitida es que hay nueve musas a las cuales *Hesíodo* fue el primero que dio nombres. «Se les hace presidir, añade *Diodoro*, cada una a diferentes artes, como a la música, a la poesía, a la danza, a la astrología etc.» Se llaman vírgenes porque los beneficios de la educación son inalterables; musas previene de una palabra griega que significa explicar los misterios (*miein*), porque han enseñado a los hombres cosas muy importantes, pero fuera del alcance de los necios. Cada uno de sus nombres, encierra una alegoría particular. *Clío*, se llama así, porque los que hacen versos dignos de alabanza, adquieren una gloria inmortal; *Euterpe*, por el placer que la sabia poesía infunde en los que la escuchan; *Talía*, significa que siempre florecerá; *Melpómene* nos indica que la melodía se insinua hasta el fondo del alma de los oyente; *Terpsícore*, para manifestar el placer que sacan de las bellas artes los que las han cultivado; *Erato* parece indicar que los sabios se atraen la estimación y el afecto; *Polimnia*, que muchos poetas se hicieron ilustres por el gran número de himnos que consagraron a los dioses; *Urania* que los que ella instruye elevan sus pensamientos y su gloria hasta el cielo; en fin la dulce voz de *Calíope* ha sido causa del nombre que trae, para indicarnos que la elocuencia encauta los sentidos y arrastra los aplausos del auditorio. (*V*. el artículo de cada una de las musas.)

Los antiguos las han considerado como diosas guerreras, y aun algunas veces las han confundido con las bacantes. No solamente fueron contadas entre las diosas, sino que hasta se les prodigaron todos los honores de la divinidad. En muchas ciudades de Grecia y Macedonia les ofrecían sacrificios. Tenían en Atenas un altar magnífico. Roma les había consagrado también dos templos, y otro en el cual eran festejadas bajo el nombre de Camoenes. Las Musas y las Gracias no tenían por lo regular sino un templo, y se hacían pocos convites que no fuesen llamadas a ellos, y sin que se les saludase con el vaso en la mano. *Hesíodo* les da el Amor por compañero, y *Píndaro* confunde su jurisdicción. Sin embargo, nadie las han honrado tanto como los poetas, que nunca se olvidan de invocarlas al principio de sus poemas, como diosas capaces de inspirarles aquel entusiasmo tan necesario a su arte. El Parnaso, el Helicón y el Pindo eran su morada ordinaria. El caballo Pegaso pacía por lo regular sobre estos montes y sus cercanías.

Entre las fuentes y los ríos les estaban consagrados el Hipocrene, el Castalia y el Permeso; como entre los árboles, la palmera y el laurel.

Se las pinta jóvenes, hermosas, modestas y vestidas con sencillez. Apolo marcha delante de ellas con la lira en la mano y ceñidas las sienes de laurel. Como cada una preside un arte diferente, tienen coronas y atributos particulares (*V*. Calíope, Clío, etcétera.) Se las puede coronar de plumas, por la razón siguiente: porque habiendo vencido en el canto a las hijas de Aqueloo que las habían desafiado por consejo de Juno, les arrancaron las plumas de las alas y se coronaron con ellas.

Los antiguos les daban vestidos amarillos: *Furnuto* una corona de laurel y alas.

Las pinturas del Herculano ofrecen las nueve Musas adornadas con sus diferentes atributos.— El museo ha poseído la colección de las musas, con que Pio VI había enriquecido el Vaticano. En la galería de los cuadros se ven así mismo, las Musas con que el célebre *Lesueur* había decorado en París la galería del palacio Lambert.—En fin, uno de los más hábiles artistas, *M. Meinier*, las ha pintado también con buen éxito *Hom. Hig. Met. 4. Apolod. 1, c. 3. Juv. 7, Plut. Macr. 4*.

**MUSCARIUS.** Sobrenombre de Júpiter.

**MUSEAS.** Fiesta en honor de las Musas, en Grecia, y particularmente entre los tespios que solemnizaban cada cinco años sobre el Helicón. Los macedonios tenían las mismas fiestas en honor de Júpiter y las Musas, las cuales se celebraban con toda especie de juegos públicos y escénicos que duraban nueve días. *Ant. expl. t. 2*.

**MUSEO.** 1 — Hijo de Antífemo, discípulo de Orfeo, profeta y poeta anterior a *Homero. Diógenes Laercio* le atribuye la invención de la esfera, y le hace autor de una teogonía. *Eneida. 6*.

2 — Uno de los gigantes que combatieron contra los dioses, el cual se pasó de bando en lo más fuerte del combate.

3 — Hijo de la Luna y Eumolpo, excelente médico.

**MUSERINS.** (*M. mah.*) Nombre que se dan entre sí los que profesan el ateísmo entre los turcos, y cuyo significado es: «Nosotros poseemos el verdadero secreto». - Este secreto no es otro que el negar la existencia de la divinidad y afirmar de todo lo que vemos es la naturaleza, o el principio interior de cada uno. *Ricaut*.

**MUSIA.** Una de las horas.

**MÚSICA.** Sobrenombre de Palas, a quien llamaban la *Musical* cuando tañía la flauta, porque se creía que las serpientes de su égida sonaban cuando se oía una flauta vecina.

**MÚSICA.** (*Iconol*.) Se reconoce por la lira de Apolo por el libro en que tiene fijada la vista, y por los diferentes instrumentos colocados en sus plantas, cuya reunión designa la armonía, la variedad y los diferentes caracteres de la música, tales como el oboe para los sones alegres, la guitarra para las quejas amorosas, el arpa para los cantos alegres y sagrados, etc. Otros le dan varias notas, una pluma, una balanza para expresar la exactitud que tan necesaria le es, y un yunque, porque se pretende que los diversos golpes de martillo contribuyeron a la invención de este arte. Los egipcios la representaban jeroglíficamente por una lengua y cuatro dientes, o sin jeroglífico, por una mujer con el vestido sembrado de instrumentos y solfas. Una pintura alegórica que se veía en Roma representaba sus efectos por una tropa de cisnes puestos en círculo alrededor de una fuente; y en medio de ellos un joven alado, risueño y coronado de flores: este es el Céfiro que con su aliento refresca los aires, y parece agitar dulcemente sus plumas. En las pinturas antiguas se ve a la música bajo la forma de una mujer tocando un sistro, en el cual se ve una cigarra en lugar de una cuerda rota. (*V.* Eunomia) y que tiene un ruiseñor en la cabeza, un vaso lleno de vino, porque los antiguos ponían a Baco entre las Musas. Se representa también bajo la figura de Euterpe, musa que presidía la Música. (*V.* Euterpe.) En las medallas de los mesenios en Arcadia, donde según *Polibio* ha sido sido más cultivada que en ninguna otra parte de Grecia, se ve simbolizada por una cigarra. Considerada la música como un remedio de las enfermedades del cuerpo y del espíritu, y como un medio para conservar la salud, puede representarse también por un Apolo tocando su lira.

Se creía que la música tenía el poder de apaciguar a los dioses.

**MÚSICO.** Sobrenombre de Baco, amigo del canto, y contado muy a menudo entre las divinidades del Parnaso.

*Diodoro* hace derivar este nombre de una palabra egipcia, sosteniendo que después del diluvio empezó a establecerse la música en Egipto, que se concibió su primera idea del sonido que hacen las cañas de las orillas del Nilo, cuando soplaba el viento en sus cañas.

**MUSIMOS.** (*Mit. afr.*) Fiestas de las almas entre los pueblos vecinos del Monomotapa (región del Zambere, Zimbabwe). Eran las únicas divinidades superiores a sus monarcas; y en tanto tributaban a los reyes toda especie de honores en cuanto creían que las almas no les rehusaban nada de lo que les pedían. El primer día de la luna, y ciertos otros días, celebraban sus fiestas en honor de los muertos: y el rey señala la época y preparaban sus ceremonias.

**MUSORITES.** Judíos que veneraban las ratas y los ratones, y que se llamaron así de una palabra compuesta de *mus*, ratón; y *sorex*, rata. Esta práctica toma origen, de que habiendo los filisteos robado el arca de la alianza, Dios les envió un gran número de estos animales que todo lo devoraban, y que les obligaron a volver el arca para librarse del azote; pero antes de volver, sus sacrificadores les mandaron encerrar en ellas cinco ratones de oro, como una ofrenda al Dios de Israel, para librarse de tales animales.

**MUSULMANES.** (*Mit. mah.*) Nombre que se dan los mahometanos y que significa, según *Gagnier*, *dedicado al servicio de Dios*. *Chardin* lo explica por estas palabras: *llegados a salvo*; de *Salem*, término, añade, que en casi todas las lenguas orientales significa *paz*, como si dijera salvación, la cual entienden, no de la *salvación* eterna, sino de la vida temporal. En el principio del mahometismo esta religión, más sanguinaria y cruel de lo que lo fue después no daba cuarteles de guerra sino a los que lo abrazaban, diciendo: «No hay otro dios que Dios; y Mahoma es su profeta». Y cuando alguno para evitar la muerte hacía esta profesión de fe, gritaban: *Muselmoon*, ha llegado a salvo. Esto hace ver que este término no significa *verdadero creyente*, como pretenden muchos escritores.

**MUSULMANISMO.** (*V.* Mahometismo.)

**MUTA.** Diosa del silencio, la misma que Lara. Su fiesta se celebraba en Roma en 18 de febrero. Los romanos le sacrificaban para impedir las murmuraciones, y unieron su fiesta a la de los muertos, o porque imitaba su silencio, o porque era madre de los lares. *Ovidio* (*Fast.* 2) nos refiere las ceremonias con que creían conjurar los tiros de la maledicencia. Una vieja rodeada de una multitud de vírgenes, sacrificaba a la diosa Muta, metiendo, con tres dedos, tres granos de incienso en un pequeño agujero, teniendo siete habas negras en la boca; después tomaba la cabeza de una estatua, la encolaba con pez, la atravesaba con una aguja de latón, la arrojaba al fuego y la cubría de yerba buena, derramando vino por encima del cual daba también a beber a su jóvenes compañeras; y, reservándose la mayor parte, se emborrachaba y despedía a las doncellas, diciéndoles que había ya encadenado las lenguas de los maldicientes.

**MUTH o MADRE.** Divinidad egipcia que *Plutarco* cree ser la misma que Isis.

**MUTIMUS o MUTIMO.** Dios del silencio, cuyo nombre, dice *Turnebe*, deriva de *mutire*, hablar entre dientes. Por lo demás, este dios no se encuentra ni en las mitologías ni en los poetas. El *Diccionario de Trevon* dice que era invocado para obtener el dónde guardar su secreto y retener sus pensamientos ocultos. *Mutimo* = mudo.

**MUTINI TUTIVI,** *centinelas mudos.* Se daban este nombre a los Hermes que se ponían en la entrada de los palacios.

**MUTINITUS,** o **MUTINUSTITINUS.** Dios del silencio. (*V.* Mutimus).

**MUTINUS, MUTO, MUTUNUS.** Sobrenombres de Príapo. *S. Agus. Civ. Dei. 4, c. 9; Lact. 1, c. 20.*

Se llamaba también Mutinus la misma efigie de Príapo, representada al principio bajo la forma del Fallus o Falo. — La antigüedad nos ha conservado muchos simulacros representando a Mutinus, los unos en forma de barreños, otros de alas, algunos sirviendo de lámpara, etcétera.

**MUTUIN.** (*Mit. afr.*) Uno de los sacerdotes gangas.

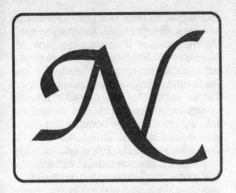

NAAMUTELAHI. (*Mit. mah.*) Religiosos mahometanos de Persia. Los *Naamutelahi* eran enemigos implacables de los Haideri.

NABIS. Sobrenombre de Júpiter Ammón, muerto combatiendo contra los romanos en la segunda guerra Púnica. *Sil. l5*.

NABO o Nebo. Una de las divinidades de los asirios y de los cananeos, que tenía el primer lugar después de Baal. *Vossius* cree que era la Luna. La mayor parte de los reyes de Babilonia llevaban el nombre de este dios unido al suyo propio, Nabo-Nassar, Nabo-Palassar, Nabo-Codonosor, etcétera.

NACIMIENTO (Día del) Este día se celebraba muy particularmente entre los romanos. Esta solemnidad se renovaba todos los años, y siempre bajo los auspicios del genio que se invocaba como una divinidad que presidía el nacimiento de todos los hombres. Se erigía un altar rodeado de hierbas sagradas, sobre el cual se inmolaba un cordero. Los parientes saludaban a los niños con mucha ceremonia y con estas palabras: *Hodie, nale salve*. Cada particular hacia ostentación aquel día de lo que había de más magnífico y precioso; las casas estaban adornadas con flores de coronas, y todos se entregaban a la más completa alegría. Por fin los amigos no se descuidaban nunca de enviar regalos al que cumplía años. Se celebraba también a menudo en honor de aquellos grandes hombres, cuya virtud consagra la memoria, y a quienes la posteridad resarce de la injusticia de su siglo. La adulación no dejó de solemnizar la natividad de aquellos a quienes la fortuna había colocado en empleos eminentes, y que por los mismos distribuían los favores y los beneficios. El día del nacimiento de los príncipes estaba especialmente consagrado por la piedad o por la lisonja. Estos honores tuvieron también su contraste, y fueron puestos entre los días aciagos, los del nacimiento de aquellos que proscribía la tiranía, y los de los mismos tiranos.

NADAB. (*Mit. mah.*) Soberano pontífice o gran sacerdote de los persas cuya dignidad correspondía a la del mufti, con la diferencia de que el Nabad podía despojarse de esta cualidad eclesiástica para aspirar a los empleos civiles, lo que estaba prohibido al mufti. El Nabad tenía dos jueces a sus órdenes, llamados, el uno *seeik*, el otro *casi*, que decidían en toda materia de religión.

NAFTE. Droga con que Medea frotó las ropas y la corona que envió a Crueso.

NAGA-POTCHÉ, (*Mit. índ.*) *oficio de la culebra*. Las mujeres están encargadas por lo regular de esta ceremonia. Cuando en ciertos días del año quieren librarse de ella, van a las orillas de los estanques donde cruzan el *arichi* y el *mangosier*, llevan debajo de estos árboles una figura de piedras que representa un lingam entre dos culebras; se bañan y después de la ablución, lavan el lingam, queman delante de él pedazos de una madera destinada especialmente para este sacrificio, echan flores y le piden riquezas, una numerosa prole y una larga vida para sus maridos. Cuando la ceremonia del Naga-Potché se hace en la forma prescrita, se obtiene todo lo que se pide. Acabada la súplica, queda abandonada la piedra y no se la llevan jamás a casa, sirviendo para el mismo objeto a todas las mujeres que la encuentran. Si en las orillas del estanque no hay ni arichi ni mangosier, se lleva allí una rama de cada uno de estos árboles, las cuales se plantan para la ceremonia a los dos lados del lingam, y con ellas se hace una especie de dosel. El arichi es considerado por los indios como la hembra, aunque estos dos árboles son de dos géneros bien diferentes.

NAGATES. (*Mit. índ.*) Astrólogos de Ceilán. Algunos viajeros alababan mucho el saber de estos astrólogos que, decían hacían con frecuencia predicciones cuyo exito probaba su verdad. Estos astrólogos decidian algunas veces la suerte de los niños; si declaraban que había presidido su nacimiento un astro maligno, los padres en quienes la creencia ahogaba los sentimientos de la naturaleza, se imaginaban hacer un servicio a sus hijos al quitarles una vida que debía ser desgraciada. Otros, no pudiendo resolverse a este acto de barbarie, los daban a otras personas, persuadidos de que las desgracias que les amenazaban en la casa paterna no les perseguirían en una casa extraña. Sin embargo si el niño que ve el primer día bajo el aspecto de un planeta extraño, es el mayor, el padre lo guardaba cuidadosamente a pesar de las predicciones de los astrólogos; lo que prueba que esta astrología no era más que un pretexto del que se servían los padres demasiado cargados de hijos para deshacerse de ellos. Estos Nagates apuntaban en sus registros el día y la hora del nacimiento de cada persona. Enseñaban en que tiempo era necesario lavarse la cabeza, lo que entre los cingaleses es la ceremonia religiosa. Se vanagloriaban de predecir, por medio de la inspección de los astros, si un matrimonio sería o no feliz; por lo que se hacían pocos casamientos sin consultarlos antes; y cuando alguno caía enfermo, jamás se olvidaba de preguntar al Nagate si se debía temer por su vida.

NAGLEFARE. (*Mit. célt.*) Nave fatal, hecha de las uñas de los muertos, que no debe acabarse sino hasta el fin del mundo y cuya aparición hará temblar a los hombres y los dioses. Sobre esta nave abordará al Oriente el ejército de los malos genios.

NAGOUS. (*Mit. índ.*) Especie de fakires que se hacían temer por las violencias que ejercían, a las cuales se creían autorizados por el nombre respetable que llevan. Se ha observado que se dejaban ver en los países llanos más por los meses de diciembre a marzo, que en cualquier otra estación, y parece que durante los grandes calores permanecían en las montañas. Eran fácilmente reconocidos por su fisonomía común y desagradable. Después se mezclaron muchos mahometanos con los Nagous pero los indios les reconocían y les miraban de muy mal grado. Lo que hacía especialmente que estos impostores fueran conocidos era el pedir limosna contra la costumbre de los verdaderos fakires; pues éstos se contentaban con lo que se les daba o lo tomaban a la fuerza como los sounyacis. Estos asistían algunas veces a las ceremonias extraordinarias, como en el casamiento de un rico, en una cabalgada, una procesión, etc. Nadie se olvidaba de pagar con liberalidad su asistencia a estas solemnidades, como en la de los fakires, sin embargo se creían ya muy felices en poder terminar la fiesta sin experimentar sus violencias acostumbradas. *Descripción de los indios por Solvins.*

NAHAMA. (*Mit. rab.*) Hermana de Tubalin, hermosa como los ángeles a los cuales se abandonó, llamada por el *Talmud* una de las cuatro madres del diablo. Vive aún, entra con mucha sutileza en el lecho de los hombres dormidos y sorprende sus sentidos fascinados en los momentos de distracción. (*V.* Lilit.)

NAHAR. (*Mit. mah.*) Uno de los últimos días del año ente los musulmanes, llamado *Dhoul heggiat*, en el cual hacen su sacrificio en La Meca. *D'Herbelot.*

NAHLAT. (*Mit. orient.*) Mujer de Cam, hijo de Noé.

NÁIADA. Ninfa, madre de Príapo según algunos autores. *Ant. expl. t. 1.*

NÁIADES o NÁYADES. (*Iconol.*) Ninfas que los antiguos honraban con un culto particular y que presidían las fuentes y los ríos, de donde ha venido su nombre. R. *naiein*, manar, habitar. Eran llamadas hijas de Júpiter. *Estrabón* las cuenta entre el número de las sacerdotisas de Baco. Algunos las hacen madres de los sátiros. Se les ofrecían en sacrificio cabras y corderos, con libaciones de vino, miel y aceite; mas a menudo se contentaban con poner leche, frutos y flores sobre sus altares; sin embargo, las naiades no eran más que divinidades campestres y por lo mismo su culto no se extendía hasta las ciudades. Se las pinta jóvenes, hermosas, llevando por lo común el brazo y las piernas desnudas, apoyadas en una urna que derrama agua, o teniendo una concha en la mano y perlas, cuyo brillo realza la sencillez de sus adornos; adorna su argentada cabellera, que flota sobre sus espaldas, una corona de cañas. (*V*. Creneas, Limnades, Ninfas, Pegeas, Potámides. *Odis*. *13, Tib. 3 y 7. Met. 14*.)

*Horacio* dice que las náiades eran de la comitiva de Baco. *Spon* nos da dos mármoles antiguos, uno de los cuales representa tres náiades con sus urnas derramando agua. Están coronadas por plantas acuáticas y cerca de ellas se levanta una serpiente que quizá le estaba consagrada. Se ve la figura de un tal Augustalis, liberto, que les ofrece libaciones. El otro monumento representa tres Náyades acompañadas de Diana, Silvano y Hércules.

**NAIRANGIA**. (*Mit. árab*.) Especie de adivinación usada entre los árabes y fundada en muchos fenómenos del sol y de la luna.

**NAIS**. 1 — Ninfa de monte Ida, que casó con Capis, príncipe troyano, del cual tuvo a Anquises.

2 — Otra ninfa, de la cual Saturno tuvo a Quirón. *Apolod. 1. c. 9*.

3 — Otra ninfa, que tuvo dos gemelos: Esepo y Pedaso, de Bucolión, hijo natural de Laomedonte. *Ilíada. 6*.

4 — Otra ninfa, esposa de Otrintes, y madre de Ifitión. *Ib. 20*.

5 — Ninfa del mar Rojo que transformaba en peces a todos los que venían a visitarla y obtenían sus favores y fue transformada ella misma en pez por Apolo. *Met. 14*.

**NAKARONKIR**. (*Mit. mah*.) Espíritu que envía Mahoma en sueños, a los culpados, para incitarles al arrepentimiento.

**NAKIR**. (*Mit. mah*.) Jefe de los emires de Mahoma. Tenía poder de vida y muerte sobre los que le estaban sometidos; sin embargo, no permitía jamás a los de su raza que sufrieran la afrenta de morir públicamente (*V*. Alem Dar, Emir.)

**NAMANDA** o Nembutz. (*Mit. jap*.) Jaculatoria que reza casi continuamente una piadosa cofradía de Amida, y en esto consisten sus principales funciones. Hay en esta asociación plebeyos y nobles, pero su mayor parte se compone del pueblo que rezan o rezaban el Namanda en medio de las calles y de las plazas públicas. Llaman o llamaban a los que pasan con una campanilla, a fin de que el espectáculo de esta devoción les obligue a hacer algunas limosnas. Los cófrades hacían por lo regular una ganancia bastante considerable, porque el objeto de la Namanda era el aliviar las almas de los difuntos atormentadas en el otro mundo. Esta jaculatoria es como sigue: "Bienaventurado Amida, sálvanos!».

**NAMAZI**. (*Mit. mah*.) Oraciones comunes que los turcos hacían todos los días para obedecer los preceptos de la ley. Se debían hacer los Namazi cinco veces en veinticuatro horas; a saber; al apuntar al día, el mediodía, a las cuatro de la tarde, al ponerse el sol y por la noche. Los mahometanos dicen que las oraciones que no se hagan en las horas prescritas por la ley serán repetidas algún día en el Araf. Las tres primeras son fijas, las otras móviles según los días más o menos largos. Por ejemplo, en tiempo del equinoccio, las oraciones de la mañana entre cinco y seis; las de la tarde a las tres; las de al ponerse el sol a las seis; y en fin de las de la noche, una hora y media después de puesto el sol; esto es a las siete y media; pero entre noche los derviches hacen otras a las cuales asisten constantemente.

**NAMBOURIS**. (*Mit. índ*.) Primer orden de sacerdotes del Malabar: tienen jurisdicción espiritual y temporal y son los más poderosos y respetados del Estado, después del soberano. (*V*. Brahmanes.)

**NANA**. En la leyenda frigia de Atis, es la hija del dios-río Sangario, que recogió en su seno el fruto mágico que la volvió fecunda.

**NÁNACO**. Rey de Frigia que vivió en tiempos muy remotos, antes del diluvio de Deucalión. Intentó parar la catástrofe con rogativas a los dioses llenas de piedad acompañadas de abundantes lágrimas: «Las lágrimas de Nánaco» se hicieron proverbiales.

Según otra leyenda Nánaco había reinado por espacio de trescientos años y un oráculo había predicho que a su muerte todos sus súbditos perecerían. De nada sirvieron las lamentaciones de éstos al fallecer Nánaco. Vino el diluvio y se cumplió la predicción del oráculo.

**NANDANA.** (*Mit. índ.*) Jardín de Indra. (*V.* Indra.)

**NANDIGUELSOURER.** (*Mit. índ.*) Portero de Cailasa, a quien representaban con cabeza de buey.

**NANEA.** Diosa que tenía un templo célebre en Elimáis, en Persia. Habiendo Antíoco venido allí para casarse con la diosa y para recibir grandes sumas a títulos de dote, los sacerdotes de Nanea le enseñaron todos sus tesoros; y después que Antíoco hubo entrado en el templo con pocos de los suyos, cerraron las puertas. Entonces, abriendo una puerta cubierta con el artesonado, que comunicaba con el templo arrojaron sobre él una lluvia de piedras; y destrozando a muchos de los que le acompañaban, les cortaron la cabeza, y la arrojaron a los que habían quedado fuera. Unos creen que este dios era Diana, o la Luna. *Appiano* reconoce en ella a Venus. *Polibio* la llama Venus Elimena. Otros pretenden que era Cibeles. Pero la opinión más probable es que era Diana, y la misma que *Estrabón* llama *Anaítis*.

**NANEK-POUTHY.** (*Mit. índ.*) Esta clase de faquires se distinguía de las otras en que no llevaba sino un zapato, costumbre extraña cuyo origen es desconocido. Traían el turbante cubierto de hilos de hierro entrelazados, de los cuales llevaban en el cuello un cordón, a modo de collar. Al lado izquierdo del turbante, encima de la oreja, pendían dos cascabeles de plata. Llevaban también en cada mano un bastón que herían continuamente el uno contra el otro, recitando, con una velocidad extraordinaria, un *darnah*, o pedazo de leyenda india, imaginándose con esto haber adquirido un título incontestable a la caridad de aquellos en cuya presencia hacían estas largas declamaciones. Por lo que cuando estos no les daban nada, los llenaban de injurias y maldiciones, siempre con la misma volubilidad, a lo que pretenden estar autorizados por los preceptos de su secta. Algunos escogían por teatro de sus continuas arengas, los mercados y las plazas públicas, otros iban de casa en casa; y de tienda en tienda golpeando siempre sus palos sin dejar de perorar; sino para decir injurias. Por otra parte eran bastante pacíficos y disfrutaban de algún aprecio, sobre todo entre los seykes y los mabrattes. *Descripción de los Indios, por Solvyns.*

**NANNA.** (*Mit. célt.*) Mujer de Balder, que murió de dolor después de haberle perdido, y fue quemada con él, junto con un enano vivo y el caballo de su marido.

**NANO.** 1 — Uno de los antiguos reyes de Grecia, hijo de Teutámides y descendiente de Licaón, rey de Arcadia. *Banier, t. 6.* ((En esta acepción algunos lo identifican con el nombre de Nanas.)

2 — Primer nombre de Ulises. Se le dio según algunos, por los tirrenios, entre los cuales pasó los últimos días de su vida. Debe significar sin duda el que lleva una vida errante.

3 — Rey indígena de Marsella, cuya hija casó con Euxeno, jefe de los emigrantes focenses.

**NAO.** Biznieto del rey de Eleusis Eumolpo que introdujo en la Arcadia según algunos, los Misterios.

**NAPE.** Uno de los perros de Acteón, engendrado de un lobo. *Met. 3.*

**NAPEAS.** Ninfas que unos hacen presidentes de los bosques y de las colinas, otros de los sotos y otros de los valles y de las praderas. R. *Napos*; lugar cubierto de árboles. Se les tributaba con poca diferencia el mismo culto que a las Náyades. *Geórgicas 4.*

**NAPEO.** Uno de los sobrenombres de Apolo.

**NARAC.** (*Mit. índ.*) Región de las serpientes, infierno de los indios. (*V.* Patala.)

**NARASSIMA-VATARAM.** (*M. índ.*) Nombre con que los indios adoran a Visnú en su cuarta encarnación, monstruo medio hombre y medio león. (*V.* Visnú.)

**NARAYÁN.** (*Mit. índ.*) El espíritu divino flotando, antes de la creación del mundo, sobre las aguas. El color azul de su rostro es una alusión al color de este fluido elemental; y su estatua que le representa acostado y flotando sobre las aguas, es en mármol de este mismo color.

NARCEA. Sobrenombre bajo el cual tenía Minerva un templo en Elida, consagrado por Narceo.

NARCEO. Hijo de Baco y Fiscoa, hizo la guerra a sus vecinos, llegó a ser poderoso y edificó un templo a Minerva. Fue el primero que instituyó sacrificios para Baco y estableció en honor de su madre un coro de música que llevó por mucho tiempo su nombre. *Paus, 5. c. 15.*

NARCISO. 1 — Fuente situada en las fronteras de los tespios, famosa por la aventura de Narciso. Habiendo este joven, hijo de Cefiso y la ninfa Liriope, despreciado a la ninfa Eco, fue castigado por la diosa Némesis. Tiresías había predicho a sus padres que viviría hasta que llegase a mirarse. Presentándole un día en una clara fuente su propia figura, se enamoró de su hermosura y se dejó consumir de amor y deseo en el borde de estas aguas. (*Met. 3. Estac. Silv. 2. Hig. f. 3, c. 21.*) Este delirio le acompañó hasta en los infiernos, donde se mira aún en las aguas del Estigio (*Filostr. 1.*) *Pausanias* (27) da a esta fábula una explicación natural. Según este escritor, Narciso tenía una hermana gemela que se le parecía mucho. Se enamoró de ella, pero tuvo la desgracia de perderla. Inconsolable en su dolor venía a las orillas de una fuente, donde mirando su imagen creía ver la hermana que había perdido.

2 — Flor querida de las divinidades infernales, desde la desgracia de Narciso. Se ofrecían a las Furias guirnaldas de Narciso, porque las Furias adormecían a los malvados. K. *parte*, adormecimiento. *Mem. de la Acad. de Inscr. t. 5.*

NAREDA (*Mit. índ.*) Hijo de Brahma, sabio legislador, distinguido en las artes y en las armas, mensajero elocuente de los dioses entre sí, o hacia algún mortal privilegiado, hábil músico, e inventor de la vina o flauta india. Los pandits citan aún un código de las leyes que pretenden fue revelado por Nareda. Este dios ofrece muchas semejanzas con el Mercurio de los griegos.

NARFE (*Mit. célt.*) Hijo de Loke, hermano de Vale. Devorado por éste, sus intestinos transformados en cadenas de hierro, sirvieron para su padre.

NARFI. (*Mit. escand.*) La noche eterna o el Erebo.

NARRAIN (*Mit. índ.*) El mismo que Krisna, el Apolo de los indios. De este nombre deriva el de *Narrainie*, pequeña moneda de plata que valía poco menos de cuatro reales y que los boutanios acostumbraban a ofrecer a los deutas, o *Genii Loci*, para que les sean favorables. (*Véase* Krishna. Houli)

NARS (*Mit. árabe*) Divinidad de los antiguos árabes, que la representaban bajo la forma de un águila.

NARSINGA JEINTI (*Mit. índ.*) Fiesta que se celebra en la víspera de la luna nueva del mes vayasi, que corresponde a mayo. Se solemniza en el templo de Visnú nueve días consecutivos, durante los cuales se hacen procesiones mientras haya quien pague los gastos. En este día se transformó Visnú en hombre-león. (*V.* la cuarta encarnación de Visnú.)

NARTECÓFORO, *el que trae un tronco de férula*. Sobrenombre de Baco, a quien representaban con una de estas cañas en la mano. (*Véase* Férula.) R. *narthex*, férula. Se daba también este nombre a los iniciados en los misterios de Baco.

NARICIO HEOS. Ayax, hijo de Oileo, llamado así de una ciudad de Lócrida, donde reinaba su padre. *Met. 15.*

NASAMÓN. Hijo de Anfitemis y de Diana, según una extraña versión.

NASCIO o Natio. Diosa que adoraban los romanos, quienes le ofrecieron sacrificios solemnes en Ardea, ciudad de Lacio, donde tenía un templo. Presidía el nacimiento de los niños y las mujeres la invocaban para tener un feliz parto. R. *nasci*, nacer, o *natus*, nacido. *Cic.*

NASI. Palabra hebrea que significa *príncipe*. Esta palabra se encuentra con mucha frecuencia en los libros de los judíos y es el título que daban a los jefes de las tribus, de las grandes familias, y hasta a los príncipes de los pueblos. En el presente está consagrado en cierto modo para significar el jefe; el presidente y el primer juez del sanedrín. Se honró a Simón Macabeo con este título luego que fue manumitido de la servidumbre de los griegos, y así es que en las medallas lleva el nombre de *Nasi*. El príncipe o el nasi del sanedrín era depositario de la ley oral, o de la tradición que, según los rabinos, había confiado Moisés a los setenta ancianos que componían esta asamblea. Los que creen que después de Moisés subsistió aún el sanedrín, dan a la dignidad de Nasi este mismo orígen; los que al contrario son del parecer que el sanedrín es más reciente, sostienen también que esta dignidad tiene la misma antigüedad. Algunos creen que *Esdras* estableció este encargo y lo confió a la casa de David. Hillel, que vino de Babilonia bajo el reinado de Herodes, lo ejerció con mucho esplendor. Después de la ruina de Jerusalén se cambió este nombre de príncipe en el de *patriarca* o *jefe del cautiverio*. Es muy conducente el conocer estos títulos para entender el lenguaje de los rabinos, o a los autores que han escrito sobre el gobierno y negocios de los judíos.

**NASSIB.** (*Mit. mah.*) Nombre que dan los turcos al *destino* que se encuentra, según ellos, en un libro escrito en el cielo, y que contiene la buena o mala fortuna de todos los hombres, la cual no pueden evitar a pesar de todos sus esfuerzos. De aquí nace la persuasión de una predestinación absoluta, que les arrastra a los mayores peligros, pues creen que no les sucederá sino lo que está escrito en el Nassib.

**NASTES.** Hijo de Nomión, jefe de los Carios en el sitio de Troya. *Ilíada. 2.*

**NATALICIAS.** Fiestas y juegos en honor de los dioses en que creían los antiguos, presidían el nacimiento.

**NATALIS.** Sobrenombre común a muchas divinidades como Juno, Genio, la Fortuna, etc.

**NATIGAI o STOGAI.** (*Mit. tárt.*) Dioses penates de los tártaros mongoles. Presiden los bienes de la tierra y son los custodios de las familias. Cada casa posee una imagen de su Natigai, y tiene mujer e hijos, aquella puesta a su izquierda y éstos delante de él. En la comida se empieza por servir al Natigai y su familia. Se les unta abundantemente la boca y echan los restos de la comida fuera de sus casas para que sirva de alimento a algunos espíritus que no conocen y sin embargo temen.

**NATINEOS.** Los israelitas daban este nombre a los pueblos conquistados, tales como los gaboonitas, y después los cananeos, que estaban consagrados al servicio del tabernáculo y del templo, para los empleos más penosos y serviles, como el de llevar a él la leña y el agua. *Josué. c. 9, v, 27. Esdr. l,1, c.2, v.43,58,70; c.8, v. 20, l.2, c.3, v. 26,30.*

**NATS.** (*Mit. índ.*) Espíritus aéreos a quienes temían mucho los birmanos.

**NATURALES DII.** Dioses naturales entre quienes se comprenden el mundo, el sol, el aire, el agua, la tierra, la tempestad, el amor, etc.

**NATURALEZA. 1** — Divinidad que unos hacen madre, otros mujer y algunos hija de Júpiter. Los asirios la adoraban bajo el nombre de Belo, los fenicios bajo el de Moloch; los egipcios bajo el de Amón. Los arcadios bajo el de Pan, o lo que es lo mismo la reunión de todos los seres. Diana de Efeso y sus atributos no significaban otra cosa que la naturaleza y todas sus producciones. Muchos admitían un dios particular de la naturaleza humana, que se cree ser el genio. En la apoteosis de *Homero* se ve representada por un niño que tiende la mano a la fe. *Banier. t.1.*

**2** — Según el sistema de los platónicos, desenvuelto por *Virgilio* en brillantes y armoniosos versos, y reproducido después por *Spinola*, de un modo mucho menos seductor, la Naturaleza era Dios, el cual no consistía más que en la reunión de todos los seres:

–*Júpiter es cuodqumque vides, cuodqumque movetur.*: "Jupiter es todo cuanto ves y todo cuanto se mueve".

La Naturaleza se halla representada frecuentemente en las medallas bajo el emblema de Pan que significa *todo* (V. Pan.) Los egipcios la pintaban bajo la imagen de una mujer cubierta por un velo. En una medalla del emperador Adriano, está designada por una mujer que tiene leche en los pechos y un buitre en la mano, lo que según algunos sabios, designa su fuerza activa y pasiva. En otras muchas medallas es simplemente una cabeza de mujer puesta sobre una especie de vaina adornada con pechos de mujer, símbolo de la fecundidad. (*V. Isis*.)

El ídolo publicado por *la Chusse*, que representa una mujer alada, armada de una aljaba, de una égida y de un casco rodeado de rayos de luz, y con una urna en la cabeza símbolo de la humedad, teniendo un timón en una mano y en la otra un cuerno de la abundancia, sobre el cual se ve un gallo, y que termina en cabeza de carnero; parece representar la naturaleza.

En un antiguo romance italiano titulado: *Hipnerotomaquia*, o *sueño de Polifilo*, nos ofrece su autor esta imagen agradable de la Naturaleza, conforme a la que nos han dado de la misma los artistas griegos:

«En medio de un pabellón cuadrado y abierto, había una estatua representando una ninfa que se entregaba al sueño. Estaba tendida sobre un ropaje, una parte del cual plegado debajo de su cabeza, parecía servirle de almohada. Nunca el cincel de Praxíteles creó una cosa más perfecta. Los labios entreabiertos parecían retener su aliento, y se hubiera dicho que más bien que un primor salido de las manos de un artista, era una criatura viviente transformada en mármol. Recostada del lado derecho, tenía la cabeza apoyada sobre una de sus manos y sus cabellos estaban esparcidos sobre su ropaje, escondiéndose entre sus pliegues. Dos chorritos de preciosa leche que saltaban de sus pechos, caían en dos fuentes de jaspe y, reuniéndose, formaban un arroyuelo, en cuyas orillas, crecían por todas partes la coronilla, el romero y el árbol querido de Venus. Se veía grabado sobre el frontispicio del pabellón este lema: *A la Naturaleza, madre de todas las cosas*.»

(*Iconol*.) La Naturaleza en el sentido opuesto al Arte, se representa por lo común por una joven vestida sencillamente, coronada de flores, y que alarga la mano al Arte para dar a entender que la Naturaleza y el Arte deben siempre estar unidas.

**NAUBÓLIDE**. Feacio, que en el libro 8º de *La Odisea* se presenta para disputar el premio de la carrera.

**NAUBOLUS**. 1 — Hijo de Hipaso. *Sát. Teb. 7*.

2 — Padre de Sehedio y de Epístrofo, capitanes griegos que combatían con los foceos en el sitio de Troya. *Ilíada, 2*.

**NAUCRATIS**. (*Mit. egip*.) Ciudad del Egipto en el delta, que se gloriaba de poseer una imagen milagrosa de Venus, que había sido consagrada en su templo. En tiempo de *Orígenes* la misma ciudad honraba muy particularmente a Serapis. *Herod. 2, c. 178, 179. Estrab. Ptol. 4, c. 5*.

**NAUFRAGIO**. El miedo al naufragio hacía que los antiguos tributasen a los dioses votos indiscretos, prometiánles grandes sacrificios, templos suntuosos; nada les costaba. De aquí puede sacarse por consecuencia de un modo el sentimiento que su propia debilidad imprime en el corazón del hombre la convicción de la divinidad. (*V. Ayax, Eneas, Idomeneo, Nauplio, Ulises*.)

**NAULE**. Pieza de moneda que ponían los antiguos en la boca de los muertos para pagar los fletes a Caronte. Los magistrados atenienses, para distinguirse del populacho, mandaron que se pusiesen tres óbulos en la boca de sus muertos.

**NAUPACTE**. Ciudad de la Etolia, llamada así porque en ella habían construido los Heráclidas su primera nave. R. *naus*, nave, *pegnusthai*, reunir. *Paus*.

**NAUPIDAME**. Hija de Anfidamante, de la cual el Sol tuvo a Augias.

**NAUPLIADES**. Palamedes, hijo de Nauplio, rey de Serifos. *Met. 13*.

**NAUPLIO**. 1 — Uno de los más fieles servidores de Aleo, rey de Arcadia: tuvo orden de ir a ahogar a Augea, hija de este príncipe, pero no la ejecutó. *Paus. Diod. Sic*.

2 — Hijo de Neptuno y Aminnone, una de las danaides, rey de la isla de Eubea. Habiéndose casado, según *Apolodoro*, con la hermosa Climena, tuvo de ella muchos hijos, entre ellos a Palamedes, uno de los príncipes griegos que fueron al sitio de Troya. Su muerte desgraciada, efecto de los artificios de Ulises, encendió en el corazón de Nauplio un gran deseo de venganza. Se dice que se puso a recorrer toda Grecia, atrajo a los mayores

desórdenes a los jóvenes y a las mujeres de los principales jefes del ejécito griego que sitiaba Troya, esperando por este medio meter la disensión y el odio entre estos jóvenes, que matándose entre sí, vengaron sin pensarlo la muerte de Palamedes. Después de la toma de Troya, volviendo a Grecia la armada de los vencedores, fue asaltada por una furiosa tempestad, que dispersó muchas naves, arrojando las restantes a las costas de Eubea. Habiendo llegado esto a noticia de Nauplio, hizo encender fuegos en las rocas que rodeaban esta isla, con el intento de traer a ella las naves griegas, y verlas perecer en este escollo, como en efecto sucedió. Las naves se estrellaron, gran parte de los griegos se ahogaron, y otros que pudieron ganar tierra con mucho trabajo, fueron muertos por orden de Nauplio. Sin embargo escapó de la venganza de Nauplio el principal autor de la muerte de Palamedes, porque había sido arrojado en alta mar por la tempestad, por lo que este príncipe se enojó en tal grado que desesperado se arrojó al mar. *Hig. f. 210. Estrab. 8, Paus. 4, c. 34.*

Se hace mención de Nauplio en la lista de los Argonautas, Muchos dudan que éste sea el mismo que el padre de Palamedes. *Orf. Argon. Apolod. 2, c. 7. Apolon, 1, Val. Flac.*

Los hijos de Nauplio heredaron el rencor de su padre contra los jefes principales de la expedición de Troya. Se unieron a Egisto para sostenerle contra Agameón; y cuando Orestes atacó al tirano, éstos corrieron a socorrerle: sin embargo, Pílades sostuvo su ataque mientras que su amigo peleaba con Egisto, y les mató.

NAUPRESTIFES. Sobrenombre de las hermanas de Príamo, hijas de Laomedonte, Etifa, Asnoque, Medesicaste, las cuales habiendo abordado Italia quemaron sus naves. R. *prethein*, quemar.

NAUSICAA. Hija de Alcinoo, rey de los feacios, perfectamente semejante a las diosas, ya por las cualidades del espíritu, ya por las del cuerpo. Minerva le inspiró durante la noche el deseo de ir a la mañana siguiente con sus mujeres al río para lavar sus ropas y sus vestidos. Ulises que acababa de escapar sólo del naufragio, habiendo

tomado tierra en la isla de los feacios, se recostó en las orillas del río y, abrumado de cansancio se quedó dormido. Al ruido que hicieron las mujeres de Nausicaa despertó, pero estaba enteramente desnudo y tan desfigurado por la espuma del mar, que las compañeras de la princesa se espantaron y huyeron. En cuanto a Nausicaa, alentada por Minerva le esperó sin temor. Ulises le dirigió la palabra de lejos, le pidió vestidos para cubrirse y le rogó que le enseñase el camino de la ciudad. Nausicaa llama a sus compañeras, envía vestidos a Ulises y le conduce ella misma al palacio del rey su padre; pero le aconseja que antes de llegar a la ciudad se separe de ella y le siga de lejos, para evitar las murmuraciones que podía ocasionar el verlos juntos. Ulises no llega al palacio hasta la tarde y es presentado al rey por la misma Nausicaa, a la cual había interesado en extremo la bella fisonomía del héroe. «¡Plazca a Júpiter, decía a sus compañeras, que el esposo que me destine sea tan hermoso como este extranjero! ¡Ojalá que se estableciese en esta isla y que se encontrase feliz en ella!». Algunos autores ha dicho que casó con Telémaco, de quien tuvo un hijo. (*Odis. 6, 7.*) Se le atribuye la invención de la danza que se ejecuta arrojando una pelota en el aire. *Higin. f. 126.*

NAUSIMEDÓN Hijo de Nauplio, el eubeo, y de Hesiones, hermano de Palamedes.

NAUSINOO. Hijo de Ulises y Calixto. *Hesíodo.*

NAUSITEO. Piloto de Salamina, dado a Teseo por Scirus, para conducir la nave que debía trasladar este héroe a Creta. Teseo, le erigió después una capilla en la aldea de Falero. *Plut.*

NAUSITOE. Una de las Nereidas.

NAUSITOO. Hijo de Neptuno y Pribea, padre de Alcinoo, rey de los feacios, que acogió a Ulises. *Homero (Odisea. 6, 7.)* le pinta como un héroe que había dado a los fecios, las primeras ideas de civilización.

NAUTEO. Feacio, uno de los que en el 8º libro de la Odisea se presentan para el combate de la carrera.

**NAUTES.** Uno de los compañeros de Eneas, que *Virgilio* (*Eneida 5.*) pinta como inspirado por Minerva. Estaba confiada a él la guardia del Paladio; y Diomedes, después de haberlo robado, temiendo la cólera de Minerva, devolvió su estatua a Nautes, quien la trasladó a Italia. Cuando fueron incendiadas las naves de Eneas, informó al héroe que esta desgracia le había venido por el odio de Juno, que quería impedir a los troyanos el que llegasen a Italia, y le exhortó a mostrarse firme contra la adversa fortuna. (*V.* Paladio)

**NAUTIA.** Familia patricia de Roma, consagrada al culto de Minerva, a la cual estaba confiada la guardia del Paladio. *Virgilio* la hace descendiente de Nautes.

**NAVOETUS.** Río de Italia, que debió su nombre al incendio de la armada de Eneas por las mujeres troyanas. R. *aithein*, quemar.

**NAVALIS.** Sobrenombre de Apolo, bajo el cual Augusto le erigió un templo en el promontorio de Actio (Actium) en memoria de su victoria sobre Antonio.

**NAVE.** Al concluir una nave, ya desde la más remota antigüedad, estaba en uso consagrarla con ceremonias religiosas y caracterizarla con símbolos particulares. Se ponía bajo la protección de alguna divinidad, cuya figura se colocaba en la proa. Había en popa otras figuras, como la de un monstruo, una quimera, o un gran animal, como por ejemplo la ballena. Por lo regular se daba a la nave el nombre de estas figuras, así es que la nave en que se embarcó S. Pablo en la isla de Mélite se llamaba *Cástor* y *Pólux*, porque estaban representadas en ella estas divinidades. Se llamaba nave de Isis a la que llevaba la imagen de esta diosa: *Tigre* a la que iba adornada con la figura de esta fiera. Por lo mismo el *Toro* que robó a *Europa*, y el *Aguila* que arrebató a *Ganivades,* podían muy bien ser dos naves, que llevasen, la una la figura de un toro y la otra la de una águila.

**NAVE SAGRADA.** Los egipcios, los griegos y los romanos daban este nombre a las naves dedicadas a los dioses.

Tales eran ente los egipcios: 1)$^{\text{o}}$ la nave que dedicaban todos los años a Isis; 2$^{\text{o}}$) aquella en la cual alimentaban por espacio de cuarenta días el buey Apis, antes de llevarlo al valle del Nilo, en Memfis, en el templo de Vulcano; 3$^{\text{o}}$) la navecilla llamada vulgarmente la barca de Caronte, que se empleaba en pasar los muertos por el lago Aqueronte. De esta costumbre de los egipcios tomó Orfeo la idea del paso de las almas a los infiernos en la de Aqueronte.

Los griegos llamaban a sus naves sagradas, *Teógides,* o *Ieragogol*. Pero entre las embarcaciones sagradas que se veían en las diferentes ciudades de Grecia, los autores hablan especialmente de dos galeras de Atenas, destinadas en particular a ceremonias religiosas, o a llevar las noticias en las necesidades del Estado. La una se llamaba la *Parale* y la otra la *Galera paraliena.*

Llevaba su nombre, del héroe Paralo, de que habla *Eurípides*, quien juntamente con Teseo se distinguió contra los tebanos. Los que iban en esta nave se llamaban *paralios* y eran mejor pagados que todas las demás tropas de la marina. Cuando Lisandro hubo batido en el Helesponto a la flota ateniense, se despachó la galera paraliena, con orden de llevar al pueblo esta triste noticia.

La otra nave, llamada la *Salaminia*, o la galera *Salaminia*, tomó, según unos, su nombre de la batalla de Salamina, y según otros de Nausiteo, su primer piloto, natural de Salamina: esta célebre galera, en la cual se embarcó Teseo para pasar a la isla de Creta, de donde regresó triunfante, era de treinta remos, y se llamó después Delíaca, porque se dedicó para ir todos los años a llevar a Delos las ofrendas de los atenienses, y lo adquirió del voto que Teseo había hecho a Apolo Delio para el buen éxito de su expedición de Creta. *Pausanias* asegura que esta nave era la más grande que hubiese visto. Cuando los atenienses llamaron de Sicilia a Alcibíades para que se justificase de las impiedades de que se le acusaba, enviaron para su transporte la galera Salamina. Ambas galeras sagradas servían para llevar a los generales depuestos, y en este sentido Pitolao llamaba a la galera paraliada, la *Clava del pueblo.*

937

Los atenienses conservaron por más de mil años la galera salamina, esto es desde Teseo hasta el reinado de Ptolomeo Filadelfo; tenían gran cuidado en reponer las tablas viejas sustituyéndolas por otras nuevas, de donde viene la disputa de los filósofos de aquel tiempo, que refiere *Plutarco*, a saber si esta nave, de la cual no quedaba ya ninguna de las primeras piezas, era la misma de que Teseo se había servido; cuestión que duraba aún en el siglo XIX con respeto al Bucentauro, especie de galera sagrada de los venecianos.

Además de estas dos naves sagradas, tenían los atenienses muchas otras, a saber: Antígona, el Demetrio, el Ammón y la Minerva. Esta última nave era de diferente especie, pues estaba destinada no a ir por el agua sino por tierra. Se conservaba muy religiosamente cerca del Aerópago, como dice *Pausanias*, y no aparecía sino en la fiesta de los *panateneas*. (*V.* este nombre.)

NAVECILLA de oro (*Mit. egip.*) *Quinto Curcio* dice que los sacerdotes egipcios colocaban a Júpiter Ammón en una navecilla de oro de donde pendían varios platos de plata, por cuyo movimiento juzgaban de la voluntad de los dioses y daban respuesta a los que les consultaban.

NAVEGACIÓN. Los poetas atribuyen su invención a Neptuno, a Osiris, a Baco, a Hércules, a Jasón y a Jano. *Mem. de la Acad. de Insc. t. 59.*

(*Iconol.*) Los antiguos la han representado por el emblema de Isis, teniendo con ambas manos una vela hinchada; y de este mismo modo, principalmente con un faro, se encuentra en las medallas de Alejandría. El delfín era el presagio de una navegación feliz; y por esto las naves llevaban delfines por símbolos. Los artistas la simbolizan con una mujer coronada de popas de nave, y cuyo vestido agitan los vientos. Por un lado se apoya en un timón y en el otro tiene un instrumento que sirve para tomar altura. Tiene a sus pies el reloj marino, la brújula, el tridente de Neptuno y las riquezas que proporciona el comercio: se ve el mar con algunas naves que lo surcan a toda vela, y se divisa un faro en el horizonte.

NAVES 1 — (*V.* Argos, Eneas, Jasón, Teseo, Ulises.) En las medallas una nave surcando los mares, es el símbolo de la alegría, de la felicidad, del feliz suceso y la seguridad. Muchas naves al pie de una figura rodeada de torres indican una ciudad marítima y comerciante. Al pie de una victoria alada, representan un combate naval en el que han quedado vencidas las embarcaciones enemigas.

*De Eneas, transformada en ninfas.* Cuando Eneas, preparándose para atravesar los mares, hacía construir sus naves en el monte Ida, consagrado a Cibeles, esta diosa obtuvo de Júpiter el que éstas naves, fuesen transformadas en diosas inmortales del mar, apenas hubiesen tocado las playas de Italia. Viendo Turno la armada de Eneas anclada en el canal del Tiber, se propuso quemarla. Arden ya las teas y las antorchas inflamadas; elévase hasta los astros un humo espeso, cuando se deja oir una voz espantosa. «Troyanos, dice, no os arméis para defender mis naves: Turno abrasará antes los mares que esta flota sagrada. Galeras nadad y transformaros en diosas del mar; os lo manda la madre de los dioses». Al instante cada nave rompe sus cables y sumergiéndose en el mar como delfines, vuelven a aparecer al momento y ofrecen a los ojos otras tantas ninfas. Estas nuevas diosas, recordando los peligros a que el mar las había expuesto tantas veces, alargan una mano propicia a las naves que se ven amenazadas de un naufragio, mientras que no sean naves griegas. *Eneida.*

NAVISALVIA. Diosa cuyo nombre se ha encontrado en las inscripciones. Según parece era invocada antes de emprender una navegación o en las tempestades.

NAVIUS (*Accius*). Siendo joven, dice *Cicerón*, fue reducido por su pobreza a guardar puercos. Habiendo perdido uno, hizo voto que si lo encontraba ofrecería al dios el racimo de uvas más hermoso que hubiese en toda la viña. Cuando lo hubo encontrado, se volvió hacia el medio día, se detuvo en medio de una viña, dividió el horizonte en cuatro partes y después de haber experimentado en las tres primeras presagios contrarios, encontró un racimo de una maravillosa magnitud. La relación de esta aventura dio a Tarquino la curiosidad de poner a prueba su talento en adivinar, como queda dicho en el artículo Accius.

NAXO. 1 — Hijo de Apolo y Acacálide.

2 — Hijo de Eutinión y Selene, que según algunos autores dio su nombre a la isla de Naxos.

3 — Otros mitos lo hacen hijo de Polemón, de origen cario.

NAXOS. Isla del mar Egeo, llamada la reina de las Cícladas, famosa por la aventura de Ariadna y el culto a Baco, cuyas orgías se celebraban en ella con gran solemnidad. Los naxios pretendían que este dios había sido alimentado por tres ninfas de la isla, Filia, Coronia y Cleida. *Met. 8, Eneida. 3, Paus. 6, c. 16.* (*V.* Ariadne, Teseo.)

NAZAREATO. Estado o condición de los nazarenos, entre los judíos.

El Nazareato consiste en ser distinguido de los demás hombres principalmente por tres cosas. 1ª) En abstenerse de beber vino; 2ª) en no rasurarse la cabeza y dejar crecer los cabellos; 3ª) en evitar el tacto de los muertos por temor de ser manchado. Había dos clases de Nazareato: el uno por un cierto número de días, el otro por toda la vida. Los rabinos han buscado cuanto duraba el *Nazareato temporal, y lo han determinado según sus ideas cabalísticas. Está escrito en el libro de los números ch. VI, n. 5: Domino sanctus erit.* Además como el nombre erit consta de cuatro letras, la primera y tercera de las cuales, tomadas por letras numerales hacen diez cada una, que suman juntas, treinta, han concluido de esto que el término del Nazareato temporal era de treinta días. *Numer. c. 6, v. 1.*

NEALCES. Amigo de Turno que mató a Salio. *Eneida. 10.*

NEAMAS. Troyano, muerto por Merión, compañero de Idomeneo. *Ilíada.*

NEANDRO. Hijo de Macareo, que se apoderó de la isla de Cos, donde reinó.

NEANTE. Hijo de Pítaco, tirano de Lesbos que, habiendo oído decir que la lira de Orfeo, depositada en el templo de Apolo, resonaba por sí misma, la compró a los sacerdotes y se retiró al campo para atraer los árboles y las rocas; pero no atrajo sino los perros que se arrojaron sobre él y le despedazaron. *Luciano.*

NEANTES. El que compite en los juegos. *Odis. 8.*

NEBAHAZ. Dios primitivo (cananeo) o importado (caldeo) de los hebreos, el mismo que Nabo. (*V.* Nabo.)

NEBRIDE. Piel de joven cervatillo, de que se vestían los que seguían a Baco.

NEBRIDOPEOLOS, *revestido de pieles de cervatillo.* Epíteto de Baco. *Antol.*

NEBRIS. Piel de pantera o de otro animal con que se cubrían, Baco, los faunos, las bacantes etc.; se ve representada esta piel, en una infinidad de monumentos antiguos.

NEBRITES. Piedra consagrada a Baco. *Plinio* dice que era negra; otros pretenden que era rojiza, o de un amarillo oscuro, como la piel de los faunos y de los sátiros.

NEBROCARES, *el que gusta de cubrirse con pieles de cervatillos.* Epíteto de Apolo. *Antol.*

NÉBRODA. Príncipe de la impureza, que, según los maniqueos, creo a Adán y Eva junto con Sacla. (*V.* Sacla.)

NEBRODES. Sobrenombre de Baco revestido con pieles de cervatillo.

NEBROFÓNE. Una de las ninfas de la comitiva de Diana.

NEBRÓFONO. Hijo de Jasón e Hipsipila, era, según parece, gran cazador. *Apolod.*

NEBRÓFONOS. Uno de los perros de Acteón. R. *nebros,* cervatillo; *phonos,* asesino. *Met. 3.*

NEBULA. Nombre latino de Nefel, mujer de Atamante. *Lact.*

NECESIDAD. (*Iconol.*) Diosa adorada como la más absoluta de todas las divinidades, a la cual el mismo Júpiter tenía que obedecer. *Plutón* la representa con colores bastante poéticos. Imagina un huso de diamantes, uno de cuyos extremos toca en tierra, mientras el otro se pierde en los cielos. La Necesidad colocada en un trono elevado, tiene el uso entre sus rodillas y las tres Parcas puestas al pie del altar, lo hilan con sus manos. *Horacio* (*l.3.Od.19*) la pinta marchando delante de la Fortuna y le da por atributos manos de bronce, grandes cañas, grapones y plomo derretido; símbolos de su poder invencible y de la fuerza con que arrastra a los hombres. En la ciudadela de Corinto tenía un templo, en el cual solo podían entrar sus ministros. Los poetas confunden muchas veces la Necesidad con el Destino, a quien todo obedece; y en este sentido llaman hijas suyas a las Parcas. Los mismos filósofos confunden las Parcas con el Destino, la Necesidad, Adrasteo, Némesis.

Otros la llaman hija de la Fortuna, divinidad adorada en toda la tierra y cuyo poder era tal que el mismo Júpiter la obedecía. Tenía en Corinto un templo al cual nadie entraba sino sus sacerdotisas. La representaban a menudo al lado de la Fortuna, su madre, con manos de bronce, en las cuales tenía largas clavijas y grandes cuñas. Llevaba también algunas veces un martillo y muchos clavos, quizás en consecuencia del proverbio: *el clavo está hundido*, de lo que se servían los romanos para denotar que no era ya tiempo de pensar en un negocio. (*Mem. de la Acad. de inscr. t. 5.*) *Winckelmann* da unas grandes uñas a la figura simbólica, y la pinta con el brazo extendido en actitud de dictar sus duras leyes. Ha añadido a todo un yugo, y *Cochin*, un peso en la cintura, el cual arrastra necesariamente.

NECIS. Nombre con que se tributaban en España grandes honores a Marte. Según otros se llamaba *Nerón* o *Nicón*. Este ídolo tenía la cabeza radiante. *Macrob.*

NECISIAS. Fiestas solemnes de los griegos en honor de los muertos, que se celebraban durante el Antesterión, que correspondía en parte a nuestro febrero, consagrado por Numa a la memoria de los antepasados. Los romanos a semejanza de los griegos creían que las sombras salían de los infiernos para asistir a sus fiestas, y que las puertas quedaban abiertas, mientras duraba la solemnidad. Durante este tiempo se suspendía el culto de los otros dioses. Se cerraban los templos y se procuraba evitar la celebración de bodas. Se hacían sacrificios a la tierra y los bitinios invitaban a las sombras de los muertos para que asistiesen a ellos, llamándoles en alta voz por sus nombres, al tributarles los últimos deberes. (*V.* Lemurias.) R. *Nekis*, muerto.

NECROMANCIA, NECOMANCIA, Adivinación por la cual se pretendía evocar a los muertos para consultarles lo venidero. R. *necros, nekus*, muerto. Estaba muy en boga entre los griegos y principalmente entre los tesalios; rociaban un cadáver con sangre caliente y luego creían recibir respuestas ciertas sobre el futuro. Los que consultaban debían haber hecho antes las expiaciones prescritas por el mago que presidía esta ceremonia, y sobre todo haber apaciguado con algunos sacrificios los manes del difunto, el cual sin estos preparativos permanecía sordo a todas las preguntas. Dedrio distingue dos especies de necromancia: una la que usaban los tebanos, y consistía en un sacrificio y un encanto cuyo origen se atribuye a Tiresías; la otra la de los tesalios, como se ha visto más arriba. Puede consultarse la necromancia de la *Odisea*, y la de Farsalia, para tener una idea de los ritos y ceremonias que se empleaban en las evocaciones. *Lucano* cuenta treinta y dos. No será fuera de lugar el referir la distinción que hacían los antiguos entre cuerpo y alma, y lo que los magos pretendían evocar. Esta especie de imagen era lo que los griegos llamaban eidolon, y era el simulacro que descendía a los Campos Elíseos. Ulises vio en ellos la sombra de Hércules, mientras que este semidios estaba en el Olimpo con los inmortales. En la Tesprotia, en las riberas del Aqueronte había un oráculo de los muertos. Este oráculo es propiamente lo que dio a Homero la idea de la necromancia de la *Odisea*. Plutarco nos da cuatro ejemplos de la evocación de las almas de los muertos. *Mem. de la Acad. de inscrip. t. 7.*

NECROPERNAS, *el que vende los muertos*. Sobrenombre de Aquiles, que vendió el cuerpo de Héctor a Príamo, su padre. R. *pernemi*, yo vendo.

NECROPOMPOS, *el que conduce las almas de los muertos*. Sobrenombre de Mercurio. R. *pempein*, escoltar.

NÉCTAR. Bebida deliciosa de los dioses. *Safo* dice que era su alimento, pero *Homero* hace siempre de ella bebida de los inmortales, y da el epíteto de *encarnado* al que Ganímedes servía al dios del trueno. Hebe lo servía a las demás divinidades.

NEDA. 1 — Río del Peloponeso a cuyas riberas iba la juventud de Figalia en ciertos días para cortarse la cabellera y consagrar a este río. *Paus.*

2 — Una de las nodrizas de Júpiter sobre el monte Liceo. (*V.* Hagno.) Dio su nombre al río Neda, *Paus.*

NEDINNO. Centauro muerto por Teseo en las bodas de Piritoo. *Met. 12.*

NEDUSIA. Sobrenombre bajo el cual tenía Minerva un templo célebre en las orillas del Neda: otros derivan este nombre de una capilla que Néstor le edificó en Nedón, a su vuelta de Troya.

NEERA. 1 — Diosa amada del Sol, de quien tuvo dos hijas, Faetusa y Lampetia, a las cuales envió a habitar la isla de Trinacria y cuidar de los rebaños de su padre. *Virg. Egl. 3. Odis. 12.*

2 — Una de las hijas de Níobe.

3 — Hija de Pereo y mujer de Aleo, del cual tuvo a Cefeo, Licurgo y Auge. *Apolod. 3, c. 9. Paus. 8, c. 4.*

4 — Esposa de Strimón. *Apol.*

5 — Esposa de Autólico.

NEFALEOS, *sobrio*. Epit. de Apolo. R. *nephein*, ser sobrio. *Antol.*

NEFALIAS. Fiesta de los griegos, llamada de los sobrios. R. *nefien* ser sobrio. Los atenienses la celebraban ofreciendo una simple bebida de aguamiel al Sol, a la Luna, a la Aurora, a Venus. Quemaban sobre sus altares toda especie de maderas excepto de cepo y de higuera. *Paus. 6, c. 3. Aten. 15.*

NEFALIÓN. Uno de los hijos de Minos y de la ninfa Paria. Establecido en Paros con sus hermanos Eurimedonte, Crises y Filolo, y sus sobrinos, los dos hijos de Androgeo: Alceo y Estenelo. Hércules que buscaba el cinturón de Hipólita, pasó por allí y mató a los miniotas como venganza por haber matado éstos a dos de sus compañeros; a Alceo y Esténelo se los llevó prisioneros.

NÉFELE. 1 — Segunda esposa de Atamante, rey de Tebas, del cual tuvo dos hijos, Frixo y Helle. Como estaba sujeta a accesos de locura, el rey se disgustó bien pronto de ella y volvió a tomar a Ino su primera consorte. Los hijos de Néfele participaron de la desgracia de su madre, pues fueron perseguidos por su madrastra y se vieron precisados a huir para salvarse. Se dice que un oráculo forjado por los artificios de Ino, pidió que los hijos de Néfele fuesen sacrificados a los dioses, y que, en el momento en que iba a consumarse este sacrificio, la madre se transformó en nube, envolvió a sus dos hijos y los cargó sobre el lomo de un carnero de vellocino de oro: fábula fundada sobre la equivocación del nombre. *R. befelé, nube. met. 11. Val. Flac. 11. Apolod. 1, c. 9. Hyg. 2.*

2 — Néfele. madre de los centauros. Asistió a su hijos en su combate contra Hércules, haciendo de modo que la tierra fuese resbaladiza cuando les perseguía.

NEFELEIS. Hello, Hija de Néfele.

NEFELIM. Nombre que significa igualmente gigantes o bandidos; tal es el que da la Escritura a los hijos nacidos del comercio de los ángeles con las hijas de los hombres. Según el autor del libro de Enoch, los Nefelim eran hijos de los gigantes y padres de los Eiiud. También se da a este nombre a los Centauros, llamados hijos de la Nube.

NEFELOCENTAUROS, *Centaurosembes*. Pueblo ideal que Luciano pone en la Luna.

NEFELOCOCCYGYA, *Nube cuclillo*. Otra ciudad imaginaria que (él mismo) pone en las nubes, y donde hace reinar un Coronus, hijo de Cotifión.

NEFES-OGLI (*Mit. mah.*) Este nombre significa, entre los turcos, *hijo del Espíritu Santo*, y lo dan a los que nacen de una madre vírgen. Hay dicen, ciertas vírgenes que viven separadas en ciertos lugares, donde no ven ningún hombre; no van sino rara vez a las mezquitas, y cuando lo hacen permanecen allí nueve horas de la tarde hasta media noche, y añaden tantas contorsiones y gritos a sus oraciones, que agotan sus fuerzas, y que llegan a veces a caer a tierra sin sentido. Si después de esto conciben, dicen que sucede por la gracia del Espíritu Santo, y los hijos que paren se llaman *Nefes-Ogli*. Se les considera como posesores algún día del don de hacer milagros.

NEFLE. Una de las grandes deidades de los egipcios, esposa de Tifón y madre de Anubis, al cual dio a luz antes de tiempo por un terror que Tifón le causó, y que, dice *Plutarco*, fue para los dioses, lo mismo que los perros para los hombres. Según otros, Osiris vivía muy familiarmente con Nesta; lo que inspiró celos a Tifón. Otros dice que, al contrario, Tifón amaba apasionadamente a Isis, mujer de Osiris. *Banier, t.2*.

NEFTIS. Según parece la misma que la precedente. Algunas veces se ve su cabeza en los sistros. Según *Plutarco*, era tomada algunas veces por Venus o la Victoria.

NEFUS. Hijo de Hércules.

NEGES o Canusis (*Mit. jap.*) Sacerdotes seculares del Japón que sirven o servían los templos o *mias*. Se distinguían de los legos por una ropa blanca o amarilla que ponían encima de su vestido común. Traía un gorro en forma de barco, que ataban por debajo la barba con un cordón de seda. Este gorro estaba adornado de franjas y de nudos más o menos largos según la dignidad de cada sacerdote. Los Neges se afeitaban el rostro y se dejaban crecer los cabellos. Los superiores para distinguirse, se mandaban hacer una trenza o bien cubrían sus cabellos con una gasa negra. Además se cubrían las dos quijadas con un pedazo de seda más o menos largo según su dignidad. Estos superiores se dejaban conocer, cuando se presentaban en público, por su fausto profano. Llevaban delante de él, dos sables, distinción de que usaban todos los nobles. Se creían deshonrados si se humi-

llaba a hablar con un hombre; y aunque la mayor parte eran en extremo ignorantes, el exterior frío y reservado que afectaban, les daba un aire de capacidad que imponía al vulgo.

NEGORES (*Mit. jap.*) Secta japonesa que reconocía por sus dos autores uno de los principales seguidores Xaca, llamado Amabdoxi, y un discípulo de este último, que quiso honrar particularmente a su maestro. Esta secta se dividía en tres clases: la primera, que era la menos numerosa se aplicaba al culto de los dioses y a las ceremonias religiosas; la otra hacía profesión de empuñar las armas y la tercera de forjarlas. Unos dicen que estos sectarios no reconocían superior y que no podían terminar ningún negocio sino con los que pensaban como ellos; y cuando el negocio era muy difícil, no tenían otros medios para ponerse de acuerdo que el darse grandes golpes de sable. La fuerza decide el derecho. Otros pretendían, con más verosimilitud, que cuando faltaba una voz o un voto, emplazaban la asamblea, y así consecutivamente hasta que se ponían todos de acuerdo. Otros, en fin, aseguraban que elegían por superiores a los dos más ancianos de la comunidad, y en todos los negocios era necesario que la orden se cumpliera. Esta secta era tan numerosa que con el sonido de una campana que se oyese de lejos podía levantar en tres o cuatro horas un ejército de 30.000 hombres; lo que obligaba a los emperadores a hacerles grandes dones, para tenerlos dispuestos siempre a cumplir sus órdenes. Estos Negores tenían entre sí muchas disputas, y entonces se degollaban sin escrúpulo, aunque la pelea se la causaba el matar un ave o un mosquito, porque sus leyes se lo prohibían.

NEGROS. (*Libros*) Se llaman así los libros de magia, de nigromancia.

NEHALLENIA. (*Iconol.*) Diosa de la cual se encontraron muchas estatuas en la isla de Walcheren, en Zelandia, en 1646, con inscripciones. Ya está representada en pie, ya sentada, con el aire joven y un vestido que la cubre desde la cabeza hasta los pies. Los símbolos que la rodean son por lo regular un cuerno de la abundancia, frutos que trae en su regazo, un canasto y un perro. Se han encontrado monumentos de esta diosa en Francia, Inglaterra, Italia y Alemania. Entre los sabios, los unos han creído que Nehallenia, era la nueva luna, otros con más verosimilitud han pensado que era una de las diosas madres, divinidades campestres, a las cuales convienen todos los atributos que la acompañan. Algunas veces se encuentra Neptuno junto a las figuras de Nehallenia, lo que hace también creer que era una divinidad marítima, o que la invocaban para obtener una feliz navegación. *Banier, t. 5*.

NEHAM. Divinidad adorada en Halle, comarca de Alemania.

NEHEMÍE. El primero, según los talmudistas, de los dos Mesías. Será pobre, miserable, hombre de dolores, descendiente de la familia de Joseph, de la tribu de Efraím e hijo de Haziel. A pesar de su poca apariencia irá a buscar, no se sabe donde, a las tribus de Efraím, de Manassés, de Benjamín y una parte de la de Gad, y al frente de un ejército formidable hará guerra a los romanos y a los cristianos, arruinará la ciudad de Roma y llevará a los judíos triunfantes a Jerusalén. El anticristo Armilio, a quien vencerá, al principio estorbará sus prosperidades, pues aunque Nehemíe, lo hará prisionero, se escapará de sus manos, organizará un nuevo ejército y alcanzará una victoria completa. Nehemíe perderá la vida en la batalla, pero no en manos de los hombres, y será resucitado por el segundo Mesías. (*V.* Armilius, Mesías.)

NEIS. Hijo de Celtho, que dio su nombre a una de las puertas de Tebas.

NEITH, *diosa*. 1 — Nombre egipcio del Ateneo de los griegos. Según Platón, esta diosa había fundado la ciudad de Sais, donde los griegos aprendieron las ceremonias de su culto. (*V.* Nitocris.) En la fiesta que se celebraba en su honor se encendían lámparas en todas las casas que rodeaban la destinada para hacer el sacrificio solemne. *Herodoto* dice que estas lámparas tenían una significación secreta. El jefe de los sacerdotes de Neit se llamaba *Pantoneit*, el cordero era el símbolo viviente de esta divinidad, que según *Eusta-*

*tio* la figuraban sentada, Algunos autores han creído verla en esta actitud en la tabla Isiaca. *Pausanias* y *Tzetzes* la llaman Sais. En muchas medallas imperiales fundidas en Alejandría se ve la Neit o Minerva egipcia armada de un *bipenne. Banier, t.4*.

2 — (*Mit. célt*.) Divinidad de las aguas ente los galos, los cuales le consagraban todos os años animales, paños preciosos, frutos, oro y plata. La creían irascible y de una bondad muy equívoca; opinión que convenía muy bien a una deidad de tan pérfido elemento. En el lago de Ginebra había una roca que le estaba consagrada y que se llama aún *Neitón*. El sistema risueño y poético que puebla los mares, ríos y fuentes de divinidades protectoras, tiene un no se qué de seductor, que no ha podido ceder del todo ni al ascendiente del cristianismo. He visto, dice un escritor francés, en los habitantes de las orillas del Loire una especie de respeto filial, mezclado de temor y amor, proporcionado a los daños y a los beneficios de este bello y caprichoso río.

NEKID. (Mit. rab.) Ángel que, según el *Talmud*, preside el pan y otros alimentos.

NELEIDIAS. Fiestas instituidas en honor de Diana, por Neleo 2. *Ant. expl. t. 2*.

NELEIDES. Néstor y los demás hijos de Neles.

NELÉIS. Sobrenombre de Diana tomado de los neleides.

NELEIUS. Néstor, hijo de Neleo.

NELEO. 1 — Hijo de Tiro y Neptuno. Por su madre desciende de Salmoneo y Eolo. Hermano gemelo de Pelias y hermanastro de los hijos de Tiro y Creteo: Esón, Feses y Amitaón.

Habiendo sido abandonado después de su nacimiento, le encontraron unos pastores quienes cuidaron de él, hasta que siendo ya mayor se hizo reconocer por su madre y tomó posesión con su hermano Pelias, de los estados que habían heredado de Salmoneo en Elida. Neleo fue arrojado después de Folcos por Pelias, y obligado a refugiarse en casa de Afareo su pariente, quien no tan sólo le proporcionó un retiro en sus estados, sino que le dejó toda la costa marítima, donde tenía muchas ciudades, y entre otras a Pilos, que Neleo escogió para lugar de su residencia, y floreció de tal modo bajo su poder que Homero la clama por excelencia la ciudad de Neleo. La riqueza consistía entonces, dice Pausanias, en tener gran número de bueyes y caballos: Neleo mandó traer muchos de Tesalia para que se multiplicasen en sus estados; de modo que se enseñaban como una curiosidad los establos de Neleo. Cuando estuvo bien establecido, se trasladó a Orcómeno, para casarse con Cloris, hija de Anfión, de la cual tuvo doce hijos que aumentaron mucho su poder. Orgulloso de tener una familia tan numerosa, osó hacer la guerra a Hércules y unirse con Augias contra este héroe; pero vio saquear a Pilos y murió él mismo con once de sus hijos. Sólo escapó el joven Néstor, que fue colocado en el trono por no haber entrado en el complot de sus hermanos (*Met. 12.*) Algunos dan un pretexto más trivial en la guerra de Hércules contra Neleo; y es que éste y sus hijos habían rehusado expiar a Hércules de un crimen que había cometido. Neleo es contado entre los Argonautas. *Apolod. 1, c.9;l.2,c.6,Paus.4,c.36,Ilíada.11,Odis. 11, Diod. Sic.*

2 — Hijo de Codro y hermano de Medón, privado del trono de Atenas por el oráculo que decidió a favor de su hermano, se puso a la cabeza de una juventud floreciente, que fue a fundar una colonia en el territorio de Mileto. Para asegurar la existencia de esta nueva colonia hizo degollar a los milesios y dio sus mujeres a sus soldados. *Paus.*

NELO. Danaide. *Apolod.*

NEMA. Diosa de los funerales, honrada particularmente en los de los ancianos. No se invocaba hasta que empezaba la agonía. Tenía un templo fuera de Roma, cerca la puerta Viminal. Presidía en los cantos fúnebres en honor de los muertos. *Ant. expl. t. 1, 5.*

NEMANOUM. Nombre que los griegos daban algunas veces a Minerva, en la cual creían reconocer a Noema, hija de Lamech, a la que se atribuía la invención del tejido y de la tela.

NEMANÚS. Esposa del rey de Biblos que acogió a Isis cuando ésta iba buscando el féretro que contenía el cuerpo de Osiris. El ataúd había sido utilizado, sin saberlo, como viga para sustentar el palacio de Biblos. Isis tras muchas peripecias pudo recuperarlo.

NEMAUSUS. Descendiente de Hércules y fundador de Nismes, donde recibió los honores divinos.

NEMBROTH. Uno de los espíritus que consultan los mágos. Le está consagrado el martes, en cuyo día recibe la piedra que le arrojan por regalo. *Mem. de la Acad. de Inscr. t. 12.*

NEMEA. 1 — Hija, según Pausanias, de Aspo, y según otros de Júpiter y la Luna, que dio su nombre a una comarca del país de los argivos, aunque otros lo derivan de los rebaños de Júpiter que pacían en él. R. *miein*, apacentar.

2 — Ciudad de la Argólida célebre en los tiempos heróicos por la victoria de Hércules sobre un león, y por los juegos Nemeos. En una selva vecina había un león de una corpulencia enorme, que devastaba el país. Hércules, enviado a los dieciseis años a guardar rebaños, atacó a este monstruo, agotó las flechas de su aljaba contra su piel impenetrable a los dardos, y rompió sobre él su clava de hierro. En fin después de muchos esfuerzos inútiles, asió al león, lo despedazó con sus manos y con sus uñas le arrancó la piel, que le sirvió después de escudo y vestido. Tal fue el primero de los doce trabajos de Hércules. *Eneida. 8. Estrab. Diod. Cic.*

NEMEO. Sobrenombre de Júpiter tomado del culto que se le daba en Nemea, después que Hércules le hubo consagrado los juegos de este nombre. Los argivos hacían en ellos sacrificios a este dios, y a ellos pertenecía el derecho de elegir un sacerdote. Hércules tenía también el mismo sobrenombre.

NEMEÓNICOS. Vencedores de los juegos Nemeos. Su premio era de una simple corona de olivo. *Píndaro* los ha inmortalizado en su libro tercero. R. *niké*, victoria.

NEMEOS. Los juegos nemeos se contaban entre los más famosos de Grecia:

se dice que fueron establecidos por Hércules, después de haber matado al león de Nemea, y en memoria de su triunfo. *Pausanias* dice que su autor fue Adrato uno de los siete jefes de la primera guerra de Tebas; otros dicen que los siete jefes argivos celebraron estos juegos para honrar la memoria del joven Efelte, o Arquemore, hijo de Licurgo: otros en fin pretenden que fueron consagrados a Júpiter Nemeo. Sea cual fuere su origen, lo cierto es que se celebraron por mucho tiempo en Grecia de tres en tres años. Los argivos los hacían celebrar a sus expensas en la selva Nemea, y eran sus jueces. Se dice que jugaban vestidos de luto, para manifestar el origen de estos juegos. Al principio los vencedores se coronaban con olivo, práctica que duró hasta el tiempo de las guerras contra los medos y un descalabro que sufrieron los argivos en esta guerra hizo mudar el olivo en apio, hierba fúnebre. Así los juegos nemeos han pasado por juegos fúnebres. *Met. 9, Apoll. 3, c. b. Mem. de la Acad. de Inscr. 1, 3.6.10,12.*

NEMERTES. Nereida. *Hesíodo. Teog. Ilíada. 18.*

NEMESEAS. Fiestas instituidas en honor de Némesis. Eran fúnebres porque creían que Némesis tomaba también a los muertos bajo su protección, y que vengaba las injurias hechas a sus sepulcros. Hacíanse en ellas expiaciones en favor de los que habían abusado de los dones de la fortuna o de los de la naturaleza. *Ant. expl. t. 2.*

NÉMESES. (*Iconol.*) Divinidades hijas, según *Higinio*, del Erebo y la Noche. Algunos las toman por la Enménides. Eran muy veneradas en Esmirna, que Alejandro había fundado sobre la fe de la aparición de una de estas diosas, que se lo había mandado en sueños. *Hesíodo* ha distinguido también dos Némeses: la una era el Pudor que se volvió al cielo después de la edad de oro, y la otra permaneció en la tierra y en los infiernos para castigar a los malvados. Estas dos divinidades, invocadas especialmente en los tratados de paz, aseguraban la fidelidad de los juramentos. Las representaban aladas, con una rueda debajo los pies, símbolo de las vicisitudes humanas, propia para retraer al orgulloso a los sentimientos de la moderación y justicia; a veces tiene un freno para detener a los malvados, o un aguijón para incitar al bien. Acercan un dedo a la boca para darnos a entender que es necesario ser discreto; y el freno que traen indica que es necesario ponerlo siempre a los discursos propios. La mayor parte de estos atributos convienen a Némesis. *Paus.*

NÉMESIS. Hija, según *Pausanias*, del Océano, según *Amiono Marcelino*, de la Justicia, de Júpiter, según *Eurípides*, y por fin de la Noche, según *Hesíodo* (*Teog.*) Divinidad temible que, subida a los cielos, miraba desde lo alto de una eternidad oculta todo lo que pasaba en la tierra, velaba en este mundo para castigar a los malvados, a quienes atormentaba en el otro con todo su rigor. Sus castigos eran severos, pero justos, y nadie estaba exento de sus golpes. Esta divinidad, soberana de los mortales, juez de los motivos secretos que les hacían obrar, mandaba también al ciego Destino y hacía salir a su voluntad de la urna de este dios, los bienes o los males. Se complacía en abatir las cabezas orgullosas, en humillar a los que carecían de moderación en medio de la prosperidad, a los que la hermosura, la fuerza corporal o los talentos habían ensoberbecido, y a los que desobedecían las órdenes de sus superiores. Ministra de la justicia tenía una inspección especial sobre las ofensas que los hijos hacían a sus padres. Ella era, en fin, la que recibía los votos secretos del amor desdeñado o traicionado, y la que vengaba a las amantes desgraciadas por la infidelidad de sus amados. Así sobre un mosaico del herculano se le ve consolando a Ariadna abandonada. La nave de Teseo hiende los mares, mientras que el Amor cerca de Ariadna se oculta y derrama lágrimas. Según *Hesquio*, el nombre de Némesis significa entre los griegos *buena fortuna*: otros lo hacen derivar de *nemein, dividire*, porque distribuía a los hombres los castigos y las recompensas; otros de *nemesan*, indignarse, de la indignación que le causaban los crímenes de la tierra. (*V*. Ancharia, Eois, Nortia, Opis.)

Una diosa tan temible no podía dejar de tener un gran número de altares. Mirada por unos como el poder del Sol. su imperio se extendía sobre todo el globo y su culto estaba universalmente recibido. Era honrada por los persas, por los asirios, por los babilonios, por los pueblos de Etiopía, originarios del Egipto: según refiere *Plinio*, tenía en un laberinto cerca del lago Mœris, quince altares; ningún lugar más apto para colocar esta diosa distribuidora de los castigos y recompensas, que en la Tartaria egipcia, es decir, en el lugar donde la opinión pública colocaba la morada de los buenos y de los malos. (*V*. Lua.) Orfeo llevó su culto a Grecia. Era adorada principalmente en Ramnus. (*V*. Ramnusia.) en Samos, en Side, en Efeso, en Esmirna. Italia reconoció también su poder y la contó entre sus divinidades principales, bajo el nombre griego de Némesis. En Roma se le daba el nombre de Santa, y se le consagró un altar en el Capitolio: allí iban los guerreros antes de ir al combate, a inmolarle víctimas, y a ofrecerle un puñal. Presidía en la oreja derecha, y a veces le ofrecían una oreja de plata. Si un romano en una conversación, la más familiar, pronunciaba una palabra de mal agüero, callaba al instante, y después de haberse besado el anular de la mano derecha, se tocaba la oreja derecha, parte llamada el asiento de Némesis.

Entre los griegos va comúnmente coronada, y sobre su cabeza se eleva algunas veces una asta de ciervo, quizá para designar la prontitud con que Némesis da a cada uno lo que le pertenece. Los etruscos la coronaban con una diadema de piedras preciosas. El narciso servía también para su corona, y esta flor que recordaba a un joven orgulloso, enamorado de sí mismo y víctima del amor propio, debía naturalmente ser consagrada a una diosa que castigaba a los que no amaban sino a sí mismos. A veces trae la cabeza cubierta por un velo, atributo que anuncia que la venganza divina es impenetrable, y que hiere en el momento en que el culpado cree estar en paz. Ya descansa sobre un

timón, para expresar que rige el universo, ya se ve una rueda debajo de sus pies, porque lo recorre para juzgar el mérito de las acciones humanas. Los habitantes de Brescia, en Italia, la coronaban con laurel y ponían bajo sus pies una rueda y un compás. Algunas veces tiene un vaso en una mano y una lanza en la otra; el licor del uno prestaba fuerza al hombre virtuoso y perseguido: los golpes castigaban las faltas de los orgullosos y un mosaico de herculano presenta a Némesis con un rostro severo y vestida de blanco. Con una mano levanta su vestido, como para ser testigo de una acción criminal, y con la otra tiene una espada envainada. Los artistas antiguos le dieron muchas veces alas; en efecto, necesitaba la velocidad del ave para llenar sus diferentes oficios. Por este motivo los habitantes de Esmirna ponían a su lado un grifo con las alas extendidas, y esta ave fabulosa le estaba consagrada. Una estatua de Némesis desenterrada cerca de Crotona, la representa sin piernas y descansando sobre un pie de grifo. Tiene dos alas extendidas, la cabeza coronada, y trae sobre las espaldas el *peplum*. Algunas veces se encuentra cerca de la figura de Némesis la de Juno, y otras la de Isis; y *Gori* describe una de estas estatuas hallada en Toscana, donde se ve vestida como una divinidad egipcia, con un velo que la rodea, formando varias espirales.

Algunos autores han sospechado que Leda no era más que un sobrenombre de Némesis; pero la mayor parte, y sobre todo *Higinio*, lo han formalmente rechazado.

Dando esta diosa a Helena por hija, los poetas quisieron expresar sin duda los pesares que le causó su hermosura, y la venganza cruel que atrajo sobre los troyanos y la familia de Príamo. Tal fue la fábula ficción por medio de la cual se acreditó esta opinión, semejante a la historia de Leda. Némesis fue amada por Júpiter; pero como este dios no podía seducirla, tomó, para lograrlo, la agradable figura de un cisne; y habiéndose hecho perseguir por un águila, se refugió en el seno de la diosa. Apenas ésta le hubo dado asilo entre sus brazos, cuando se apoderó de sus sentidos un sueño profundo, que la entregó a los transportes de su amante. Némesis concibió a Helena en un huevo, que Mercurio confió a Leda, quien cuidó de él. En el gabinete del rey de Prusia había una esmeralda grabada que representaba a Némesis sentada en un altar, vestida con una simple capa que ondea detrás de ella y teniendo entre sus brazos el cisne seductor. En un sardónico del mismo gabinete, se ve a Némesis recostada y Júpiter, transformado, estrecha amorosamente el seno de su amada.

Un hermoso mosaico de Herculano ofrece también esta victoria del Amor: la diosa tiene la cabeza cubierta por un velo; cerca de ella hay una cama con los pies dorados y el amoroso cisne, puesto sobre sus rodillas, extiende su cuello y se esfuerza para unir su pico con los encarnados labios de la diosa.

**NEMESTRINO.** Dios presidente de las selvas, tenido como el soberano de los Dríades, Faunos, y otros dioses de los bosques. R. *nemus* bosque *Banier.t.5, Apolod. 3, c.10, Olimp.11, c.28, l.36, c.5, Mem. de la Acad. de Inscr. t. 4, 5, 18.*

**NÉMETES.** Sobrenombre de Júpiter, el mismo que Nemeo.

**NEMETIRUS.** Personaje fabuloso que pasó desde la Escitia a Irlanda, y fue arrojado de aquí por los gigantes.

**NÉMETOR,** *vengador.* Sobrenombre de Júpiter en *Esquiles.* R. *nemesan,* indignarse.

**NEMI.** Aldea de la campiña de Roma, llamada en latín *nemus Dianæ,* a causa de un bosque consagrado a Diana. El lago en cuyas orillas está situada, estaba dedicado a la misma diosa, y se llamaba su *espejo* porque su agua era siempre clara y limpia.

**NEMORALES.** Fiestas que se celebraban en el bosque de Aricia en honor de Diana Aricina.

**NEMORENSIS.** 1 — Sobrenombre de Diana, diosa de los bosques.

2 — Rex. El presidente de los sacrificios que se ofrecían a Diana en el bosque de Aricia. *Suet.*

**NEMOS.** Cantos funerarios que contenían las alabanzas del que acaba de morir. Se cantaban con una voz lastimera, acompañada de flautas por una mujer alquilada para este fin, que se llamaba *Præfica.* Se atribuía su origen a Simónides. Esta palabra se ha aplicado en lo sucesivo a toda especie de cantos desagradables, y aun a los discursos impertinentes. Se entendía también por este nombre el canto que usaban las nodrizas para hacer dormir los niños.

**NEMROD.** Hijo de Chus. Algunos le consideran como el Saturno y otros como el Nino de los antiguos. Una tercera opinión le confunde con Bel o Belus, y otra con Baco. *Mem. de la Acad. de Incr. t. 3, 21.*

**NENS.** (*Mit. siam.*) Jóvenes a quienes sus padres colocaban al lado de los talapones, para recibir sus instrucciones. Se les enseñaba los principios de la religión y de moral, y se les hacía aprender la lengua balia, que es la de su religión y de sus leyes. Estaban separados en cada celdilla según la voluntad de sus padres. Ningún talapón podía admitir más de tres. Estos discípulos permanecían estudiando toda la vida y formaban una especie de orden compuesta de novicios, que nunca llegaban a ser profesos. El dean de los novicios, se llamaba *taten,* y su empleo particular, era el de limpiar el terreno del convento de hierbas inútiles, ejercicios que sería un crimen para un talapón. En el recinto del convento había una sala aislada, construida de bambúes, que servía de escuela a estos pequeños talapones. Los nens, sin ser de todo monjes, tenían un género de vida en extremo austero. Estaban obligados a ayunar seis días en cada luna, y en todo el tiempo restante no hacían más que dos comidas al día. Les estaba prohibido cantar y hasta oír las canciones. Traían el hábito de los talapones y por lo común servían al mismo en cuya casa estaban alojados. Los nens son los *hermanos legos* de los conventos.

**NEOCLES.** Uno de los paisanos licios transformados en ranas por Latona, por haber impedido que bebiese en el río de Misa.

**NEOCORES.** Sacerdotes griegos que, siendo al principio ministros subalternos, habían sido después elevados a las dignidades más distinguidas y encargados de las funciones principales de los sacrificios. R. *naos*, templo: *korein*, cuidar.

Los neocores eran propiamente entre los griegos los que nosotros llamamos sacristanes, los cuales cuidaban de adornar los templos y de tener en buen estado todos los utensilios de los sacrificios. En lo sucesivo este templo llegó a ser de los más considerables. Según *M. Vaillant*, los Neocores en los primitivos tiempos cuidaban tan sólo de barrer los templos. Subiendo después un grado más, se les confió su guardia y llegaron en fin a las mayores dignidades. Sacrificaron por la salud de los emperadores como honrados con el sumo sacerdocio. Se encuentra a algunos Neocores con el título de Pritano, nombre de gobierno, y con él de Agonothete, que distribuía el premio en los juegos públicos. Hasta las ciudades, especialmente aquellas que poseían un templo famoso, como Efeso, Esmirna, Pérgamo, Magnesia, tomaron el nombre de Neocores. *Mem. de la Acad. de Inscr. t. 1, 2, 18.*

NEOENIA. Fiesta en honor de Baco, cuando se ensayaba o probaba por primera vez el vino nuevo del año. R. *neos*, nuevo; *oinos*, vino.

NEOFRÓN. Hijo de Timandra a quien Júpiter transformó en buitre.

NEOMEIUS. Sobrenombre de Apolo, honrado especialmente en la nueva luna; porque todos los astros reciben su luz del sol.

NEOMENÍASTES. Los que celebraban las fiestas de las neomenías o de cada mes lunar.

NEOMENIES. Fiestas que se celebraban en las lunas nuevas en Egipto, en Judea, en Grecia y en Roma. Los egipcios las celebraban con aparato, y el primer día de cada mes llevaban en triunfo los animales que correspondían a los signos celestes, a los cuales el sol y la luna iban a entrar. Los hebreos tenían una particular veneración por este primer día y lo celebraban con sacrificios. Los jueces del Sanedrín, a quienes competía el fijar los días de las fiestas, enviaban dos hombres a descubrir la luna, y sobre su relación, hacían publicar al son de trompetas que empezaba el mes en aquel día. Los griegos solemnizaban las Neomenies el día primero del mes lunar en honor de todos los dioses. Esta fiesta pasó de los griegos a los romanos, quienes dieron a las Neomenies el nombre de calendas. Al principio de cada mes hacían oraciones y sacrificios a los dioses en reconocimiento de sus beneficios y la religión obligaba a las mujeres a bañarse: con todo las calendas de marzo eran las más solemnes, porque entre los romanos era el primer mes del año. *Mem. de la Acad. de Inscr. t. 1, 14.*

NEOMERIS. Nereida. Apolod. 1.

NEOPTÓLEMO. Llamado así porque fue al sitio de Troya siendo aún muy joven. (*V.* Pirro.)

NEOPTOLOMEAS. Fiesta celebrada por los delfios en memoria de Neoptolemo, hijo de Aquiles, que pereció en el saqueo del templo de Apolo que había emprendido con el designio de vengar la muerte de su padre, causada por ese dios en el sitio de Troya. Habiendo pues los delfios matado a Neoptolemo en el templo mismo, creyeron su deber fundar una fiesta en su gloria, y honrar a este príncipe como a un héroe. *Ant. expl. t. 2.*

NEÓTERA. Joven o diosa nueva; título que tomó Cleopatra con el vestido de Isis cuando Marco Antonio tomó el nombre y el aparato de Baco. *Ant. expl. t. 2.*

NEOZONZE (*Mit. pérs.*) Fiesta solemne que celebraban los persas al principio del equinoccio de primavera, y que duraba muchos días. Los grandes iban entonces a ofrecer presentes y tributar homenajes al príncipe. Se hacían también rogativas públicas para la conservación de los bienes de la tierra.

NEPENTES. 1 — Planta de Egipto de la que se sirvió Helena para distraer la melancolía de sus huéspedes, y en particular del joven Telémaco, cuyo dolor había avivado su relación de la aventuras de Ulises. Helena la había recibido de Polidamna, esposa de Tanis, rey de Egipto, y la mezcló con el vino que se servía en la mesa de Menelao. R. *ne*, negación; y *penthos*, dolor. (*Odis.*) Diodoro dice que en su tiempo las mujeres de Tebas en Egipto se alababan de componer bebidas que no tan sólo hacían olvidar los pesares, sino que calmaban los más agudos dolores y los mayores transportes, y añade que se servían de ellas con éxito. *Plinio* habla una planta llamada *helenium*, que cree ser la Nepentes de Homero, y a la cual mezclada con el vino, atribuye la misma virtud. *Plutarco, Ateneo, Macrobio, Filostrato*, entienden por esta planta los cuentos agradables que Helena refirió a sus huéspedes.

2 — *El que disipa la tristeza*. Epit. de Apolo.

NEPIA. Hija de Jasón, casó con Olimpo, rey de Misia; comarca que tomó el nombre de campos Nepios.

NEPTUMUS. Epíteto dado a Sexto Pompeyo, que se creía descendiente de Neptuno porque sus armadas dominaban los mares. *Diod.,48, Hor. Epod. Od. S.*

NEPTUNALES. Fiestas que se celebraban en Roma el 23 de julio en honor de Neptuno. Eran distintas de las Consuales, aunque estas eran también en honor de aquel dios; pero durante unas y otras, como se creía que Neptuno había formado el primer caballo, tanto estos como los mulos, coronados de flores, gozaban de un reposo que nadie hubiera osado turbar.

NEPTUNIA PROLES. Mesape (Mesapio), hijo de Neptuno; Cicno, hijo e Hipómenes, nieto del mismo dios.

NEPTUNIOS HEROS. Teseo, a quien los poetas hacen algunas veces hijo de Neptuno.

NEPTUNIUM. Estrecho del golfo arábigo, llamado así de un altar consagrado a Neptuno por Aristón, a quien Ptolomeo envió al descubrimiento de las cosas de Arabia. *Diod. Sic.*

NEPTUNO, (en griego Poseidón). Divinidad de los mares. *Herodoto* (2, *c.50, l.4. c.188*) le hace libio y asegura que siempre había sido venerado en aquel país. Según la opinión más generalmente recibida, Neptuno fue un príncipe de la raza de los Titanes, hijo, según *Hesíodo* (*Teog.*) de Saturno y Rea, y hermano de Júpiter y Plutón. Rhea después de haberlo parido, le ocultó en un aprisco de Arcadia e hizo creer a Saturno que había puesto al mundo un pollino que le dio a devorar. En la repartición que hicieron los tres hermanos del universo, es decir, del vasto imperio de los titanes, le tocó en suerte el mar, las islas y todos los lugares marítimos, de donde vino la idea de considerarle como dios de los mares. Según *Diodoro*, Neptuno fue el primero que se embarcó con el aparato de una armada naval. Saturno le había dado el mando de una flota con la cual detuvo todas las empresas de los Titanes; y cuando Júpiter su hermano, a quien sirvió siempre fielmente, hubo obligado a sus enemigos a retirarse en los países occidentales, les apretó tanto, que jamás pudieron salir de aquellas regiones, lo que dio lugar a la fábula de que Neptuno tenía a los titanes encerrados en los infiernos y no los dejaba moverse. Los poetas han dado el nombre de Neptuno a la mayor parte de los príncipes desconocidos que venían por mar a establecerse en algunos nuevos países, o que reinaban en alguna isla, o que se hubiesen hecho célebres por sus victorias navales, o por el establecimiento del comercio, de aquí las innumerables aventuras que se refieren de Neptuno, el gran número de mujeres, de amantes y de hijos que se le dan, y tantos raptos y transformaciones que se le atribuyen. *Vosio* distingue muchos Neptunos, como el Egipcio, que tuvo de Libia a Belo y Agenor; el esposo de Aminone, de la cual tuvo a Nanfo, padre de Palámedes; el padre del famoso Cereión, muerto por Teseo; el esposo de Tiro, hija de Salmoneo y padre de Pelias; Egeo, padre de Teseo, en fin el Neptuno del que hablamos y cuya historia está llena de las aventuras de los otros. Por lo demás, se dice que Neptuno tuvo por esposa a Anfítrite; hija del Océano y de Doris; que este príncipe, habiéndose enamorado de ella y no pudiéndola obtener, le envió un delfín, el cual negoció tan bien el asunto que logró hacerle corresponder a sus deseos. Se le dan un número infinito de concubinas, cuyos favores debió a varias transformaciones. Aracne, en *Ovidio* (*Met. 6.*) le representa transformado en toro en sus amores con una de las hijas de Eolo, bajo la forma del río Enipeo, tuvo de Ifimedia a Efialtes y a Oto; bajo la de un carnero para seducir a Bisaltio; bajo la de una caballo para engañar a Ceres; en fin bajo la de un ave, en su intriga con Medusa, y de un delfín con Melanto.

*Apolodoro* (1, 2.) refiere que, queriendo durante el reinado de Cécrope cada uno de los dioses escoger una ciudad y un país donde fuesen particularmente honrados, Neptuno vino el primero a Atica, e hiriendo en tierra con su tridente, hizo nacer un mar. Minerva llegó después y, en presencia de Cécrope, plantó un olivo que se dice que aún permanecía en tiempo de Pandroso. Estas dos divinidades se disputaban Atica por razón de sus beneficios. Queriendo Júpiter reconciliarlas, les dio por jueces los doce dioses, quienes dieron a Minerva, Atenas y Atica. Neptuno tuvo una disputa semejante con la misma diosa. Júpiter dividió este honor entre los dos, de suerte que los trecenios honraron a Minerva bajo el nombre de Poliade, y a su rival bajo el de rey, y pusieron en sus monedas el tridente en el anverso y en el reverso la cabeza de Minerva. Hubo también discordia entre Juno y Neptuno por el territorio de Micenas (*V.* Inaco), y entre Neptuno y el Sol por el Istmo de Corinto. (*V.* Istmo.) Finalmente existe la fábula que dice que Neptuno, arrojado del cielo con Apolo por haber conspirado contra Júpiter, edificó los muros de Troya, y que engañado por Laomedonte, quien no le dio la recompensa que le había ofrecido, se vengó de esta perfidia destruyendo aquellas obras. (*V.* Helione, Laomedonte.)

No solamente se atribuían a Neptuno los temblores y otros movimientos extraordinarios de la tierra y del mar, sino que era considerado también como autor de las mudanzas considerables de los ríos y de los torrentes: así los tesalios, cuyo país había quedado inundado, cuando las aguas se hubieron retirado, afirmaron que Neptuno había abierto el canal por donde salieron. Se le creía también dios tutelar de las murallas y de sus fundamentos que arruinaba o fortalecía a su voluntad.

Neptuno era uno de los dioses más honrados del paganismo, dejando aparte los libios, que le consideraban como su dios tutelar y su gran divinidad; Grecia e Italia, especialmente en los lugares marítimos, habían erigido muchos templos en su honor y establecido juegos y fiestas. Los del istmo de Corinto y los del circo de Roma le estaban consagrados bajo el nombre de Hipio (el que monta a caballo). Los romanos tenían tanta veneración a este dios que, además de la fiesta que celebraban el primero de julio, le habían consagrado todo el mes de febrero, ya sea porque la mitad de este mes estaba destinada a las purificaciones que se hacían principalmente con agua, cuyo elemento presidía, o bien para rogarle de antemano que favoreciese a los navegantes, que a principios de la primavera se disponían para sus viajes. *Platón* nos dice que los atlántides tenían un templo donde se le representaba sobre un carro tirado por cuatro caballos alados, cuya riendas tenía, y que su estatua era tan grande, que tocaba la bóveda del templo a pesar de ser muy elevada. *Plinio* hace mención del que tenía en la Caria y *Herodoto* de una que le habían dedicado los potideos. Este mismo autor habla de una estatua de cobre de diez pies y medio de alta, que tenía cerca del istmo de Corinto. Además de las víctimas comunes, es decir, del caballo y el toro, y de las libaciones en su honor, los agoreros le ofrecían en particular la hiel de la víctima, por razón de que su amargor convenía con las aguas del mar.

*Virgilio*, (*Geórg.1.*) dice que Neptuno hizo nacer un caballo del seno de la tierra, hiriéndola con su tridente.—*Diodoro* (6.) y *Pausanias* atribuyen a este dios el arte de domar los caballos.—*Homero* (*Ilíada. 7.*) dice que tomaba igualmente bajo su protección los caballos y los navegantes.

(*Iconol.*) Neptuno se ve ordinariamente representado, desnudo, con barba, con el tridente en la mano, (*V.* Tridente.) ya sentado, ya en pie sobre las olas del mar, algunas veces sobre un carro tirado por dos o cuatro caballos, ora terrestres, ora marinos, cuya parte inferior termina en pez, y sólo una vez alados: *Homero* se los da con pies de cobre. En *Maffei* Neptuno, coronado por la victoria, indica el reconocimiento de un guerrero que creía deberle una victoria naval. En una medalla de Augusto y en otra de Tito, se le ve teniendo el pie derecho sobre un globo, símbolo de que estos emperadores eran igualmente dueños de la tierra y del mar. Sentado sobre un mar tranquilo con dos delfines que nadan sobre la superficie del agua, y teniendo a su lado una proa cargado de granos o de perlas, indica la abundancia que nace de una navegación feliz. Cuando aparece sentado sobre un mar tempestuoso, con el tridente plantado delante de él y un ave monstruosa con cabeza de dragón, con alas, sin plumas como el murciélago, que parece hacer un esfuerzo para lanzarse sobre él, mientras que Neptuno permanece tranquilo y parece volver la cabeza con desprecio, sirve para representar que este dios triunfa igualmente en las tempestades y de los monstruos marinos. Una medalla publicada por *Beger*, en la cual se ve la victoria coronada sobre una proa, sonando una trompeta, y en el reverso un Neptuno, en postura de combatiente, esgrimiendo su tridente para ahuyentar los enemigos, representa la victoria de Demetrio Poliocelo sobre Ptolomeo. En fin un bajorrelieve muy hermoso, le representa arrebatando una joven doncella sobre sus caballos marinos. El Amor a quien este dios ha confiado su tridente, se sirve de él para alentar sus caballos, uno de los cuales tiene en la boca una cola de delfín: en la ribera se ven dos jóvenes, rogando a Neptuno que les restituya su compañera. (Véase la pintura que hace *Virgilio* de su séquito, en el primer libro de la *Eneida*.)

*Filostrato* en sus pinturas representa a Neptuno vestido de labrador y conduciendo un arado, porque es necesario que intervenga Neptuno (o el agua) en la agricultura, como principio de toda vegetación y fertilidad. *Varrón* deriva su nombre de *Nubes*, porque cubre la tierra.

Los antiguos dieron a Neptuno diferentes nombres, que se encontrarán en el orden alfabético. *Eneida. 1, 2,3, . Apolod. Eurip. Val. Flaco. Cic. Macro. Saturn. 1, c. 17. S, Ag. 18. Plut. Hig. 7. 157. Mem. de la Acad. de Inscrip. t. 1, 3, 5, 6, 7,8,9,10,12,16,18,21.* (V. Poseidón, Salacia.).

**NEPTUNOS.** Ciertos genios de los cuales se hace una descripción casi semejante a la de los faunos, de los sátiros, etcétera.

**NEQUÁN** o **NEGUÁN** Pretendido príncipe de los magos a quien las crónicas de Maguncia atribuían la fundación de esta ciudad.

**NEQUIRÓN.** (*Mit. jap.*) Uno de los tres dioses japoneses que presiden la guerra. (V. Denitchi, Maristines.)

**NEQUITI.** (*Mit. afr.*) Secta establecida en el Congo, Africa, que tenía sus reuniones en lugares sombríos y desconocidos. Cuando se presentaba un nuevo candidato, le hacían dar muchas vueltas sobre una cuerda hasta que caía aturdido. He aquí la descripción de lo que le sucedía: "Después de su caída pierde la razón y parece sumergido en un éxtasis. Durante este enajenamiento, le trasladan al lugar donde se tiene la asamblea, y cuando ha vuelto a recobrar sus sentidos se le hace prestar el juramento de fidelidad. Si llega a ser perjuro es inmolado por los cofrades a los dioses protectores de la sociedad" (*Noël*).

**NERE.** Espacio de tiempo fabuloso que usaban los caldeos en su cronología y que marcaba seiscientos años. *Banier. t.1.* (V. Sare.)

**NEREIDAS.** (*Iconol.*) Hijas de Nereo y Dóride. *Hesíodo* (*Teog.*) cuenta hasta cincuenta, (*Homero 30 y Apolodoro 4*) cuyos nombres sacados del griego, convienen perfectamente a las divinidades del mar. Se dio después el nombre de Nereidas a las princesas de las islas y las costas, o que se hicieron famosas por el establecimiento del comercio o de la marina. Se dio también el mismo nombre a ciertos peces, a los cuales suponían con la parte superior del cuerpo semejante al de las mujeres. *Plinio* dice que en tiempo de Tiberio se dejó ver en las riberas del mar una Nereida tal como los poetas nos las describen. Estas divinidades tenían bosques sagrados y altares en varios lugares de Grecia, especialmente en las playas. «Doto (una nereida), dice *Pausanias*, tenía un templo célebre en Gabala, donde le ofrecían sacrificios de leche, miel, aceite y algunas veces le inmolaban cabras.» Los antiguos monumentos y hasta las medallas están acordes en representar a las nereidas como jóvenes doncellas con los cabellos entrelazados con perlas, llevadas por delfines o caballos marinos, teniendo por lo común el tridente de Neptuno en una mano y en la otra el delfín y alguna vez una Victoria o una corona, o bien ramos de coral. Sin embargo, algunas veces se ven representadas mitad mujeres, mitad peces. *Orf. Himn. 23, Catul. Ov. Met. 4. Silv. 2,l.33. Paus. 2, c.5. Hig. Mem. de la Acad. de Inscr. t. 18.*

NEREIS. Una de las hijas de Príamo.

NEREIUS JUVENIS. 1 — Foco, nieto de Nereo.

2 — Aquiles, nieto de Nereo por parte de madre. *Hor. Ep. 17.*

NERENOS. (*Mit. pers.*) Libro de oraciones de los antiguos persas.

NEREO. Dios marino más antiguo que Neptuno, hijo según *Hesíodo* (*Teog.*) del Océano y Tetis, o según otros del Océano y la Tierra, y esposo de Dóride, su propia hermana. Le reputaba como un anciano amable y pacífico, lleno de justicia y de moderación. Hábil adivino, predijo a Paris los males que debía atraer a su patria el rapto de Helena. Reveló a Hércules el lugar donde estaban las manzanas de oro que Euristeo le había mandado fuese a buscar. No obstante, tomó varias formas para eludir esta aclaración, y lo hubiera logrado si el héroe no le hubiese detenido hasta que hubo tomado su primera figura. *Apolodoro* dice que moraba por lo regular en el mar Egeo, donde estaba rodeado de sus hijas, que le divertían con sus cantos y danzas. *El conde Noël* creyó que Nereo había sido el inventor de la hidromancia, y que por esto le representaban como un gran adivino y divinidad de las aguas. Los poetas han tenido muchas veces a Nereo por la misma agua; pero el fondo de la fábula representa verdaderamente algún antiguo príncipe, cuya historia ha sido cargada de ideas poéticas, que se hizo famoso en el mar y perfeccionó de tal modo la navegación, que venían de todas partes a consultarle sobre los peligros de los viajes marítimos. *Met. 1. Herod. 1, Ep. Hor. 13. Hom. 8. Paus.*

NERIENA, o Nerión. Mujer de Marte, diosa en su origen de los sabinos y cuyo nombre significa *dulzura*; alegoría ingeniosa que indica que la misma guerra debe estar sujeta a las reglas de humanidad, las cuales disminuyen sus horrores.

NERIENOS, *valeroso*. Sobrenombre de Marte entre los sabinos.

NERINA, NERITA, NEVERITA. Diosa del respeto y la veneración.

NERINA. Nombre que da *Virgilio* (*Egl. 7.*) a Galatea, como a hija de Nereo y Doris. (*V.* Nereidas.)

NERIÓN. (*V.* Neriena.)

NERIOSSENGUL. (*Mit. pers.*) Angel que Ormuz envió a Zoroastro para anunciarle su misión divina en estos términos: «Vete, le dijo, Arimán, a quien he creado puro y que la serpiente infernal ha manchado, la serpiente que está identificada con el mal, y que está preñada de la muerte. Tú, que te me has acercado a la santa montaña, donde me has preguntado y yo te he respondido, vete, lleva mi ley a Arimán: yo te daré mil bueyes tan gordos, como el buey del monte Sokaud, sobre el cual pasaron los hombres el Eufrates, al principio de las generaciones: tú lo poseías todo en abundancia: extermina los demonios y los encantos, y pon fin a los males que han causado. He aquí la recompensa que he prometido en mis secretos a los habitantes de Arimán, que tienen buena voluntad.»

NERITIUS. Sobrenombre de Ulises, tomado de un monte de Itaca.

NERITO. 1 — Monte famoso de Itaca. *Ilíada. 2, Eneida. 2, Met. 13.*

2 — Príncipe a quien *Homero* (*Od. l.17.*) da dos hermanos: Itaco y Pólictor. Había cerca de Itaca una fuente con una hermosa palangana, obra de estos tres hermanos.

NERONIOS. Juegos literarios instituidos por Nerón, en los cuales recibió él mismo la doble corona de poesía y de elocuencia, que le lisonjeó tanto como si se hubiese dado al poeta y al orador, y no al señor y al tirano.

NERPOU-TIROUNAL. (*Mit. índ.*) *Fiesta del fuego* llamada así porque durante la misma, se camina sobre este elemento. Esta fiesta la única que se celebra públicamente en honor de *Darma-Raja,* rey virtuoso, y *Drobede* su esposa, dura dieciocho días, durante los cuales los que hacen voto de observarla deben ayunar, privarse de sus mujeres, dormir en el suelo y marchar sobre un brasero. Al octavo día, al sonido de los instrumentos, con la cabeza coronada de flores, el cuerpo pintado con azafrán, siguen las figuras de *Darma-Raja* y de *Drobede,* su esposa, que son llevadas en procesión. Cuando han llegado al brasero lo remueven para reanimar su actividad; toman un poco de ceniza con la cual se frotan la frente; y cuando los dioses han dado tres vueltas a su alrededor, caminan más o menos aprisa según su devoción, sobre un fuego muy ardiente, extendido en un espacio de cerca de cuarenta pies de largo. Unos traen sus niños entre sus brazos, otros lanzas, otros sables y estandartes.

Los más fervorosos atraviesan este brasero muchas veces. Después de la ceremonia, el pueblo se apresura a recoger un poco de ceniza para esparcirla por su frente, y a obtener de los devotos alguna flor de las que les adornan para conservarlas como una cosa preciosa. Esta ceremonia se hace en honor de Drobede, la cual se casó con cinco hermanos a la vez: cada año dejaba uno para pasar a los brazos de otro, pero antes cuidaba de purificarse por medio del fuego. Tal es el origen de esta fiesta singular, la cual no tiene días fijos a pesar de que debe celebrarse en los meses de Chiteré, de Vavassi, o de Ani, que son los tres primeros del año.

NESEA, *nadadora.* Una de las Nereidas que Virgilio hace compañeras de Cirene, madre de Aristeo. R. *Nein,* nadar. *Georg.4.*

NESÍMACO. Padre de Hipomedonte, uno de los siete jefes que sitiaron Tebas, el cual tuvo de Mitidice, hija de Talao. *Hig. f.70.*

NESO. 1 — Una de las nereidas.

2 — Hija de Tenero. Según *Licofrón,* Dárdano se casó con ella al tiempo que Catea, su hermana, y la hizo madre de Sibila.

NESO. 1 — Río del Océano e hijo de Tetis.

2 — CENTAURO. Hijo de Ixión y de la Nube, que viendo a Hércules y Dejanira detenidos en la ribera del Eveno, cuya rápida corriente estaba bastante engrosada por las lluvias del invierno, ofreció sus auxilios al héroe, quien los aceptó. Mas apenas hubo pasado con el depósito que se le confió, cuando quiso robar a Dejanira. Hércules le atravesó con una de sus flechas y el centauro, para vengar su muerte, habiendo empapado su túnica con su misma sangre, la dio a Dejanira, asegurándole que era un medio infalible para conservar el amor de Hércules, o llamarle a su deber, si alguna vez le fuese infiel. Pero su sangre era un veneno activo que causó la muerte del héroe. *Apolod. 2, c. 7, Ov. Epit. 9. Sen. Paus.3, 4, 28. Diod. 4.* (V. Dejanira, Ozoles.)

*Le Guide,* en la continuación de los trabajos de Hércules, ha representado a Neso arrebatando a Dejanira. Este cuadro, que existe en el museo de París, ha sido grabado con buen resultado por *Berwick. Julio romano* ha compuesto también el mismo asunto.

NESROCH. Dios de los Asirios. Sennacherib fue muerto por dos de sus hijos mientras lo estaba adorando en su templo. Los judíos creen que era una plancha de arca de Noé, cuyos restos se conservaban en las montañas de Armenia. Otros traducen este nombre por águila y piensan que el Júpiter Belo, del cual pretendían descender los reyes asirios, era honrado por ellos bajo la figura de esta ave.

NESTEOS. Ayuno solemne establecido en Tarento, en memoria de que estando sitiada la ciudad por los romanos, los de Regio, para proveerlos de víveres, resolvieron abstenerse de comer cada diez días y proveyeron así de vituallas a Tarento, que se libró del sitio. R. *nestis, ayuno. Ant. expl. t, 2.*

NÉSTOR. Uno de los doce hijos de Neleo y Cloris, que no habiendo tomado parte en la guerra que su padre y hermanos hicieron a Hércules en favor de Augias, fue el único que quedó de su familia, sucedió a su padre en el trono de Pilos, reuniendo en su persona todo el imperio de los Mesenios. Néstor era ya muy anciano cuando fue al sitio de Troya, al cual condujo noventa y ocho naves. Siendo él más viejo de todos los héroes del ejército griego, es también el anciano favorito de Hom*e*ro. El retrato que nos presenta de él es sin duda el más acabado. Habla siempre de él y después de haber trazado cuidadosamente todos sus caracteres en los hermosos cuadros de la Il*í*ada, le da la última mano en la *Odisea*. Sabio, justiciero, amante de los dioses, político y alegre, dulce y elocuente, activo y valiente, Néstor reune todas las virtudes políticas y guerreras. En el consejo, en las asambleas, antes del combate, en medio de la acción, en los espectáculos, en la mesa, de noche, de día, es siempre un anciano sabio, experimentado, vivaz y amable. En fin, para formarse de él una idea completa, es necesario después de haberlo visto en la *Il*íada, capitán vigilante y soldado, verlo en la *Odisea* (*l.4 y 11*) feliz y tranquilo, llevando una vida dulce en su casa, en medio de su familia: rodeado de una multitud de hijos que le aman y le respetan, ocupado tan solo en los deberes de la vida civil y de la religión, ejerciendo la hospitalidad, dando en fin lecciones útiles a la juventud que le consulta como su oráculo. Otros dicen que después de la toma de Troya fue a Italia, donde fundó Metaponte. El autor de *Telémaco* ha seguido esta tradición. *Fénelon* pone a Néstor en el número de los guerreros que vinieron a sitiar Tarento y a los cuales Telémaco persuadió para que hiciesen la paz con Idomeneo. Pero *Pausianas* (3, c.26; l.4, c.3, 21) pone su muerte en Pilos. *Valerio Flaco* (l.1) es el único que lo cuenta entre los Argonautas. Las principales épocas de su vida, antes de la guerra de Troya, son la guerra de los pilios, contra los eleos, el combate de los lapitas y centauros, la caza del jabalí de Calidonia, en cuya ocasión subió a un árbol para evitar el furor del monstruo herido. Aunque *Homero* (*Ilíada 1*) ponga en su boca que ha vivido dos edades de hombre, y que reina sobre la tercera generación, se puede calcular con bastante exactitud que podía haber pasado de los ochenta años, estando en el sitio de Troya. *Higinio* (*f. 10, 27*),

que adopta la relación del poeta griego, añade que Néstor debió una vida tan larga al beneficio de Apolo, que quería trasladar sobre él todos los años que habían estado privados los hijos de Níobe, hermanos y hermanas, de su madre Cloris. Esta fábula ha dado lugar al uso de los griegos, que para desear a uno una larga vida, le desean los años de Néstor. *Dict. Cret.1, c.13. Apolod.1, c.9; l.2, c.7. Met. 12. Mem. de la Acad. de Inscrip. t. 2. 3, 5, 7, 9.*

NESU. Uno de los cinco dioses que han ocupado el primer lugar entre los árabes. *Banier. t.2.*

NET. Nombre que los hispanos preromanos dieron a Marte. Se cree que este nombre es el mismo que el de Neith, que dieron los egipcios a Minerva.

NETE. La séptima y la más gruesa de las cuerdas de la lira, consagrada a Saturno. Vitr.

NETO. Río de Italia en el reino de Nápoles. *Estrabón* (*1. 6*) refiere que una partida de griegos a la vuelta de Troya, se detuvo en su desembocadura, y que mientras que reconocían el país, sus cautivos, cansados de las fatigas del mar, quemaron las naves y les obligaron a fijarse en esta parte de Italia. R. *naus*. nave, *iatheim*, quemar. *Teócrito*, en su cuarto Idilio, ha celebrado las prerrogativas de este río.

NEURES. Pueblos de la Sarmacia europea que pretendían tener el poder de transformarse en lobos una vez al año, y volver a tomar después su primera forma. *Herod. 4, c. 5. Pomp. Mel. Plin.*

NEUROSPASTES. Especies de muñecos de madera que traían en las orgias; y que tenían el atributo de Priapo. R. *neuron*, nervio o cuerda; *spaern*, tirar. *Luciano*.

NGAO, Sao (*Mit. chin.*) Aunque Ngao se creía superior a *Sao* entre los dioses domésticos o lares de los chinos, sin embargo este era más respetado, como que era el más necesario a la vida: de aquí el proverbio: El espíritu N*gao* preside en la sala, pero se debe respetar al espíritu *Sao* que preside en la cocina.

NÍA. Nombre que los sármatas daban a su Ceres. *Banier, t. 3.*

NIBAM. (*Mit. índ.*) Estado de felicidad suprema que consiste en una especie de anonadamiento. Era el último grado de la felicidad de las almas, según la opinión de los habitantes de Pegú.

NIBBAS (*Iconol.*) Dios sirio que según se cree es el mismo que Anubis. Juliano, después de haber renunciado al cristianismo, quiso restablecer el culto casi olvidado de esta divinidad antigua e hizo grabar en sus monedas su imagen, llevando un caduceo en una mano y un cetro en la otra. *Banier, t. 3.*

NICÆUS. Victorioso. Uno de los sobrenombres de Júpiter. *Ant. expl. t. 1.* (Del gr. *nile* = victoria)

NICASIA o Nicaria. Una de las islas Sporadas donde Diana tenía un templo llamado Tauropolium; pues de todas las islas, dice *Calimaco*, ésta era la más agradable a la diosa.

NICATISMO. Cierta clase de danza en uso entre los tracios, tal vez después de las victorias. *Ant. expl. t. 3.*

NICE o NIKE. *Victoria.* Una de la compañeras inseparables de Júpiter, nació del comercio de Palas con Estigio, hijo del Océano y Tetis. *Apolod.* (*V. Victoria.*)

NICEA. Naiada, hija del río Sangaria y madre de los sátiros, los cuales tuvo de Baco, después que este dios la hubo emborrachado transformando en vino el agua de una corriente donde Nicea acostumbraba a beber. Se dice que dio su nombre a Nicea, capital de Bitinia.

NICÉFORO, *el que lleva la Victoria.* Sobrenombre de Júpiter, bajo el cual se le representa con frecuencia llevando en la mano una estatuita de la Victoria.

NICETERIAS. Fiesta ateniense en memoria de la Victoria ganada por Minerva contra Neptuno, cuando se disputaron el honor de dar el nombre a la ciudad de Atenas.

NICIPA o MICIPA. 1 — Hija de Pélope y mujer de Esténelo.

2 — Hija de Tespio. Apolod.

3 — Sacerdotisa de Ceres

NICIPUS. Tirano de la isla de Cos. Habiendo una de sus ovejas derivado a un león, este prodigio fue considerado como un presagio de su futura grandeza.

NICÓDROMO. Hijo de Hércules y Nice.

NICÓFORA. Nombre dado a Venus y a Diana, y el mismo que Nicéfora.

NICÓMACO. Hijo de Macaón y Anticlea, hija de Diocles, rey de Feres. Era buen médico, y después de la muerte de Diocles le sucedió con su hermano Górgaso. Istmio les erigió un templo.

NICÓN. 1 — Famoso atleta de Tasia, fue coronado como vencedor hasta catorce veces en los juegos solemnes de Grecia. Después de su muerte, uno de sus rivales insultó a su estatua y le dio varios golpes. La estatua, como si hubiese sido sensible a este ultraje, cayó sobre el agresor y lo aplastó. Sus hijos la persiguieron jurídicamente como culpable de homicidio y digna de castigo en virtud de la ley de Dracón que mandaba exterminar aun las cosas inanimadas cuya caída causase la muerte a un hombre; conforme a esta ley, los tasios hicieron arrojar la estatua al mar. Pero algunos años después un gran hambre les obligó a consultar el oráculo de Delfos y, en virtud de su respuesta, retiraron la estatua del mar y le rindieron nuevos honores. *Suidas* y *Pausanias* atribuyen esta historia al atleta Teagene.

2 — Nombre de uno de los dioses Teléquinos.

3 — Nombre de un asno que perteneció a Eutico. (*V. Eutiquo.*)

4 — (*V. Necis.*)

NICÓSTRATA. Famosa profetisa madre de Evandro; llamada también Carmenta. (*V. Carmenta.*)

NICÓSTRATO. 1 — Argivo, que había constituido en su patria ciertas ceremonias religiosas, la cuales consistían en que todos los años los habitantes de Argos arrojaban, en un día señalado, antorchas ardientes en un foso, en honor de Proserpina.

2 — Hijo de Menelao, que lo tuvo según unos, de la esclava Pieris y según otros de Helena. Es citado con mucha frecuencia con su hermano Megapentes; ambos gozaban de gran consideración en Esparta y figuraban los dos a caballo en el trono de Amicla.

NICOTEA. Una de las harpías.

**NICTELIAS.** Fiestas nocturnas en honor de Baco. R. *nyx*, noche; y *telein*, llevar. Era uno de los misterios tenebrosos en los que se abandonaban a toda clase de excesos. La ceremonia aparente consistía en una corrida tumultuosa que hacían por las calles aquellos que las celebraban, llevando antorchas, botellas y vasos, y haciendo amplias libaciones a Baco. Estas ceremonias se renovaban en Atenas, cada tres años, al empezar la primavera. Los romanos, que las habían sacado de los griegos, las abolieron a causa de los desórdenes introducidos por la licencia. Se celebraban también fiestas del mismo nombre en honor de Cibeles. *Plut.*

**NICTELIO.** Sobrenombre de Baco, tomado de los sacrificios que se le ofrecían durante la noche. Met. 4, (*V.* Nictelias.)

**NICTEO.** 1 — Hijo de Neptuno y Celena, y padre de Antíope.

2 — Uno de los compañeros de Diomedes transformados en aves. *Met. 14.*

3 — Rey de Etiopía y padre de Nietimenes. *Lactan.*

4 — Hijo de Hirieo.

5 — Hijo de Catonio.

6 — Uno de los cuatro caballos de Plutón.

**NICTILEAS.** (*V.* Nictelias.)

**NICTÍMENA.** Hija de Epopeo, rey de Lesbos, y según otros de Nicteo, rey de Etiopía, manchó el lecho de su padre y fue transformada en búho. (*Met. 2.*) Banier pretende que sucedió lo contrario, esto es, que el padre de Nictímena concibió por ella una pasión incestuosa y que Nictímena fue a ocultarse en el fondo de los bosques, lo que con su nombre habrá dado lugar a la metamorfosis. *Paus. 2, c. 6, Hig. f. 157, 204, Met. 2, 6.*

**NICTIMO.** El primogénito de los hijos de Licaón, sucedió a su padre en el reino de Arcadia y fue padre de Filonomea. *Paus. 8, c, 4.*

**NICTÍPORES**, *que mana durante la noche.* Río imaginario que *Luciano* coloca en la isla de los sueños.

**NICTIS.** Hija de Nicteo, casó con Labdaco, rey de Tebas, y tuvo de él un hijo llamado Laio. *Banier, t.6.*

**NIDDUI**, esto es, *separación.* Era entre los judíos la excomunión menor; duraba treinta días y separaba al excomulgado del uso de las cosas santas. (*V.* Cherem.)

**NIDHOGGAR.** (*Mit. escand.*) Serpiente de los infiernos.

**NIFE.** Una de las ninfas compañeras de Diana. R. *niptein*, bañar. *Met.3.*

**NIFEO.** Uno de los capitanes de Turno, muerto por sus caballos. *Eneida.*

**NIGER DEUS** *Dios negro.* Sobrenombre de Plutón, como dios de los infiernos.

**NIGRA,** *negra.* Bajo este nombre, Ceres tenía una cueva en el monte Elaio, a treinta estadios de Figalia. Los figalios convenían con que Ceres había tenido comercio forzoso con Neptuno; (*V.* Erinia y Lucia.) pero añadían que Ceres, furiosa e inconsolable por el rapto de Proserpina, vistió de luto y se encerró en la mencionada cueva. Mientras tanto los frutos no llegaban a la madurez, ni las cosechas a su debido tiempo, y los hombres perecían de hambre. Los dioses no podían remediar tantos males a causa de que ignoraban el paradero de Ceres. Finalmente Pan, cazando un día en las montañas de Arcadia, llegó hasta el monte Elaio, donde encontró a Ceres en el estado que se había dicho. Inmediatamente informó de este hallazgo a Júpiter, quien envió las Parcas a la diosa para que procurasen reducirla al estado de calma, lo que por último lograron. Después de este acontecimiento, los figalios consideraron la cueva como sagrada, colocaron cerca en un nicho una estatua de madera, cuyo cuerpo lo representaban cubierto de una túnica. Sobre este cuerpo había una cabeza con sus crines y varias serpientes; y otras bestias salvajes parecían acudir a tropel para rodearlo. La diosa tenía en una mano un delfín, y en la otra una columna, el uno símbolo de la mar y el otro del amor, con lo que querían significar que Ceres se ablandó a favor de Neptuno, transformado en caballo marino.

**NIGROMANCIA.** Arte de conocer las cosas ocultas en la tierra y colocadas en la oscuridad en ciertos lugares negros y tenebrosos, como minas, metales, petrificaciones, etc. Los que hacían profesión de este conocimiento: invocaban los demonios y les mandaban llevar ciertas cosas a países lejanos, o traerlas donde ellos querían. La noche estaba destinada particularmente a estas invocaciones, y durante ella era cuando los demonios efectuaban las comisiones que les habían encargado, porque los espíritus malignos temen la luz y son amigos de los ministros de las tinieblas. Los demonios, continúan los demógrafos, fingían verse obligados a obedecer a los hombres mientras observaban que lo hacían con gusto y de su propio movimiento, sabiendo muy bien que esto se convertiría en perjuicio de aquellos que se imaginaban mandarles.

NIHA o NIAME. (*Mit. celt.*) Divinidad reconocida por algunas naciones, eslavas, por el rey de los infiernos. La colocaban en la misma línea y le suponían el mismo empleo que Plutón.

NILEO. 1 — Uno de los enemigos de Perseo en el combate contra Fineo. *Met. 5.*

2 — Hijo de Codro, condujo una colonia de jonios a Asia, donde construyó a Efeso Mileto, Priene, Colofón, Mins, Teos, Lebedos, Clozonene, etc. *Paus. 7, c. 2.*

NILIGENA JUVENCA. La becerra egipcia; *Isis. Met.*

NILO. Río y dios de Egipto, llamado primero Oceanes u Océano, el padre de todos los dioses, después *Aetos*, águila a causa de la rapidez de su corriente; en seguida Egipto, del nombre de un rey del país; y en fin Nilo, del rey Nileo. De estos tres primeros nombres deriva el de Tritón, que algunas veces le dan. El Nilo era muy útil a Egipto y por esto le colocaron en el primer lugar entre los dioses del país. El Egipto, que se vanagloriaba de ser hijo de Nilo y de la ninfa Menfis, lo adoraba bajo el nombre de Osiris. La fertilidad que sus avenidas periódicas proporciona al país le hicieron dar los sobrenombres de Salvador, de Sol, de dios y de padre. *Píndaro* le llama hijo de Saturno, y otros autores, Júpiter egipcio, igual al Júpiter *Ombrios* de los griegos y al *Pluvius* de los latinos. Ningún dios, pues, era tan venerado, y de allí derivó que se le rindieran los mismos

honores que a Júpiter, de quien *Homero* le supone descendiente. Bajo este concepto en la fiesta anual que se celebraba en su honor cantaban en medio de los banquetes y de los juegos los mismos himnos y cánticos que se encontraban en las grandes fiestas de Júpiter. Los sacerdotes egipcios lo honraron con el título de santo con que se califica a Mercurio Trismegisto, y que se encuentra en una antigua medalla del gabinete Morosini. De ahí nació aquel respeto y veneración que los egipcios tenían por las aguas del río, de modo que las reputaban inviolables y divinas: las empleaban en las principales ceremonias de la religión, las llevaban con pompa en procesiones públicas, en vasos que colocaban enseguida en los altares para ser adoradas, como imágenes sagradas de Osiris y de Isis, genios del Nilo, y delante de las cuales los sacerdotes se prosternaban.

En ningún tiempo del año era este rio venerado con más solemnidad y magnificencia que cerca el solsticio de verano, época en que la creciente llegaba su culminación. Entonces se practicaba la apertura de los canales del río en presencia de los reyes de Egipto y de los más grandes señores del reino, con una afluencia prodigiosa de pueblo que se colocaba en las orillas. Dos sacerdotes de Osiris y de Isis llevaban en gran pompa las figuras de estas dos divinidades, de las cuales celebraban entonces las bodas, y sus imágenes reunidas eran en el sistema egipcio como lo dice *Plutarco* la representación del casamiento que le hacían en el mismo tiempo de la tierra de Egipto, tomada por Isis, con el Nilo tomado por Osiris. Todas las ceremonias religiosas que se practicaban entonces terminaban con la ofrenda hecha al río, de una doncella que se precipitaba a sus aguas.

Una medalla de bronce del emperador Adriano, acuñada en Alejandría, nos ha conservado la memoria de una crecida del Nilo a la altura de dieciséis codos, acaecida en el año 12 del imperio de los persas. *Aten. 4, Estrab. 17, Plin. 5, c. 9. Met. 5, 15, Mela. 1, c. 9, l. 3, c. 9, Sen. Hist. nat. Claud. Ep. Geórg. 4, Eneida. 6, Lu-*

*cro. 6, Herod. 2, Diod.1, Paus.10, c.32, Plin.5, 10. Odis. 14, Mem. de la Acad. de Inscr. t. 6, 12, 16, 19.*

En Egipto se ha conservado siempre una especie de veneración por este río bienhechor y aún se encuentran algunos vestigios del culto que se le tributaba en otro tiempo. El Nilo era una divinidad principal de los agans, idólatras establecidos en el imperio de Abisinia, que ocupaban los reinos de Bagameded y de Goïam. Se juntaban todos los años en una especie de otero que se eleva en la cima de la montaña de Guiza. Su sacerdote sacrificaba una vaca y arrojaba su cabeza a una de las corrientes del Nilo, que se hallaba en el pendiente de la montaña. Después de esta ceremonia cada uno sacrificaba particularmente una o muchas vacas según sus facultades o su devoción. Tienen la carne de estos animales como sagrada y la comen con respeto. Los huesos amontonados de las vacas sacrificas forman ya, según se dice, dos montañas bastante elevadas. Concluida la comida, el sacerdote se sienta en medio de una hoguera hecha a propósito, untando todo el cuerpo de la grasa de las vacas. Se enciende la hoguera, pero la llama ni derrite el cebo, ni causa el menor mal al sacerdote, que tranquilo predica a los asistentes sobrecogidos de admiración, y no termina su discurso hasta que la leña está consumida. Concluye la fiesta con grandes limosnas que los agans hacen a su sacerdote.

2 — Padre de Mercurio, según *Ciberón*, quien dice que no es permitido nombrarle entre los egipcios, sin duda a causa del gran respeto que le tienen.

NILOENAES. Fiestas en honor del Nilo.

NILOTIS. Sobrenombre de Isis en varios monumentos.

NILUS. 1 — Nombre de Júpiter egipcio, esto es, de Osiris, de quien el Nilo llevó el nombre.

2 — Nieto de Atlante, dio también su nombre al Nilo.

NIMBAM (*Mit. índ.*) *o región de la eternidad*. El paraíso de los chingulos.

NIMBO. Laureola o círculo luminoso con que se coronaban algunas veces las cabezas de las divinidades. Hay imágenes de Proserpina con el nimbo. Después se dio a los emperadores, y los artistas cristianos la dan a los santos. Era también la nube que servía de carro a los dioses.

NIMERTES. Nereida.

NIMFAGERTE. Epíteto que dan *Hesíodo* y *Píndaro* a Neptuno.

NINFAGOGO. El encargado de conducir la novia desde la casa paterna a la de su novio.

NINFAS. Este nombre, en su significado natural, nos da la idea de una recien casada, de una novia. Luego se dio a las divinidades subalternas que se representaban bajo la figura de hermosas jóvenes. Según los poetas todo el universo estaba lleno de ninfas. Las había que se llamaban Uranias o celestes, que gobernaban la esfera del cielo, otras terrestres o Efigies. Estas se subdividían en Ninfas de las aguas y Ninfas de la tierra.

Las ninfas de las aguas se subdividían en varias clases, a saber; en Oceánides, Nereidas y Melias; las Ninfas de las fuentes o Náyades, Creneas, Pegeas; las de los ríos, o Potámides, y en fin en ninfas de los lagos o estanques o Limniades.

Las ninfas de la tierra eran también de muchas clases: a saber; ninfas de las montañas llamadas Oreades, Orestiades o Orodemniades; ninfas de los valles, de los sotos, o Napeas; ninfas de los prados o Limniades, y por último ninfas de los bosques, o las Dríadas y Hamadríadas.

Encuéntranse también ninfas con nombres o de su país o de su origen, como las ninfas Fiberiades, las Pactólidas, las Cabiridas, las Dodonias, las Literónidas, las Esfragítidas, las Coricides o Coricias, las Anigridas, las Inménides, las Situides, las Amnisíadas, las Héliades, las Herésidas, las Cemistiadas, las Lelegeidas, etc.

En fin, se ha dado el nombre de ninfas no solamente a las damas ilustres, de las cuales se refería alguna aventura, sino también a las simples pastoras y a todas las hermosas que los poetas toman por objeto de sus versos. La idea de las ninfas puede haber nacido de la opinión en que se estaba, antes del sistema de los Campos Elíseos y el Tártaro, de que las almas permanecían cerca de los sepulcros, o en los jardines o bosques deliciosos que habían frecuentado durante su vida. Se tenía un respeto religioso hacia estos lugares; se invocaban las sombras de los que se creía que los habitaban, y se procuraba ganar su voluntad con votos y sacrificios. De aquí nació la antigua costumbre de sacrificar a la sombra de los árboles verdes, pues se creía que las almas se complacían en ir divagando debajo de ellos. Además, se creía que todos los astros estaban animados; lo que se extendió en lo sucesivo a los ríos y a las fuentes, a los montes y a los valles; en una palabra, a todos los seres inanimados a quienes se señalaron dioses terrestres. Se daba también una especie de culto a estas divinidades; se les ofrecían sacrificios de aceite, leche, miel y algunas veces cabras. Se les consagraban también fiestas, como en Sicilia que las celebraban todos los años, según *Virgilio*, en honor de las ninfas. Sin embargo, no se les concedía la inmortalidad, pero se creía que vivían mucho tiempo. *Hesíodo* le da muchos millares de años de vida. *Plutarco* (*in Sill.*) determina su número, arreglando la duración de su vida a nueve mil setecientos veinte años.

Muchos mármoles antiguos publicados por *Gruter*, e innumerables inscripciones recogidas por *Spin*, prueban que los antiguos sacrificaban a menudo a las Ninfas y a los Genios de las fuentes, y les dirigían sus súplicas. *Virg. Geórg. 4. Eneida. 8. Dion. Hal. Diod. 41. Plin.5. c. 29. Estrab. 7. Liv. 42, c. 36, 49.*

NINFEA. 1 — Promontorio de Epiro sobre el mar Jonio, en el territorio de Apolonia. «En este lugar sagrado, dice *Plutarco*, se ven salir continuamente como venas de fuego del fondo de un valle.» *Dion Casio* añade que este fuego no quema la tierra de donde sale, y que ni siquiera la hace árida. Luego habla de un oráculo de Apolo que había en este lugar, y explica el modo como daba las respuestas. El que lo consultaba tomaba incienso, y después de haber orado, lo arrojaba al fuego. Si el suceso debía ser favorable, el incienso era consumido al instante; si lo contrario, se retiraba y huía del fuego. Era permitido hacer a este oráculo toda suerte de preguntas, excepto sobre la muerte y el matrimonio.

2 — Nombre que daban los griegos y romanos a ciertos edificios rústicos que contienen grutas, baños, fuentes y otras cosas semejantes, de modo que aquellos creían que eran las habitaciones de las Ninfas.

NINFEA, NENÚFAR. (*Mit. egip.*) Los sabios versados en el conocimiento de los monumentos antiguos, han descubierto que la plantas que se ve en algunas medallas del Egipto, no es otra que la *nínfea*, muy conocida en los campos que riega el Nilo. Su flor es la que se ve más frecuentemente en los monumentos egipcios, lo que nace de la semejanza que le concedían estos pueblos con el Sol, a cuya salida se manifestaba sobre la superficie de las agua, al modo que se sumergía en el agua desde luego que se ocultaba, fenómeno común a todas las especies de ninfea.

El mayor y primero de los dioses que adoraron dio origen a la consagración de esta flor a aquel astro. De aquí viene también la costumbre de representarla sobre la cabeza de su Osiris sobre la de sus demás dioses, y hasta de la de los sacerdotes de su culto. Los reyes de Egipto, afectando los símbolos de la divinidad, se hicieron coronas de esta flor. Se halla representada también en las monedas, ya naciente, ya descuidada y rodeando su fruta; se ve también con el tronco, como un cetro, en las manos de algún ídolo.

NINFENÓMENE. Sobrenombre de Juno.

NINFEUS. Jefe de una colonia de melios que se estableció en Caria.

NINFOLEPTO. Cueva de las ninfas fagrítides, colocada en uno de los juicios de Citeron, hacia poniente. En esta cueva había antiguamente un oráculo, de cuyo espíritu estaban poseídos la mayor parte de los habitantes del país, que se llamaban ninfoleptos, esto es, tomados por las ninfas. R. *lambanein*, tomar. *Plut.*

NINIAS. (*Mit. jap.*) Araprestes japoneses, cuya dignidad tan sólo cedía a la del Dairo. Tenían como el privilegio de hacerse guardar por tantos ídolos como días cuenta el año. Cada uno su turno hace centinela delante de su cama. Eran superiores a los obispos nipones, a quienes ordenaban.

NINIFO. (*Mit. chin.*) Divinidad china, que preside el deleite.

NINO. 1 — Primer rey de los asirios, era hijo de Bel o Belo, que algunos escritores confunden con Nemrod. Nino engrandeció las ciudades de Nínive y Babilonia, venció a los bactrios, casó con Semíramis, subyugó toda Asia mesopotámica hasta la India, y murió después de un reinado glorioso de cincuenta y dos años, cerca mil ciento cincuenta años antes de la era cristiana. Algunos autores lo tienen como el primer autor de la idolatría, porque hizo rendir honores a su padre, cuyo santuario era un asilo inviolable. Este privilegio adquirió a Belo tan gran veneración que se le tenía como un dios, bajo el nombre de Júpiter o Saturno de Babilonia, donde se le edificó un templo magnífico y se le tributaron varios sacrificios. *Herod. 1, c. 185. Diod. Sic. 2. Just. 1, c. 1.*

2 — Bisnieto de Hércules y padre de Argón, uno de los príncipes que se sentaron en el trono de Liria.

NIÑEZ (*V.* Infancia.)

NIÑO. 1 — Juno tenía en Estínfalo tres templos edificados por Témeno, hijo de Pelasgo, bajo diferentes nombres, según los diferentes estados o edades en que le había visto, el uno a Juno niña, el otro a Juno mujer y el tercero a Juno viuda, porque después de su divorcio con Júpiter se había retirado a Estínfalo.

2 — Sobrenombre de Júpiter, adorado en Egum.

3 — Sobrenombre de Esculapio, tomado de un templo que tenía en las riberas del Ladón en Megalópolis. Los arcadios pretendían que Esculapio, en su infancia, fue abandonado cerca de Telpusa y que Antolao, hijo natural de Arcas, que lo halló casualmente, le hizo educar.

4 — Desnudo, *con alas* (V. Cupido.) *a quien tiene por la mano* (*V.* Ascanio, Eneas.) *sobre las rodillas de una mujer o a quien ella presenta el pecho.*

NIÑOS DE LOS DIOSES. Se daba este nombre: 1º) a varios personajes poéticos, tales como Aqueronte, hijo de Ceres; Eco, hijo del Aire, etc.: 2º) a los que imitando las acciones de los dioses, o excediendo en las mismas artes, pasaban por su hijos, tales como Orfeo, Esculapio, Lino, etc.; 3º) a los hábiles navegantes que se tenían por hijos de Neptuno; 4º) los que se distinguían por su elocuencia y que se miraban como hijos de Apolo; 5º) a los famosos guerreros considerados como hijos de Marte; 6º) aquellos cuyo origen no se conocía y a los primeros habitantes de un país a quienes se creía hijos de la Tierra; 7º) a los que se encontraban expuestos en los templos y que pasaban por hijos de los dioses, a quienes estos templos estaban consagrados; 8º) a los que nacían de un comercio escandaloso, y a los cuales se daba un dios por padre; 9º) a los niños que nacían del comercio de los sacerdotes con las mujeres que seducían en los templos, y que eran juzgados niños de los dioses de quienes eran ministros; 10º) y finalmente, a la mayor parte de los príncipes y de los héroes a quienes dedicaban y a los cuales daban por antecesores a los dioses.

NÍOBE. 1 — Hija de Foroneo y Telédice, fue la primera mortal amada de Júpiter y dio a luz a Pelasgo. *Paus. 2, c. 22, Apol. 2, c. 1, l. 3, c. 8.*

2 — Hija de Tántalo y hermana de Pélope, casó con Anfión, rey de Tebas de quien tuvo un gran número de hijos. *Homero* (*Ilíada.* 24) le da doce. *Hesíodo* veinte, y *Apolodoro* (*l. 3, c. 5*) catorce; siete hijos y siete hijas. Los niños se llamaban Sípilo, Agenor, Fedimo, Ismeno, Minto, Tántalo, Damasictón. Las niñas Etodea, o Nera, Cleodoxa, Astioque, Eftia, Pelopia Asticratia. Ogigia. Níobe, viéndose madre de tantos niños se vanagloriaba de ello y despreciaba a Latona que no había tenido más que dos. Llegó hasta el extremo de echárselo en cara y de oponerse al culto religioso que se le tributaba, pretendiendo que ella era más digna de que se levantasen altares. Latona, ofendida del orgullo de Níobe, acudió a sus hijos para que vengasen el insulto. Apolo y Diana viendo un día en las llanuras vecinas de Tebas a los hijos de Níobe que

hacían sus ejercicios, los mataron a flechazos. Al rumor de este funesto accidente, las hermanas de los infortunados príncipes corrieron hacia las murallas y en el momento se sintieron heridas y cayeron a los golpes invisibles y certeros de Diana. Al fin llega la madre llena de dolor y de desesperación, se mantiene sobrecogida a lado de los cadáveres de sus queridos hijos, los riega con sus lágrimas; su dolor la deja inmóvil sin dar la menor señal de vida, queda transformada en peñasco. Un torbellino de viento la arroja a Lidia en la cima de un monte, dónde continúa esparciendo lágrimas que se ven manar de un pedazo de mármol. (*Met. 6. Sen. Hig. f. 9.*) Esta fábula está fundada en un acontecimiento trágico. Una peste que devastó la ciudad de Tebas mató a todos los hijos de Níobe; y como se atribuían las enfermedades contagiosas, al calor inmoderado del sol, se dijo que Apolo les había matado a flechazos. Estas flechas son los rayos ardientes del sol. Se añade que estos niños quedaron nueve días expuestos sin que se les diese sepultura, porque los dioses habían transformado en piedras a todos los tebanos y que los mismos dioses el día décimo les rindieron los deberes fúnebres. Lo que sucedió fue, que como habían muerto de la peste nadie osó enterrarlos mostrándose los tebanos insensibles a las desgracias de la reina, vivo retrato de las calamidades que acompañan al azote que amenaza con una muerte segura, pues entonces tan sólo se procura para la propia conservación, olvidando aun los deberes más esenciales. Sin embargo, cuando calmó un poco la violencia del mal los sacerdotes cumplieron con el deber de darles sepultura. Habiéndose hecho insoportable a Níobe la morada de Tebas después de la pérdida de sus hijos y de su marido, que en un exceso de desesperación se había dado muerte, regresó a Lidia y acabó sus días retirada cerca del monte Sípilo, en cuya cima se ve una roca que vista de lejos parece, dice *Pausanias*, una mujer anegada en llanto y consumida de dolor, pero mirada de cerca no es más que una roca sin que tenga figura de mujer, ni menos de mujer que llore. Finalmente, porque Níobe había guardado un profundo silencio en su aflicción, quedando como muda e inmóvil, esto que es propio de un dolor excesivo, ha dado motivo para decir que fue transformada en roca.

Esta fábula se hizo célebre en los tiempos modernos, sobre todo, por el grupo de Níobe y de sus hijos, que se expuso en Florencia en una sala que forma un cuadrilongo, conocida bajo el nombre de la *T Tribuna*. La opinión que se ha formado del mérito de estas estatuas parece haber variado según las épocas. Fueron compradas primero por un precio muy mezquino y destinadas tan sólo para adornar los jardines. Parece que los artistas del tiempo en que fue descubierto este grupo no apreciaban mucho la noble simplicidad de estas figuras, pues tan sólo *Guido* ha sido el que las ha imitado. *Winckelmann* llamó sobre ellas la atención general, por la bella descripción que hizo de las mismas en su historia del arte en 1779. El sabio *Angel Fabroni* ha publicado otra descripción particular de este grupo. *Visconti* lo ha citado hablando de un bajo relieve del museo Pío-Clementino que ofrece el mismo objeto. Y por último, *Gatje* ofreció del grupo de Florencia una nueva descripción.

NIOUPIS. Cadáveres de personas excomulgadas las cuales, según los griegos modernos, se mantenían incorruptibles hasta que se le había levantado la excomunión. (*V. Vrouculacas.*)

NIREO. Rey de Naxos, hijo de Cáropo y Aglaia, era, después de Aquiles, el más hermoso de los príncipes griegos que asistieron al sitio de Troya. *Ilíada. 2.*

NIRTIA. (*V. Nortia.*)

NISA. 1 — Nodriza de Baco; se veía dice *Ateneo*, en la magnífica pompa de Ptolomeo Filadelfio, donde Baco estaba representado con toda su corte.

2 — Ciudad de la Arabia feliz dónde Osiris había sido educado y en cuyo territorio observó la viña por primera vez, aprendió el secreto de cultivarla, fue el primero que bebió vino y enseñó a los hombres el modo de hacerlo y conservarlo. *Diodoro de Sicilia* pone la cueva de Niso donde fue educado Baco por las ninfas,

entre Fenicia y el Nilo. En otra parte, la pone entre los africanos que habitan las costas del Océano.

3 — Ciudad de las costas de Eubea, donde crecía la viña con tanta rapidez que se cogían por la tarde los racimos de las cepas plantadas por la mañana.

4 — Ciudad situada en la cima del Parnaso y consagrada a Baco. *Juv.7.*

5 — Ciudad de los indios, fundada por Osiris en memoria de la de Egipto, donde había nacido. Allí fue, según *Diodoro*, donde plantó la hiedra, que todavía hace unos doscientos años crecía en las Indias, aunque sólo alrededor de la ciudad. Era recomendable por el monte *Meros*, en griego *muslo*. Se ve muy claramente que este nombre hace alusión al segundo nacimiento de Baco salido del muslo de Júpiter. *Estrab. 13. Mela. 3, c.7. Eneida. 6.*

6 — Monte de las Indias, consagrado al culto de Baco.

NISAEI CANES. Perros de la hija de Niso.

NISEA. Una de las ninfas de la mar. *Eneida. 5.*

NISEIA VIRGO, o Niseis. Scila hija de Niso.

NISEIDES, o Nisiades. Ninfas que educaron a Baco. *Met. 3.*

NISEO, NISIO. Sobrenombre de Baco y de Júpiter. *Prop.3, el 17. Met. 4.*

NISIREO. Sobrenombre de Neptuno tomado de su templo en la isla de Niciros, cerca de Cos.

NISIROS. Isla del mar Egeo situada al oeste de Rodas y llamada también Porfiris; estaba en otro tiempo unida a la isla de Cos, pero Neptuno les dio un golpe con su tridente y las separó después de haber engullido al gigante Políbote. *Apolodoro 1. c. 6. Estrab. 10. Meta. 2. c. 7. Diod. Sic.*

NISO. 1 — Hermano de Egeo, reinaba en Nisa, ciudad vecina de Atenas, cuando Minos atacó Atica y puso asedio en una de estas dos plazas. La suerte de este príncipe dependía de un cabello de púrpura que llevaba. Seila, su hija, enamorada de Minos, a quien había visto desde la muralla, aprovechándose del sueño de su padre le cortó el fatal cabello e hizo presente de él objeto de su amor.

Minos, horrorizado de una acción tan bárbara y aprovechándose no obstante de la traición, arrojó de su presencia a la pérfida princesa. Llena de despecho quiso arrojarse al mar, pero los dioses la transformaron en alondra. Niso, su padre, transformado en gavilán, no dejó de perseguirla y por fin logró despedazarla a picotazos. Esto es, que Seila tuvo correspondencia con Minos durante el sitio y le introdujo en la ciudad, abriéndole las puertas con las llaves que robó de su padre, mientras dormía. *Georg. Met. 8. Apolod. 3. 1, c. 15. Paus. 1. c. 19. Estrab. 9.*

2 — Hijo de Mirtaco salido del monte Ida en Frigia, siguió a Eneas a Italia. Su amistad por Crílao ha sido celebrada por *Virgilio* en los libros 5º y 9º de la Eneida; así como el desinterés con que sacrificó su vida por su amigo. Mató a Volscens, su asesino, y pereció agobiado por el número de enemigos.

3 — Nombre que da *Higinio* al que cuidó de la educación de Baco, del cual, según él mismo, tomó el nombre de Dionisio. En otra parte, dice *Higinio* que Baco, antes de partir para su expedición a las Indias, encargó a este Niso el cuidado de gobernar su reino de Tebas. A su vuelta, Niso rehusó devolvérselo, y como Baco no quiso valerse de la fuerza, hizo celebrar unas Orgías y prender a Niso por unos soldados disfrazados de Bacantes.

4 — Niso. Nereida.

5 — Una de las ninfas.

NISSA o NISA. Ciudad de la Beocia cuyos habitantes fueron al sitio de Troya. *Ilíada. 2.*

NISSIA. Nombre de la mujer de Candalto.

NITOCRIS. 1 — Reina de Egipto.

2 — Sobrenombre de Minerva egipcia. (*V.* Neith.)

3 — Reina de Babilonia; había colocado su sepulcro debajo de una de las puertas más visibles de la ciudad, con una inscripción que advertía a su sucesores, que enceraba grandes riquezas, pero que no debían tocarlas sino en caso de una extrema necesidad. El sepulcro se mantuvo cerrado hasta que Dario mandó abrirlo, quien en vez de las inmensas riquezas que

creía encontrar en él tan solo halló la siguientes inscripción: «Si tu no fueses insaciable de riquezas y no te hallases devorado por una avaricia vil, y despreciable, no te hubieras atrevido a violar el sepulcro de los muertos». *Herod. 1, c. 183.*

NIXIS, NIXI o Nixii Dii. Dioses que presiden los partos. Eran tres y sus estatuas colocadas en el Capitolio, representaban sus manos entrelazadas sobre sus rodillas, dobladas con esfuerzo, de modo que el cuerpo estaba suspendido sobre sus jarretes para expresar los esfuerzos de una mujer cuando va de parto. R. *niti*, esforzar. *Ovid.*

NOBLEZA. (*Iconol.*) En las medallas de Cómodo se expresa con una figura de mujer en pie, con una lanza en la mano derecha. La medalla de Geta la representa llevando una lanza en una mano y en la otra una figura de Minerva, imagen de los dos medios por los cuales se adquiere. *Gravelot* le coloca una estrella en la frente para denotar la casualidad del nacimiento. El escudo, la palma y el pergamino desarrollado, donde se halla el árbol genealógico, el templo de la gloria que se ve en el fondo, es la reunión de todo lo que puede caracterizarla. *Ant. expl. t.1.*

NOCCA. El Neptuno de los antiguos godos, getas etc.

NOCTIFAGUS DEUS. El Sueño. Estat.

NOCTIFER. Apelación poética de Vesper o la estrella de la tarde. Cátu.

NOCTILUCA. Sobrenombre de la Luna. Diana tenía un templo bajo este nombre en Roma sobre el monte Palatino. *Horac. 4. Od. 5.*

NOCTIVIGILA. *El que pasa las noches sin dormir*, sobrenombre de Venus. *Plaut.*

NOCTULIUS. Dios de la noche; no es conocido más que por una inscripción de Brescia, encontrada con su estatua. Su ropaje es el de Atis, ministro de Cibeles, lo que hace creer que es un Atis Noctulins que se honraba en común con la madre de los dioses. *Ant. expl. t.1.*

NOCTURNIUS, NOCTURNUS. Nombre de un Dios que presidía las tinieblas; algunas veces los romanos daban también este nombre a la estrella Venus, para expresar la palabra *Esperus,* que significa la estrella de la noche.

NOCHE. Diosa de las tinieblas, hija del cielo y de la tierra, y según otros, hija del Caos; la primera y la más antigua de todas las divinidades. *Hesíodo* (Teog.) la pone en el número de los titanes y le da el nombre de madre de los dioses, porque es la opinión más común que la noche y las tinieblas han precedido a todas las cosas. Aristófanes la pinta extendiendo sus grandes alas y depositando un huevo en el seno del Erebo, de donde salió el Amor revestido de alas doradas. Esta teogonía era particularmente la de los egipcios, que hacían de la Noche el principio de todas las cosas, y la llamaban *Athyr*.

Casó con Aqueronte, río de los infiernos, del cual tuvo las Furias y otros muchos hijos. Del Erebo tuvo el Eter y el Día, pero había engendrado sola y sin haber tenido comercio con ninguna divinidad los odiosos Destinos, la Parca negra, la Muerte, el Sueño, la turba de los sueños, Memo, la Miseria, las Hespérides, guardianas de las manzanas de oro, las despiadadas Parcas, la terrible Némesis, el Fraude, la Concupiscencia, la triste Senectud y la tenaz Discordia; en una palabra todo lo que había de importuno en la vida, pasaba por una producción de la noche. *Varron* hace derivar su nombre *nox, a no cendo,* de su influencia dañina, ya sea porque esparce con frecuencia las enfermedades o ya porque aquellos que sufren una pena moral o física, las sienten entonces con más violencia, y esto es lo que la ha hecho llamar por *Ovidio, nutrix maxima curarum,* la nodriza de los pesares. Fue conocida en todo el Peloponeso bajo el nombre de *Achlys. Homero* la apellida Erebenne, como esposa del Erebo y otros le han dado el nombre de *Eufronea* y *Eubulia,* como madre del buen consejo. Los unos colocaban su imperio en Italia, en el país de los cinmerianos; los otros lejos de los límites del mundo conocido, que acababa en las columnas de Hércules. La antigüedad lo ha generalmente fijado hacia la parte de España, llamada Hesperia; esto es, comarca de la tarde. Es de advertir que, según creían los romanos, cerca de Gibraltar era donde se apagaban los rayos del sol, y *Posidonio* pretende que desde un río cerca de Cádiz se oía el estremecimiento de las ondas cuando el astro se precipitaba en el océano. La Noche, dice *Hesíodo*, extendió su velo oscuro desde este lugar hasta el tártaro, donde pasaba por una puerta de hierro, para conducir el Sueño, hermano de la Muerte, a los habitantes de la tierra. *Paus. 10, c. 38.*

Entre los griegos y los romanos se inmolaban a la Noche carneros negros, e igual sacrificio le ofreció Eneas antes de entrar en los infiernos. Se le sacrificaba también un gallo, porque el canto agudo de esta ave turba su silencio. El búho que busca siempre las tinieblas le era igualmente consagrado.

La mayor parte de los pueblos de Italia tenían la Noche como una diosa, pero los habitantes de Brescia habían hecho de ella un dios llamado Noctulios o Nocturnos, el mismo que se ha encontrado en varios monumentos que le estaban consagrados. El mochuelo que se ve a los pies de este dios, llevando una antorcha vuelta hacia abajo que se esfuerza en apagar, anuncia el enemigo del día. Los poetas y los artistas se han interesado en pintar la diosa de la Noche. En los monumentos antiguos se la ve tan pronto llevando en su cabeza un ropaje volante sembrado de estrellas, o con un vestido azul y una antorcha vuelta hacia abajo; tan pronto figurada por una mujer desnuda con largas alas de murciélago y una antorcha en la mano; los poetas la representan particularmente coronada de adormideras, cubierta con un gran manto negro sembrado de estrellas (*Eneida. 6.*) Algunas veces le dan alas o la pintan paseándose montada en un carro tirado por dos caballos negros o un mochuelo, y llevando cubierta la cabeza, de un gran velo sembrado de estrellas. *Teócrito* la hace parecer montada en un carro y precedida de astros. *Eurípides* la muestra cubierta de un gran velo negro sembrado de estrellas, recorriendo con su carro la vasta extensión de los cielos. Los griegos la han representado llevando en una mano un velo negro, que revolotea; y en la otra una antorcha, cuya llama vuelta hacia tierra está pronta a apagarse. La colocan con frecuencia en medio del Tártaro entre sus dos hijos el Sueño y la Muerte. Los romanos no le dan carro y la representan ociosa y dormida. Algunas veces aparece, como entre los griegos, cubierta de un gran velo agitado por el viento. Dirige su curso hacia occidente, pero su cabeza vuelta siempre a oriente parece que está llamando a las nubes que le siguen para mandarles cubrir los lugares que el sol acaba de dejar. En algunos monumentos se observa ante la Noche un niño con una antorcha (V. Crepúsculo). De este modo figuraban los antiguos el crepúsculo de la tarde, que es aquella débil luz que precede a la Noche y que el pintor *Solimena* había representado en Nápoles en la galería de su casa. Los etruscos daban alas a la Noche, así como a la Victoria, para expresar la rapidez de su carrera. El gracioso *Albani* se ha conformado a esta idea y ha pintado a la Noche extendiendo sus alas negras y llevando sus hijos entre sus brazos. Una sardónica la representa dormida, casi desnuda, sus cabellos esparcidos, llevando en su mano un velo muy transparente que le cubre descuidadamente el seno. En un jaspe sanguíneo del gabinete de los antiguos, aparece con los cabellos esparcidos, llevando manojitos de adormideras. Un anciano, un joven y una mujer que la siguen parecen ceder al Sueño, emblema de la influencia del sueño y de la noche sobre los mortales de cualquier edad o sexo que sean.

Los escultores que han representado la Noche son en muy corto número. *Feco*, célebre escultor de Samos, hizo para los efesios una estatua de arcilla que representaba la Noche; lo que motivó que aquellos pueblos le diesen el sobrenombre de estatua *tenebrosa*. *Miguel Angel* ha esculpido la noche en Florencia, siendo esta estatua una obra maestra de aquel célebre autor. Un dibujo de la biblioteca real la ofrece con sus atributos ordinarios, pero sin carro. En Verona, *Luis Dorieni*, la ha representado en el palacio Alegri; y él mismo la ha pintado además en un cuadro precioso que adorna el palacio Zucchero en Venecia, en el que se figura la Aurora precedida de los vientos que arroja a la Noche, y a sus hijos los Fantasmas.

NOCHE DEL PODER (*Mit. mah.*) Una de las noches de la luna del Ramadán, durante la cual, según la creencia de los musulmanes, Dios perdona los pecados de los que demuestran un sincero arrepentimiento. Uno de los capítulos del Alcorán comienza por estas palabras «Nos la hemos hecho descender en la noche del poder». Los peregrinos antes de partir para la Meca deben recitar este capítulo en la puerta de sus casas.

NODINUS, NODOTUS, NODUTIS, NODUTUS. Dios adorado por los romanos como el que preside los nudos que encierran el grano de trigo en la espiga. *Banier t. V. 4.*

NODUTERUSA. Divinidad que presidía la acción de trillar y de moler el trigo. R. *nodus*, nudo; *terere*, moler. *Arnob.*

NOEMA. Hija de Lamech. Los rabinos le atribuían el arte de hilar la lana y de fabricar lo tejidos.

NOEMON. 1 — Uno de los capitanes licios muerto por Ulises bajo los muros de Troya. *Ilíada. 5.*

2 — Compañero de Antíloco. *Ilíada. 23.*

3 — Hijo de Fronio de la isla de Itaca; prestó su nave a Telémaco para pasar a Pilos. *Odis. 2. 4.*

NOEROS. Sabio lleno de espíritu. Epíteto de Apolo. R. *noos*, espíritu, dicernimiento. *Ant.*

NOETARCO. Nombre del origen de los filósofos eclécticos. Siguiendo esta teogonía es el Dios de toda la naturaleza, el principio de toda la generación, la causa de las potencias elementales, superior a todos los dioses, en quien todo existe inmaterial, incorpóreo, subsistente de toda eternidad por sí mismo, primero, indivisible e individible todo por sí mismo, todo en sí mismo anterior a todas las cosas, aun a los principios universales y a las causas generales de los seres, inmóvil encerrado en la soledad de su unidad, el manantial de las ideas, de las inteligencias de las posibilidades, padre de la esencia y de la

identidad, anterior al principio inteligible. (*V.* Amem, Emeth, etc.) Esta primera potencia tira la materia de la esencia y la abandona a la inteligencia, la cual fabrica esferas incorruptibles. Esta empleó lo que había de más puro en esta obra y de lo restante creó cosas corruptibles y la universalidad del cuerpo.

NOH. (*Mit. afric.*) Nombre del primer hombre según los hotentotes. Creen que sus primeros padres entraron en el país por una puerta o por una ventana, que fueron enviados por el mismo Dios y que comunicaron a sus hijos el arte de criar los ganados y otros muchos conocimientos.

NOHESTAN. Nombre que se dio, en el tiempo de Ezequías, a la serpiente de cobre que Moisés había levantado en el desierto. Ezequías la hizo romper porque había degenerado en un objeto de superstición por los judíos.

NOMA. 1 — Ninfa célebre a la cual, según los arcadios, los montes Nomios debían su nombre.

2 — Palas. Diosa de los pastores, R. nomos, pastos.

NOMAS. Música o cánticos en honor de los dioses, sujetos a ritmos regulados. La Noma Ortiena estaba consagrada a Palas; la Trochaica destinada a señalar la carga en los combates; la Harmática tenía por sobrenombre Héctor atado en el carro de Aquiles y arrastrado alrededor de los muros de Troya. *Mem. de la Acad. de inscr. t. 2, 8.10.*

NOMINALIAS. Día solemne en el cual se daba nombre a los niños. Este ceremonia se hacía bajo los auspicios de la diosa Nundina.

NOMION. 1 — Canción de amor compuesta por la cantatriz Erífanis. (*V.* Erífanis.)

2 — Padre de Anfímaco y Nastes, dos capitanes que defendieron Troya contra los griegos. *Ilíada. 2.*

NOMIOS. Sobrenombre de Mercurio, ya sea porque se creía que guardaba en el cielo los ganados de Júpiter, y que por esta razón los pastores le honraban como un dios campestre y le daban por atributo un cetro guarnecido de un vellocino de carnero. R. *nemein*, apacentar; o bien de la palabra *nomos*, ley, porque era invocado en las leyes del comercio y en los convenios de los comerciantes; o finalmente por haber encontrado las reglas de la elocuencia. Se daba también este nombre a Júpiter y Apolo, como dioses protectores de las campiñas de los pastores y sobre todo de los pastos. Según *Cicerón* se dio a Apolo en memoria de que había guardado los ganados de Admeto. Era también el de Pan en Molpea, ciudad cerca de Licosura, y uno de los sobrenombres de Baco. *Banier, t.4.*

NOMOS. Ser alegórico que los poetas han tomado en diversos sentidos, según la época más o menos remota en que han vivido. *Píndaro*, en un fragmento citado por *Herodoto*, entiende por esta divinidad, la necesidad absoluta del destino al cual todo debe ceder. Y por este motivo le llaman Nomos rey de los mortales y de los inmortales, que ejerce la justicia con una mano todopoderosa. Bajo otro sentido un fragmento de *Orfeo* publicado por *Gesner*, da a Nomos el nombre de introductor de Júpiter, que Tenus y Dice llevaban también. Esta atribución nos da a conocer que Nomos era considerado como el símbolo de las leyes. Finalmente en un himno órfico que se le consagró, Nomos es representado como rey de los dioses y de los hombres, que dirige las estrellas, prescribe leyes a la naturaleza, y recompensa o castiga a los hombres según sus virtudes o vicios. En esta última fábula Nomos designa la voluntad de la divinidad, que determina la suerte y las leyes del género humano.

NOMUS. Uno de los hijos que Cirene tuvo de Apolo. *Just. 3, c. 7.*

NONA. 1 — Nombre de una de las Parcas. (*V. Morta.*)

2 — Divinidad romana cuyas funciones consistían en conservar el feto durante el curso del mes noveno.

NONACRIATES. Sobrenombre de Mercurio, tomado del culto que se le tributaba en Nonacrias.

NONÁCRINA VIRGO, Calixto. Hija de Licaón y Nonacris. Met. 8.

NONACRIS. Hija de Licaón. Dio su nombre a una ciudad de Arcadia, famosa por el Estigio que corría en sus cercanías. *Met. 2. Paus. Herod. 6, c. 74.*

NONACRIUS HEROS, Evandro. Llamado así de Nonacris, monte de la Arcadia de donde era originario. *Ovid. Fas. 5.*

NONALIAS. Ceremonias religiosas que se celebraban durante las nonas. *Varrón.*

NONAS. Romano que según la fábula de *Tzetzes* alimentó a Roma durante 15 días de hambre; los romanos, en reconocimiento de este servicio, dieron su nombre a las nonas. (*V. Calendas, Idus.*)

NONDINA. Diosa que presidía la purificación de los niños. En el noveno día después del nacimiento era cuando se purificaban los machos, de donde deriva el nombre de esta diosa. R. *Nonus*, noveno; Macrob. Sat. *1, c.16.*

NONIO. Uno de los caballos de Plutón.

NOPIA o Cnopia. Ciudad de Beocia donde Anfirao tenía un templo.

NOR. (*Mit. célt.*) Gigante padre de la Noche, la cual es negra como toda su familia. La noche tuvo de Daglinger, que era de la estirpe de los dioses, un hijo llamado *Día*, brillante y hermoso como toda la familia de su padre. El padre universal tomó la Noche y el Día su hijo, los colocó en el cielo y les dio dos caballos y dos carros, para que el uno después del otro diesen la vuelta al mundo. La Noche iba la primera sobre su caballo llamado *Rínfago* (crin helada), que todas las mañanas, empezando su carrera, rocía la tierra con la espuma que gotea de su freno. El caballo del día se llama *Skinfage* (crin luminosa) y con su crin brillante alumbra el aire y la tierra.

NÓRAX. Hijo de Mercurio y Eritrea, hija de Gerión, condujo una colonia de iberos a la isla de Cerdeña y dio su nombre a una ciudad que fundó allí. *Paus. 10. c. 17.*

NORICUS. Hijo de Hércules o de Alemanus; dio su nombre a Norica, comarca de Germania, entre el Danubio y los Alpes. *Ptol. 2. c 14, Estrab.*

NORMES. (*Mit. célt.*) Hada o Parcas entre los celtas, que dispensan las edades de los hombres. Son vírgenes y se llaman *Urda* (lo pasado), *Verandi* (lo presente), y *Skalda* (lo venidero). Habitan una ciudad extremadamente hermosa. Esta última, con Gadura y Rosta, van todos los días a caballo a escoger los muertos en los combates, y arreglar la matanza que debe hacerse. (*V.* Parcas.)

NORTIA. Diosa etrusca honrada en Volsinia. Los clavos de su templo designaban el número de los años. Se la cree la misma que Némesis. Los volsios, los faliseos y los volaterranos, llenos de veneración hacia esta diosa, juntan a este nombre el sobrenombre honroso de gran dio*sa*, que no se concedía entonces más que a Cibeles. Los últimos colocaban algunas veces un niño en sus brazos porque se decía que favorecía más particularmente a los hombres en esta edad que es la de la inocencia, *Tit. Liv. l .7, c. 3.*

NOTÁRICA. Una de las tres divisiones de la Cábala entre los judíos. Consiste en tomar una letra de cada palabra, para formar una frase entera o las primeras letras de una sentencia para formar una sola palabra. (*V.* Cábala, Gematría, Témura.)

NOTHUS. Hijo de Deucalión.

NOTUS. Viento del mediodía. *Met. 1.* (*V.* Auster.)

NOUND-GHOSE. (*Mit. índ.*) El Amete de los indios, de quien el dios Krisna guardó los ganados, lo que ha motivado el dar a esta divinidad el sobrenombre de Go*paul*, pastos, así como Apolo recibió el de *Nomius* por la misma aventura.

NOVELLA. Sobrenombre bajo el cual los pontífices invocaban a Juno en la época de las calendas. *Varr.*

NOVEMDIALES, Novendiakes. Sacrificios y banquetes que celebraban los romanos durante veinte días, o bien para aplacar la cólera de los dioses o ya para hacerles favorables antes de embarcarse. Fueron instituidos por Tulio Hostilio, rey de los romanos, luego de la noticia que recibió de los estragos causados por un granizo terrible en el monte Aventino. Se daba también este nombre a los funerales, porque se hacían nueve días después

del fallecimiento. Se guardaba el cadáver durante siete días; en el octavo se quemaba, y en el nono se enterraban las cenizas. Los griegos llamaban a esta ceremonia *Ennata.* R. *ennea*, nueve. *Plin. 7, c. 11, Tac. An. 5.*

NOVENSILES. Dioses de los romanos que trajeron los sabinos y a quienes Tacio había hecho construir templos. Se llamaban así porque eran de los últimos que habían llegado a su conocimiento, o que habían sido divinizados después de los otros, tales como la Salud, la Fortuna, Vesta, Hércules. Algunos pretenden, sin embargo, que los dioses llamados Novensiles eran aquellos que presidían las novedades y que hacían renovar las cosas. Otros han dicho que esta palabra no deriva del nombre *novus*, nuevo, pero si de *novem*, nueve, porque estos dioses eran en número de nueve; a saber: Hércules, Rómulo, Esculapio, Baco, Eneas, Vesta, la Salud, la Fortuna, y la Fe; pero estos autores no dicen lo que los nueve dioses tenían de común entre ellos, y lo que les distinguía de los otros dioses. Hay quien ha creído que eran las nueve musas, a las cuales se había dado este nombre. Otros dicen que era el nombre de los dioses campestres o extranjeros, y que por no componer más que el número 9 se les dio el nombre de Novenciles a fin de no verse obligado a nombrarles uno por uno. *Tit. Liv. 8 c. 9. Arnob. 3.*

NOVIEMBRE. (*Iconol.*) Diana era la diosa protectora de este mes. Los antiguos lo han caracterizado con símbolos que pertenecen a un sacerdote de Isis, porque en las calendas de noviembre se celebraban las fiestas de esta diosa. Va vestido con tela de lino y con la cabeza calva o afeitada; se apoya en un altar sobre el cual hay una cabeza de corso, animal que se sacrificaba a Isis; por fin llevaban cistro en la mano. Entre los modernos va vestido de color de hojas secas y coronado de un ramo de olivo; con una mano se apoya en el signo Sagitario, bien sea en razón de la disposición de las estrellas, o bien a causa de las lluvias que el cielo arroja, sobre la tierra. También puede ser en razón a la caza, último recreo de la estación, así como el niño que bate cáñamo marca las últimas ocupaciones; en la otra mano tiene un cuerno de la abundancia de donde salen diversos racimos, último presente que nos ofrece la tierra. En un dibujo de Claudio Audran, la diosa de la caza y de la pesca, vestida a la ligera y adornada de su media luna, lleva en una mano un venablo y con la otra conduce un lebrel en acción de marchar. La cierva y el perro le estan consagrados; los cinturones que se le ofrecen; las aves, los arcos, las flechas, el carcaj, las telas propias para la caza y la pesca, atributos ordinarios de la diosa, sirven de adornos y accesorios al dibujo.

NOVILUNIUM. V. Neomenies.

NPINDI. (Mit. afr.). Cuarto jefe de los gangas, sacerdotes africanos. (V. esta palabra).

NSAMBI. (Mit. afr.). Uno de los gangas o sacerdotes del Congo, cuya especial atribución consistía en curar los negros de una especie de lepra muy común entre ellos.

NUBE. Madre de los centauros. V. Ixción.

NUBES. Los caledonios creían que todos aquellos que se habían distinguido por su valor o sus virtudes habitaban después de su muerte un palacio aéreo o de nubes; donde conservaban todos sus gustos y se entregaban a los mismos placeres que habían disfrutado durante su vida, y como la caza era uno de los principales, armados de un arco de nieve y de una lanza de vapores perseguían, en las vastas llanuras del firmamento, los corzos de meteoros y los jabalíes de nieblas. Los habitantes de los palacios aéreos exentos de toda pasión se aparecían algunas veces a sus hijos y amigos; disponían a su arbitrio de los elementos, desencadenaban las tempestades y turbaban los mares, pero ningún poder tenían sobre los hombres. Estaban divididos en buenos y malos espíritus: los primeros se mostraban en los rayos del día puro, en los bordes de los riachuelos o en los risueños valles; los segundos, al contrario, no aparecían más que rodeados de rayos entre el ruido del trueno y en las noches borrascosas.

NUBES. Aristófanes las ha personificado para ridiculizar a Sócrates. En la comedia de este nombre el filósofo las invoca como a sus divinidades particulares. Las nubes, a sus ruegos, bajan del cielo y le manifiestan que no lo habrían hecho más que por él y por Pródico: por éste, a causa de su gran sabiduría y por las opiniones que enseña; por él, porque marcha por las calles con un aire imponente paseando la vista por todas partes, porque sufre voluntariamente bastante mal, yendo de pies desnudos, y finalmente porque les tiene gran respeto.

NUBIGENE. 1 — Hijos de la nube. (V. Centauros.)

2 —Clipei, escudos sagrados caídos del cielo. Estat.

NUDIPEDALES. Fiesta extraordinaria que raramente se celebraba en Roma, y siempre por orden del magistrado por motivo de alguna calamidad pública. Andaban con los pies desnudos, de donde la fiesta ha sacado su nombre. Las mismas damas romanas, cuando invocaban a Venus en circunstancias extraordinarias, hacían sus procesiones en el templo de la diosa marchando con los pies desnudos.

NUDO GORDIANO. (V. Gordiano.)

NUEVE. Número sagrado entre varios pueblos. Los chinos se postran nueve veces delante de su emperador. En Africa los príncipes superiores a los otros en poder exigían de los reyes, sus vasallos, que besasen nueve veces el polvo antes de hablarles. Pallas observa que los mongoles tenían este número por sagrado, y hasta Europa no está exenta de esta costumbre.

NUMA. 1 — Segundo rey de Roma estableció entre los romanos el culto y las ceremonias religiosas, construyó un templo a Vesta, instituyó las vestales para mantener el fuego sagrado, edificó otro a Jano y fundó ocho colegios de sacerdotes. Para hacer sus leyes más respetables, fingió haberlas recibido de la ninfa Egeria. Tit. Liv 1, c. 18. Plut. Dion. Hal. (V. Egeria).

2 — Capitán rútulo, muerto por Niso y Euríalo. Eneida. 9.

NUMANUS-REMCLUS. Guerrero rútulo, cuñado de Turno, muerto por Ascanio. *Eneida. 9.*

NUMENIAS. (*V.* Neomenies.)

NUMENIUS. Filósofo del siglo segundo; sostenía que el caos de donde se sacó el mundo estaba animado por un genio maligno.

NUMERARIUS MUNERATOR. El que daba un espectáculo de Gladiadores en honor de los muertos.

NUMERIA. Diosa que presidía la aritmética. Las mujeres embarazadas la invocaban para obtener un feliz parto. *S. Agustin de civit. Dei. 4 c. 11* R. *Numeros,* número.

NÚMEROS. Todo el mundo sabe que los pitagóricos aplicaron las propiedades aritméticas de los números a las ciencias más abstractas y más profundas. En pocas palabras, se verá si su sistema merece la admiración que ha causado y si el título pomposo de Teología aritmética, que le ha dado *Nicómaco,* le conviene. No constando la unidad de partes, debe menos pasar por un número que por el principio generador de los números. De ahí sacan los pitagóricos que ha venido a ser como el atributo esencial, el caráter sublime, el sello mismo de Dios. Se le llama con admiración el que es Uno; único título que le conviene, y que le distingue de todos los otros seres que cambian sin cesar y sin rodeo. Cuando se describe un imperio floreciente, se dice que reina en él un mismo espíritu, que una misma alma lo vivifica y que le remueve un mismo resorte. El número 2, siguiendo a Pitágoras, designa el mal principio y, por consecuencia el desorden, la confusión y la mudanza. El odio que se tiene al número 2 se extiende a todos los que empiezan con este guarismo, como 20, 200, 2000, etcétera.

Siguiendo esta antigua creencia, los romanos dedicaron a Plutón el segundo mes del año; y en el segundo día del mismo mes expiaban las almas de los muertos. Varias gentes suspersticiosas, para apoyar esta doctrina han observado que este segundo día del mes ha sido fatal a muchísimos lugares y a grandes hom-

bres, como si estas mismas fatalidades no hubiesen acaecido igualmente en otros días. Pero el número 3 agradaba extraordinariamente a los pitagóricos, porque encontraban en este guarismo sublimes misterios de los cuales se vanagloriaban poseer la llave; llamaban a este número la armonía perfecta. Un italiano canónigo, de Bérgamo, se ha entretenido en recoger las singularidades que pertenecen a este número, entre ellas se cuentan filosóficas, poéticas, fabulosas y aun devotas; en una palabra es una compilación tan extraña, como curiosa.

El número 4 estaba en gran veneración entre los discípulos de Pitágoras, porque decían que encerraba toda la religión del juramento y que recordaba la idea de Dios, y de su poder infinito en el arreglo del Universo.

Juno, que presidía las bodas, protegía, según *Pitágoras,* el número 5 porque se compone de 2, primer número par, y de 3, primer numero impar; pues estos dos números reunidos, juntos par e impar, forman 5, que es un emblema o una imagen del casamiento. Además añadían que el número 5 es potable, porque puede multiplicarse por sí mismo; esto es, 5 por 5, resultando siempre un número 5 a la derecha del producido.

El número 6, según *Vitruvio,* debe todo su mérito al uso que hacían los geómetras antiguos, de dividir todas las figuras, ya porque terminasen en líneas rectas, o ya en líneas curvas de seis partes iguales; y como la exactitud del juicio y la rigidez del método son esenciales en la geometría, los pitagóricos, que habían emprendido con intéres esta ciencia, tomaron el número 6 para caracterizar la justicia, que marchando siempre con un paso igual, no se deja seducir ni por la calidad de las personas, ni por el brillo de las dignidades, ni por el atractivo, comúnmente vencedor, de las riquezas.

Ningún número ha tenido mejor acogida que el 7; los médicos creían descubrir en él las continuas vicisitudes de la vida humana, y de allí derivaron su año climatérico. *Fra Paolo,* en su historia del concilio tridentino, ha ridiculizado graciosamente todas las pretendidas ventajas del número 7.

Los pitagóricos veneraban particularmente el número 8; porque designaba, según ellos, la ley natural, esta ley primitiva y sagrada, que supone a todos los hombres iguales.

Miraban con temor el número 9 porque designaba la fragilidad de las fortunas humanas, tan pronto destruidas como establecidas, por cuyo motivo aconsejaban evitar todos los números donde dominase el 9 y principalmente el 81, que es el producto del 9 multiplicado por sí mismo.

Finalmente, los discípulos de *Pitágoras* juntaban el número 10, como el cuadro de las maravillas del Universo, conteniendo eminentemente las prerrogativas de los números que le preceden. Para demostrar que una cosa aventajaba con mucho a otra, los pitagóricos decían, que era diez veces más grande, diez veces más admirable. Para manifestar simplemente una sola cosa, decían que tenían diez grados de hermosura. Este número pasaba también por signo de amistad, de paz, de benevolencia; y la razón que se daba a los discípulos de Pitágoras era que, cuando dos personas quieren unirse estrechamente, se toman mutuamente las manos y se dan un apretón en prueba de unión recíproca; pues decían ellos que dos manos unidas forman por medio de los dedos el número 10.

NUMICUS. Río de Italia en cuyas orillas Eucas abordó (Enei*da*. 7); y habiéndose ahogado después en el mismo lugar, fue honrado bajo el nombre de Júpiter - Indigeta. *Ovid*. (*Met*. 14) pinta a este río asistente en la deificación de Eneas, arrebatándole Anua, hermana de Dido. Estaba prohibido servirse de otra agua que la de este río, para los sacrificios de Vesta. *Ovidio* le da el epíteto de *corniger*, porque se daban cuernos a los simulacros de los ríos.

NUMISMACIA. Reino en donde no puede penetrarse siempre que se quiere. Los habitantes hablan toda clase de lenguas, y en particular los crisandrios y los argirandríos. Los pueblos, a pesar de haber sido engendrados por Mercurio y por la ninfa Sulturia, son muy extraños; pues ordinariamente no se les ve más que el cuello y la cabeza. A pesar de que todos son reyes, emperadores, soberanos, llevan tras sí sus armas y sus divisas y dependen de la reina Lidia. (*Lidius lapis*, piedra de toque). Desde el momento que nacen, ni crecen ni disminuyen, bien que sus facciones se van perdiendo poco a poco, etc. *Suplemento a la historia verdadera de Luciano, l. 4.*

NUMITOR. 1 — Hijo de Procas, rey de Alba y hermano de Amulio. Este le destronó, hizo perecer a su hijo Lanso y forzó a Ilia, hija única de Numitor a que se hiciese Vestal. A pesar de las precauciones de Amulio, Ilia llegó a ser madre, cuyo honor tributó al dios Marte. El tirano la hizo encerrar en una cárcel y dio orden para que arrojasen los dos niños al Tiber, pero se salvaron y, criados por una loba y recogidos por Fáustulo, llegaron a mayores de edad; fueron reconocidos de Numitor, mataron a Amulio y volvieron a colocar a su abuelo en el trono. *Tit. Liv. 1, c. 3. Plut. Dion. Hal. Eneida. 10.*

2 — Uno de los capitales de Turno.

NUMMERIUS. Sefucius. Era de Preneste. Los monumentos atestiguan (dice *Cicerón de Divin. 2, c. 85*), que era un hombre de bien, célebre por sus frecuentes visiones y que, habiéndosele mandado que cortase en cierto lugar un guijarro, lo verificó y que de sus pedazos salieron ciertos escritos, de antiguos caracteres.

NUNDINA. (*V*. Nondina.)

NUNDINATOR. *El que preside las ferias y los mercados*. Epíteto de Mercurio en una inscripción.

NUPCIALES. Dioses de las bodas. Plutarco cuenta cinco: Júpiter, Juno, Venus, Snada, Diana o Lucina. La antigüedad añadió muchos otros que presidían los misterios de Himeneo, a ellos se dirigían todos los votos para que los matrimonios fuesen afortunados.

NUPCIALIS. Sobrenombre de Juno como presidenta en los casamientos. Cuando se le tributaban sacrificios bajo este título, se arracaba la hiel de la víctima y se arrojaba detrás del altar para denotar que no debía haber pesadumbre ni armargura entre los esposos. (*V.* Gamelia.)

NYAYAM. (*Mit. índ.*) Escuela de filosofía, cuyo sistema se funda en cuatro principios: a saber, el testimonio del sentido bien aplicado; las señales naturales, tales como el humo; la aplicación de una definición conocida o definida hasta la incógnita y finalmente la autoridad de una palabra infalible. Del examen del mundo sensible que componen de átomos indivisibles, eternos, inanimados, se pasa al conocimiento de su autor, de donde se infiere la existencia, la inteligencia y la inmaterialidad. En la constitución del hombre, estos filósofos encuentran un cuerpo y dos almas, la una suprema, y la otra animal. La sabiduría consiste en extinguir el alma sensitiva, por su unión con el alma suprema; esto es con Dios. Esta unión llamada *yoga,* de cuyo nombre deriva el de *yoguis,* empieza por la contemplación del ser supremo, y se termina por una especie de identidad con él, en la cual ya no hay ni sentimiento ni voluntad; en este punto cesa la metemsícosis. Con poca diferencia es igual el sistema de los talapones, de la otra parte de la India, y el de la secta contemplativa de China: es el quietismo de Europa (*V.* Vedanta.)

NYLAH-POUJAH. (*Mit. índ.*) Nombre que se da a las expiaciones de la tarde que se celebran en las fiestas índicas. Actores, los más celosos, corren en tropel a las pagodas; allí se atraviesan la lengua con hierros largos, o una especie de cuchillas y otros instrumentos largos y cortantes. Otros se hacen agujerear los dedos. Estos además se hacen hacer en la frente, en el espinazo y en el pecho, ciento veinte heridas. Este número, del cual no se conoce el misterio, es de absoluto rigor. Final-

mente, los primeros se hacen aguijerar también las caderas y pasan por la abertura, cuerdas y cañas en forma de sedal. La lengua se atraviesa para espiar los robos, las heridas que se hacen en la frente sirven para espiar los malos pensamientos y las miradas ilícitas, las del pecho por haber bebido vino u otros licores; los que se hacen aguijerar los riñones, se proponen espiar el comercio con las mujeres fuera del matrimonio, o con las prostitutas, y sobre todo el adulterio. En este estado durante todo el día siguiente, van en procesión y se detienen para danzar delante de la puerta de aquellos que les pagan, pues los ricos ganan las expiaciones con su dinero, y rescatan sus iniquidades con el dolor de los pobres; lo que según la creencia de los hindúes, no es ni menos eficaz, ni menos agradable a Dios. La marcha se hace en medio del ruido de los instrumentos y de las aclamaciones, de la multitud. Se queman perfumes, sirviendo de braserillo el hueco de la mano en ciertos hindúes, lo que gracias, sin duda, a las precauciones que se toman de antemano, dan a la fiesta un giro milagroso. En efecto lo más maravilloso que hay es la prontitud con que se curan estas piadosas heridas, sobre todo si se comparan con las recibidas en cualquier otra ocasión. La leche sirve para curar la lengua, y para las otras heridas se emplean varios emplastos. *Descripción de los hindues por Solvyns.* (*V.* Tcharok.)

NZI. (*Mit. afr.*) Es aquel de los gangas o sacerdotes del Congo, que podía considerarse como el penitenciario de los negros. Este sacerdote absuelve a los perjuros, frotándoles la lengua con dátiles y pronunciando imprecaciones contrarias a las del penitente.

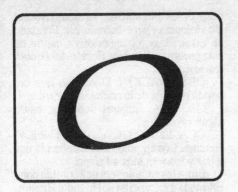

OANNES, OEN, OES. Monstruo medio hombre y medio pez, que vino del mar Eritreo, y salió del huevo primitivo, del cual nacieron todos los seres: apareció, dice *Beroso,* en un lugar vecino a Babilonia. Tenía dos cabezas, de manera que la de hombre estaba bajo la de pez. A su cola se veían los pies humanos y tenía voz y habla lo igual que los racionales. Este ser monstruoso vivía entre los hombres sin comer, les enseñaba las ciencias, las artes, el modo de edificar las ciudades y los templos, de establecer leyes, y a fijar los límites de los campos con reglas seguras; de sembrar y recoger los frutos, en una palabra todo lo que podía contribuir a suavizar sus costumbres. Al ponerse el sol se retiraba al mar y pasaba la noche debajo de las aguas. Después aparecieron otros monstruos semejantes a él, y aunque *Beroso* había prometido revelar este misterio, sin embargo, no lo cumplió. Oannes u Oes, dicen los sabios, significa en siríaco extranjero. En consecuencia esta fábula nos enseña que, en algún tiempo llegó un extranjero que dio a los caldeos los principios de civilización. Iba quizá vestido de pieles de pescado, que le cubrían desde la cabeza hasta los pies. Entraba todas las tardes a su nave y comía a bordo sin ser visto por nadie. En cuanto al huevo primitivo de que la fábula le hace nacer, deriva este error, según parece, de la semejanza del nombre Oannes con la palabra griega *Oon,* huevo, *Men. de la acad. de Inscr. t. 12.*

OAXES. Río de Creta, llamado tal, de Oaxes hijo de Apolo, quizás el mismo que el siguiente.

OAXO. Hijo de Apolo y Anquiale, fundador de Oaxo, ciudad de Creta, a la cual puso su nombre. Otros le suponen hijo de Acacálide y nieto de Minos. *Virg. Egl. 1. Herod. 4, c. 154.*

OBARASON. (*Mit. índ.*) El gran ayuno, o el ayuno completo que acostumbran a hacer los indios. Consiste en no comer nada durante veinticuatro horas. (*V.* Ourchendi.)

OBARATOR. Uno de los dioses campestres de los latinos, que *Servio* dice preside los trabajos agrícolas.

OBEA. Vaso muy hondo que servía para los manjares fúnebres.

OBELIOS. Especie de panes largos, con los cuales se hacían oblaciones a Baco. R. *obelos,* asador.

OBELISCOS de EGIPTO. Se llaman así a unas columnas cuadradas y rematadas en punta, como pirámides, y cubiertas por todos lados de jeroglíficos. Se dice que estos caracteres encubrían grandes misterios de la religión egipcia, conocidos por muy pocas personas. Cuando Cambises, rey de los persas, se hubo hecho dueño de Egipto, quiso exigir de los sacerdotes, que se los explicasen y habiendo éstos rehusado obedecerle les hizo matar y destruyó todos los obeliscos que encontró. Estos monumentos estaban consagrados al sol, y por este motivo los sacerdotes los llamaban dedos de este astro. *Diod. Sic. Herod. 2 c. 101. l. 5, c. 10. Plin. Estrab. Mem. de la Acad. de Inscr. t. 3.*

OBERÓN. Rey de las hadas y los genios del aire, que hacen un gran papel en la poesía inglesa, y cuya reina se llama Titania. Según ésta habitan en la India, y por la noche atraviesan los mares, y vienen a nuestros climas a danzar al resplandor de la luna: temen al día y huyen a los primeros rayos del sol y se ocultan en los huecos de los árboles, hasta la vuelta de las tinieblas. Es bien sabido que Oberón es el principal personaje del poema de este nombre, compuesto por el célebre *Wiland,* que goza de gran reputación en toda Alemania.

OBLACIONES. (*V*. Ofrendas.)

OBLIVIO. (*V*. Olvido.) Según *Hesíodo* era hijo de la Noche; según *Higinio*, del Eter y la Tierra.

OBNUNCIACIÓN. Si sucedía que los auguros observaban en el cielo alguna siniestra señal, hacían decir que *Obnunciabant*, al que tenía los consejos, *alio die*, al otro día. Esta facultad de que abusaban los augures para dirigir los negocios a su voluntad, y que les habían concedido las leyes *Ælia* y *Fusia*, les fue quitada por la ley *Clodia*.

OBODOS. Rey y dios de los árabes, adorado en Oboda, en la Arabia pétrea, hasta el establecimiento del mahometismo.

ÓBOLO. La pieza de moneda que se ponía en la boca de los muertos para pagar los fletes a Caronte. (*V*. Caronte.)

OBRA PERFECTA. (*Iconol*.) C. *Ripa* la designa por una mujer que tiene un espejo en la mano derecha, y en la izquierda un cartabón y un compás.

OBRIMO. Uno de los sobrenombres de Proserpina.

OBRIMOTIMOS, *Violento*, *valeroso*. Epít. de Baco. *Antol*.

OBRIMUS. Uno de los hijos de Egipto. *Higinio*.

OBSECRACIONES. Oraciones y sacrificios que disponía el senado romano en los tiempos calamitosos. Los decenviros cuidaban de hacerlas ejecutar. *Niewport, Cost. de los Romanos*. (*V*. Lectisternas.)

OBSEQUENS. Bajo este sobrenombre tenía la Fortuna un templo en la primera y última región de Roma.

OBSESIÓN. Los demonógrafos distinguen la *obsesión* de la *posesión*, y definen la primera; estado en que el demonio, sin entrar en el cuerpo de una persona, la atormenta, y la sitia por fuera, semejante al importuno que sigue y fatiga al hombre de quien ha resuelto sacar alguna cosa. Las señales de la *obsesión*, son el ser levantado en los aires, y rechazado después con fuerza contra la tierra, sin ser herido, hablar idomas estranjeros sin haberlos jamás aprendido; conocer y predecir las cosas ocultas; exceder de las fuerzas ordinarias de los demás hombres, hacer contorsiones extraordinarias, quedando después los miembros en su estado natural sin violencia y sin esfuerzos, etc. Fundado en estas ideas, el ingenioso *Cazotte* ha compuesto su divertida ficción del *Diablo enamorado*.

OBSTINACIÓN. Divinidad que era tenida por hija de la noche. *Ant. expl. t. 1*.

OBSTITA. Lugares donde ha caido algún rayo. *Cic*.

OCA. Entre las manos de una niña. *V*. Hersina. Los egipcios sacrificaban la oca a Isis y los romanos a Príapo.

Entre los antiguos era una comida poco estimada a excepción del hígado. El nombre sólo se tenía por obsceno y servía para designar una mujer pública.

OCÁLEA. 1 — Ciudad de la Beocia, cuyos habitantes fueron al sitio de Troya. *Ilíada. 2*.

2 — Hija de Mantinea y esposa de Abante, del cual tuvo a Acrisio y Practo. (*Apolod. 2, c. 2*.) Otros leen Aglaia.

OCAS SAGRADAS. Después que las ocas hubieron salvado el capitolio, los romanos establecieron dónde todos los años se llevaba en triunfo una oca sobre una camilla muy adornada. El primer cuidado de los censores, cuando entraban en el ejercicio de sus funciones, era proveer a la pensión y el alimento de las ocas sagradas. En medio del triunfo de la oca, se llevaba un perro colgado en una horca.

OCCABUS. Adorno del cuello o del brazo, collar o brazalete guarnecido de piedras preciosas, del cual prendían unas cadenitas, que los sacrificadores llevaban en las ceremonias solemnes, especialmente en las del aureolo.

OCCÁTOR. Dios que presidía los trabajos de los que rompen las motas de la tierra y las aplanan. Cuando el flamen de Ceres sacrificaba a esta diosa, invocaba también a Occátor. R. *Occare*, rastrillar.

OCCIDENTE (*Iconol*.). Uno de los cuatro puntos cardinales. C. *Ripa* lo pinta viejo, vestido de un ropaje de color oscuro, con un cinturón blanco donde se ven los signos de géminis, libra y acuario. Brilla en su cabeza la estrella Héspero y tiene la boca tapada con un listón, emblema del silencio. Con la mano derecha parece indicar el occidente y trae adormideras en la izquierda. Vuelan a su alrededor algunos murciélagos y la sombra de la figura parece alejarse, y oscurecerse el aire.

En el arco de Constantino, se ve simbolizado Occidente por una mujer con una media luna en la cabeza, la cual tiene cubierta con un gran velo, aunque tirado un poco atrás para indicar que la noche no ha llegado aún. Está precedida de un pequeño genio y arrastrada sobre una carroza con dos caballos que parecen también precipitarse. Puede representarse este pensamiento por Febo dejando su carro para venir a descansar en los brazos de Tetis.

OCCUPO. Sobrenombre de Mercurio en *Petronio* (*c.* 58). Los comentadores pretenden que es considerado allá como dios de los ladrones, *qui aliena occupant.*

OCÉANO. Primer dios de las aguas hijo de Urano y de la Tierra, padre de los dioses y de todos los seres, porque según el sistema de Tales, el agua era la materia primera de que se componían todos los cuerpos, o porque el agua contribuye más a la formación y desarrollo de los cuerpos que los demás alimentos. Es muy probable que entre los Titanes hubiese alguno que se llamase Océano. De este modo se explica a la letra: 1º) lo que dice *Homero* (*Ilíada*) que los dioses decienden del Océano y Tetis; 2º) lo que dice el mismo poeta; que los dioses iban a menudo a Etiopía a visitar al Océano, y tomar parte en las fiestas y sacrificios que allí se celebraban; aludiendo a un antiguo uso de los habitantes de las costas del Océano Atlántico, que según refiere *Diodoro,* celebraban en una estación del año, solemnes fiestas; 3º) lo que se refiere de Juno que fue educada en casa del Océano y Tetis, porque verdaderamente Rea la envió a casa de su cuñada, para apartarla de la cruel persecución de Saturno; 4º) lo que dice *Esquiles,* que el Océano era amigo íntimo de Prometeo, hermano de Atlante. Los antiguos monumentos nos representan al Océano bajo la figura de un anciano sentado sobre las olas, con una pica en la mano, teniendo cerca de sí un monstruo marino. Tiene también una urna cuya agua se derrama, símbolo del mar, de los ríos y

de las fuentes. Lo que decían los griegos del Océano, decían los egipcios del Nilo, que llevaba entre ellos este nombre y del cual habían nacido los dioses. *Teog. Apolod. 1. Cic. Ov. Fast. 5. Ilíada. 14. Diod. Sic. Just. 12, c. 10.*

OCEÁNIDES, OCEANITES. Hijas del Océano y de Tetis, cuyo número asciende hasta tres mil. En el transcurso de esta obra se encontrarán los nombres de las más conocidas. *Apolon. Geórg. 4. Hes. Teog. Apolod. 1.*

OCIALE. 1 — Uno de los feacios que en el libro 8º de la *Odisea,* se presentan para disputar el premio de la carrera.

2 — Amazona. *Higinio.*

OCÍDRONE, *el que corre ligero.* Uno de los perros de Acteón. R. *Okis,* pronto *dremien,* correr. *Met. 5.*

OCIEPES, *pronto en hablar.* Epíteto de Apolo. *Antol.*

OCIOSOS de la sinagoga. Oficiales públicos entre los hebreos, llamados así, porque desempeñaban un empleo secundario, y que libres de toda otra ocupación no se dedicaban más que al servicio divino y a los ejercicios de piedad. *Vitringa* pretende que eran diez personas comisionadas en una sinagoga y a las cuales se les daba el nombre de ociosos porque se les había escogido de la clase acomodada, y que no se les ocupaba en nada más a fin de que pudiesen ser más diligentes.

OCÍPETE, *el que vuela ligero.* 1 — Una de las Harpías. *Hesíod. Teog.*

2 — DANAIDA, esposa de Lampo. *Apolod.*

OCIPODE *o los pies ligeros.* Una de las Harpías.

OCIPOUS, *o los pies ligeros.* Epíteto de Apolo. *Antol.*

OCÍRROE. 1 — Oceánida.

2 — Hija del centauro Quirón y de la ninfa Cariclo, instruida en todos los secretos de su padre, añadía además el conocimiento de lo venidero. Su nombre deriva, según *Ovidio,* de que había nacido en la orilla de un río rápido R. *okys,* veloz; *rhein,* manar. (*V. Melanipa.*)

OCITOE. Una de las Harpías.

OCITOUS. Uno de los perros de Acteón. *Met. 5.*

OCNUS. Hijo del Tíber y de la profetisa Manto, fundador de Mantua, a quien dio el nombre de su madre: vino al socorro de Eneas contra Turno. *Eneida. 10.*

OCRIDIÓN. Rey de Rodas, colocado después de su muerte entre los dioses.

OCRISIA. Dama de la corte de Tanaquil, mujer de Tarquino el antiguo que, encontrándose un día cerca del fuego, vio lo que Ovidio llama *obscrin forma virilis*. Refirió este prodigio a la reina y le mandó que se acercase. Ella obedeció y concibió un hijo llamado Servio Tulio, que fue educado en el palacio del rey y subió después al trono. Según otros Vulcano se ofreció bajo esta forma a los ojos de Ocrisia, y fue padre por este medio de sexto rey de Roma. *Plin. 36, c. 27. Fast.*

OCTAVIO. Habitante de Vélitres. Este hombre tenía en esta ciudad un altar que le estaba consagrado en memoria de que advertido, en medio de un sacrificio que hacia a Marte, de la repentina irrupción de sus enemigos, quitó del fuego las carnes medio cocidas de la víctima, las distribuyó según costumbre; corrió al combate y volvió triunfante. Se promulgó un decreto mandando hacer todos los años el mismo sacrificio a Marte, y adjudicando a los Octavios los restos de la víctima. Augusto era descendiente de esta familia.

OCTOBER (*Eguus*). Caballo que se inmolaba todos los años a Marte en el mes de octubre. El rito exigía que su cola fuese trasladada con prontitud desde el campo de Marte, donde se cortaba, al templo del dios que todavía al llegar allá chorreara sangre.

OCTUBRE. (*Iconol.*) La adulación y la lisonja dieron a este mes el nombre del emperador Domiciano. Pero después de la muerte del tirano volvió a recobrar el que le correspondía por el orden de los meses. Estaba bajo la protección de Marte. Le personificaban bajo la figura de un cazador, que tenía una liebre a sus pies, diversas aves sobre la cabeza y una especie de cubo a su lado. Los modernos le dan una corona de hojas de encina y un vestido encarnado, porque la verdura de las hojas empieza tomando un color rojizo. Se le atribuye el signo de Escorpión; ya sea a causa de la disposición de las estrellas que le representan, ya por la malignidad de esta estación; pues las variaciones del aire causan muchas enfermedades. Un arado en el fondo del cuadro designa que en este mes el labrador prepara la tierra para que le de nuevas riquezas. *Claudio Audran*, para simbolizarlo, representa a la diosa de las ciencias y de la sabiduría, teniendo en una mano su égida, y en la otra su lanza, en un templo sostenido por lanzas y enriquecido con las ramas y coronas de olivo que le están dedicadas. La cúpula se compone de las telas de la araña, su rival, y a ambos lados se ven las aves que le estan consagradas. Los instrumentos de tapicería están distribuidos de modo que forman casi todo el adorno de esta pieza.

OCULINOMANCIA. Adivinación cuyo objeto es descubrir un ladrón, hundiéndose o girándole el ojo, con ciertas ceremonias religiosas.

OCULTAS (*Ciencias.*) Se da este nombre a la magia, la nigromancia, la cábala y a todas las ciencias de adivinación.

OCHESIO o OQUESIO. Jefe de los etolios, muerto en el sitio de Troya. *Ilíada. 5.*

OCHIMO o OQUIMO. Hijo de Helio y Rodo. No habiendo tomado parte en el asesinato de Tenageo, permaneció en su patria, sucedió a su padre en el trono de Rodas, y tuvo de la ninfa Hegetoria una hija llamada Cídipe. *Diod. Sic.*

OCHNE o OCNE. Era, según *Plutarco*, hija de Colono y Tanagra enamorada de Eunosto, hijo de Elico, y encontrándole insensible a su amor, le acusó a sus hermanos que le había hecho violencia. Estos mataron a Eunosto y fueron enseguida aprisionados por Epico. Entonces Ochne se arrepintió de haber culpado falsamente a Eunosto y le descubrió todo a Epico. Su padre obligó a los dos hermanos a abandonar el país. Ochne se precipitó de lo alto de una roca, y se erigió un altar en honor de Eunosto.

OCHO. Para señalar la perfección de este número, al que los antiguos daban los nombres de pureza y solidez porque es el primer cubo, los pitagóricos le llamaban

*Justicia,* porque se divide en cuatro partes iguales divisibles. Le llamaban también Neptuno por estar consagrado a este dios.

OD. Idolo, cuya existencia hace derivar Mahoma del tiempo de Noé, así como la de Soa, Igout, Jao, y Neser. *Alcorán. C. de Noé.*

ODALON. Divinidad Siria que se cree es la misma que Dagón y que Oannes, o uno de los cuatro Oannes que aparecieron bajo el reinado de Merodach, que gobernó antes del diluvio.

ODICE. Una de la horas.

ODÍN. (*Mit. Escand.*) Conquistador y legislador del norte; según el *Edda* el primero y el más antiguo de los dioses. Odín gobernó todas las cosas, y los otros dioses a pesar de su poderío le sirvieron siempre, como unos hijos sirven a su padre. Se le llama el padre universal, porque lo es de todos los dioses, como el Júpiter de los griegos. Se le titula también padre de los combates, porque adopta por hijos a todos los que mueren con las armas en la mano, lo que ha hecho que se le tomase por el Marte de los escandinavos. Les señala por morada el palacio de Valhalla y de Vincolf y les hace dar el nombre de Héroes. Así es que los parientes y amigos de los que mueren en un combate, les gritan: «¡Ojalá Odín te reciba! ¡Ojalá te juntes con Odín!». Se ve por las inscripciones sepulcrales y por las oraciones fúnebres que subsisten aún que, en ciertos países septentrionales, estaba en uso recomendar a Odín las almas de los muertos en los siguientes términos: «Odín te guarde querido hijo, amigo fiel y buen servidor».

Ha llegado a nosotros un cántico fúnebre, compuesto por algún druida o bardo germano, en el cual el rey Lodbrog, famoso por sus hazañas, se felicita de que bien pronto irá al magnífico palacio de Odín a beber cerveza, y que le servirán de vaso los cráneos de sus enemigos. Los epítetos que le da la *Escalda* (*Diccion. poético de los Islandeses.*) son un número de ciento veintiséis; y los más notables los siguientes; el *Padre de los siglos,* el *Soberbio,* el *Aguila,* el *Padre de los versos,* el *Torbellino,* el *Incendiario,* el *que hace llover las flechas, etc.* Dos cuervos están siempre parados sobre sus espaldas, y le dicen a la oreja todo lo que han visto y entendido de nuevo. El uno se llama *Hugin* (el espíritu) y el otro *Munnin* (la memoria). Odín los aleja todos los días, y después que han recorrido el mundo vuelven por la tarde a la hora de la comida y esto hace que el dios sepa tantas cosas y que se le llame también el Dios de los cuervos.

Algunos historiadores germanos pretenden que Odín fue un rey del norte famoso por su valor, quien para inspirar a sus súbditos el desprecio a la muerte, se clavó un flechazo en su presencia y murió de la herida algunos momentos después. Se le hicieron magníficos funerales y se le tributaron honores divinos.

Odín tenía en Upsala un templo magnífico cuyo techo estaba rodeado por una cadena de oro, y otros en Islandia, en el cual rociaban a los asistentes con la sangre de las víctimas. Al principio sólo se ofrecían a este dios las primicias de los frutos de la tierra; luego se le inmolaron animales, y por fin se le sacrificaron hombres, hijos de reyes y hasta reyes mismos. El modo más común de hacer estos horrorosos sacrificios era poner a la víctima entre dos piedras enormes, donde era aplastada, y de la mayor o menor impetuosidad con que salía la sangre, los sacerdotes inferían el resultado que debía tener la empresa que hacía el objeto del sacrificio. *Mallet, Introd. a la historia de Dinamarca.*

ODINSDAG. Día de la semana consagrado a Odín, que correspondía al miércoles.

ODINSTOUN. (*Mit. escand.*) Arena que servía para el combate de los manes de los héroes.

ODIO. (*Iconol.*). Entre los egipcios el jeroglífico de un pez era el significado del odio. Las diferentes alegorías que existen prueba lo que dice *Winckelmann,* que el odio es un sentimiento concentrado y difícil de representar alegóricamente. *Ripa* lo pinta, p.e. por un hombre armado, teniendo una espada y un escudo en el cual hay pintada una caña y un ramo de helecho. A estos emblemas oscuros e insignificantes, *Cochin* ha sustituido una mujer furiosa que tiene un puñal rodeado de una serpiente, y que se guía con una linterna sorda.

ODIO. Jefe de los alisones arrojado de su carro por Agamenón.

ODISEA. Poema en el cual *Homero* ha cantado los viajes marítimos de Ulises (*Odiseo*) a su regreso de Troya. El héroe recibió este nombre de su abuelo Autólico, quien lo sacó del verbo *odissesthai*, encolerizarse, porque Autólico había hecho sentir su cólera a más de un mortal. La *Odisea* está personificada en un bajorrelieve llamado *Apoteosis de Homero*. Lleva en una mano un aplustro, instrumento de navegación, mientras que la belicosa Ilíada lleva una espada.

ODITE. 1 — Uno de los centauros, muerto por el lapita Mopso en las bodas de Piritoo *Met. 12.*

2 — Guerrero etíope, muerto por Climeno en el combate que hubo en la corte de Ceflo, con motivo de las bodas de Perseo y Andrómeda.

ODOEDOCUS. Hijo de Opso, tuvo de Laónome dos hijos: Oileo y Caliaro.

ODORIA. Diosa de los olores.

ODRE. Atributo ordinario de los Sátiros y de Sileno. Las odres se componían de pieles de diversos animales, y principalmente de la de cabrito. Según la opinión de algunos, el odre que dio Eolo a Ulises, y que encerraba los vientos, era de la piel de un delfín. Los griegos decían proverbialmente, desatar el pie del odre, para suponer el goce de los placeres de Venus. Cuando un hombre era muy dado al vino o muy obeso, le decían también que era un odre.

ODRISIA TELLUS. Tracia, nombre tomado de los odrisas, uno de los pueblos más poderosos de este país.

ODRISIO. 1 — Sobrenombre de Boreas, porque a los pueblos meridionales de Europa les parece que el viento del norte viene de Tracia.

2 — Sobrenombre de Baco.

3 — De Tereo.

4 — De Reso. *Ovid.*

ODRISO. Uno de los dioses de Tracia.

OELLO. (*Mit. per.*) Mujeres descendientes de la sangre de los Iucas, que se consagraban voluntariamente a la peni-

tencia y al retiro, obligándose con un voto particular y expreso. Vivían cada una en su casa como verdaderas religiosas, y a pesar de que les era permitido salir, rara vez osaban usar esta libertad. Cuando lo verificaban llevaban por objeto visitar a sus próximos parientes indispuestos o con ocasión de tener que cortar los cabellos a sus primogénitos o darles un nombre. La vida casta e irreprensible de estas mujeres les atrajo un respeto tan profundo que las llamaban por excelencia *Oelio*, nombre consagrado en su religión. Esta castidad debía ser real, pues si se descubría que alguna de ellas había violado su voto, la culpable era quemada viva, o arrojada en una hoya para que sirviese de pasto a los leones.

OELSARS. (*Mit. índ.*) Templos de los tirinanxes, sacerdotes de primer orden en la isla de Ceilán. (*V.* Cavels, Deovels.).

OEMA. Hija de Dánao y Crino. *Apolod.*

OEN, OES. (*V.* Oannes.)

OFA. Una pasta que los augures romanos daban a los pollos sagrados cuando querían sacar los auspicios. Si la comían con ansia, el auspicio era favorable y sobre todo, si una parte de lo que tomaban caía en tierra. *Niewport, Costumbres de los romanos.*

OFARAI. (*Mit. jap.*) Cierto certificado o absolución que los sacerdotes del Japón venden a los peregrinos que vienen a visitar los templos famosos de la provincia de Isja. El *ofarai* es una pequeña caja de madera muy ligera y delgada, un poco más larga que ancha o más bien casi cuadrada. Esta caja contiene muchos pedacitos de madera pequeños y largos, y algunos de ellos envueltos en un papel blanco, símbolo de la pureza del alma del peregrino. A un lado de la caja hay trazadas en grandes caracteres estas palabras: *Daï Singu*, esto es, el *gran dios*. Al lado opuesto se lee el nombre del sacerdote que da el ofarai, acompañado de esta palabra *Tai-Ju, o mensajero de los dioses*, sobrenombre que tenían los sacerdotes. El peregrino recibe la preciosa caja con un respeto religioso, la coloca sobre el ala delantera de su sombrero y, para que el peso no se la haga caer, pone otra caja de igual peso en el ala de atrás. Luego que llega a su casa coloca respetuosamente el ofarai en un estante y lo conserva en el paraje más aseado de su casa. Algunas veces hace construir en su puerta un pequeño colgadizo donde lo mete. Si se encuentra en una calle o en un camino un ofarai, lo recogen con respeto, y para que no sea profanado lo ocultan en el hueco de un árbol; lo mismo practican con aquellos que se encuentran en la casa de un muerto. Se atribuyen a estas cajas grandes virtudes, pero su mérito disminuye, en atención a que no duran más que un año. Sin embargo, la venta de los ofarais produce sumas inmensas a los sacerdotes, y no exclusivamente en Isja, donde se distribuyen, pues además despachan un gran número en todo el imperio y particularmente el primer día del año. Los que no pueden emprender el viaje para Isja por razón de su edad, de su salud o de sus negocios, y aun aquellos que no están animados de un verdadero celo religioso para emprender este penoso viaje, compran a gran precio un ofarai que les comunica todo el mérito de la peregrinación. (V. Sanga.)

OFELESTES. Jefe troyano, muerto por Teucer, hijo de Telamón. Ilíada. 2.

OFELTAS. Rey de los tesalios. Fue conducido antes de la guerra de Troya, por el adivino Perípoltas, de Tesalia a Beocia, con todos los pueblos que le estaban sometidos. Plut.

OFELTES. 1 — Hijo de Licurgo. (V. Archémoro, Nemeos.)

2 — Hijo de Peneleo, y padre de Damacsitón; sucedió a Autesión en el trono de Tebas. Paus.

3 — Uno de los compañeros de Acestes transformado en delfín por Baco. Met. 3.

OFELTIO. 1 — Uno de los capitanes griegos, muerto por Héctor. Ilíada. 2.

2 — Capitán troyano muerto por Euríalo.

OFENDICES. Tiras que se desprendían de los lados de las mitras y gorros de los flamines, que los pegaban en el rostro. Si durante un sacrificio caía el gorro del flamine, éste perdía su empleo, de aquí la utilidad de las ofendices.

OFIAS. Gruta. Hija de Ofio. Met 7.

OFIEO u OFIONEO. El dios ciego. Nombre de Plutón entre los mesenios. Tenían augures que le estaban consagrados a quienes privaban de la vista en el momento de nacer, y a los que llamaban por este motivo ofioneos.

OFIO. Padre de Combe. Met. 7. (V. Combe.)

OFIÓGENES. Raza particular de hombres que remontaba su origen a una serpiente transformada después en héroe, y que tenían la propiedad de ser temida por las serpientes. Su tacto aliviaba las mordeduras de estos animales y, aplicando su mano, sacaba el veneno de la parte infectada del cuerpo. (Plin.) R. ophis, serpientes; genesthaoi, nacer. V. Marses, Psilos.

OFIOLATRÍA. Culto de las serpientes; este culto era conocido de los babilonios y los egipcios. El de Esculapio tenía también alguna relación con este culto. Hay además otra especie de ofiolatría en las Indias y en Africa. R. latreya, culto. V. Serpientes.

OFIOMANCIA. Adivinación por las serpientes: estaba muy en uso entre los antiguos, y consistía en sacar presagios de los diversos movimientos que hacían las serpientes. Se encuentran varios ejemplos entre los poetas, y nada más sencillo que el origen de esta adivinación. «La serpiente, dice Pluche (Historia del cielo, t. 1.), símbolo de vida y de salud, tan común entre las figuras sagradas, formaba con frecuencia parte del peinado de Isis; enroscada siempre en el bastón de Mercurio y de Esculapio, inseparable del cofre que contenía los misterios y llevada siempre en el ceremonial, debió pasar por uno de los grandes medios para conocer la voluntad de los dioses. Tenían tanta fe en las serpientes y en sus profetas, que las criaban expresamente para éste empleo, y haciéndolas familiares estaban al alcance de los profetas y de las predicciones. El atrevimiento con que los adivinos y los sacerdotes manejaban estos animales, se fundaba en su impotencia en hacer el mal, pero esta seguridad imponía a sus pueblos; y un ministro que manejaba impunemente las culebras debía, según ellos, estar en inteligencia con los dioses. *V. Marses, Ofiógenes, Psilo.*

Puede considerarse también, como una especie de Ofiomancia, la costumbre que tenían los Psilos de exponer sus hijos recien nacidos a las culebras llamadas cerastes, para conocer si eran legítimos o adulterinos.

OFÍOMACO. *El que combate con las serpientes.* Sobrenombre de Isis egipcia.

OFIÓN. 1 — Padre de Amico, el centauro. *Met. 12.*

2 — Nombre que *Boecio* da al primer principio.

3 — Rey vencido por Saturno.

4 — Gigante.

5 — Compañero de Cadmo.

OFIONEO. 1 — Jefe de los demonios o genios malos que se sublevaron contra Júpiter, según *Jerécides el Sirio.*

2 — Célebre adivino de Mesenia, ciego de nacimiento, pedía a los que iban a consultarle que le contaran cómo se habían comportado tanto en público como privadamente, y según sus contestaciones vaticinaba lo que debía acaecerles. Habiendo consultado a Delfos, Aristodemos, general de los mesenios, sobre el éxito de la guerra contra los lacedemonios, obtuvo por respuesta que, cuando dos ojos se abrieran a la luz y volvieran a cerrarse luego, sería la señal de lo que debía acaecer a los mesenios. Poco tiempo después Ofioneo se quejaba de un fuerte dolor de cabeza, que le duró algunos días, al cabo de los cuales se abrieron sus ojos para cerrarse después. Apenas Aristodemos tuvo noticia de ello, desesperó del éxito y se dio la muerte para no sobrevivir a la desgracia de su patria.

OFIÓNIDES. Amico, hijo de Ofioneo.

OFITES. Rama de los gnósticos; creían que la sabiduría se había manifestado a los hombres, bajo la figura de serpiente, por cuya razón tributaban un culto a este animal.

OFITES. Uno de los hijos que Hércules tuvo de Megara y a quien mató en un exceso de furor. *Higinio.*

OFIUCO. Constelación que los poetas pretendían que fuese Hércules y algunos

Esculapio, por haber resucitado a Hipólita valiéndose de una hierba que una serpiente le trajo. Los laminos la llamaban *Anquiteneus* y nosotros serpentaria. *Met. 8.*

OFIUSA. La misma, según varios autores, que Calciopea, hija de Eetes y esposa de Frixo.

OFIUSIA ARVA. La isla de Chipre. *Met. 10.*

OFRENDAS. Las de los frutos de la tierra, de pan, de vino, de aceite y de sal, son las más antiguas que se han conocido. Numa Pompilio enseñó a los romanos a ofrecer a los dioses frutos, trigo, harina, o migas de pan con sal y también trigo tostado. *Teofrasto* observa que entre los griegos la harina mezclada con vino y aceite, que ellos llamaban *Thilema* formaba la materia de los sacrificios ordinarios de los pobres. La diferencia que había entre las ofrendas de harina, de vino y de sal, con que acompañaban los griegos y latinos, sus sacrificios sangrientos de los que se servían los hebreos en sus templos, consistía en que estos últimos echaban sus oblaciones sobre las carnes de la víctima inmolada y puesta sobre el fuego; mientras que los griegos la ponían sobre la cabeza de la víctima poco antes de sacrificarla.

(*Mit. pers.*) Los parsis o guebros no podían comer la menor cosa de lo que hubiese tenido vida, sin que antes llevasen un pedazo en un pireo, a modo de ofrenda o más bien de expiación del crímen que podía haber cometido, quitando la vida a una criatura animada, para que les sirviese de alimento. En los días festivos acostumbraban a llevar sus comidas en las piras y compartirlas con los pobres.

(*Mit. tárt.*) Las ofrendas de los tártaros idólatras consistían en presentar a sus dioses la primera leche de sus rebaños y de sus yeguas. Antes de empezar la comida acostumbraban también a ofrecer a sus ídolos un pedazo de lo que iban a comer. Los tártaros orientales atribuyen una virtud y una santidad particular a una montaña situada en las fronteras de China y cubierta de ramas de abedul. Cuando yendo de camino, se dirigían a aquel lugar, jamás se descuidaban de suspender en una de estas ramas alguna parte de sus vestidos, camisa, gorro, etc, y abundaban de tal modo las ofrendas en aquella montaña, que los pobres hubiera podido vestirse a poca costa, si la misma creencia que inducía a suspender estos despojos no hubiese servido de impedimento para quitarlos.

(*Mit. chin*) Los bonzos de Corea ofrecían dos veces al día incienso a sus dioses, acompañando estas ofrendas con el ruido de atabales, platillos y calderos de que se proveían otros monjes. En el antiguo reino de Tunquín los grandes y los ricos no frecuentaban los templos, ni daban nada a los bonzos, porque los aborrecían, así es que practicaban sus ceremonias religiosas alrededor de sus casas, valiéndose de un clérigo destinado para este oficio. Este clérigo se prosternaba en medio de los que vivían en la casa, leía en alta voz la demanda que su señor dirigía a la divinidad, ponía luego en un incensario el papel, en el cual estaba escrita la demanda, y lo quemaba con incienso; además de esto echaba en el incensario algunos paquetes de papel dorado. Esta ceremonia iba seguida de un banquete destinado a obsequiar al clérigo y a los domésticos o sirvientes de la casa.

(*Mit. siam.*) Las ofrendas que los antiguos siamitas presentaban a sus divinidades y que consistían en flores, en perfumes y arroz pasaban primero por las manos de los talapones encargados de presentarlas al ídolo. Colocaban la ofrenda sobre el altar, pero luego la retiraban, y con mucha frecuencia se contentaban con tenerla en sus manos y enseñarla al ídolo que quedaba satisfecho con verlas. Los talapones más exigentes se reservaban su uso. Algunas veces las ofrendas consistían en bujías encendidas, que colocaban en las rodillas del ídolo.

(*Mit. índ.*) En los templos de los indios, un ministro precedido de un tocador de flauta y de un tambor, con una campanilla en la mano se adelanta hacia el ídolo y le presenta un plato lleno de arroz que deja expuesto por el término de una hora, a la vista del dios, y expirado este término la ofrenda vuelve a los sacerdotes. En las islas Molucas los jóvenes no podían usar ningún vestido ni morar bajo un techo que no presentara por lo menos dos cabezas de enemigos; y estas se colocaban como una especie de ofrenda sobre una piedra sagrada destinada para este uso.

La política de los talapones de Laos había establecido distinciones lisonjeras para los que venían a presentar ofrendas en honor de Xaca. Primeramente habían ordenado que aquellos que las traían se las colocaran sobre su cabeza, a fin de que todos los concurrentes pudieran verlas; luego entraban en el templo, como en triunfo, al son de trompetas y de diferentes instrumentos de música: al llegar cerca del altar levantaban tres veces sus ofrendas y las entregaban a los talapones, retirándose más contentos y más lisonjeados, que los que habían recibido su presente.

(*Mit. amer.*) Los habitantes de Florida hacían todos los años, hacía últimos de febrero, una ofrenda solemne al Sol, que consistía en lo siguiente: llenaban de hierbas de todas clases la piel del más grande de los ciervos que habían cazado, de modo que hinchada representaba un verdadero ciervo, la adornaban con guirnaldas y diferentes frutos de la estación, después la suspendían en la cima de un árbol; bailaban alrededor, cantando himnos en honor del Sol y le dirigían plegarias relativas a sus necesidades. Esta ofrenda se mantenía atada en el árbol hasta el año siguiente.

No hay otros pueblos que hicieran a sus dioses más frecuentes ofrendas que los indios de Virginia. Si habían de emprender un viaje, quemaban cierta cantidad de tabaco; si habían de vadear un lago o un río arrojaban tabaco en él y lo que tenían más precioso, para obtener del espíritu que creían que presidía en este lugar, un afortunado pasaje. Cuando regresaban de la caza, de la guerra, o de alguna otra empresa digna de consideración, ofrecían una parte de sus despojos, el mejor tabaco que tenían, pieles, colores de los que usaban para pintarse y la gordura y los mejores pedazos de la caza que habían cogido.

OFTALMITIS. El que conserva los ojos, sobrenombre de Minerva, a la cual Licurgo dedicó un templo en memoria de que, habiéndose Alcandro sacado un ojo en un tumulto, fue salvado en aquel mismo lugar por el pueblo.

**OFTALMIA.** Piedra fabulosa que hacía invisible al que la llevaba.

**OFTALMOSCOPIA.** Arte de conocer el carácter y la temperatura de una persona por la inspección de sus ojos.

**OG.** (*Mit. rab.*) Rey de Basán; era, según los rabinos, uno de los antiguos gigantes que habían vivido antes del diluvio y que se salvó de la inundación general subiendo en el techo del arca, donde se hallaban Noé y sus hijos. El patriarca le abasteció de alimentos, no por compasión, sino para hacer ver a los hombres que vendrían después del diluvio, cual había sido el poder de Dios exterminando semejantes monstruos. En la guerra que hizo a los israelitas cogió una montaña larga de seis mil pasos para arrojarla sobre el campo de Israel, y acabar de una vez con todo el ejército, pero Dios permitió que dos hormigas horadasen la montaña precisamente en el lugar donde el gigante tenía su cabeza, de modo que cayó sobre su cuello sirviéndole como argolla; luego crecieron tan extraordinariamente sus dientes que, clavándose en la montaña, le impidieron poderse deshacer de ella, así es que Moisés le hirió en el talón y le mató sin la menor pena. Si ha de creerse a los rabinos, este gigante era de una estatura tan enorme que Moisés, según ellos, tenía 22 pies de alto, tuvo que coger un hacha de la misma altura y dar además un salto de otros 22 pies para lograr herir en el tobillo de Og. *Men. de la Acad. de Inscr. t. 1,3.*

**OGENO.** Dios de los ancianos y por esto algunas veces los griegos lo llamaban ogénidas. Algunos le confunden con el Océano. *Erasmo.*

**OGGA, ONCA, ONGA, ONKA.** *Doncella;* nombre fenicio de Minerva, bajo el cual era honrada en Tebas, en Beocia. *Pausanias* dice que tenía un templo en Amiclea, en Laconia.

**OGIAS.** Gigante que, según uno de los libros apócrifos condenados por el Papa Gelasio, había vivido antes del diluvio, y que los herejes decían había combatido al dragón.

**OGIGES.** Primer rey conocido de Grecia, más antiguo que Deucalión. Era hijo de Neptuno; esto es, venido por mar, según unos, y según otros, de la tierra, o mejor nacido en el país de Beocia, hijo de Beoto. Por este motivo los griegos llamaban Ogiges todo lo que pertenecía a una antigüedad muy remota. Se le suponía casado con Tebe, hija de Júpiter y Jodama, de la cual tuvo dos hijos, Cadmo y Fénix o Eleusino; y tres hijas Malcomenia, Aulis y Telania. (*V.* Praxídices 2.) En su tiempo acaeció en Beocia, donde reinó, una gran inundación a la cual se dio el nombre de *diluvio de Ogiges,* y que se supone dos mil años antes de la era cristina, y doscientos cincuenta antes del diluvio de Deucalión. Su reinado sirve aun de época a un fenómeno acaecido en el cielo, como lo cuenta Varrón. Se vio, dice, el planeta Venus cambiar de diámetro, de color, de figura y de curso. Se cree que esto hace referencia a un cometa. *Suidas. Paus. 9. c. 5. S. Agustin de Civ. Dei 18.*

**OGIGIAS.** 1 — Isla fabulosa de gran nombre por haber servido de morada a la ninfa Calipso, la cual recibió allí a Ulises después de su naufragio, y le retuvo 7 años. *Odis. 1. 12. Estrab. 7.*

2 — Una de las hijas de Níobe, muerta a flechazos por Diana. *Apolod. Paus. c. 8.*

3 — Una de las puertas de Tebas, capital de Beocia, llamada así en homenaje al héroe Ogiges (*V.* Ogiges). *Fars. 1.*

4 — Antiguo nombre de Beocia tomado de Ogiges su rey, hijo del héroe Beoto = Beocia.

**OGMION, OGNIOS, OGMIOS,** Nombre de Hércules Galo. Los etimologistas derivan este nombre de *Ogus,* palabra céltica que quiere decir poderoso en el mar. Los galos lo representan con rasgos muy diferentes de los que distinguían a los Hércules ordinarios; éste era un anciano, casi decrépito, calvo, de color aceitunado, llevaba la clava en la mano derecha, el arco en la izquierda y el carcaj en las espaldas; de su lengua pendían cadenitas de oro y de ámbar, con las cuales atraía una gran multitud de hombres que parecían seguirle voluntariamente, símbolo de una elocuencia seductora y persuasiva. *Luciano*, que nos ha transmitido estos pormenores, añade que le pintaban de edad avanzada porque en la boca de los ancianos es donde la elocuencia desenvuelve todos sus recursos. *Rafael* ha representado a Ogmios o Hércules Galo, siguiendo la descripción de *Luciano*. Su dibujo ha sido grabado por *C.N. Cochin* y *V. Le Sueur*.

OGOA, o Osogo. Sobrenombre de Júpiter en Milasa (o Melisa), ciudad de la Caria. Otros creen que era Neptuno. Tenía un templo, donde según se creía, se oía pasar el mar por debajo. Los sacerdotes para conciliar mejor el respeto al dios que servían, se valieron de algunas bombas a fin de hacer subir el agua, sin que nadie lo notase, inundando algunas veces a los que se hallaban en el templo. Una de estas inundaciones fue tan funesta para Epito, hijo de Hipotoo, que perdió la vista y pocos días después la vida. *Paus. 8. c. 10.*

OGRO. Monstruo que los autores de los cuentos de hadas pintan de estatura gigantesca, algunas veces con las facciones de un cíclope y al cual suponen que codicia la carne delicada de los niños.

OGULNIA. Ley decretada en el año de Roma 453 bajo los auspicios de los tribunos del pueblo. *Q. y Cn. Ogulnius.* Señalaba de cuatro a nueve el número de los pontífices y de los augures y disponía que los nuevos miembros de los colegios sacerdotales debían salir del orden de los plebeyos.

OICLEO. Padre de Anfiarao e hijo de Entifate y Zeuxine casó con Hipernuestra, hija de Tespio, de la cual tuvo a Ifanira, Polibea y Anfiarao u Oicleo siguió a Hércules en su expedición contra Laomedonte y fue muerto por este úiltimo en la ribera de Troya. *Odis. 4, Apolod. l. c. 8, l. 3, c.6. Paus. 6.*

OÍDO. Uno de los cinco sentidos. Los modernos lo han personificado bajo la figura de una mujer que acompaña su canto con el laúd y parece atraer la atención de varios niños que tiene a su lado; idea relativa a su gran utilidad; la instrucción. La cierva, cuyo sentido es muy sutil, se halla junto a la liebre que entre los egipcios era el jeroglífico del oído. El fondo de este cuadro está lleno de montañas que producen el eco. *C. Ripa* propone por símbolo un ramo de mirto porque, dice, el aceite extraído de sus hojas purga las orejas.

OILEO. 1 — Rey de los locrios, hijo de Odedoco y Agrínome; casó con Eriopis, de la cual tuvo a Ayax. Fue uno de los Argonautas y de los compañeros de Hércules; dio la caza a las aves del lago Estínfalo y recibió una herida peligrosa. *Higin. f. 14, 18, Ilíada. 13, 14, Apolon. l. Apolod. 5, c. 10.*

2 — Escudero del rey Bianor, muerto por Agamenón queriendo vengar a su señor. *Ibid. 11.*

OILEIO, OBIADES. Nombres patronímicos de Ayax, hijo de Oileo. *Met. 12.*

OINOSPONDA. Sacrificios a que no consistían sino en libaciones de vino.

OJO. El ojo humano era uno de los símbolos de Osiris, dice *Plutarco;* así es que algunas veces se encuentra en los antiguos monumentos un ojo al lado de una cabeza de Osiris, el Apolo egipcio o el Sol. Otros autores suponen que el ojo estaba consagrado a Apolo porque el sol dirige sus miradas a todas partes. De ahí deriva que los poetas le llamen ojo de Júpiter, y los latinos *cœlispex*, el que mira al cielo.

OKALS. Sacerdotes de los drusos, en los cuales se tenía una confianza extrema.

OKEA. (*Mit. amer.*) Idolo de los virginios, el mismo que Kirvasa, y Quioccos.

OKKISK. Nombre bajo el cual los hurones salvajes de América septentrional designaban como genios o espíritus bienhechores o malhechores, adictos a cada hombre.

OLBA u OLBE. Ciudad de Psidia, célebre por un templo de Júpiter, fundado por Ayax, hijo de Teucer; y de los cuales eran grandes sacerdotes los príncipes del país.

OLBIA. Ninfa. Dio su nombre a la ciudad de Olbia, en Bitinia.

OLBISERGOS. *El que procura la felicidad, las riquezas,* epíteto de Apolo. R. *olbos*, felicidad; *ergon*, cosa, obra. *Antol.*

OLBUS. Uno de los aliados de Ocates. *Val. Flac. 6.*

**OLEGERLANDA-PEROUNAL.** (*Mit. índ.*) Con este nombre se adoraba a Visnú en el templo de Tircovelour, donde era considerado, como reuniendo los tres atributos de la creación, de la conservción y la destrucción.

**OLEN.** Poeta griego de Licia, anterior a Homero. Fue el primero que empleó la poesía, en celebrar los dioses, por medio de himnos y el primer sacerdote de Apolo en Delfos, en el templo erigido a este dios por los septentrionales, que de las extremidades heladas del norte, venían a honrarle en el lugar de su nacimiento. Entre los himnos de este poeta que se cantaban en Delfos había uno en honor de Arge y de Ojus. Se entonaba arrojando cenizas sobre su sepulcro. *Herod. 4. c. 55.* (V. Arge 5.)

**OLENIA CAPRA.** La cabra que crió a Júpiter. *Eustaq.*

**OLENO.** 1 — Hijo de Júpiter y Araxitea, una de las Danaidas fundador de Oleno, en Acaya. Habíase casado con Letea, a la cual amaba apasionadamente, logrando una dulce correspondencia. Fue transformado con su mujer en roca, en el monte Ida. *Met. 10.* (V. Letea.)

2 — Hijo de Vulcano y Aglae y fundador de una ciudad de su nombre, en Beocia.

**OLERIA.** Minerva, apellidada así del culto que se tributaba en Oleros, ciudad de Creta.

**OLERIAS.** Fiestas en Olera, en Creta en honor de Minerva.

**OLFATO** (*Iconol.*) Uno de los cinco sentidos. Los modernos lo representan como un joven coronado de aromas que tiene en la mano derecha un ramillete de rosas, para expresar los olores que debemos a la naturaleza; y en la izquierda un vaso que quiere denotar las aguas de olor debidas a la destilación. Un perro que lo acompaña era, según los egipcios, el emblema del olfato. El sol representado en su nacimiento y en su ocaso indica que entonces las flores ofrecían más suaves emanaciones.

**OLIMBRO.** Uno de los hijos del Cielo y la Tierra. *Esteban de Bizancio.*

**OLIMPEO.** Templo de Júpiter en Siracusa, erigido por Hierón en la plaza pública. *Diod. Sic.*

**OLIMPIA.** 1 — Sobrenombre de Lucisia adorada en Elide. Todos los años los eleos nombraban a una sacerdotisa que presidía su culto.

2 — Sobrenombre de Juno adorada en Olimpia.

**OLIMPIA.** Ciudad de la Elide en el Peloponeso, célebre por el templo de Júpiter Olímpico y por los juegos olímpicos. *Paus. 3. c.8. Estrab. Diod. Sic. Ptol. 3. c. 16.*

**OLIMPIA.** Espacio de cuatro años completos que mediaban entre dos celebraciones de juegos olímpicos. Se contaban cinco años de una olimpiada a la otra, a pesar de que no eran más que cuatro completos. La primera olimpiada, según los historiadores, no comenzó hasta el 776 antes de J. C., veinticuatro años antes de la fundación de Roma. No se encuentra más computo de años por las olimpiadas después de la 340, que acaba el año 440 de la era cristiana. *Mem. de la Acad. de inscr. t. 12.*

**OLIMPIADAS.** Sobrenombre que *Hesíodo* da a las musas del monte Olimpio, su más antigua morada.

**OLIMPIAS.** Fuente vecina del monte Olimpo. Según *Pausanias,* brotaba agua alternativamente de un año a otro; esto es, un año sí y otro no. Muy cerca de esta fuente salían debajo tierra torbellinos de humo y llamas, que los arcadios consideraban como una consecuencia del combate de los titanes contra los dioses.

**OLÍMPICO.** Sobrenombre de Júpiter, honrado en Olimpia. El templo y la estatua del dios, fueron el fruto de los despojos que los eleos se llevaron en el saqueo de Pisa. El templo por la parte de afuera estaba rodeado todo de columnas; en las cuales se emplearon piedras más preciosas. El edificio tenía setenta y ocho pies de altura, noventa y cinco de largo y doscientos treinta de ancho. Estaba cubierto de un hermoso mármol pentélico cortado en forma de tejas. En los dos extremos de la bóveda se veían suspendidos dos vasos grandes de oro, y en medio una Victoria de bronce dorado, llevando un broquel de oro. La estatua del dios, obra de *Fidias,* el famoso escultor de Atenas, era de oro y marfil. Representaba a Júpiter sentado en un trono y coronado de olivo, llevando en la mano derecha una Victoria también de oro y de marfil, adornada de cintas y coronada, y en la izquierda un cetro en cuyo extremo reposaba un águila, uno y otra compuesta de diferentes metales. Finalmente en el trono del dios brillaban por todos lados el oro y las piedras preciosas, y el marfil y el ébano formaban por su mezcla una agradable variedad. En el lugar más elevado del trono y sobre la cabeza del dios, a un lado estaban colocadas las Gracias y en el otro las Horas, una y otras como hijas de Júpiter. La habilidad del operario obtuvo la aprobación del mismo Júpiter, pues *Fidias,* concluida su obra, rogó al Dios que le diese una señal de quedar satisfecho; y se cuenta que inmediatamente el pavimento del templo retumbó con el ruido del trueno, precursor de un rayo que Júpiter lanzó, sin que causase el menor daño. (*Paus. 7, c. 2.*) Conservábase en el mismo templo una prodigiosa cantidad de ricos presentes, no sólo de parte de los príncipes griegos, sino que también de los del Asia.

El mismo *Pausanias* refiere otra maravilla acaecida en el altar de Júpiter Olímpico, que consiste en que los milanos, que de todas las aves de rapiña son las más carnívoras, respetaban las víctimas, y si casualmente un milano se arrojaba sobre las entrañas de alguna de ellas, se infería de esto un mal augurio. (*V.* Apolonio, Alamo.)

En el mismo templo de Júpiter, los eleos habían erigido seis altares a doce dioses, de modo que se rendían sacrificios a dos de ellos en un mismo altar: a Júpiter y Neptuno en el primero; a Juno y Minerva en el segundo, a Mercurio y Apolo en el tercero; a las gracias y a Baco en el cuarto; a Saturno y a Rea en el quinto; y en el sexto a Venus y a Minerva Erganea.

OLÍMPICOS. Los doce dioses principales a saber, Júpiter, Marte, Neptuno, Plutón, Vulcano, Apolo, Juno, Vesta, Minerva, Ceres, Diana y Venus.

OLÍMPICOS. Los juegos olímpicos eran los más célebres de Grecia; la relación que da de ellos *Pausanias* dice haberla

adquirido de los eleos en los lugares mismos donde se celebraban. Debiendo añadir que los eleos le parecieron los más instruidos en el estudio de la antigüedad. Según ellos, Saturno fue el primero que reinó en el cielo, y desde la edad de oro tenía ya un templo en el Olimpo. Habiendo venido Júpiter al mundo, su madre Rea confió su educación a cinco Dáctiles del monte Ida, que hizo venir de Creta a Elida. Hércules, el primogénito de los cinco hermanos, propuso ejercitarse en la carrera y ver quien ganaba el premio, que consistía en una corona de olivo. De esto se deduce que Hércules Ideo tuvo la gloria de inventar estos juegos, a los cuales llamó Olímpicos; y a causa de que eran cinco hermanos, quiso que estos juegos se celebrasen cada cinco años. Algunos suponen que Júpiter y Saturno lucharon juntos en Olimpia y que el premio de la victoria era el imperio del mundo. Otros pretenden que, habiendo Júpiter triunfado de los titanes, instituyó por sí mismo estos juegos, donde Apolo entre otros se señaló por su habilidad, ganando el premio de la carrera en competencia con Mercurio: y este es el motivo, dicen ellos, porque aquellos que se distinguían en el Pentatlón danzaban al son de flautas que tocaban las Pitias, porque éstas eran consagradas a Apolo, y que este dios fuese el primero que obtuvo la corona en los juegos olímpicos.

Estos juegos fueron algunas veces interrumpidos o suspendidos hasta el tiempo de Pélope, quien los restableció en honor de Júpiter, con más pompa y aparato que ninguno de sus predecesores. Después cayeron otra vez en decadencia y aun casi se había perdido su recuerdo, hasta que Ifito, contemporáneo de Licurgo, el legislador, restableció los juegos olímpicos por los motivos siguientes: Grecia gemía entonces destrozada por las guerras intestinas y desolada por la peste. Ifito pasó a Delfos a consultar con el oráculo sobre los males que tanto les afligían, y la contestación de la Pitia fue, que del restablecimiento de los juegos olímpicos pendía la salud de Grecia, encargándole que trabajase en ello en unión con los eleos. Desde ese momento se dedicaron en recordar los ejercicios de estos juegos, y a medida que les venía a la memoria alguno de ellos, lo añadían a los demás. Esto es lo que se desprende de la continuación de las olimpiadas; pues desde la primera se propuso un premio a la carrera, que lo ganó Corebo eleo; en la 14 se añadió la carrera del estadio doble; en la 18 se restableció del todo el Pentatlón, el combate del cesto se puso en uso en la olimpiada 23, en la 25 la carrera del carro tirado por dos caballos; en la 28 el combate para los niños, sin embargo, de no haber habido ejemplo de ello en la antigüedad, así es que en la 37 olimpiada hubo premios propuestos a los niños por la carrera y la lucha; en la 38 se les permitió el Pentatlón entero, pero los inconvenientes que resultaron de ello obligaron a que los niños fuesen excluidos, en lo sucesivo, de todo ejercicio violento; en la 65 se introdujo aún otra novedad: gentes de a pie, completamente armados, disputaron el premio de la carrera, algo muy conveniente a los pueblos belicosos. En la 98 se hacían carreras con caballos de mano, en la carrera; y en 99 se uncieron dos potros jóvenes en un carro. Algún tiempo después se disputó una corrida de potros llevados por la mano y otra corrida de potros montados como los caballos de sillas. En cuanto al orden y a la policía de los juegos olímpicos, según el mismo historiador, se observaba lo siguiente: primero se tributaba un sacrificio a Júpiter. Luego se iniciaba la apertura por el Pentatlón, seguía la corrida a pie, después la carrera de los caballos que no se verificaba en el mismo día. Los eleos casi siempre llevaban la dirección de estos juegos y nombraban cierto número de jueces para presidirlos, mantener el orden e impedir que se usase de fraude o superchería para ganar el premio. En la olimpiada 102 habiendo comprado Calíope el ateniense a sus antagonistas el premio del Pentatlón, los jueces eleos condenaron a la multa correspondiente al transgresor y a sus cómplices. Los atenienses pidieron gracia en favor de los culpables y no habiéndolo podido obtener, prohibieron que pagasen esta multa, pero fueron excluidos de los juegos olímpicos, hasta que consultado el oráculo de Delfos, se les declaró que el dios nada tenía que contestar, mediante que no hubiesen dado satisfacción a los eleos; y entonces se sometieron a la multa.

Estos juegos que se celebraban hacia el solsticio de verano, duraban cinco días, puesto que uno solo no habría bastado para tantos combates. Los atletas luchaban desnudos desde la Olimpiada treinta y dos, de resultas de lo que acaeció a uno llamado Orcipo, que a poco más pierde la victoria por habérsele desatado un calzoncillo, embarazándole y privándole de la libertad de los movimientos. Este reglamento exigió otra providencia; tal fue la de prohibir a las mujeres y a las doncellas, bajo pena de la vida, asistir a los juegos y aún pasar al Alfeo mientras duraba el tiempo de su celebración; cuya prohibición se observó con tanta exactitud que no hubo ejemplo de que ni una sola mujer violase la ley. (V. Callipatira.) La pena impuesta consistía en precipitar a las mujeres, que la hubiesen infringido, de una roca que se hallaba más allá del Alfeo. (Teb. 6) En la misma ciudad celebraban las doncellas una fiesta particular en honor de Juno, haciéndolas correr por el estadio distribuidas en tres clases. Las más jóvenes eran las primeras, seguían luego las de una edad menos tierna y después las otras de mayor edad. En consideración a la debilidad de su sexo no se daban más que quinientos pies de largo al estadio, en lugar de los ochocientos pies que era su extensión ordinaria. *Paus. 5. c. 67; Herod. 8. c. 26. Diod. Sic. Memorias de la Acad. de inscr. t. 1, 5, 6, 7, 8, 9, 10 y 13.*

**OLIMPIÓNICOS.** Los que salían victoriosos en los juegos olímpicos eran muy honrados en su patria: los atenienses sobre todo gastaban pródigamente en presentes para regalar a los olímpicos sus compatriotas, de modo que Solón creyó deber poner término a la prodigalidad. Su ley expresa que la ciudad tan sólo podrá dar a los olímpicos 500 dracmas de plata, que a corta diferencia son dos marcos de nuestro peso.

**OLIMPIUS.** Sobrenombre de Apolo. *Antol.*

OLIMPO. Monte de Grecia situado entre Macedonia y Tesalia. Júpiter, rey de los Titanes, construyó en él una ciudadela donde solía residir. Después con el nombre del monte Olimpo se entendía comúnmente el mismo cielo; y habiendo ido unos ladrones llamados gigantes a visitar aquella fortaleza, la fábula dice que habían intentado escalar el cielo. Según los poetas, los vientos, la lluvia y las nubes no osan acercarse a la cima, morada de una eterna primavera. Si hemos de creer a *Plinio*, en ella no se veían los lobos. Y *Solino*, cuenta otras maravillas mucho más fabulosas. «El punto más elevado, dice, se llama cielo por sus habitantes. En él hay un altar dedicado a Júpiter. Las entrañas de las víctimas inmoladas en este altar, se resisten al soplo de los vientos y a la impresión de las lluvias, de modo que se encuentran en el año siguiente, en el mismo estado en que se dejaron. En todas épocas, lo que una vez se consagró al dios, queda al abrigo de las impresiones del aire. Las letras impresas en las cenizas permanecen sin borrarse hasta que se repiten las ceremonias en el año siguiente. La parte más elevada de este monte se llama *Pitio*, en donde es adorado Apolo». El Olimpo, según la idea de los poetas, no es propiamente hablando una montaña, sino la morada de los dioses; la corte celestial, donde la adulación romana publicaba que los emperadores y emperatrices iban después de su muerte a sentarse en la mesa de los dioses y a gozar como ellos de la inmortalidad, participando de su poder. *M. de Mairan* opina que es la aurora boreal que ha hecho creer que Júpiter y los dioses se habían juntado en el Olimpo. R. *holos*, entero; *lampein* brillar. *Ilíada. 1. Eneida. 2. Farsa. 5. Mela. 2. c. 3. Estrab. Paus. Ptolom. 3. c. 13. Herod. 1. c. 56 l. 7 c. 128, 129.*

OLIMPUS. 1 —Discípulo de Marsias, famoso tocador de flauta, vivía antes del sitio de Troya. Era hijo de Meón y de origen Misio. Tenía también una habilidad extraordinaria en tañer los instrumentos de cuerda, y los escritores antiguos dicen, en elogio suyo, que sus tocatas excitaban en el alma un entusiasmo irresistible.

*Plutarco* atribuye a este poeta músico varias normas o cánticos en honor de los dioses, a saber: 1º) el de Minerva; 2º) el de los carros; 3º) el Policéfalo en honor de Apolo. *Plat. Aristo. Pol. 8.*

2 — Otro famoso tocador de flauta frigio, que floreció en tiempo de Apolo.

3 —Famoso sátiro, discípulo, y según otros, hermano de Marsias; uno de los inventores de la flauta; tal vez el mismo que los precedentes. *Met. 6.*

4 — Gobernador de Júpiter, hijo de Saturno y Rea, cuyas funciones recibió de Baco. Habiendo aprendido Júpiter en el monte Olimpo la virtud y las letras, obtuvo por sobrenombre el de Olímpico.

5 —Hijo de Hércules y Eubea. *Apolod.*

6 —Este era, en lenguaje de los augures un hoyo ahondado con ceremonias religiosas, y en donde empezaban a trazar el surco que debía formar el cerco de una nueva ciudad.

OLIMPUSA. Hija de Testio. Hércules la hizo madre de Alócrates. *Apolod.*

OLINTO. 1 — Hijo de Estrimón rey de los tracios, o de Hércules, según otros, habiendo atacado en la caza a un león fue muerto por este animal. (*Mem. de la Acad. de Inscr. t. 4.*) Brangas, su hermano, después de haber derramado lágrimas sobre su cuerpo, le elevó un sepulcro en el mismo lugar donde pereció; y donde con el tiempo se formó una ciudad que conserva su nombre.

2 — Hijo de Hércules y Bolia; dio su nombre a la ciudad de Olinto. *Est. de Bizancio.*

OLIRAS. Río que confina con las Termópilas. Intentó apagar la hoguera de Hércules. *Estrab. 9.*

OLIVARIUS. Sobrenombre bajo el cual Hércules tenía un templo en la undécima región de Roma, cerca de la puerta trigémina, tal vez con motivo de su clava de olivo salvaje.

OLIVO. Arbol consagrado a Júpiter, pero aún más particularmente a Minerva, la cual en su disputa con Neptuno hizo salir de la tierra un olivo cargado de fruto; esto es, que había enseñado a los atenienses a cultivar este árbol y fabricar el aceite. (*V. Atenea.*) El olivo es el símbolo ordinario de la paz. Los novios en Roma llevaban guinaldas de olivo, cuyas ramas servían también para coronar los muertos que eran conducidos a la hoguera. Un olivo herido de un rayo anunciaba, según los augures, el rompimiento de la paz. (*V. Paz.*) *Virgilio* representa a Numa Pompilio con un ramo de olivo en la mano, para designar que su reinado era pacifico. En las medallas un ramo de olivo en la mano de un emperador demuestra la paz dada o conservada en el Estado. El premio de la victoria en los juegos olímpicos consistía en una corona del mismo árbol. El olivo salvaje estaba consagrado a Apolo. Se plantaba delante de los templos y se suspendían en él las ofrendas y las armas antiguas.

El escoliasta de Aristófanes dice que el Hipódromo estaba plantado de olivos y que no se permitía acercarse a ellos.

OLMIUS. Río de Beocia, vecino del Elicón, estaba consagrado a las musas que se bañaban en él. Debía su nombre a un olmio hijo de Cícife. *St. theb. 7, 1.*

OLOLIGMANCIA. Adivinación sacada del ladrido de los perros. En la guerra de Minerva, habiendo sabido Oristodemo que los perros ladraban como lobos, y que alrededor de su casa estaba lleno de grama, desesperó del suceso y se mató bajo la buena fe de los adivinos, que dedujeron de estas señales siniestros presagios.

OLVIDO (*Río del*) *V.* Leteo. (*Iconol.*) 1 — Puede representarse bajo la figura de un río, cuya urna lleva está inscripción: Leteo.

2 — De Amor. (*Iconol*) C. Ripa lo simboliza por un niño alado coronado de adormideras, y entregado al sueño cerca de una fuente donde se leen estas palabras: *fons Cizio*, fuente que según cree *Plinio*, tenía la propiedad de hacer olvidar al objeto amado. Cerca de él se hallaban dispersos los restos del arco y de flechas que acaba de romper.

OLLA. Utensilio de que se servían los sacerdotes para cocer la porción de víctima que les estaba destinada.

OLLO EXTARES. Marmitas que servían para cocer las entrañas de las víctimas. *Niewport. Costum. de los romanos.*

O'M. (*Mit. índ.*) Palabra misteriosa formada de las letras A, U, M, que colocadas en este orden expresan la Trinidad indica Visnú, Siva, Brahma. Esta palabra es tan reverenciada, que jamás sale de los labios de los hindúes, que la meditan en silencio. (*V.* On.).

OMADIUS. Uno de los sobrenombres de Baco. (*V.* Omasio, Omofagias.)

OMANO. (*V.* Amanus.)

OMASIO. Uno de los sobrenombres de Baco.

OMBRIUS, *Lluvioso.* Sobrenombre de Júpiter en Himeta, en el Atica. R. *ombros*, lluvia.

OMEN. Signo o presagio de lo venidero, sacado de las palabras de una persona. Festo hace derivar esta palabra de *oremen, quod fit ore,* presagio que sale de la boca.

OMETOCHTLI. (*Mit. mexic.*) Dios del vino entre los mejicanos.

OMFACITE. Sobrenombre de Baco. R. *omphax,* racimo verde.

OMFALE u ONFALE. Era reina de Lidia, en Asia menor. Hércules cuando viajaba se detuvo en el palacio de esta princesa, donde, según otros, fue vendido como exclavo por Mercurio; condición puesta por el oráculo al restablecimiento de su salud. Hércules quedó tan prendado de las gracias y la hermosura de la princesa, que olvidó su valor y sus hazañas para entregarse a los placeres del amor. «Mientras que Omfale, dice graciosamente *Luciano*, cubierta de la piel del león de Nemea llevaba la clava, Hércules vestido de mujer, y con un ropaje de púrpura, trabaja en las obras de la lana y sufría que Omfale le diese algunos golpes con la chilena». Se encuentra representado de este modo en algunos monumentos antiguos. Hércules tuvo de Omfale un hijo llamado Agelao, de quien han hecho descender a Creso (*Apolod. 1 c. 9; 1. 2, c. 7 Diod. 4*) Viajando un día Hércules con Omfale, llegaron en una cueva del monte Tmolus, donde la reina tomó los vestidos de su amante y obligó a él que vistiese los de mujer. Después de la cena se fueron a descansar en lugares separados. Fauno o Pan, que amaba a Omfale entró por la noche en la caverna, penetró hasta la cama de la princesa, pero a la vista de la piel de león, creyó que era Hércules, y se fue al otro lado a buscar al objeto de su pasión. Hércules despierta a las tentativas de Fauno, le coge de un brazo y lo arroja a la caverna. Omfale, que había acudido al ruido halló a Fauno tendido, medio muerto, y cubierto de confusión. *Ovid. Fast. 2.* (*V.* Hércules.)

*Aníbal Caraccio* ha representado en la galería del palacio Farnesio a Hércules hilando al lado de Omfale, la cual está cubierta de la piel del león de Nemea y llevando la clava del héroe.

OMFALIÓN. Lugar de la isla de Creta, llamado así, dice Diodoro de Sicilia, porque Júpiter habiendo sido trasladado a aquél paraje, luego que hubo nacido, el cordón umbilical del niño cayó cerca del río Tritón.

OMFALOMANCIA. Adivinación por medio del cordón umbilical. R. *omphales,* ombligo. El arte de las adivinas consistía en examinar el cordón umbilical del niño que acababa de nacer, y las omfalomantas juzgaban, por el número de los nudos que se encontraban en él, el número de los hijos que la recién parida tendría en lo sucesivo.

OMFIS. (*Mit. egip.*) Uno de los nombres de Osiris. Esta palabra significa *bienhechor.* Nombre muy a propósito al astro del día, cuyo tipo era Osiris.

O-MI-TO. (*Mit. jap.*) *V.* Amida.

OMNIVAGA. Sobronombre de Diana, no solamente como diosa de los cazadores, sino también porque era contada entre las estrellas errantes.

OMOFAGIAS. Fiestas en las Islas de Quin y Tenedos, en honor de Baco, apellidado Omadio. Se le sacrificaba un hombre, al cual le hacían pedazos y le arrancaban los miembros sucesivamente. *Arnobio,* que hace mención de esta fiesta, la representa menos odiosa «Los griegos, dice, animados del furor báquico, se enroscaban como serpientes y comían las entrañas del cabrito crudas, ensangrentándose la boca». R. *osmos,* crudo; *fagein,* comer. Esta palabra tal vez no designa otra cosa que las fiestas donde comían juntos. R. *omos,* juntos. *Ant. expl. t. 2.*

OMOMANCIA. *Adivinación por las espaldas.* Los árabes tienen una llamada *Elm-al-Aktaf,* porque se emplean en ella las espaldas del carnero, las cuales por medio de ciertos puntos, con que están señaladas, representan varias figuras de geomancia.

OMORCA. (*Mit. sir.*) Diosa que siguiendo a *Berogio* era, en el principio del mundo, la soberana del universo, compuesto entonces de agua y de tinieblas, las cuales contenían monstruos de formas y tamaños diferentes, representados en el templo de Bel. Este Dios le dio la muerte, destruyó a Omorca y la partió en dos, formando de una parte la tierra y de la otra el cielo. Otra tradición añade que los hombres fueron formados de su cabeza, de lo que deduce *Berosio* que por este motivo los hombres están dotados de inteligencia.

OMPNIA. Nodriza. Sobrenombre de Ceres. Etim. *ompnai,* torta de trigo amasada con miel.

ON. (*Mit. egip.*) El sol *M. Hastings* sospecha que hay alguna relación entre este monosílabo y el O'm de los indios. (*V.* O'm.)

ONAM (*Mit. índ.*) Fiesta que los indios celebraban en memoria de la victoria de Visnú contra el demonio Balí, en el mes de agosto en las costas de Malabar, y en otro tiempo en el mes de noviembre. En esta fiesta los indios, vestidos de lujo, daban combates simulados, sembraban de flores el terreno que debían pisar y parecía que pretendían atestiguar que ésta era la del Sol, principio de la vegetación sobre el invierno que lo aparta de sí.

ONARO. Sacerdote de Baco en la isla de Naxos. Ariadna, abandonada por Teseo, habiendo abordado en esta isla, casó con Onaro. *Plut.*

ONCAME. Rey de Persia, o de Asiria, padre de Leucótoe. *Met. 4.* (*V.* Leucótoe.)

ONCEATAS. Apolo honrado en las orillas del Onco, en Arcadia.

ONCO (*Mit. índ.*) Pagoda famosa en el reino de Camboya, que los pueblos vecinos pasaban a visitar con mucho respeto. La divinidad rendía oráculos, recibidos con ansia por la fe de aquellos que la consultaban.

ONCUS. Hijo de Apolo, dio su nombre a una comarca de la Arcadia donde tenía hermosas yeguas. Ceres, pasando Arcadia, inspiró amor a Neptuno, y para libertarse de sus persecuciones, se transformó en yegua de Onco. Neptuno se transformó en caballo y sorprendió a la hermosa yegua. De esta sorpresa nació el caballo Arión, el cual Oncus regaló a Hércules. (V. Arión.)

ONDERA (Mit. índ.) Morada de las tinieblas, los infiernos, según el Shustah, uno de los libros sagrados de los gentos.

ONDINAS. (Mit. cabal.) Nombre que los cabalistas dan a los genios elementales y que, según suponen, habitan en las aguas.

ONECTÓRIDES. Nombre patronímico de Frontis.

ONEILIÓN. Sacrificio ofrecido a Neptuno. V. Poseidonias.

ONEIOS. Uno de los nombres de Morfeo, dios de los sueños R. Onemi, ser útil.

ONEIURO. Hijo de Aquiles y Deidamia. Orestes le mató inopinadamente en una pequeña disputa que tuvieron, cuando estaban construyendo su habitación.

ONESIPO. Hijo de Hércules. Apolod.

ONETOR. 1 — Padre del piloto Frontis, a quien Apolo mató a flechazos. Odis. 5.

2 — Padre de Laogono, gran sacrificador de Júpiter Idco. Ilíada. 16.

ONICOMANCIA. Adivinación que se hacía por medio de las uñas. R. onyx, uña. Consistía su práctica en frotar con la sustancia propia de la niña de un joven, que según decían les representaba el sol, donde creían ver varias figuras, que les daba conocimiento de lo que deseaban saber. Se servían también del aceite y la cera para frotar las uñas, y de ahí deriva que los modernos, que pretenden profesar el arte de la quiromancia, hayan aplicado la palabra onicomancia a la parte de su arte que consiste en adivinar el carácter y buena o mala fortuna por la inspección de las uñas.

ONIROCRASIA. Arte de explicar los sueños. R. oneiros, sueño; cratein, poseer. V. Onirocrisia.

ONIROCRISIA. Arte de explicar los sueños. Este arte formaba una parte importante del paganismo. Artemidoro, que ha dado un tratado de los sueños, los divide en especulativos y alegóricos. La primera clase es aquella que representa una imagen sencilla y directa del acaecimiento predicho. La segunda no representa más que una imagen simbólica: así es que Macrobio define un sueño en general por la vista de una cosa representada alegóricamente, que tiene necesidad de interpretación. La antigua onirocrisia consistía en interpretaciones buscadas y misteriosas. Se decía, por ejemplo, que un dragón significaba la dignidad real, una serpiente la enfermedad, una víbora el dinero, las ranas la impostura, el gato el adulterio, etc. Según parece, los sacerdotes egipcios fueron los primeros intérpretes de los sueños, y la ciencia simbólica, en la cual parecía estaban muy adiestrados parece que les sirvió de fundamento en sus interpretaciones. En testimonio de ello se citan los dos sueños de Faraón interpretados por José, cuyos objetos consistían en símbolos egipcios. Los onirocríticos habrán pues tomado de los signos jeroglíficos el arte de descifrar, sobre todo cuando los jeroglíficos hayan sido de aquellos que se han considerado como sagrados; esto es, el vehículo misterioso de la teología egipcia.

ONIROCRÍTICO. El que interpreta los sueños.

ONIROCRITICÓN. Intérprete de los sueños; sobrenombre de Mercurio. R. onar, sueño; crinein, juzgar.

ONIROMANCIA. Adivinación por los sueños.

ONIROPOLE. El que trata de los sueños, que los examina y los interpreta. R. polein, volver.

ONIROPOMPO. Esculapio tenía bajo este nombre un templo entre los egcatas. (Sozomene 1. 11. c. 5.) Los antiguos admitían también la existencia de un genio, a quien los magos con sus conjuraciones obligaban a dar tal sueño o tal otro. Dion. Cas. 1. 7. c. 1.

ONIROSCOPIA. Lo mismo que Onirocrisia. R. Scopein, examinar.

ONITES. Uno de los hijos de Hércules y Dejanira.

ONOCENTAURO. Monstruo mitad hombre mitad asno. R. *onos,* asno. Era tenido como genio malévolo. *Etian.*

ONOCOERITIS, ONOCOETES. Monstruo mitad asno y mitad puerco, de quien los paganos decían que los cristianos habían hecho un dios.

ONOMANCIA, por ONOMATO-MANCIA. Adivinación por medio de los nombres. Estaba muy en uso entre los antiguos. Los pitagóricos pretendían que los espíritus, las acciones y los sucesos de los nombres se conformaban a su destino, a su genio, a su nombre. Se notaba que Hipólito había sido destrozado por sus caballos, como lo indicaba su nombre. Lo mismo se decía de Agamenón; esto es que siguiendo su nombre debía permanecer mucho tiempo delante de Troya; (R. *agan,* mucho; *imenein,* permanecer) y de Príamo que debía ser rescatado de su esclavitud. R. *priasthai,* comprar (*V.* Eutico, Nicón). Una de las reglas de la Onomancia, entre los pitagóricos, era que un número par de vocales en el nombre de una persona significaba alguna imperfección al lado izquierdo, y un número impar alguna imperfección al lado derecho. Tenían también por regla que de dos personas, era más dichosa aquella de cuyo nombre las letras numerales juntas formaban la mayor suma. «Así, decían ellos, Aquiles debía vencer a Héctor, porque las letras numerales comprendidas en el nombre de Aquiles formaban una suma mayor que las del nombre de Héctor». Sin duda, por un principio semejante, los romanos en sus comidas y en sus placeres bebían a la salud de sus hermosas, tantas veces cuantas letras contaban sus nombres. Finalmente pueden tener relación con la Onomancia todos los presagios que se pretendían sacar de los nombres, ya considerados en su orden natural, o ya descompuestos y reducidos a anagramas. Los modernos participan aún de esta locura o superstición.

*Celio Rodigino* ha dado la descripción de una clase de onomancia muy singular. «Queriendo Teodato, rey de los godos, conocer el éxito de la guerra que proyectaba contra los romanos, un adivino judío le aconsejó que mandase encerrar un cierto número de puercos en pequeños establos y dar a los unos nombres romanos, y a los otros, nombres, godos, señalándolos para poderlos distinguir, y que los guardase hasta cierto día. Cuando llegó el término señalado se abrieron los establos y se hallaron muertos todos los puercos señalados con nombres godos, por lo que predijo el judío, que los romanos saldrían vencedores».

ONOMASTO. Atleta de Esmirna, vencedor en los juegos olímpicos; fue el primero que trazó las leyes del pugilato.

ONÓMATE. Fiesta establecida en Sicione, en honor de Hércules, cuando en lugar de los simples honores debidos a los héroes, Festo ordenó que se le sacrificase como a un dios y que se le diese el nombre de tal.

ONOSCELEAS. Pueblo imaginario, del que habla *Luciano.* Esta palabra quiere decir, *el que tiene muslos de asno.* R. *skelos,* muslo.

ONOSCÉLIDE. Monstruo fabuloso, con muslos de asno. Un diácono de Milán fue suspendido de sus funciones por *San Ambrosio,* por haberse vanagloriado de haber visto uno de estos monstruos.

ONQUESTE. Ciudad de Beocia cuyos habitantes marcharon al sitio de Troya. *Ilíada. 2.*

ONQUESTIAS. Fiestas en honor de Neptuno. *Paus.*

ONQUESTIUS. Sobrenombre de Neptuno, honrado en Onqueste, donde tenía un templo y un bosque sagrado. *Ilíada. 2.*

ONQUESTO. 1 — Hijo de Neptuno; dio su nombre a la ciudad de Onqueste. *Paus. 9, c. 26.*

2 — Hijo de Agrío, para huir de Diomedes se retiró al Peloponeso, donde se convirtió en asesino de Eneo.

ONUAVA. (*Iconol.*) Divinidad de los antiguos galos, que se cree ser la Venus celeste. Su figura consistía en una cabeza de mujer con dos alas desplegadas encima y dos escamas, que salían de los lados donde están colocadas las orejas. Esta cabeza estaba rodeada de dos serpientes, cuyas colas iban a perderse entre las dos alas.

ONUFIS. (*Mit. egip.*) Toro muy grande y de color negro, consagrado a Osiris, y cuyo pelo dicen que era erizado, por lo que los egipcios juzgaban que representaba al Sol. Mantenían a este toro con el mayor cuidado y le tributaban un respeto religioso. *Ant. expl. t. 2*

OOGENES. *Nacido de un huevo.* Sobrenombre de *Eros* o del Amor saliendo de un huevo. *Orph. Himn. v. 2.* R. *oon,* huevo; *gheinomai,* nacer.

OOMANCIA. Adivinación por medio de los signos o de las figuras, que creían ver en los huevos. Suidas atribuye el origen de la Oomancia a Orfeo.

OON. (*V.* Oanes.)

OOSCOPIA. Arte de adivinar por medio de los huevos. Puede verse en *Suetonio* un ejemplo de esta adivinación empleada por Livia, la cual para saber si pariría niño o niña, calentó un huevo, hasta que llegó a empollarlo, del cual nació un pollo con una hermosa cresta.

ÓPALO. Las virtudes fabulosas de esta piedra consisten en recrear el corazón, en preservar de los venenos y contagios del aire, en desterrar la tristeza, en impedir los síncopes, los males de corazón y las afecciones malignas.

OPALIAS. Fiestas que se celebraban en Roma en honor de la diosa Ops, tres días después de la Saturnales, según *Varron,* y según *Macrobio* principiaban el 19 de diciembre: además añade que estas fiestas se celebraban en dicho mes porque Saturno y Ops estaban casados y que a ellos se debía el arte de sembrar el trigo y cultivar los frutos. Así es que no tenían lugar hasta después de la siega y de la recolección de todas las producciones de la tierra. Invocaban a esta diosa sentados en tierra para designar que ella era la misma tierra y la madre de todas cosas: y finalmente se daban banquetes a los esclavos, ocupados durante todo el año, en los trabajos del campo. (*V.* Ops.)

OPAS, AFTAS o Puthas. Nombres que los egipcios daban a Vulcano, a quien suponían hijo de Nilo, bajo cuya protección los dioses habían formado Egipto; o más bien el alma del mundo, que adoraban bajo este nombre.

OPERARIA. Sobrenombre de Minerva, la misma que Ergaue.

OPERTANEOS. Dioses que con Júpiter habitaban en la primera región del cielo.

OPERTANEOS. Sacrificios a Cibeles, llamados así por los misterios con que se ofrecían. Se observaba en ellos un silencio aún más riguroso que en los sacrificios ofrecidos a los otros dioses, en los cuales era también indispensable esta circunstancia, conforme a la doctrina de los pitagóricos y de egipcios, que enseñaban que el culto de los dioses debía ir acompañado del silencio, porque al principio del mundo todos los objetos creados habían adquirido en él su nacimiento. Bajo este sentido se funda el dicho de *Plutarco*: «De que los hombres nos han enseñado a hablar, mientras que los dioses nos enseñan a guardar silencio».

OPERTUM. Lugar secreto donde se sacrificaba a Cibeles.

OPERTUS. Epíteto de Plutón.

OPICONSIVA. Sobrenombre de Ops; dábase también este nombre al día del mes de diciembre en que se celebraban las Opalias. *V.* Consiva.

OPIFER DEUS. Esculapio.

OPIFEX. *Trisulci fulminis deus;* Vulcano.

OPÍGENA. Juno llamada así por el socorro que daba a las mujeres en los dolores de parto. R. *ops,* socorro, y *generes, ginere,* engendrar. Esta palabra podría también significar hija de Ops. Diana, Lucinia y la Luna llevaban este nombre. *Ant. expl. t. 1.*

OPIMUS. (Despojos). Llamábanse así las armas consagradas a Júpiter Feretrio, y ganadas por el jefe o cualesquiera otro oficial del ejército romano, al general enemigo después de haberle matado con sus propias manos en batalla campal. Estos despojos se suspendían en los lugares más frecuentados de la casa y no era permitido arrancarlos cuando ésta se vendía, ni suspenderlos de nuevo, si por casualidad cayesen. Una ley de Numa, las dividía en tres clases: las primeras consagradas a Júpiter Feretrio, las segundas a Marte y las terceras a Quirino. *Plut.*

OPIS. 1 — La misma que Némesis, conocida de las Parcas, según *Giraldi*, que deriva su nombre del velo misterioso que cubre nuestros destinos. R. *opisten*, atrás.

2 — Dios que daba socorros, *qui ferebat opem. S. Agustín.*

3 — Sobrenombre de Diana, considerada como divinidad tutelar de las mujeres que van de parto.

4 — Compañera de Diana. *Eneida. 11.*

OPISTÓDOMOS. Parte posterior de un templo, tesoro público de Atenas donde había un depósito de mil talentos reservados para cuando el Estado se hallaba en grandes peligros, así como la plata consagrada a los dioses; llamado Opistódomes porque estaba colocado detrás del templo de Minerva. Las divinidades tutelares de Opistódomes eran Júpiter Salvador y Plutón dios de las riquezas representado con alas y colocado cerca de la estatua de Júpiter contra la costumbre. *Mem. de la Acad. de insc. t. 18.*

OPITER, OPITULATOR, OPITULUS. *Caritativo.* Sobrenombre de Júpiter.

OPITES. Capitán argivo, muerto por Héctor. *Ilíada. 11.*

OPLEO u HOPLEO. Uno de los hijos de Neptuno y Canace, hija de Eolo.

OPORA. La Fecundidad, personificada en *Paz*, comedia de *Aristófanes.*

OPS. 1 — La misma que Cibeles, Rea o lo que es lo mismo la Tierra, llamada así de los socorros que proporciona para la vida, o tal vez porque todas las riquezas (*opes*) derivan de la tierra. La representa como una matrona venerable, que tiende la mano derecha como para ofrecer sus socorros, y que con la izquierda da pan a los pobres. Los antiguos la tenían también como la diosa de las riquezas. *Filocoro* fue el primero que dedicó en Africa un altar a Saturno y a Ops. *T. Tacio* le edificó en Roma un templo donde se hallaba el tesoro público. *Tulo Hostileo* le erigió otro donde era adorada con Saturno. Se le inmoló en el mes de abril una vaca preñada y un cerdo. *Cie, de Nut. Deor. 2. Varr. Dion. Halic. 2. V.* Opalias.

2 — Hijo de Pisenor y padre de Euriclea, esclava de Laertes. *Odis. l. 1.*

OPSIGONOS, *nacido tarde.* Sobrenombre de Hércules, porque Juno hizo nacer a Euristeo antes que a él. R. *ops,* tarde; *gone* nacimiento.

OPSÓFAGOS. *Goloso de buenas comidas.* Sobrenombre bajo el cual los eleos honraban a Apolo R. *ofeson,* manjares; *Fagein,* comer.

OPTERIAS. Presente que se hacía a un niño la primera vez de verle. Igual nombre se daba a los que hacía un recién casado a su esposa, la primera vez que le acompañaba a su casa, y que lo representa ante ella. R. *Optomai,* ver. Es sabido que los antiguos atribuían a las miradas, virtudes mágicas, y el efecto de estos regalos debía impedir los maleficios. Esta superstición subsiste aún entre la gente del campo, y entre la parte del pueblo menos ilustrada.

OPTILETIS. *La que conserva los ojos.* Sobrenombre de Minerva, el mismo que Oftalmitis R. *optilos,* ojo, en dialéctico dórico.

OPTIMUS MAXIMUS. El nombre más común que los romanos daban a Júpiter, por ser el que caracteriza mejor la divinidad en sus dos principales atributos, la soberana bondad y el soberano poder. *Cic.*

OPTIX. Ninfa, madre de Dorus.

OPUNS. Hijo de Júpiter, íntimo amigo de Menecio, padre de Patroclo, tenía relaciones de hospitalidad muy extensas, y recibía en su casa extranjeros, de Tebas, Argos, Pisa, Elide y Arcadia.

OPUNTIOS. Una colonia locria, que Homero supone que asistió al sitio de Troya. *Ilíada. 2.*

OQUAMIRIS. Sacrificio que los miagrelios y los georgios practicaban, a imitación de los judíos, los griegos y los romanos. El sacerdote ofrecía primero la víctima, luego hacía las oraciones acostumbradas, después aplicaba una bujía encendida en cinco partes del cuerpo de la misma víctima y daba con ella tres o cuatro vueltas alrededor del que quería hacer el sacrificio; y practicadas estas ceremonias, la degollaba. Se arrojaba al fuego la carne de la víctima y cuando estaba asada la colocaban en su mesa, cerca de la cual había un brasero. El que abastecía la víctima se ponía de rodillas con una bujía encendida en la mano, delante de la mesa, y en esta postura aguardaba que el sacerdote concluyese ciertas rogativas. Luego tiraba incienso al brasero y entonces el sacerdote le presentaba un pedazo de la víctima, después de haberla hecho pasar varias veces sobre su cabeza. Los asistentes, que llevaban también cada uno una bujía, la volteaban sobre la cabeza del que era el objeto del sacrificio y después la arrojaban al fuego. Concluían por lo regular todas estas ceremonias con un banquete, cuyos honores hacía el que había ofrendado la víctima, comiéndose ésta en una especie de comunión.

OQUESIO. (*V.* Ochesio.)

OQUIMO. (*V.* Ochimo.)

OR u OUR. Fuego puro, primer fuego, luz increada, esplendor eterno, bajo cuya imagen los caldeos se presentaban a Dios.

ORA. 1 — Ninfa de la cual Júpiter tuvo un hijo llamado Colaxes, después de haberse transformado en cisne.

2 — Se ha dado también este nombre a Hersilia, mujer de Rómulo.

ORACAL. Sobrenombre de Baco entre los escitas.

ORACIONES. Formaban entre los antiguos una parte del culto sagrado. Los romanos hacían sus oraciones en pie, con la cabeza velada a fin de no distraerse, y para no ser turbados por una cara enemiga, como dice *Virgilio*, y para que el espíritu estuviese más recogido y atento a las oraciones. Un sacerdote, con un libro en la mano pronunciaba la oración con todos los asistentes a fin de hacerlo con uniformidad y sin desorden. Durante las oraciones se tocaba el altar como lo hacían los que prestaban algún juramento, de donde deriva el nombre de *arca* que se da al juramento. Los suplicantes abrazaban algunas veces las rodillas de los dioses, porque consideraban estas rodillas como el asiento de la misericordia. Después de las oraciones formaban todos juntos un círculo y daban una vuelta y jamás se sentaban sino después de haber concluido la oración, por miedo de faltar al respeto a los dioses, llevaban también su mano derecha a la boca, de donde deriva la palabra *adoración*. Finalmente volvían por lo regular la cara al oriente para orar. Los griegos hacían también sus oraciones en pie o sentados; y empezaban siempre por bendiciones o por deseos. Cuando las hacían en los templos se purificaban antes con el agua lustral, que no era otra cosa que el agua común, en la cual se apagaba un tizón ardiente, sacado del fuego de los sacrificios. Se colocaba un vaso lleno de esta agua en las puertas o en el vestíbulo de los templos, y los que entraban se lavaban o se hacían lavar con ella por los sacerdotes. *Homero* ha personificado las oraciones. (*V.* Lites.)

ORACIONES FUNEBRES. Esta costumbre, practicada entre los griegos y los romanos, y también en la época actual, se encuentra incluso en las naciones menos civilizadas. En la Costa de Oro, en Africa, después de las exequias de un negro de una clase distinguida, el sacerdote pronuncia un discurso patético a los asistentes. Se extiende particularmente en las virtudes del difunto y exhorta a sus oyentes a que le imiten y cumplan exactamente sus deberes. *Barbato* cuenta que uno de estos oradores (en una de las ceremonias a las que asistió), concluyendo su discurso, tomó las quijadas de los carneros que el muerto había sacrificado durante su vida; estas quijadas ensartadas formaban una especie de cadena, que el sacerdote sostenía por un cabo, mientras el otro descendía a la hoya. Exaltó muchísimo el celo del difunto por los sacrificios e invitó a los asistentes para que siguiesen su ejemplo; lo que no hizo en balde, pues concluido el sermón la mayor parte se apresuró a ofrecer un carnero, de lo que supo aprovecharse muy bien el predicador.

ORÁCULO. *Séneca* le define diciendo que es la voluntad de los dioses, anunciada por la boca de los hombres. El Oráculo era la más augusta y las más religiosa clase de predicción de la antigüedad. El vivo deseo de conocer el porvenir dio origen a los Oráculos. No sólo hacían pronunciar Oráculos a todos los dioses, sino que también dieron este privilegio a los héroes. Además de los Oráculos de Delfos y de Claros, que rendía Apolo, y los de Dódona y Ammón, en honor de Júpiter, tenía Marte uno en Tracia; Mercurio otro en Patras; Venus en Pafos y en Afeca, Minerva en Micenas, Diana en la Cólquida, Pan en la Arcadia; Esculapio en Epidauro y en Roma; Hércules en Atenas y en Gades, hoy día Cádiz; Serapis en Alejandría; Trofonio en Beocia, etc. Consultaban los oráculos no sólo para las grandes empresas, sino también por asuntos de poco interés, y aun pertenecientes a la vida privada. Un particular quería casarse, emprender un viaje, curar de una enfermedad, salir bien de un negocio, iba a consultar a los dioses que disfrutaban de la reputación de pronosticar lo venidero, porque es de advertir que no todos gozaban de este privilegio. Los oráculos se daban de diferentes modos, como se ha manifestado ya en el curso de esta obra. Algunas veces era necesario para obtenerlo muchas preparaciones, ayunos, sacrificios, lustraciones, etc. En otras se usaban menos ceremonias, y sin embargo el consultante recibía la respuesta inmediatamente, como por ejemplo Alejandro cuando fue a visitar a Júpiter Ammón.

La ambigüedad era uno de los caracteres más comunes de los oráculos, pues el doble sentido de una palabra no podía dejar de serles favorables, tal fue la respuesta que dieron las sacerdotisas de Delfos a Creso: *Si Creso pasa el Halis destruirá un gran imperio.* Pues que si este rey hubiese vencido a Ciro, hubiera destruido el imperio de los persas, y vencido Creso destruía el suyo. De la misma naturaleza es la respuesta que se dio a Pirro, y que va comprendida en este verso latino: *Credo equiden Aeacidas Romanos vincere posse,* pues podía significar que los romanos podrían vencer a los eácidas o viceversa, que éstos podrían vencer a los romanos. Así es que cuando la Pitia dijo a Nerón: «Guárdate de los setenta y tres años», este príncipe creyó que los dioses le anunciaban con esto una larga vida, pero quedó muy admirado cuando vio que

esta respuesta indicaba a Galba, anciano de 73 años, que le destronó. Entre las respuestas de los oráculos había algunas muy singulares. Creso quiso sorprender al oráculo de Delfos enviando a pedir a la Pitia qué es lo que hacia él mismo Creso mientras el enviado le consultaba. Ella le contestó que estaba asando una oveja con una tortuga, y en efecto era cierto: lo que dio aumento a la credulidad y a los regalos. Algunas veces no consistían más que en simples chanzas; y una prueba de ello es la que el oráculo hizo a un hombre que fue a consultarle porque medio podía ser rico. El dios le contestó que no le faltaba más que poseer todo lo que se encontraba entre las ciudades de Cicione y de Corinto. Otro tanto puede decirse de otra respuesta hecha a un gotoso, que para curarse no tenía más que hacer que beber agua fresca. Los oráculos degeneraron desde que dejaron de darse en verso. «Los versos proféticos, dice Plutarco, se desacreditaron por el abuso que hacían de ellos los charlatanes a quienes consultaba el pueblo en las encrucijadas, pero lo que más contribuyó al descrédito de los oráculos, fue la sumisión de los griegos, bajo la dominación de los romanos, la cual calmando todas las divisiones de Grecia ya no dieron más materia a los oráculos. El desprecio que los romanos tenían a esta especie de predicciones fue otra de las causas principales. Este pueblo no se atenía más que a sus libros sibilinos y a sus adivinaciones etruscas, y no es de admirar que siendo los oráculos una invención griega, hubiesen seguido el destino de Grecia».

Esta práctica se había extendido en casi todos los pueblos civilizados o salvajes. (*Mit. índ.*) En las Indias cuando recaían sospechas de robo contra varias personas y no podía acusarse a ninguna de ellas en particular, se valían del siguiente recurso. Escribían los nombres de todos los sospechosos en pequeñas cedulillas, que disponían en forma de círculo. Evocaban luego al espíritu con las ceremonias acostumbradas, y se retiraban después de haber cerrado y cubierto el círculo, de modo que nadie podía tocarlo. Volvían algún tiempo después y lo descubrían, y aquél cuyo nombre encontraban fuera de la línea, era el único que juzgaban convicto de culpabilidad. - Cuando un sacerdote de la isla de Ceilán quería consultar a sus dioses, cargaba sobre sus espaldas las armas que se encontraban en el templo que administraba. Después de esta ceremonia se veía sobrecogido de repente de un transporte extático. La divinidad se apoderaba de él y durante los accesos de su furor profético pronunciaba oráculos que la crédula multitud escuchaba con respeto.- En el mismo país, cuando un enfermo no recibía ningún alivio de los remedios que le administraban, se consultaba a los dioses del modo siguiente. Se hacía con tierra o barro, sobre una plancha, la figura del enfermo en medio relieve, después se juntaban todos sus parientes y amigos y celebraban un gran banquete; acabado éste, pasaban al lugar destinado para la ceremonia. Formaban un círculo alrededor del cuarto, dejando en medio un gran espacio vacío. El resplandor de las antorchas, el ruido de los atabales y de otros instrumentos daban un carácter de fiesta a todo este aparato. Una joven que se titulaba virgen bailaba en el cuarto, acompañándola los asistentes con sus cantos. Después de algunos saltos, la danzarina se arrojaba en tierra como vencida por el espíritu que la agitaba y hacía todas las contorsiones de un energúmeno. El espumarajo que salía de su boca y las centellas que despedían sus ojos convencían fácilmente que un genio se había apoderado de ella. En este estado, uno de los asistentes la consultaba respetuosamente, le presentaba algunos frutos en clase de ofrenda y le rogaba tuviera a bien indicar un remedio para curar al enfermo. Algunas veces sucedía que la profetisa, poco segura de la respuesta, suponía no poder hablar porque había uno de sus enemigos en la asamblea. Este supuesto enemigo era expulsado inmediatamente, y entonces la adivina pronunciaba, en tono de oráculo, cuales eran los medios curativos. Sucedía con frecuencia que el resultado descubría sus artimañas, y en este caso no habían comprendido bien el sentido de las palabras. Lo cierto es que de todos modos le demostraban su agradicimiento, y le consagraban un árbol, al pie del cual le servían diferentes comidas coronas de flores.

(*Mit. siam.*) El padre *Tachard* cuenta que, cuando los siamitas quieren emprender un negocio importante, se dirigen a una caverna, que consideran como sagrada y ofrecen sacrificios al genio o espíritu, que, según su opinión, habita en ella. Le piden cual será el resultado del negocio que intentan y cuando regresan a su habitación, observan con el mayor cuidado la primera palabra que casualmente oyen pronunciar, persuadidos que aquella palabra era la que debería darles a conocer la respuesta del dios, o más bien que era la misma respuesta transmitida por un órgano extraño.

(*Mit. tárt.*) Los tártaros, llamados *Daores*, y que pueden ser considerados como una rama de los orientales, se trasladaban a media noche a un lugar destinado para sus asambleas; allí principiaban con alaridos espantosos y lúgubres, que acompañados con redobles de atabales, en aquella hora en que reina el silencio en la naturaleza entera, causaban todavía mayor espanto. Durante este fúnebre concierto, uno de la comitiva se echaba en tierra y en esta posición aguardaba que el espíritu Divino se dignase revelarle lo venidero. Después de un buen rato, se levantaban llenos del dios que acaba de hablarles, y durante este resto de furor profético contaban los asistentes lo que la divinidad les había comunicado en sus éxtasis y los cuentos más fantásticos eran recibidos como oráculos infalibles. - Los tártaros samoiedos consultaban a sus sacerdortes o mágicos de un modo bastante bárbaro: les ataban una cuerda al cuello con tal violencia que caían en tierra o casi exánimes. En este estado de sufrimiento es cuando vacticinaban lo futuro. *Bruyra* añadió que mientras estos brujos hablaban les corría la sangre por las mejillas, y no paraba hasta que habían concluido sus oráculos.

(*Mit. afr.*) Cuando un negro de la Costa de Oro quería consultar a uno de sus dioses, se dirigía al sacerdote y le rogaba que lo interrogara en su presencia. Generalmente había delante del ídolo un tonel lleno de tierra, cabellos, huesos humanos y animales y otras basuras. El sacerdote tomaba unos veinte pedazos de cuero, con algunos de los ingredientes contenidos en el tonel, de los cuales los unos eran de buen agüero y los otros de mal presagio; los ataba juntos y, a modo de manojo, los tiraba al aire varias veces consecutivas. Cuando los augures favorables se encontraban en el aire era un indicio feliz para el consultante. Algunas veces el modo de consultar el ídolo consistía en tomar al azar cierto número de nueces y arrojarlas a tierra, luego se contaban y el presagio era favorable o siniestro según el número, si era par o impar. En otros pueblos de Guinea, el sacerdote conducía al pie del árbol fetiche rodeado de collares de paja, a los que se presentaban a consultarle. Después de haber hecho las conjuraciones de costumbre, fijaban la vista en un perro negro que estaba junto al árbol. Este perro, que estaba mirando como el diablo, era el que creían que había de contestar al sacerdote. En otras comarcas, cuando un habitante quería aclarar alguna duda se colocaba cerca del árbol, que honraba como a su fetiche particular, y en vez de sacrificios le presentaba algunos manjares y vino de palmera; llamaba luego a un sacerdote para que interrogara al árbol y le devolviera su respuesta. El sacerdote levantaba con ceniza una especie de pirámide, en la cual clavaba una rama del árbol; tomaba después un jarro lleno de agua de la que derramaba una parte, y con la otra rociaba la rama pronunciando algunas palabras misteriosas. Hacía todavía otra aspersión sobre la rama y concluía frotándose el rostro con un puñado de aquellas cenizas; después de todas estas ceremonias, el fetiche respondía a lo que se le pedía.

En el reino de Loango había una maga llamada Ganga-Gomberi, que por lo regular era sacerdotisa del ídolo Mokiso, a la cual consultan en el país, como a otra Pitonisa. Habitaba en una caverna subterránea, donde daba oráculos muy semejantes a los de Trofonio.

Los habitantes del reino de Anziko consultaban sus empresas importantes al diablo, de quien no faltaba la respuesta.

Para conocer el futuro, los sacerdotes del reino de Benín hacían tres agujeros en una olla, golpeaban luego en ella y por el sonido que hacía juzgaban lo que debía acaecer; esta memoria se llama el *Oráculo de Dios,* que el pueblo consultaba con gran veneración. El gran sacerdote de Loebo era respetado en todo el reino como un profeta y los habitantes estaban persuadidos que nada se le ocultaba de lo futuro, ni aún los más impenetrables secretos; así es que cuando se acercaban a este hombre divino estaban sobrecogidos de un santo temor. Los mismos enviados del rey temblaban y no se atrevían a tocarle la mano sin su permiso.

En la sala, donde el gran morabita, o gran sacerdote del reino de Adra, daba audiencia a los que venían a consultarle se observaba una estatuita, que a corta diferencia es del tamaño de un niño. Estos pueblos pretendían que aquella estatuita era el diablo, con el cual se entretenía el gran morabita y de quien descubría lo futuro. Sostenían además que aquella pequeña estatua anunciaba la llegada de las naves europeas seis meses antes de entrar en el puerto. Las familias de este reino se juntaban diez veces al año para tributar los homenajes a sus ídolos o fetiches y consultarles sobre lo venidero. El sacerdote les interpretaba la respuesta de la divinidad, lo que practicaba en voz muy baja: derramaba luego sobre el fetiche algunas gotas de licor. Cada miembro de la familia practicaba igual oblación y después empezaban a beber emborrachándose con frecuencia en honor a la divinidad.

(*Mit. amer.*) Los habitantes de las Antillas aseguraban que la llegada de los españoles en su país les había sido anunciada mucho tiempo antes por sus demonios. A fin de evitar esta desgracia había renovado sus ofrendas y sus sacrificios, pero nada bastó para impedir el cumplimiento de la fatal predicción.

Los sacerdotes de América septentrional hacían sus oráculos del modo siguiente: formaban una cabaña redonda, por medio de muchas pértigas que clavaban en tierra extendiendo sobre las mismas algunas pieles de animales, dejando en la parte superior de la cabaña una abertura larga y capaz para poder pasar un hombre. En esta cabaña es donde se encerraba el sacerdote, para poderse relacionar con la divinidad. Cantos, lágrimas, rogativas, imprecaciones, todo lo ponían en obra para obtener que el gran *Matchi-Manitú* les escuchara. Cuando este dios no podía resistir más a tanta solicitud, daba en fin su respuesta: se oía entonces en la cabaña un ruido sordo y una fuerza secreta daba violentas sacudidas a las pértigas. Los asistentes se mantenían fuera, llenos de temor y de respeto, y el astuto sacerdote aprovechaba las disposiciones de la asamblea para dar sus oráculos, que eran escuchados como si saliesen de la boca del mismo *Matchi-Manitú*.

Los sacerdotes de Brasil tenían también su modo de consultar el oráculo. Aquel de entre ellos que debía entretenerse con el diablo llamado *Agnian* se abstenía de todo comercio con su mujer, durante nueve días consecutivos. Acabado este término, se trasladaba a una cabaña construida a propósito. Comenzaba tomando un baño y se tragaba un brevaje, que debía ser preparado por las manos de una virgen joven y por fin se echaba sobre una hamaca y allí es donde el demonio iba a encontrarle, según dice, y le contestaba sus preguntas.

**ORAX**. Hijo de Nauplio de Clímene, sin duda es el mismo que Cax.

**ORBONA**. Diosa que los padres invocaban para salvar a sus hijos de su cólera, *ne inciderent in orbitatem. Arnobio* pretende que era la protectora de los huérfanos, *orbi*. Tenía un altar en Roma cerca del templo de los dioses lares. *Pln. 7. c. 2.*

**ORCESTES**. *El Danzarín, el saltador*. Sobrenombre de Marte en Licofronte.

**ORCIDES**. Capitán brebicio que en tiempo de Amico se batió contra los Argonautas e hirió con un venablo a Talao. *Apolon. Rod.*

**ORCINIOS**. Se llamaban así en Roma los esclavos manumitidos por el testamento de su señor y declarados en cierto modo súbditos de Orco. (*V.* Orco.)

**ORCO**. Sobrenombre de Plutón, entre los romanos. Se le invocaba bajo este nombre cuando se le tomaba por garante de la seguridad de los juramentos, o cuando se pedía venganza contra los perjuros. Los poetas empleaban con frecuencia esta palabra para designar las regiones infernales. *Georg. 4. Met. 14.*

**ORCÓMENO**. 1 — Ciudad antigua y floreciente de Beocia. Envió treinta naves al sitio de Troya. (*Ilíada. 2.*) Tenía un magnífico templo consagrado a las Gracias, donde los tebanos llevaban todos los años el tributo de sus ofrendas. *Met. 6. Plin. 4. c. 1. Herod. 1, c. 146. Paus. 9, c. 36. Estrab. 9.*

2 — Ciudad de Arcadia rica en ganados, cuyos habitantes formaron también parte de las tropas que sitiaron a Troya.

3 — Hijo de Minia, rey de Orcómeno, en Beocia; dio su nombre a sus súbditos. *Paus. 9, c. 36.*

4 — Hijo de Licaón, dio su nombre a la ciudad de Orcómeno, en Arcadia. *Paus. 9.*

5 — Hijo de Atamante y Temisto, muerto por su propia madre.

6 — Foseo, hijo de Júpiter y la danaide Escionea, fundador de Orcómeno, en Beocia; tuvo de Hermipa, hija de Beoto, un hijo llamado Minias, y según *Apolodoro*, una hija, Clara, madre de Titias.

**ORDALÍA**. Término genérico con el cual se designaban en otro tiempo las diferentes pruebas del fuego ardiendo, el agua hirviendo o fría y el duelo, a las cuales se acudía para descubrir la verdad. Fue propio sobre todo de los primeros tiempos medievales.

**ORDENES DE ARQUITECTURA**. El uso constante entre los antiguos era el de aplicar el orden corintio en los templos de Venus, Flora, Proserpina y las ninfas de las aguas: el toscano en las grutas y capillas de las divinidades campestres; el dórico en los templos de Minerva, Marte, Hércules, etc. y el jónico en los de Juno, Diana y Baco.

**ORDINARIOS**. Gladiadores que debían combatir en días señalados.

**ORDRISO**. Divinidad particular de

los tracios, de la cual creían ser originarios.

OREA. Una de las hamadríades, hija de Ogito y Hamadríade.

OREADAS. Ninfas de las montañas. Este nombre se daba también a las ninfas de la comitiva de Diana, porque esta diosa se complacía en cazar por los montes. R. *oros,* monte. *Met. 8. Ilíada. 6. Estrab. 10.*

OREAS. Hijo de Hércules y Criseda.

OREJA. (*V.* Júpiter.) De asno (*V.* Midas.) La oreja estaba consagrada a Mnemosine, a la cual se ofrecían algunas orejas de plata. Se contaban en el número de los presagios, los zumbidos de las orejas y el ruido que se creía oír algunas veces; si el zumbido se sentía en la oreja derecha era un amigo, el que hablabla del que lo sentía, y si en la izquierda un enemigo. En el museo de Chausse se ve una oreja representada como un atributo, sobre un falo.

OREILOQUIA, ORILOQUIA. Nombre que Diana dio a Ifigenia cuando la hizo inmortal y transportó a la isla de Leucea, para casarla con Aquiles.

ORESBIOS. *El que vive en las montañas,* epíteto de Baco. R. *bios* vida. *Ant.*

ORESBIUS. Sacerdote de Beocia y uno de los capitanes griegos que se hallaron en el sitio de Troya. *Ilíada. 5.*

ORESÍDOTES. *El que arregla las estaciones;* epíteto de Apolo. R. *ora* estación. *Ant.*

ORESILOIPOS. *El que abandona las montañas,* epíteto de Baco. R. *Lepein,* dejar. *Ant.*

ORESÍTROFO. 1 — Criado en las montañas. Uno de los perros de Acteón. R. *trefein,* criar. *Met. 5.*

2 — Epíteto de Baco.

ORESKIOS. *El que se complace en la sombra de las montañas,* epíteto de Baco. R. *skia,* sombra. Ant.

ORESTA. Ciudad de Tracia cuya fundación se atribuye a Orestes. Adriano cambió este nombre por el de Andranópolis. Habiendo caído este príncipe en un exceso de manía, se dice que en esta ocasión fue cuando dio su nombre a esta ciudad, porque se le persuadió que para curarse era necesario que desalojase

un furioso y que se pusiese en su lugar. *Crevier, Historia de los emperadores t. 4.*

ORESTEA DEA. Diana, cuya estatua se llevó Orestes de la Quersonesa taúrica. *Met. 15.*

ORESTEO. Lugar de Arcadia, porque Orestes por orden de Apolo habitó en él un año seguido. *Euripides.*

ORESTEO. Hijo de Licaón, dio su nombre a Orestacio, ciudad de Arcadia, llamada después Orestea, de Orestes. *Apolod. Paus.*

ORESTES. 1 — Capitán troyano, muerto por Polipetes. *Ilíada. 12.*

2 — Capitán griego muerto por Héctor. *Ilíada. 5.*

3 — Hijo de Agamenón y Clitemnestra. Era aún muy joven cuando su padre, regresando de Troya, fue asesinado por Clitemnestra y por Egisto, su cómplice. Electra logró substraer a Orestes del furor de los matadores procurándole un asilo cerca de su tío Estrofio, rey de Fócida. Allí fue donde Orestes se unió en intima amistad con su primo Pílades, hijo de este príncipe, amistad que les hizo célebres. Cuando Orestes llegó a mayor de edad tomó el deseo de vengar la muerte de su padre; dejó la corte de Estrofio y, con Pílades, entró secretamente en Micenas y se ocultó en casa de Electra, su hermana; convinieron primero en divulgar la noticia de la muerte de Orestes. Egisto y Clitemnestra, apenas lo supieron, se entregaron a los mayores transportes de alegría y se trasladaron inmediatamente al templo de Apolo para tributar gracias a los dioses. Orestes penetró en el mismo templo con algunos soldados y mató con sus propias manos a su madre y al usurpador. En este momento fue cuando las Furias comenzaron a atormentarle. Se trasladó inmediatamente a Atenas, donde el aerópago le expió de su crímen. Los votos de los jueces se encontraron conformes de una parte y de otra; la misma Minerva dio el suyo a su favor. Este príncipe, en reconocimiento de tan gran beneficio, hizo levantar un altar a esta diosa bajo el nombre de Minerva guerrera; sin embargo, no contento Orestes de este juicio, pasó a Trecén para someterse también a la expia-

ción. Le obligaron a alojarse en un lugar separado, ya que no había quien se atreviese a recibirlo; pero en fin los trecenios, movidos a compasión por sus desgracias, le expiaron. *Pausanias* dice que salió un laurel en el lugar donde se hizo esta célebre expiación, porque se había derramado en él agua de la fuente Hipocrena, cuyo laurel se veía aun en tiempo del autor, próximo al lugar donde Orestes se había alojado. Los trecenios enseñaban también, en la misma época, el lugar cerca del templo de Apolo donde Orestes se vio obligado a vivir solo, hasta que estuvo enteramente expiado su crimen; y los descendientes de aquellos que fueron comisionados para esta purificación, todos los años en cierto día hacían una comida en aquel lugar. Se veía también en Trecén la piedra en que le se sentaron los nueve jueces que le habían expiado, y a la cual llamaban piedra sagrada. *V.* Capautas.

Después de estas expiaciones, Demofonte rey de Atenas, restableció a Orestes en sus estados. No cesando sin embargo de atormentarle las Furias, fue a consultar al oráculo de Apolo, donde supo que para quedar libre de ellas era preciso que pasase a la Táuride a robar la estatua de Diana y liberar a su hermana Ifigenia. Pasó allí con Pílades, pero le prendieron y poco le faltó para ser inmolado a la diosa, según la costumbre del país. Entonces fue cuando se vio aquel célebre combate de amistad de que habla *Cicerón*. Cada uno de ellos quería morir por su amigo; sin embargo, diose a conocer Orestes a la sacerdotisa, su hermana, la cual se valió de una estratagema para que se suspendiese el sacrificio. Manifestó al rey que aquellos dos extranjeros eran culpables de un asesinato, y que no podían ser inmolados hasta que hubiesen expiado el crimen, que la ceremonia debía celebrarse en alta mar y que, habiendo sido profanada la estatua de Diana por aquellos impíos, debía también purificarse. Habiéndose pues embarcado Ifigenia en la nave de su hermano, huyó con él y se llevó la estatua de Diana. Hay autores que creen que antes de partir mató Orestes a Toante. Los antiguos convienen que después de esta famosa empresa, las Furias dejaron de atormentarle. A su regreso casó a Pílades con Electra, intentó también recobrar a Hermione hija de su tío Menelao y de Helena, la cual le había sido arrebatada por Pirro. Sabiendo que su rival se hallaba en Delfos, pasó allí con su amigo Pílades y causó por sus insinuaciones la muerte de Pirro a quien los delfios destrozaron. Orestes casó en seguida con Hermione y vivió por algún tiempo pacífico en sus estados, pero habiendo pasado a Arcadia, fue mordido por una serpiente, de cuyas resultas murió a la edad de noventa años, contando setenta de reinado. Había unido el reino de Micenas al de Esparta, porque después de la muerte de Menelao los lacedemonios prefirieron dar la corona al marido de Hermione, hija de este príncipe y de Helena, que a sus hijos naturales. Siguiendo una antigua tradición, se supone que Orestes era un gigante, que tenía una estatura de 7 codos. Platón ha encontrado cierta relación entre el nombre de este príncipe y su genio feroz. R. *Oros*, montaña. *Sof. Electra. Eurip. Orest. Met. 12. Ilíada. 9, Odisea, 1, 3, Paus. 1, c. 4. Apolod. 1, Estrab, 9, 15, Ov. Her. 8, de Ponto él. 2. Met. 15, Herod. 1, c. 69, Hig. f. 120, 261, Plut. Lic. Plin. 33, Eneida. 5. Mem. de la Acad. de inscrip. t. 3, 5, 7, 8,* (*V.* Clitemnestra, Egisto, Electra, Ifigenia, Pílades.)

Varios vasos griegos antiguos representan a Orestes perseguido por las Furias armadas de antorchas y de serpientes.

Se veía en Micenas, en tiempo de Pausanias, el sepulcro de Electra y el de Egipto.

4 — Hijo de Orestes y Hermione, dio su nombre a un pueblo de la Molosia.

5 — Hijo de Aqueloo y Perímeles, hija de Hipoodamarte.

6 — Troyano muerto por Leonteo.

7 — (*V.* Ozoles.)

ORESTES. Pueblo del Epiro, llamado así de Orestes, porque según una única y extraña leyenda se refugió en esta comarca cuando fue curado de su frenesí. *Fars. 3.*

ORESTÍALAS. *V.* Oreadas.

ORESTIÓN. Lugar donde murió Orestes de resulta de la mordedura de una serpiente.

OREUS. 1 — Uno de los sobrenombres de Baco, tomado del culto que se le tributaba en las montañas.

2 — Centauro muerto por Hércules.

ORFE, cierta clase de pescado. Elio cuenta que en el golfo de Mira, en Licia, había orfes que los sacerdotes de aquellos lugares mantenían con la carne de los becerros inmolados. Se sacaban presagios del modo como cogían la carne o la rechazan.

ORFEO. Poeta; teólogo y músico célebre. Floreció su reputación en la época de la expedición de los Argonautas, esto es, antes de la guerra de Troya. Hay algunos que cuentan cinco de su nombre y sucede lo mismo que con Hércules, el atribuir a uno solo lo que pertenece a muchos. Sea lo que fuere, Orfeo era hijo de Eagro, rey de Tracia, y de la musa Calíope, y según otros de Apolo y Clío, padre de Museo y discípulo de Lino. Músico hábil, había cultivado muy particularmente la cítara, cuyo instrumento le había regalado Apolo o Mercurio, y a la cual añadió dos cuerdas a las siete de que se componía. La armonía de sus tocatas eran tan melodiosa que encantaba hasta a los seres insensibles. Los animales feroces corrían a sus pies y se desprendían de su ferocidad para escuchar sus sones. Las aves se situaban en los árboles que tenían a su alrededor; los vientos mismos vivían su soplo hacia aquella parte; los ríos suspendían su curso y los árboles formaban coros de danza: exageraciones poéticas que expresan hasta que punto llegó la perfección de sus talentos en el arte maravilloso que supo emplear para suavizar las costumbres feroces de los tracios y hacerlos pasar de la vida salvaje a las dulzuras de la vida civilizada. Teólogo y filósofo añadió la calidad de pontífice a la de rey, y por este motivo le ha dado *Horacio* (*l. 1. Odas. 71 y 20.*) el título de ministro y de intérprete de los cielos. Había recibido yà de su padre Eagro las primeras lecciones de teología, iniciándole en los misterios de Baco, y sus diversos viajes le perfeccionaron hasta tal punto en esta ciencia que es tenido como el padre de la teología de la Grecia antigua. El fue también quien a su regreso de Egipto, donde obtuvo la iniciación, llevó a Grecia la expiación de los crímenes, el culto de Baco, de Ecate Ctlonia o Terrestre, y de Ceres; y por fin los misterios llamados órficos. Por su parte se abstenía de comer toda clase de carne y miraba con horror el uso de los huevos, persuadido que el huevo era el principio de todos los seres, principio de cosmogonía sacado de los egipcios. Sobre todo se hizo célebre por su bajada a los infiernos. Habiendo robado la muerte a su querida Eurídice, se hizo una obligación el irla a buscar aunque fuese entre los muertos. Tomó su lira, descendió por el Tenaro a las orillas del Estigio, encantó con la dulzura de su voz a las divinidades infernales, las hizo sensibles a sus dolores y obtuvo de ellas que su mujer volviese a la vida, con la obligación de no mirarla hasta que se hallase fuera de los límites de los infiernos. Impaciente Orfeo olvidó la prohibición y volvió a ver a Eurídice por última vez; así es que, desesperado, se quitó la vida. Algunos autores le hacen perecer de un rayo en castigo de haber revelado los misterios a gentes profanas. *Platón*, dice que los dioses le castigaron por haber fingido, por la muerte de Eurídice, un dolor que no sentía. Otra tradición le supone destrozado por las mujeres de Tracia; pero la causa de este furor se cuenta de diversos modos. Según unos, Venus irritada contra Calíope madre de Orfeo, que había adjudicado a Proserpina la posesión de Adonis, inspiró a las mujeres de Tracia una pasión tan furiosa para con Orfeo, que le destrozaron disputándose la preferencia. Según otros fue en castigo de haber rehusado admitirlas en la celebración de las orgías. Algunos colocan la escena en Macedonia, cerca de la ciudad de Dium, donde se veía su sepulcro. Según *Virgilio*, (*Geórg. 4.*), Orfeo, después de la pérdida de Eurídice, insensible a los encantos del amor, miró con desdén a las Bacantes, las cuales en castigo de aquel desprecio dispersaron sus miembros por la campiña y arrojaron su cabeza al Ebro. *Ovidio (Met. 11.)* añade que arrastrada esta cabeza por las olas, se detuvo cerca de la isla de Lesbos, donde su boca exhalaba acentos tristes y lugubres, que el eco continuamente repetía. Una serpiente quiso morderla, pero en el momento que abrió la boca, Apolo le transformó en roca y la dejó en la actitud de una serpiente que está pronta a morder. Habiendo quedado impune el crimen de las mujeres de Tracia, el cielo afligió aquel país con la peste, y consultado el oráculo, contestó que para hacer cesar los males que afligían a los tracios era necesario buscar la cabeza de Orfeo y que le rindiesen los honores fúnebres. Por fin, un pescador la encontró en la embocadura del río Meles, sin ninguna alteración y conservando su viveza y su hermosura. En lo sucesivo se construyó un templo, donde Orfeo fue honrado como dios. La entrada de este templo estuvo siempre prohibida a las mujeres. Aquellos pueblos pretenden que los ruiseñores, que hacen sus nidos alrededor del sepulcro de Orfeo, cantan con más fuerza y melodía que los otros. Los habitantes de Dium, que pretendían haber conservado el sepulcro de Orfeo, decían que el Helicón que mana cerca de él, conservaba en otro tiempo su curso sin cambiar de nombre, desde su emanación hasta su desembocadura; pero que habiendo intentado las mujeres que mataron a Orfeo purificarse en este río, se entró por debajo tierra indignado de ver que querían hacer servir sus aguas para este uso.

Como poeta se atribuye a Orfeo la invocación de los versos hexámetros, la guerra de los gigantes, el rapto de Proserpina, el luto de Osiris celebrado por los egipcios, los trabajos de Hércules y otras varias obras sobre los coribantos, los auspices y la adivinación. *Pausanias (l. 1.)*, que habla de sus himnos, nos dice que eran cortos y en poco número. Los Licomides, familia ateniense, los sabían de memoria y los cantaban cuando celebraban sus misterios. Por lo que respecta a la elegancia, eran inferiores a los de Homero, sin embargo, la religión adoptó los primeros y no hizo el mismo honor a los segundos. Se cree que lo que nos resta de Orfeo no es de este poeta, sino de otros varios autores muy posteriores a él. Se le representa comúnmente con una lira y rodeado de animales feroces a quienes atrae con sus melodiosos acordes. *Orf. Diod. 1, Apolod. 1, c. 9, Cic. Apolon. 1, Eneida. 6, Hip. f. 14. Just. 11, c. 7, Plut. Mem. de la Acad. de Inscrip. t. 1, 3, 4, 6, 7, 9, 10, 12, 14, 16, 21.*

ORFEOTELESTES. Nombre de ciertos intérpretes de los misterios más profundos.

ÓRFICA. (Vida.) Vida pura religiosa, esclarecida por la ciencia, y una de cuyas prácticas consiste en no comer la carne de los animales. Orfeo pasaba por haber enseñado a los griegos las ceremonias. Platón pinta a los órficos como charlatanes que iban a llamar a la puerta de los grandes, ofreciendo purificarles o bien hacer caer la cólera de los dioses contra sus enemigos, valiéndose para ello de una ceremonia religiosa.

ÓRFICAS. Sobrenombre de las orgías de Baco, en memoria, según unos, de que Orfeo había perdido la vida en ellas, o según otros por haber introducido en Grecia estas fiestas, que tuvieron su cuna en Egipto. *Ant. expl. t. 1.*

ORFNE. Ninfa de los infiernos y madre de Ascalafo, según *Ovidio*, quien le da el Aqueronte por padre.

ORFNEO. Uno de los caballos de Plutón. R. *orfne*, tiniebla. *Claudiano*.

ORGANA. Uno de los sobrenombres de Minerva.

ORGANUM. Instrumento de música de los antiguos, el mismo que la flauta de Pan atribuida a este dios, a los faunos y a los sátiros, y algunas veces a Apolo y Mercurio.

ORGEANES. Sacerdote de Baco, que presidían en las orgías.

ORGÍA. Pequeños ídolos guardados preciosamente por las mujeres iniciadas en los misterios de Baco. En las fiestas de este dios llevaban estas estatuitas en los bosques, dando continuos alaridos.

ORGÍAS. Fiestas en honor de Baco; había en Grecia tres solemnidades de este nombre, las de Baco, las de Ceres y las de Cibeles, y las tres tenían ceremonias iguales. Las de Baco se celebraban cada tres años, de donde ha derivado el epíteto de Trietérica, que les da *Virgilio.* (*Geórg. 4.*) R. *tris,* tres; *etos,* años. Al empezar las Orgías usaban de muy pocas ceremonias. Se llevaba tan solamente en procesión un cántaro de vino con una rama de sarmiento; seguía después el macho cabrío que inmolaban como odioso a Baco, porque destruía los viñedos; y luego la cesta misteriosa acompañada del portador del falo Falóforos. Pero esta sencillez no duró por mucho tiempo, pues el lujo introducido por las riquezas pasó a las ceremonias religiosas. En el día destinado a esta fiesta los hombres y mujeres coronados de hiedra, los cabellos esparcidos y casi desnudos, corrían por las calles gritando como furiosos: *Evohe Bache,* etc. En medio de esta tropa iban gentes borrachas disfrazadas de sátiros, de faunos, y de Silenio, haciendo gestos y contorsiones eróticas. Venía otra comitiva montada sobre asnos seguida de Faunos, Bacantes, Tíadas, Mimafónides, Náyades, Ninfas y Títeres que hacían resonar la ciudad con sus alaridos. Después de esta tropa tumultuaria, llevaban las estatuas de la Victoria y altares en forma de cepos de viña coronados de hiedra, donde humeaba el incienso y otros aromas; después llegaban varios carros cargados de tirsos, de armas, de coronas, de toneles, de cántaros y otros vasos, de trípodes, etc. Varias jóvenes seguían la comitiva llevando las cestas que contenían los objetos misteriosos de la fiesta, y por esto se las llamaba Cistoforos. Los falóforos iban detrás con un coro de itifalóforos disfrazados de Faunos, fingiendo estar borrachos y cantando en honor de Baco himnos dignos de sus funciones. Finalmente cerraban la procesión una multitud de Bacantes coronadas de hiedra entrelazada de tejo y de serpientes. En lo mejor de estas fiestas varias mujeres desnudas se azotaban, otras se desgarraban la piel; en una palabra se cometían todos los excesos que autorizaba la borrachera, el ejemplo, la impunidad y la licencia más desenfrenadas. Así es que la autoridad se vio obligada a ponerlas en entredicho, Diagondas las abolió en

Tebas, y un senatus-consulto, que se publicó en Roma en el año 566 de la fundación de esta ciudad, las prohibió bajo pena de muerte y para siempre en toda la extensión del imperio. *Eneid. 4, 6, 7, Met. 12. Juv. Sat. 6. Prop. l. 3. él 1. Tit. Liv.*

Una multitud de bajorrelieves antiguos y vasos griegos representan varias orgías. *Julio Romano* es el pintor moderno que mejor las ha plasmado, pintándolas con entusiasmo y calor.

ORGIASTES. Sacerdotisas de Baco, o Bacantes, que presidían las orgías. *Banier t. l.*

ORGILOS. *Cólera,* epíteto de Baco. R. *orghé,* cólera. *Ant.*

ORGIOFANTES. Ministros principales, o sacrificadores en las Orgías. Estaban subordinados a las orgiastes, pues entre los griegos tocaba a las mujeres presidir los misterios de Baco. *Banier t. 1.*

ORIBASO. *El que trepa las montañas.* Uno de los perros de Acteón. R. *bainein,* montar. *Ibíd.*

ORIENTE. (*Iconol.*) Uno de los cuatro puntos cardinales. *C. Ripa* lo representa por un niño de extraordinaria hermosura con la tez colorada, los cabellos rubios como el oro, teniendo encima de la cabeza una estrella brillante, su vestido es de color encarnado y sembrado de perlas finas; el cinturón que lleva es azul y se ven en él los signos de Aries, Leo, y Sagitario. Lleva en la mano derecha un ramo de flores que empiezan a marchitarse y en la izquierda un vaso lleno de fuego, de donde se emanan varios perfumes. De un lado el sol parece salir de la tierra y herir por todas partes con sus rayos; de otro los pájaros voletean por los arbustos y las flores, como si saludasen al padre del día y de la vida.

En las medallas, el Oriente está figurado por la cabeza de un joven coronado de rayos. La adulación ha puesto con frecuencia este símbolo, en las de los nuevos emperadores, para designar que un nuevo sol, empieza su curso y va a alumbrar el universo. El Oriente está representado en el arco de Constantino, por una mujer que lleva en una mano una palma y en la otra un globo, sobre el cual hay un pequeño genio con un velo en su cabeza y una antorcha en la mano; imagen de la estrella de la mañana. Esta mujer va en un carro tirado por cuatro caballos, que parece que corren subiendo. Un anciano echado debajo, designa el Eúfrates o el Tigris, ríos de Oriente, a la otra parte de los cuales llevó Trajano sus conquistas. La palma entre las manos de esta figura alegórica, que sin duda representa la Aurora, es también un atributo dado por la adulación.

Nuestros pintores para designar el Oriente, han pintado un Apolo que, brillante y radiante sale del seno de Tetis para montar en su carro conducido por las Horas.

ORIGO. Primer nombre de Dido.

ORINA. Era una impiedad entre los antiguos orinar en un lugar sagrado, como en un templo, un río, una fuente, etc. Durante el reinado de los emperadores romanos, la adulación hizo un crimen por lo que respecta a sus estatuas y ésta ofreció un vasto campo a los acusadores. El mearse sobre una tumba se consideraba como una injuria y se tomaba a veces la precaución de prohibirlo por medio de inscripciones.

ORIÓN. 1 — Nombre del dios de la guerra entre los partos.

2 — Hijo de Neptuno y Euríalo, según Homero. La fábula le da otro origen. (V. Ireo.) Se hizo célebre por su amor a la astronomía, que aprendió de Atlante, y por su afición a la caza que, según los poetas, conserva aún en los Eliseos. Orión era uno de los más hermosos hombres de su tiempo. *Homero* (*Ilíada. 18*), hablando de los dos hijos de Neptuno Efialto y Oto dice que nadie les aventaja en hermosura, sino Orión. Era de estatura tan alta que se le tenía por un gigante, de modo que atravesando los mares su cabeza dominaba sobre las aguas; lo que significa que tal vez que pasaba mucho tiempo en el mar. En una de estas travesías fue cuando Diana, viendo aquella cabeza y no sabiendo de quien era, quiso probar su habilidad en presencia de Apolo, quien la había desafiado, y disparó el arco con tal acierto que Orión fue herido de una de sus flechas mortíferas; lo que quiere designar, tal vez, que murió en una de sus correrías maríti-

mas. Después de la muerte de Sidé, su primera mujer, a la cual la hizo perecer la cólera de Juno, pretendió casar con Mérope, hija de Enopeo, de la isla de Quio; éste, que no le quería por yerno, después de haberle emborrachado, le sacó los ojos y lo dejó abandonado en las orillas del mar. Orión, después de haberse mitigado el dolor, se levantó y se dirigió a una herrería, donde encontrando a un joven se lo cargó a las espaldas y le rogó que le guiase al Oriente. Recobró la vista y marchó inmediatamente a vengar la ofensa. *Apolodoro,* que cuenta esta fábula, añade que habiéndose hecho célebre Orión en el arte de Vulcano, fabricó un palacio subterráneo para Neptuno, su padre, y que la Aurora, a la cual Venus había inspirado el amor por Orión, lo arrebató y transportó a la isla de Delfos. Según *Homero*, murió de celos y según otros por la venganza de Diana, que hizo salir de tierra un escorpión que le causó la muerte, o bien le hizo perecer a flechazos porque había querido violentar a Opis, o por querer forzar a la diosa a jugar al disco con él, o bien por haberse atrevido a tocar su velo con mano impura. Todo esto despojado de lo maravilloso puede significar que amando apasionadamente la caza, se levantaba muy de mañana y que murió en el tiempo en que el sol recorre el signo de escorpión. Apesadumbrada Diana de haber quitado la vida al hermoso Orión, obtuvo de Júpiter que fuese colocado en el cielo, donde forma la más brillante de las constelaciones, y como ésta ocupa un gran espacio, este fenómeno astronómico puede tal vez haber sugerido la idea de la estatura monstruosa que se le da, cuya mitad es en la mar y la otra en la tierra, porque en efecto esta constelación se halla la mitad encima del Ecuador y la otra mitad debajo.

En tiempos de Orión la peste asolaba la ciudad de Tebas. Consultado el oráculo, contestó que cesaría el contagio cuando dos princesas de la sangre de los dioses se ofreciesen voluntariamente a la cólera de los cielos, y desde este momento las hijas de Orión, que descendían de Neptuno, se sacrificaron con heroico valor. Salvado el pueblo por este sacrificio voluntario, les hizo magníficos funerales y colocó su hoguera en el paraje más elevado de la ciudad. De sus cenizas salieron dos jóvenes coronados, los cuales hicieron los honores de la pompa fúnebre y en lo sucesivo llevaron el nombre de Coronados. *Odis. 5. 11. Eneida. 5. Met. 8. Prop. Hor. 2, Od. 13; 1. 3. Od. 4. Epod. 10. Fars. 1. Catul. Diod. 4. Apolod, 1, c. 4 Hig. f. 125.*

ORIOS. Lapita, hijo de la maga Micale, fue muerto por el centauro Gineo, en las bodas de Piritoo. *Met. 12.*

ORIPE. Habitante de Megara, extendió con sus conquistas los límites de su patria y fue el primero de los griegos que corrió desnudo en los juegos olímpicos, donde obtuvo varias veces la corona del triunfo; después de su muerte, los megarios, por orden del oráculo de Delfos, le levantaron un monumento heroico, como lo atestigua la inscripción griega de este mismo monumento, depositada en el gabinete de antigüedades de la Biblioteca Real de Francia. *Paus. 1, c. 44.*

ORISA. (*Mit. afr.*) Nombre que los habitantes del reino de Benin dan al Ser Supremo. Lo consideran como una naturaleza invisible que creó el cielo y la tierra y que continúa gobernando el mundo por leyes de una profunda sabiduría. Creen que es inútil honrarlo porque es esencialmente bueno, en lugar de que el diablo siendo un espíritu maligno, que puede atormentarles, se creen obligadas a apaciguarlo con oraciones y sacrificios.

ORITÍA. 1 — Nereida. *Ilíada. 18.*

2 — Hija de Martesia, reina de las amazonas. Sucedió a su madre después de que esta reina fuese muerta en un combate contra los bárbaros. Oritía era una princesa admirada de toda la tierra por su ciencia en el arte militar, y más aún por la virginidad que conservó inviolablemente toda su vida. A su valor se debió que el nombre de las amazonas fuese tan grande y tan temible, que el rey Euristeo, a quien Hércules debía doce trabajos, creyó que debía prescribirle uno de absoluta imposibilidad, tal era el de mandarle que le trajese las armas de la reina de las amazonas. Este héroe, acompañado de lo mejor de la nobleza griega, partió con nueve galeras para esta expedición. Las dos hermanas, Antíope y Oritía, compartían entonces la soberana autoridad, así es que hallándose Oritía ocupada en guerras contra los extraños, cuando Hércules desembarcó en la ribera no encontró más que a Antíope, acompañada por casualidad de un gran número de súbditas que estaban lejos de creer que venían a insultarlas hasta en el interior de su reino. Esta sorpresa fue causa que muy pocas tuviesen tiempo de armarse para oponerse a una irrupción tan repentina, de modo que fácilmente fueron vencidas. En este choque algunas murieron y otras cayeron prisioneras.

Mientras tanto, Oritía recibió la noticia del combate dado a su hermana y del rapto que un príncipe ateniense había hecho de una de sus compañeras; en vano habían subyugado el Ponto y Asia si sufrían que los griegos invadiesen impunemente su territorio, menos para hacerles la guerra, que para arrebatarlas indignamente. Oritía envió al momento a pedir socorro a Sagillo, rey de Escitia, y le expuso que las amazonas tenían el honor de descender de sus pueblos, donde vivieron hasta que la necesidad las redujo a tomar las armas después del asesinato de sus esposos. Le instruyó de los motivos y del resultado de las guerras que habían gloriosamente concluido, y le hizo entender que ellas habían llegado por su virtud a dar a las mujeres escitas una reputación de un valor no menos grande que la de los hombres del resto de la tierra. El rey, movido de la gloria de su nación, le envió un gran cuerpo de caballería mandado por Panasogoro, su propio hijo; pero se había introducido la división entre ellos, poco antes del combate, así es que olvidando el objeto que les conducía, abandonaron a las amazonas, que sin el socorro con que contaban fueron derrotadas por los atenienses. Sin embargo, encontraron una retirada en el campo de los aliados, que les puso a cubierto de los insultos de los demás pueblos, hasta que fueron conducidas otra vez a sus estados. La muerte de Oritía hizo pasar el cetro a manos de Pentesilea. *Just. v. c. 4.*

3 — Hija de Erecteo, sexto rey de Atenas. Divirtiéndose un día en las orillas del río Iliso, fue arrebatada por el viento Bóreas, que la trasladó a Tracia y la hizo madre de dos hijos que se llamaron Calais y Zetes. *Ovidio* (*Met.6.*) dice que Bóreas enamorado de Oritía hizo cuanto pudo para obtenerla de su padre, pero viendo que por este medio no podía alcanzarla, siendo el principal obstáculo el país frío en donde reinaba, y el recuerdo de Tereo, indigno rey tracio, se dejó arrastrar del furor que es natural y, habiéndose cubierto de una nube oscura, llevó por todas partes la agitación y el desorden; barrió la tierra e hizo levantar por todas partes torbellinos de polvo, con uno de los cuales arrebató a Oritía. *Platón* dice que esta fábula no es más que una alegoría, que nos demuestra la desgracia acaecida a la joven princesa, a la cual el viento arrojó al mar, donde se ahogó; pero siguiendo la historia, es cierto que Bóreas, rey de Tracia, casó con la hija de rey de Atenas. Su nombre deriva de *oros*, montaña, y de *giein*, sacrificar, porque Oritía iba a celebrar sus misterios mágicos en los montes. *Apolon. Orf. Ovid. Fast. 5. Paus. 1, c. 19.15, 19. Apolod.3, c .15.* (V. Bóreas)

ORITIAS. Uno de los héroes que se hallaron en la caza del jabalí de Calidón. *Met. 8.*

ORITO. Uno de los hijos de Fineo.

ORIUS. 1 — Uno de los centauros muertos por Hércules cuando quisieron entrar en la caverna de Folo. *Diod. de Sicilia.*

2 — Sobrenombre de Apolo.

ORMÉNIDAS. Ctesio, hijo de Ormeno 5.

ORMENIO. Ciudad de Tesalia, cuyos habitantes fueron al sitio de Troya. Debió su fundación a Ormeno. *Ilíada. 2.*

ORMENIS. Astidamia, hija de Ormeno.

ÓRMENO. 1 — Hijo de Cercafo, rey de Tesalia. *Ilíada. 9.*

2 — Capitán troyano muerto por Tencro, hijo de Telamón. *Ilíada. 8.*

3 — Rey de los Dolopos y padre de Amintor, que le sucedió.

4 — Otro capitán troyano, muerto por el lapita Polipetes.

5 — Padre de Ctesio y abuelo de Eumeo. *Ilíada. 15.*

ORMUZ, o Ahura Mazda (*Mit. pers.*) Los griegos por corrupción le han dado el nombre de Oromazdes u Oromase. Este es el nombre que los antiguos persas daban al primer principio de todas las cosas, al Ser Supremo, único objeto de su culto. Decían que él era el que había creado la luz y las tinieblas, y que la mezcla de ambas cosas había producido lo bueno y lo malo. (*V.* Oromase.)

ORNEA. Ninfa, dio su nombre a la ciudad de Ornea.

ORNEAS. Fiesta de Príapo. Debía ser celebrada sobre todo por las orneatas; pero en Colofón, ciudad de Jonia, era donde se solemnizaba con más pompa. Las sacerdotisas del dios debían ser mujeres casadas.

ORNEATE. Sobrenombre de Príapo, tomado del culto que se le tributaba en Ornea.

ORNEO. 1 — Hijo de Erecteo y padre de Menesteo, dio su nombre a la ciudad de Ornea en Argólia. *Paus. 2. c. 25.*

2 — Uno de los lapitas puesto en fuga en el combate que se dio en las bodas de Piritoo.

3 — Centauro. *Met. 2.*

4 — Uno de los sobrenombres de Príapo.

ORNITIÓN. Hijo de Sísifo y hermano de Glauco. *Paus. 9. c. 17.*

ORNITO. Se unió a Yoxo, hijo de Menalipo y Perigune, y nieto de Teseo, para conducir una colonia a Caria. *Val. Flac.*

ORNITOMANCIA. Adivinación que se sacaba del vuelo y el canto de los pájaros. R. *Ornis*, pájaro. *Banier t. 2.V.* Alites, Augurios, Auspicios, Oscinas, Praepetes.

ORNITOSCOPOS. Los que se entrometían en formar predicciones y sacar presagios de las aves.

ORO u HORUS. Hijo de Osiris y de Isis, fue el último de los dioses que reinaron en Egipto. Hizo la guerra al tirano Tifón, asesino de Osiris, y después de haberle vencido y muerto con sus propias manos, subió al trono de su padre, pero sucumbió luego bajo el poder de los príncipes titanes que lo condenaron a muerte. Isis, su madre, que poseía el más raro secreto de la medicina, que era el hacer inmortal, habiendo encontrado su cuerpo en el Nilo, le volvió a la vida, le procuró la inmortalidad y le enseñó la medicina y el arte de la adivinación. Con estos talentos, se hizo célebre y llenó el universo de beneficios. Las imágenes de Horus acompañan con frecuencia las de Isis en los monumentos egipcios; y entre otros en la tabla Isíaca. Es comunmente representado bajo la figura de un joven, tan pronto revestido de una túnica, como fajado y cubierto de un ropaje alagartado y apretado; lleva en sus manos un báculo, cuyo cabo termina en una cabeza de ave y un látigo. Varios sabios escriben que Oro es el mismo que Arpócrates, y que ambos no son más que símbolos del sol. Los griegos pretendían que su Apolo no era otro que el Oro de los egipcios. En efecto, Apolo poseía el arte de la medicina y de la adivinación y era entre ellos el sol como Oro en el Egipto; así es que los antiguos le llaman con frecuencia Oro-Apolo. *Plut. de Isis y Osir. Herod. 2.c.134. Diod. 1. Mem. de la Acad. de inscrip. t. 1.*

OROBANTIO. Poeta anterior a Homero, según tradición de los trecenios.

ORODE. Uno de los compañeros de Eneas, muerto por Mecencio, después de haberle predicho que iba a sucumbir bajo los golpes de un príncipe troyano. *Eneida. 10.*

ORODEMNÍADES. (*V. Oreades.*)

OROMASE. (*Mit. pers.*) Dios de los persas. Este dios, nacido según ellos, de la más pura luz, era el principio del bien. (*V. Ormuz.*)

OROMEDÓN. Uno de los gigantes que quisieron escalar el cielo. Fue aplastado debajo de una montaña de la isla de Cos, a la cual dio su nombre. *Prop. 3, él. 7.*

ORONTES. 1 — Río de Siria que riega los muros de Antioquía, yendo a desembocar al mar. Atraviesa tan pronto llanuras como lugares escarpados y su corriente es muy desigual. *Pausianas* cuenta que, queriendo un emperador romano transportar sus tropas desde la mar a Antioquía, emprendió la gran obra de hacer navegable el Orontes, de modo que sus naves no encontrasen el menor obstáculo. Habiendo pues mandado abrir otro canal con bastante trabajo y muchos gastos, hizo cambiar el curso del río. Cuando el primer canal se halló en seco se descubrió un sepulcro de ladrillos que tenía de largo como once codos y que contenía un cadáver de igual tamaño y de figura humana en todas sus partes. Habiendo consultado los sirios al oráculo de Apolo en Claros, para saber de quien era, se les contestó que eran los despojos de Orontes, indio de raza.

2 — Uno de los capitanes troyanos que siguieron a Eneas a Italia y perecieron en un naufragio en las costas de Africa. *Eneida. 1.*

OROPO. 1 — Hijo de Macedo y nieto de Licaón. *Paus. 1, c. 34.*

2 — Ciudad de Beocia y del Atica.

OROS. Nombre bajo el cual los egipcios honraban a Apolo. *Mem. de la Academ. de inscrip. t. 16.*

ORSEDICE. Hija de Ciniras. *Apolod.*

ORSEIS. Ninfa casada con Ellen, de quien tuvo a Doro, Eolo y Xuto.

ORSES. Capitán troyano muerto por Rapón. *Eneida. 10.*

ORSI. Nombre que los persas daban al Ser supremo.

ORSILOCE. La que evita las asechanzas. Sobrenombre de Diana que se adoraba en la Taúride por alusión al tratamiento bárbaro que se daba a los extranjeros que abordaban en este país. R. *oro*, yo evito; *lochos*, asechanza.

ORSÍLOCO. 1 — Hijo de Alfeo y de Telégone. Reinó en un gran pueblo y fue padre de Diocles. *Ilíada. 5.*

2 — Nieto del precedente. Siguió a los griegos al sitio de Troya y pereció, así como su hermano Creón, a las manos de Eneas. *Ibid.*

3 — Capitán troyano, muerto por Tencro, hijo de Telamón. *Eneida. 11.*

4 — Hijo de Idomeno, rey de Creta; siguió a su padre al sitio de Troya y se distinguió por su valor y ligereza en la

carrera: pero habiendo querido oponerse a que Ulises obtuviese parte en el botín, éste le armó una emboscada y durante la noche le atravesó con una pica. Esta hazaña es la que cuenta el mismo Ulises a su llegada a Itaca, cuando pretende pasar por cretense.

ORSÍNOME. Hija de Eurínomo, esposa de Lapites, madre de Forbante y Perifante.

ORTA-JAMI. (*Mit. mah.*) Mezquita u oratorio en el cuartel de los janizaros, en Constantinopla. Allí es donde hacían sus oraciones, y allí es también donde fraguaban las sediciones, con frecuencia funestas para los sultanes.

ORTANÉ. Divinidad adorada por los atenienses; el culto que se le tributaba es muy semejante al de Príapo. *Estrab.*

ORTE. Ciudad de Tesalia cuyos habitantes fueron al sitio de Troya. *Ilíada. 2.*

ORTEA. Hija de Jacinto. *Apolod.*

ORTEO. Uno de los capitanes que defendieron Troya contra los griegos. *Ilíada. 2.*

ORTESIA. 1 — (R. *orthein*, rectificar, dirigir.) Sobrenombre que los tracios daban a Diana, que suponían socorría a las mujeres en el acto del parto, y generalmente ayudaba a todos los hombres en sus empresas. La adoraban también bajo este nombre en el monte Ortesio, en Arcadia.

2 — Una de las Horas. *Higin.*

ORTIA. Sobrenombre de Diana honrada en Lacedemonia. Se supone que es la misma estatua que Orestes e Ifigenia se llevaron de la Táuride. Delante de ella se azotaban las jóvenes espartiatas; y se le atribuía este sobrenombre en atención a que estaba tan bien atada con sarmientos, que no podía inclinarse a ningún lado. (R. *ortos*, derecho) Otros lo interpretan por severa, y fundan su opinión en el gusto que tenía esta estatua por la sangre humana, cuya dedicación había contraído entre los bárbaros.

ORTIENO. (Noma.) Tocata de flauta, cuya modulación era elevada y el ritmo lleno de vivacidad, por cuyo motivo se usaba mucho en los combates. Con ella Timoteo hizo correr a Alejandro a las armas, y esta Noma era la que cantaba Arión en la popa de sus naves desde donde

se precipitó al mar. *Mem. de la Acad. de inscr. t. 10.*

ORTIGA. (*grande*). El pueblo de Islandia cree que la hilasa obtenida de esta planta, que se embala como el cáñamo, tiene la virtud de desviar los sortilegios.

ORTIGA ARDIENTE. Los islandeses, que llamaban a esta planta *Netla* creían que tenía la virtud singular de desviar los sortilegios. Según ellos, es preciso hacer un manojo de ortigas y azotar con él a los brujos desnudos. *Viaje a Islandia traducido del Dinamarqués,1802.*

ORTIGIA. 1 — Uno de los nombres de la isla de Delos que deriva de Ortix, codorniz, porque estas aves se hallan en gran número en aquella isla. *Ovid. Fast. 5. Met. 1. Eneida. 3. Estrab.*

2 — Nombre de Efeso.

3 — Isla situada cerca de Siracusa en la embocadura del Alfeo; por allí pasa el Alfeo para mezclar sus aguas amorosas con las del Aretusa. Los mitólogos cuentan que Minerva y Proserpina dieron a Diana en particular la isla de Siracusa, a la cual los oráculos y los hombres llamaron Ortigia, de uno de los nombres de esta diosa, y que las ninfas hicieron aparecer en la misma isla y a favor de Diana, una fuente llamada Aretusa.

4 — Sobrenombre de Diana honrada en la isla de Delos. *Met. 1.*

ORTIGIO. 1 — Uno de los capitanes de Turno, muerto por Ceneo. *Eneida. l.9.*

2 — Uno de los hijos de Cleinis y Harpe; fue transformado en ave llamada Egitalo.

ORTIONE. *Inflexible*, sobrenombre que daban a Diana por la severidad con que castigaba a las ninfas que faltaban a su castidad.

ORTO. Perro, hermano del Cerbero y la Idra de Lerna, e hijo de Tifón, el más impetuoso de todos los vientos, y de Equidna, monstruo mitad mujer y mitad víbora. Guardaba los rebaños de Gerión y fue muerto por Hércules. Tenía una cabeza menos que su hermano. *Hes. Teog. Apolod. 2. c. 5.*

ORTONA. (*V.* Ortione.)

ORTOS. Derecho. Baco tenía bajo este nombre un altar en el templo de las

Horas en Atenas. Anfictión fue el primero que le honró bajo este nombre, porque le enseñó el modo de mezclar el agua con el vino a fin de que los que bebiesen pudiesen marchar derechos.

OSA. La Osa menor, la Osa mayor, dos constelaciones septentrionales. Un mitólogo moderno da la explicación siguiente de la metamorfosis de Calixto en osa. Esta ninfa estaba consagrada a Diana, diosa de la castidad. La osa es el símbolo de una doncella casta: este animal se mantiene siempre oculto en los bosques y en las cavernas, y no sale hasta que el hambre le obliga a buscar alimento. Del mismo modo, una joven debe mantenerse en su casa paterna y no mostrarse en público, sino en caso de necesidad. Siguiendo esta idea, hablando *Pólux* de las ninfas que eran admitidas en la compañía de Diana, se sirve de una expresión que significa que habían sido transformadas en osas. *Eurípides*, hablando de su Hipsipilo, y *Aristófanes* en su *Licistrato*, nos dan a conocer que las jóvenes entre los atenienses llevaban el sobrenombre de osas. *Eustato*, el comentador de Homero, cuenta que habiendo encontrado los atenienses en una capilla de Diana una osa que había nacido allí mismo, y que estaba consagrada a la diosa, la sacaron de su retiro y la mataron. La diosa vengó esta muerte con una hambre devoradora que afligió a la ciudad de Atenas. «La osa que mataron los atenienses dice *Eustato*, era seguramente una joven que había consagrado su virginidad a la diosa, y que quería vivir en el retiro y a la sombra de los altares, de donde los atenienses le arrancaron, tal vez para obligarle al matrimonio». *Ovid. Fast. 4. Geórg. 1.*

(*Mit. amer.*) Los salvajes del Canadá dicen que las tres guardas de la estrella del Norte son una canoa donde se embarcaron tres naturales para sorprender aquella osa, pero que por desgracia no han podido todavía juntarse con ella. *Nueva relación de la Gaspecia.*

OSA. Monte de Tesalia, famoso entre los poetas; los centauros habían fijado en él su domicilio. En otro tiempo formaba con el Olimpo una sola montaña, pero Hércules la separó y puso entre ellos el valle de Tempe. Es una de las que los gigantes amontonaron para escalar el cielo. *Od. 1l. Geórg. 1. Ovid. Metam. 2. Fast. 1. Luc. 1. Estrab. 9. Mela, 2. c. 3.*

OSA-POLA-MAUPS. (*Mit. índ.*) Los habitantes de la isla de Ceilán designaban así al ser supremo; esto es, dios que ha creado el cielo y la tierra; pero no oponían dificultad en asociarle otros dioses, que creían estában subordinados a él y que son los ministros de sus voluntades. El principal de entre ellos es Budou, que es igual o el mismo que el Budsdo de los japoneses o el Fogi de los chinos; su empleo consiste en salvar a los hombres o introducirlos después de su muerte en la morada de la felicidad.

OSCEI-BIMEMBRES. Centauros que habitaban en el monte Osa.

OSCINAS. Aves de las cuales los romanos consultaban el chirrido, o el canto, tales como el cuervo la corneja, el búho, el picoverde y el cuervo Oscinas y Alitas. (*V.* Alites, Prepetes.)

OSCO. OSCOS. OGRES. Juegos escénicos que se representaban en los teatros romanos. Se daba también el nombre de Ogres, y consistían en farsas sacadas de las de los oscos. Estos juegos, así como los satíricos, se representaban por la mañana antes del gran espectáculo.

OSCOFORIAS. Fiesta que Teseo instituyó en reconocimiento de no haber sido devorado por el Minotauro, y de que, por la muerte de este monstruo, hubiese libertado a Atenas, su patria, del indigno tributo que el rey de Creta le había impuesto. Los unos dicen que las oscoforías fueron instituidas en honor de Minerva y de Baco, cuya protección había asegurado a Teseo la victoria. Plutarco quiere que sea en honor de Baco y Ariadna, que le habían provisto de hilo para salir del laberinto, y porque su regreso a Atenas fue en la época de la vendimia. Se escogían para la ceremonia de esta fiesta dos jóvenes, nobles de origen, que vestían de doncella, llevaban sarmientos en la mano, corrían de este modo desde el templo de Baco hasta el de Minerva, y el que llegaba primero era el vencedor y ofrecía el sacrificio.

Esta fiesta se celebraba en toda Atica el cuarto o quinto mes, esto es en octubre o noviembre, porque entonces se vio desaparecer la esterilidad que afligía a todo el reino. El estribillo de los himnos que se cantaban eran estas dos interjecciones ¡bene! ¡hei! para recordar a los griegos lo que la experiencia ha debido enseñar a todas las naciones que la prosperidad y la adversidad van la una en pos de la otra, y que por consecuencia es necesario desconfiar de la primera y no desesperar la segunda. *Plut.*

OSILES u OSCILLAS. Nombre dado a unas cabezas de cera que Hércules ofreció en Italia en lugar de víctimas humanas, eran también pequeñas figuras que no tenían más que la cabeza bien formada. Se consagraban a Saturno, haciéndolas tocar o suspendiéndolas en su estatua. Después de esta especie de consagración, los antiguos las colocaban en sus casas y en los campos, donde las suspendían en los árboles como un preservativo infalible contra la magia y los encantos. Se daba también el nombre de Oscilas a unas pequeñas representaciones de las personas que se suicidaban, cuyas figuras balanceaban en un columpio, bajo la creencia de que esta oscilación hacían gozar a sus manes de un descanso que no habrían obtenido sin esta ceremonia. Igualmente se daba el nombre de Oscilas a toda clase de máscaras, fabricadas de corteza de árboles, y en particular a las que representaban imágenes ridículas y diformes. *Banier. t. 1.*

OSINIUS. Rey de Clusium. *Eneida. 1.10.*

OSIRIS. (*Mit. egip.*) Una de las grandes divinidades de los egipcios y la más generalmente honrada. Diodoro de Sicilia, nos refiere que hay tres dioses egipcios del mismo nombre. El primero es el Sol, una de las divinidades eternas; la segunda un Dios terrestre, hijo de Saturno. Este segundo Osiris habíase casado con su hermana Isis, de la cual tuvo cinco hijos, dioses terrestres como su padre, y entre otros un Osiris, tercero del mismo nombre, y que se había casado con su hermana Isis, como su madre. La vanidad griega ha reclamado este Osiris y le ha hecho hijo de Foroneo, rey de Argos: «Habiendo, dicen los historiadores griegos, dejado el reino a Egialeo, su hermano, pasó a establecerse en Egipto, donde reinó con Isis en la más perfecta unión, aplicándose ambos en ilustrar a sus súbditos, enseñándoles la agricultura y otras varias artes necesarias para la vida. Después de esto se propuso conquistar el universo, menos por la fuerza, que por la suavidad y la persuasión, a cuyo fin salió en campaña con un ejército compuesto de hombres y mujeres; habiendo confiado la regencia del reino a su esposa Isis, asistida por Mercurio y Hércules, el primero en clase de consejero y el otro, en la de intendente de las provincias. recorrió primero Etiopía, donde hizo levantar diques para precaver las inundaciones del Nilo. De allí atravesó Arabia, las Indias, vino a Europa, recorrió la Tracia y las comarcas vecinas, dejando en todos los pueblos continuas pruebas de sus beneficios; condujo a los hombres, entonces enteramente salvajes, a las dulzuras de la sociedad civil, les enseñó la agricultura, el modo de edificar las ciudades y los pueblos, y regresó a su reino, lleno de gloria, después de haber hecho levantar por todas partes columnas y monumentos en los cuales mandó grabar sus hazañas: pero le aguardaba un golpe terrible. Apenas regresó descubrió que su hermano Tifón había minado el gobierno, y que se había hecho poderoso. Osiris, que era de carácter pacífico, procuró calmar el genio ambicioso de su hermano, pero no pudo librarse de los lazos que este le armó. Habiéndole Tifón invitado a que asistiese en cierto día a un gran banquete, propuso, después de la comida, a los convidados que probasen si cabían en un cofre que les presentó de un trabajo muy exquisito, prometiendo cederle al que tuviese igual tamaño. Cuando llegó el turno a Osiris, los conjurados cerraron el cofre y lo arrojaron al Nilo. Informada Isis del fin trágico de su esposo, hizo buscar su cuerpo y, después de muchísimas penalidades, ella misma lo encontró en las costas de Fenicia, donde había sido arrojado por las olas; lo trasladó a Abidos, ciudad de Egipto cercana al Nilo, donde le hizo levantar un magnífico monumento, y después se ocupó exclusivamente en buscar el medio de vengar su muerte».

Los egipcios, para conservar la memoria de los beneficios que habían recibido de este príncipe, le tributaron los honores divinos bajo el nombre de Serapis, su gran divinidad, y como Osiris les había enseñado la agricultura, le dieron el buey por símbolo. Representábanle llevando la cabeza cubierta de una mitra de la que salen dos cuernos. Tiene en la mano izquierda un bastón encorvado en figura de báculo y en la derecha una especie de látigo con tres zurriagos, así es que Osiris fue tomado por el Sol, al cual daban un látigo, para animar a los caballos uncidos en el carro de que se sirve para hacer su curso. Osiris es también representado con cabeza de gavilán, porque, como dice *Plutarco*, esta ave tiene la vista perspicaz y el vuelo rápido, lo que conviene precisamente al sol. Se le da igualmente el bastón, y el mismo autor añade que durante el equinoccio de otoño, Egipto celebraba la fiesta del Bastón de Osiris, o del Sol, como si este astro tuviese necesidad de ser sostenido en su curso.

Según *Diodoro*, Osiris significa *el que tiene muchos ojos*; en efecto los rayos del sol pueden considerarse como otros tantos ojos que miran a la tierra y a la mar.

Algunos han dado a Osiris un vestido de piel de cervatillo manchado, para designar la multitud de estrellas.

Añádese que Isis y Osiris eran los dos principales dioses, sobre quienes versa toda la teología egipcia, y todos los dioses del paganismo, todas las divinidades particulares de ambos sexos, no eran más que atributos de Osiris y de Isis.

La ciudad de Busiris, patria y sepulcro de Osiris, había recibido su nombre, tal vez porque el Nilo desemboca al mar en aquel paraje. El descubrimiento del cuerpo de Osiris fue representado en los misterios de Sais en Busiris, en Memfis y en Felea. Estos misterios se extendieron después por Fenicia, por Italia, y principalmente en Biblos, en Corinto, en Titórea, en Fócida y en Roma. Osiris fue reemplazado después por Serapis.

Era considerado como el símbolo del principio húmedo. Se creía que encerraba en sí mismo el germen de todas las cosas y que poseía particularmente la fuerza generatriz. Se le confundía frecuentemente con Baco, Esculapio y Adonis: le atribuían el descubrimiento de la viña, el cultivo de las tierras, la invención de la flauta y la trompeta. Le estaba consagrada la hiedra. Los músicos, los tocadores de flauta y de otros instrumentos no eran admitidos en los sacrificios tributados a Osiris, así como lo eran en las fiestas de los demás dioses. Lo representaban con frecuencia llevando un bastón encorvado en una mano y una pátera en la otra. *Herod. 2, c. 144, Plut. de Isis y Osir. Odis. 12, Plin. 8, Lucian. Met. 9. Mem. de la Acad. de Inscrip. 1, 2, 5, 7, 9, 12, 14, 16.*

**OSLADA o OUSLADA.** (*Mit. eslav.*) Divinidad de Kiev, dios del lujo y de los banquetes.

**OSO.** Cuando los ostienses han matado un oso, lo desuellan y suspenden la piel en un árbol cerca de uno de sus ídolos, después de esto le rinden sus homenajes, se excusan humildemente de haberlo matado y le hacen presente que en el fondo no es de ellos de quienes debe quejarse, pues que no han forjado el hierro que le ha atravesado, y que la pluma que ha dado la velocidad a la flecha, pertenece a una ave extranjera. (*V.* Arcas, Calisto, Circe, Egesta.)

**OSOGO.** Uno de los sobrenombres de Júpiter,

**OSILAGO.** Diosa que los romanos invocaban contra las fracturas y esguinces. Llamábanla también Osipanga.

**OSILEGIO.** La acción de sacar de la hoguera los huesos calcinados. Este piadoso deber lo practicaban los parientes que apagaban el resto del fuego con vino.

**OSIPANGA, OSIPAGA.** (*V.* Osilago.)

**OSTANE.** 1 — Jefe de los magos que acompañó a Jerjes a Grecia, donde esparció las semillas de su arte.

2 — Otro jefe de los magos celoso partidario de las máximas de su secta. Siguió a Alejandro el Grande y sus viajes contribuyeron a dar crédito al arte mágico.

**OSTAR, OSTERA, OSTRA.** Nombre de la luna en la antigua Germania, donde la representaban como en Oriente, bajo la figura de una mujer que lleva un cuerno y una media luna. En Alemania creen generalmente que la palabra Ostera (*las pascuas*) tenía su origen en una fiesta consagrada a la diosa lunar, o mes de abril. la costumbre de encender fuegos en la cumbre de los montes el primer día de esta fiesta estaba todavía en uso en la baja Sajonia, en el s. XIX, a pesar de haber sido proscrita en 742 por el concilio de Ratisbona.

**OSTASUS.** Uno de los hijos de Urano y Gea (el Cielo y la Tierra). *Esteban de Bizancio.*

**OSUARIA.** Pequeña urna donde se depositaban los huesos que el fuego no había enteramente consumido.

**OTHIN, ODEN, o Woden.** (*Mit. escand.*) Es verosímilmente el mismo que Odín. Esta divinidad que parece ser la misma que el Marte de los romanos, era adorada por los antiguos godos, y por los islandeses. (*V.* Odín.)

**OT-LAT-GLA-GLA.** (*Mit. amer.*) Nombre que los indios vecinos de la embocadura de Colombia, en América septentrional, daban al Ser Supremo. Colocaban su habitación en el sol, y le tenían como un espíritu bueno y omnipotente, le consideraban creador de todas las cosas y le atribuían el poder de tomar, cuando le placiera, toda especie de formas, y pensaban que en ocasiones extraordinarias e importantes se revestía de la de un ave prodigiosa, cerniéndose en las regiones de la atmósfera y arrojando en medio de su cólera el trueno y los relámpagos sobre los culpables. Se le tributaban anualmente los primeros salmones que cogían, animales monteses, etcétera.

**OTIARTE.** Príncipe que según la opinión de los caldeos reinó ocho Sares. *Banier.t . 1.* (*V.* Sare.)

**OTKEA.** (*Mit. Amer.*) Otkón, según los salvajes de Virginia. Los iroqueses daban este nombre al creador del mundo. *V.* Atahuata.

**OTOÑO.** (*Inconol.*) Una figurita de bronce descubierta en Herculano tiene un racimo en la mano derecha y en la izquierda un libro. En una urna funeraria de la villa Albani, que representa las bodas de Tetis y Peleo, el Otoño, de mediana edad y vestido más a la ligera que el Invierno, tiene una cabra por uno de los pies y trae frutos en una cesta. En un bajorrelieve antiguo esta estación, coronada de pámpanos y de racimos y levantada del lado del Estío, toca con la mano derecha los pámpanos, y el genio que la acompaña añade otros en su cuerno de la abundancia. Descubierta de la parte del cuerpo que toca al Verano, va vestida de la parte que corresponde al Invierno. Los antiguos designaban además el otoño por la caza de los tigres. Le daban una túnica color pámpano cuando empezaba a secarse (*xerampelinus.*) Con un ropaje de color sangre que hace alusión al vino nuevo. Los modernos representaban esta estación por una mujer que su frescura y la riqueza de sus vestidos hacían admirables, pues según los poetas el Otoño es la edad viril del año. Está coronado de pámpanos: tiene en una mano un hermoso racimo y en el otro brazo lleva un cuerno de la abundancia, cargado de toda clase de frutos. Se le pinta también bajo el emblema de una joven que tiene en una mano una cesta de frutos y con la otra acaricia un perro. *V.* Pomona. Algunas veces está representado bajo el símbolo de Baco o de una Bacante. *V.* El cuadro poético de la estación en la oda de *Juan Bautista Rousseau* al conde de Bonneval, y el art. Estación.

**OTREO.** 1 — Rey de los frigios, hijo de Diamante, hermano de Migdón y Hécuba y padre de Panteo.

2 — Uno de los pretendientes de Hesionea, muerto en el combate del cesto, contra Amico.

**OTRERA.** Amazona, hija o favorita de Marte, madre de Hipólita, de la cual robó Hércules la cintura. Otrera edificó el templo de Diana en Efeso.

**OTRÍADES.** Panteo, hijo de Otreo. *Eneida. 2.*

**OTRINTER.** Rey de una comarca de Asia menor situada al pie del monte Tmolo; tuvo de la ninfa Nais un hijo llamado Ifitión. *Ilíada. 20.*

**OTRÍNTIDES.** Ifitión, hijo de Otrinter.

OTRIONEO. Príncipe tracio, vino de Cabesa al socorro de Troya, con la esperanza de casarse con Casandra, hija de Príamo, y de merecerla más bien por sus servicios que por dádivas y presentes. Fue muerto por Idomeneo. *Ilíada. 13.*

OTRIS. Monte de Tesalia vecino de Eta, habitado por los Lápitas y los Centauros. *St. Teb. 3. Estrab. 9.*

OTUS u OTO. 1 — Célebre gigante hijo de Aloeo y Ifimedia. *Ilíada.5.* (*V.* Aloadas.)

2 — Uno de los capitanes griegos en el sitio de Troya. Era de Cilena y fue muerto por Polidamas. *Ilíada. 15.*

OUAICE. (*Mit. amer.*) Genio o demonio de quien los charlatanes iroqueses se creen inspirados; según suponen les revela las cosas pasadas, lejanas, y futuras.

OUDASIS (*Mit. índ.*) Ciertos fakires que llevan al cuello un collar de granos de *rondrascha* o *ganitro.* Igual signo llevan los Gosseyns

OUDURAUS. (*Mit. índ.*) Cierta clase de fakires que se distinguen de los otros por la elección de las penas que se imponen. En una de las láminas de *M. Solvyns* se ve a uno que tiene continuamente el brazo levantado, otro las dos manos juntas sobre la cabeza sin jamás separarlas, de modo que las uñas han crecido hasta tal punto que llegan a clavarse en los brazos, y no contento con este suplicio se ha impuesto igualmente el voto de tener para siempre las piernas cruzadas, posición tan incómoda que para comer se ve obligado a hacerse poner el manjar en la boca. Un tercero se traslada de un templo a otro, lejano a veces algunas centenares de leguas, no a pie pero sí echado de espaldas y moviendo todo su cuerpo para avanzar un poco. El que está a su derecha ha hecho el voto de recorrer una distancia igual, pero retrocediendo constantemente de tres pasos que hace, dos. Más lejos un fakir se ha dejado encadenar en un árbol para quedarse allí en esta posición el resto de su vida. Otros se ha tomado el deber de fijar toda su vida la vista al sol, desde que sale hasta que se oculta. A alguna distancia se observan dos, de los cuales, el uno está echado sobre una cama llena de puntas de hierro, y el otro pasa su vida recitando oraciones sin parar un momento, etc. *Descripción de los Indoüs.*

OUGUINDA. Segunda fiesta de los Tscoremisas; se celebra antes de la siega del heno. Su objeto principal era invocar al dios de los trigos para obtener buena cosecha. *Viaje de Pallas.*

OUNONTIO. Nombre del Ser-supremo entre los iroqueses.

OUPIZEA. (*Mit. índ.*) Jefe o principal de monasterio, en el reino de Ava. *Viaje del mayor Simes en 1795.*

OURCHENDI. (*Mit. índ.*) Pequeño ayuno que usan los indios; no deben comer más que una vez durante las veinticuatro horas.

OURESIFOITES. *El que frecuenta las montañas.* Epíteto de Baco y de Apolo. R. *oros,* montañas; *phiotán,* frecuentar. *Antol.*

OURICATI-TIROUNAL. (*Mit. índ.*) Fiesta indica que se celebra el octavo día después del plenilunio del mes de Avani (agosto;), en cuyo día se supone que nació Quichena. La celebran en los templos de Visnú y dura nueve días, en los cuales llevan al dios en procesión por las calles. Los pastores son los que más observan esta fiesta en memoria de que Quichenma fue educado por ellos: se le erigen pórticos o *pandals* de tela y de hojas, en las puertas de los templos y en las encrucijadas: en medio de cada uno de estos pórticos, cuelgan un coco en el que depositan un *fanon;* moneda de plata. Este coco está suspendido por un bramante cuyo cabo, fuera del pandol, facilita que puedan subirlo y bajarlo cuando quieran.

La clase de los pastores, o por lo menos todos aquellos que conservan aún su estado primitivo, se pasean juntos por las calles y, cuando llegan a los pórticos, para poder pasar es de precisa condición que han de derribar el coco, lo que practican a golpes de palo, mientras otros procuran estorbarlo.

OURIOS. Nombre que los griegos daban a Júpiter.

OUVANA. Diosa de los antiguos alóbroges. Se creía que era Minerva, a la cual adoraban bajo este nombre.

OVILLO. *V.* Ariadna.

**OVISARA.** (*Mit. afri.*) Nombre bajo el cual, los habitantes del antiguo reino de Benín en Africa, designaban al Ser-Supremo. Según relación de los viajantes, tenían ideas muy justas de la divinidad que consideraban como un Ser todo poderoso, que a pesar de ser invisible esta presente en todas partes y que es el creador y el conservador de todo el universo. No lo representaban bajo una forma corpórea; pero como decían que Dios era infinitamente bueno, se creían dispensados de tributarle sus homenajes que conservaban para los espíritus malignos, o demonios, autores de todos sus males, y a quienes tributaban sacrificios para impedir que les hiciesen mal.

**OXIDERSE.** *Los ojos penetrantes.* Sobrenombre de Minerva. R. *Oxys*, agudo; *derkein*, ver.

**OXILO.** 1 — Padre de las hamadríadas. *Apolod. 1.c.7.*

2 — Hijo de Marte y Protogenia.

3 — Hijo de Hemón, descendiente de Etolo, autor de las Etolias. Obligado a abandonar Etolia porque jugando al tejo tuvo la desgracia de matar a su hermano, se retiró a Elide. Habiendo los heráclidas aprestado una armada para volver a entrar al Peloponeso, el oráculo les advirtió que tomasen tres ojos por guía de su expedición. Mientras buscaban interpretar el sentido de estas palabras, pasó por casualidad Oxilo montado en un mulo tuerto. Cresfonte, jefe de los heráclidas, guiado de su prudencia, dice *Pausanias*, comprendió que aquello podían ser los tres ojos designados por el oráculo, por cuyo motivo se asociaron con Oxilo para llevar a cabo la empresa. En efecto, se embarcó con ellos y les ayudó a ponerse en posesión del Peloponeso, pidiendo después en recompensa la Elide, que les fue concedida bajo el título de reino. Oxilo atrajo en sus nuevos estados una infinidad de gentes de los países circunvecinos; engrandeció a Elis, su capital, e hizo de ella una ciudad muy floreciente. Cierto día que consultaba el oráculo de Delfos, el dios le mandó que eligiese un descendiente de Pélope y que le asociase al gobierno. Oxilo eligió a Agorio, biznieto de Orestes.

**OXINIO.** Hijo de Héctor y hermano de Escamandro. Según *Conon*, Priamo envió a los dos a Lidia, durante el sitio de Troya. Gracias a esta precaución, sobrevivieron a esta guerra y entraron en posesión de la herencia de sus padres.

**OXIONES.** Pueblo imaginario de Germania, cuyos habitantes tenían, según se dice, la cabeza humana y lo restante del cuerpo de una bestia. *Tac.*

**OXIOPONUS.** Hijo de Ciniras y de Metarno, y hermano de Adonis. *Apolod. 3. c. 14.*

**OXIRINCO.** Pescado venerado en Egipto en la ciudad el mismo nombre.

**OZOCOR.** Nombre particular del Hércules egipcio, general de los ejércitos de Osiris e intendente de sus provincias.

**OZOLES.** Pueblo locrio cuya capital era Amfisa. *Pausanias* (*10, c. 38*) ha fundado su nombre en varias razones, aquí tratamos tan sólo de las fabulosas.

En el tiempo en que Oresteo, hijo Deucalión, reinaba en aquel país, acaeció según se dice, que su perra parió un pedazo de madera en lugar de un perro. Habiendo Oresteo ocultado debajo tierra aquel pedazo de madera, llegó la primavera, salió una cepa de viña que se dividió en diferentes ramas. Algunas pretenden que de esto derivó el nombre de Ozoles, por la conformidad con la palabra griega ozos que significa ramas. Otros dicen que Neso, que hacía de pastor en el río Eveno, herido por Hércules, no murió de su herida sino que se retiró hasta aquel lugar, y que después de su muerte, habiendo quedado su cuerpo sin sepultura, infectó el tal modo el país que desde entonces aquellos pueblos se llamaron Ozoles. R. *ozein*, tener mal olor. *Herod. 8. c. 32.*

**OZOMENE.** Esposa de Taumante y madre de las Harpías, según *Higinio*, que es el único que la menciona.

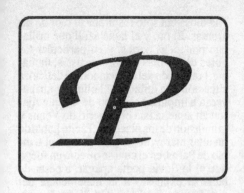

PA-QUA, o Ta-Qua. (*Mit. chin.*) Arte de consultar los espíritus. Hay varios métodos establecidos para esta operación, pero el más común es el de presentarse delante de una estatua, quemar ciertos aromas, golpeando varias veces la tierra con la frente. Tienen mucho cuidado en colocar cerca de la estatua una caja llena de espátulas de medio pie de largo, en las cuales hay grabados muchos caracteres enigmáticos, que pasan por otros tantos oráculos. Después de haber hecho varias reverencias, dejan caer a la suerte una de las espátulas, cuyos carácteres descifra el bonzo que preside la ceremonia; algunas veces consultan un gran cartel fijado en la pared y que contiene la llave de los carácteres. Esta operación se practica antes de emprender un negocio importante, un viaje, una venta de género, un casamiento, etc.(Esto por lo que respecta a los chinos que todavía conservan tales tradiciones, ya que la China Popular las abolió en 1949.)

PACALIAS. Fiestas romanas en honor de la paz.

PACIFERE. Aquel o aquella que trae la paz. En una medalla de Marco Aurelio, Minerva se llama *Pacífera*, y en otra de Máximino se lee *Mars paciferus*.

PACIFICADOR. Sobrenombre de Júpiter.

PACTIAS. Lidio y súbdito de los persas; habiéndose refugiado en Cumas, los persas exigieron que les fuese entregado. Los habitantes de la ciudad consultaron el oráculo de Bránquidas, quien se declaró contra el fugitivo. Aristódico que era uno de los de más influjo entre los cumeos, disgustado de la respuesta del oráculo, obtuvo que se consultase segunda vez, pero el dios insistió en lo mismo. Entonces Aristódico se paseó alrededor del templo, entreteniéndose en ahuyentar los pájaros que hacían sus nidos en aquellas paredes, cuando de repente salió una voz del santuario diciendo: «¡Detestable mortal! ¿Cómo te atreves a alejar de aquí los que están bajo mi protección?». Y porqué, ¡oh gran dios! replicó Aristódico, nos mandas que entreguemos a Pactias que está bajo la nuestra». El argumento era concluyente; sin embargo parece que disgustó a la deidad, la cual contestó: «Sí; yo os lo mando, a fin de que vosotros, que sois unos impíos, perezcáis tan pronto como irritéis a los dioses violando las leyes de la hospitalidad, y no os atreváis en lo sucesivo a importunar los oráculos por vuestros negocios». Entonces los cumeos, no queriendo hacerse criminales entregando a Pactias, ni comprometerse con los persas, temerosos que éstos atacarían la ciudad, aconsejaron al fugitivo que buscase un asilo en la isla de Lesbos. *Herod. c. 154, Paus. 2, c. 35.*

PACTÓLIDAS. Ninfas del río Pactolo. *Ant. expl. t. 1.*

PACTOLO. Río de Frigia cuyas aguas arrojaban oro. Esta riqueza la debían a Midas. (V. su artículo.) El autor del *Tratado de los ríos* hace mención a una piedra que se hallaba en el Pactolo, la que, colocada en pareja donde se guardasen tesoros, alejaba a los ladrones con el ruido que despedía, semejante al de una trompa. Carisermo, citado por este autor, hace mención a una planta que sacaban de este mismo río, la cual puesta en infusión entre oro se convertía también en oro puro. Finalmente el Pactolo celebrado por los poetas, es apenas conocido en nuestros días. *Herod. 5, c. 110, Plin. 33, c. 8, Estrab. 18.*

PACHACAMAC. (*Mit. peru.*) Los antiguos peruanos daban al Ser Supremo este nombre, que en su idioma significaba el que anima al mundo. Tenían en tan gran veneración esta palabra, que no osaban proferirla; pero si la necesidad les obligaba, lo hacían con gran muestra de respeto y veneración. Los más sensatos, a pesar de ser celosos adoradores del Sol, tenían mayor respeto aún a Pachacamac, que consideraban como principio de la vida y el alma del universo. El Sol era su dios sensible y presente, Pachacamac su dios invisible a quien invocaban en todos sus trabajos; finalmente le tributaban varias ofrendas y sacrificios, y en sus ceremonias no se atrevían a mirar el Sol porque era tan sólo a Pachacamac a quien dirigían entonces sus homenajes. De origen preincaico, los incas lo colocaron junto con Inti.

**PACHACAMAMA.** (*Mit. peru.*) Diosa adorada en otro tiempo en el Perú; se cree que era la tierra.

**PACHITOS.** Nombre de uno de los perros de Acteón. *Met. 3.*

**PADUA.** Ciudad de Italia; primera etim.: *Petomai*, robar; por que antes de edificarla, su fundador robó los augurios; segunda etim.: *Petere*, porque Antenor atravesó con un dardo, *teloi pettit*, a un ave, en el mismo paraje donde se edificó Padua.

**PAFIA.** Sobrenombre de Venus. El tipo representativo de la Venus Pafiana consistía en una piedra cortada en forma de mojón.

**PAFIE.** Lampades. Estrella de Venus, Hespero. *Stac.*

**PAFLAGÓN.** Hijo de Circe, dio, según *Homero*, su nombre a la Paflagonia, provincia de Asia menor.

**PAFLAGONIO.** Riachuelo que manaba al pie del monte Ida. Según los poetas debía su origen a la sangre de Memnón, muerto por Aquiles.

**PAFO.** Fundador de la ciudad de Pafos, a la que dio su nombre. *V. Pigmalión.*

**PAFOS.** Ciudad de la isla de Chipre consagrada más especialmente a Venus que el resto de la isla. El templo que esta diosa tenía en aquella ciudad era el más magnífico y la veneración que se le tributaba se extendía incluso a los sacerdotes. Catón ofreció al rey Ptolomeo el gran sacerdocio, con tal de que cediese la isla de Chipre a los romanos, considerando esta dignidad como la indemnización de un reino. Jamás se vio correr la sangre de ninguna clase de víctima en el templo de Pafos. Se quemaba incienso en los altares

y la diosa tan sólo respiraba el olor de las aromas. El oro y el lapislázuli que brillaban por todas partes, y en particular las obras de los más célebres artistas, llamaban la atención del espectador. La deliciosa situación y la dulzura del clima contribuyeran a impulsar el deseo de los que fijaron en aquella isla el imperio de Venus y la mansión de los placeres. Tácito habla de un altar maravilloso que había en el templo de Pafos, en el cual se ofrecía un fuego que ni la lluvia podía apagar, a pesar de hallarse expuesto a la inclemencia del aire. *Eneida. 1, 10. Hor. Od. 25, l. 1. Estrab. 14. Just. 18. Mela 2, c. 7. Plin. 2, c. 96.*

**PAGANA LEX.** Ley de la cual hace mención Plinio. Esta ley prohibía a las mujeres que viajaban dar vueltas al uso de hilar, y traerle en descubierto, porque creían que esta sola acción podría perjudicar a los campos, atrayendo sobre ellos alguna hechicería o maleficio que perjudicaría los frutos que da la tierra.

**PAGANALES.** Fiestas de los romanos, llamadas así porque las celebraban en las poblaciones rurales llamadas *pagi*. Durante estas fiestas los habitantes del campo iban en procesión alrededor del pueblo haciendo lustraciones para purificarse. Hacían también sacrificios en los que ofrecían tortas en los altares de Ceres y la diosa Tello, a fin de obtener una abundante cosecha. Esta fiesta la celebraban en el mes de enero después de la siembra; y el dinero que entregaban los campesinos era una especie de contribución anual que les había impuesto Servio Tulio, quien instituyó las paganales por un principio político. Todos los habitantes de las poblaciones circunvecinas estaban obligados a asistir y a entregar una moneda diferente, según la edad y el sexo, de modo que el presidente de los sacrificios conocía al momento, por el tributo, la edad, sexo y nombre de cada uno. *Or. Fast. 1. Dion. Hal. 4, c. 4.*

**PAGANIA.** Larves inmundos, son, según la creencia popular de los griegos modernos, unos judíos ocupados en buscar al mesías en su cuna, a fin de matarle. Representan a estos Larves o Pagania como hechiceros, flacos, con cabeza de asno y cola de mono, los cuales recorren los campos y se reunen en las encrucijadas, invocando a la luna para que ilumine sus banquetes, en los que comen ranas y tortugas y anfibios tenidos por inmundas. Pero después de la bendición del agua, la que se practica por la inmersión de una cruz, según rito de la iglesia griega, en el día de la fiesta de los Santos reyes, estos asquerosos espectros desaparecen. Las noches se purifican, el Cielo se reconcilia con la tierra por la ceremonia del bautismo de agua, cesan las tempestades y el viento noroeste recobra su imperio acostumbrado en el mar de Grecia. *Ponoques, Viaje a Grecia t. 4, c.132.*

PAGANICÆ Ferie. Fiestas que según Varrón, Marco Terencio, son comunes a las gentes de la campiña, así como las paganales, *Paganales*, eran fiestas particulares a cada pueblo.

PAGASEA Nanis. El navío Argos, construido en Pagases. *Met. 13.*

PAGASES. Ciudad marítima de Grecia en Magnesia, comarca de Tesalia. Se supone que en este puerto fue donde se embarcaron los Argonautas para la expedición del vellocino de oro. *Apolon. Estrab. 9, Ptol. 3, c. 13.*

PAGASEUS o Pagasites. 1 — Uno de los sobrenombres de Apolo.

2 — Jasón, porque era de Tesalia.

PAGASUS. Capitán troyano, uno de aquellos que fueron derribados por Camila. *Eneida.* 1l.

PAGODAS. (*Mit. chin. e índ.*) Este nombre designa ordinariamente: 1º) los dioses adorados por los chinos y los indios; 2º) los templos donde estos dioses recibían los votos de sus adoradores.

1º De estas divinidades están llenas las pagodas, los caminos, las casas y las barcas; pero todas estas divinidades subalternas vienen a ser como esclavas, a las que se daba buen trato, si hacían lo que se exigía de ellas, y por el contrario se las llenaba de injurias y de golpes, si no hacían lo que se les pedía. Los mandarines llegaban a emplazarlas cuando se mostraban indóciles y las condenaban a perder sus capillas, echándolas del país. Los chinos observaban otro comportamiento, hacia sus dioses, a los cuales temían, pues si se mantenían sordos a sus súplicas les rogaban que se retirasen de entre ellos y les suministraban las provisiones necesarios para el viaje. También les equipaban con una navecilla, por si gustaban emprender el viaje por mar. Las principales ceremonias que se practicaban en su honor consistían en quemar incienso y aromas en sus altares, fumar con pipas, etc. *V.* Tica, Xaca.

2 º Se ve en China un número casi infinito de pagodas, donde habitaban los bonzos y otros religiosos, y en la cuales daban hospitalidad a los viajantes. En las paredes fabricaban una multitud de ninchos, donde colocaban a sus ídolos en bajorrelieve. Las divinidades reales son muchas; las otras no consistían más que en símbolos. El ídolo principal a quien se dedicaba la pagoda, estaba colocado en medio de un altar y se distinguía por su tamaño. Delante de este ídolo había un mambú muy grueso y largo, que contenía otros muchos, en los cuales se leían diversas predicciones. El altar estaba comúnmente pintado de rojo, color reservado a las cosas santas. Los braserillos, donde se quemaban los perfumes, estaban en los dos lados del altar, y delante colocaban los sacerdotes una fuente de madera, donde los devotos depositaban sus ofrendas. Finalmente quemaban de noche y de día varias lámparas en honor de los muertos.

La tradición conserva que, cuando en la India querían construir una pagoda, practicaban muchísimas ceremonias con respecto al terreno elegido para este piadoso fin. Comenzaban con rodearle de una cerca, aguardaban que la hierba creciera y después la hacían pacer por una vaca, de día y de noche. En el siguiente iban a reconocer el terreno y en el paraje donde la vaca se había echado se clavaba una columna de mármol y sobre esta columna se colocaba el ídolo a quien se destinaba la pagoda, y alrededor se construía el edificio sagrado.— Los indios se quitan, por respeto, el calzado, siempre que han de entrar en sus templos.

PAGOMANCIA. (*V.* Pegomancia)

PAGURADES. Pueblo imaginario, creado por Luciano, quien lo pinta muy valiente y diestro en la carrera.

PÁJAROS de los egipcios. 1 — El respeto que este pueblo tenía por los animales en general, se extendía hasta a los pájaros, que eran objeto de un culto particular. Se les embalsamaba y se les daba una sepultura honrosa. *Eliano* dice haber visto el sepulcro de una corneja cerca del lago Mœris. Los viajantes modernos hablan de un hoyo de aves que se ve en el campo de las momias. Bajando en él, se encuentra en ambos lados varios nichos llenos de botes de tierra cocida, cubiertos del mismo material, en los cuales se encuentran pájaros embalsamados de todas clases.

2 — De la isla de Arecia. Habiendo obligado una tempestad a los Argonautas a abordar a la isla de Arecia, en la entrada del Ponte-Euxino, tuvieron que sostener un combate contra ciertas aves que les lanzaban desde lejos sus plumas mortíferas, esto es, contra los habitantes, que les persiguieron a flechazos. *Apolod. de Rodes.*

3 — Del lago Estínfalo. *V.* Estínfalo.

4 — De Diómedes. Este príncipe, a su regreso a Troya, se vio obligado a abandonar su patria y buscar un establecimiento a Italia. Durante la navegación, habiendo varios de sus compañeros, injuriado a Venus, cuya persecución les obligaba a expatriarse, fueron transformados de repente en pájaros que, tomando el vuelo, comenzaron a revolotear alrededor de la nave; esto es, tal vez que algunos de aquellos que seguían la fortuna de Diómedes, se detuvieron en una isla llena de cisnes de garzas. *Plinio* añade que estas aves, acordándose de su orígen, acariciaban a los griegos y huían de los extranjeros.

PÁJAROS DE ORO. Eran en número de cuatro; los magos de Babilonia los llamaban las lenguas de los dioses, por que pronunciaban hermosos discursos para exhortar a los pueblos a que se mantuviesen fieles a sus reyes.

PALA. Valiente amazona, muerta por Hércules.

PALABRA. Era honrada como divinidad entre los romanos; *V.* Aius. Locutius.

PALADES. Doncellas consagradas de un modo infame a Júpiter, en la ciudad de Tebas en Egipto. Las escogían de entre las más hermosas y de las familias más nobles; de este número sacaban una virgen, que tenía la libertad de conceder sus favores a quien más le gustase, hasta que llegase el estado nubil, en cuya ocasión la casaban, pero antes la lloraban como muerta. *Estrab. 17.*

PALADIO. Estatua de Minerva, cortada en actitud de marchar. Tiene una pica levantada en la mano derecha y una rana en la izquierda. Era dice Apolodoro, una especie de autómata que se movía por si misma; siguiendo otros varios escritores, fue construida de los huesos de Pélope. (*V.* Fatalidades de Troya.) Algunos han pretendido que Júpiter la había arrojado del cielo cerca de la tienda de Ilo, cuando este héroe levantaba la ciudadela de Ilium. *Herodiano* (*l. c. 14*) la hace caer en Pesinunte, en Frigia. Otros quieren suponer que Electra, madre de Dánao, la había regalado a éste príncipe. Los unos dicen que fue el astrólogo Asio quien la dio en presente a Tros, como un talismán del que dependía la conservación de la ciudad, otros, que Dárdano la había recibido de Crisa, que pasaba por hija de Palas. Sea lo que fuere de estas opiniones, lo cierto es que los griegos, mirando esta estatua como un obstáculo, para la toma de Troya, pusieron en plan el proyecto de robarla. Un antiguo mitólogo ha desarrollado de ello un cuento que ha dado lugar a un proverbio. Cuando Ulises y Diómedes, a quienes los griegos tributaban el honor de haberla robado, llegaron a los muros de la ciudadela, Diodoro subió a las espaldas de Ulises, le dejó allí sin ayuda, de modo que no pudo saber a su vez penetró después Diodoro en la ciudadela, halló el Paladio, lo robó y volvió a juntarse con su compañero. Este afectó seguirle, pero sacando su espada iba a atravesarlo cuando Diómedes se volvió, paró el golpe, y obligó a Ulises a pasar adelante. De ahí el proverbio griego: «La ley de Diómedes», a propósito de aquellos que se ven obligados a hacer alguna cosa a pesar suyo. Siguiendo otras tradiciones, Dárdano no recibió de Júpiter más que un Paladio, pero mandó construir otro muy semejante y colocarlo en un paraje público, a fin de engañar a los que intentasen robar el verdadero. Este Paladio falso fue del que se apoderaron los griegos, y el verdadero se lo llevó Eneas a Italia, con las estatuas de los grandes dioses. Los romanos estaban tan persuadidos que eran posesores de él que, a ejemplo de Dárdano, hicieron construir otros varios, que colocaron en el templo de Vesta, ocultando el original en un paraje que no era conocido más que por los sacerdotes. Por lo mismo otras varias ciudades les disputaron la gloria de poseer el verdadero; tales como una antigua ciudad de la Lucania, que según se cree era una colonia troyana, Lainia, Argos, Esparta y otras varias: pero los ílios trataron de vindicar esta ventaja, pretendiendo probar que jamás perdieron el Paladio, y muchos autores cuentan que habiendo Frimbia abrasado a Ilio, encontró entre las cenizas del templo de Minerva esta estatua toda entera y sin el menor detrimento. El recuerdo de este prodigio, lo conservaron los ílios por largo tiempo en sus medallas. *Eneida. 2,9 Ov. Fast. 6. Met. 13. Dict. Cret. l 1.5. Apolod. 3. c. 12. Ilíada 10. Dion. Hal. 1 Fas. 9. Herod.1, c.14. Plut. Mem. de la Acad. de Inscrip. 4, 5, 6, 14.*

PALAMEDES. Uno de los discípulos de Quirón, e hijo de Nauplio, rey de la isla de Eubea; descendía de Belo. Sinon, en *Virgilio*, atribuye su trágica muerte a la desaprobación que dio a la guerra de Troya. Según otros, habiendo sido enviado Ulises a Tracia para hacer acopio de víveres para el ejército, y no habiéndolo podido lograr, Palamedes le acusó ante los griegos, le hizo responsable del mal éxito de la empresa y, para justificar su acusación, se encargó de reparar esta falta. Fue más afortunado o más diestro que Ulises, quien lleno de despecho para vengarse de esta afrenta, hizo introducir una suma considerable en la tienda de Palamedes, falsificó una carta de Príamo, en la que este príncipe le daba las gracias por la trama que había urdido a favor de los troyanos, dándole también cuenta del dinero que le remitía. En vista de esta carta, cavaron la tienda de Palamedes, encontraron la suma y le condenaron a ser apedreado. Algunos dicen que Palamedes que era muy perspicaz, descubrió la trama de Ulises, cuan-do se fingió loco, para no ir al sitio de Troya, y que por esto Ulises, deseando vengarse, imaginó esta estratagema. Según *Pausanias*, un día que Palamedes pescaba en las orillas del mar, Ulises y Diomedes le arrojaron al agua, donde halló la muerte. Se le atribuye la invención de los pesos y medidas, el arte de ordenar un batallón, de arreglar el curso del año por el sol, y el de los meses por el curso de la luna; el juego del ajedrez, el de los dados y algunos otros. *Plinio* asegura que además inventó, durante el sitio de Troya, cuatro letras del alfabeto griego. *Filostrato* no señala más que tres. Se añade que Ulises, burlándose de Palamedes, le decía que no debía vanagloriarse de haber inventado la letra *r*, pues los griegos la formaban siempre que querían. De esto deriva sin duda el que se haya dado a las grullas el nombres de aves de Palamedes. *Eurípides*, citado por *Diogenes Laercio*, le elogia como muy buen poeta, y *Suidas* asegura que sus poemas fueron suprimidos por Agamenón o por *Homero*. Palamedes fue honrado como dios, y se le levantó una estatua con esta inscripción. *Al dios Palamedes. Eneida. 2. Hig. f. 95, 105. Apolod. 2. Dict. Cret. 2, c. 15. Met. 13. Filostr. Herod. 10, c. 6. Paus. 1. c. 31.*

PALAMNEO. Demonio luchador que ataca a los hombres. R. *pali*, lucha.

PALAMNEOS. Cierto dioses malhechores que, según se creía, se ocupaban continuamente en incomodar a los hombres. Se daba este sobrenombre a Júpiter, cuando castigaba a los culpables.

PALAMON, Palastes, *Luchador*. Sobrenombre dado a Júpiter porque, habiéndose presentado Hércules en el combate de la lucha y no atreviéndose nadie a medir sus fuerzas con él, el dios aceptó el desafío y la rogativa de su hijo, y se dejó vencer por complacencia, y para acrecentar la gloria de Hércules. R. *Palé*, lucha, Banier *t. 3*.

PALANTA. *V. Palatia*.

PALANTIAS. 1 — Nombre patronímico de la Aurora, hija, según Hesíodo del gigante de Palas. *Met. 9. f. 12*.

2 — Pantano de Africa en los bordes del río Tritón, donde los habitantes creían que había nacido Palas.

**PALÁNTIDES.** Hijos de Palas, hermanos de Egeo, rey de Atenas. Estos príncipes eran en número de cincuenta y habían fijado su domicilio en Palena, comarca de la tribu de Antióquida. Habiendo querido destronar a su tío se dejaron adelantar por Teseo, cuya victoria contra ellos aseguró el trono vacilante de su padre. Sin embargo, después de la muerte de Egeo, volvieron a tomar la ofensiva y obligaron a Teseo a desterrarse de Atenas. *Plut. in Tes. Paus. 1, c. 22*, (*V*. Teseo.)

**PALANTIO.** Sobrenombre de Júpiter, adorado en Trapezunte, ciudad de Arcadia.

**PALAS.** 1 — Hijo de Crio y Euribia, casó con Estigia, hija de Océano, de la cual tuvo el Honor, la Victoria, la Fuerza, la Violencia, que acompañan siempre a Júpiter. *Hesíod. Teog.*

2 — Diosa de la guerra; los unos la distinguen de Minerva, otros la confunden con ella. Esta es la guerrera Palas, a la cual *Hesíodo* hace salir del cerebro de Júpiter y a la que llama la Tritoniana con ojos garzos; la pinta de carácter violento, indómita, amiga de los tumultos, del ruido de la guerra y de los combates; cuyas circunstancias no convienen con las de la diosa de las ciencias y de las artes. Según *Apolodoro*, Minerva y Palas no pueden ser por ningún estilo confundidas. Esta última era hija de Tritón, a quien fue confiada la educación de Minerva. Ambas, dice el mismo autor, amaban igualmente los ejercicios de la guerra. Un día que se habían desafiado en singular combate, Palas iba a dar a Minerva un golpe terrible y muy peligroso, si Júpiter no la hubiese libertado cubriéndola con su égida. Palas se espantó y mientras que retirándose miraba aquella égida, Minerva la hirió mortalmente; sin embargo, lo sintió muchísimo, y para consolarse mandó construir una imagen en un todo semejante a Palas, y armó su pecho con la égida que había causado su sobresalto. Para tributarle más honor, quiso que su estatua estuviese al lado de la de Júpiter. Electra, añade *Apolodoro*, se refugió cerca de este palacio en la época en que se experimentaba una gran peste y se lo llevó a Ilión. El rey Ilo mandó construir entonces un templo magnífico, en el cual la colocaron.

3 — Uno de los titanes vencidos y desollados por Minerva, la cual se armó con su piel. *Apolod. 3, c. 12.*

4 — Padre de Minerva, tal vez el mismo que el precedente; intentó violar a su hija y fue muerto por ella. *Cic.*

5 — Una de las hijas de Licaón. Dio su nombre a la ciudad de Palantio, que había construido. *Paus.*

6 — Hijo de Pandión y hermano de Egea, rey de Atenas, fue muerto por los palentidas. *Met. 7. Fab. 17.*

7 — Hijo de Hércules y Dina, hija de Evandro, o según *Virgilio* (*Eneida. 8,10,11.*), hijo de Evandro mismo, muerto por Turno; juega un papel brillante en la *Eneida*. Se le supone gigante de una estatura enorme y aun se pretende haber descubierto su cuerpo cerca de Roma bajo el reinado del emperador Enrique III. Pero el lenguaje en que está escrito su epitafio, el estilo, la lámpara que no se apagó después de dos mil trescientos años de duración, más que por el incidente de un pequeño agujero que se hizo en ella, el tamaño enorme de la herida que se distinguía aún en su pecho, la estatura de esta momia tan milagrosamente conservada; etc. todas estas fábulas que se encuentran en las leyendas de los monjes, son dignas del tiempo de la credulidad en que se inventaron.

**PALATIA.** Una de las mujeres de Latino, dio, según algunos autores, su nombre al monte Palatino. Se cree que es la misma que Palatio, y que era hija de Evandro.

**PALATINA.** Una de las inscripciones de Provenza, llamada Cibeles, la grande Ideana Palatina.

**PALATINO.** Uno de los siete montes sobre los cuales está fundada Roma. Rómulo lo mandó rodear de murallas, porque él había sido trasladado allí con su hermano Remo por el pastor Fínstulo, y donde vio doce buitres mientras Remo no vio más que seis. Este nombre tiene varias etimologías; los unos le hacen derivar de Palas, diosa de los pastores, donde era adorada; otros de Palatia mujer de Latino; y otros de los palantios, originarios de

Palantio, ciudad del Peloponeso, que con Evandro vinieron a establecerse en dicho monte; otros de dos Palas; el uno abuelo, y el otro hijo de Evandro que tenían allí su sepulcro; de Palantia, hija de Evandro y una de las favoritas de Hércules, y que había sido enterrada en el mismo lugar. Finalmente, en Palantia ciudad de Arcadia, de la cual Evandro dio el nombre a su nueva colonia. *Liv. 1, c. 9. 33, Dion. Hal. 1, Dio. Cas. Just. 43, t. 1, Paus. Plut.*

PALATINO. Sobrenombre de Apolo. Habiendo Augusto adquirido el monte Palatino, cayeron rayos sobre una porción de terreno que había comprado. Consultados los adivinos, dieron por respuesta que aquel lugar había sido reclamado por un dios; el príncipe hizo edificar un templo a Apolo, del mármol más exquisito, añadiéndole un pórtico y una biblioteca. Esta no solamente estaba destinada a comunicar útiles conocimientos a los sabios; sino que llegó a ser como una academia, o punto de reunión de todos los literatos, donde había jueces que examinaban las obras de poesía que salían a la luz. Las que eran consideradas dignas de transmitirse a la posteridad, se las colocaba con mucha distinción, añadiéndoles el retrato de su autor. *Hor. 1. Ep. 3.*

PALATINOS. 1 — Sacerdotes Salios, establecidos por Nuna Pompilio. Estaban destinados al servicio de Marte en el monte Palatino, de donde deriva su nombre. *Mem. de la Acad. de inscripciones t. 9.*

2 — Juegos instituidos por Livia en honor de Augusto, o según otros por el mismo Augusto en honor de Julio César. Tomaron el nombre del templo que se hallaba en el monte Palatino, donde se celebraban todos los años, durante ochos días, el 15 de diciembre. *Crev. Hist. de los Emperad. t. 2.*

PALATÚA, diosa adorada en Roma como patrona del monte Palatino, en el tenía un templo magnífico. *Ant. expl. t. 2.*

PALANTUAL, PALATUALIS, PALATUAR. 1 — Sacerdote de palatúa.

2 — Sacrificio que ofrecía a esta diosa.

PALEMÓN. 1 — Hijo de Atamante e Ino, fue transformado en dios marino después que su madre se precipitó con él al mar. Antes se llamaba Melicertes (*Met. 1.*) Después de su apoteosis fue venerado en la isla de Ténedos, en la que por una cruel superstición le sacrificaban niños. En Corinto, Clauco instituyó en su honor los juegos Istmios, los cuales interrumpidos con el tiempo fueron restablecidos después por Teseo en honor de Neptuno. *Pausanias* refiere, que en el templo que los corintios le dedicaron, había tres altares, uno para este dios, otro para Leucotea y el tercero para Palemón. Había una capilla a manera de sótano a la cual se bajaba por una escalera oculta y, en ella, según *Deán*, se había ocultado Palemón. Cualquiera que se atreviese a jurar allí falsamente fuese ciudadano o extranjero, al momento era castigado por su perjurio. Este dios también era conocido en Roma bajo el nombre de Porturnio o Portuno.

2 — Hijo de Hércules e Ifinoa, mujer de Anteo; se cree que este Palemón es el Sifax de los libios. *Mem. de la Acad. de Inscr. t. 4.*

3 — Uno de los hijos de Vulcano, o de Etolo un Argonauta.

4 — Uno de los hijos de Príamo.

PALEMONIO. Hijo de Lerno o de Vulcano, uno de los Argonautas. *Apolon.*

PALENA. Cerca la isla del Queroneso de Macedonia, donde Eneas arribó y fue recibido por los tracios, aliados de los troyanos. Construyó allí un templo a Venus y una ciudad de su nombre, en la que dejó aquellos de sus compañeros que estaban cansados de la navegación. *Dion. Hal..1.c.11.*

2 — Comarca septentrional donde un pantano, llamado Tritón, daba a los que se bañaban en él, nueve veces, las plumas de un ave y la facultad de volar. *Met. 15.*

PALENEO. Gigante muerto por Minerva en Atica.

PALENIS. Sobrenombre de Minerva sacado de un pueblo de Atica; allí esta diosa tenía un templo donde los palantides habían establecido su residencia.

PALENO. Danaide.

PALEÓPOLIS, ciudad de la isla de Andros, en cuyos alrededores había un templo de Baco y una fuente, llamada dádiva de Júpiter. Durante el mes de enero, el agua de esta fuente tenía sabor a vino; este prodigio duraba siete días consecutivos, pero este vino se convertía en agua pura si lo transportaban fuera de la vista del templo. *Pausanias* nada dice de este milagro, pero asegura que todos los años, durante las fiestas de Baco, manaba vino en el templo de este dios.

**PALÉS.** Diosa de los pastores. Los campesinos celebraban una gran fiesta en su honor, porque tomaba los ganados bajo su protección. *Georg. 3. Ovid. Fast. 4. V. Palilias.*

**PALESTINAS.** Diosas que, según se cree, son las Furias que tomaron el nombre de Palestinas, de Paleste, ciudad del Epiro, donde eran honradas. *Ovid. Fast. 4.*

**PALESTINO.** Hijo de Nefeno, rey de Tracia. Se precipitó al Canoso, que después fue llamado Palestino, y más adelante Estrimón. Palestino se dio muerte porque su hijo Aliagmón, a quien se vio obligado a entregar el mando del ejército, a causa de hallarse enfermo, pereció en una batalla dada con la mayor imprudencia a enemigos superiores en número.

**PALESTRA.** Hija de Mercurio a la cual se atribuye la invención de la lucha. Otros la suponen hija de Hércules y le atribuyen el honor de haber establecido que las mujeres que quisiesen disputar el premio en la carrera y en otros juegos públicos, lo hiciesen con la decencia que convenía a su sexo: se asegura también que inventó una especie de cinturón, de delantal o de faja, del que se servían los atletas para ocultar lo que la honestidad prohibe descubrir. R. *palé*, lucha. *Me. de la Acad. de Inscr.*

**PÁLICOS.** Hermanos gemelos, reconocidos como dioses. Habiéndose enamorado Júpiter, dice un poeta siciliano, citado por *Macrobio* (*Saturn. 5. c. 10.*), de una hija de Vulcano llamada Talia, o Etna, la conoció cerca del Simeta, río de Sicilia. La ninfa que temía el resentimiento de Juno, rogó a su amante que la ocultase en las entrañas de la tierra. Llegado el momento del parto salieron de la tierra dos niños que fueron llamados Pálicos, de *palin ikesthai*, volver; fábula fundada verosimilmente en el equívoco del nombre. *Hesiquio* los supone hijos de Adramo. En la cercanías de su templo se hallaba un pequeño lago de agua hirviente y sulfúrica y siempre lleno sin que jamás se rebosase, al cual llamaban Delli y que el pueblo creía hermano de los Pálicos, o más bien lo miraba como la cuna de donde habían salido. En los bordes de este estanque era donde se pronunciaban los juramentos solemnes, de los cuales Aristóteles no ha transmitido el uso. Los que eran admitidos al juramento, se purificaban y después de haber dado ocasión de pagar si los dioses les condenaban a ello, se acercaban al estanque y juraban por la divinidad que presidía en él. La fórmula estaba escrita en unas cedulillas que iban por encima el agua si ellos estaban conformes a la verdad, o se sumergían si eran perjuros. Estos últimos recibían inmediatamente el castigo cayendo en el lago, donde se ahogaban, según *Macrobio*; de muerte repentina, según *Dalemon*; devorados por un fuego secreto, según dicen *Aristóteles* y *Esteban de Bizancio*, o simplemente privados de la vista como lo supone *Diodoro de Sicilia*. Este lugar era también un asilo para los esclavos maltratados. Sus señores, si querían recobrarlos, estaban obligados a comprometerse en que les tratarían con más humanidad, lo que observaban escrupulosamente por el temor a un castigo terrible. Afortunada superstición que cedía en provecho de la humanidad. El templo de los Pálicos no era menos célebre por sus profecías, así es que los altares de estas divinidades estaban siempre cargados de frutos y presentes; llegaron hasta el extremo de inmolarles víctimas humanas, pero esta bárbara costumbre fue abolida y los Pálicos se contentaron con ofrendas ordinarias. *Met. 4. Eneida. 9. Diod. 2.*

**PALIDEZ.** Los romanos habían hecho de la *Palidez* un dios, porque *pallor* en latín es masculino. *Tulio Hostilio*, rey de Roma, viendo que sus tropas estaban próximas a emprender la fuga, votó un templo al Temor y a la Palidez, que fue edificado fuera la ciudad. *V. Palorios.*

**PALILIAS.** Fiestas que los romanos celebraban todos los años el 21 de abril en honor de la diosa Palés. Esta fiesta era propiamente de los pastores que la solemnizaban para salvar los ganados de la voracidad de los lobos. En este día el pueblo se purificaba con perfumes mezclados con sangre de caballo, con las cenizas de un becerro que quemaban en el momento de haberlo sacado del vientre de su madre, y con troncos de habas. La mañana la iniciaban los pastores purificando el aprisco y los ganados con agua, azufre, sabina, olivo, pino, laurel y romero, de cuyo humo llenaban el corral. Después de esta ceremonia tributaban a la diosa sacrificios de leche, vino cocido y mijo, y luego seguía la celebración de la fiesta. Durante la tarde hacían hogueras de paja o heno y saltaban por encima de ellas. Estas ceremonias iban acompañadas de músicas, con instrumentos y tambores. Como Rómulo había echado los primeros cimientos de Roma el 21 de abril, día consagrado a Palés, éste príncipe hizo servir también aquella fiesta para eternizar la memoria de la fundación de la nueva ciudad, lo que ha dado motivo para que se confundiese esta fiesta con la de los pastores. *Cic. Ovid. Fast. 4. Met. 14. Prop. 4, él. 1.*

**PALINGENESIA.** Doctrina particular de los galos. Creían que después de un cierto número de revoluciones, el universo sería disuelto por el agua y el fuego y que renacería de sus cenizas; que nada muere, ninguna cosa se destruye. Los estoicos admitían una palingenesia universal. R. *Palin*, de nuevo; *gheinomai*, nacer.

**PALINURO.** Piloto de la nave de Eneas. Morfeo que le adormeció, le echó al mar: después de tres días que estuvo luchando con las olas, en el cuarto fue arrojado a las costas de Italia, cuyos habitantes le destrozaron. Castigaron los dioses esta barbarie con una peste desoladora, que no cesó hasta después de que se hubieron aplacado los manes de Palinuro con honores fúnebres y con un monumento, que se le levantó en el lugar mismo en donde fue asesinado y al cual llamaron *cabo de Palinuro*, nombre que conserva aún hoy día. *Virgilio* (Eneida. 5, 6) dice que Eneas hizo erigir este sepulcro.

**PALMA.** (*Iconol.*) Era el símbolo de la fecundidad, porque el palmero, según dicen, fructifica continuamente hasta que muere, así es que ponían la palma en las medallas de los emperadores que habían procurado la riqueza y la abundancia a sus pueblos. Era también el símbolo de la duración del imperio porque el palmero es de larga vida; y de la victoria, porque se ponía en las manos del que triunfaba. Hallándose César próximo a librar batalla a Pompeyo, supo que había nacido de repente una palma al pie de la estatua que se le había dedicado a él en el templo de la Victoria, lo que tomó por un feliz presagio. Los egipcios tributaban un culto al palmero, así como en la isla de Delos, cuyos habitantes estaban en la creencia de que Latona había parido a Apolo y Diana a la sombra del palmero.

**PALMARIS DEA.** La victoria. *Apul.*

**PALMIS.** Uno de los hijos de Hipotión. Vino de Ascania con sus hermanos al socorro de Troya. *Ilíada. 13.*

**PALMITAS** o **PALMITIES.** Divinidad egipcia.

**PALMOSCOPIA.** Augurio, que se llamaba también Palmicum, y que se sacaba de la palpitación de las partes del cuerpo. R. *pallein*, agitar; *scopein*, examinar.

**PALMUS.** Capitán troyano derribado por Micenio, quien le cortó el jarrete para presentarlo a su hijo Lauso. *Eneida. 10.*

**PALOMANCIA.** Adivinación análoga a la rabdomancia. R. *Pallein*, agitar.

**PALOMOS.** (*V. Venus.*)

**PALORIOS.** Sacerdotes sabios destinados al servicio de la diosa Palidez, compañera de Marte. Se sacrificaba un perro y una oveja. *Mem. de la Acad. de Inscr. t. 9.*

**PALUDAMENTUM.** Manto peculiar a los generales romanos, particularmente cuando tenían que hacer algún voto o sacrificio. *Men. de la Acad. de Inscr. t. 21.*

**PAMBEOCIAS.** Fiestas de Minerva. Los beocios se reunían en tropel de todas partes, en Coronea, para celebrarlas, de donde se deriva este nombre. R. *pas*, todo, y *Boilia*, Beocia. *Ant. expl. t. 2.*

**PÁMFAGO,** *el que todo lo devora.*
1 — Sobrenombre de Baco.
2 — Uno de los perros de Acteón. *Met. 3.*

**PAMFÁNEAS**, *resplandeciente.* Epíteto de Vulcano, dios del fuego. R *phainein,* resplandecer.

**PAMFEDES** o **PEFREDO**. Hijo de Forcus y Ceto. *Hes. Teog.*

**PAMFILA**. Hija de Apolo, a la cual se atribuye el arte de bordar en seda.

**PÁMFILA**. Hija de Racio y Manto.

**PAMFILO**. Uno de los hijos de Egipto, muerto por la danaida Demófila.

**PÁMFILO**. Hijo de Egimio, rey de Dórida y hermano de Dimas, perdió la vida en compañía de éste en una irrupción que hicieron los Heráclidas en su país. Dos tribus de los espartiatas habían tomado el nombre de estos dos hermanos, llámandose Pamfinis y Dimanis.

**PAMFILOGA**. Mujer del Océano, del cual tuvo dos hijas, Asia y Libia, las que dieron el nombre a los dos países así llamados.

**PAMFOS**. Poeta ateniense; el primero, según se supone, que compuso un himno en honor de las Gracias. *Men. de la Acad. de Inscr. t. 3.*

**PAMILA** o Pamilia. (*Mit. egip.*) Mujer de Tebas, saliendo del templo de Júpiter, oyó una voz que le anunciaba el nacimiento de un héroe que un día haría la felicidad de Egipto; éste fue Osiris, al que crió ella misma.

**PAMILIAS**. Fiestas en honor de Osiris instituidas en memoria de su nodriza Pamila, las que se celebraban después de la cosecha. Llevaban una estatua de Osiris muy semejante a la de Príapo, pues Osiris o el Sol era tenido como el dios de la reproducción. Hay algunos que pretenden que *Pamilias* en egipcio significa *arreglad vuestra lengua. Hist. del cielo t. 1.*

**PAMISO**. Rey de Mesenia, al cual tributaban honores divinos por orden de Sibortas rey mesenio, quien mandó que los reyes sucesores le ofreciesen todos los años sacrificios.

**PAMAQUIUM**. Lo mismo que Pancracio. (*V.* este nombre.)

**PAMELES**. Nombre de Osiris, esto es *el dios que todo lo vigila;* nombre que se adapta mucho a la naturaleza y sobre todo al Sol, del que era símbolo Osiris. R. *pas,* todo; *malein,* adormecerse.

**PAMON**. Uno de los hijos de Príamo y Hécuba. *Ilíada. l. 24.*

**PAN**. Una de las ocho divinidades principales, o dios de primera clase. Los egipcios le honraban con un culto particular, pero no le sacrificaban cabras ni machos cabríos, porque en sus estatuas le representaban con cabeza y patas de estos animales, bajo cuyo símbolo adoraban el principio de la fecundidad de la naturaleza. Otros suponen que lo representaban así porque, habiendo hallado a este dios en Egipto, los otros dioses que pudieron escapar de las manos de los gigantes les aconsejaron que, para sustraerse de sus enemigos, tomasen la figura de diferentes animales, y que para darles ejemplo fue el primero en transformarse en cabra. Combatió al mismo tiempo con vigor al gigante Tifón, y los dioses para recompensar su valor y el beneficio que les había hecho le colocaron en el cielo, donde forma el signo de Capricornio. Era tan venerado en Egipto que en todos los templos se veían estatuas o imágenes suyas, y en Tebaida le edificaron y consagraron una ciudad bajo el nombre de *Chemnis,* o ciudad de Pan. También le adoraban en Mendés, cuyo nombre significa a la vez *Pan y Cabra.* Aseguraban que Pan acompañó a Osiris en su expedición a las Indias con Anubis y Macebo. *Polieno,* en su *Tratado de las estratagemas,* atribuye a Pan la invención del orden de batalla, de las falanges y de la subdivisión de un ejército en ala derecha e izquierda; lo que los griegos y latinos llamaban los cuernos de un ejército, y por esto, dice, le pintaban con dos cuernos. Según los griegos, Pan era hijo de Júpiter y la ninfa Timbris, o más bien de Mercurio y Penélope. Este dios, en figura de macho cabrío, se acercó a la reina de Itaca, y por esto Pan tiene los cuernos y patas de este animal. Fue denominado *Pan* que significa *todo,* pues según un antiguo mitólogo, todos los que solicitaban a Penélope durante la ausencia de su marido Ulises, contribuyeron a su nacimiento. *Epiménides* asegura que Pan y Arcas eran dos hermanos gemelos, hijos de Júpiter y Calixto. Otros le hacen nacer del Aire y una Nereida, o en fin del Cielo y la Tierra. Todas estas variaciones hallan una explicación natural en el número de dioses de este nombre, que los griegos hacían ascender a doce. *Homer. Himn. a Pan. Ov. Fast. 1, 2, Met. 1, 14, Virg. Géorg. Eneida 8, Juv. 2, Paus. 8, c. 50. Sil. 13, Dion. 1, Lucian. Apolod. 1, c. 4. Herod. 25, 46, 145, 146; t. 6, . 106, Diod. Sic. Mem. de la Acad. de inscr. 1, 3, 5, 16.*

Pan era venerado muy particularmente en Arcadia, donde daba oráculos célebres y se le ofrecían en sacrificio miel y leche de cabra, y celebraban en su honor las Lupercales, fiestas que en lo sucesivo fueron muy célebres en Italia, donde Evandro, arcadio, había llevado el culto de Pan. Se le representaba por lo regular de una figura muy fea, los cabellos y barba desgreñados, con cuernos, y cuerpo de macho cabrío, desde la cintura abajo; en una palabra en nada le diferenciaban de un fauno o sátiro. Atribuían la deformidad de sus facciones a la cólera de Venus, que le castigó de este modo por la sentencia que había dado contra ella. Se le ve con frecuencia llevando un cayado para significar que era el dios de los pastores, y una flauta de siete cañutos llamada flauta de Pan, de la cual le suponían inventor. (*V. Siringa.*) Se apellidaba también dios de los cazadores, pero más ocupado siempre en perseguir las ninfas, a las cuales tenía aterrorizadas, que a los animales salvajes. Los griegos, además de la fábula de Siringa, referían de este dios otras varias, tales como la de haber descubierto a Júpiter el lugar donde se hallaba Ceres, después del rapto de Proserpina. (*V. Ceres.*) Algunos sabios confunden a Pan con Fauno y Silvano, asegurando que no eran más que una divinidad, adorada bajo diferentes nombres. Las Lupercales se celebraban igualmente en honor de estas tres deidades diferentes, en efecto, en su origen, pero confundidas con el transcurso del tiempo.

No obstante, de las tres, tan sólo Pan ha sido alegorizado y considerado como símbolo de la naturaleza, según el significado de su nombre; así es que le han representado con cuernos en la cabeza para denotar, dicen los mitólogos, los ra-

yos del sol. Su tez colorada y la vivacidad de su rostro denotan el brillo del cielo; la piel de cabra, sembrada de estrellas que lleva en el pecho las estrellas del firmamento. Finalmente las piernas y patas llenas de vello, designan la parte inferior del mundo, la tierra y las plantas.

Concluiremos este artículo hablando un poco de la fábula del gran Pan.

Hallándose una noche el navío del piloto Tamo cerca de ciertas islas del mar Egeo, cesó de improviso el viento y, mientras la tripulación, que estaba despierta, se entregaba a los placeres bebiendo y brindado a la salud de todos ellos, se oyó una voz que salía de las islas y que llamaba al piloto Tamo. Este quedó suspenso y aguardó que se repitiese por dos veces más aquel llamamiento; y habiendo contestado a la tercera, la voz le mandó que cuando llegase a cierto paraje, publicase también en alta voz que el gran Pan había muerto. Toda la tripulación al oírlo quedó sobrecogida de horror y espanto; luego deliberaron si Tamo debía o no obedecer, pero éste manifestó que si al llegar al paraje designado tenían un viento fuerte y favorable, pasaría de largo sin abrir los labios, pero que si la calma les detenía sería preciso cumplir ciegamente la orden que había recibido. Continuaron el viaje y apenas habían llegado al paraje, que les señaló la voz, sobrevino una calma extraordinaria por cuyo motivo Tamo esforzó la suya para publicar que el gran Pan había muerto. No bien acabó de pronunciar estas palabras, se oyeron de todas partes quejas, llantos y gemidos, como de un gran número de personas, que quedaban atónitas y afligidas al oír tan triste nueva. Todos los que estaban en la embarcación fueron testigos de esta aventura. La noticia se propagó en muy poco tiempo hasta Roma, y el emperador Tiberio, habiendo querido ver por sí mismo a Tamo, hizo reunir varios doctos en la teología pagana para saber quien era este gran Pan, y por fin se resolvió que era el hijo de Mercurio y Penélope. *Plut.*

PANACEA. Una de las hijas de Esculapio y Epiona fue honrada como diosa y creían que adelantaba la curación de cualquier especie de enfermedad. R. *pan*, todo; *akeisthai*, curar. En el país de los oropienos se veía un altar, cuya cuarta parte estaba dedicada a Panacea y a otras divinidades. *Paus.*

PANAGEA. Sobrenombre de Diana, derivado, según dicen, porque corría de una a otra montaña, y de bosque en bosque, mudando muy a menudo de habitación, unas veces estaba en el Cielo, y otras en la Tierra; porque mudaba también de forma y figura.

PANAKENA. Sobrenombre bajo el cual Ceres tenía un templo en Egium de Acaya.

PANAKEIS o Panaqueis. *Protectora de todos los habitantes de la Acaya.* Sobrenombre de Minerva reverenciada en Acaya.

PANAPEMÓN, *inocente que no hace ningun mal.* Epíteto de Apolo. R. *pema*, pérdida. *Antol.*

PANARIO, *de panis.* Júpiter tenía bajo este nombre una estatua en el foro, en memoria del pan que los soldados del Capitolio arrojaron al campamento de los galos, para demostrarles que no estaban faltos de víveres.

PANATENEAS. Grandes fiestas de Minerva, que se celebraban todos los años y que se llamaron primero Ateneas; bajo este primer nombre fueron originariamente instituidas por Eritonio, hijo de Vulcano, o según otros por Orfeo. Cuando Teseo hubo incorporado las dos aldeas o villas de Atica para formar una ciudad respetable, restableció estas fiestas bajo el nombre de Panateneas. Al principio no duraban más que un día, pero después se aumentó la pompa y se establecieron grandes y pequeñas. Las grandes se celebraban cada cinco años el veinticinco del mes Hecatombeon, y las pequeñas cada tres años, o más bien anualmente el veinte del mes Targelion. Cada ciudad de Atica y cada colonia ateniense ofrecía en esta ocasión, en clase de tributo, un buey a Minerva. La carne de las víctimas servía para los espectadores.

Se proponían premios para tres clases de combates: el primero que se celebraba por la tarde consistía en que los atletas, con antorchas encendidas daban una carrera a pie; después se convirtió en una carrera encuestre; el segundo era gimnástico; esto es, que los atletas combatían desnudos; el tercero, instituido por Pericles, estaba destinado a la poesía y a la música. El premio de este combate consistía en una corona de olivo y un tonel de aceite exquisito que los vencedores, por una gracia particular y exclusiva, podían hacer transportar donde mejor les pareciese fuera del territorio de Atenas. Tal era en general el modo de celebrar las Panateneas, pero las grandes llevaban ventaja a las pequeñas, por el gran concurso del pueblo y porque en esta fiesta, tan solamente, se conducía con gran y magnífica pompa una nave adornada con el velo o peplo de Minerva. Después que esta nave, acompañada de un gran número de gentes y conducida por máquinas, había hecho varias estaciones durante la ruta, se la conducía en el mismo lugar de donde había salido, esto es el Cerámico.

A esta procesión asistían toda clase de gentes, ancianos y jóvenes de ambos sexos, llevando en la mano un ramo de olivo para honrar a la diosa, a la cual el país era deudor de aquel utilísimo árbol.

PANCAIA o PANGAI. Isla de Arabia, célebre por su fertilidad, por sus aguas y sus delicias. Estaba bajo la protección de Júpiter Trifiliano que tenía allí un templo magnífico. La llanura donde se hallaba situada estaba toda consagrada al mismo Júpiter. Se llamaba el carro de Urano o el Olimpo Trífiliano. Se decía que teniendo Urano el imperio del mundo, se complacía en ir a aquella montaña a contemplar los cielos y los astros. *Evemero* pintaba esta isla como una tierra deliciosa, un paraíso terrestre donde se encontraban inmensas riquezas y que exhalaba exquisitos aromas. Su capital era Panara, cuyos habitantes se contaban como los más afortunados de todos los hombres.

PANCARPO. Espectáculos de los romanos donde hombres asalariados combatían contra toda clase de animales feroces en el anfiteatro de Roma. R. *pan* todo; *carpos* fruto. Estos juegos duraron hasta al imperio de Justiniano. No deben confundirse con el *silve*. (*V.* Silve.) Se daba este nombre en Atenas a un sacrificio en el que se ofrecía toda especie de frutos y que después se llamó *Pancarpos Tiysia*.

**PANCLADIAS.** Fiesta que los habitantes de Rodas celebraban en el tiempo de la poda de las viñas. R. *klados*, ramo.

**PÁNCRACIASTES.** Atletas que preferían, sobre todo, el ejercicio del Pancracio. También daban este nombre a los que reunían las cinco suertes de combates comprendidos bajo del título general de pentatlón, llamado Pancracio, porque los atletas desplegaban todas sus fuerzas.

**PANCRACIO.** Ejercicio violento que era parte de los juegos públicos, era una mezcla de la lucha y del pugilato o combate a puñetazos; se llamaba a los atletas Paucraciastes o Pammaques, y podían procurarse el triunfo valiéndose de toda clase de medios. Las estatuas que representan a estos luchadores son dignas de verse por sus orejas pequeñitas y comprimidas contra la cabeza; el cartílago o ternilla está muy hinchado, lo que acorta la abertura de la oreja, cuyo borde interior está marcado por pequeños cortes que se asemejan a incisiones. *Winckelmann, Ensayo sobre la Alegoría. p. 8, del prefacio, t. 1.*

**PANCRATES.** *Todopoderoso:* sobrenombre de Júpiter. R. *kratos*, fuerza, poder.

**PANCRATIS, PANCRATO.** Hija de Aloeo y Ifimedia, era hermana de los famosos Alóadas; fue robada por una cuadrilla de malvados cuyo jefe era Butes; y disputada por cada uno de los raptores, se quedó en poder de Agasámeno a quien los Alóadas obligaron a devolver su presa.

**PANDA.** Los romanos tenían dos divinidades de este nombre. Llamaban Panda a la primera porque se le consideraba como diosa protectora de los viajantes. Era venerada muy particularmente, y la invocaban cuando el viaje ofrecía algún peligro, o bien cuando el lugar a dónde se dirigían presentaba difícil acceso. La segunda era la Paz, o la diosa de la paz, y le daban este nombre porque abría las puertas de las ciudades. *Elio*, citado por *Varrón, Marco Terencio*, creía que Panda y Ceres era una misma divinidad y que el nombre de Panda derivaba de *Pane dando*, porque

daba el pan a los hombres, y porque lo presentaba a los que entraban en su templo. *Varrón, Marco Terencio* distingue la una de la otra y hace derivar *Panda de pandere*, abrir. *Arnob. 4.*

**PANDAMATOR**, *que todo lo sojuzga*. Sobrenombre de Vulcano, *dios del fuego R. Daman*, sojuzgar.

**PANDÁREO DE ÉFESO.** Padre de dos hijas, la una llamada Aedón y la otra Quelidonea, casó la mayor con Politecno de Colofón en Lidia. Los nuevos esposos vivieron felices mientras honraron a los dioses, pero habiendo un día hecho alarde de que se amaban más que Júpiter y Juno, esta diosa, ofendida, les envió la Discordia que turbó la paz que reinaba entre ellos. Sucedió pues que, habiéndose llevado Politecno de la casa de su suegro a Quelidonea, bajo el pretexto de que su hermana Aedón deseaba verla, la condujo a un bosque y la deshonró. Deseando la infeliz vengar tamaña afrenta, lo divulgó a su hermana y ambas acordaron servir a la mesa de Politecno el cuerpo de su único hijo, Itis. Informado Politecno de este atentado persigió a su mujer y a su cuñada hasta la casa de su suegro, donde se habían ocultado, y furioso por no haberlas encontrado hizo cargar de cadenas a Pandoreo y habiéndole untado todo el cuerpo con miel, lo dejó expuesto en medio de un campo, donde acudió luego Aedón, para alejar las moscas y otros insectos que martirizaban a su desgraciado padre. Esta noble acción fue acusada de crimen, e iban a matar a Aedón, cuando Júpiter movido por las desgracias de esta familia, los transformó a todos en aves.

2 — Hijo de Mérope era el que ayudaba a Tántalo en sus robos y varias veces por su causa juró falsamente. Arrebató el perro de oro que estaba colocado delante del templo de Júpiter e hizo de él un presente a Tántalo, quien negó haberlo recibido. En castigo a este atentado Pandáreo fue convertido en piedra. *Pausanias* (*l. 10, c. 2.*) parece confundirle con el precedente.

**PANDARGO o PÁNDARO.** 1 — Hijo de Licaón; uno de los capitanes más famosos que acudieron al socorro de los troyanos contra los griegos. *Homero*, para demostrar la destreza que tenía en manejar el arco, supone que Apolo se lo regaló y que le hizo representar un papel brillante, hasta que fue muerto por Diómedes. *Ilíada. 2, 4, 5, Higin, f. 112. Dic. Cret. 2, c. 55. Estrab. 14.*

2 — Hijo de Alcanor y de Hiera, y hermano de Bitias. *Virgilio (9. 11.)* le supone de una talla colosal y de una fuerza extraordinaria. Fue muerto por Turno.

3 — Hijo de Mérope tuvo tres hijas, Mérope, Cleotera y Aedón. Penélope nos dice en *Homero (Odis. 19.)* que estas princesas perdieron a sus padres por efecto de la ira de los dioses, y que Venus movida a compasión por las huérfanas, tomó a su cuidado la educación de las tres. Las otras diosas las colmaron también de favores; Juno les comunicó sabiduría y belleza, y Diana les añadió gracia en su talle; Minerva les enseñó a sobresalir en todos los labores propios del sexo, y cuando llegaron a la edad núbil, Venus subió a los cielos para suplicar a Júpiter les concediese un matrimonio feliz, pero en ausencia de Venus las Harpías se apoderaron de estas princesas y las entregaron a las Furias. *Pausanias* añade que las llamaban Camiro y Clicia lo que mostraría no haber existido más que dos: según el mismo autor, Pándareo su padre era natural de Mileto ciudad de Creta, y fue cómplice, no solamente en el hurto sacrílego de Tántalo, sino también del juramento que éste hizo para ocultar su crimen.

PANDARONS. *(Mit. índ.)* Religiosos no menos venerados que los saniasis; alcanzaron gran número y pertenecían a la secta de Shiva. Se pintaban el rostro, el pecho, y los brazos con ceniza de boñiga de vaca. Recorrían las calles pidiendo limosnas y cantando canciones en honor de Shiva: llevaban en la mano una porción de plumas de pavo real y el lingam suspendido del cuello. Comúnmente iban adornados también de muchísimos collares y brazaletes. El Pandarón que no vestía de amarillo se casaba y vivía en compañía de su familia, el que hacía voto de castidad se llamaba Tabachi. Este nombre de Pandarón es colectivo a todos los religiosos de Shiva, así como el de *Tadin* a todos los de Visnú.

PANDEA. 1 — Hija de Hércules Indico, a la que su padre dejó en herencia un reino, dio su nombre al nuevo estado, el único de la India, según *Plinio*, que fue gobernado por mujeres.

2 — Hija de Saturno y la Luna, estaba dotada de una belleza extraordinaria. *Ilom, Ilim, a la luna.*

PANDEMAS. Días durante los cuales se servían en honor de los muertos banquetes o festines públicos.

PANDEMO. Nombre del Amor, era común tanto a los griegos como a los egipcios. Este no se aplicaba más que a uno de los dos Amores que se cree inspira deseos torpes. *Plut.*

PANDEMÓN. La misma fiesta que las ateneas. Tomó este nombre del gran concurso del pueblo que se juntaba para celebrarla.

PANDEMOS, *vulgar, común,* en latin *volgivaga;* sobremombre de Venus, según refiere *Pausanias.* Teseo introdujo su culto en Atenas, después reunidas todas las tribus del Atica en un solo pueblo. Según el parecer de otros, Solón le hizo construir un templo con el producto de la contribución que pagaban la mujeres públicas. *Pausanias* dice que le habían levantado estatuas en Tebas y en Elis, donde era representada sentada sobre en un macho cabrío.

PANDERKES, *el que todo lo ve.* Epíteto de Apolo. R. *derkein,* tener ojo escudriñador.

PANDIAS. Fiestas en honor de Júpiter. Se cree que este nombre deriva de Pandión que las había instituido. Otros dan a estas fiestas y a su nombre otro origen. *Ant. expl. t. 2.*

PANDICULARES. Días determinados en que se sacrificaba a todos los dioses, en general, se llamaban *Communicarii.*

PANDIÓN. 1 — Hijo de Cécrope 2, subió al trono de Atenas después de la muerte de su padre, hacia el 1300 antes de J. C. y reinó cincuenta años. Desterrado de su reino junto con sus hijos por los metiónidas, buscó asilo cerca de Pilas, su suegro, rey de Megara, donde murió de enfermedad; pero sus hijos volvieron a Atenas y Egeo, su hijo mayor, tomó posesión del reino. *Paus.* ᐧ

2 — Hijo de Erictonio, sucedió a su padre en el trono de Atenas, unos 1439 años antes de J. C. Durante su reinado fue tan abundante la cosecha de trigo y vino, que decían sus súbditos que Ceres y Baco habitaban en Atica. Este príncipe fue un padre muy desgraciado, pues sus hijas, en extremo hermosas, fueron víctimas de la brutalidad de su yerno Tereo, y para mayor desgracia no tuvo hijos varones que pudiesen vengar los agravios hechos a su padre, puesto que Erecteo y Butes que cita una versión no lo consiguieron. Murió de dolor y de pesar después de haber reinado cuarenta y tres años. *Met. 6, Apolod. 3, c. 15, Hig f. 48, Paus, 1, c. 5.*

3 — Uno de los hijos de Egipto, muerto por su esposa Calínica.

4 — Hijo de Fineas y Cleopatra. Su padre irritado por las calumnias que su madrastra levantó contra él, le sacó los ojos. *Apolod. 3, c. 15.*

5 — Uno de los héroes griegos que asistieron al sitio de Troya. Era el conductor del arco de Teucer, hijo de Telamón. *Ilíada. 12.*

PANDIÓNIDAS, *Descendientes de Pandión.* Nombre patronímico de Egeo, Palas, Niso y Lico, hijo de Pandión 1. *Demost.*

PANDISIAS. Fiestas públicas en Grecia, en la estación en que el mar está más agitado.

PANDOCO. 1 — Capitán troyano herido por Ayax. *Ilíada. 11.*

2 — Padre de Palestra (llamado "el Acogedor") muerto por Hermes.

PANDORA. 1 — Nombre de la primera mujer. Júpiter irritado contra Prometeo por el atrevimiento que tuvo de formar un hombre, y de querer que bajase fuego del cielo para animarle, mandó a Vulcano formase también una mujer del limo de la tierra y que la presentease a la reunión de los dioses. Minerva la vistió con un ropaje de extraordinaria blancura, le cubrió la cabeza con un velo y guirnaldas de flores, sobreponiéndole una corona de oro. Con este traje el mismo Vulcano la presentó a la asamblea. Todos los dioses se admiraron al ver tan hermosa criatura y cada uno quiso hacerle una dádiva.

Minerva le enseñó los labores propios de su sexo y entre otros el de hacer encajes o puntas. Venus la cubrió de sus gracias y le infundió un deseo inquieto, juntamente con unos cuidados atormentadores. Las Gracias y la diosa de la persuasión adornaron su cuello con collares de oro. Mercurio le comunicó el don de la palabra y el arte de cautivar los corazones por medio de palabras lisonjeras; en fin, habiéndola colmado de presentes todos los dioses, la llamaron *Pandora.* R. *Pan,* todo; *doron,* don. En cuanto a Júpiter, le entregó una cajita cerrada herméticamente, ordenándole que la entregase a Prometeo. Este, creyendo ser engañado, no quiso recibir ni a Pandora ni a la cajita y encargó a Epimeteo no aceptar nada que viniese de Júpiter; pero todo se olvidó al contemplar a Pandora, de tal modo que casó con Epimeteo; la caja fatal fue abierta y escaparon todos los crímenes, por causa de los cuales el diluvio inundó después todo el universo. Epimeteo queriendo cerrarla pronto, no pudo verificarlo, y solamente salvó dentro la Esperanza, que también estaba a punto de marcharse, y que se quedó en el borde. *Hesíod. Teog. Apolod. 1, c. 7, Hig. F. 14, Paus. 1, c. 24, Mem. de la Acad. de inscrip. t. 16.*

(*Mit. afr.*) También se refiere esta fábula en Africa. Dicen que todos los males estaban encerrados dentro de una calabaza, y que el genio del mal la rompió de una pedrada.

2 — Madre de Deucalión y la Tierra, que se emplea en procurarnos alivio en nuestras necesidades.

3 — Hija de Erecteo.

4 — Con este nombre, en los *Argonáuticos* de Orfeo, es llamada una de las compañeras de Hécate y las Furias. El poeta le atribuye cuerpo de hierro y la misión de atormentar a los hombres.

5 — Antiguo instrumento de música de tres cuerdas muy semejante al láud. Algunos hacen derivar este nombre de Pan, dios de los pastores, y de Doron; porque se le considera como inventor: probablemente es lo mismo que Panduvia.

PANDORO. Hijo de Erecteo, rey del Atica y de Diogenia o Praxiteas, hermano de Cecrope y Metón: gobernaba en Eubea y fundó la ciudad de Calcis.

**PANDROSA.** La tercera de las hijas de Cécrope. Minerva confió en cierta ocasión a ella y sus hermanas un depósito y fue la única que permaneció fiel a la diosa; en recompensa a su piedad que algunos autores niegan, los atenienses después de su muerte le levantaron un templo al lado del de Minerva, instituyendo una fiesta en honor suyo. Tuvo, según dicen, un hijo de Mercurio llamado Cérix. *Met. 2, Apolod. 4. Paus. 1.*

**PANDROSIA.** Fiesta ateniense en honor de Pandrosa. (*V.* Pandrosa.)

**PANDUVIA.** Instrumento de viento al que *Isidoro* atribuye la invención a Pan.

**PANEGIRIARCOS.** Magistrados que presidían las fiestas solemnes. *Tucíd.*

**PANEGIRIS.** Fiesta o feria quinquenal entre los griegos, en la que se reunían todos los pueblos vecinos y celebraban juegos.

**PANEROS.** Piedra preciosa a la que Plinio atribuye la virtud de dar la fecundidad a las mujeres.

**PANES.** Los sátiros que reconocian a Pan por su jefe. Eran los dioses de los cazadores, de los bosques y de los campos.

**PANGEA.** Montaña de Tracia unida al Rodopo, donde Licurgo, rey de los tracios, fue derrotado, y donde Orfeo hizo a los animales y los bosques sensibles a la melodía de su voz. *Ovid. Fast. 3. Geórg. 4. Herod. 3, c. 16; y l. 7, c. 133. Tucíd. 2.*

**PANHELENIAS.** Fiestas en honor de Júpiter, instituidas por Eaco y establecidas por Adriano, en las cuales toda Grecia debía participar.

**PANHELENIO,** *protector de toda la Grecia.* Sobrenombre de Júpiter. Bajo esta denominación Adriano mandó levantar en Atenas un templo a Júpiter, según él mismo lo declara. *Paus.*

**PANHELINÓN.** Sobrenombre de Baco.

**PANIA.** 1—Sobrenombre de Minerva honrada en Argos.

2 — Nombre de España. Habiendo Baco reunido un ejército de Panes y Sátiros, sojuzgó la Iberia europea, dejando a Pan como gobernador. Este la denominó Pania, de donde deriva el de Spania. (*V. España.*)

**PÁNICO** (Terror). Los griegos han atribuido a su dios Pan el origen del terror repentino, cuya causa es desconocida, por él, el ejército de Breno, jefe de los galos emprendió la fuga. Pero *Plutarco* y *Poliano* han pretendido encontrar su origen del Pan egipcio. Según el primero, Pan y los Sátiros, aterrorizados al recibir la noticia de la muerte de Osiris, asesinado por Tifón, llenaron de alaridos las orillas del Nilo, y desde entonces se llamó terror pánico al miedo que sobrecoge inesperadamente. *Poliano* demuestra otra causa a saber; la estratagema de que se valió Pan, lugarteniente general de Osiris para libertar el ejército de este príncipe sorprendido en cierta noche en una llanura. Les mandó que diesen gritos espantosos, y le salió tan bien la estratagema que aterrorizados los enemigos emprendieron la fuga. Finalmente otros atribuyen el origen de esta palabra, al terror que Pan inspiró a los persas, presentándose al frente de su armada, bajo la figura de un formidable gigante; terror que valió a los atenienses la célebre victoria de Maratón.

**PANIDES.** Rey de Calcios de Eubea. Hermano del rey, Anfidamante. Cuando se celebran los juegos fúnebres en honor de éste, participaban Homero y Hesíodo. Quiso dar el premio a Hesíodo por considerar que sus cantos a los trabajos agrícolas eran más provechosos que las guerras cantadas por Homero, pero el público se reveló y Homero fue vencedor.

**PANIONIAS.** Fiesta en honor de Neptuno, celebrada por las colonias jónicas en el monte Micala en honor a Neptuno Heliconio. En aquel monte se reunían todos los años los jonios; y lo que era digno de atención en esta fiesta, es que si la víctima bramaba antes del sacrificio este bramido se consideraba como el presagio del favor especial de Neptuno. *Estrab. 1; c. 148; l. 14. Mela, 1, c. 17. Herod. 1, c. 141.*

**PANIONIUM.** Ciudad sagrada, llamada así porque los jonios acostumbraban a reunirse en ella. *Ibid.* (*V.* Panionias.)

**PANISCOS,** *pequeños panes.* Dioses campestres quienes, se suponía, eran de la misma talla que los pigmeos.

PANIUM. Lugar situado en las fuentes del Jordán, en donde Herodes hizo edificar un templo de mármol en honor al emperador Augusto. *Mem. de la Acad. de Inscr. t. 5.*

PANJACARTAGUEL. (*Mit. índ.*) Es decir, las cinco potencias o los cinco dioses. Bajo este nombre los hindúes denominan a los elementos, los cuales formados por el creador concurrieron a la formación del universo. Según ellos dicen, Dios sacó el aire de la nada, la acción del aire formó el viento; del choque del aire y del viento nació el fuego, retirándose éste dejó una humedad de la que el agua obtuvo su origen. De la reunión de estos elementos resultó una grasa de la que el calor del fuego compuso un masa que fue la tierra.

PANJANGAM. (*Mit. índ.*) Almanaque de los brahmanes, en el que van anotados los días felices y desgraciados; del cual los indios se servían para seguir su conducta. Si el día en que habían de empreder algún negocio importante estaba marcado como desgraciado, se guardaban bien de ejecutarlo; lo que les impedía muchas veces aprovechar las mejores ocasiones. Llegaba tal extremo su creencia en el Panjangam, que la felicidad o la desgracia no duraban más que unas horas. Había también otro particular, que señalaba las horas del día y de la noche de felicidad o desgracia.

PANJANS. (*Mit. índ.*) Sacerdotes indios. *V.* Raulins.

PANIQUIA. Fuente imaginaria que Luciano coloca en la isla de los Sueños.

PANIQUINO. Vigilia religiosa o de los misterios. *Arnob.* R. *pas,* todo; *nys,* noche.

PANOMFEO. Sobrenombre de Júpiter, porque era honrado y reverenciado por todo el mundo (R. *pasa,* toda; *omfe,* voz o bien porque era adorado por todas las naciones y a cada una daba sus oráculos en su popio idoma; pero sobre todo por considerarle autor de todas las adivinaciones, teniendo en su poder los libros del destino, cuyos secretos revelaba o dejaba, de revelar a sus profetas, según le placía. *Met. 7. Ilíada. 8.*

PANONIA. (*Iconol.*) Está representada en las medallas por medio de dos figuras de mujer, vestida a causa del rigor del clima, sosteniendo con sus manos trofeos militares para caracterizar la bravura de sus habitantes. Antigua región centroeuropea del Danubio, en la actualidad forma parte de la llanura húngara.

PANOPA. 1 — Una de las nereidas muy recomendable por su sabiduría y pureza de costumbres. *Hesíod. Teog. Ilíada. 8.*

2 — Hija de Teseo, esposa de Hércules, del cual tuvo un hijo que tomó el nombre de su madre.

3 — Joven siciliano compañero del rey Acestes en la caza, fue otro de los concurrentes al premio en la corrida de caballos que hizo realizar Eneas para solemnizar el aniversario de la muerte de su padre, Anquines. *Eneida. 5.*

PANOPEA. Con este nombre llama *Virgilio* (*Geórg. 1.*) a la nereida Panopa.

PANOPEO. Padre de Eglea a quien desposó con Teseo. *Plut in Tes.*

1 — Hijo de Foco y de Astérope, *Foceo,* dio su nombre a la ciudad de Panopa. Acompañó a Anfitrión en la guerra contra los telebeos y fue otro de los cazadores del jabalí de Calidón. De él desciende Epeo, inventor y constructor del caballo de madera, y su hermano Criso, con él disputó estando todavía en el seno de su madre, y también Estrofio y Pílades. *Paus. 2. ç. 29, Apolod. 2. c. 4.*

PANÓPOLIS. Ciudad del Egipto consagrada a Pan, donde tenía un templo, y se le representaba bajo una figura muy obscena; es lo mismo que Chemmis. *Diod. 4. Estrab. 17.*

PANOPTES. 1 —*Que todo lo ve,* sobrenombre de Júpiter. R. *optomai,* yo veo.

2 — Argos de cien ojos. *Apolod.*

PANOTEA. Sacerdotisa de Apolo, vivía en tiempo de Abante o de Acrises. Se le atribuye la invención de los versos heroicos.

PANSOFA. *Que todo sabe,* sobrenombre de Palámedes a causa de sus vastos conocimientos en varias materias. R. *safos,* sabio.

PANTAGATI. Pájaros de buen agüero. *Lamprid.* R. *Agathos,* bueno.

**PANTAGIAS.** Río en Sicilia de una corriente muy rápida. *Servio* hace derivar este nombre de *patago,* ruido, aludiendo al que hacían sus aguas, por cuyo motivo, incomodada Ceres cuando iba en busca de su hija, le mandó que en adelante corriese con silencio y dulcemente.

**PANTEAS.** (*Iconol.*) Divinidades adornadas con los símbolos de otras varias divinidades reunidas. Así es que las estatuas de Juno llevan algo de las de Palas, Venus, Diana, Némesis y las Parcas. En los antiguos monumentos se ve a la Fortuna con alas, que lleva en la mano derecha el timón y en la izquierda el cuerno de la abundancia, mientras que por debajo termina en cabeza de carnero. El adorno de su cabeza consiste en una flor de loto, que se eleva entre dos rayos, atributo de Isis y Osiris; lleva en la espalda el carcaj de Diana, en el pecho la égida de Minerva; sobre el cuerpo de la abundancia, el gallo de Mercurio, y en la cabeza de carnero, el cuerno de Apolo. Las medallas ofrecen también Panateas o cabezas cargadas de diversos frutos; tal es la que se encuentra en la medalla de Antonino Pío y de la joven Faustina, que representa todo junto a Serapis por la medida que lleva, al Sol por el color de los rayos, a Júpiter Ammón por los dos cuernos de carnero, a Plutón por la larga barba, a Neptuno por el tridente, y a Esculapio por la serpiente enroscada alrededor de la manga. Se cree con bastante fundamento que estas Panteas deben su origen a la creencia de aquellos que, habiendo tomado varios dioses por protectores de sus casas, los reunían a todos en una misma estatua, la cual adornaban con diferentes símbolos correspondientes a estas deidades. *Mem. de la Acad. inscrip. t. 25.*

**PANTENEIJH.** Jefe de los sacerdotes de Neith, en Egipto. (*V.* este nombre.)

**PANTEO.** Hijo de Otreo, sacerdorte de Apolo; murió en la última noche de la existencia de Troya, en presencia de Eneas. *Eneida. 2.*

**PANTEÓN.** Templo en honor de todos los dioses. El más famoso de todos los edificios de esta clase fue el que se levantó por Agripa, yerno de Augusto: lo mandó construir de forma circular, ya fuese por evitar, como dice graciosamente *Luciano,* toda disputa de preferencia entre los dioses, o bien, como observa *Plinio (c. 36, c. 15),* porque la bóveda convexa representaba al cielo. El templo estaba cubierto con ladrillos y revestido por dentro y fuera de mármoles de diferentes colores. Las puertas eran de bronce, la vigas enriquecidas de metal dorado y la fachada del templo cubierta de planchas de plata, que Constantino hizo transportar a Constantinopla. No había en él ninguna ventana y la luz del día tan sólo entraba por una abertura practicada en medio de la bóveda. En el interior del templo había construido un gran número de nichos, para colocar en ellos a las divinidades principales, entre las cuales se distinguía la de Minerva, que era de marfil, obra maestra del célebre Fidias, y la de Venus, que llevaba en cada oreja la mitad de una perla preciosa igual a la que Cleopatra hizo disolver en vinagre. A pesar de que este templo estaba consagrado a todas las divinidades en general, lo era particularmente a Júpiter vengador. En Roma había otro dedicado a Minerva médica, o diosa de la medicina. Atenas se vanagloriaba también de poseer uno que no cedía ni en mucho al de Agrippa. Finalmente se cree que el templo de Nimes, que se decía estaba dedicado a Diana era verdaderamente un panteón en el cual había doce nichos, de los cuales todavía se conservan seis. Así es que considerándolo como un edificio consagrado a los doce grandes dioses, algunos le han llamado Dodecatón. *Dion. Cas. Mem. de la Acad. de Inscr. t. 25.*

**PANTERA.** Animal favorito de Baco, la cual se halla con frecuencia representada en sus monumentos, porque dicen que unas nodrizas de este dios, según refiere *Flostrates* o *Filostrates*, fueron transformadas en panteras, o bien, según otros, porque a este animal le gustan las uvas. La pantera es también atributo de Pan, el cual tal vez ha tomado el nombre de ella.

**PÁNTICA.** Lo mismo que Panda. *V.* Panda.

**PANTIDIA.** Princesa de Lacedemonia, según refiere el poeta *Eumelo,* tuvo amistad con Gláuco cuando estaba ya casada con Tesio, rey de Etolia; se hallaba encinta de Leda cuando fue conducida a su esposo. (*V. Gláuco.*)

**PANTIO.** Uno de los hijos de Egipto.

**PANTO.** 1 — Padre de Polidamante, Euforbo e Hipernor, según la *Ilíada*. Anciano compañero de Priamo y sacerdote de Apolo, oriundo de Delfos, murió en la toma de Troya por los griegos.

**PANTOCRATOR.** *V. Pancrates*. En la Edad Media significó el Dios creador de todo en las pinturas románicas.

**PANTOIDES.** Euforbo, hijo de Panto, el cual, según *Pitágoras*, estuvo también en el sitio de Troya. *Met. 11,13,15,16,17*.

**PANYASIS.** Poeta griego que, según cuenta *Ateneo*, consagró el primer vaso de vino a las Gracias, a la Risa y a Baco; el segundo a Venus y a Baco; y el tercero a la Injuria y a la Violencia; alegoría fácil de comprender, puesto que estas dos se derivan frecuentemente del amor y el vino desordenados.

**PAPA.** Sobrenombre de Atis.

**PAPAS.** Nombre de los sumos sacerdortes en todos los pueblos orientales, entre los indios, en América, en el Perú, etc. El gran sacerdote de los mejicanos se llamaba también Papa, y era el que abría el seno de los hombres sacrificados a los dioses.

**PAPEL.** (*Mit. mah.*) El papel, y en particular el manuscrito, era una cosa sagrada entre los mahometanos. Tenían como poco decente el quemarlo, rasgarlo, y sobre todo hacerle servir para cosas sucias, porque, decían que podía llevar escrito el nombre de dios o de los santos, y si estaba en blanco servía para escribir cosas venerables, como asuntos de religión y de moral, las leyes divinas y humanas, etcétera.

**PAPEO.** Nombre del Júpiter de los Escitas, del cual la Tierra era esposa, lo mismo que el Cielo. *Herod. 4, c. 59*.

**PAPIA.** Ley que daba al gran sacerdote la facultad de escoger veinte vírgenes para el servicio de los altares de Vesta.

**PAPIRIA.** Esta ley, promulgada por el tributo del pueblo Papiro, mandaba que ningún ciudadano pudiese consagrar un edificio, terreno u otra cosa sin que primeramente hubiese obtenido el permiso del pueblo.

**PAPOSILENO.** Abuelo de Sileno.

Era representado con una barba tan poblada que le cubría la boca, y con un rostro espantoso que tenía más traza de bestia que de persona.

**PAPREMIS.** Ciudad de Egipto, donde honraban a Marte con un culto particular. El día destinado para la celebración de su fiesta, y en el momento de la salida del sol, un determinado número de sacerdotes conducía la estatua del dios en un carro de cuatro ruedas, desde el templo a un adoratorio cercano y desde éste volvía al templo. Otros sacerdortes armados de mazos guardaban las puertas, mientras que un tercer cuerpo formaba en batalla enfrente de éstos. Aquéllos les impedían la entrada hasta que venían a la manos, trabándose un choque en el que morían muchas personas. Esta costumbre bárbara se practica en memoria de que Marte, educado fuera de la ciudad, habiendo ido a ver a su madre halló resistencia por parte de los criados que no le permitieron la entrada, porque le desconocían. Marte obligado a retirarse se hizo un partido, volvió de nuevo, atacó a sus enemigos y penetró a viva fuerza en la habitación de su madre. El hipopótamo tenía en esta ciudad un culto particular en honor a Marte, según *Herodoto* (*1.2, c.59, 71, 165.*) Y en el de Tifón según *Jablonski*.

**PARABARAVASTU.** (*Mit. índ.*) Nombre del Ser supremo en algunos pueblos de la India.

**PARABOLANOS.** Gladiadores que se exponían a combatir contra las fieras. R. *paraballein*, precipitarse.

**PARABRAHMA.** (*Mit. índ.*) El primero de los dioses de la India. Deseó un día aparecer bajo una figura sensible, y se hizo hombre. El primer objeto de su aparición fue concebir un hijo que le salió de la boca, y se llamó *Maiso*. Tuvo otros dos, el uno llamado *Visnú* que le salió del pecho, y otro llamado *Brahma*, que le salió del vientre. Antes de volver al estado de invisible, señaló a sus tres hijos el domicilio, y los empleos que debían ejercer. Colocó al primogénito en el primer cielo, y le dio el imperio absoluto sobre los elementos y de los cuerpos mixtos. A Visnú le destinó sobre sus hermanos y le hizo juez de los hombres, padre de los pobres, y protector de los desagraciados. Brahma obtuvo en esta partición el tercer cielo, con la intendencia de los sacrificios y de las demás ceremonias religiosas. Estos tres dioses son los que los indios representan en un ídolo con tres cabezas, para significar misteriosamente, que derivan las tres de un mismo principio. Es conocida también esta deidad con el nombre de *Avavicedo,* el inexplicable.

PARAÍSO. 1 — Palabra griega que significa jardín delicioso. Algunos pretenden que esta palabra deriva del persa.

2 — (*Mit. siam.*) Los siamimitas colocaban el suyo en el cielo más alto y lo dividían en ocho grados diferentes de beatitud. El cielo en su idea estaba gobernado como la tierra; colocaban en él, países independientes, pueblos, reyes; se hacía la guerra y se libraban batallas. Ni el matrimonio estaba desterrado absolutamente de los cielos, pues en el primero, segundo y tercer domicilio los santos podían tener hijos. En el cuarto eran superiores a las pasiones sensuales, y la pureza iba aumentado gradualmente hasta el último cielo, que era propiamente hablando el Paraíso, llamado *Nirupán* en su lengua, donde las almas de los dioses gozaban de una dicha inalterable.

(*Mit. índ.*) Los habitantes de los pueblos de Camboya, en la península de la otra parte del Ganges, contaban hasta veintisiete cielos colocados unos encima de otros, y destinados para morada de las almas virtuosas, después de haberse separado de sus cuerpos. Lo que cuentan de la mayor parte de estos cielos es bastante conforme a lo que los musulmanes divulgan de su paraíso. En ellos se encuentran jardines esmaltados de flores, mesas cubiertas de comidas deliciosas y de licores exquisitos, muchísimas mujeres de extraordinaria hermosura, etc. Todos estos bienes están destinados, no solamente para las almas de los hombres virtuosos; sino que también para las de las bestias, las aves, los insectos y los reptiles que en su

especie habrán vivido conforme al instinto de la naturaleza y la intención del creador; deduciéndose de esta opinión que los habitantes de Camboya suponían que las bestias no solamente tenían un alma, sino que ésta disfrutaba hasta cierto punto de razón, bien que menos perfecta que la de los hombres.

(*Mit. chin.*) Los habitantes de la isla de Formosa creen que las gentes de bien, después de su muerte, pasan por un punto muy estrecho, hecho por una clase de caña llamada *bambú,* que les conduce en un lugar de delicias, donde gustan de todos los placeres que pueden imaginarse.

(*Mit. pers.*) El paraíso de los parsis guebros, reúne todos los placeres que pueden gustarse en este mundo, con la sola excepción de que el deleite sensual se encuentra libre de la indecencia que los hombres carnales han acostumbrado a mezclar con los placeres. En este Paraíso, según *Hyde,* hay vírgenes de una hermosura tan rara y seductora, que la dicha suprema consiste en solo verlas. Estas jóvenes han sido siempre vírgenes; deben serlo continuamente, y no han sido creadas más que para los ojos. *Virgines nec defloratæ, nec florandæ sed intuendæ.*

(*Mit. mah.*) Siguiendo el *Alcorán,* hay siete paraísos, y el libro de Azar añade que Mahoma los vio todos montados en su Alborak, animal de una talla media entre el asno y el mulo; que el primer paraíso es de plata finísima; el segundo de oro; el tercero de piedras preciosas donde se halla un ángel, cuya distancia de una a otra de sus manos es de setenta jornadas, con las cuales sostiene un libro que está leyendo continuamente; el cuarto es de esmeraldas; el quinto es de cristal; el sexto de color fuego; y el séptimo hay un jardín delicioso rociado de fuentes y de riachuelos de leche, de miel y de vino, con diversos árboles de continuo verdor, y cargados de frutos; cuyas pepitas se transforman en jóvenes doncellas, tan hermosas y tan dulces, que si una de ellas escupiese en el mar, las aguas perderían su amargor. Añade además que este paraíso es guardado por ángeles, de los cuales los unos tienen cabeza de vaca con cuernos que cuentan cuarenta mil nudos, y comprenden cuarenta jornadas de camino de un nudo a otro. Los otros ángeles tienen setenta mil bocas, cada boca setenta mil lenguas, y cada lengua alaba a Dios setenta mil veces al día, en setenta mil idiomas diferentes. Delante del trono de Dios hay catorce cirios encendidos, que contienen cincuenta jornadas de camino de un cabo a otro. Todos los aposentos de estos cielos imaginarios están adornados de cuanto pueda concebirse de más brillante. En ellos se servirá a los creyentes comidas las más caras y deliciosas, y casarán con las *houris* o jóvenes que, a pesar del comercio continuo que los musulmanes tendrán con ellas serán siempre vírgenes; de donde se deduce que Mahoma hace consistir toda la beatitud de sus predestinados en el deleite sensual.

Los bienaventurados que se hallan en el Paraíso van a sentarse en las orillas del gran Kausser, río de delicias. Este río está cubierto de un árbol de un tamaño tan inmenso que nadie puede formarse ni remotamente la más pequeña idea de él; puesto que una hoja sola es tan grande que, un hombre que corriese en posta cincuenta mil años seguidos, no podrá salir de bajo su sombra; Mahoma y Alí son los escanciadores del Néctar delicioso de sus olas, el que sirven con vasos preciosos, y van montados siempre en *Pay dul dul*, animales que tienen los pies de ciervo, la cola de tigre y la cabeza de mujer, y seguidos de innumerables comitivas de mujeres celestes, de una extraordinaria hermosura, y creadas a propósito para el placer de los elegidos.

(*Mit. afri.*) La mayor parte de los negros de la Costa de Oro, creen que después de su muerte pasarán a otro mundo, donde ocuparán el mismo lugar que han desempeñado en la tierra. Están igualmente persuadidos que todas las cosas que sus padres o parientes sacrificarán para honrar sus funerales les será remitido en su nueva morada.— Los hotentotes no tienen más que una idea confusa de la otra vida, así como de las penas y recompensas que deben recibir. Uno de ellos preguntó con la mayor sencillez al viajante *Kolbens* si en el paraíso se encontraban vacas, bueyes y ovejas.— Los habitantes del antiguo reino de Benín, en África, creen que el Paraíso se halla en algún paraje del mar.

(*Mit. amer.*) Varios pueblos salvajes del Misisipí estaban persuadidos que, por recompensa a su valor y de su probidad, serían trasladados después de su muerte a un país afortunado, donde la caza sería buena y abundante.— El paraíso de los habitantes de Virginia consistía en la posesión de ciertas miserias, como de tabaco y de una pipa, y en el placer de cantar y bailar con una corona de plumas y el rostro pintado de diversos colores. Tal era según sus ideas el premio a la virtud y a la suprema felicidad. Este lugar de delicias está situado en el occidente, a espaldas de las montañas y a pesar de ser tan insignificante la felicidad que se disfrutaba en él, la consideraban de tan gran magnitud, que nadie más que los werowances y los sacerdotes podían entrar en este Paraíso.— Los de Florida que habitaban en los alrededores de las montañas de los Apalaches creían que las almas de las gentes de bien, después de su muerte, se remontaban hacia los cielos y disfrutaban de un lugar distinguido entre las estrellas.

(*Mit. mex.*) Los mejicanos creían que el Paraíso estaba situado cerca del Sol; en esta morada de delicias, los que habían sido muertos combatiendo valerosamente por su patria, ocupaban el lugar más distinguido, después de ellos estaban colocados los desgraciados, que habían sido sacrificados en honor de los dioses. En inútil repetir que los mejicanos que admitían recompensas después de esta vida admitían también penas, pero nada se sabe de particular, con respeto a su opinión, sobre los infiernos.

(*Mit. de los calmucos*) Los calmucs o calmulcos hacen consistir la felicidad de la otra vida en una meditación perpetua, o en el goce de un amor platónico, considerando que el Paraíso es una morada tranquila y ricamente decorada para los bienaventurados, consistente en palacios todos resplandecientes de oro y piedras preciosas; árboles, cuyos troncos son de plata, las ramas de oro y los frutos diamantes, y finalmente, jardines deliciosos, donde se respira un aire embalsamado. Cuentan cinco paraísos semejantes, pero son pocos los pormenores que se dan sobre estos lugares de delicias. El palacio de *Chormousta* (probablemente *Oromazdes*) puede pasar por un sexto paraíso, a pesar de que se halle colocado en la tierra.

**PARALO.** Héroe a quien se le supone el primero que navegó con galera o nave de larga dimensión. *Plin.*

**PARALOS.** Nave sagrada de Atenas, la cual era objeto de particular veneración, empleándose tan solamente para negocios de suma importancia, políticos o religiosos. Su origen es incierto. *Suidas* lo hace derivar de un héroe que llevaba este nombre. Algunos pretenden que se llamaba también Paralos la nave en que Teseo, vencedor del Minotauro, transportó a su patria a las jóvenes que estaban destinadas para servir al monstruo de alimento. *Tucíd. Jenof.*

**PARAMESE.** La primera cuerda del tetracordio diazeugmenón, o instrumento de tres cuerdas dedicado a Marte. *Vitr.*

**PARAMMON.** Sobrenombre bajo el cual los eleos hacían libaciones en honor de Mercurio, porque habían levantado su templo en un lugar arenoso.

**PARANETES.** La sexta cuerda de la lira dedicada a Júpiter. *Mem. de la Acad. de Inscr. t. 17.*

**PARANINFO.** 1º) Entre los griegos era cierto oficial que en los matrimonios arreglaba las diversiones y los pormenores del banquete; y estaba especialmente encargado de guardar el lecho nupcial; 2º) entre los romanos se daba este nombre a tres jóvenes que conducían la novia a casa de su marido. Para ser admitidos en esta ceremonia debían tener padres: uno de los tres marchaba adelante, llevando una antorcha de pino, y los otros dos sostenían la novia cerca de la cual llevaban un copo de lana y una rueca; 3º) el Paraninfo, entre los hebreos, era el amigo del esposo, el que debía hacer los honores de las bodas y conducir la novia a la casa del marido. *Mem. de la Acad. de Inscr.*

**PARASIE.** Sobrenombre de Diana adorada en Castábale, en Cicilia, tomado de cuando pasó el mar para llegar a este lugar.

**PARASITI.** (*Mit. índ.*) Shiva reuniendo los dos sexos. (*V.* Shiva.) Algunos filósofos indios pretenden que Parashiva y Parasati son dos seres perfectos y superiores a Shiva, los cuales produjeron por efecto de su omnipotencia, lo mismo que Visnú y Brahma, pero como los libros sagrados no hablan de tal cosa y estos dos seres se hallan también en los templos de Shiva, representados bajo la misma figura que ésta, y con los mismos atributos, parece deben considerarse como un mismo Dios.

**PARASHIVA.** (*Mit. índ.*) Shiva reuniendo los dos sexos. *V.* Shiva.

**PARÁSITOS.** Ministros subalternos de los dioses. Eran los que amontonaban y escogían el trigo destinado al culto; de donde deriva el nombre de *Parásito*, esto es que cuida del trigo. R. *para*, parte, y *sitos*, trigo. Casi todos los dioses tenían sus parásitos los cuales hacían también algunos sacrificios con las mujeres que no habían tenido más que un marido. Estos Parásitos disfrutaban de gran distinción en Atenas, tenían asiento entre los principales magistrados, y parte en los despojos de las víctimas, bien que después principiaron a caer en descrédito.

**PARASITIÓN.** Lugar donde se guardaba el trigo que se ofrecía a los dioses.

**PARASOUMAOURA.** (*Mit. índ.*) Nombre de Visnú en su octava encarnación. *V.* Visnú.

**PARASTATES,** favorable; sobrenombre de Hércules. R. *paristhemi, adsum.*

**PARAXATI.** (*Mit. índ.*) Diosa criada por el mismo dios, madre de Brahma, se casó con su hijo primogénito. (*V.* Brahma.) Tuvo dos hijos más, llamados Visnú y Rutrem.

**PARCAS.** Divinidades que según creían los antiguos presidían la vida y la muerte y disfrutaban de un poder más absoluto que las demás. Arbitros de la muerte de los hombres arreglaban sus destinos, y todo lo que acaecía en el mundo estaba sometido a su imperio; y no se limitaba este poder en hilar nuestros días, puesto que el movimiento de las esferas celestes y la armonía de los principios constitutivos del mundo, seguían también su resorte. Eran tres hermanos Cloto. Lacchesis y Atropos. Los mitólogos no están menos discordes en sus nombres que en su origen. *Hesíodo* (*Teog.*) después de hacerlas nacer de la Noche sin el socorro de ningún dios, como para indicarnos la oscuridad impenetrable de nuestra suerte, se contradice luego suponiéndolas, como *Apolodoro*, hijas de Júpiter y de Temis. *Orfeo* en el himno que compuso en su honor las llama hijas del Erebo, y *Diofrón*, de Mercurio y Zeus, señor de los dioses. Amadas y muy particularmente distinguidas de este último, del cual habían recibido grandes privilegios, le socorrieron en la guerra contra los gigantes, en la que Agrio y Teón perecieron a sus manos. Otro autor las supone hijas de la Necesidad y el Destino. *Cicerón*, siguiendo a *Crisipo*, supone que componían esta misma fatal necesidad que nos gobierna: *Luciano* en varios lugares de sus diálogos las confunde con el Destino. Algunos autores antiguos ponen en el número de las Parcas a Opis, porque este nombre dice *Lilio Giraldi* tiene relación con el velo misterioso que encubre nuestros destinos. Némesis y Adrastea, según *Fornuto*, también disfrutaban de un lugar distinguido entre estas diosas. La primera corregía la injusticia de la suerte y la segunda era como la ministra de las venganzas celestiales y de las recompensas debidas a las gentes de bien. *Pausanias* nombra a tres Parcas diferentes, a saber: Venus Urania, la más antigua, la Fortuna e Ilitia, que *Píndaro* considera tan sólo como compañera de la otra. Proserpina o Juno Estigiana es también del número de las Parcas, puesto que siguiendo a los mejores autores de la antigüedad disputa con frecuencia a Atropos el empleo de cortar el hilo de nuestros destinos, puesto que nadie puede morir sin que esta diosa corte el cabello fatal que nos une a la vida. Los mitólogos no están menos discordes sobre la etimología de su nombre. Varrón, Marco Terencio deriva en general el de Parcas de *parta* o *partus*, alumbramiento, porque estas diosas presidían el nacimiento de los hombres. Según *Servio*, es todo lo contrario porque no dispensan gracia alguna,

*quod nemini parcant*. Otros varios han dado otra explicación al nombre de las Parcas suponiendo que deriva de que son muy avaras de nuestros días y que no conceden alargarlos después del término prescrito por el Destino. *Escalígero* da otra explicación más sutil que sólida. El nombre de las Parcas, dice, deriva de que conservan la vida del hombre, hasta que se hubiese cumplido su destino. *Le Clerc* busca el origen en la palabra caldea, *parach*, romper, dividir; y otros la hacen derivar de la latina *porca*, zurco o rotura de la tierra El empleo que se atribuye a estas diosas en Lacio, y el nombre de Matres que le han dado los galos sirve de algún peso a esta explicación. Se creía en efecto que las Parcas presidían el nacimiento de los héroes. Ellas recibieron a Meleagro en el momento de nacer. Apolo, según *Píndaro* (*Olimp. 5.*) les rogó que socorriesen a Evadné en el momento de parir a Hiamo. *Filostrato* refiere lo mismo de Cloto, que se halló presente en el momento que Júpiter volvió la vida a Pélope; y *Cátulo* dice que el nacimiento de Aquiles fue honrado con su presencia (*Higin. c. 25. Ovid. Met. l. 8.*) En efecto estas diosas eran consideradas como protectoras de las mujeres que iban de parto, de modo que Lucinia, invocada para este objeto, no significa con frecuencia más que una de las Parcas. Así es que en la Acaya la llamaban *Hiladora*, y que *Licias*, antiguo poeta de Delfos, en un himno en honor a esta diosa le da el nombre de Parca célebre y poderosa.

Las Parcas habitaban, según *Orfeo*, en una caverna tenebrosa del Tártaro y servían de ministros al monarca de los infiernos. *Claudio* la representa suplicando de rodillas a Plutón, para que renuncie a la guerra que intenta declarar a Júpiter. Según *Ovidio* habitaban un palacio donde los destinos de todos los hombres están grabados en planchas de metal, de modo que ni el rayo de Júpiter, ni el movimiento de los astros, ni el trastorno de la naturaleza entera puede borrarlas. Los filósofos, y entre otros *Platón*, les señalan por morada las esferas celestes, donde las representan con vestidos blancos sembrados de estrellas, coronadas, y sentadas en tronos que despiden una luz brillante y dando su voto al canto de las sirenas, para demostrarnos que son las directoras y que arreglan aquella armonía admirable en que consiste el orden del universo.

Persuasivas y elocuentes, consolaron a Proserpina, y calmaron el dolor de Ceres, afligida por la pérdida de su hija. (*V. Ceres. Proserpina.*) Inmutables siempre en sus designios, sostenían el hilo ingenioso, símbolo del curso de la vida. Nada podía aplacarlas ni impedir que cortasen la trama. Admeto fue el único que obtuvo de ellas el poder de sustituir en su lugar a otro, cuando llegara el término de sus días. Según *Claudio*, son señoras absolutas de todo lo que respira en el mundo. «Ellas son, dice *Hesíodo*, las que distribuyen la felicidad y la desgracia a los hombres y que persiguen a los culpables, hasta en el instante en que reciben su condigno castigo». Otros poetas dan también ideas brillantes de su poder; tan pronto las exortan a hilar días afortunados para los que deben ser los favoritos del Destino; como ellas prescriben el tiempo que debemos vivir en la tierra. El resultado sigue siempre sus predicciones. Algunas veces revelan una parte de nuestros destinos, ocultando la otra bajo un velo impenetrable: se sirven también del ministerio de los hombres para quitar la vida a aquellos cuyo destino se ha cumplido, como dice *Virgilio*, hablando de Aleso. No solamente presidían el nacimiento, sino que, mientras que Mercurio sacaba de los infiernos a las almas que después de una revolución de muchos siglos debían animar muchos cuerpos, las Parcas tenían a su cargo hacer salir del Tártaro y conducir a la luz a los héroes, que habían osado penetrar en aquel lugar de tinieblas. Ellas sirvieron de guía a Baco, a Hércules, a Teseo y a Ulises, condujeron a la luz del día a Perseo, que según *Píndaro*, había descendido a los infiernos, a Rampsinita, y que, según cuenta *Herodoto*, jugó allí a los dados con Ceres; a Orfeo, que escribió luego la historia de su viaje; a Eneas, que lo emprendió para ver a Anquises. Finalmente a las Parcas confió Plutón su esposa, cuando ésta, siguiendo la orden de Júpiter, volvió al cielo para pasar seis meses al lado de su madre. El color de la lana que hilaban las Parcas designaba la suerte de los mortales sometida a sus decretos. La negra anunciaba una vida corta o llena de infortunios, la blanca una existencia larga y feliz. Sólo *Licrofón* les da hilos de tres colores. *Marciano Capella* las supone secretarias del Destino; *Fulgencio* ministras de Plutón; *Fornuto* de Júpiter; y los antiguos, en general, del Destino. *Higinio* les atribuye la invención de algunas letras del alfabeto griego.

Los griegos atribuyen a las Parcas la conservación del globo lunar. Tal era el sentir del filósofo *Epígenes* que pretendía, como *Vocio*, que con frecuencia se las ha representado en número de tres, por referencia a las variaciones de este astro. Sin embargo, su número parece más bien una alegoría ingeniosa de las tres divisiones del tiempo. La Parca que hilaba representaba lo presente, la que tenía las tijeras lo futuro, y la última con el huso lleno, era el símbolo de lo pasado. *Ilíada. 20, Odisea. 76. Teocr. 1, Pínd. Olimp. 10, Nem. 7, Eurípid. Calímaco. Orf. Himn. 58 Virg. Egl. 9, Eneida. 3, Met. 5, Hor. 2, Od. 4, Sen. Far. Teb. 6, Claudio, Rapto Pros. Paus. 1, c. 40; l. 3, c. 11, l, 5. c. 15. Plut. Varrón, Marco Terencio Apolod. 2. Mem. de la Acad. de inscrip. t. 5, 7, y 13.*

Los griegos y romanos tributaban grandes honores a las Parcas y las invocaban comúnmente después de Apolo, porque presidían, como este dios, el futuro. Les levantaron altares en Olimpia y en Megara. Tenían uno muy célebre enteramente descubierto y colocado en medio de un bosque espeso, donde los pueblos de Sicione y de Titano les ofrecían diariamente sacrificios. Finalmente en Esparta les levantaron un templo magnífico, cerca del sepulcro de Orestes. Les sacrificaban todos los años ovejas negras como a las Furias y entre otras ceremonias, los sacerdotes estaban obligados a ceñirse coronas de flores. Todos los pueblos de Italia adoraban también a las Parcas. Veíanse altares en Roma, en Toscana y en particular en Verona. Los galos honrábanlas con el nombre de diosas madres.

(*Iconol.*) Los antiguos las representaban bajo la figura de tres mujeres con rostro severo, decrépitas, coronadas con grandes copos de lana blanca entrelazada con flores de narciso. Otros les daban coronas de oro y algunas veces en vez de corona ceñían una cinta. Muy rara vez se las veía con velo, sin embargo, estaban representadas de este modo en el templo que se les había levantado en Corinto. Una ropa blanca bordada de púrpura les cubre todo el cuerpo; la una tiene en sus manos las tijeras, la otra los husos y la tercera una rueca. Cada uno de estos atributos encierra una alegoría. La extremada vejez designaba, según dicen, la eternidad de los decretos divinos; la rueca y el huso manifestaba que ellas arreglaban el curso; y los hilos misteriosos el poco caso que debe hacerse de una vida tan breve. *Licofrón* añade que eran cojas para designar la desigualdad de los sucesos de la vida y la alternativa de bienes y de males que la componen. Las alas que les da el autor del *himno* a Mercurio, atribuido a *Homero*, hacen alusión a la rapidez del tiempo que pasa como un sueño. La corona prueba su poder absoluto en el universo. La espantosa caverna que *Orfeo* le señala por morada, era el símbolo de la oscuridad que cubre nuestros destinos. *Hesíodo* les da rostro negro, dientes mortíferos y miradas feroces y terribles. Una de las representaciones más antiguas de esta diosa fue la que hizo *Baticles*, en la base del trono de Amiclea, donde las colocó con las Horas alrededor de Plutón. En Megara fueron esculpidas por *Theocosmo* en la cabeza de Júpiter, porque este dios estaba sometido al Destino, del cual las Parcas eran las ministras. Encima del cofrecito de Cipsele se veía una Parca con dientes muy largos, manos muy retorcidas y rostro horroroso. Estas diosas, algunas veces muy crueles, se unían a los cuerpos, después de la muerte, y les ponían lívidos chupándoles la sangre. Pocos son los pintores antiguos que han representado a las Parcas. Tan solo *Nicias* las pintó en su cuadro del infierno y pocos monumentos romanos nos quedan ya, que nos la recuerden. En un mármol explicado por *Bellori* se ve una de las Parcas, adornada la cabeza de una sencilla cinta, que se esfuerza en calmar el dolor de Proserpina, inconsolable por su nuevo estado. En otro mármol encontrado en Roma se hallan al lado de Meleagro, que consumido por un fuego interior va acabándose por instantes. En un cofrecito etrusco descubierto en las cercanías de Volaterra, están representadas como ancianas cubiertas con largos mantos. Enseñan el camino a un joven montado en un caballo, cerca del cual hay una urna derribada, símbolo de la muerte. En Lyon (Francia) donde se las llamaba madres, están esculpidas en un bajorrelieve de la abadía de Aina y teniendo un fruto semejante a una manzana, símbolo de la fecundidad. Finalmente se las designaba con frecuencia mediante tres estrellas, porque como se ha dicho ya, arreglaban el curso de varios planetas.

PARCIALIDAD. Hija de la Noche y el Erebo. (*Iconol.*) *Cochin* la alegoriza por una mujer que lleva tapado el ojo derecho con una venda, y teniendo la mano apoyada en una balanza, le hace perder el equilibrio, mientras que con la otra oculta una antorcha que podría alumbrarla.

PARDÁLIDA. Piel de pantera que llevaba muchas veces Baco y los de su comitiva, en lugar de la nébrida o piel de cervatillo.

PAREA. 1 — Sobrenombre de Minerva cuya estatua estaba colocada en un campo cerca del camino que iba de Esparta a Arcadia.

2 — Ninfa de la cual Minos, rey de Creta tuvo a Nefalión, Eurimedonte, Crises y Filolao.

PAREBIO. Compañero del adivino Fíneas. *Apolon. Argon.*

PAREDRES o Sinhodes. Nombre que se daba a las nuevas divinidades, es decir a los hombres que, después de su muerte, se les ponía en el número de los dioses.

PARENTALES. Solemnidades o banquetes que los antiguos daban en obsequio de sus parientes y amigos. *Ovidio* (*Fast.2.*) atribuye la invención a Eneas, y otros a Numa Pompilio. En estas fiestas se reunían no solamente los parientes del difunto, sino también los amigos, y por lo regular todos los habitantes de los lugares donde se celebraban. Los latinos hacían esta fiesta durante el mes de mayo; y los romanos en enero. Unos y otros en estos días daban grandes banquetes, en los cuales no se servían más que legumbres.

PARES. Diosa que, según algunos autores, era la misma que Palas, hacían derivar su nombre de *parere*, reproducir, engendrar, porque tenía gran influjo en la fecundidad de las cabras y los otros animales.

PARGOUTEA. (*Mit. índ.*) Nombre de la primera mujer según los banianos. (*V.* Pourous.)

PARIPATES. Segunda cuerda de las siete de la lira dedicada a Mercurio.

PARIS. Llamado también Alejandro, hijo de Príamo, rey de Troya, y de Hécuba. Dícese que el nombre de Alejandro le fue atribuido por haberse dedicado a la persecución de los bandidos. Estando Hécuba embarazada de él, vio en el suelo que llevaba en su seno una antorcha que debía abrasar un día al imperio troyano. Consultados los adivinos, contestaron que el hijo que la reina iba a dar luz causaría el incendio de Troya. En vista de esta respuesta, determinó Priamo que al nacer Paris fuese entregado a un doméstico para darle muerte. Hécuba, más sensible, lo sustrajo, confiándolo luego al cuidado de unos pastores del monte Ida, rogándoles que cuidasen mucho de él. En breve distinguióse el joven pastor por su hermosa fisonomía, su talento y su habilidad, haciéndose amar de Enome, con quien casó. La fatal manzana de oro que la Discordia arrojó sobre la mesa en las bodas de Tetis y Peleo con la inscripción, "a la más hermosa", ocasionó una disputa entre Juno, Minerva y Venus. El asunto era delicado, y temiendo Júpiter comprometer su juicio, envió a las tres diosas al monte Ida, acompañadas de Mercurio para que consultasen a Paris, que tenía la reputación de ser gran conocedor. Las diosas se presentaron con un traje brillantísimo y nada omitieron de cuanto creyeron capaz de alucinar o seducir a su juez. Juno le prometió el poder y la riqueza; Minerva, la Sabiduría y la Virtud; Venus la posesión de la mujer más hermosa del universo. Esta promesa, y la belleza superior de Venus, adjudicaron a esta diosa la manzana y desde aquel instante Juno y Minerva, haciendo causa común, juraron vengarse y trabajar de concierto en la ruina de Troya. Algún tiempo después de esta aventura, una casualidad dio a conocer a Paris. Habiéndole robado uno de los hijos de Príamo un toro, para darlo al que ganase el premio en los juegos fúnebres que debían celebrarse en Troya, se presentó el mismo Paris, combatió con sus hermanos y los venció. Deifobo, o según otros, Héctor, quiso matarle, pero habiendo Paris manifestado la mantilla, con la cual le dejaron expuesto, fue reconocido por Príamo, que le recibió con las mayores muestras de alegría y creyendo que el oráculo había sido falso porque su hijo había cumplido los treinta años, antes de cuyo tiempo debía causar la ruina de su patria, le hizo acompañar a palacio. Algún tiempo después le envió a Grecia bajo el pretexto de tributar un sacrificio a Apolo Dafneo, pero en realidad era para recoger la herencia de su tía Hesionea. En este viaje se enamoró de Helena y la robó. Mientras hacía la travesía, el anciano Nereo le predijo las desgracias que con este rapto ocasionaría a su patria (*Hor. Od. 13, l.1.*) Durante el sitio de Troya combatió con Menelao, en cuya ocasión Venus le salvó y rehusó devolver a Helena en los términos convenidos antes del combate. Hirió a Diomedes, Macaón, Antíloco, Palamedes y mató a Aquiles. Si ha de darse crédito al frigio *Dares*, que se supone testigo de vista, Paris reunía un conjunto de circunstancias todas apreciables. Era de hermosa presencia, cutis blanco, ojos bellos, voz dulce, pronto, atrevido y valiente como lo dice con frecuencia *Homero* y si su hermano Héctor y los capitanes griegos le echaban en cara a veces su hermosura, diciéndole que era más propio para los juegos de amor, que no para los de Marte, este lenguaje no debe tomarse al pie de la letra. *Ilíada. 3, 6, 7, 11, y 12 Q Eneida. 1. Dict. Cret. 1. 34. Apolod. 3. c.12. Ovid.*

*Herod. 5, 16. 17. Higin. f. 92, Paus. 10. c. 27. Cic. Herod. 2. c. 113. 116. Mem. de la Acad. de inscr. t. 2, 14.*

(*Iconol*). Los artistas antiguos han representado con frecuencia a París. *Plinio* cuenta que *Eufranor* lo ha pintado de modo que puede reconocerse a la vez, el árbitro de las tres diosas, el seductor de Helena y el asesino de Aquiles. En la quinta de *Ludovici*, hay un bajorrelieve que representa a París y a Enone. Esta lleva un tocado, o una especie de gorra tal como la llevan las mujeres en los monumentos. Un camafeo del gabinete de antigüedades que representa un hombre y una mujer con gorro frigio, parece ser París y Enone. *Wickelmann* ha publicado en sus *monumenti iniditi* una piedra grabada que representa a París en oficio de pastor de los ganados de su padre Príamo; lleva el *pedum. Quallani* ha publicado una cabeza de París y una estatua del mismo que pertenece a *M. Jenkins*, y que es una de las más hermosas del museo Pío-Clementino. En la quinta de *Ludovisi* hay un hermoso busto de París dos veces más grande que el natural. Lleva el pecho cubierto de la clámide. La cabeza tiene todos los rasgos de una mujer.

PARISIAS. Fiestas que las mujeres encinta, celebraban en sus propios lechos. R. *parece*, dar a luz.

PARIUS. Hijo de Jasión, fundador de Parium ciudad del Asia menor, en la que habitaban una raza de ofiógenes, es decir, descendientes de un héroe, que había sido serpiente, y tenían la virtud de curar las mordeduras de los animales venenosos, lo mismo que los psylos del Africa. *Ilíada. 2. Paus. Estrab. Ptolomeo. 5. c. 2, Diod. Sic. Mela.*

PARMÉNIDES. Filósofo griego natural de Elea, afirmaba que los primeros hombres habían sido producidos por el Sol. *Dióg. Laérc.*

PARMENISCO. Metapontino castigado por el atrevimiento que tuvo al forzar la entrada del atrio de Trofonio.

PARMULARES. Gladiadores llamados así de *parma*, pequeño escudo romo que llevaban en el brazo izquierdo además del puñal.

PARNASA. Marte la hizo madre de una hija llamada Sinopea.

PARNASIA, TEMIS. Sobrenombre tomado de un templo que tenía en el monte Parnaso.

PARNÁSIDAS. (*Las Musas*.) Se daba este nombre, del monte Parnaso que les estaba consagrado, y era en donde tenían su residencia.

PARNASINOS. (*Mit. rab.*) Nombre que los judíos modernos dan a su diáconos, cuyas funciones son muy semejantes a las de los antiguos en los consistorios de los reformados. Su obligación es la de recoger limosnas y distribuirlas a los pobres.

PARNASO. (*Monte*) El más alto de la Focida tiene dos cumbres famosas: una consagrada a Apolo y las Musas, y la otra a Baco; del centro de ellas sale la fuente Castalia, a cuyas aguas atribuyen la propiedad de inspirar el entusiasmo poético. Este monte tomó el nombre de un héroe llamado Parnaso, según la opinión de algunos; otros pretenden que deriva de los pastos que ofrecen sus vallasos. Antiguamente se denominaba Larnaso. En la cumbre de este monte se salvaron Deucalión y Pirra del diluvio universal. Los antiguos creían que estaba colocada en medio de la tierra, o más bien de Grecia. (*V.* Delfos.) Esta palabra se toma a veces por la poesía y por la mansión de los poetas. *Met. 25, Geórg. 1, Tebaid. 1, Estrab. 8, 0, Fars. 3, 5, Tito Liv. 42, c.16, Sil.15, Mela. 2, c.3. Paus. 10, c. 6, Herod. l. 8, c. 32, Just. 24, c. 6. Mem. de la Acad. de inscr. t. 43.*

PARNASO. Príncipe que edificó una ciudad cerca del monte Parnaso. Era hijo de la ninfa Cleodora y se le daban dos padres, uno mortal, llamado Cleopompo, y otro inmortal que era Neptuno. Se le atribuía el arte de adivinar lo futuro por medio del vuelo de las aves. La ciudad que había levantado fue sumergida por el diluvio de Deucalión.

PARNETIO. Sobrenombre de Júpiter, el cual tenía una estatua de bronce en el monte Parnaso, en el Ática.

PARNOPIO. Sobrenombre de Apolo honrado en la ciudadela de Atenas, de *parnopes*, langostas; porque el país estaba infestado de estos insectos, de los cuales el dios libró. Su estatua era de bronce trabajada por *Fidias*.

PAROREO. Hijo de Tricolono y fundador de Paroria, ciudad de Arcadia. *Herod. 4, c. 148, l. 8, c. 73, Paus.*

PAROS. Nombre común a dos príncipes de los cuales el uno era hijo de Jasón y el otro de Parnasio. Uno de ellos dio el nombre a la isla de Paros.

PARRA. Ave de mal agüero. *Hor. c. 21, l. 3.*

PARRASIA. Ciudad de Arcadia cuyos habitantes, según *Homero* (*Ilíada. l. 2.*), fueron otros de los que asistieron al sitio de Troya. *Paus. 8. c. 27.*

PARRASIO. 1 — Sobrenombre de Apolo honrado en el monte Liceo.

2 — Hijo de Marte y de Filónome y hermano gemelo de Liscato, fue criado con éste, por una loba, para evitar represalias del padre de la ninfa Filómene, que abandonó a los gemelos en el monte Erimanto. Ya mayores, los gemelos se apoderaron del trono de Arcadia. El paralelismo con la leyenda de Rómulo y Remo es evidente.

3 — Uno de los hijos de Licaón, fundador de la ciudad de Parrasia en Arcadia. *Ovid. Fast. 2.*

4 — Rex. Evandro. *Sil. Ital.*

5 — Axis. El polo ártico *Sén. Trag.*

PARRASIS. Sobrenombre de Calixto (la gran osa), del nombre de la ciudad de Arcadia donde había nacido.

PARRICIDIO. (*Iconol.*) El que mata o maltrata a su padre. *Pausanias* refiere que, en los infiernos, el castigo que se da a un parricida es que su mismo padre le hace de verdugo y le despedaza. De este modo el famoso *Polegnoto* representó el suplicio de un hijo desnaturalizado, que había maltratado a su padre.

PARSIS. (*V.* Guebros.)

PARTAÓN. 1 — Hijo de Agenor y Epicasto, casó con Eurites, hija de Hipódamo, de la cual tuvo entre otros hijos a Eneas, rey de Calidón. *Homero* le llama Proteo. *Ilíada. l. 14. Apolod. 1, c. 7. Hig. f. 129 y 239.*

2 — Padre de Alcatoo, uno de los perseguidores de Hipodamia. *Paus.*

3 — Hijo de Perifetes y padre de Aristas. *Id.*

PARTAONIA DOMUS. La casa de Meleagro. *Met. 9.*

PARTENIA o PÁRTENO. 1 — Guardando un día en compañía de su hermana Molpadia, en ausencia de su tercera hermana Roio o Roeo, el vino que acostumbraba a beber su padre Estáfilo (racimo de uvas), las dos hermanas se durmieron y unos cerdos vaciaron el vaso y derramaron el vino. Cuando despertaron temiendo la cólera de su padre, ambas se precipitaron al mar, pero Apolo por compasión y consideración a su amada Roio (*V.* Roio) las recibió en su caída y las transportó a dos ciudades distintas en el Quersoneso: Partenia, a Bubasto (o Bubastus), donde tuvo un templo y culto; y Molpadia a Castalia. (*V.* Hemitea.)

2 — Sobrenombre dado a Minerva porque había conservado su virginidad. (*V.* Partenón.)

3 — Algunas veces también, se denominaba con este nombre a Juno, aunque madre de muchos hijos, porque todos los años bañándose en la fuente de Canales le devolvían aquellas aguas la virginidad.

4 — Diana tenía también el mismo sobrenombre.

5 — Nombre de uno de los signos del Zodíaco.

6 — Esposa de Samo.

PARTENIENA. Flauta a cuyo sonido danzaban las doncellas griegas.

PARTENIO. 1 — Río del Asia Menor llamado así, o bien porque Diana iba a menudo a cazar en los bosques regados por este río, o bien porque esta diosa era adorada en sus riberas. (*Herod. 2, c. 104*) Una medalla de Marco Aurelio la representa bajo la forma de un joven reclinado, teniendo una caña en la mano derecha, y apoyado el codo sobre las rocas de donde salían las aguas.

2 — Monte de Arcadia, cubierto de frondosos bosques, así llamado por las jóvenes que iban a cazar en él y a ofrecer sacrificios a Venus, a la cual estaba dedicado el monte Telefeo. Tenía también en él un templo y allí fue desposado Atalante. *Paus. 8, c. 54.*

3 — Río en la Sarmacia europea, al *Ovidio* designa con el epíteto de *rapax*, que arrastra.

4 — Capitán troyano, muerto por Rapón, uno de los jefes latinos. *Eneida. 10.*

PARTENIÓN. Nombre de la planta que Minerva enseñó a Pericles para curar a un obrero que había caído de un tablado. Esta planta es la matricaria.

PARTENIOS. Himnos compuestos para dos coros de doncellas. Cantábanse en ciertas fiestas solemnes, y en particular en las Dafneforías que se celebraban en Beocia en honor a Apolo Ismeníeo. Estas doncellas en traje de suplicantes, marchaban en procesión, llevando ramas de laurel en la mano. *Mem. de la Acad. de Inscr. t. 3.*

PARTENIS. Sobrenombre bajo el cual los atenienses adoraban a Minerva. Su estatua de oro y de marfil, de treinta y nueve pies de alto, era obra de *Fidias*.

PARTENO, las vírgenes. Nombre que los atenienses daban a las hijas de Erecteo, de Jacinto y Leo, las cuales en diversas épocas se sacrificaron por su patria.

PARTENOMANCIA. Adivinación para conocer la virginidad. Esta consistía, 1º) en medir el cuello de una muchacha con un hilo y en repetir la misma prueba con el propio hilo para asegurarse si el cuello había engordado; 2º) la que acostumbraban a usar los antiguos bretones consistía en reducir a polvo un ágata o piedra preciosa y hacerla beber a la que se hacía sospechosa de haber perdido la virginidad, en este caso esta bebida provocaba náuseas y daba vómito.

PARTENÓN. Templo de Minerva situado en la ciudadela de Atenas, destruido por los persas y reedificado por Pericles bajo la dirección de dos famosos arquitectos, Calícrates e Ictinio. Era uno de los edificios más magníficos que había en Atenas, cada lado constaba de cien pies, lo que le hizo dar el nombre de *Hecatompedon*. La estatua de la diosa, una de las obras maestras de *Fidias*, era de oro y marfil, en actitud de una persona en pie con una pica en la mano, y un escudo a sus pies, en su pecho una cabeza de Medusa, y muy cercana a ella una Victoria alta de cuatro codos. *Plut. Paus.*

PARTÉNOPE. 1 — Una de las sirenas que, después de haberse precipitado al mar desesperada por no haber podido enamorar a Ulises, fue a parar a Italia, donde se encontró su sepulcro con motivo de levantar una ciudad, que la llamaron de su nombre Parténope. Los habitantes de la campiña arruinaron luego esta ciudad porque Cumas quedaba desierta y abandonada, pues sus ciudadanos pasaban a vivir a Parténope, pero advertidos por el oráculo que para libertarse de los estragos de la peste, era necesrio reedificarla, lo hicieron y la llamaron *Neápolis*, hoy día Nápoles. *Estrabón* (1 y 5) refiere que esta Sirena fue enterrada en Dicearquia, hoy día Puzzol. *Met. 15. Sil.12.*

2 — Hija de Estínfalo, Hércules tuvo de ella un hijo llamado Everrés. *Apolod.*

3 — Una de las esposas del Océano, tuvo de él dos hijas Europa y Tracia.

PARTENOPEO. Hijo de Meleagro y de Atalanta, según otros de Marte y Menalipo, otro de los siete jefes del ejército de los argivos delante de Tebas, Eurípides le pinta como un hombre del todo perfecto. *Eneida. 6, Estrab. Tebaid. Apolod. 3, c.9, Paus.3. c. 12, l. 19.*

PARTENOS. Hija de Apolo y Crisóstemis, murió muy joven y su padre la colocó en la constelación de Virgo.

PARTES. *Dos diosas.* Una llamada *Nona*, a la cual invocaban las mujeres encinta en el noveno mes de su preñez; y la ora *Décima*, cuando pasaba al décimo. *Aul. Gel.*

PARTIA. (La) Región de Asia antiguamente ocupada por los partos. Se le representa en las medallas por una mujer vestida al uso del país armada de arco y aljaba, para explicar la habilidad en partos para arrojar flechas aun huyendo.

PARTIDA, *profectio. (Iconol.)* La partida de un emperador romano para el ejército, está representada en las medallas por el emperador a caballo, revestido con su cota de armas, teniendo un cetro o venablo en la mano izquierda, y recibiendo una pequeña Victoria de las manos de Roma armada en pies y cabeza como Palas. Era costumbre entre los romanos presentar a los emperadores o generales que partían para una expedición, palmas u otros símbolos de un feliz éxito.

**PARTIRI.** Palabra augural consagrada al que ejercía la función de augur, cuando sentado y revestido con el ropaje llamado *Toga auguralis* o *Trabea* se volvía del lado de oriente, y señalaba con el bastón augural la parte del cielo que llamaban *Templun* o bien *Tabernaculum capere.*

**PÁRTULA.** Diosa que según *Tertuliano*, regía y arreglaba el término de la preñez a las mujeres.

**PARTUNDA, PARUNDA.** Divinidad romana que presidía los partos. *S. Agustín. de civ. Dei.*

**PARVADI o PARVATI.** (*Mit. índ.*) Bajo este nombre que significa diosa nacida de una montaña, la esposa de Shiva parece tener mucha semejanza con la Hera (Juno) de los griegos. La representan como ella, con aire majestuoso, con fiereza, con atributos generales, y se la encuentra siempre al lado de su marido en el monte Cailasa, y en los banquetes de los dioses. Ordinariamente va acompañada de su hijo Carticeya, el cual está montado en un pavo real. En varios cuadros y láminas se la ve vestida con una ropa sembrada con ojos. No tiene templos particulares, pero su estatua a cuyo lado se ve el pavo real, se venera en un santuario aparte en los templos de Shiva. Es adorada bajo diversos nombres como la Isis de los griegos, sobre todo con el de *Madre*, y en Bengala con el de *Durga*. Los indios la pintan como a Cibeles, esto es, coronada de torres, y la tienen por protectora de la tierra y de los seres, o bien como diosa de la providencia, lo que concuerda con la idea que los antiguos se formaron de Rea, a la cual miraban como madre de los dioses y de los hombres. Es la misma que Bavani. *V.* esta palabra. *V.* Addi-Pouron.

**PASARGADA.** Ciudad de Persia, célebre por un templo de la diosa de la guerra, en donde se consagraba a los reyes. El príncipe, a este efecto, entraba al templo y, desnudándose de sus vestidos, tomaba los que Ciro, el grande, había llevado antes de subir al trono, a los que miraban con veneración. Después de haber comido un higo seco, machacaba hojas de terebinto y bebía un brebaje compuesto con vinagre y leche. *Plut. Ptol. 6. c. 3.*

**PASCERE-LINGUAM.** Expresión latina usada en los sacrificios, para impedir que se pronunciasen palabras de mal agüero. El heraldo al iniciar los sacrificios imponía silencio con esta fórmula *Pascito linguam*, poner freno a la lengua.

**PASENDAS.** (*Mit. índ.*) Secta que no tenía por objeto como las otras, algún punto de moral o controversia; y que tan sólo se atenía al placer y a licencia. Así es que se distinguía de las otras por el desarreglo de costumbres. La gran ocupación de los Pasendas consistía en seducir las mujeres, y cuando se les reprendía advirtiendoles que debían contentarse con las propias y respetar las ajenas, respondían riéndose: «Todas las mujeres son mujeres nuestras, cuando disfrutamos de ellas».

**PASEO.** (*Mit. chin.*) En el día nueve del noveno mes, los chinos de Java celebraban la fiesta de los *paseos* en honor a un santo varón que, habiendo salido a paseo, escapó de la destrucción de su ciudad natal. En este día todos los chinos se paseaban.

**PASÍFAE.** Hija del Sol y de Creta, o de Perséis. Casó con Minos 2, del cual tuvo varios hijos, entre otros a Deucalión, Astrea, Androgea, Ariane, etc. Unos dicen que para vengarse Venus del Sol, porque había descubierto con sus rayos sus intrigas amorosas con Marte, inspiró a Pasífae un amor desordenado por un toro blanco que Neptuno hizo salir del mar. Otros suponen que esta pasión fue un efecto de venganza del mismo Neptuno contra Minos, que en un sacrificio que le tributaba todos los años sustituyó un toro de menor valor por otro blanco y muy bien formado. (*V.* Minotauro.) *Luciano* ha buscado el modo de interpretar esta fábula diciendo que Pasífae había aprendido de Dédalo aquella parte de la astrología que tiene relación con las constelaciones y sobre todo con el signo de Tauro: pero el verdadero fundamento consiste, al parecer, en el equívoco de la palabra *Taurus*, nombre de un almirante cretense a quien la reina dispensó sus favores, porque se veía despreciada por su esposo, Minos, que daba preferencia a Procris; y Dédalo que protegía la intriga de la reina, prestó su casa a los dos amantes. Pasífae, por último, parió dos gemelos uno muy parecido a Minos y otro a Tauro, lo que dio lugar a la fábula del Minotauro. Pasífae ha pasado por hija del Sol, porque era como Circe, muy inteligente en el conocimiento de los sortilegios y en la composición de los venenos. Dícese que hacía devorar por las víboras a todas las favoritas de Minos, porque había frotado el cuerpo del rey con una hierba que atraía estos reptiles, lo que parece significar que esta reina celosa sabía deshacerse de sus rivales valiéndose del veneno o de otros medios eficaces.

2 — Diosa que tenía en Talames, en Laconia, un templo con un oráculo, que gozaba de gran reputación; algunos, dice *Plutarco*, pretenden que era una de las Atlántidas, hijas de Júpiter, madre de Ammón. Según otros era la misma Casandra, hija de Príamo, que murió en Talames; y como rendía oráculos a todos los que la consultaban fue llamada Pasífae. (R. *pasi phainein*, declarar a todos.) Los que deseaban consultarle iban a dormir en el templo de esta diosa y durante la noche les representaba en sueños todo lo que querían saber. *Paus. Eneida. 6, Prop. 2,3. Plut. Apolod. 2, c. 1, Hig. f. 40, Diod. 4. Mem. de la Acad. de inscr. t. 9.*

PASIFAÉIA. Fedra, hija de Minos y Pasífae.

PASIMELOUSA, del cual todo el mundo tiene cuidado. Sobrenombre del navío Argos. R. pas, todo; melein, tener cuidado.

PASITEA. 1 — Hija de Júpiter y Eurínome, era según algunos, la primera de las Gracias. Sus hermanas se llamaban Eurinoma y Egilea. Juno la prometió en matrimonio al Sueño si satisfacía sus preguntas. *Ilíada. l.14, Paus. 9, c.35.*

2 — Sobrenombre de Cibeles, madre de todos los dioses.

3 — Nais, esposa de Erictonio, madre de Pandión, 1.

4 — Nereida. *Hesíodo.*

PASITOA. Oceánida. *Hes. Teog.*

PASPARIO. Sobrenombre de Apolo adorado por los parios y los pérgamos.

PASTOFORIUM. Habitación, según *Cuper*, de los sacerdotes destinados a llevar en procesión la caja o imagen de los dioses. Otros pretenden que era una pequeña casa donde vivían los guardianes del templo. *M. Le Moine* conviene en que, entre los paganos, lo mismo que entre los cristianos, era una celdilla al lado de los templos, donde entregaban las ofrendas y el obispo después las distribuía a los pobres. También se daba el mismo nombre en la versión bíblica de los Setenta, a la torre donde el sacrificador de turno tocando el clarín anunciaba al pueblo los sábados y días de fiesta.

PASTÓFOROS. Sacerdotes así llamados por los griegos a causa de sus largos mantos, o bien del lecho de Venus que llevaban en ciertas ceremonias, o del velo que cubría las divinidades y que algunas veces estaban obligados a levantar para exponerlos a la vista del pueblo. *San Clemente de Alejandría*, hablando de los cuarenta y dos libros sagrados del Mercurio egipcio, que guardaban con tanta veneración y cuidado en los templos de Egipto, afirma que había seis pertenecientes a la medicina, cuya ciencia obligaban estudiar a los Pastóforos. Según *Diodoro de Sicilia*, prometían conformarse a los preceptos de esta obra sagrada: entonces, si el enfermo moría, no le daban culpa; pero si se apartaban de los preceptos, y el enfermo fallecía, se les condenaba como asesinos.

PASTOR. 1 — Uno de los sobrenombres de Apolo.

2— Con este nombre los poetas designan a Paris. *Hor.*

2 — (*V.* Amintas, Adonis, Bato, Cirterón, Egón, Endimión, Enipeo, Paris.)

PATAICAS. Divinidades cuyas imágenes ponían los fenicios en la popa de sus barcos. Tenían la forma de pequeñas figuras, tan mal hechas, que fueron la causa de que Cambises se burlase de ellas cuando entró en el templo de Vulcano. Colocaban siempre la efigie de uno de estos dioses en la popa, mirándolo como al capitán de la embarcación, en lugar de ponerla en la proa donde colocaban la de un animal o monstruo, del cual tomaba la nave su nombre; *Escaliger* deriva esta palabra del hebreo *patach,* gravar, y *Bochard de batach,* tener confianza: etimologías que convienen ambas al uso que hacían los fenicios y después de ellos, los griegos, de los dioses Pataicos. *Herod. 3, c. 37.*

PATALA. (*Mit. índ.*) Regiones infernales o el infierno de los indios. (*V.* Narac.) Lugar subterráneo situado, según ellos, hacia el sur del mundo, llamado *Padalam,* donde serán precipitados los pecadores: ríos de fuego, monstruos horrorosos, armas homicidas, todos los males están concentrados en aquel recinto terrible. Después de la muerte de aquellos desgraciados, son arrastrados por los Emaguinguillieros hacia aquel lugar de penas, donde se les maniata, azota y pisotea; se les obliga a caminar sobre puntas de hierro: sus cuerpos, después de picoteados por cuervos, y mordidos por los perros, son finalmente arrojados en un torrente de fuego; y no se les conduce a la presencia de Iamán, hasta después de haber sido tratados con toda crueldad por los ministros de la muerte. Entonces aquel juez incorruptible y severo les condenará según las faltas que hayan cometido.

Los infractores de los preceptos de la religión serán lanzados sobre montones de armas trinchantes, debiendo sufrir este tormento por el espacio de tantos años cuantos sean los pelos de sus cuerpos. Los que hayan ultrajado a los brahmanes, personas de dignidad, serán cortados a pedacitos. A los adúlteros se les obligará a abrazar una estatua hecha ascua; a los que falten a sus deberes, o hayan descuidado su familia abandonándola para correr por el país, serán despedazados por cuervos. Aquellos que hacen mal a los hombres o que matan animales, serán arrojados a los precipicios para ser pasto de bestias feroces. Los que no han respetado a sus parientes, arderán en un fuego devorador. Los que hayan maltratado a los ancianos y niños serán arrojados en hornos; y los que se hayan acostado con cortesanas tendrán que andar sobre espinas.

A los embusteros y calumniadores, después de haberles echado en camas de hierro ardiente, se les obligará a comer basura. Los avaros servirán de pasto a los gusanos. Aquellos que roban a los brahmanes serán aserrados por medio cuerpo. Aquellos que por vanidad matan vacas y otros animales en los sacrificios, serán machacados sobre un yunque. Los testigos falsos serán precipitados desde lo alto de las montañas. Finalmente, los voluptuosos, los holgazanes y los que no han tenido piedad de los menesterosos y de los pobres, serán arrojados en cavernas encendidas, aplastados entre piedras de molino, oprimidos por los elefantes, y sus carnes hechas pedazos servirán de pasto a los animales.

Todos los pecadores sufrirán el castigo por espacio de millares de millares de años, y sus cuerpos inmortales, aunque despedazados y divididos en los suplicios, volverán a reunirse como el azogue, luego serán condenados a otra nueva vida, durante la cual se prolongarán sus tormentos, hasta que por un efecto de la omnipotencia divina se encontrarán en el semen de los hombres, que derramado en la matriz de la mujer, no será en toda una noche más que como lodo. El quinto día se convertirá en glóbulos de agua; en el cuarto mes se formarán los nervios del feto; en el quinto ya experimentará el hambre y la sed; en el sexto una epidermis cubrirá su cuerpo, y en el séptimo tendrá movimientos sensibles. Habitará en el lado derecho de la madre y se alimentará del líquido de los alimentos que ella tome; reducido a revolverse entre los excrementos, será mordido por los gusanos y las sustancias acres o el agua caliente que la madre beba, le causarán dolores. Al nacer padecerá mucho, después de nacido estará sujeto todavía a sufrir una infinidad de penas. Y este nacimiento tan doloroso se reiterará hasta que aquellos desgraciados tengan valor de dedicarse enteramente a la práctica de las virtudes.

PATALENA o PATELENA. Una de las diosas que presidían y protegían las mieses. Se la invocaba en la estación en que estaban para salir las espigas del tallo; así es que el pueblo le atribuía el cuidado particular de hacer salir felizmente las espigas. R. parere, *entreabierto. V.* Patela.

**PATAREO.** Sobrenombre de Apolo tomado del templo que tenía en Patara. *Hor. l. 3, Od.4.*

**PATARO.** Hijo de Apolo y Licia, hija de Xanto, dio su nombre a la ciudad de Patara en Licia. *Est. de Biz.*

**PATECO.** Historiador de la escuela de Pitágoras; se vanagloriaba de tener el alma de Esopo. *Plut.*

**PATEIDAS.** Sobrenombre de las Musas de una fuente de Macedonia que les estaba consagrada. *Festo.*

**PATELA o PATELANA.** *Arnobio* habla de una divinidad de este nombre, la cual tenía el cuidado de las cosas que debían abrirse o descubrirse, o de las que eran ya abiertas.

**PATELARII. Dii.** *Dioses de los platos,* nombre que *Plauto* da a los dioses, a quienes se hacían libaciones en las comidas. R. *palella,* plata. *V. Libaciones.*

**PATELO.** Divinidad adorada en otro tiempo por los prusianos. El culto de este ídolo consistía en tener suspendida delante de su estatua la cabeza de un hombre.

**PATER. 1** — Nombre dado a Júpiter y Baco por casi todos los poetas.

**2** — O *Pater sacrorum,* nombre mitriaco. *Ant. Expl. t. 2.*

**PATER PATRATUS.** Jefe de los feciales, elegido por el colegio de los mismos. (*V.* Feciales.) Era el que enviaban para anunciar la paz y los tratados y el encargado de entregar a los enemigos al que violaba una de ambas cosas. *Cicerón* dice que habiéndose violado el tratado concluido delante de Numancia, el *Pater Patratus,* en virtud de un decreto el senado, entregó C. Manucio a los numantinos.

**PATERES. 1** — Utensilios que se usaban en lo sacrificios, y los empleaban para recibir la sangre de las víctimas, o para ofrecer libaciones. De estos Pateros los unos tenían un mago y los otros no. *Ant. Expl. t. 2.*

**2** — Sacerdotes de Apolo, por boca de los cuales este dios daba sus oráculos. Se deriva esta palabra del hebreo *patar,* interpretar.

**PATET.** (*Mit. pers.*) Confesión de sus faltas acompañada del arrepentimiento. El pecador constituido en presencia del fuego, pronunciando cinco veces el *Jella ahou verio*; y dirigiéndose a Dios y los ángeles, dice: «Me arrepiento y estoy confuso por todos los crímenes o pecados que he cometido, en pensamientos, palabras y obras; las detesto y renuncio y prometo mantenerme puro en lo venidero en pensamientos palabras y obras. Dios tenga compasión de mí y tome bajo su custodia a mi alma y mi cuerpo en este mundo y en el otro». Después de este acto de contricción confiesa sus faltas, que son de veinticinco especies.

**PATRAGALI.** (*Mit. índ.*) Divinidad que adoran los indios, hija de Ixora, diosa principal de los mismos.

Entreteniéndose un día Ixora con su hermano Visnú, salió del cuerpo de éste cierta materia o influencia que entrando al cuerpo de Ixora por un ojo, salió inmediatamente cayendo en el suelo, y tomó la forma de una niña, que Ixora adoptó y llamó Patragali. Esta hija, o más bien este monstruo, tiene ocho rostros y diez y seis manos negras. Sus dientes son semejantes a los colmillos de jabalí, y sus ojos son redondos y de un grandor extraordinario. Serpientes ensortijadas alrededor de su cuerpo le sirven de vestido, y le sirven de pendientes dos elefantes. A lo menos así es como la representan los indios. Su primera hazaña fue pelear contra el famoso gigante llamado Darida, quien se había atrevido a desafiar a su padre. Este gigante tenía un libro y unos brazaletes mágicos por medio de los cuales parecía tener durante el combate un prodigioso número de cabezas. Además gozaba de la ventaja de no poder ser herido en ninguna parte de su cuerpo. Patragali después de haber luchado contra tal monstruo durante siete días, sin obtener ningún resultado, recurrió al artificio. Al intento envió una mujer sagaz a pedir a la mujer del gigante el libro y brazaletes de su marido como si fuera de parte del gigante mismo. Creyendo de buena fe en el recado, entregó aquellas prendas y por este medio fue privado el gigante de toda su fuerza y sucumbió a los golpes de Patragali.

Al regresar triunfante a la casa de su padre, le dio éste para regalarle varias viandas mezcladas con sangre. No manifestándose Patragali contenta, se cortó Ixora un dedo, lo puso en el plato de su hija, que luego llenó de la sangre que manaba de su herida. Todo esto no satisfazo aún a Patragali, que dio a entender su descontento, arrojando al rostro de su padre una cadena de oro. Entonces Ixora, para contentar a su hija, creó dos jóvenes que dio para servirla, y este presente la satisfizo. Le aconsejó después que viajase y le regaló una nave de madera de sándalo, para que pudiese atravesar todos los mares; Patragali emprendió el viaje, e Ixora quedó muy contento de verse libre de ella. Sin embargo, acaeció poco tiempo después que, una mañana en que dormía tranquilamente, Patragali entró de repente, derribó la cama y desapareció. Durante su viaje tuvo algunos combates contra los piratas que la atacaban y logró ahuyentarlos. Se detuvo por mucho tiempo en las costas de Malabar, donde se casó con el hijo de uno de los príncipes del país. Es muy notable que no quiso jamás permitir que su esposo usase con ella de los derechos de himeneo, juzgando sin duda que un mortal no era digno de sus favores; por lo demás lo trató muy bien. Habiendo los piratas despojado de todas sus riquezas al padre y a la madre de su marido, regaló a éste los brazaletes de oro que llevaba en las piernas; pero este presente le fue muy funesto. Habiéndole encontrado un día un platero, con sus brazaleteras, le condujo a una ciudad vecina, bajo pretexto de comprárselas, mas apenas llegó, acusó al marido de Patragali de haberlas robado a la reina del país. Esta princesa, que en efecto había perdido otras iguales o más bien que el pérfido platero se las había robado, dio fe a la acusación e hizo empalar al extranjero en un palmero. Patragali, que no había recibido noticias de su marido, se puso en camino para buscarle. La mayor parte de los que se informó la despreciaron; los unos se burlaban de ella; los otros ni siquiera se dignaban responderle, y algunos más malignos la hacían caer en hoyos, que habían cubierto con ramas de árboles. Patragali se contentó con maldecir a estos insolentes y continuó su camino. Habiendo llegado

por último cerca del palmero que había servido de suplicio a su esposo, volvió la vida a éste, después de haber derribado el árbol con sus encantos.

Los indios dicen que Patragali había fijado muy particularmente su residencia en el templo de Grauganos, llamado de los peregrinos. Los malabares están persuadidos que las viruelas son un efecto de la cólera de Patragali, y por lo mismo la invocan para que les libre de esta enfermedad.

PATRÁS. Ciudad del Peloponeso en la costa occidental de Acaya, donde había dos oráculos, el primero en un templo de Ceres. Este consistía en una fuente a la que iban a consultar sobre el éxito de las enfermedades, lo que ejecutaban suspendiendo un espejo atado con un bramante. El dorso del espejo tocaba el agua, y la luna o cristal a la superficie; entonces miraban en él y se representaban diferentes imágenes, las que indicaban si el enfermo debía o no curar. El segundo era el oráculo del Foro; este consistía en una estatua de Mercurio y otra de Vesta. Era necesario incensarlas y encender las lámparas que colgaban alrededor; luego dedicaban al lado derecho del altar una medalla de cobre del país; interrogaban a la estatua de Mercurio sobre lo que querían saber: después de esto era preciso acercarse muy cerca en ademán de escuchar lo que ella pronunciaba, y saliendo del Forum, con las orejas tapadas con las manos, la primera voz que oían era la respuesta del oráculo. *Paus. 7. c. 6. Met. 6. Mela, 2. c. 3. Herod. 3. c.145. Diod. Sic.Tucíd.*

PATRENSIS. Ceres adorada en Patrás. *V.* Este nombre.

PATREO. Segundo fundador de Patrás.

PATRIARCAS DE LOS BRAHMINES o BRAHMANES. (*Mit. índ.*) Noël, en el siglo XIX nos los describe de la siguiente manera: luego de concluida la fábrica de un templo, se escoge por patriarca o gran sacerdote a un brahmán, el cual no puede casarse ni salir de la pagoda. No se muestra al público más que una vez al año, sentado en medio el santuario y apoyado sobre almohadones. El pueblo está prosternado en su presencia hasta que desaparece de su vista.

La dignidad de gran sacerdote es hereditaria en su familia, cuyo jefe es siempre el posesor, toma por asistentes todos los brahmanes que puede mantener, a este fin el soberano le concede terrenos llamados *Shanions*, exentos de toda especie de contribuciones, y además cobra el derecho llamado *Shagamé* sobre las mercancías y otros efectos pertenecientes a sus correligionarios, que pagan entrada y salida. Los indios le hacen responsable de los males que les aflijen, y cuando los ayunos, las mortificaciones y las plegarias no hacen cesar las calamidades públicas, está obligado a precipitarse cabeza abajo desde lo alto de la pagoda, para apaciguar a los dioses con este sacrificio.

**PÁTRICA.** Misterio concerniente al culto y fiestas del sol. *Lamprid.*

**PÁTRICIA.** Sobrenombre bajo el cual Isis tenía un templo en la quinta región o cuartel de Roma.

**PATRICOS.** 1 — Había ocho dioses que los antiguos llamaban *Patricios*. Jano, Saturno, el Genio, Plutón, Baco, el Sol, la Luna y la Tierra.

2 — Uno de los nombres que daban a los misterios mitríacos. Este nombre derivaba del de *Pater*, que llevaba uno de los sacrificadores de Mitra. *Ant. Expl. t. 3.*

**PATRII.** *Dioses de la patria*, eran los que recibían de sus padres.

**PATRIO.** Sobrenombre de Apolo, llamado así, según unos, de Icadio, hijo suyo, y de la ninfa Licia, quien le hizo levantar muchos templos; y según otros, de Patrás ciudad de Acaya, donde era venerado con un culto particular.

**PATRIUNFO.** Idolo adorado en otro tiempo por los prusianos. Estos pueblos alimentaban con leche a una serpiente en honor a este ídolo.

**PATRO.** Hijo de Testio, de la cual Hércules tuvo a Arquémaco,

**PATROA.** Sobrenombre de Diana, la cual tenía una estatua en Sicione,

**PATROCLO.** 1 — Hijo de Menecio, rey de los locrios, y Esténele, habiendo matado al hijo de Anfidamante en un transporte juvenil ocasionado por el fue-

go, se vio obligado a abandonar su patria y a buscar un asilo en la corte de Peleo, rey de Fitia, en Tesalia. Este le hizo educar con Aquiles por el famoso Quirón, y entonces tuvo origen aquella amistad tan tierna y tan íntima que reinó siempre entre los dos héroes. Aquiles, resentido de Agamenón, había dejado de combatir, cuando Patroclo, que no pudiendo ver con indiferencia las grandes ventajas que alcanzaban los troyanos sobre los griegos, pidió a su amigo que a lo menos le prestase sus armas y le concediese el permiso para marchar, al frente de los tesalios, contra los enemigos. Aquiles consintió, pero con la condición que en el momento que hubiese rechazado a los troyanos del campo de los griegos, emprendiese una pronta retirada con los tesalios, abandonando a las demás tropas al peligro. Patroclo toma las armas de su amigo Aquiles menos la pica, que por ser muy pesada ningún griego podía servirse de ella. Marcha luego contra los troyanos, quienes viendo la armadura del hijo de Peleo se llenan de terror y emprenden una precipitada fuga. Patroclo los persigue hasta los muros de Troya; tres veces se arroja a las almenas de las murallas y otras tantas Apolo lo rechaza con sus inmortales manos. No contento, el dios protector de los troyanos con esta ventaja, hiere de estupor y de inmovilidad al héroe; su casco y su coraza se desatan y ruedan por el suelo, su pica se rompe, el broquel se le escapa de las manos y, en este estado, ofrece un triunfo fácil a Héctor, quien le atraviesa con su pica. Se traba un terrible combate alrededor de su cuerpo; finalmente Ayax y Menelao rechazan a Héctor y logran salvar el cadáver de su amigo. Mientras, Aquiles jura vengarle, se le aparece su sombra y le ruega que le haga con urgencia los funerales, a fin de que le sean abiertas las puertas de los Elíseos. Aquiles se apresura a cumplir sus intenciones; manda lavar su cuerpo y sacrificar un sin número de víctimas alrededor de la pira; arroja en ella cuatro de sus más hermosos caballos y dos de los mejores perros que le servían de guarda en su campamento; inmola con sus propias manos a doce jóvenes troyanos y termina los funerales con juegos fúnebres. No tardó mucho tiempo en que Héctor cayese bajo los golpes de Aquiles, quien le sacrificó a los manes de su amigo. *Ilíada. 5. Met. 13. Eneida. 6. Apolod. 3, c. 13. Hig. f. 97, 275.*

2 — Hijo de Hércules y la testiades Piripa. *Apolod.*

PATRON. Uno de los guerreros que siguieron a Evandro en Italia, puede ser tal vez el mismo que se presentó a disputar el premio de la carrera en los juegos que Eneas mandó celebrar en el aniversario de su padre Anquises. Se le supone amigo de hacer bien, y se dice que dio su nombre a lo que los romanos llamaban *patrón. Plut.*

PATRONIMICOS. Nombres que los griegos daban a un linaje y que se tomaba del jefe mismo, así es que a los descendientes de Hércules se les llamaba Heráclidas; a los de Eaco, Eácidas. Se daba igualmente a los hijos inmediatos, como los átridas, hijos de Atreo; las danaides hijas de Dánao, etc.

PATRONUS SODALITII. Jefe de la congregación del gran colegio de Silvano en Roma. En este colegio se guardaban los dioses y las imágenes de los emperadores.

PATRUS. Baco tenía una estatua con este nombre en Megara. Apolo había sido pintado en Atenas por el célebre *Eufranor*, bajo este mismo nombre, que también pertenecía a Júpiter, como lo demostraba una estatua de madera que tenía en el templo de Minerva, en Argos, representada con tres ojos, para manifestar que veía todo lo que se pasaba en el cielo, en la tierra y en los infiernos. Decían los argivos que este Júpiter Patrus era el que se hallaba en el palacio de Príamo, y que este desgraciado príncipe fue matado por Pirro al pie de su altar. En la distribución del botín, la estatua recayó a favor de Estéleno de Capanea, quien la depositó en el templo de Argos. *Paus. 2.*

PATSA. (*Mit. chin.*) Horóscopo. *V.* Suan-Ming.

PATULCIO. Sobrenombre de Jano, porque se abrían las puertas de su templo durante la guerra, o bien porque abría el año y las estaciones que empezaban por la celebración de sus fiestas. *Ovid. Fast. 1.*

PAUSANIAS. Fiestas acompañadas de juegos en la que tan sólo los espartanos eran admitidos para la distribución de premios. El nombre de esta fiesta derivaba del de Pausanias, general espartano, bajo cuyas órdenes los griegos vencieron a Mardonio en la famosa batalla de Platea. Después de este memorable suceso, se estableció la costumbre de pronunciar con frecuencia un discurso en honor a este gran capitán. *Ant. Expl. t. 2.*

PAUSARIO. Oficial romano que tenía a su cargo arreglar las estaciones en las pompas religiosas o procesiones públicas. Había estaciones llamadas *mansiones*, en ciertos parajes preparados al efecto, en los cuales exponían a la vista del pueblo las estatuas de Isis y Anubis. Según una inscripción citada por *Saumaise*, parece que estos ministros formaban una especie de colegio.

PAUSAS, ESTACIONES. Los que llevaban la estatua de Anubis estaban obligados a pararse en ciertos lugares determinados, en las procesiones hechas en honor de este dios y de la diosa Isis.

PAUSEBASTOS. Piedra preciosa consagrada a Venus, a la que llamaban también *paneros;* era una preciosa ágata.

PAUSUS. Dios del reposo o interrupción del trabajo, opuesto a Belona y a Marte.

PAVAN. (*Mit. índ.*) Dios del viento, padre de Hanuman y uno de los ocho genios.

PAVENCIA. Divinidad romana, invocada por las madres y las nodrizas para liberar del miedo a los niños. Según otros, les intimidaban con ella, y hay también quien supone que la invocaban para liberarse ellas mismas del miedo. *Ant. Expl. t. 1.*

PAVO. (*V.* Juno.) (*Iconol.*) Un pavo empavesado es el símbolo de la vanidad. (V. Este nombre.) En las medallas designa la consagración de las princesas, como el águila la de los príncipes.

PAVOR, *el miedo.* Divinidad que los romanos habían hecho compañera de Marte. Tulio Hostilio, rey de Roma, le hizo levantar una estatua, lo mismo que al dios *Pallor.*

PAVORIOS. Nombre aplicado a una parte de los sabios, o sacerdotes de Marte, que estaban destinados al culto del dios. *Pavor. Mem. de la Acad. de Inscr. t. 9.*

PAZ. (*Iconol.*) Divinidad alegórica hija de Júpiter y Temis. *Aristófanes* le da por compañeras a Venus y las Gracias. Los atenienses le consagraron un templo y le levantaron estatuas, pero más celebrada fue aun entre los romanos, que le erigieron en la calle Sagrada el más grande y el más magnífico templo que se levantó en Roma. Este templo, iniciado por Agripina y concluido por Vespasiano, recibió los ricos despojos que este emperador y su hijo se habían llevado del de Jerusalén. En el templo de la Paz era donde se reunían los que profesaban las bellas artes para disputar sus prerrogativas, a fin de que en presencia de la divinidad, desapareciese todo desabrimiento en sus disputas; idea ingeniosa que en nuestros días debiera tener también su aplicación. Los enfermos, según cuenta *Galiano*, depositaban toda su confianza en esta diosa y ellos o sus amigos le dirigían sus votos para el restablecimiento de su salud, así es que la numerosa concurrencia en el templo ocasionaba a veces algunas desazones. Antes de Vespasiano la Paz tenía en Roma altares, un culto y estatuas. Representábanla con ademán dulce y llevando en una mano un cuerno de la abundancia y en la otra un ramo de olivo; algunas veces teniendo un caduceo, una antorcha vuelta hacia abajo, algunas espigas de trigo y llevando en su seno a Pluto niño aún. En una medalla de Augusto lleva en una mano un ramo de olivo y en la otra una antorcha encendida con la cual da fuego a un trofeo de armas. En otra de Servio Galba se representaba sentada en un trono teniendo en una mano un ramo de olivo y apoyando la izquierda en una clava, de la cual, como Hércules, se ha servido para castigar la audacia de los malvados. En una de Vespasiano está rodeada de olivos y se le dan por atributos un caduceo, un cuerno de la abundancia y un manojo de espigas. Una de Tito la representa como Palas, que en una mano tiene una palma, recompensa de las virtudes, y en la otra una hacha de armas, terror de los culpables. En otra medalla de Claudio, es una mujer que se apoya en un caduceo, en el que hay ensortijada una espantosa serpiente y que se cubre los ojos con la mano,

para no ver como derrama su veneno. Una lanza en la mano de la figura, o una clava de Hércules, anuncia una paz adquirida por el valor y a fuerza de armas. En un bajorrelieve de la *villa Albani*, la Paz esta figurada por una mujer que tiene un caduceo. Se le dan también grandes alas como a Victoria. Los sacrificios, sin efusión de sangre, tributados a esta diosa, están indicados por las piernas de un animal puestas sobre una mesa. La conclusión de una Paz puede ser representada por el templo de Jano, cuyas puertas se cierran en este caso. «Podría, dice el célebre *Winckelman*, tomarse la imagen de una paz asegurada por el amor, y consolidada por un matrimonio entre las partes beligerantes, de este hermoso dístico latino:

Militis in galea nidum fecere columbæ: Sus soldados esculpieron un nido de palomas en el casco, y la inscripción Apparet Marti quam sit amica Vénus!, se muestra cuán amiga es Venus de Marte. De dos personas que concluyen la paz, la una podría llevar un caduceo y la otra un tirso cuya punta, cubierta de hojas, indicaría que no está destinada a herir». *Mem. de la Acad. de Inscr. t. 21.*

PEAN. 1 — Himnos o cánticos en honor de Apolo y Diana, en memoria de la victoria alcanzada contra Pitón por este dios. Estos cánticos eran caracterizados por esta exclamación: *¡Yé païn!* especie de refrán que propiamente quiere decir: *Arroja tus flechas Apolo*. Le cantaban para hacérsele propicio contra las enfermedades contagiosas, que consideraban como efecto de su cólera. En lo sucesivo las cantaron también en honor a Marte, y al sonido de flautas cuando marchaban al combate. Se extendieron después a todas las divinidades, y en tiempo de *Jenofonte* los lacedemonios entonaban un pean en honor de Neptuno. *Ateneo* nos ha conservado uno, dedicado por *Arifrón de Sicione* a Higia, o diosa de la salud; por fin se componían igualmente para ilustrar la memoria de los héroes *Met. 1, Eneida. G, 10.*

2 — Sobrenombre de Apolo derivado de las fuerzas de sus rayos o de sus flechas, explicado por este verbo *païen*, herir, o por su calidad de dios de la medicina.

PEANITES. Piedra fabulosa que los antiguos creían que facilitaba los partos.

PEAS. Pastor, el cual según los mitólogos dio fuego a la hoguera de Hércules. El héroe, para recompensarle, le dio su arco y flechas.

PECADO. (*Iconol.*) 1 — Los iconólogos hacen del pecado un joven ciego y desnudo que corre por vías tortuosas en los bordes de los precipicios sembrados de rosas que ocultan las espinas; un gusano le pica el corazón y lleva ceñida una serpiente. *V.* Crimen.

2 — (*Mit. siam.*) Los siamitas están persuadidos que el oficio de los seculares es pecar, y el de los talapones, hacer penitencia por los que pecan. Así es que la afición que tienen los monjes a esta penitencia lucrativa, cuya eficacia han inculcado al pueblo, les han conducido al extremo de procurar que los seculares pequen, a fin de conseguir ellos más limosnas. Por lo mismo, su despensa o cocina fundada en los pecados del pueblo está siempre bien abastecida; pues la ley de los siamitas es tan severa y tan municiosa, que los hombres más virtuosos y más exactos no pueden, con la mejor intención, dejar de violarla varias veces al día.

PECOU. (*Mit. siam.*) Grado de órdenes entre los antiguos habitantes de Siam, que correspondía al diaconato.

PECUDIFER. Sobrenombre de Silvano como favorecedor de la multiplicación de los rebaños. *Inscr.*

PECUNIA. Diosa del dinero a la cual invocaban los romanos para tenerle en abundancia S. Agustín pretende que *Pecunia* era un sobrenombre de Júpiter. *De. Civ. Dei. C. 21.*

PECHO. Estaba bajo la protección de Neptuno.

PEDASO. 1 — Ciudad del Peloponeso. *Homero* la coloca en el número de las ciudades que pertenecían a Agamenón. *Ilíada. 2.*

2 — Hijo de una ninfa y de Bucolión, hijo natural del rey Laomedonte, fue muerto durante el sitio de troya por Eurialo, que le despojó de sus armas. *Ilíada. 6.*, fundador de dos ciudades en el Peloponeso y Caria.

3 — Caballo célebre que Aquiles se apropió en el saqueo de la ciudad de Eeción, y aunque mortal, igualaba en ligereza a los caballos de raza inmortal. Fue muerto delante de Troya por Sarpedón. *Ilíada. 16.*

PEDAUCA o PADAUCA. (*Reina.*) Figura de mujer con patas de ganso (*pes osœ*). Se ve esculpida con frecuencia en las fachadas de estilo gótico. Algunos sabios pretenden que fue la reina de Saba, fundados en este cuento de *Talmud:* «Informado Salomón de su llegada quiso recibirla como correspondía a su clase, a cuyo fin se trasladó a un aposento todo de cristal. Cuando la reina entró, creyendo que el príncipe estaba dentro del agua, para pasar levantó sus vestidos; entonces Salomón, viéndole los pies feos y deformes le dijo: "Vuestro rostro tiene toda la hermosura de las bellas y dignas mujeres, pero vuestras piernas no corresponden a ella».

PEDEO. Hijo natural de Antenor, a quien la mujer de éste, llamada Tenao, le crió con tanto esmero como si fuese su propio hijo. Murió en el sitio de Troya de un lanzazo que le dio Megeo. *Ilíada. 7.*

PEDIAS. Hija del espartano Mines, esposa de Cránae, rey de Atenas, y madre de Cránae, Cranecme y Atis.

PEDICRATE. Uno de los jefes sicilianos muertos por Hércules, y a quien sus compatricios tributaron los honores heroicos.

PEDOFILA. (*Iconol.*) *El que ama a los niños;* sobrenombre de Ceres. Representan varias veces a esta diosa teniendo en su regazo a dos pequeñitos, sosteniendo cada uno un cuerno de la abundancia, para significar que es la que alimenta al género humano. R. *païs*, niño, *philein*, amar. *Ant. Expl. t. 1.*

PEDOTISIA. *Sacrificio de niños.* Costumbre bárbara, usada antiguamente para aplacar la ira de los dioses.

PEDOTROFE. Sobrenombre de Diana honrada en Coronea, tomado de la antigua opinión de que la Luna influía en la preñez y el parto. R. *païs*, niño; *trephein*, criar.

PEDRERÍAS. *V.* Riquezas, Fortuna, Aquiles.

PEDUM. Bastón pastoral, curvo por la parte superior. Se le veía en manos de Paris, Atis, Ganímedes, Pan, los Faunos y Acteón, etc. Era la señal distintiva de los actores cómicos, porque Talia, musa de la comedia, lo era también de la agricultura.

PEFREDO. Una de las hijas de Foras y Ceto. *Hes. Teog.*

PEGANUM, STAGNUM. Lago vecino a Efeso, que Pegaso hizo salir de la tierra de una coz.

PEGASO. 1 — Caballo con alas; nació de la sangre de Medusa en el momento que Perseo le hubo cortado la cabeza, y fue llamado así porque nació cerca de unas fuentes. Al instante que salió a la luz se remontó, según *Hesíodo* (*Teog.*) a las habitaciones de los inmortales, en el palacio mismo de Júpiter, al cual llevó los rayos y relámpagos; o bien según *Ovidio*. (*Met. 4*) sobre el monte Helicón, donde de una coz hizo salir la fuente llamada Hipocrane. Minerva lo regaló a Belerofonte el cual lo montó para combatir con la Quimera, pero habiendo querido este héroe servirse de él para subir a los cielos, fue arrojado a la tierra, y Júpiter colocó a Pegaso entre los astros, del cual hizo una constelación. *Ovidio* también le hace montar por Perseo para transportarse a través de los aires a Mauritania, en el país de los hespérides (según esta versión). Según la opinión más válida, este caballo no era otra cosa que un navío que tenía una figura de caballo en la popa, del cual se sirvieron Belerofonte y Perseo en sus expediciones. El Pegaso con alas es el símbolo de Corinto, donde Minerva lo entregó a Belerofonte. Su nombre deriva de la fuente que hizo brotar, o bien de los manantiales del Océano cerca de los cuales nació. R. *péghe*, manantial. (*Hig. f. 57, Hor. Od. 12, l. 4, Prop. el. 10, Teog. Ilíada. 6. Apolod. 2, c. 3, 4. Paus. 12, c. 3, 4.*). Los modernos le destinan un lugar distinguido en el Parnaso, y afirman que tan sólo presta sus favores a los poetas del primer orden.

2 — Monte y ciudad de Tesalia.

PEGÁSIDES. Sobrenombre de las Musas tomado del caballo Pegaso, que habitó con ellas en el monte Helicón. *Ovid. Herod. 15.*

PEGASIS, o más bien *Pedasis*. 1 — Ninfa, de la cual Ematión tuvo a Atimnio.

2 — Ocnona, hija del río (*Peghe*) Cebrén.

PEGEAS. Ninfas de las montañas y fuentes, lo mismo que las Náyades R. *péghe,* manantial.

PEGNEO. Uno de los Curetes; tenía un altar en Pisa.

PEGOMANCIA o PAGOMANCIA. Adivinación por medio de los manantiales. Se practicaba, o bien echando en ellos una cierta cantidad de piedrecitas, de las que observaban los diversos movimientos, o bien hundiendo vasos de vidrio y examinando los esfuerzos que hacía el agua para entrar apartando el aire que contenían. Las más célebres de las pegomancias era la adivinación por medio de dados que se hacía en la fuente de Apona, cerca de Padua. *Mem. de la Acad. de inscr. t. 12.*

PEIREO. Hijo de Elsitio de Itaca, acompañó a Telémaco a Pilos y dio acogida en su casa a Teoclímenes.

PEIRUM. Dios, cuya venida esperan los japoneses al fin del mundo.

PELACÓN. 1 — Uno de los pretendientes de Hipodamia, muerto por Enomao.

2 — Uno de los capitanes que, bajo el mando de Néstor, condujeron a los griegos al sitio de Troya. *Ilíada. 4.*

3 — Troyano, amigo de Sarpedón. *Ilíada. 5.*

4 — Foceo, hijo de Anfidamarte. Cadmo siguió las huellas de uno de sus bueyes para conocer el lugar en el que debían levantar la ciudad de Tebas.

PELAGEO. Sobrenombre de Neptuno, dios del mar.

PELAGIA. Isla cercana a las columnas de Hércules, consagrada a Saturno.

PELAGOS o PIÉLAGO. 1 — Bosque muy espeso entre Tegea y Mantinea, ciudades de Arcadia. Epaminondas murió en este bosque, engañado por el oráculo que le advirtió que se librase del Pelagos. (La mar.) Para aprovecharse de este aviso no quiso embarcarse; pero fue muerto en este bosque en la batalla de Mantinea.

2 — Océano. Hijo de la Tierra, sin tener padre.

PELÁRGEA. Hija de Potneo; habiendo restablecido en Tebas el culto de los dioses cabiros, se le tributaron después de su muerte los honores divinos por orden del oráculo de Delfos; y se acordó, que además de otras cosas, se le sacrificaría cada día una víctima entera. *Paus. 9. c. 23..*

PELASGIA. Sobrenombre de Juno.

PELASGIS. Sobrenombre de Ceres, derivado de un templo que levantó en su honor Pelasgo de Argos, hijo de Triopas. Fue sepultado junto a este templo.

PELASGO. 1 — Hijo de la Tierra, fue el primer hombre que habitó en Arcadia. Enseñó a los arcadios a construir cabañas para defenderse de la inclemencia de las estaciones; como también a cubrirse con pieles de jabalí, y sustituir a las hojas de árbol y raíces, el uso del fruto de la haya; y este alimento les fue tan común que algún tiempo después de Pelasgo los lacedemonios habiendo consultado a la Pitia sobre el éxito de la guerra que querían emprender contra los arcadios, les respondió que un pueblo que no se alimentaba más que de bellotas, era terrible en la guerra y muy difícil de vencer. *Paus. Dion, Ilíad. mem. de la Acad. de Inscr. 7. 14.*

2 — Hijo de Inaco, y padre de Hesíodo y Licaonte.

3 — Hijo de Foroneo y nieto de Inaco.

4 — Hijo de Júpiter y Níobe, primera favorita de este dios. *Tretzes.*

5 — Hijo de Arcas y biznieto de Licaonte. *Hesiq.*

6 — Hijo de Asopo y Mérope.

7 — Hijo de Neptuno. *Dion Hal.*

8 — Hijo de Licaonte. *Esteban de Biz.*

9 — Hijo de Triopas, rey de Argos, acogió en su casa a las danaidas huyendo de la persecución de Linceo y levantó un templo a Ceres, a quién también había dado asilo (según *Pausanias*) *Paus.*

PELASGOS. 1 — Pueblos los más antiguos de Grecia. Los historiadores que los distinguen de los helenos, no están acordes sobre su origen y emigraciones. *Dion. Hal. i, Estrab 13, Paus. 8, c. 1, Herod. 1. Mem. de la Acad. de inscr. t. 2. 3. 4. 5. 6. 7. 14. 16. 18.*

2 — Nombre que tenían antes los macedonios. *Justino. 7, c. 1.*

PELATES. Guerrero muerto por Corinto en el combate que tuvo lugar en la corte de Cefeo, con motivo del matrimonio de Perseo. *Met. 5.*

PELEADES. Doncellas dotadas del don de profecía, según refiere *Pausanias,* quien cita de ellas estas palabras: «Júpiter ha sido, es y será. ¡Oh gran Júpiter! por tu socorro la tierra nos produce frutos, la llamamos nuestra madre y con razón». Habitaban en el país de los dononeos.

PELEGIA. 1 — Sobrenombre de Venus, lo mismo que *Pontia.*

2 — Sobrenombre de Isis en algunas inscripciones, ya sea por haber inventado las velas, o bien por que Egipto parece un lago cuando está inundado por el Nilo. Bajo esta denominación tenía un templo, según *Pausanias,* cerca de Acro-Corinto. En las medallas, representa a menudo a Isis desplegando una vela; entonces se considera como *Isis pelagia. V.* Faria.

PELEGON. Macedonio, hijo del río Axio y de Peribea, y padre de Acteropea. *Ilíada. 21.*

PELENE, PELENEA, PELENEIS, PELENIS. Sobrenombres de Diana derivados del culto que se le daba en Pelene, ciudad de Acaya. Referían los habitantes que la estatua de Diana solía estar enferma; y que cuando la gran sacerdotisa la sacaba de su lugar para llevarla en procesión, nadie se atrevía a mirarla de frente, en razón a que su vista no tan sólo era perjudicial a los hombres sino al lugar por donde pasaba, de manera que esterilizaba los árboles y caían todos los frutos. En un combate contra los etolios, habiendo la sacerdotisa vuelto el rostro de la estatua hacia los enemigos, perdieron éstos el sentido y echaron a correr. *Plut. Banier, t. 4.*

PELENO DE ARGOS. Hijo de Forbante y nieto de Triopas. Se le atribuye la fundación de Peleno, ciudad de Peloponeso en Acaya, *Estrab. 8.*

PELEO. Padre de Aquiles, era hijo del célebre Eaco, rey de Egina, y de la ninfa Endeis, hija de Escirón. Condenado a un destierro perpetuo con su hermano Telamón por haber matado a su hermano Foco, bien que inadvertidamente, buscó un asilo en Pitía, en Tesalia, donde casó con

Antígona, hija del rey Euritión, que le dio en dote la tercera parte de su reino. Invitado Peleo a la famosa caza de Calidón, salió con su suegro, a quien tuvo la desgracia de matar arrojando su venablo contra un jabalí. Otra muerte involuntaria que le obligó a desterrarse por segunda vez. Pasó a Yolcos cerca del rey Acasto, quien le hizo la ceremonia de la expiación. Pero una nueva aventura vino a turbar su reposo en esta corte. Inspiró amor a la reina, la cual hallándole insensible, le acusó delante de Acasto, de que había intentado seducirla. El rey le hizo conducir inmediatamente al monte Palión y mandó que, maniatado y bien asegurado, le dejasen expuesto para que sirviese de pasto a las fieras; pero Peleo halló medio de romperse las cadenas, y con el socorro de algunos amigos, Jasón, Cástor y Pólux; volvió a entrar a viva fuerza en Yolcos y mató la reina. La fábula dice que Júpiter le hizo desatar por Plutón, y le dio una espada con la cual se vengó de la malicia y la crueldad de aquella mujer.

Peleo casó en segundas nupcias con Tetis, hermana del rey de Sciros, de la cual tuvo a Aquiles. Envió a su hijo y a su nieto a la cabeza de los mirmidones al sitio de Troya y prometió, dice *Homero*, al río Esperquio la caballera de Aquiles, si éste regresaba felizmente a su patria. Peleo sobrevivió a la conclusión de la guerra de Troya muchísimos años. En la *Andrómaca*, de *Eurípides*, el anciano Peleo aparece en el momento en que Menelao y Hermione, su hija, se preparan para matar a Andrómaca. Peleo la salva de sus manos después de una acalorada disputa en la que los dos príncipes se llenaron de injurias. Recibe luego la triste nueva del fin trágico de su nieto Pirro, se entrega a la mayor desesperación, manifestando que hubiera preferido morir sepultado en las ruinas de Troya. Tetis viene a consolarle y le promete la inmortalidad: para que lo consiga le ordena que se retire en una cueva de las islas Afortunadas, donde recibirá a Aquiles deificado, prometiéndole que ella irá a buscarle acompañada de cinco Nereidas, para llevárselo como esposo suyo en el palacio de Nereo, dándole la calidad de semi-dios. Los habitantes de Pela, en Macedonia, ofrecian sacrificios a Peleo; también le inmolaban todos los años una víctima humana. *Cátul. Ov. Herod, 5, Fest. 2. Met. 11, Apolod. 3, c. 12, Paus. 2, c. 29, Diod. 4. Hig. f. 54.*

PELETRONIO. Rey de los lapitas; inventó el freno y la silla.

PELÍADES. Hijas de Pelias.

PELIAS. 1 — Hijo de la ninfa Tiro y Neptuno, o más bien de alguno de los sacerdotes de este dios. Usurpó el trono de Yolcos a Esón, su hermano materno, y le obligó a vivir como simple particular; pero sabiendo por el oráculo de Delfos que sería destronado por un príncipe de la sangre de los eólidas, sospechó fuese Jasón, su sobrino, el designado por el oráculo, y buscó todos los medios imaginables para hacerle perecer. Disfrutó durante toda su vida de la usurpación, hizo morir a Esón y a su mujer y sucumbió en una edad muy avanzada, dejando la corona a su hijo Acasto. Los Argonautas, a la vuelta de su expedición, celebraron juegos fúnebres en su honor. *Valerio, Flacco, Ovidio (Met. 7.) y Pausanias* también refieren su muerte.

Habiendo Medea, por medio de un secreto, rejuvenecido al padre de Jasón, las hijas de Pelias, sorprendidas por este prodigio, le suplicaron hiciera lo propio con su padre. Medea, con intento de vengar a su suegro y esposo de la usurpación de Pelias, les prometió complacerlas. Tomó en su presencia un carnero, lo cortó a pedacitos, lo echó dentro un caldero y después de mezclar algunas yerbas, lo sacó y vieron que se había transformado en un corderito. Propuso hacer la misma experiencia en la persona del rey, lo disecó y lo metió dentro un caldero con agua hirviendo; pero la pérfida lo dejó hasta que el fuego le dejó enteramente consumido, de modo que sus hijas ni siquiera tuvieron el consuelo de darle sepultura. *Ovidio* añade que las propias hijas de Pelias fueron las que le degollaron y luego le dividieron en pequeños pedazos. Estas desgraciadas princesas, avergonzadas y desesperadas de haber sido engañadas, se ocultaron en Arcadia, donde acabaron sus días entre sollozos, lágrimas y pesares. *Pausanias (l. 8, c. 11,)* les da el nombre de Asteropia y

1055

Antinoa. *Hig. f. 12, 13, 14, Apolod, 1, c. 9, Diod. Sic. Just. 42, c. 2.*

2—Capitán troyano, herido por Ulises, siguió a Eneas, aunque su herida hacía muy difícil su marcha. *Eneida. 2.*

3—Lanza que regalaron a Peleo el día de sus bodas. Usó de ella en los combates y después la entregó a su hijo, con la que se hizo célebre. Aquiles era el único de toda Grecia que podía manejarla. El centauro Quirón habían cortado su asta en la cima del monte Pelión para entregarla a Peleo. *Ilíada. 16. 19.*

PELIAS ARBOR. El navío de los Argonautas, construido con madera cortada en el monte Pelión.

PELICANO. (*Iconol.*) Ave acuática, que ha dado materia para varias fábulas. Entre otras cosas se cuenta que ama tanto a sus pequeñuelos que muere por ellos y que se abre el buche para alimentarlos. Siguiendo esta opinión, el Pelicano es considerado el símbolo del amor paterno y del amor de los príncipes a sus pueblos.

(*Mit. mah.*) Se asegura que esta ave que, en Arabia hace su nido lejos de las aguas para estar más segura, va a buscar la comida a veces a dos jornadas de distancia y que las trae a sus hijuelos sirviéndose de un depósito que tiene en el pico. Los mahometanos creían que Dios se servía de esta ave para socorrer a los peregrinos de la Meca que no encontraban agua en el desierto.

PÉLIDES. Nombre patronímico de Aquiles, hijo de Peleo, y de Pirro, su nieto. *Eneida. 2.*

PELIGNES. Otro de los pueblos de la cuarta región de Italia. *Horacio (Od. 14, l. 3)* supone que era un país poblado de hechiceros.

PELINA o PELINO. Divinidad gala.

PELIÓN. Monte de Tesalia, vecino del Ossa. Los poetas fingen que el *Pelión* fue colocado por los gigantes sobre el Ossa cuando intentaron asaltar el cielo; y dícese que los gigantes y centauros lo habitaban. *Ov. Fast. 5, Met. 1, 13, Estrab. 7.*

PÉLOPE (*V. Pélops*)

PELOPEA. Hija de Tiestes, sorprendida por su propio padre, en un bosque consagrado a Minerva, sin haberla cono-cido, en sentir de unos o con designio premeditado, en el de otros, porque un oráculo le había vaticinado que tendría de su hija un hijo que le vengaría de su hermano Atreo, fue violada, y de este incesto nació Egisto. (*V. Egisto.*) Algún tiempo después casó con su tío Atreo, e hizo educar a su hijo con Agamenón y Menelao; pero habiendo Tiestes reconocido a su hijo por la espada, que era la que Pelopea le había quitado en el acto del crimen, se descubrió el incesto y se apoderó de la princesa tal horror que, con la misma espada, se dio la muerte. *Juv. Sat. 7, Hig. f. 87, Banier. t. 7.*

PELOPEIA MOENIA. Argos, llamada así con motivo de haber reinado Pélops en esta ciudad. *Eneida. 2.*

PELOPEIA VIRGO. Ifigenia, biznieta de Pélope.

PELOPIA. 1 — Una de las hijas de Níobe.

2 — Otra de las hijas de Pelias.

3 — Hija de Tiestes: Marte la hizo madre de Cicno.

PELOPIAS. Fiesta que celebraban los helenos en honor de Pélope. Hércules fue el primero que le sacrificó un carnero negro, como a las divinidades infernales, después de haberle dedicado en Olimpia un considerable espacio de tierra, cuya consagración subsistió hasta *Pausanias*. En lo sucesivo los magistrados de Elida, siguiendo este ejemplo, abrían sus Pelopias con un sacrificio semejante; siendo de notar que en esta fiesta no se comía nada de la víctima. *Paus. Banier, t. 1.*

PELÓPIDAS. Atreo y Tieste, nietos de Pélops. Se da también este nombre a los que se les parecen por sus crímenes, de donde deriva el adjetivo *pelopeius* por *sceleratus*.

PELOPONESO. Célebre península situada en medio de Grecia y de la cual formaba parte, así llamada del nombre de Pélops, uno de sus primitivos reyes. *Estrab. Plin. Plaus.*

PÉLOPS o PÉLOPE. Hijo de Tántalo, rey de Lidia, viéndose obligado a salir de su país a causa de la guerra que le había declarado Tros para vengar la muerte de Ganímedes, su hijo, o según otros, con motivo de los continuos terremotos que afligían el país, se retiró a Grecia, donde fue recibido con bondad por Enomao, rey de Pisa en el Peloponeso. Habiéndose enamorado de Hipodamia, hija de Enomao, se presentó como otro de sus pretendientes y tuvo la fortuna de ser el preferido. Antes de combatir contra el padre, hizo un sacrificio a Minerva Cidonia y, gracias a la protección de la diosa, salió victorioso, quedando posesor de Hipodamia y rey de Pisa. (*V. Hipodamia, Mirtile, Enomao.*) A esta ciudad reunió la de Olimpia y muchas otras tierras con que engrandeció sus estados y a los cuales dio el nombre de Peloponeso. La fábula dice que, enamorado Neptuno de la belleza del joven *Pélops,* se lo llevó al cielo para que le sirviese el néctar; pero que a consecuencia del crímen de Tántalo, que ocasionó la desgracia de *Pélops,* fue enviado otra vez a la tierra. Que cuando tuvo que disputar en la carrera la posesión de Hipodamia, Neptuno que todavía conservaba afecto a este príncipe, le regaló un carro tirado de dos caballos alados, con los cuales no podía menos de obtener la victoria. *Ovidio* cuenta aún otra fábula acerca *Pélops.* «Los dioses, dice, habiéndose alojado en casa de Tántalo y deseoso este príncipe de experimentar su divinidad, les hizo servir el cuerpo de su hijo mezclado con otras viandas. Ceres, algo más golosa, se había ya comido una espalda, cuando Júpiter descubriendo el crimen, volvió la vida a *Pélops,* poniéndole una espalda de márfil en lugar de la que había perdido y precipitó a su padre en el fondo de Tártaro.» *Met. 6, Pínd. Diod. 3, Estrab. 5.*

PELOR. Uno de los guerreros nacidos de los dientes de la serpiente matada por Taorno. *Paus 9, c. 5.*

PELORIANO. Sobrenombre de Júpiter. (*V. Pelorias.*)

PELORIAS. Fiesta que se celebraba en Tesalia y que tenían mucha semejanza con las Saturnales de los romanos, de donde sacó tal vez el origen. Haciendo los pelasgos, nuevos habitantes de Hemonia, un sacrificio solemne a Júpiter, fueron avisados por un extranjero llamado Pelorus que un temblor había entreabierto las

montañas vecinas; que las aguas de un gran lago llamado Tempe se había escurrido al río Peneo, y habían descubierto una grande y hermosa llanura que fue después el célebre valle de Tempe. Esta agradable nueva, fue recibida con entusiasmo; invitaron al extranjero a tomar parte en el sacrificio y todos los esclavos obtuvieron permiso para mezclarse en aquel acto de alegría. Esta fiesta en lo sucesivo se celebró anualmente. *Ant. 3. Mem. de la Acad. de Inscr. t. 3.*

PELORIS. Nombre de una ninfa.

PELORUS. 1 — (*V. Pelorias.*)
2—Uno de los gigantes.

PELTA. Cierta clase de escudo que usaban las amazonas. Según *Jenofonte*, era de la figura de una hoja de hiedra; según *Plinio,* de la de una hoja de higuera de Indias; y según *Servio,* de la de la luna semillena.

PELLONIA. Divinidad que se invocaba para arrojar a los enemigos, R. *pellere,* rechazar. *Ant. expl. t. 1.*

PEN, PENIN, PENNIN. (*V. Penino.*)

PENA. (*V. Castigo.*)

PENATES. Dioses célebres de la mitología clásica, confudidos algunas veces con las casas particulares, y en este sentido no se diferenciaban en nada de los Lares. Los romanos, dice *Dionisio Halicarnaso*. (*l. 1. c, 15; l. 8; c. 6.*) llamaban *Penates* a estos dioses. Los que han interpretado este nombre en griego los han llamado los unos dioses paternales, los otros dioses originarios, otros, dioses de las posesiones, algunos, dioses secretos u ocultos, y por fin, otros dioses defensores. Parece que cada uno de estos intérpretes ha querido expresar algunas propiedades particulares de estos dioses, pero en el fondo se ve que todos han querido decir una misma cosa. Consistían, según dice el mismo autor, en dos jóvenes sentados, armados cada uno de una pica. Los penates troyanos, dice *Macrobio,* habían sido transportados por Dárdano, de Frigia en Samotracia. Eneas los llevó de Troya a Italia. Hay quien cree que estos Penates eran Apolo y Neptuno, pero los que han practicado investigaciones más exactas dicen que son los dioses por quienes respiramos, de quienes hemos recibido el cuerpo y el alma, como Júpiter, que es la mediana región etérea, Juno la más baja región del aire con la tierra, y Minerva, que es la suprema región etérea.

*Tarquino,* instruido en la religión de los samotracios, pone estas tres divinidades en el mismo templo y debajo del mismo techo. Estos dioses samotracios o los *Penates* de los romanos se llamaban grandes dioses, los buenos dioses y los dioses poderosos.

En lo sucesivo se llamaron más particularmente dioses Penates todos los que se guardaban en las casas. *Suetonio* dice que en el palacio de Augusto había un gran aposento destinado para los dioses Penates. Habiendo nacido, continúa, un palmero delante de su casa, lo hizo trasladar a la corte de los dioses *Penates* procurando hacerle crecer.

Como cada uno era libre de escoger sus protectores particulares, los *Penates* domésticos eran elegidos de entre los grandes dioses, y algunas veces de entre los hombres deificados. Por una ley llamada de las doce tablas estaba mandado que se celebrasen religiosamente los sacrificios de los dioses *Penates,* continuándolos sin interrupción en las familias, del modo que sus mayores las habían establecido. Los primeros *Penates* consistían en los manes de los antepasados, pero después les asociaron todos los dioses.

Guardábanlos en el sitio más secreto de la casa, donde les levantaban altares; había continuamente lámparas encendidas, y les ofrecían incienso, vino y algunas veces víctimas. En la noche anterior a sus fiestas incesaban sus estatuas y les daban una mano de cera para hacerlas lustrosas. Durante las *Saturnales* se señalaba un día para dedicarlo a los Penates, y además se destinaba otro día de cada mes para tributarles un culto particular. Estos deberes religiosos estaban fundados en la gran confianza que cada uno tenía en sus *Penates,* a los cuales consideraban como protectores particulares. Nerón descuidaba a los demás dioses para atender tan sólo a su Penate favorito. A veces, según *Apuleyo,* cuando tenían que emprender algún viaje se llevaban sus imágenes. *Cicerón* temió

cansar su Minerva favorita, así es que hallándose pronto a salir para su destierro fue a consagrarla solemnemente al Capitolio. Son varias las etimologías que se dan a la palabra *Penates,* sacándola del griego o del latín. Según *Nöel* de los samotracios y de los frigios es de donde viene el nombre, así como el culto y los misterios de estos dioses. *Mem. de la Acad. de Inscr. t. 9. 19.*

PENATIGER. El que lleva sus dioses *Penates;* sobrenombre de Eneas.

PENCESTA. Isla donde abordaron los Argonautas. Esta isla, célebre por los dones de Ceres, es el lugar de donde Plutón arrebató a Proserpina mientras estaba cogiendo flores y desde allí la transportó por el mar Adriático a su reino. *Men. de la Acad. de Inscr. t. 12.*

PENDER. Doctor entre los indios.

PENÉIA, PENÉIS. Dafne, hija del río Peneo.

PENELEO. 1 — Uno de los cinco capitanes griegos que condujeron a los beocios al sitio de Troya. Mató a Licón, Corebo e Ilioneo, hijo de Forbante, y cayó a su vez a los golpes de Polidamante.

2 — Uno de los Argonautas, cuyo nombre se encuentra en *Apolodoro.*

PENÉLOPE. Hija de Icario, hermano de Tíndaro, rey de Esparta. Varios príncipes de Grecia, enamorados de su hermosura, la pidieron en matrimonio, y su padre, para evitar las disputas que podían originarse entre los pretendientes, les obligó a disputar la mano de su hija en los juegos que les hizo celebrar. Ulises salió vencedor y en consecuencia se desposó con la princesa. *Apolodoro* pretende que Ulises obtuvo la mano de Penélope por la mediación de Tíndaro, a quien el rey de Itaca había dado un buen consejo sobre el matrimonio de Helena. Icario quiso retener en Esparta a su yerno y a su hija, pero Ulises, poco después de su casamiento, emprendió el camino de Itaca, seguido de su esposa.

Los dos esposos se amaron tiernamente de modo que Ulises hizo todos sus esfuerzos posibles para no ir a la guerra de Troya, pero todas sus estratagemas fueron inútiles y se vio obligado a separarse de su querida Penélope, dejándole una prenda de su amor. Veinte años estuvieron separados y durante esta larga ausencia le guardó ella la mayor fidelidad. Su hermosura había atraido a Itaca un gran número de pretendientes, que querían persuadirla de que su marido había muerto ante Troya, y que por lo mismo podía disponer otra vez libremente su mano. Según *Homero,* el número de estos pasaba de cien. Penélope supo eludir siempre sus solicitaciones, entreteniéndoles con varios ardides. El primero fue obligarse a hacer un gran velo, declarando a sus pretendientes que no podía tratar de su nuevo himeneo hasta concluida aquella obra, que destinaba para envolver el cuerpo de su suegro Laertes cuando llegara su última hora. De este modo les hizo pasar tres años, sin que el velo se concluyese, porque deshacía por la noche lo que había trabajado durante el día, de donde deriva el proverbio: *la tela de Penélope,* cuando se habla de una obra que nunca se acaba. -Ulises, en el momento de marchar, había dicho a Penélope que sino hubiese regresado del sitio de Troya cuando su hijo se hallase en estado de gobernar, debía entregarle sus estados y su palacio y escoger para ella un nuevo esposo. Habían cumplido ya los veinte años de su ausencia, y sus parientes la hostigaban para que se volviese a casar; finalmente, no pudiendo ya diferir su resolución, propuso a sus pretendientes, por inspiración de Minerva, el ejercicio de tirar la sortija con el arco y prometió dar su mano al primero que sostuviera el arco de Ulises y que haría pasar su flecha por varias sortijas dispuestas al efecto una tras otra. Aceptaron los príncipes esta proposición de la reina; varios probaron tender el arco, pero nadie pudo conseguirlo; tan sólo Ulises, que acababa de llegar disfrazado de pobre, pudo lograrlo, valiéndose luego del mismo arco para matar a todos los pretendientes. Cuando Penélope recibió la nueva de que había regresado su esposo, no quiso creerlo y al principio le recibió con mucha frialdad, temiendo que intentasen sorprenderla con apariencias engañosas, pero luego que estuvo segura, por pruebas inequívocas, de que era Ulises,

se entregó a los mayores transportes de alegría y de amor. Generalmente se considera a Penélope como el modelo más perfecto de la fidelidad conyugal; no obstante su virtud no ha dejado de verse expuesta a los tiros de la maledicencia. La tradición de los arcadios a cerca Penélope, no está conforme, dice *Pausanias,* (l, 3. c. 12.), con los poetas de Tesprocia. Estos quieren que después del regreso de Ulises, Penélope le diese una hija que se llamó Paliporta, pero los mantineos pretenden que, acusada por su marido de haber introducido ella misma el desorden en su casa, fue despedida, y que habiéndose retirado a Esparta pasó luego a Mantinea, donde acabó sus días. Se ha dicho también que, antes de casarse con Ulises, Mercurio transformado en macho cabrío la había sorprendido estando guardando los rebaños de su padre, y la había hecho madre de Pan; pero algunos mitólogos opinan que es preciso distinguir la reina de Itaca de la ninfa Penélope, madre de esta diosa. *Ilíada. Odis. Ov. Herod. 1, Met. Apolod. 3, c. 10. Hig. f. 127.*

PENEO. Río de Tesalia, cuyo manantial sale del Pindo y que, atravesando los montes Osa y Olimpo, riega el valle de Tempe. Este río es célebre entre los poetas que han fingido que Dafne, hija de Peneo fue transformada en laurel, ficción tomada de los muchos laureles que crecen en sus bordes. *Met. 1.*

PENETRALES. El lugar más recóndito de la casa, donde se colocaban las estatuas de los dioses domésticos.

PENETRALES DII. Los dioses Penates. Véase este nombre.

PENIA. Diosa de la Pobreza. *Platón* refiere que un día que los dioses celebraban un gran banquete, el dios de las riquezas, un poco beodo, se adormeció a la entrada o puerta de la sala. Penia, que había acudido para recoger las sobras de la comida, se acercó y se complació en él, de cuyas resultas parió un niño y este fue el Amor; alegoría que significa tal vez que el amor se aproxima a los extremos, o bien que es propio del amor estar siempre pidiendo y desear más en el momento del deleite.

**PENINO.** Héroe que los habitantes de los Apeninos reconocen por su dios. Los epítetos de *Optimo Máximo,* que se encontraron en el pedestal de la estatua, han hecho creer que era Júpiter, pero el carbunclo colocado en la columna que le estaba dedicada, y que se llamaba ojo de Penino, prueba que representaba al Sol, como el ojo de Osiris en Egipto. *Catón y Servio* han creído que era una diosa, llamada, según el primero, Penina, y según el otro, Apenina, pero la figura y la inscripción citadas prueban lo contrario. Finalmente, los Apeninos han tomado su sobrenombre de este héroe. *Tito Liv. 21, c. 38.*

**PENIPES,** *que tiene alas en los pies.* Sobrenombre de Perseo.

**PENITENTES** (*Mit. índ.*) Esta palabra, entre los indios se toma en dos sentidos. Designa primero una clase de hombres o de seres dotados de facultades sobrenaturales bastante poderosos para hacer frente a los dioses y, según dicen, hasta que se pongan en meditación para conocer lo pasado y preveer lo futuro. Sus penitencias extraordinarias tienen el mismo efecto que las conjuraciones de los magos contra los astros y los planetas. Segundo, una clase de religiosos que hacen gala de tomar por modelo aquellos penitentes célebres de la antigüedad. Estos son entre los indios lo mismo que los jakirs entre los mongoles; decía Noël que el fanatismo les hace olvidar bienes, familias, etc., por arrastrar una vida miserable; la mayor parte son seguidores de Shira y los únicos muebles que poseen es un *lingam,* al que ofrecen continuamente sus adoraciones, y una piel de tigre que les sirve de cama. Ejercen en sus cuerpos todo lo que un furor fanático puede sugerir a una imaginación exaltada como la suya. Se desgarran el cuerpo a latigazos, otros se mandan atar un pie en un árbol y se mantienen en esta posición, hasta que la muerte corta el hilo de sus días; otros pasan toda su vida con los brazos cruzados, dejándose crecer las uñas hasta que llegan a clavárseles en sus carnes, de modo que para conservar su miserable existencia necesitan que sus discípulos les pongan la comida en la boca; algunos se entierran y no respiran sino por una pequeña abertura, permaneciendo mucho tiempo en esta actitud; otros menos fanáticos se contentan con enterrarse hasta el cuello, finalmente, para atormentarse, se valen de otros mil medios tan ridículos como bárbaros. Hay algunos que se presentan desnudos a la vista del pueblo para hacer ver a las gentes que no hay pasión que les domine y que han vuelto al estado de la inocencia desde el momento que han entregado su corazón a la divinidad. El pueblo persuadido de su virtud les venera como santos, pensando que obtienen de dios todo lo que piden. Así es que se apresuran a socorrerles piadosamente, poniéndoles la comida en la boca y lavándoles sus cuerpos; algunas mujeres llegan al extremo de besarles sus partes naturales y adorarlas, mientras que el penitente está entregado a la contemplación. No obstante desde que estos se ven oprimidos o reducidos al estado de esclavitud, ha disminuido su número considerablemente. Son de carácter orgulloso, se creen unos santos y no permiten que les toquen las gentes de baja esfera, ni menos los europeos porque temen ser manchados. Tampoco permiten que toquen sus muebles, y cuando observan que alguno se acerca, se alejan inmediatamente. Miran con absoluto desprecio a todos los que no pertenecen a su estado, considerándolos profanos; por fin no llevan nada encima que no se considere que encierre algún misterio, y que no sea digno de gran veneración.

**PENTÁCULO.** Nombre que la magia de los exorcismos da a un sello impreso sobre pergamino virgen, hecho de piel de macho cabrío, o bien sobre cualquier metal; oro, plata, cobre, estaño, plomo, etc. No se puede practicar ninguna operación mágica para exorcisar a los espíritus sin tener este sello, que contiene el nombre de Dios. El Pentáculo se hace trazando un triángulo entre dos círculos, en el cual hay escritos estos tres nombres: *formación, reformación, transformación.* A un lado del triángulo está la palabra *agla,* que tiene gran poder para impedir el furor de los espíritus. Es necesario que la piel o pergamino sobre la cual se aplica el sello sea exorcisada y bendecida, lo mismo que la tinta y pluma que sirven para escribir dichos nombres. Después de todo esto se inciensa el *Pentáculo*, encerrándolo tres días con sus noches en un vaso muy limpio, por fin, se pone envuelto entre los pliegues de un lienzo, o bien dentro de un libro, que se perfuma y exorcisa.

PENTALECTRÓN. *Mujer que tuvo cinco maridos*. Sobrenombre de Helena. R. *penta*, cinco; *lectrón*, lecho.

PENTAPILÓN, *que tiene cinco puertas*. Se daba este nombre al templo de Júpiter *Arbitrator*, en Roma. R. *penta o pente*, cinco; *pilé*, puerta.

PENTATLES. Atletas que disputaban el premio del pentatlón.

PENTATLÓN. Reunión de cinco ejercicios, a saber: lucha, carrera, salto, disco y el venablo o el pugilato. Todos estos juegos se celebraban en un mismo día. Para ganar el premio era necesario salir vencedor en todos los cinco. *Mem. de la Acad. de Inscr. t. 3, 7, V.* Hexatlón, Hismón, Tisameno.

PENTAUREA. Piedra fabulosa descrita por *Apolonio de Tiana*, el cual dice, que tiene la propiedad de atraer las otras piedras, como el imán atrae el acero.

PENTEO. 1 — Hijo de Equión y Agave, sucedió a Cadmo, su abuelo materno en el reino de Tebas. Los mitólogos refieren sus aventuras diversamente. Según unos, habiendo querido oponerse a la disolución y desenfreno que se había introducido en los misterios de Baco, fue en persona al monte Citerón, con el proyecto de castigar a las bacantes que celebraban en él sus orgías. Estas, furiosas, entre las cuales estaban su madre y sus parientas, se precipitaron sobre él y lo hicieron pedazos. Según otros después de haber tratado a Baco de un modo insultante e injurioso, quiso saber lo que contenían sus misterios, y para lograrlo se subió a un árbol del monte Citerón, desde donde vio todo lo que se hacía, pero descubierto por las bacantes lo despedazaron. *Eurípides,* en sus *Bacantes,* ha reunido estas dos tradiciones. Añade que el oráculo mandó a los conjuntos buscasen el árbol en que se había subido Penteo, y que cuando le hallasen le tributasen los mismos honores,

como si fuera el dios mismo; así pues construyeron dos estatuas de Baco de la madera del árbol, las cuales colocaron en la plaza pública de Corinto. *Met. 3, Euripid. Teogn. 26. Eneida. 4, Hig. f. 184. Paus. 2, c. 5. Apolod 3, c. 5, Eneida. 4.*

2 — Hija de Cadmo y de Hermione.

PENTERERIS. Lustro o espacio de cinco años. En la pompa en honor de Ptolomeo Filadelfo rey de Egipto, este número de años estaba figurado bajo el nombre de Pentereris (R. *penta*, cinco; *etos*, años.) por una hermosa mujer, de talle de cuatro codos vestida magníficamente, toda brillante de oro, llevaba en una mano una corona de hojas del árbol llamado Perseo, y en la otra una palma. *Ant. expl. t. 3.*

PENTESILEA. Reina de las amazonas, sucesora de Oritia, fue al socorro de Troya y murió a manos de Aquiles, después de haber hecho prodigios de valor. Su muerte fue muy funesta para las amazonas, puesto que, desmoralizadas a causa de esta desgracia, no hicieron ya en lo sucesivo cosa digna de referirse. *Homero* nada habla de esta princesa. *Virgilio* la coloca en un lugar muy distinguido entre los guerreros que fueron al socorro de Troya. *Eneida. 1, 11, Dic. Cret. 3, 4. Paus. 10, c, 31, Dares. Frig. Hig. f. 112, Just. t. 2, c. 4.*

PENTILO. 1 — Hijo natural de Orestes y Erígona o Erígone, hija de Egisto. Se apoderó de la isla de Lesbos. *Paus. 4, c. 4.*

2 — Hijo de Periclímenes.

PENUS. Nombre que los romanos daban al santuario del templo de Venus, otros suponen de Vesta.

PEÑASCO, o Roca. (*V.* Ayax, Ariane, Cianea, Flegias, Polifemo.)

PEÓN. 1 — Médico famoso originario de Egipto, la fábula le considera como el médico de los dioses; se le atribuye haber curado a Marte herido por Diómedes y a Plutón hérido por Hércules. Muchos autores dicen que no es más que un sobrenombre de Apolo, tenido como dios de la medicina, que es común a todos los médicos, y que es una palabra griega que significa curar. *Ilíada. 5, Odis. 11. Eneida. 17, 12.*

2 — Otro de los hijos de Endimión vencido en un torneo o carrera por su her-

mano Epeo; cedió la corona al vencedor, según convenio, y dio su nombre a la Peonia. *Paus.*

3 — Hijo de Antíloco; tuvo muchos hijos los cuales, arrojados de Mesena por los heráclidas, se refugiaron en Atenas, donde sus decendientes se llamaban peónides. *Paus.*

4 — Padre de Agastrofo, a quien mató Diómedes. *Ilíada. 11.*

5 — Pie de verso, llamado así porque se hacía uso de él en los himnos y cánticos llamados Peón. *Quinto. 9, c. 4, V.* este nombre.

6 — Hijo que Neptuno tuvo de Hela, después que ella se hubo arrojado al Helesponto.

PEÓNICO. Nombre del dios Apolo dado por los habitantes de Mileto y Delfos.

PEÓNIDAS. Descendientes de Peón; eran tres hijos de Antíloco.

PEONIO. Famoso arquitecto de Efeso, fue otro de los que construyeron el templo de Diana.

PEPENUTH. Idolo de los sajones. Se veía en su templo un caballo sagrado que, según creían, el dios lo montaba para irles a socorrer en los combates.

PEPLO o PEPLUM. Traje de mujer o de diosa; capa o manto sin mangas, bordado o recamado de oro o de púrpura, sostenido por una presilla en la espalda o en el brazo. Antiguamente representaban vestidas con este ropaje a las estatuas de los dioses y más particularmente las de las diosas. *Homero* llama divino al manto de Venus, suponiendo que fue tejido por las Gracias. En *Sófocles* la túnica fatal que Deyanira envió a Hércules se llama Peplos, y *Sinecio* da este mismo nombre al traje triunfal de los romanos. Algunas veces significa el paño mortuorio.

PEPROMENA. Nombre griego de la Parca o del Destino. Etim. *peratoô,* terminar.

PERANTO. Hijo de Argos y padre de Triopas, rey de Argos.

PERATOSCOPIA. Adivinación por la inspección de los fenómenos que aparecen en los aires.

PERATUS. Hijo de Neptuno y Calquinia, hija de Leucipo; sucedió a su abuelo.

PERCOSIO. Adivino; intentó en vano disuadir a sus dos hijos para que no fuesen a la guerra de Troya, pronosticándoles la muerte que allí les aguardaba.

PERDIAZ. Hermana de Dédalo, vio su hijo transformado en perdiz. *Met. 8, Hig. f. 39, 274.* (*V.* Talus.)

PÉRDICO. Hijo de Policasto, famoso cazador; enamorado de su madre, disimuló su amor y murió de consunción.

PERDIZ. (*Mit. afr.*) El principal fetiche entre las aves de los idólatras del Congo es la perdiz. La miran como sagrada, y si la pata de una perdiz muerta ha tocado alguno de sus alimentos prefieren morirse de hambre, antes que comérselo. *Viaje de M. Maxwell.*

PERDÓN. (*Iconol.*) *Cochin* le simboliza representando un hombre herido en el pecho, con los ojos levantados al cielo y en ademán de romper una espada. (*V.* Clemencia.)

PEREDIA. Nombre forjado por *Plauto* para representar el hambre personificada. *Etim. peredere,* comer con voracidad.

PEREGRINO. Por sobrenombre Proteo; filósofo cínico quien, para imitar a Hércules, en la época de los juegos olímpicos se arrojó a la pira. Después de muerto, sus compatriotas le levantaron una estatua en la plaza pública, a la cual atribuían la virtud de dar oráculos.

PEREGRINOS. Dioses que los romanos recibieron de otras naciones. Al principio de la república estaba absolutamente prohibido admitir en la ciudad divinidades extranjeras. Tardó poco tiempo en ir disminuyendo la severidad de esta medida, y cuando los romanos extendieron con sus conquistas sus dominios, se introdujeron al momento toda clase de religiones y de dioses, de modo que en la ciudad de Roma se contaban más de cuatrocientos templos.

PERENNE. Cierta clase de auspicios que se tomaban en Roma antes de pasar el río Petronia, que desemboca al Tiber *Festo.*

PERET. Arcadio, hijo de Elato, padre de Neera, esposa de Aleo, según *Apolodoro 3,* y de Autíloco, según *Pausanias 8, c. 4.*

PERETO. Uno de los hijos de Licaón.

**PEREZA.** (*Iconol.*) Divinidad alegórica hija del Sueño y la Noche. Fue transformada en tortuga, por haber dado oído a las adulaciones de Vulcano. Los egipcios, según *Pierius*, la pintaban sentada, con ademán triste, la cabeza caída y los brazos cruzados. *Ripa* añade a estos emblemas algunas ruecas rotas, símbolo de su aversión por el trabajo. *Goltzio* la ha designado mediante una mujer que no tiene acción en los brazos y que tiene un caracol en la espalda. En otra parte es una mujer con los cabellos desgreñados, mal vestida, rendida en el suelo, durmiendo con la cabeza apoyada en una mano y en la otra un reloj de arena boca abajo para expresar el tiempo perdido. El conde de *Oxenstierna* dice que, para representar a la Pereza, puede pintarse una mujer de caracter dulce que marcha con pasos compasados cubierta de un ropaje de tela de araña, conducida por el Sueño, apoyándose en el brazo del Hambre y teniendo por compañeras las Miserias, finalmente pasando la primavera de su edad echada sobre un lecho de descanso, y su otoño en el hospital.

**PÉRFICA.** Diosa que hacia los deseos perfectos; de *perficere*, acabar. Se la pone en la clase de las divinidades obscenas, que los romanos invocaban en los casamientos.

**PERFUMES.** Los antiguos los consideraban como un homenaje debido a los dioses y así mismo como una señal de su presencia. Incensaban también los sepulcros para honrar la memoria de los muertos.

**PERGAMEA VATES.** Casandra. *Propert.*

**PERGAMENUS, PERGAMENO.** Esculapio, adorado en Pérgamo.

**PERGAMEUS DEUS.** Esculapio. *Marcial.*

**PÉRGAMO.** 1 — Ciudadela de Troya. *Virgilio* la toma con frecuencia por la misma ciudad. *Eneida. 1.*

2 — Era también una ciudad de la Troada, o más bien de la Misia, célebre por el culto de Esculapio, y por la estatua de la madre de los dioses.

3 — Ciudad situada en la isla de Creta, fundada por Eneas, según unos, y según otros, por Agamenón.

4 — El último de los tres hijos de Pirro y Andrómaca. Fue a buscar fortuna en Asia y, habiéndose detenido en Teutrania, donde reinaba Ario, mató a este príncipe en un combate singular, se apoderó del trono y dio su nombre a una ciudad en donde se veía aún en tiempo de *Pausanias* el sepulcro de Andrómaca, la cual había seguido a su hijo. *Paus. 1, c. 11.*

**PERGASO.** Padre de Deicoon, muerto por Agamenón. *Ilíada. 5.*

**PERGEA.** Sobrenombre de Diana, tomado de una ciudad de Pamfilio, donde esta diosa era honrada. La Diana Pergea está representada llevando una pica en la mano izquierda, y en la derecha una corona; a sus pies hay un perro que la mira como para pedirle aquella corona que ha merecido por sus servicios.

**PERGO.** Lago de Sicilia cerca del cual los poetas suponen que se verificó el rapto de Proserpina. *Met. 5.*

**PERIAGETES.** Ministros del templo de Delfos que servían a la vez de guías e intérpretes. R. *hégeomai*, guiar.

**PERIALLA.** Sacerdotisa de Delfos.

**PERIAPTES.** Ciertas figuras o remedios que las creencias de los antiguos le hacia llevar encima, para prevenir ciertas enfermedades y aún para curarlas: es lo que se llama *amuleto*. R. *peri*, rededor; *aptein*, suspender.

**PERIBASIA,** *vagamunda, o tutelar.* Otro de los sobrenombres de Venus. *Ant. expl. t. 1.*

**PERIBEA.** 1 — Hija de Hiponoo, habiéndose dejado seducir por un sacerdote de Marte, intentó persuadir a su padre que el mismo dios se había enamorado de ella. Hiponoo, para castigarla de su falta, la envió a Eneo, rey de Calidón, con encargo de que la matase; pero este príncipe, que acababa de perder a su esposa Altea y a su hijo Meleagro por un fatal incidente, buscó en Peribea un alivio a su aflicción y se desposó con ella, de la que tuvo a Tideo padre de Diómedes. *Hig. f. 69.*

2 — Hija de Alcatoo, rey de Megara, casó con Telamón, hijo de Eaco, y tuvo a Ayax, célebre por sus actos furiosos. *Plutarco* refiere que, habiendo tenido Telamón una amistad criminal con ella

antes de su matrimonio, se evadió para evitar la cólera del rey. Cuando Alcatoo lo descubrió, dio orden de embarcar a Peribea y arrojarla al mar. El encargado de esta comisión, compadecido de la desgraciada princesa y movido a codicia, prefirió venderla, y por esto la condujo a Salamina, donde Telamón, reconociendo a su amante, la compró y tomó por esposa. Después de la muerte de Alcatoo, Peribea reclamó los derechos de nacimiento y la corona a favor de su hijo Ayax. *Paus. 1, c. 17, 42, Hig. f. 97.*

3 — La mujer más hermosa de su época, era hija de Eurimedón o Eurimedonte rey de los gigantes, casó con Neptuno y tuvo de este dios un hijo llamado Nausitoo. *Odis 7.*

4 — Casó, dicen unos, con Icario, del cual tuvo a Penélope.

5 — Ninfa, la mayor de las hijas de Acesamaneo, casó con el río Axio, del cual tuvo a Pelegón. *Ilíada. 21.*

6 — Esposa de Pelibeo, rey de Corinto, acogió y libertó a Edipo, abandonado por su padre.

PERIBOLA. Espacio de terreno plantado de árboles y viñedos que rodeaba los templos; estaba cercado con tapias consagradas a los dioses del lugar, y los frutos pertenecían a los sacerdotes.

PERICIONIO. Otro de los sobrenombres de Baco.

PERICLIMENA. Hija de Minias y Clitodora: Filaco tuvo de ella un hijo llamado Ifielo.

PERICLÍMENES. 1 — Fue el último de los doce hijos de Neleo. Habiendo este joven príncipe recibido de Neptuno el poder de transformarse en varias figuras, para sustraerse a los golpes del formidable Alcides, se transformó en hormiga, mosca, abeja y en serpiente; pero todo esto no pudo liberarle, puesto que habiendo tomado la figura de águila, antes de que pudiera remontarse, Hércules le derribó con un golpe de su clava o bien, según otra fábula, le mató al vuelo con una de sus flechas. *Odis. 11. Met. 12.*

Algunos ponen el nombre de Periclímenes entre el de los Argonautas. *Apolod.*

2 — Hijo de Neptuno, mató a Partenopeo, otro de los siete jefes del ejército contra Tebas.

PERICTIONEA. Mujer de Aristón, madre de Platón. Se dice que Apolo se enamoró de ella por su gran hermosura y que Platón fue el fruto de este amor criminal. Refiérese que un espectro se colocó encima de Perictionea, y que concibió a este niño sin dejar de ser virgen, añadiendo que un día que Aristón y su esposa ofrecían un sacrificio a las Musas en el monte Himeto, Perictionea colocó al niño Platón entre dos mirtos, donde le hallaron después rodeado de un enjambre de abejas, de las cuales unas volaban alrededor de su cabeza y las otras refrescaban sus labios con miel; que Sócrates vio en sueños a un joven cisne que había en la academia consagrado al Amor, descansar sobre sus rodillas, elevarse por los aires y atraer la atención de los dioses y de los hombres con la melodia de sus cantos; y que cuando Aristón presentó su hijo a Sócrates, este exclamó: «Reconozco el cisne de mi sueño». *Suid. Dióg. Laerc. Paus.*

PERIDIA. Tebana, madre de un guerrero muerto por Turno en la guerra contra los rútulos. *Eneida. 12.*

PERIERES. 1 — Hijo de Eolo, casó con Gorgófona, hija de Perseo, de la cual tuvo dos hijos de Alfareo y Leucipo. Reinó en Mesenia y le sucedieron sus dos hijos sucesivamente. *Apolod.*

2 — Conductor del carro de Meneco que hirió a Orcómeno, rey de los minios, a Climeno; y fue causa de que su hijo Ergino impusiera un tributo anual a los tebanos. *id.*

3 — Padre de Boro, casó con Polidora hija de Peleo. *Ilíada. l. 16.*

PERIFÁLICAS. Fiestas en honor de Príapo. (*V. Fálicos.*)

PERIFANTE. Rey de Atenas, reinó, según dicen, en compañía de Cecrops o Cécrope y mereció por su valor y por lo que hizo felices a sus súbditos, ser honrado, aún en vida, como dios bajo el nombre de Júpiter Conservador. El padre de los dioses, irritado porque un mortal permitía se le tributasen semejantes honores, quería con un rayo precipitarle en el Tártaro, pero

Apolo intercedió por el virtuoso Perifante, de tal manera que Júpiter se contentó con transformarle en águila, y aun le hizo su ave favorita, le confió el cuidado de guardar sus rayos y le dio permiso para acercarse a su trono cuando quisiese y le hizo además rey de las aves. Deseando la reina participar de la suerte de su marido obtuvo la misma metamórfosis.

2 — Viejo muy sabio, hijo de Epito, heraldo troyano, al cual Apolo (*Ilíada. 17.*) entrega las flechas para animar a Eneas en el combate. *Virgilio* (*Eneida. 5.*) le hace abuelo de Ascanio.

3 — Hijo de Oquesio, el más fuerte y valiente de los etolios muerto por Marte en el sitio de Troya. *Ilíada. 5.*

4 — Otro de los capitanes griegos en el sitio de Troya. *Eneida. 5.*

5 — Otro de los hijos de Egipto, esposo de Actea. *Apolod. 2, c. 1.*

6 — Otro de los hijos de Eneo, pereció en el combate contra los curetos.

PERIFEMES. Héroe en cuyo sepulcro Solón, estando en Salamina, sacrificó víctimas por orden del oráculo. *Plut.*

PERIFETES. 1 — Gigante, hijo de Vulcano y Anticlea, andaba siempre armado de un mazo por cuyo motivo le llamaban *porta mazo*. Este malvado se había situado en las cercanías de Epidauro, y robaba y maltrataba a todos los pasajeros. Teseo pasando de Trecén al Istmo de Corinto, le mató y se apoderó de su clava, la cual llevó siempre como monumento de su victoria. *Plut.*

2 — Capitán troyano muerto a golpes de Teucer, hijo de Telamón. *Ilíada. 14.*

3 — Hijo de Copreo, capitán mecenio muerto por Héctor en el sitio de Troya. *Ilíada. 5.*

PERIFLEGETÓN. Hijo de Tesprotia que se une con el Cócito en el Pantano Aretusa, cuyo nombre significa *Ardiente* y por esto le han dado el nombre de río del Infierno.

PERIGUNE o PERIGONA. Hija del gigante Sinnis. A este gigante le llamaban encorbador o doblegador de pinos, porque hacía morir a todos los pasajeros que caían en sus manos atándoles en las cimas unidas de dos pinos doblegados que volvían al momento en su estado natural; Teseo le hizo morir en el mismo suplicio, y Perigona viendo muerto a su padre huyó y se ocultó en un espeso bosque lleno de cañas y zarzales, a las que suplicaba, como si pudiesen oírla, que no la descubriesen prometiéndoles con juramento que si le hacían esta gracia jamás arrancaría ni quemaría alguna de ellas. Teseo la oyó, la llamó asegurándole que no solamente no le haría mal ninguno, sino que la tomaría bajo su protección. Se dejó persuadir y se presentó a Teseo, el cual, prendado de su hermosura se casó con ella y tuvieron un hijo llamado Melanipo. Después le dio por esposa a Deioneo, hijo de Eurito, rey de Ecalia, de cuyo matrimonio nació Yoxo, jefe de los yóxidos, pueblos de Caria, entre los cuales se conserva la costumbre de no arrancar ni quemar las zarzas ni cañas, venerándolas hasta cierto punto en memoria del voto de Perigune. *Plut.*

PERILAO. 1 — Hijo de Icario y Peribea, acusó a Orestes delante del Areópago.

2 — Hijo de Anceo y Samia hija de Escamandro.

PERILEA. Hija de Icario y Peribea.

PERIMEDE. 1 — La quinta hija de Eolo, casó con Aquelos, del cual tuvo a Hipodamo y Orestes. *Banier. t. 6.*

2 — Hija de Eno, fue desposada con Fénix y tuvo dos hijas, Europa y Astipalea. *Paus.*

3 — Nombre de una famosa maga.

4 — Hermana de Anfitrión, esposa de Licimnio y madre de Eno.

5 — Hija de Euristeo, muerto por los atenienses.

PERIMEDES. 1 — Uno de los compañeros de Ulises, bajó con éste a los infiernos. *Odis. 11.*

2 — Padre de Esquedio capitán de los focios. *Ilíada. l. 15.*

3 — Centauro que asistió a las bodas de Piritoo.

PERÍMELE. 1 — Hija de Hipodamante, habiendo dejado seducirse por el río Aqueloo, su padre la hizo precipitar al mar; pero a ruego de su amante Neptuno, compadecido, la transformó en una de las islas Equinades.

2—Hija de Amithaon, a la que Argos hizo madre de Magnes, del cual la magnesia tomó el nombre.

**PERIMO.** Hijo de Megas, capitán troyano que mató a Patroclo. *Ilíada. 16.*

**PERINA.** Egipcia; fue la primera que representó en un lienzo bordado a Minerva sentada, de donde deriva la costumbre de representar las estatuas de esta diosa en esta actitud.

**PERIODÓNICOS.** Los que alcanzaban la victoria en los cuatro juegos sagrados que se celebraban en Grecia, en cualquier especie de combate. R. *periodos,* revolución; período.

**PERIPECIAS.** Fiestas macedónicas cuyo nombre nos ha transmitido *Hesiquio.*

**PERIPOLTAS.** Adivino, condujo de Tesalia a Beocia al rey Ofeltas y sus pueblos, dejando en esta última ciudad una posteridad tan numerosa que floreció durante muchos siglos. *Plut.*

**PERÍPTERO.** Templo en que las columnas se hallan alrededor (en los cuatro lados).

**PERIRRANTERIÓN.** Vaso que contenía el agua lustral entre los griegos. *Ant. expl. t. 2.*

**PERIS.** (*Mit. pers.*) Genios hembras de los persas, de una extraordinaria hermosura y bienhechores, habitaban en el Ginnistau y se mantenían de perfumes exquisitos.

**PERISCILACISMO.** Expiación por medio de un perro o una rana. Los griegos ofrecían a Proserpina, en sus purificaciones, uno de estos animales, al cual paseaban alrededor de lo que necesitaban purificarse y después los inmolaban. R. *peri,* alrededor, y *scylax,* cachorrito. *Plut.*

**PERISTERA.** Ninfa que acompañaba a Venus. Jugando un día al amor con su madre, hizo apuesta de que cogería más flores que ella. La diosa hizo que la ninfa la ayudase y ganó la apuesta pero, enojado Cupido, transformó en paloma a la compañera de su madre. R. *peristera,* paloma. Teocio decía que había en Corinto una cortesana de este nombre, que pasaba por ninfa de Venus porque imitaba su conducta. *Banier. t. 4.*

**PERISTENO.** Uno de los hijos de Egipto, muerto por Electreo.

**PERITANO.** Arcadio, obtuvo los favores de Helena después de su rapto. Paris irritado de este ultraje, hizo mutilar a su rival; y por esto los arcadios llamaban peritani a los que habían sufrido esta operación. *Plut.*

**PERITES,** o Peridonio. Piedra amarilla que tiene, según dicen, la virtud de curar la gota y quemar las manos cuando se empuña con fuerza.

**PERJURIO.** Nada prevenían las leyes contra este crímen; el cuidado de castigarlo, pertenecía a los dioses.

**PERMESIDAS.** Sobrenombre de las Musas como habitantes en las riberas de Permeso.

**PERMESO.** Pequeño río que tiene su nacimiento en el monte Helicón y por esto fue considerado como consagrado a Apolo y las Musas; este río es célebre entre los poetas. *Estrab. Paus.*

**PERO.** Hija de Neleo y Cloris célebre por su sabiduría y hermosura. Todos los príncipes vecinos querían desposarse con ella, pero Neleo no quiso prometerla sino a aquel que le trajera de Filacia los bueyes de Ificlo. Un adivino llamado Melampo tuvo el valor de emprenderlo, presentó los bueyes e hizo que Biante, su hermano, a favor del cual había hecho tan arriesgada empresa, se desposase con Pero. *Odis. 11. Paus. 4., c. 36.*

**PEROA.** Hija del río Asopo, dio su nombre al río Peroa en Beocia. *Paus. 9, c. 4.*

**PEROUN.** Entre algunos pueblos eslavones, Perokoun (*Mit. eslav.*) era la primera de las divinidades. Su nombre significa *trueno,* y por esto se le consideraba como el dios, por cuyo poder acaecían todos los fenómenos aéreos, tales como el trueno, relámpago, nublado, la lluvia, etc. y le daban el epíteto de dueño del trueno. En Kiwel, templo de Peroun, estaba separado del patio *Teremnoi* al borde de un pequeño riachuelo llamado Bauritschoff, en una colina muy elevada. La estatua de este dios era de una madera incorruptible, la cabeza de plata, los bigotes y orejas de oro y los pies de hierro. Sostenía en la mano una piedra cortada a manera de rayo, embellecida de rubíes y carbunclos; el fuego sagrado ardía continuamente delante de este ídolo, y cuando los sacerdotes lo dejaban apagar por descuido, los quemaban como enemigos del dios. Tenían en poco sacrificarle corderos y prisioneros de guerra, aún los mismos padres inmolaban a sus propios hijos. Algunos acostumbraban afeitarse el cabello y el pelo de la cara y los ofrecían en sacrificio. En fin, cuando Vladimiro abrazó el cristianismo, hizo atar este principal ídolo a la cola de un caballo y mandó a doce de sus más esforzados guerreros que lo apaleasen con gruesos garrotes y lo echasen en el Dnieper, cuya corriente le arrojó al pie de una montaña, la cual tomó después el nombre de este dios.

PERPERENA. Lugar de Frigia donde se dice que Paris juzgó la contienda que tenían las diosas.

PERREBO. Es decir Tesalia. Ovidio designa por medio de esta expresión a la patria de Ceneo, de los perrebos, pueblos que habitaban una parte de Tesalia.

PERRO. Este animal estaba consagrado a Mercurio, como el más vigilante y astuto de los dioses. La carne de los perritos se consideraba tan pura que se ofrecía a los dioses en sacrificio y, según dice *Plinio,* se servía de la misma en los manjares preparados para los dioses. Los perros eran muy honrados en Egipto; pero la veneración de los egipcios disminuyó mucho porque habiendo Cambises matado a Apis y arrojado su cuerpo a un muladar, de todos los animales sólo el perro se aprovechó de su cadáver. En Roma se guardaba un perro en el templo de Esculapio. Los romanos sacrificaban uno todos los años, en castigo de que los perros no les avisaron con sus ladridos, de la llegada de los galos. Había un país en Etiopía, dice *Elio,* cuyos habitantes tenían por rey un perro, y tomaban sus halagos y ladridos por señales de su benevolencia o de su cólera. alrededor del templo consagrado a Vulcano sobre el monte Etna, había perros sagrados, dice también *Elio* que halagaban con la cola a los que se acercaban con modestia y devoción al templo y al bosque, pero mordían y devoraban a aquellos cuyas manos no eran puras, y arrojaba a los hombres y a las mujeres que iban allí por alguna cita. Un perro con la cabeza vuelta hacia la cadena, era entre los egipcios el símbolo ordinario de la obediencia. Los filósofos cínicos tenían un perro por atributo. *V.* Acteón, Adonis, Anubis, Otoño, Canícula, Cerbero, Diana, Envidia, Erigona, Fidelidad, Desvergüenza, Lelaps, Mercurio, Procris, Teutrante, Tiro, Ulises.

(*Mit. pers.*) Los partos o guebros tenían una especie de veneración por los perros. Uno de los libros de su ley les mandaba ser caritativos para con estos animales, y dice que es una acción muy benemérita el dar a un perro un pedazo de pan; y la razón que da es que no hay nadie más pobre que este animal. *Tavernier* refiere que, cuando un guebro se encontraba en la agonía, se tomaba un perro y se aplicaba su boca sobre la del moribundo, a fin de que recibiera su alma con su último suspiro. El perro servía también para conocer el estado del alma del difunto. «Antes de llevar el cuerpo al lugar de su sepulcro, dice *Ovington,* se pone en tierra: uno de los amigos pasea la campiña y visita las villas vecinas para buscar un perro. Cuando lo ha encontrado, lo atrae por medio del pan, y lo conduce lo más cerca posible del cadáver. Cuanto más se acerca el perro, tanto más se presume que se acerca el difunto a su felicidad. Si llega a subir sobre él y a arrancarle de la boca un pedazo de pan que al intento se le pone, es un señal seguro de que es verdaderamente feliz: mas el alejarse el perro es un presagio funesto, y que hace desesperar de la felicidad del muerto».

PERSAS. *Herodoto* describe detenidamente la religión de los antiguos persas. No tenían, dice, ni estatuas, ni templos, ni altares, porque no creían que el origen de los dioses fuese humano. Se trasladaban a las montañas más altas para tributar los sacrificios a Júpiter cuyo nombre daban a toda la redondez del cielo; tributaban también en honor del Sol, la Luna, la Tierra, del Fuego, el Agua y los Vientos, que eran los únicos dioses que conocían. De esta relación de Herodoto se deduce que el objeto del culto antiguo de los persas era el universo y todas sus partes.

Posteriormente, continua Herodoto, aprendieron de los asirios y los árabes a sacrificar a Urania y a Venus celestial. Los persas hacen los sacrificios del modo siguiente: no erigen altares, ni encienden fuego, ni usan de libaciones, ni hay tocadores de flauta, ni coronas; pero el que practica el sacrificio conduce a la víctima a un lugar puro y limpio, e invoca el dios a quien quiere tributar el sacrificio, llevando a su tiara coronada de mirto. Está expresamente prohibido al sacrificador rogar particularmente por sí, sino que debe hacerlo para el bien de toda la nación. Luego que ha hecho cocer las carnes de la víctima, cortadas en muchos pedazos, la coloca sobre un montón de hierba, que ha preparado al efecto; enseguida un mago entona la teogonía, que es una especie de canto religioso, y concluidas estas ceremonias el sacrificador se lleva la víctima y hace de ella el uso que quiere Estrabón, que copia a Heródoto, añade algunas circunstancias. Según él, los persas en sus sacrificios no destinan nada para los dioses, diciendo que Dios no quiere más que el alma de la víctima. Tributan particularmente sacrificios al agua y al fuego, ponen en este último madera seca, sin corteza, bañada de gordura y de aceite y la encienden sin soplar, valiéndose tan sólo del viento de un pequeño abanico; pues el que llegase a soplar, o arrojar cadáveres o cieno en el fuego sería castigado inmediatamente con pena de muerte. El sacrificio del agua se practica del modo siguiente: se trasladan a los bordes de un lago, de un río, o cerca de una fuente, hacen un hoyo y desgüellan en él la víctima, procurando no ensangrentar el agua, pues esta circunstancia la haría inmunda: luego colocan las carnes sobre ramos de mirto y de laurel; los magos dan fuego a estas ramas con pequeños palitos, y se esparcen sus libaciones de aceite mezclado con leche y miel, no sobre el fuego ni el agua, sino sobre la tierra. Hecho esto practican sus encantos teniendo un manojo de vergas en la mano. V. Fuego, Mitras, Sol.

**PERSEA.** Especie de árbol que crece en las cercanías del Gran-Cairo, cuyas hojas tienen la figura de una lengua, que

según parece es el *Cordia Mixa de Linneo*. Los magos la habían consagrado a Isis y colocaban el fruto a la cabeza de su ídolo. (*V.* Lotus.)

**PERSÉFONE.** Nombre griego de Proserpina. R. *perthein*, devastar y *phonos*, asesinato.

**PERSÉIS, PERSÉIA,** Hécate. Hija de Perses, hijo del Sol o del titano Perseo *Met.* 7.

**PERSEO.** 1 — Uno de los titanes.

2 — Hijo de Júpiter y Dánae. (*V.* Dánae.) Enamorado Polídetes de su madre, procuró alejar de sí a Perseo, a cuyo fin le mandó combatir a las Gorgonas y que le trajese la cabeza de Medusa. El hijo de Dánae amado de los dioses recibió para el buen éxito de la expedición de Minerva su escudo, de Plutón el casco y de Mercurio las alas y los talares. Estas alas eran una buena nave en la que se embarcó Teseo para pasar a las costas de Africa. El casco de Plutón designaba el secreto que le era preciso guardar en esta expedición y el escudo de Minerva la prudencia con que debía portarse en una guerra tan peligrosa. Venció en efecto a las Gorgonas y cortó la cabeza de Medusa. *V.* Medusa, Gorgonas.

Perseo, montado en el pegaso que Minerva le había igualmente prestado, atravesó la vasta extensión de los aires y fue a parar a Mauritania, donde reinaba el célebre Atlas o Atlante. Advertido este príncipe por un oráculo de la llegada del hijo de Júpiter y que debía guardarse de él, dispensó al héroe los derechos de hospitalidad, pero recibió inmediatamente el duro castigo, puesto que habiéndole mostrado Perseo la cabeza de Medusa le petrificó y la trasformó en las montañas que hoy día llevan su nombre. -Robó después las manzanas de oro del jardín de las Hespérides. De Mauritania pasó a Etiopía, donde libertó a Andrómeda del monstruo que iba a devorarla, casó con ella después de haber tenido que sostener un combate contra Fineo para conservarla y regresó a Grecia con su esposa. A pesar de que debía estar resentido contra su abuelo Acriso, que había intentado matarle en el momento de nacer, le restableció en el trono de Argos, de donde Preto lo había arrojado, y mató al usurpador, pero luego tuvo la desgracia de matar al mismo Acriso de un ladrillazo en los juegos que se celebraban por los funerales de Polidectes. Fue tal el dolor que sintió por este accidente que, abandonando la morada de Argos, pasó a edificar una nueva ciudad, que hizo capital de sus estados y a la que dio el nombre de Micenas. Se dice también que fue la causa de la muerte de Polídectes. Perseo en virtud de la orden que el rey le había dado le trajo la cabeza de Medusa, y se guardó muy bien de exponerla a su vista, a fin de que no fuese víctima de los terribles efectos que producía a los que la miraban; pero un día que Polídectes quiso en un banquete violentar a Dánae, Perseo no halló otro medio más expédito para salvar el honor de su madre que presentar la Gorgona al rey, a cuya vista quedó inmediatamente petrificado. -Después de la muerte de su padre, Acriso permutó su reino de Argos con el de Micenas, que le cedió Megapentes, hijo de Preto. Es verdad que esta permuta era muy ventajosa para Megapentes, pero es de advertir que el héroe quiso reconciliarse con él, valiéndose de este acto de generosidad, que no reconoció su contrario, pues se sirvió de los mismos beneficios para perderle, armándole lazos en venganza de haber muerto a su padre Preto. Los pueblos de Micenas y Argos le levantaron monumentos heroicos, pero mayores fueron los honores que le tributaron en la isla de Sérifos y en Atenas, donde tuvo un templo. Finalmente este héroe fue colocado en el cielo, entre las constelaciones septentrionales, con Andrómeda, su esposa, Casiopea y Cefea. *Ilíada 14. Hes. Pínd. Met. 4. Mem. de la Acad. de Inscr. t. 3, 57.*

3 — Uno de los hijos de Néstor, rey de Pilos, y de Anaxibia. *Odis.*

PERSES. 1 — Hijo de Crío y Euribia, casó con Asteria, de la cual tuvo a Hécate, se cree que fue el primero que puso sus manos sacrílegas en los tesoros del templo de Delfos. *Hesíod. Teog.*

2 — Hijo de Sol y Persa, destronó a su hermano Eetes, después de la fuga de Medea, y a su vuelta fue destronado y envenenado por esta maga. *Mit. de Ban. t. 1.*

3 — Uno de los nombres mitríacos.

4 — Hijo de Perseo y Andrómeda, dio su nombre a los persas (*Herod. 7, c. 61.*). *Plinio* le atribuye la invención de las flechas.

PERSEVERANCIA. (*Iconol.*) Se la representa por una mujer que lleva un vestido blanco y azulado, adornada con una guirnalda de amaranto, y teniendo un vaso lleno de agua, que vaciándolo de gota en gota ha ahuecado un peñasco.

PÉRSICA. Sobrenombre bajo el cual Diana era venerada entre los persas. Se le inmolaban toros que pacían en los bordes del Eúfrates. Llevaban un farolillo en señal de que estaban consagrados a la diosa.

PERSPECTIVA. (*Iconol.*) Se la pinta bajo la figura de una hermosa mujer de aire noble e imponente, vestida con un ropaje brillante y de varios colores; pendiente de su cuello trae una cadena de oro, de la que cuelga una rica joya, representado un ojo abierto; sostiene con su mano derecha una regla para tirar líneas, una escuadra o cartabón y un espejo; en la izquierda dos grandes volúmenes, que llevan por inscripciones los nombres de Vitelión y Ptolomeo. *Cochin* la ha presentado bajo la figura de una mujer ocupada en considerar la sección de los rayos de luz visuales, suponiendo que salen de un cubo y pasan por un cuerpo diáfano.

PERSPICAX. *ojos brillantes.* Sobrenombre de Minerva, honrada en Argos en un templo que Diómedes le dedicó bajo este nombre, en conmemoración de que en medio de un combate la diosa le había abierto los ojos y disipado las tinieblas que los cubrían.

PERSUASIÓN. (*Iconol.*) Una mujer de hermosa presencia cuyo sencillo peinado termina encima de la cabeza con una lengua humana; va vestida modestamente, con un ropaje guarnecido de randa de oro, y se ocupa en atraer hacia ella un animal de tres cabezas, a saber; una de mono, otra de gato, y otra de perro. *V.* Pito.

PERTUNDA. Una de las divinidades romanas que presidían los matrimonios. Cuando alguno se casaba colocaban su estatua en la alcoba de los novios. *S. Agust. de Civ. Dei. 6. c. 9.*

**PERUNO.** Nombre que los antiguos prusianos daban al rayo, al que adoraban como una divinidad. Ardía en honor suyo un fuego continuo de leña de roble. Es verosímilmente el mismo que Peroun.

**PERUS.** Hijo de Egipto muerto por Hialo.

**PERVIGILIA.** Fiestas nocturnas que se celebraban en honor de Ceres, de Venus, de la Fortuna, etc.

**PESCADO FETICHE.** (*Mit. afr.*) Deriva el nombre de este pescado del respeto, a una especie de culto que le tributan los negros de la costa de oro. Tiene tres pulgadas de largo y unos ojos grandes y vivos, y en cuanto a lo demás es extremadamente hermoso.

**PESCADOS.** Los egipcios, los sirios. y en muchas ciudades de Lidia les tributaban culto. Los sirios se abstenían de comer pescado, porque creían que Venus se había ocultado en las escamas de un pescado, cuando los demás dioses tomaron diversas formas de animales, con motivo de la guerra de los titanes. -Los pescados que forman la constelación o el signo 12 del zodíaco son los que llevaron a Venus y al Amor sobre sus espaldas. Venus, huyendo de la persecución del gigante Tifón o Tifoeo, acompañada de su hijo Cupido, fue transportada a la otra parte del Eufrates por dos pescados, que por este motivo fueron colocados en el cielo. *Ovidio*, cuando cuenta esta fábula, forma su geneología y les da por padre un pescado que había procurado agua a Isis, un día que estaba sufriendo una sed extraordinaria. Otros pretenden que son dos delfines que llevaron a Anfítrite y a Neptuno y que éste, reconocido, obtuvo de Júpiter un lugar para ellos en el Zodíaco. (*Iconol.*) En las medallas, los pescados designan las ciudades marítimas.

**PESINUNTA** o **PESINONTE.** Ciudad de Frigia, célebre por el sepulcro de Atis y por el culto de Cibeles. Era adorada en esta ciudad bajo la figura de una piedra negra e imperfecta que se decía había caído del cielo. *Tito Liv. 29, c. 10, 11. Estrab. 12, Paus. 7, c. 17, Ptol. 5, c. 4.*

**PESINUNTIA PESINUNDTICA.** Sobrenombre de Cibeles tomado del culto que se le daba en Pesinunta.

**PESO.** Ciudad de Troada cuyos habitantes fueron al sitio de Troya. *Ilíada. 2.*

**PESOS.** Los pesos y las medidas originales estaban custodiados en los templos y consagrados a Mercurio. *V.* Palamedes.

**PESTE.** (*Iconol.*) Los antiguos la adoraban como una divinidad, hija de la Noche. Según refiere *Hesíodo*, Júpiter la enviaba junto con el hambre a alguna ciudad para castigar el crimen de una sola persona. *Sófocles* la llama *Area* más feroz que Marte. *Rafael* la ha representado en uno de sus más hermosos cuadros, por una figura que, socorriendo a unos enfermos, se tapa la nariz.

**PET.** *V.* Crépito.

**PETA.** 1 — Divinidad romana, presidía las peticiones o súplicas que se hacían a los dioses y se le consultaba para saber si eran justas o no. R. *Peto*, pido. *Ant. expl. t. 1.*

2 — Hija de Nanno, rey de los segobrigios. Habiendo su padre determinado casarla invitó a un foscio llamado Euxenes a que asistiese a las bodas; éstas se celebraban del modo siguiente: Después de la comida, hacían entrar la novia en la sala, y debía presentar una redomita a aquel de los asistentes con el cual iba a casarse. Peta, entrando en la sala del banquete presentó, sea por casualidad, o adrede, la redomita a Euxenes, que siendo yerno del rey, se estableció en el país y fue uno de los fundadores de Marsella. Esto es lo que refiere *Aristóteles*. Justiniano se explica de otra manera. (*V.* Giptis, Protis.)

**PÉTALO.** Otro de los guerreros de Fineas que combatieron contra Perseo, en la corte de Cefeo. *Met. 5.*

**PETARA.** Ciudad de Licia conocida por un oráculo de Apolo, muy célebre, a quien no se consultaba más que durante los seis meses de invierno. El templo era tan magnífico como el de Delfos, y las predicciones gozaban de igual crédito. *Met. l. c. 15. Estrab. 14. Paus. 9, c. 41, Herod. l, c. 182.*

**PETASATO.** Sobrenombre de Mercurio tomado del petaso que cubre su cabeza, como viajero que es por excelencia.

**PETASO.** Gorro de viajero. Propio de Mercurio como dios negociador del Cielo, Tierra e Infierno. Su petaso tenía alas. *Ant. expl. t. 3.*

**PETEONA.** Ciudad de Beocia cuyos habitantes marcharon al sitio de Troya. *Ilíada. 2.*

**PETES.** Egipcio hijo de Orneo, padre de Menestes, el cual capitaneaba a los atenienses en el sitio de Troya y contribuyó mucho a la toma de la ciudad, por lo que obtuvo la soberanía de Atenas. Le llamaban *Diphues*, de naturaleza doble, la fábula le representa medio hombre y medio animal. La verdadera razón es, según Diodoro, porque era ciudadano de dos estados diferentes, el uno griego y el otro bárbaro. *Apolod 3, c. 10, Paus. 5, c. 35.*

**PETILIA.** Ciudad de Grecia, fundada por Filoctetes, quien le dio este nombre tomado del vuelo de las aves. R. *petesthavi*, volar, *Meta 2, c. 4, Estrab. 6.*

**PETIMANCIA.** Adivinación por medio del movimiento de las damas en el juego de este nombre. *V.* Astragalomancia y Cubomancia. *R.* pesos, tablero.

**PETORO.** Otro de los cinco compañeros de Cadmo, que sobrevivieron a los guerreros nacidos de los dientes de la serpiente matada por este héroe.

**PÉTREA.** Nombre de una de las Oceánidas, adecuado a los lugares donde habitaba.

**PÉTREO. 1** — *Sentado sobre rocas, o bien el que manda a las rocas;* sobrenombre de Neptuno.

**2** — Centauro herido por Piritoo de un golpe de venablo que le traspasó juntamente con la encina que tenía abrazada. *Met. 12.*

**PETROMA.** Montón de piedras cerca del templo de la antigua Ceres, en el país de los feneales, encima del cual consultaban los ritos y otras ceremonias pertenecientes a sus grandes misterios.

**PETROO.** (*Mit. índ.*) Dioses hijos de Brahma, nacidos de un cuerpo ligero e invisible y alimentados de lo que se ofrece a los dioses.

**PETULANCIA.** Hija del Erebo y la Noche. *Hig.*

**PETULANTIÓN.** Fiesta que se celebraba en Esparta y Atenas en honor de Venus, bajo el nombre de la Luna. Los hombres asistían vestidos de mujeres y éstas de hombres.

**PEUCETIO.** Hijo de Licaón y nieto de Ielasgo y Deyanira, pasó a Italia con Enotro su hermano, y dio su nombre a un cantón de este país. *Dion. Hal. 1, Estrab. Met. 14.*

**PEUCRÓN.** Guerrero que murió en la guerra de la Cólquida, y que la fábula dice ser hijo de Palo Meótida. *Val. Flac. 6. v. 364.*

**PEYGHAMBAR** (*Mit. mah.*) *Portador de nuevas.* Este título es común a los 124.000 profetas que han precedido a Mahoma.

**PEZ Y PISCHAROS.** Divinidades de Indias, que van siempre acompañadas de Ixora. Se las representa de una estatura muy alta; y durante la noche llevan en la mano antorchas encendidas.

**PIACULARIS.** Nombre de una de las puertas de Roma, derivado de los sacrificios espiatorios que se hacían en ella.

**PIACULUM.** Sacrificio expiatorio de los latinos, lo mismo que el *Katharma* de los griegos.

**PIACHES.** (*Mit. Ind.*) Nombre bajo el cual los indios de la costa de Cumaná, en América, apellidaban a sus sacerdotes. No solamente eran los ministros de la religión, sino que también ejercían la medicina y ayudaban con sus consejos a los caciques en todas sus empresas. Para ser admitido entre los piaches era necesario pasar por una especie de noviciado, que consitía en ir errante dos años enteros por los bosques, donde persuadían al pueblo de que unos espíritus les comunicaban ciertas instrucciones y tomaban figura humana para enseñarles sus deberes y los dogmas de su religión. Sus principales divinidades eran el Sol y la Luna, a quienes tenían por marido y mujer.

**PIALIAS.** Juegos y combates sagrados que Antonino Pío instituyó en Puzzol en honor de Adriano.

**PIANEPCIAS.** Fiestas atenienses que se celebraban en honor de Apolo en el día 7 de octubre, que de esta fiesta se llamó *Pianepción. Plutarco* dice que la instituyó Teseo, porque regresando de Creta hizo un sacrificio de todo lo que restaba de las habas; lo metió todo en una marmita, lo hizo cocer y se lo comió con sus compañeros, lo que fue imitado en lo sucesivo en memoria de un feliz regreso. De las habas cocidas se llamó la fiesta *Pianepcias*. En ella un joven llevaba un ramo de olivo cargado de aceitunas, ensortijado con muchos copos de lana y lo colocaba en la puerta del templo de Apolo como una ofrenda. R. *pyanon*, haba; *epsein*, hacer cocer.

PIANS. (*Mit. índ.*) Templos de Sommono-Codon, entre los siamitas.

PIASO. Capitán de los pelasgios, honrado en Larisa, cerca de Cumes. Piaso, enamorado de su hija, la violentó. Esta, deseando vengarse, le sorprendió inclinado en un cubo lleno de vino, le agarró por las piernas y lo echó dentro, donde murió ahogado.

PICENA. Comarca de Italia en la costa del mar Adriático, tiene su origen en un ave llamada *picus*, picoverde, consagrada al dios Marte, que vino a colocarse encima de las insignias de los sabinos cuando iban a Ascoli, lo que interpretaron como a un presagio favorable. *Festo.*

PICO. Hijo de Saturno y rey de los aborígenes; fue un príncipe del todo perfecto. Objeto de los deseos de todas las ninfas del país, dio preferencia a la hermosa Caneta, hija de Jano. Como murió en la caza, en una edad bastante joven, se pretendía que había sido transformado en picoverde, ave cuyo nombre en latín es el mismo que el suyo; para dar mayor crédito a la fábula, añadían que Circe era la que había obrado esta mudanza, dándole con una varita para castigarle por su insensibilidad. (*Met. 14.*) *Servio* pretende que esta ficción está fundada en que este príncipe, que se vanagloriaba de conocer y adivinar el futuro, se servía de un picoverde que había sabido domesticar. Sea lo que fuere, Pico fue honrado después de su muerte y colocado en el número de los dioses indigestes.*Virgilio* (*Eneida. 7.*) le caracteriza con el epíteto de *apreciador de los caballos*. Los autores distinguen dos Picos reyes de Italia, el primero que reinó treinta y siete años, y otro mucho más antiguo que había reinado cuarenta y siete.

PICO DE ADANA. (*Mit. índ.*) Montaña muy alta de la isla de Sri Lanka, que los indios llaman *Hamalel*, a la que tienen mucha veneración, porque según sus tradiciones, Adan fue criado en la cima de esta montaña, y que el dios Budsdo, subiéndose al cielo, dejó en la roca la estampa de su pie, cuya dimensión es doble que la de una persona de una talla regular. Todos los años en el mes de marzo, la creencia conduce en aquel lugar, a gran número de peregrinos.

PICTES. Sobrenombre dado a Apolo después de haber vencido en la lucha al bandido Forbante, que impedía la entrada en el templo del dios. R. *pyx*, puñetazos.

PICTONOS, *el que mató la serpiente Pitón;* sobrenombre de Apolo.

PICTOR. *Pintor.* Sobrenombre dado a Q. Fabio por haber sido el primero que pintó el templo de la diosa Salus. *Plin.*

PICUMNO. Hermano de Pilumno, e hijo de Júpiter y de la ninfa Garamántida, inventó el uso de estercolar las tierras, por lo que fue llamado Esterquilino. Ambos presidían los auspicios de los matrimonios, así que por eso arreglaban y preparaban camas en sus templos. Cuando nacía un niño lo ponían en el suelo y lo encomendaban a estas dos divinidades, por miedo de que el dios Silvano no le dañase. Picumno era particularmente adorado por los etruscos. Presidía los augures, la tutela de los niños y los matrimonios. Se le tenía por el *genio del marido*. Otros pretenden que Picumno era un antiguo rey de los rútulos y el fundador de Ardea.(*Eneida. 9, Varr.*) *V.* Pilumno.

PICHACHA. Nombre colectivo de los duendes, entre los indios. *V.* Mouni.

PICHONES. *V.* Venus.

PIDITES. Capitán troyano muerto por Ulises. *Ilíada. 6.*

PIE. Los romanos miraban como una cosa de gran importancia entrar en los templos adelantando el pie derecho, pues tenían por presagio siniestro pisar primero con el pie izquierdo; por esto los antiguos solían, por un principio de religión, construir las gradas de los templos en número impar, para que de este modo después de haberlas subido, se entrase necesariamente en el edificio con el pie derecho.

PIE DE CABRA. (*V.* Pan, Sátiros.)

PIE DEL LEÓN. *V.* Hércules, Adrasto de buey, *V.* Orión; de serpiente. *V.* Pitón; de tigre. *V.* Bacantes; hinchada. *V.* Eolo (por el viento); de jabalí. (*V.* Adrasto.)

PIEDAD. (*Iconol.*) Divinidad que presidía por sí misma el culto que se le tributa, la ternura de los padres por sus hijos, los cuidados respetuosos de los hijos para con sus padres y la afección piadosa de un hombre por sus semejantes. Se ofrecían sacrificios, y muy particularmente entre los atenienses. Nada más común que su imagen al anverso de las medallas imperiales. Comúnmente se la ve bajo la figura de una mujer sentada cubierta de un gran velo, teniendo un cuerno de la abundancia en la mano derecha, y la izquierda sobre la cabeza de un niño. En una medalla de Calígula, la piedad cubierta de un gran velo presenta en la mano derecha una pátera. En otra de Antonino Pío, tiene en una mano las patas de un cervatillo destinado al sacrificio. En una de Faustina la joven, lleva dos espigas en la mano derecha y en la izquierda un cuerno de la abundancia; en otras tiene en la mano derecha un globo y en la otra lleva un niño. En otra medalla de Valerio, la Piedad de los Augustos está representada por dos mujeres que se dan la mano sobre un altar. Se ha figurado también por una mujer desnuda, con un ave en la mano. Acilio Glabrión edificó en Roma un templo de la piedad en honor de aquella hija que alimentó a su padre en la cárcel. Según *Winckelmann*, la Piedad, tomada en el sentido más estricto de la palabra, esto es, por el respeto a los dioses, está representada en las medallas imperiales sin figura y sí tan sólo, por los utensilios que se empleaban en los sacrificios. Nuestros artistas la designan por una joven alada con una llama en la cima de la cabeza, llevando en una mano un braserillo que despide humo, y que lo eleva hacia al cielo y en la otra un cuerno de la abundancia que representa a unos niños.

PIEDRA DE TOQUE. 1 — (*V.* Bato.)

2 — De águila, llamada así, porque se suponía se encontraba en los nidos de águila. Se le atribuye la virtud de descubrir a los ladrones, de hacer salir con más facilidad los pequeñuelos del huevo, y de apresurar los partos.

3 — De Justicia, peñasco donde termina el golfo Sarónico. Debía el nombre de *piedra de justicia*, según *Dionisio de Bizancio*, a la siguiente fábula. Dos mercaderes que se hicieron a la vela hacia el Ponto, depositaron una suma de dinero en un hueco de esta piedra, conviniendo que no lo tocarían sino cuando estuviesen ambos presentes; uno de ellos volvió luego para llevarse el dinero; pero la roca no quiso devolver el depósito, por cuyo motivo adquirió el nombre de piedra equitativa.

4 — Del Poder. En las poesías atribuidas a Osián se hace mención a la *piedra del poder,* invocada por el rey de una isla de Seetland.

5 — De Salud. En Ginebra y en Saboya dan este nombre a una especie de pirita marcial muy dura y susceptible de pulimento. Se le ha dado el nombre de piedra de la salud porque están en la creencia de que pierde el color cuando enferma el que la lleva.

PIEDRAS. 1 — (*V.* Deucalión.)

2 — Cuadradas. Los simulacros más antiguos de los dioses estaban esculpidos en piedras cuadradas, a las cuales añadían sucesivamente la cabeza, los brazos, las piernas, etc. *V.* Término.

3 — Devoradas por un hombre. *V.* Abadir, Saturno.

4 — Caídas del cielo. Se contaba en el número de los prodigios que atemorizaban mucho a los antiguos y por los cuales hacían expiaciones.

5 — Sagradas. Se veían en los tiempos antiguos, montones de piedras, al lado de los caminos reales, donde cada pasajero consideraba como un deber religioso añadir una en honor de Mercurio.

PÍELO. Hijo de Pirro y Andrómaca, sucedió a su padre en el reinado del Epiro. *Justin. 17, c. 3.*

PIERA. Fuente situada sobre el camino de Elis en Olímpia. Los directores y directoras de los juegos olímpicos no podían entrar a ejercer sus funciones sin que antes se hubiesen purificado con el agua de esta fuente que se reputaba sagrada. *Paus. 5, c. 16.*

**PIERIA.** 1 — Una de las mujeres de Dánao, del cual tuvo seis hijas, Atea, Pordáceas, Diocipe, Adita, Ócipeta y Pilarga. *Apolod. 2.*

2 — Esposa de Oxilo.

**PIÉRIDES.** 1 — Hijas de Piero, rey de Macedonia. Eran nueve hermanas muy aventajadas en la música y la poesía. Orgullosas de su nombre y de sus talentos, osaron desafiar a las Musas, aun en el mismo Parnaso. Fue aceptado el desafío y las ninfas de la comarca, que hicieron de arbitros, dieron su voto a favor de las Musas. Las piérides, resentidas de este juicio, echaron mano de las invectivas y aun intentaron valerse de la fuerza contra sus rivales, pero Apolo las transformó en urracas, dejándoles el mismo prurito de hablar. Esta fábula parece fundada en que la piérides, orgullosas de su habilidad por el canto, se atrevieron a tomar el nombre de Musas. *Met. 5.*

2 — Se da también el nombre de Piérides a las Musas, ya sea con motivo de la victoria ganada a las hijas de Piero, o ya del monte Pierio en Tesalia, o ya del monte Pierio en Tesalia, que les estaba consagrado.

**PIERIO.** Monte de Tesalia consagrado a las Musas.

**PIERIS.** Citada por *Apolodoro* como concubina de Menelao y madre de Megapentes.

**PIERO.** 1 — Príncipe lacedemonio venido de Tespia (Tespis), que estableció el número de nueve musas y que impuso a cada una el nombre que hoy día tienen. Según otros tenía nueve hijas y les dio los nombres de las Musas, de donde deriva que los griegos creían que sus nietos eran hijos de las Musas. *Plutarco* nos dice que Piero era un poeta músico que había tomado por objeto principal de sus poemas, la historia fabulosa y las alabanzas de estas divinidades.

2 — Hijo de Magnes, según Apolodoro, hizo a Clio madre de Jacinto.

**PIGAS.** Reina de los pigmeos, Juno la transformó en grulla por haber tenido la presunción de compararse con la reina de los cielos, y después de esta metamorfosis hizo una guerra continua a su pueblo.

**PIGEA.** 1 — Una de las ninfas Jónidas, que tenía un templo cerca del río Citero.

2 — Una de las Jónidas, llamada así de su padre Jonio.

**PIGMALIÓN.** 1 — Hijo de Belo, rey de Tiro y hermano de Dido y Anna. Su cuñado Siqueo lo mató para apoderarse de sus tesoros.

2 — Famoso escultor, enemigo del matrimonio a causa de la infame prostitución de los propétidas, se consagró al celibato, pero habiéndose enamorado de una estatua de marfil, obra de su cincel, a fuerza de súplicas obtuvo de Venus que la animase, y se casó con ella, de la cual tuvo un hijo llamado Pafo.

**PIGMEÓN.** Sobrenombre de Adonis.

**PIGMEOS.** Pueblo fabuloso, que se suponía había existido en Tracia. Se componía de hombres que no tenían más que un codo de alto; sus mujeres parían a los tres años de su edad y envejecían a los ocho; sus ciudades y sus casas estaban construidas de cáscaras de huevo; cuando se hallaban en la campiña se retiraban en unos pequeños hoyos hechos en tierra; segaban el trigo con hachas del mismo modo que si hubiesen tenido que cortar un bosque. Un ejército de estos hombres pequeñitos atacó a Hércules, que se había echado a dormir después de haber derribado al gigante Anteo, y tomó para vencerle las mismas precauciones que se acostumbraban para poner sitio a una plaza; las dos alas de este pequeño ejército se apoyaron en la mano del héroe y, mientras el cuerpo de batalla atacaba la izquierda y que los arqueros estaban sitiando sus pies, la reina con sus más valientes súbditos dio un asalto a la cabeza; Hércules se despertó y riéndose del proyecto de la reina y de su táctica, los envolvió a todos con su piel de león y los presentó a Euristeo. -Tenían los pigmeos guerra declarada contra las grullas que todos los años venían de la Escitia para atacarles: sus campeones montados en perdices o bien, como quieren otros, en cabras y en ovejas de una talla proporcionada a la suya; marchaban armados de punta en blanco para combatir a estos enemigos.

Los griegos, que creían en cierta clase de gigantes, esto es, hombres de una talla extraordinaria; para formar un verdadero contraste imaginaron estos hombres pequeños, a los que llamaron pigmeos. En cuanto a la Fábula de Pigas, su reina, que fue transformada en grulla, deriva de que se llamaba también Gerane, que es el nombre griego de la grulla. Era hermosa, pero muy cruel, así es que sus súbditos, temiendo que su hijo la imitase, se lo quitaron y lo hicieron educar a su modo. Su crueldad está designada con la guerra que hacian los pigmeos a la cabeza de las grullas. *Ilíada. 2, Ovid. Fast. 1, Plin. 4, c. 11. Mela 3.*

PILACANTO. Troyano distinguido muerto por Aquiles.

PÍLADES. Hijo de Estrofio, rey de Fócida, y de Anaxibia, hermano de los átridas, fue educado con Orestes, su primo, y en aquella época se unió con él en una íntima amistad que les hizo inseparables. Después que Orestes hubo matado a Egisto y a Clitemnestra con la ayuda de Pílades, sacando a su hermana Electra del oprobio a que los tiranos la habían reducido, la casó con su amigo. Pasaron juntos a la Taúride para robar la estatua de Diana, pero habiendo sido sorprendidos, les cargaron de cadenas para inmolarlos a la diosa; sin embargo, la sacerdotisa ofreció enviar uno a Grecia, puesto que bastaba cualesquiera de los dos para satisfacer la ley; quiso retener a Pílades y entonces fue cuando hubo aquel generoso combate de amistad tan célebre entre los antiguos, en el que Orestes quería morir por Pílades, y Pílades por Orestes. Pílades ayudó también a Orestes en el designio de matar a Pirro. *Pausanias* dice que no sólo lo hizo por amistad, sino que también por el deseo de vengar a su bisabuelo Foco, muerto por Peleo, abuelo de Pirro. Pílades tuvo de Electra dos hijos, Estrofio y Medonte.

PILAGORE. Sobrenombre de Ceres. La llamaban así porque los Anfictiones, antes de juntarse, le ofrecían un sacrificio en las puertas de la ciudad. R. *pilé*, puerta; *agora*, marca.

PILAÓN. Hijo de Neleo y Cloris, muerto por Hércules. *Apolod. 1, c. 9.*

PILAPIOS. Pueblos que habitaban cerca de las orillas del mar Glacial, y que bebían, comían y conversaban familiarmente con las sombras.

PILARGE. Danaida. *Apolod.*

PILARTES. Troyano muerto por Patroclo. *Ilíada. 11, 16.*

PILAS. Rey de Megara, habiendo matado en un lance imprevisto a su tio Biante, se refugió cerca de Pandión, su yerno, en el momento en que éste fue desterrado de Atenas. *Apolod. Paus.*

PILE. Estatuas de lana que se sacrificaban a los dioses lares en las compitales. Refiere *Macrobio* que en un principio se inmolaban niños de tierna edad, costumbre bárbara que abolió Bruto, después de haber expulsado a los reyes de Roma, sustituyendo a los infantes por pequeñas estatuas de lana.

PILEA. Sobrenombre de Ceres tomado de las Termópilas, donde era adorada.

PILEAS. Fiesta griega en honor de Ceres, celebrada en las Termópilas.

PILEATI FRATRES. 1 —*Los hermanos con gorro.* Cástor y Pólux, a quienes se representa con sombrero en la cabeza.

2 — Sacrificadores de los godos que se cubrían la cabeza rasurada con un gorro llamado *Capillatis* y que nunca se lo quitaban, incluso durante las ceremonias religiosas, difereciándose en esto de la regla general del pueblo godo.

PILÉMENES. 1 — General paflagonio, hijo de Melio, muerto por Menelao en el sitio de Troya. *Ilíada. 2, 5, 15.*

2 — Rey de Meonia, envió a la guerra a sus dos hijos Metes y Autifo. *Men. de la Acad de Inscr. t. 5.*

PILENA. Ciudad de Etolia cuyos habitantes marcharon al sitio de Troya.

PILEO. 1 — Jefe troyano muerto por Aquiles.

2 — Hijo de Clímeno, rey de Orcómeno.

3 — De Eólida, hermano de Hipotoo e hijo de Leto, el teutámida; condujo con su hermano a los pelasgos de Larisa al sitio de Troya.

PÍLEO. Especie de gorro cuya forma según es de ver de las medallas, se parece a los de dormir. Se daba a los esclavos al declararlos libres, de donde dimana el que el *Píleo* sea el símbolo de la libertad. En el reverso de las medallas romanas va acompañado de la inscripción *Libertas*. *Servio* dice que es un nombre genérico. Los sacerdotes distinguían *pileos* de tres clases: el *apex* era ligero y tenía una vara en medio: *tutulus*, forrado de lana, rematado en punta; y el *galerus* que se fabricaba con las pieles de las víctimas.

**PILETONTIS**, Volueris. El cisne; porque Cigno, amigo de Faetón fue trasformado en esta ave.

**PILEUS**. Coronas y guirnaldas con que los lacedemonios adornaban la estatua de Juno.

**PILIO**. 1—Néstor, rey de una comarca de la Acaya, su capital Pilos.

2 — Héroe griego, había adoptado a Hércules para que este semidios, pudiera ser iniciado en los grandes misterios de los atenienses. *Plut*.

**PILIS**. Adivino célebre, hijo de Mercurio y la ninfa Isa, predijo a los griegos que un caballo de madera sería la imagen con la cual sojuzgarían a Troya. Es el mismo que Prilis.

**PILO**. 1—Hijo de Marte y Demonice, jefe de una colonia de megareos, fundador de Pilos en la Elida, se halló en la caza de jabalí de Calidón.

2 — Hija de Tespio y madre de Hipotas. *Apolod*. Eufemnos curó la herida de Filoctetes y aprendió de éste el manejo del arco.

**PILON**. Troyano muerto por Polipetes. *Ilíada. 12*.

**PILOSI**. *Velus*, especie de incubos de la naturaleza de los *Dusianos*.

**PILOTIS**. Sobrenombre de Minerva tomado de la costumbre de colocar su imagen encima de las puertas de las ciudades, como la de Marte en las de los arrabales, para dar a entender que si debe hacerse uso de las armas para rechazar al enemigo en el interior de las ciudades, es necesario acudir a la sabiduría de Minerva.

**PILUMNO** (*Mit. rom.*) Hermano de Picumno, inventor del arte de moler el trigo y muy venerado de los molineros (*V*. Picumno.) Habiendo recibido en sus estados a Dánae fugitiva, hija de Acrisio, tuvo de ella a Dauno, padre de Turno. *Eneida. 9, 10, 12*. Los romanos creían que sus símbolos: el hacha, la escoba y el mazo

servían para ahuyentar a Silvano, el demonio salvaje.

**PILLA**. Dios del aire en el Brasil indígena.

**PIMPLEA, PIMPLEIUS, PIMPLEUS**. Monte que los geógrafos unen al Helicón y que suponen había sido consagrado a las Musas. *Estrab. 10*.

**PIMPLENOS, PIMPLEIDES**. Nombre de las Musas, tomado de un monte, o según *Festo*, de una fuente de Macedonia, así llamada por la abundancia de sus aguas. R. *pimplán*, llenar.

**PINÁCULO**. Remate terminado en punta que se ponía en los templos para que se distinguiesen de las casas particulares cuyos techos eran planos.

**PINARIOS**. Sacerdotes de Hércules. Después de la muerte de Caco, Evandro adoró a Hércules como divinidad, sacrificándole un buey. Habiendo escogido a los poticios y los *pinarios*, las dos familias más ilustres del país para cuidar del sacrificio y del banquete que debía seguirle, por casualidad llegaron primero los poticios y se les sirvieron las mejores porciones de la víctima. Los *pinarios*, que llegaron más tarde, tuvieron que contentarse con lo restante, lo cual quedó así establecido para lo sucesivo; y en tanto como sustituyeron los *pinarios*, no comieron de las porciones preferidas. Los poticios aprendieron del mismo Evandro las ceremonias que debían observarse, y por espacio de muchos siglos fueron los sacerdotes del templo de Hércules, hasta que abandonando este ministerio a los esclavos públicos, perecieron con toda su raza. Así lo cuenta *Tit. Liv*. (*1, c. 7*.)

**PÍNDARO**. Poeta griego de los más célebres entre los líricos. Se comenta de este poeta, que en su edad juvenil, habiendo emprendido el viaje a Tespia, un día de verano se halló tan fatigado que se echó en el suelo, cerca del camino real, y durmió. Durante su sueño se pararon sobre sus labios unas abejas, dejándole miel, como en augurio de los que debía ser algún día. *Píndaro* veneraba con culto especial a Cibeles, Júpiter, Pan y Apolo. *San Clemente de Alejandría* dice que fue el inventor de las danzas llamadas hipoquemes, que acompañaban los coros de músicos en las fiestas religiosas. *Píndaro* y *Olímpico*, uno de sus discípulos, según refiere el escoliasta griego, habiéndose retirado cierto día a un monte inmediato para gozar de más tranquilidad, quedaron atónitos al oír un fuerte ruido después de ver salir llamas, en medio de las cuales apareció una estatua de piedra que representaba a Cibeles y se adelantó hacia ellos. Admirado el poeta de este prodigio, hizo colocar delante de su casa la estatua de la diosa, y consultando el oráculo de Delfos, éste respondió que debía erigirle un templo; Píndaro cumplió el consejo del oráculo. No contento con haber enviado al de Júpiter Ammón himnos que había compuesto en honor del dios, le consagró una estatua que fue obra del famoso escultor Calamis, dedicándole esa misma en el templo que la divinidad tenía en Tebas. Difundida la voz de que Pan estimaba muchísimo los himnos de Píndaro, y que aún cantaba algunos en las montañas vecinas, o los bailaba en la cadencia, el poeta deseó ser testigo de ello; y habiéndole parecido que efectivamente había oído cantar sus versos a aquel dios, sintió una gran alegría. Pero su gloria llegó al colmo cuando la pitonisa hizo aquella famosa declaración, precisando a los habitantes de Delfos que diesen a Píndaro la mitad de todas las primicias que se ofrecían a Apolo. Se dice que en los últimos días del poeta, se le apareció en sueños Proserpina, quejándose de haber sido la única divinidad que no había celebrado en sus versos: «Sin embargo, le añadió, ya llegará mi día; y cuando estéis en mi poder fuerza será que cantéis en mi honor». Había en Tebas una mujer venerable, parienta de *Píndaro*, y cierta noche vio en sueños al poeta, que le entonó un cántico que había compuesto en loor de Proserpina. Al despertar, se acordó del cántico y lo puso por escrito. (*Paus. 1, c. 8; 1. 9, c. 21. Aten.*) Aun en el tiempo de Plutarco gozaba de tanta consideración la memoria de *Píndaro*, que sus descendientes disfrutaban todavía en las fiestas teoxonianas del privilegio de recibir la porción escogida de la víctima sacrificada; y su casa fue la única que Alejandro respetó en el asalto de Tebas.

**PINDO.** Montaña de Grecia, entre Epiro y Tesalia, muy celebrada de los poetas, como consagrada a Apolo y a las Musas. *Estrab. 9.* Su nombre deriva de un héroe macedonio, hijo de Licaón. Gran cazador, se hizo amigo de una enorme serpiente a la que llevaba comida cuando Pindo fue muerto por sus tres hermanos. La serpiente mató a su vez a los asesinos y no consintió que se llevaran el cadáver de su amigo, hasta que vinieron sus padres.

**PINIO.** Sobrenombre de Júpiter.

**PINO.** Arbol favorito de Cibeles, y que ordinariamente acompaña a las estatuas o pinturas de esta diosa. En la celebración de los misterios de la misma divinidad, corrían sus sacerdotes con tirsos en las manos, en cuyas extremidades había ramos de pino adornados con cintas. El pino estaba consagrado igualmente a Silvano; en razón a que sus estatuas tenían en la mano izquierda una rama de *pino*. *Propercio* consagra también el *pino* al dios Pan. Las piras solían formarse con leña de este árbol; y en la primavera se cortaba un robusto *pino*, que se llevaba con gran solemnidad al templo de Cibeles. La piña se empleaba en los sacrificios de Baco, y frecuentemente en las orgías, solemnidades, procesiones, etc. En los monumentos antiguos suelen verse a las divinidades campestres con coronas de *pino*.

**PINTIUS.** Hija de Atamante y Temisto. Esta le mató creyendo que era el hijo de Ino.

**PINTURA.** (*Iconol.*) La representan con la paleta, los pinceles y el tiento; está sentada delante de un caballete, en el cual hay un cuadro bosquejado. Su postura es descuidada, y su actitud pensativa; alrededor de ella están colocadas varias estatuas antiguas para significar que tan sólo al estudio de la antigüedad debe el artista la expresión y la corrección. Con frecuencia está representada también con la boca tapada con una venda, ya sea para demostrar que la pintura es una poesía muda, o bien por que es amiga del silencio y de la soledad. Un infante alado, con una llama en la cabeza, colocado algunas veces al lado de la figura simbólica, designa el genio, sin el cual es imposible ser creador. Si se le dan alas de diversos colores, es para marcar, o bien la variedad de los matices y de los tonos, o la prontitud con que el pintor debe escoger las variaciones de la naturaleza. Considerada bajo el punto de vista más esencial del arte, esto es, de la imitación, podría figurarse una mujer llevando en la cabeza una máscara joven y hermosa, y en su pecho un medallón representado las Gracias.

PINUS. Otro de los hijos de Numa Pompilio, quien, según algunos autores, fue el tronco de la familia de los Pinarios. *Plut.*

PION. Otro de los descendientes de Hércules; construyó en Misia la ciudad de Pionia, donde se sacrificaba en honor suyo como a una divinidad, saliendo de su sepulcro un humo milagroso. *Paus. 9, c. 18.*

PIONE. Nereida. *Apolod.*

PIPAL, o Arbol de las pagodas. *Ficus Bengalensis.* Arbol de suma veneración en la India. Los indios y los banianos dirigen sus ramas en forma de arcos regulares, y a su sombra colocan a los ídolos. *Lamarck.* (V. Arealu.)

PIRA. Lugar situado en el monte Oeta, llamado así, porque allí se quemó el cuerpo mortal de que Hércules se despojó. *Tito Liv. 36.*

PIRACMO. Guerrero muerto por Ceneo. *Met. 12.*

PIRACMÓN. Cíclope; uno de los herreros de Vulcano. R. *pir*, fuego; *akmón*, yunque. *Eneida. 8.*

PIRÁMIDE. (*Iconol.*) Es el símbolo ordinario de la gloria de los príncipes. Entre los egipcios era el emblema de la vida humana, cuyo principio estaba representado por la base, y el fin por la punta, por cuyo motivo se elevaban sobre los sepulcros.

(*Mit. árab.*) Los árabes pretendían que las pirámides fueron construidas muchísimo tiempo antes del diluvio por una nación de gigantes. Cada uno de ellos transportaba de la cantera al lugar donde se hallan las pirámides una piedra de veinte a veinticinco pies de largo.

(*Mit. mex.*) Todos los edificios consagrados a las divinidades mejicanas forman pirámides truncadas, en cuya cima colocaban los mejicanos las estatuas de sus divinidades cubiertas de delgadas hojas de oro, y cuyas figuras gigantescas, recuerdan de un modo sorprendente, a los ídolos de la India y Tartaria.- Algunos pueblos idólatras atribuyen cierta divinidad a la forma piramida!.- Los templos siamitas están comunmente rodeados de pirámides.

PÍRAMO. 1 — Pastel que se daba por recompensa al que en las fiestas nocturnas, llamadas Caricias, vencía por más tiempo el sueño.

2—Joven asirio, célebre por su pasión a Tisbe. Como a su padre y a los de Tisbe les incomodaba muchísimo en sus amores, proyectaron una entrevista fuera la ciudad, debajo de un moral blanco. Tisbe, cubierta de un velo, llegó la primera al lugar convenido, y de repente se vio atacada por una leona que tenía la garganta ensangrentada, y huyó con tanta precipitación, que dejó caer el velo. Lo encontró el animal al pasar y lo hizo pedazos; así es que habiendo comparecido Píramo, y cogido los restos del velo, creyendo que Tisbe había sido devorada, se atravesó con su espada. Mientras tanto, saliendo ella del lugar donde se había salvado, volvió al paraje de la cita, y hallando a Píramo en el monumento de expirar, le quitó la espada fatal y se la clavó en el corazón. Se cuenta que el moral quedó teñido con la sangre de los dos amantes, y que desde entonces las moras, de blancas que eran, se convirtieron en negras y rojas.

PIRANISTAS. Una de las cuatro clases de seres intermediarios, que los antiguos admitían entre el hombre y el bruto.

PIRASO. Capitán troyano muerto por Ayax.

PÍREAS. (*Mit. pers.*) Este nombre significa templos del fuego, y es el que los persas dan a los lugares donde encierran el fuego sagrado. Una de las más célebres pireas fue erigida por un doctor guebro en la ciudad de Belek o Balek, en los confines de Persia y las Indias. Balek se contaba por el centro de la religión de los persas. Era para ellos, lo que La Meca para los mahometanos.

PIRENA. 1 — Ninfa a la cual Marte hizo madre de Cieno.

2 — Hija de Bebricio, rey de España,

forzada por Hércules dio a luz una serpiente, cuya aparición le espantó de tal modo que huyó y se escondió en un bosque, donde fue pasto de las fieras. Se dice que dio su nombre a los Pirineos, montañas que separan España de Francia.

3 — Fuente consagrada a las Musas, y célebres entre los poetas. En esta fuente era donde bebía el caballo Pegaso, cuando Belerofonte se apoderó de él por sorpresa y lo montó para ir a combatir a la Quimera. -Parece que hay divergencia entre los mitólogos sobre su origen: los unos dicen que Pirena, inconsolable por la pérdida de su hijo Cenerio, muerto por Diana, derramó tantas lágrimas, que los dioses después de su muerte la transformaron en uno de los más hermosos manantiales que regaban la ciudad de Corinto.- Otros quieren que Alope hizo presente a Sísifo de esta fuente preciosa para saber de él donde se hallaba su hija Eguina, arrebatada por Júpiter. Sísifo lo descubrió con la condición de que daría agua a la ciudadela y de este modo se reveló el secreto de Júpiter.

4 — Hija de Dánao.

5 — Hija de Aqueloo y Asopo. Neptuno la hizo madre de Cencrias, y Diana, después de haber matado a su hijo, la convirtió en fuente. *Paus.*

PIRENEO. 1 — Rey de Fócida; habiendo encontrado un cierto día a las Musas, las recibió muy bien y les ofreció su palacio: pero, apenas entraron en él, mandó cerrar las puertas e intentó violentarlas. En este apuro las Musas, con el socorro de Apolo, tomaron alas y desaparecieron por el aire. Pireneo subió a la torre y, creyendo poder volar como ellas, se precipitó desde lo alto y perdió la vida. *Met. 5.*

2 — Sobrenombre de Venus adorada entre los galos.

PIREO. Hijo de Clitio, compañero fiel de Telémaco. *Odis. 15, 17.*

PIRES. Licio muerto por Patroclo.

PIRETO. Monstruo mitad hombre, mitad caballo, muerto por el lapita Perifante. *Met. 12.*

PIRGO. 1 — Nodriza de los hijos de Príamo. Siguió a Eneas en sus viajes y se halló con él en Sicilia, cuando hizo celebrar juegos en honor de su padre Anquises.

Ella fue la que hizo desistir del proyecto que habían formado los troyanos de pegar fuego a las naves de Eneas, en los puertos de Sicilia.

2 — Esposa del rey de megara Alcatoo, a la cual abandonó para casarse con Fracme, hija de Megareo.

PIRIGENO. *Nacido del fuego.* Sobrenombre de Baco porque Júpiter pasó a visitar su madre, armado del rayo, y la consumió.

PIRIPA. Una de las hijas de Tespio.

PIRIPNOUS. Gigante que, con su hermano Anónimo, atacó a Juno y fue ahuyentado por Hércules.

PIRISOUS. Salvado del fuego; primer nombre de Aquiles, porque al grito que dio su padre aterrorizado de verle en el fuego, donde Tetis su madre le había puesto para purificarle de lo que tenía de mortal, fue retirado precipitadamente.

PIRITOO. Hijo de Ixión y rey de los lapitas. Habiendo casado con Hipodamia, rogó a los centauros que asistiesen a la solemnidad del matrimonio. Pero estos, acalorados por el vino, pretendieron insultar a las damas, a lo cual se opusieron Hércules y Teseo. Sin embargo, admirado *Piritoo* de la relación de los grandes hechos de Teseo, quiso medir sus fuerzas con él y con tal idea buscó ocasión de riña; pero cuando ambos héroes estuvieron en presencia uno de otro, se apoderó de su ánimo cierta simpatía, y descubriéndose su corazón sin rebozo, abrazáronse en lugar de batirse, jurándose una amistad eterna. Piritoo fue el fiel compañero de viaje de Teseo, y habiendo conseguido llevar a cabo su proyecto de arrebatar a Helena, la echaron en suerte bajo condición que aquel en cuyo favor quedase, estaba obligado a procurar otra mujer a su amigo. La suerte favoreció a Teseo, y éste, fiel a su promesa, acompañó a Piritoo para arrebatar a Proserpina, mujer de Plutón. Ambos bajaron a los infiernos para ejecutar su temeraria empresa, pero Cerbero, echándose sobre Piritoo, le ahogó. Teseo quedó cargado de cadenas por orden de Plutón hasta que Hércules fue a liberarle. (*Eneida. 6, Ilíada. 1, Odis. 2, 21.*) *Pausanias (5, c. 10,)* explicaba esta fábula diciendo que Teseo pasó a la Tesprocia con Piritoo con el designio de ayudarle a arrebatar la mujer del rey de los tesprocianos, de la cual estaba apasionado: al efecto invadieron el país con un ejército; pero habiendo perdido la mujer parte de sus tropas, ambos amigos quedaron prisioneros del rey de tesproacia, en la isla de Ciquiro.

**PIRO.** Oceánide.

**PIRODES.** El primero que hizo salir fuego de un pedernal.

**PIRODULIA, PIROLATRÍA.** *Culto del fuego*, peculiar a los discípulos de Zoroastro.

**PIRÓFOROS.** Entre los griegos eran unos hombres o soldados que marchaban al frente de los ejércitos, llevando en sus manos unos jarrones llenos de fuego, como símbolo de las cosas sagradas. Eran tan respetados, que ni aun los enemigos se atrevían a atacarlos.

**PIROIS.** Uno de los caballos del Sol. R. *pyr*, fuego. *Met. 2.*

**PIROMANCIA.** Adivinación por medio del fuego. -Había entre los antiguos diferentes especies de piromancia o diferentes modos de practicarla; las principales consistían en arrojar al fuego pez pulverizada y si se encendía inmediatamente se deducía de ello un buen augurio. Se encendían antorchas bañadas con pez y se observaba la llama: si estaba reunida y no formaba más que una sola punta se auguraba felizmente de lo que se consultaba, si por el contrario, se dividía en dos, era mala señal, pero cuando formaba tres puntas era el presagio más favorable que podía desearse; finalmente si se inclinaba a derecha o izquierda sacaban de ello que un enfermo estaba próximo a morir, o que debía sobrevenir alguna enfermedad a aquellos que se hallaban sanos. El peterreo anunciaba desgracias, y su extinción los más expantosos peligros. Algunas veces arrojaban una víctima al fuego y consideraban el modo como la rodeaban las llamas y la consumían, y si la llama formaba una pirámide o si se dividia; en una palabra el color, la brillantez, la dirección, la lentitud, o la vivacidad de este elemento, en los sacrificios, todo era materia de observación y de profecía, se atribuía el

origen de esta especie de *Piromancia* al adivino Anfiaroo, que pereció en el sitio de Tebas. Otros lo hacían descender de los Argonautas. En algunas ocasiones añadían al fuego otras materias, como por ejemplo, tomaban una vasija llena de orines, cuyo orificio tapaban con lana; examinaban luego porque lado se rompía, y entonces exponían los augurios. En otras ocasiones los tomaban observando el peterreo de la llama o de la luz de una lámpara. Había en Atenas en el templo de Minerva Poliada una lámpara continuamente encendida, cuidada por dos vírgenes, que observaban exactamente todos los movimientos de su llama. (*V.* Lampadomancia.) Algunos autores ponen en el número de las especies de piromancia la horrenda costumbre que tenían ciertos pueblos orientales de hacer pasar sus hijos por el fuego en honor de Moloch.

**PIROMIS.** Estatuas de madera que representaban a los sacerdotes egipcios. Esta palabra, en egipcio, significa *buena* y *virtuosa. Herod. 2, c. 42.*

**PIRONIA.** Diana, bajo este nombre, tenía en el monte Gratis un templo, donde los argivos iban a buscar fuego para sus fiestas de Lerna. R. *pir*, fuego.

**PIROSCOPIA.** (*V.* Piromancia.)

**PÍRPOLA.** Otro de los nombres que tiene la isla de Delfos, porque cuando se descubrió esta isla hallaron fuego y pedernal, para producirlo. *Plin.*

**PIRRA.** 1 — Hija de Epímeteo y Pandora, y esposa de Deucalión.*V.* Deucalion.

2 — Bajo este nombre Aquiles, disfrazado de mujer, se ocultó en el palacio de Licómedes para no tener que marchar al sitio de Troya. *V.* Aquiles.

3 — Hija de Creonte, regente del reino de Tebas durante la menor edad de Ladamante. Tenía en Tebas una estatua de mármol. *Paus.*

**PIRRIASO.** Ciudad de Tesalia cuyos habitantes marcharon al sitio de Troya. *Ilíada. 2.*

**PÍRRICA.** Danza militar de los antiguos, famosa en los escritos de los poetas y de los historiadores. Los danzantes iban vestidos con túnicas de escarlata ceñidas con cinturones guarnecidos de acero, de donde pendía la espada y una especie de lanza corta. Los músicos llevaban además el casco adornado de garsotas y de plumas. -Cada banda estaba precedida por un maestro de baile que marcaba a los otros los pasos y la cadencia, y que daba a los músicos el tono y el movimiento, cuya viveza representaba el ardor y la rapidez de los combates. Algunos han creído que el nombre de Pírrica derivó de Pirro de Cidonia, que fue el primero que enseñó a los cretenses este modo de danzar. Otros pretenden que Pirro, hijo de Aquiles, fue el inventor.

**PIRRIDAS.** Nombre patronímico de los descendientes de Neoptolemo en Egipto. *Plut.*

**PIRRO.** Hijo de Aquiles y Deidamia, fue educado en la corte del rey Licomedes, su abuelo materno, hasta después de la muerte de su padre. Entonces los griegos fundados en un oráculo que había declarado que la ciudad de Troya no podía se tomada sino se hallaba entre los sitiadores uno de los descendientes de Eaco, enviaron a buscar a Pirro que no contaba entonces más que dieciocho años de edad. Apenas llegó delante de Troya, le comisionaron para que pasase a Lemnos, a fin de conseguir que Filoctetes viniese a Troya con las flechas de Hércules. Tratábase de sorprender a este héroe justamente irritado contra los griegos, y determinarle a que se embarcase, bajo pretexto de regresar a Grecia, mientras que se le conduciría a las costas de Asia. Para conseguirlo, finge Pirro estar descontento de los griegos que le han rehusado las armas de su padre Aquiles, y que quiere regresar a Sciros. Filoctetes le pide inmediatamente ir en su compañía, y le confía su arco y sus flechas para trasladarlas a la nave. Pirro siente un remordimiento secreto al considerar que engaña a un desgraciado; su corazón no está acostumbrado al artificio; suspira, gime, en fin declara su proyecto a Filoctetes, le devuelve las armas y le deja libre. (*V.* Filoctetes.) -Pirro fue quien mató al desgraciado Príamo, quien precipitó al joven Astiaux, hijo de Héctor, de lo alto de una torre, y quien pidió la sangre de Polixena para ofrecerla a los manes de su padre. (*V.* Polixena.) -En la participación de los esclavos, le tocó Andrómaca, viuda de Héctor, a la que amó hasta el extremo de preferirla a Hermione su esposa, y esto sin duda fue lo que ocasionó su muerte. Cierto día que Pirro pasó a Delfos, para aplacar a Apolo, contra quien había lanzado imprecaciones con motivo de la muerte de Aquiles, Orestes, que amaba a Hermione, se trasladó igualmente a Delfos, e hizo correr la voz de que Pirro había venido para reconocer el templo y apoderarse de los tesoros. La noticia fue tomando incremento; los delfos armados sitiaron a Pirro, quien por último murió al pie del altar, víctima de la cólera de Apolo, o más verosímilmente de los celos de una mujer despreciada. Pirro dejó tres hijos de Andrómaca; Moloso, Pielo y Pérgamo: Moloso fue el único que reinó después de él, y tan sólo en una pequeña parte de los estados de Aquiles.

2 — Rey de Epiro, descendiente de Neoptolemo. Se le atribuían particularidades maravillosas.

**PIRSON EORTA.** Fiesta célebre en Argos en memoria de las antorchas que alumbraron a Linceo e Hipermenestra, para advertirse recíprocamente que estaban fuera de peligro.

**PIRUS.** Capitán troyano, hijo de Imbraso, que mandaba a los tracios en el sitio de Troya. Fue muerto por Toas. *Ilíada. 4.*

**PIRZADEM.** (*Mit. mah.*) *descendientes del anciano.* Nombre que los musulmanes dan ordinariamente a los descendientes de su profeta.

**PISA.** 1 — Ciudad de la Elida, disputó a los de Elea el derecho de celebrar los juegos olímpicos, pretensión que ocasionó su ruina. *Geórg. 3. Paus. 6. V.* Pisaeus.

2 — Ciudad de Italia, fundada, según *Estrabón* (19) por los paisanos del Peloponeso que asistieron a la guerra de Troya con Néstor, y que al regresar fueron echados los unos hacia Metaponto y los otros hacia el territorio de Pisa. *Dion. Hal. Eneida. 10.*

**PISAEO.** Sobrenombre de Júpiter tomado de la ciudad de Pisa en la Elida, donde era venerado con particular devoción. En la guerra que Hércules hizo a los eleos, tomó y saqueó la ciudad de Elis. Igual suerte preparaba a la de Pisa, aliada de los eleos, pero desistió de su propósito al saber por un oráculo, que Júpiter protegía a Pisa.

PISAENUS ANNUS. El año en que se celebraban los juegos olímpicos. *-Pisae ramus olivæ*, el laurel, premio de la victoria en estos juegos.

PISANDRO. Capitán troyano hijo de Antímaco y hermano de Hipoloco, fue muerto por Agamenón, para castigar en él el consejo dado por su padre de no devolver a Helena. *Ilíada. 11.*

2 — Otro capitán troyano muerto por Menelao en el sitio de Troya. *Ilíada. 13.*

3 — Capitán griego, hijo de Menelao y el más diestro de los tesalios, después de Patroclo, en el manejo de la lanza. Mandaba, a las órdenes de Aquiles, un cuerpo considerable de tropas. *Ilíada. 16.*

4 — Hijo de Belerofonte, llamado también Isandro, muerto por los solimos.

5 — Otro de los pretendientes de Penélope, muerto por Filoctio. *Odis. 22.*

6 — Otro amante de Penélope, según *Ovidio. Herod. 1.*

7 — Héroe cuya hacha ha descrito *Homero. Paus.*

8 — Poeta griego rodio, más antiguo que *Homero*, que cantó también la guerra de Troya. Compuso sobre los trabajos de Hércules una *Heráclida*, siendo el primero que pinta al héroe armado de la clava.

PISCATORIOS. Juegos romanos que se celebraban todos los años en el mes de julio por el pretor de la ciudad en honor a aquellos pescadores del Tíber que presentaban sus ganancias en el templo de Vulcano, como un tributo que se pagaba a los muertos. *Banier, t. 8.*

PISCINA. (*Mit. mah.*) Entre los turcos es una gran pila o fuente cuadrada de piedra o mármol, con muchas llaves, situada en medio del patio de las mezquitas o bajo los pórticos que las circundan, donde se lavan los musulmanes antes de sus rogativas, persuadidos de que esta ablución absuelve sus pecados.

PISCINAMAS. (*Mit. pers.*) Nombre que los persas daban a uno de los ministros de su religión. Las funciones de los piscinamas consistían en rezar las oraciones en las mezquitas.

PISENOR. 1 — Padre de Clito, compañero de Polidamante. *Ilíada. 15.*

2 — Padre de Ops, y abuelo de Euricleo, heraldo cuya sabiduría elogia *Homero. Odis. 1, 2.*

3 — Otro de los centauros que emprendieron la fuga en el combate contra los lapitas. *Met. 5.*

PISHASHA. (*Mit. índ.*) Caballo infernal montado por Bhavani.

PISIDICE. 1 — Madre de Ixión, a quien tuvo de Marte.

2 — Hija de Néstor.

3 — Hija de Pelias, rey de Metimna, propuso a Aquiles hacer traición a su padre con tal de que se casase con ella. La oferta fue aceptada, pero dueño ya el héroe de Metimna, mandó apedrearla en castigo de su perfidia.

PISIDIA. Hija de Eolo, esposa de Mirmidón y madre de Actor.

PISINOA. Otra de las sirenas.

PISÍSTRATO. 1 — Hijo mayor de Néstor, joven príncipe, amigo de Telémaco, a quien acompañó en sus viajes. *Homero* elogia su humanidad, su prudencia y su justicia. *Odis. 3, Herod. 5, c. 65.*

2 — Hijo del precedente. *Paus.*

3 — Tirano de Atenas (s. VI a. C.)

PISO. 1 — Hijo de Perieres y nieto de Eolo, fundador de Pisa, en la Elida. *Apolod.*

2 — Hijo de Afareo e Irene, hermano de Idas y Linceo: es otro de los tantos que combatieron en los juegos fúnebres de Acasto. *Paus. 5.*

PISTIO. Otro de los sobrenombres de Júpiter. R. *pistis*, fe.

PISTOR, *panadero;* sobrenombre de Júpiter entre los romanos, derivado de la circunstancia siguiente: mientras que los galos tenían sitiado el Capitolio, advirtió a la guarnición para que amasasen pan de todo el trigo que les quedaba y luego que lo arrojasen al campo enemigo para significarles que le sobraban los víveres; y salió tan bien el ardid que los enemigos levantaron el sitio. *Ov. Fast. 6.*

PITACO DE MITELENE. Uno de los siete sabios de Grecia, hizo colocar una escala en los templos de aquella ciudad para significar, decía, los juegos de la fortuna. *Herod.*

PITÁGORAS. 1 — Célebre filósofo, autor de la teoría de la metemsícosis. Para acreditarla, pretendía persuadir que se había encontrado en el sitio de Troya cuando se llamaba Euforbo, después de haber sido Etálides, hijo de Marte, y que concluido el sitio de Troya fue sucesivamente Ermótimo, Delio, etc. Disfrazaba su doctrina con símbolos jeroglíficos, de los cuales citaremos los siguientes. «Os guardaréis de sacrificar a los dioses con los pies desnudos; esto es, no os presentaréis en los templos sino con aire modesto, decente y recogido. En las tempestades adoraréis el eco; esto es, en las turbulencias políticas, buscad la soledad de las campiñas: no heriréis el fuego con la espada; esto es que no debe incitarse la ira e indignación de los poderosos, etc.» Según *Justino* (2, c. 4.) la casa de este filósofo fue convertida en templo y Pitágoras adorado como un dios.

2 — Adivino de Babilonia; predijo la muerte de Efestion y de Alejandro después de la inspección de las víctimas.

PITAULA. Tañedor de flauta que componía canciones en honor de Apolo Pitio.

PITECOINORFOS, *forma de mono;* sobrenombre por el cual *Licofronte* expresa la deformidad del Tersistes.

PITECUSA. Pequeña isla del golfo de Nápoles, cuyo nombre significa isla de los monos. Para castigar Júpiter la perversidad de sus habitantes, les transformó a todos en monos. Epimeteo, habiendo tomado limo de tierra, hizo una estatua a la que tan sólo faltaba la vida para ser un hombre perfecto. Irritado el padre de los dioses contra la temeridad de aquel hombre que se atrevía a imitar su obra, le transformó en mono y le arrojó a la isla de Pitecusa. Los poetas supusieron en esta isla la caída de Tifón, y atribuyeron a las sacudidas de sus cuerpos, las erupciones de fuego y aguas calientes que la afligen. *Met. 14. Estrab. 5.*

PÍTEO. 1 — Hijo de Apolo. Los argivos fueron los primeros de todos los griegos a quienes el dios honró con su presencia, de dónde deriva el nombre de Apolo Pyteo o Pitio.

2 — Hijo de Pélope y Hipodamia; rey de Trecén, el sabio más famoso de su tiempo. Hizo alianza con Egeo rey de Atenas a quien dio a Etra, su hija, en matrimonio (*V.* Etra) y se encargó de la educación de su nieto Teseo, a quien tuvo cerca de sí hasta la adolescencia. Cuidó igualmente de educar al joven Hipólito, su biznieto. Había en Trecén un lugar consagrado a las Musas donde Piteo enseñaba, según se dice, el arte del bien decir. «Yo he leído, añade *Pausanias* (*1, 2,*) un libro compuesto por este antiguo rey, publicado por un hombre de Epidauro» Se enseñaba en Trecén el sepulcro de Piteo, sobre el cual había tres sillas de mármol blanco, donde él administraba justicia acompañado de dos hombres de mérito que eran sus asesores. *Plut.*

PITIA. Nombre que los griegos daban a la sacerdotisa del oráculo de Apolo en Delfos.

Al principio que se descubrió el oráculo de Delfos, muchos frenéticos se precipitaron en aquel abismo, y a fin de prevenir estos funestos accidentes se puso sobre la boca del abismo una máquina, que se llamó trípode, porque tenía tres barras sobre las cuales descansaba, y al mismo tiempo se eligió una mujer para subir a él desde donde se podía, sin peligro alguno, recibir la exaltación profética. -Más adelante se nombraron para este ministerio jóvenes todavía vírgenes, con motivo de su pureza, y porque se consideraban más a propósito en una edad tierna para guardar los secretos de los oráculos. Se tomaban varias precauciones en la elección de la Pitia. Por mucho tiempo duró la costumbre de elegir jóvenes agraciadas, pero habiendo un tesalio robado una Pitia hermosísima, se expidió una ley, que prevenía que en lo sucesivo no pudiesen elegirse para subir al trípode sino mujeres que pasasen de cincuenta años y, a fin de conservar la memoria de la antigua práctica, las adornaban como si fuesen unas vírgenes de tierna edad. - En un principio no hubo más que una Pitia; después, cuando el oráculo se fue acreditando, se eligió una segunda para subir alternativamente al trípode con la primera, y una tercera para

1083

reemplazarla en caso de muerte o de enfermedad. Ultimamente, en la decadencia del oráculo, no hubo más que una y aun ésta no estaba muy ocupada. La Pitia no daba los oráculos más que una vez al año, hacia el principio de la primavera. Se preparaba para estas funciones con ceremonias. Ayunaba tres días seguidos y antes de subir al trípode se bañaba en la fuente Castalia. Bebía también cierta cantidad de la misma agua, porque se creía que Apolo le había comunicado una parte de su virtud profética. Después de esto se le hacia mascar hojas de laurel cogidas en las inmediaciones de la misma fuente. Concluidos estos preámbulos, el mismo Apolo daba a conocer su aparición en el templo, el cual temblaba desde sus cimientos. Entonces los sacerdotes conducían a la Pitia y la colocaban sobre el trípode. Desde que el vapor divino comenzaba a agitarla, se veían erizar sus cabellos, su cara tomaba un aspecto feroz, su boca se llenaba de espuma y un temblor repentino y violento se apoderaba de todo su cuerpo; en este estado daba unos alaridos terribles, que llenaban de un religioso terror a todos los que se hallaban presentes. Finalmente, no pudiendo resisitir por más tiempo al dios que la agitaba, se abandonaba a sí misma y profería por intervalos algunas mal articuladas palabras, que los sacerdotes recogían con cuidado: arregaban después y les daban, con una forma métrica una ilación para que se entendieran. Pronunciado el oráculo, retiraban a la adivina del trípode y la conducían a su celdilla, donde permanecía muchos días para restablecerse de sus fatigas. Con frecuencia, dice *Lucano*, una muerte repentina o prematura era el premio o el castigo de su entusiasmo. -Los soberanos hallaron muchas veces el medio de hacer que los oráculos les fuesen favorables. Cleómenes, rey de Esparta, y antes que él los alemeónidas, habían corrompido a la Pitia por medio de dinero. *Men. de la Acad. de Inscr. t. 3.*

PITIADA. Espacio de cuatro años concluidos después de una celebración de los juegos Píticos. Las pitiadas comenzaron a correr 580 años antes de J. C.

PITICA. Flauta con que acompañaban los peanes.

PÍTICO. *V.* Pitio.

PITICOCAMPTE, 1 — *Encorvador de pinos;* sobrenombre del salteador, Sinis, o Cerción. R. *pitis*, pino; *camptein*, encorvar, *Plut.* (*V.* Cerción.)

2 — Famoso bandolero de quien purgó Hércules a la tierra. *Luciano.*

PÍTICOS. Juegos que se celebraban en Delfos en honor de Júpiter Pitio.

Los anfictiones gozaban en los juegos píticos del título de jueces o de agonotetas. Se celebraban estos juegos primero cada ocho años; pero después fueron cada cuatro, de modo que sirvieron de datación a los habitantes de Delfos. Consistían al principio en combates de canto y de música, y el premio se daba al que había compuesto y cantado el mejor himno en honor del dios, por haber libertado a la tierra del monstruo que la desolaba. Después se admitieron los otros ejercicios del Pancracio, tales como se celebraban en los juegos olímpicos. -*Pausanias* cuenta que los juegos Píticos tuvieron por instituidor a Jasón o Diómedes, rey de Etolia, y por restaurador al bravo Euríloco de Tesalia, a quien su valor y sus hazañas le adquirieron el nombre de *nuevo Aquiles.* El establecimiento de los juegos Píticos se verificó en el tercer año de la olimpiada 48, años del mundo 3364 y 584 antes de J. C.

PITIEA. Ciudad del Asia Menor en Troada, cuyos habitantes acudieron en socorro de los troyanos mandados por Adrastro y Anfio, hijos ambos del adivino Melops. *Ilíada. 2.*

PITIENA. Comparación sin auxilio del canto, tocaban los tañedores de flauta en los juegos Píticos. Constaba de cinco partes, según Estrabón. 1ª) la *anacrousis,* o el preludio: 2ª) la *empeira* o la introducción del combate: 3ª) la *catakeleusma* o el mismo combate: 4ª) los *yambos y dáctilos* el pean con motivo de la victoria, y con ritmos correspondientes. *Pollux* lo divide también en cinco partes, siendo la 1ª) la *peira,* en la cual Apolo se prepara para el combate y se procura ventaja; 2ª) la *catakeleusma,* en la cual provoca a la serpiente; 3ª) la *yámbica* en la que se verifica el combate. Esta parte se divide en otras dos, el canto de la trompeta y el *odontismo*, que imita el rechinar de los dientes de la serpiente durante el combate; 4ª) el *espondeo* que representaba la victoria del dios; 5ª) y finalmente la *catachoreusis* en la cual Apolo celebra su triunfo.

PITIO. 1 — Sobrenombre dado a Apolo después de su victoria contra la serpiente Pitón. Otros lo hacen derivar del de Delfos, antes llamado Pito, o Pitio.

2 — Una de las hiadas hijas de Atlas o de Atlante y de Etra.

PITIO. 1 —Templo o altar de Apolo Pitio en Delos o Delfos.

2 — Antiguo nombre de la ciudad de Delfos, porque había comunicado el suyo a la Pitia, o bien porque en aquel lugar fue reducido a polvo el cuerpo de la serpiente Pitón.

PITIONICE. Sobrenombre de Venus.

PITIS. 1 — Hijo de Delfos, dio su nombre a la ciudad de Delfos. *Paus.*

2 — Joven ninfa, que fue amada de Pan y de Boreas al mismo tiempo. Irritado Pan de que Pitis tuviese más inclinación por su rival, la arrojó contra una roca con tanta violencia que de resultas murió. Afectado Boreas de su desgracia, suplicó a la Tierra que hiciese revivir a Pitis bajo otra forma; e inmediatamente quedó transformada en un árbol que los griegos llamaron de su nombre *Pitis*. Y es el pino que todavía llora por el licor que mana cuando es agitado por el viento boreal.

PITO. (*Iconol.*) Nombre griego de la Persuasión, diosa considerada hija de Venus y que ordinariamente suele encontrarse en su séquito o a su lado con las Gracias, para significar que en el amor deben ayudarse recíprocamente. Cuando Teseo persuadió a todos los pueblos del Atica a que se reunieran en una sola ciudad, introdujo el culto de esta diosa. Hipermnestra, después de haber ganado su causa contra Dánao, su padre, que la perseguía en justicia por haber salvado la vida a su marido, desobedeciendo sus mandatos, dedicó una capilla a esta diosa. (*Paus.*).

2 — Una de las Gracias, según *Hermesianax*, poeta elegíaco. *Paus.*

3 y 4 — Nombre de una de las Atlántidas y sobrenombre de Diana en Corinto.

5 — Oceánida.

PITOEGIES. Fiesta que eran parte de las antesterias. R. *pithos*, tonel; *aighein*, abrir.

PITOMIAS. Los griegos daban este nombre a todas las mujeres que hacían profesión de adivinas, porque Apolo, dios de la adivinación, se llamaba Pitio. *V.* Pitia.

PITÓN. Nombre de una serpiente o dragón furioso, sobre cuya historia no están muy conformes los mitólogos. *Apolodoro* pretende que este monstruo guardaba la caverna donde Temis pronunciaba sus oráculos, que Apolo se presentó y que habiéndole Pitón prohibido la entrada, el dios lo mató a flechazos; y que por este motivo le dieron el nombre de Apolo Pitio. Otros suponen que la serpiente Pitón fue producida por la tierra después del diluvio de Deucalión; que Juno se sirvió de este monstruoso dragón para impedir el parto de Latona, hija primogénita de Júpiter: lo que la obligó a salvarse en la isla Asteria, llamada después Delos, donde parió a Apolo y Diana; que habiendo Pitón atacado a estos dos niños en su cuna, Apolo lo mató a flechazos y que por esto en lo sucesivo se llamó Apolo Pitio y en memoria de este suceso se instituyeron los juegos Píticos. *Estrabón* cree que la serpiente Pitón no era más que un malvado llamado *Draco* exterminado por Apolo. La opinión más válida es que Apolo mató a flechazos a un bandido que impedía el paso a aquellos que iban a tributar sacrificios al dios, en el templo de Delfos. Habiendo quedado sin enterrar, en breve infectó a los habitantes, por lo que se dio el nombre de Pito a la ciudad. R. *pithasthai*, oler mal. *Paus. 2, c. 7.*

PITONES. Los griegos apellidaban con este nombre a los espíritus que ayudaban a pronosticar las cosas venideras, y a las personas que estaban poseídas de ellos.

PITÓPOLIS. Ciudad de Bitinia en el Asia Menor fundada por Teseo, fue llamada así porque este héroe la hizo levantar por órden de la Pitia de Delfos. *Plut.*

**PLACER.** (*Iconol.*) 1 — Divinidad alegórica que ha sido representada algunas veces por un joven que tañe címbalos a la antigua. Los modernos la personifican con un hermoso joven alado coronado de rosas y mirtos, cabellos rizados y rubios, medio cubierto de una ligera tela de color vivo, sosteniendo con una mano la lira y con la otra un diamante: una sirena le presenta una copa, y dos palomas picoteándose a sus pies. Otros le dan un vestido verde con muchos anzuelos sujetados a un filete, y un arco iris en forma de corona.

2—(*Mit. chin.*) El dios del placer entre los chinos está sentado con las piernas cruzadas, el vientre desnudo, bastante abultado, y cubierto de una tela ligera.

**PLACIA.** Antigua ciudad de Misia, donde Cibeles era especialmente venerada, y por esto se la llama *Placiana mater*.

**PLÁCIDA.** Sobrenombre bajo el cual tenía Venus un altar en Roma. Los amantes que reñían le recomendaban su reconciliación.

**PLÁCIDO.** Se da este nombre a los Términos de Júpiter, cuyo rostro indica la bondad unida a la dignidad. Estos Términos suelen tener una barba derecha y puntiaguda, y bucles que les caen hasta la espalda. Uno de los más hermosos se encuentra en el Capitolio y otro en el Vaticano.

**PLAGIPATIDÆ.** Sobrenombre que *Plauto*, en los *Cautivos*, da por sarcasmos a los lacedemonios, aludiendo a la costumbre que tenían de hacer azotar a sus hijos en el altar de Diana Ortia.

**PLAGÓN.** Pequeña muñeca de cera que representa las personas al natural, y que servía para los encantamientos. Eran una especie de retratos que las mujeres daban a sus galantes.

**PLANCTER.** *Errante, vagamundo;* epíteto de Baco.

**PLANTAS.** Los egipcios las adoraban, especialmente las que vegetaban en sus jardines.

**PLASTENA.** Divinidad que tenía una capilla en el picacho del monte Sífilo y que *Pausanias* dice haberle parecido ser la madre de los dioses.

**PLÁTANO.** Este árbol, desde tiempo inmemorial parece haber sido objeto de la veneración de los orientales. *Herodoto* refiere que habiendo encontrado Jerjes en Lidia un corpulento *plátano*, le hizo adornar con una cadena de oro y aun le puso guardia de honor. Es probable que el monarca persa consagrara este árbol a alguna divinidad; por lo menos entre los griegos y los romanos se consagraba al genio de cada individuo o al espíritu tutelar del que lo plantaba. Hacían coronas de sus hojas y flores y adornaban con ellas sus altares. Se conservaban con respeto religioso los dos plátanos que Agamenón y Menelao habían plantado, el uno en Delfos y el otro en un bosque sagrado de Arcadia, donde mil años después los vio aún *Pausanias*. (*V.* Banana)

**PLATANÓN.** En las praderas de este nombre, según *Teócrito*, se cogieron las flores para la guirnalda que adornó a la hermosa Helena en el día de su boda.

**PLATEA.** Hija del río Asopo, dio su nombre a la ciudad de Platea, donde se veía el monumento heroico de esta princesa. *Paus.*

**PLATEA.** Ciudad de Beocia, célebre por el templo de Júpiter Libertador.

**PLÁTEOS.** Juegos quinquenales que se celebraban en Platea y en los cuales corrían completamente armados alrededor del altar de Júpiter. Había señalado premios de consideración por estos juegos, llamados *juegos de la libertad*, aludiendo a la célebre victoria que los griegos habían ganado en aquel mismo paraje contra los persas. Además de esta fiesta se celebra todos los años una asamblea general en toda Grecia, durante la cual se ofrecía un solemne sacrificio a Júpiter.

**PLATÓN.** 1 — Hijo de Licaón, rey de Arcadia.

2 — Filósofo griego (427-347), discípulo de Sócrates y maestro de Aristóteles. A partir del pensamiento místico, desarrolló un pensamiento filosófico que ha perdurado hasta nuestros días, ahorcando las problemas del pensamiento y de la existencia.

**PLAUTUS ÆLIANO.** Pontífice romano que dirigió al pretor Helvidio Prisco en las ceremonias religiosas que practicó este magistrado (año de J. C. 70.) cuando puso la primera piedra del Capitolio que se iba a reedificar. *Tác.*

PLEBEYOS. Juegos que el pueblo romano celebraba en memoria de la paz que hizo con los senadores después de su regreso del monte Aventino. Se hacían en el circo durante tres días, y comenzaban el 17 antes de las calendas de diciembre, que corresponde al 15 de noviembre. Adriano instituyó juegos plebeyos en el circo, el año 874 de la fundación de Roma. *Banier. t. 8.*

PLEIAS, *la Pleyade*. Esta palabra en singular, en el lenguaje poético, designa a Maya, la más brillante de todas.

PLEIONE. Madre de las Pléyades, hija de Océano y Tetis, y mujer de Atlas. *Ov. Fas. 5.*

PLEMNEUS. Hijo de Sición, habiendo sido educado por Ceres, en muestra de gratitud edificó un templo en su honor. *Paus.*

PLESTORUS. Divinidad de los tracios, y a la cual inmolaban víctimas humanas. Probablemente sería algún hombre célebre deificado después de su muerte.

PLEURÓN. 1 — Hijo de Etolo, esposo de Xantipa; hija de Doro, y padre de Antenor: era considerado como el fundador de Etolia. *Apolod. 1, c. 7.* Como bisabuelo de Leda poseía un santuario en Esparta.

2 — Ciudad de Etolia cuyos habitantes asistieron al sitio de Troya. *Ilíada. 2.*

PLEXARIS. Una de las siete hiadas.

PLEXAURE. Una de las Oceánidas, encargadas de la educación de los hijos varones de Apolo y de los ríos. *Hesíodo.*

PLEXIPO. 1 — Hermano de Altea, murió a manos de su sobrino Meleagro.

2 — Uno de los hijos de Egipto; fue muerto por su mujer, *Danaide.*

3 — Hija de Fineo y de Cleopatra, y hermana de Pandión, rey de Atenas. *Apolod,*

PLÉYADES o PLÉIADAS . Hijas de Atlas y Pleione (Atlante y Pléyone), eran siete, a saber: Maya, Electra, Taigete, Astérope, Mérope, Alcione y Celeno. Siendo amadas, cuenta *Diodoro,* de los dioses y héroes más célebres, tuvieron hijos tan famosos como sus padres, que fueron los jefes de diferentes pueblos. Las Pléyades trazaron la señal de su nombre en la cabeza de un toro, y se dice que se transformaron en estrellas porque su padre había pretendido leer los secretos de los dioses, sea porque Atlas fuese el primero que descubrió esta constelación, dándole el nombre de Pléyades en honor de sus hijas, sea que se las llamase así de Pleione su madre, o sea porque estas estrellas aparecen en el mes de mayo, tiempo el más a propósito para la navegación. R. *pleio,* yo navego. Se cuenta también que Mérope, otra de las Pléyades, que no se había visto desde hacia mucho tiempo, se ocultó de vergüenza por haberse casado con un simple mortal, Sísifo, mientras que sus hermanas lo habían verificado con dioses o con príncipes titanes. Pero según una tradición más autorizada y confirmada por el testimonio de *Ovidio.* (*Met. 13*) fue esta, Electra, esposa de Dárdano, quien desapareció hacia el tiempo de la guerra de Troya para no presenciar las desgracias de su familia. Un poeta antiguo añade que Electra se aparecía a los mortales de vez en cuando, pero siempre bajo la figura de un cometa; aludiendo, en el sentir del doctor *Freret* a un cometa que se presentó primeramente alrededor de las Pléyades, atravesó la parte septentrional del cielo y fue a desaparecer hacia el círculo ártico, en el año 1193 antes de J. C. *Odis. 5, Ilíada. 18.*

PLINTERIAS. Fiestas atenienses en honor de Minerva Agraula. Despojaban la estatua de la diosa para lavarla, pero la tapaban inmediatamente a fin de no exponerla desnuda, R. *plinter,* el que lava. Rodeaban todos los templos con un cordón para marcar que este día era puesto en el número de los más desgraciados, se llevaban también en procesión higos secos, siguiendo la opinión de que los higos eran la primera fruta que los griegos comían después de las bellotas. Solón había permitido jurar en este día por Júpiter Propicio, por Júpiter expiador y por Júpiter defensor.

PLISTÉN. 1 — Uno de los hijos de Pélope, padre de Agamenón y de Menelao: antes de morir recomendó sus hijos, jóvenes todavía, a su hermano Atreo, quien les hizo educar como hijos propios. *Banier. t. 7.*

2—Uno de los hijos de Tiestes; muerto por Atreo.

PLISTINUS. Hermano de Faústulo, y a quien ayudó en la educación de Rómulo; ambos hermanos murieron en una disputa que tuvieron con Remo y Rómulo. *Plut. in Rom.*

PLUMA DIVINA, Algazel (*Mit. mah.*) «Esta pluma, según un comentador del Alcorán, fue formada por el dedo de Dios y es artículo de fe que debe creerse: la materia de que está formada es de perlas; y es tan larga que un caballo que corriese a brida suelta, por espacio de quinientos años, apenas llegaría de un cabo al otro. Tiene la virtud de escribir por sí misma, y sin el socorro de mano extraña, lo pasado, lo presente y lo venidero; la tinta que contiene es una luz sutil: el ángel Serafael es el único que puede leer los caracteres trazados por esta pluma maravillosa: cuenta ochenta gavilanes que no cesarán de escribir hasta el día del juicio, todo lo que debe acaecer en el mundo».

PLUMAS. Las plumas en la cabeza son el atributo de las Musas. Isis tenía una corona de plumas de avestruz, símbolo de equidad.

PLUSIUS. *Raco.* Sobrenombre de Júpiter, soberano dispensador de las riquezas.

PLUTIT (*Mit. rab.*) Nombre que los rabinos dan a una de las hijas de Lot.

PLUTO. 1 — Dios de las riquezas, era contado en el número de los dioses infernales, porque las riquezas se sacan de las entrañas de la tierra, morada de estas divinidades. *Hesíodo* (*Teog.*) le supone nacido de Ceres y Yasión, en la isla de Creta, tal vez porque estos dos personajes se dedicaron continuamente a la agricultura, que es la que proporciona la más sólida riqueza. *Aristófanes*, en su comedia de *Pluto*, dice que este dios en su juventud tenía muy buena vista, pero que habiendo declarado a Júpiter que no quería acompañarse más que de la Virtud y de la Ciencia, el padre de los dioses, celoso de este hombre de bien, le cegó para quitarle los medios de discernirlos, y *Luciano* añade que desde entonces va siempre con

los malvados. -En los sacrificios tributados a este dios los signos funestos que ofrecían las entrañas de las víctimas debían interpretarse siempre favorablemente.

(*Iconol.*) Este dios tenía una estatua en Atenas bajo el nombre de Pluto Perspicaz. Estaba en la ciudadela del fuerte detrás del templo de Minerva, donde se hallaban depositados los tesoros públicos. En el templo de Fortuna en Tebas se veía a esta diosa teniendo a Pluto en figura de niño entre sus brazos, como si fuese su estatua de la Paz, tenía en su seno a Pluto aún niño, símbolo de las riquezas que da la paz. -Se representa a Pluto bajo la forma de un anciano que lleva una bolsa. Venía según los antiguos a paso lento, y se volvía volando; esto es que los bienes se adquieren difícilmente y desapaecen con un soplo.

(*Mit. mexic.*) Los mejicanos tenían también una divinidad que presidía las riquezas; pero se ignora el nombre. A un cuerpo humano le daban una cabeza de ave, coronada de una mitra de papel pintado, y su mano estaba armada de una guadaña. Los diversos adornos preciosos de que se le adornaba eran convenientes a la calidad que se le atribuía.

2 — Una de las ninfas Oceánidas, tuvo de Júpiter un hijo que se llamó Tántalo.

PLUTODÓTER. *El que da las riquezas.* Epít. de Apit., de Apolo. *Antol.*

PLUTÓN. Hermano de Júpiter y Neptuno, fue el tercer hijo de Saturno, o Cronos, y de Ops o Rea. Tuvo la suerte de los demás hermanos; esto es que Saturno le devoró. Júpiter, salvado por su madre, hizo tomar un brebaje a Saturno que le obligó a arrojar de su seno lo que se había tragado; de este modo Plutón volvió a ver la luz del día: hizo cuanto estuvo de su parte para hacer triunfar a su hermano de los Titanes, y después de la victoria, en el reparto del imperio del mundo tocó a Plutón la región de los infiernos. Según *Diodoro de Sicilia* (*l.5,*) esta fábula estaba fundada en que Plutón había establecido el uso de tributar a los muertos los honores fúnebres. Otros han creído, tal vez con más fundamento, que fue tenido como el rey de los infiernos, porque vivía en un país muy hondo, con respecto a Grecia, y porque hacía trabajar a sus vasallos en las minas, que por esta razón habitaban por decirlo así en el centro de la tierra, puesto que el Océano, en cuyos bordes reinaba, era tenido por lugar cubierto de tinieblas; finalmente porque los pueblos de esta comarca ennegrecidos por el humo de las minas y viviendo bajo tierra, pasaron fácilmente a la vista de los mercaderes fenicios y griegos, por demonios y su país por los infiernos. Los que confundían a Plutón con Serapis, reconocían en los rasgos con que se ha pintado, tan pronto el sol de invierno, como este calor subterráneo, este fuego central, que da la vida a toda la naturaleza. Era tan disforme y su reino tan triste, que ninguna mujer quería partir con él su imperio; de modo que se vió obligado a robar a Proserpina, hija de Dio o de Ceres. -Este dios era generalmente odiado y muy temido, así como los demás dioses infernales, porque se le creía inflexible, por lo mismo no se le erigían templos, ni altares ni se componían himnos en su honor. El culto que los griegos le tributaban se distinguía por ceremonias particulares. El sacerdote hacía quemar incienso entre los cuernos de la víctima, la ataba y le abría el vientre con un cuchillo, llamado *secespita*, cuyo mango era redondo y el pomo de ébano. Le dedicaban particularmente las piernas del animal. No podía sacrificársele sino en medio de las tinieblas, y tan sólo victimas negras, cuyas cintas eran del mismo color. Estaban reservados para sus sacrificios el ciprés, el narciso y el culantrillo. Era particularmente honrado en Nisa, en Opunte y en Trecén, donde tenía altares, en Pilos y entre los eleos tenía un templo, que no se abría más que una vez al año y en el cual tan sólo podían penetrar los sacrificadores. Epiménides, según dice *Pausanias*, había hecho colocar su estatua en el templo de las Euménides. Estaba representado, contra el uso común, bajo una forma agradable. El culto de Plutón no fue menos célebre en Roma y en los pueblos de Italia, los romanos, no solamente le colocaron en el número de los doce dioses principales, si no que también entre los ocho escogidos únicos que podían ser representados, en oro, plata, o marfil. Tenía en Roma muchísimos sacerdotes víctimarios, y varios de los llamados *Cultrarii*, que estaban consagrados a Plutón. En los primeros tiempos, el Lacio le había inmolado hombres, pero cuando las costumbres se morigeraron se sustituyeron a los hombres por toros negros, carneros y otros animales del mismo color. Estas víctimas debían ser sin tacha, no mutiladas ni estériles. Pólux nos dice que se le ofrecían siempre en número par, mientras que las que se sacrificaban a los otros dioses eran en número impar. Las primeras se reducían enteramente a cenizas, de modo que los sacerdotes nada de ellas reservaban, ni para sí, ni para el pueblo; pues les estaba prohibido comer de la carne de la víctima dedicada al dios de los infiernos. -Antes de inmolarla se abría un hoyo para recibir la sangre, y en él se derramaba también el vino de las libaciones. Los sacerdotes griegos llevaban la cabeza descubierta durante todos los sacrificios, pero los romanos, que la tenían cubierta en los que ofrecían a los dioses celestes, se la descubrían por Plutón, que les inspiraba un temor más religioso y una veneración más profunda. Entre estos últimos era un gran crímen el que los asistentes hablasen, cuando se le invocaba, y el silencio reinaba, sobre todo, durante el tiempo de la inmolación y cuando el fuego sagrado consumía las víctimas. Para ofrecerlas a los dioses del cielo y de la tierra era absolutamente necesario lavarse todo el cuerpo, pero Plutón se contentaba con la aspersión y bastaba purificarse las manos y el rostro. Roma celebraba fiestas en su honor el doce de las calendas de julio; mientras duraban, tan sólo su templo estaba abierto, y se le consagraba todo lo que era de mal augurio. -Los pueblos de Italia temían de tal modo a Pluton que una parte del suplicio de los grandes criminales consistía en dedicárselos. Después de este acto religioso todo ciudadano que encontraba el culpable podía quitarle impunemente la vida. Rómulo adoptó esta costumbre, y una de sus leyes permitía dedicar a Plutón el cliente que engañara a su patrono y el ingrato que hacía traición a su bienhechor. Se vio con frecuencia a varios generales ofrecerse a Plutón por la salud de sus tropas. *Macrobio* nos ha conservado la fórmula de una de estas dedicatorias sublimes, dictada ordinariamente por el sumo pontífice. Plutón tenía en Italia, en el monte Soractes, un templo común con Apolo, así es que los faliscos creyeron deber honrar a la vez al calor subterráneo y al sol. -Los pueblos del Lacio y de los alrededores de Crotona habían consagrado al monarca infernal el número dos. -*Pitágoras* lo ha considerado por esta razón, como un número desgraciado; y los romanos, siguiendo esta doctrina, consagraron a Plutón el segundo mes del año, y de este mes el segundo día fue aún más particularmente designado para ofrecerle sacrificios y votos. Los galos que según la doctrina de sus druidas se vanagloriaban de descender de Plutón, contaban los espacios del tiempo no por los días, sino por las noches. *Odisea, 10, Diod. Sic. Ilíada. Herod. Apolod. Geórg. 4, Eneida. 6, Fars. 8, Hor. 2 Met. 51.*

Además de la multiplicación de nombres que Plutón tenía entre los griegos y los romanos, los sármatas lo adoraban bajo el nombre de *Lacton*, los suecos con el de *Tuistón:* y muchísimos pueblos antiguos con el de dios negro, expresado en su lengua por la palabra *Zéerneboch*. Plutón finalmente, era el protector de algunas comarcas de Francia, donde se le edificó un templo cerca de París o Lutecia, en el monte Leucostsio, hoy día arrabal de *Saint-Jacques.*

(*Iconol.*) Plutón es comunmente representado robando a Proserpina y llevándola desmayada por el terror, en un carro que debe conducirla a su reino. Se le pinta casi siempre con barba espesa y rostro severo y con un casco que le regalaron los cíclopes, cuya propiedad consistía en hacerle invisible; cuando llevaba esta armadura se le daba el sobrenombre de Orco el tenebroso. Según *Higinio,* iba vestido de ella en el momento de arrebatar a Proserpina, bien que los artistas modernos cuando le suponen en aquel acto no le dan más que una corona.- *Platón Favorino y Erasmo* tan sólo han visto en el caso alegórico de Plutón una niebla espesa y

negra que podía ocultar los objetos. En cuanto a la corona, los unos la han formado de ébano, cuyo color oscuro anuncia al dios de las tinieblas. Los otros de culantrillo, planta que nace en los lugares húmedos y profundos. Se ha empleado con frecuencia el narciso que, particularmente consagrado a Proserpina y a los manes era propio para ceñir las sienes de su soberano. Algunas veces lleva en la cabeza un vaso semejante al de Serapis, pero encorvado de lo alto como una cucúrbita. Cuando los dioses querían resucitar a un mortal, lo encargaban a Plutón, quien hacía caer de su urna algunas gotas de néctar sobre el mortal favorecido, y éstas tenían la doble propiedad de resucitarle o hacerle dios; esta circunstancia daba a Plutón el renombre de dios saludable. *Claudiano,* que ha reconocido este poder en el dios de las sombras, le invoca como árbitro de los destinos humanos, como el dueño de la fertilización y de la reproducción de los gérmenes, como aquel que puede finalmente terminar los días o alargarlos según le plazca.

Este dios aparece con frecuencia sentado en un trono de ébano o de azufre, teniendo un cetro en la mano derecha. Los antiguos no concedían esta señal de poder más que a los reyes de la Tierra, por lo mismo lo dieron a este dios en calidad de rey subterráneo. El cetro era negro para expresar que Plutón mandaba en los lugares oscuros. Cuando no llevaba cetro, tenía en la mano una horquilla de dos puntas o bien una pica. El primer atributo anuncia que el dios está irritado y que sabe castigar a los criminales, la pica designa que está aplacado y que recibe favorablemente a las sombras virtuosas; algunas veces se le pinta con las llaves para denotar que las puertas de la vida se cierran y no vuelven a abrirse, a los que descienden a su imperio. *Orfeo* es el que le da este abributo y de este modo estaba representado en la Elida. -*Píndaro* le da una pértiga, como a Mercurio, para conducir las sombras. Posee también una espada terrible; pero raramente en los monumentos se le representa con ella. Pluton, a ruegos de Júpiter, la hizo servir una vez para salvar la inocencia. Peleo, atado en un árbol en el monte Pelión, expuesto al furor de las fieras por orden de Acasto, rey de Yolcos, vio sus lazos rotos por el monarca de los infiernos, y este dios le prestó la espada para castigar a Astidamia que había injustamente acusado a su esposo de haber intentado seducirla. -Se le ve, con frecuencia en un carro de apariencia antigua, tirado por cuatro caballos negros y fogosos que se llamaban, según *Claudiano*, Orfneo, Aetón, Nicteo y Alastor; el primer nombre derivaba del *orfnos*, el tenebroso; el segundo significaba el águila, porque su carrera era rápida; el tercero venía del nombre de la noche y designaba la oscuridad, el cuarto un corcel extenuado de fatiga. -El carro del dios, según *Homero*, era de oro, y esta magnificencia convenía al señor del oro y de las minas subterráneas que lo producen. -Los romanos, que habían señalado a cada divinidad principal, el cuidado y conservación de una parte del cuerpo, designaban a Plutón el espaldar. Los pueblos de Italia le consagraban lámparas como a monarca de un imperio tenebroso; uno de los atributos que se colocan con más frecuencia a su alrededor es el ciprés, cuyas ramas sombrías y lúgubres parecen consagradas a la melancolía y el dolor. A los dedicados a Plutón los coronaban con estas ramas y sus sacerdotes llevaban siempre los vestidos sembrados de sus hojas. Además del ciprés, del narciso, del culantrillo y de las hojas del avenuz que le estaban consagrados, se contaba también el satirión, planta que los antiguos llamaban *serapión*, porque la colocaban en los altares de Serapis del mismo modo que en los de Plutón. -Al anverso de una medalla de Gordiano Pío se ve una figura de *Jovis Ditis*, doble divinidad adorada bajo la forma de una sola, la cual representaba, de un lado a Júpiter, que manda en el cielo y en la tierra y de otro a *Plutus* o *Plutón*, que preside todos los lugares tenebrosos. Así también bajo estos dos diferentes sentidos se representa a este dios en otras medallas con un águila en la mano derecha o bien con el cerbero a sus pies, y algunas veces una estrella para designar su omnipotencia en los cielos.

**PLUTONIOS.** Se llamaban así del nombre de Plutón, los abismos cuya profundidad no podía medirse, tales como los que se veían en Asia cerca de Laodicea y los subterráneos que exhalaban vapores mefíticos, como los de Timbra, ciudad de Caria, y en Italia en el territorio de los nirpinos.

**PLUVIALIS PLUVIUS o Hietio.** Nombre que se daba a Júpiter cuando se le invocaba para obtener la lluvia.

**PNOCO.** Hija de Ixión y Nefele. O de la Nube que se asemejaba a Juno.

**PO.** *V.* Eridán.

**POBLACIÓN.** *(Iconol.)* Muchos artistas se han valido de la historia de Deucalión y Pirra para designar la Población. Una hermosa estatua de Tasart representa a Pirra, que escapada del diluvio universal, ha tirado, obedeciendo al oráculo, por encima de su cabeza los huesos de su abuela, esto es, unas piedras tomadas aquí como huesos de la tierra, a fin de que se tornasen en criaturas humanas. Pirra interesa al espectador por el sentimiento de ternura que expresa a la vista del primer niño que nace. Este niño debe hacerse lo más grande posible, de manera que pueda abrazar a su madre, rodeada de muchos otros niños; dos de ellos ayudan a salir a uno de sus hermanos, todavía unido a la piedra.

**POBREZA.** *(Iconol.)* Divinidad alegórica hija del Lujo y la Ociosidad. Plauto la hace hija del Desarreglo porque este vicio conduce a la pobreza. Otros son de la opinión que es la madre de la industria y las artes. Se la pinta pálida inquieta, desaliñada, en actitud de una persona que pide limosna, o que espiga en un campo después de la siega; otras veces como a una furia hambrienta y de aspecto feroz, cuyas facciones denotan la desesperación. *Le Poussin*, en su cuadro de la vida humana la pinta revestida de un vestido muy viejo y coronada con ramas, cuyas hojas secas son el símbolo de la pérdida de los bienes. En el triunfo de la Pobreza pintado por Nolbein está representada bajo la figura de una vieja flaca, sentada sobre una favilla de paja, su carro roto en varios pedazos tirado por un caballo y un asno macilentos: delante del carro marchan un hombre y una mujer con los brazos cruzados y semblante triste. Todas las demás figuras que acompañan al carro son otras tantas imágenes de la miseria, que dan mayor realce a la expresión general del cuadro. *Mem. de la Acad. de Inscr. t. 1, 4, V.* Indigencia, Penia.

PODADERA. Atributo de Silvano.

PODAGRA. Sobrenombre de Diana considerada como diosa de la caza, bajo cuya calidad presidía los lazos y las redes. *Etim. podagra,* lazo.

PODALIRO. 1 — Hijo de Esculapio y hermano de Macaón, hábil médico; acompañó a Agamenón al sitio de Troya y prestó a los griegos los más grandes servicios por sus talentos en el arte de curar. A su regreso de Troya, arrojado por los vientos a las costas de Caria y salvado por un pastor, curó la hija del rey, casó con ella y obtuvo por dote el Quersoneso, provincia de Xaria. (*V.* Cirno). Los habitantes de Daunia, ciudad del país, le edificaron un templo a fin de que participase de la divinidad de su padre. *Paus. 3.*

2 — Capitán troyano muerto por el pastor Alsio. *Eneida. 1, 12.*

PODARCES. 1 — Primer nombre de Príamo.

2 — Capitán griego, hijo de Iflico, mandaba diez naves en el sitio de Troya. *Ilíada. 2.*

3 — Hija de Dánao.

PODARGE. Harpía que Céfiro hizo madre de Xanto y Balio, dos caballos tan ligeros como el viento.

PODARGO. 1 — Conductor del carro de Héctor. *Ilíada. 8, 23.*

2 — Caballo de Menelao, de Diómedes.

PODASIMA. Una de las hijas de Egipto.

PODERE. Ropaje talar que acostumbraban a llevar los sacerdotes judíos cuando se hallaban de servicio en el templo. Se llamaba también *ropaje de gloria.* Josefo dice que tenía cuatro colores que representaban los cuatro elementos.

PODES. Hijo de Eetión, favorito de Héctor, muerto de un venablo lanzado a la suerte por Menelao.

POEAN. Padre de Filoctetes.

POEANTIADES. Filoctetes, hijo de Pean.

POECILOTRONOS. *El que tiene muchos tronos o residencias;* epíteto de Venus. R. *poikilios* variado.

POEMA HEROICO. (*Iconol.*) 1 — Se representa coronado de laurel y teniendo una trompeta para designar que su objeto es noble y grande; tiene varios libros a sus pies, como la *Ilíada,* la *Eneida,* la *Odisea,* etcétera.

2 — Lírico. (*Iconol.*) Esta designado por la lira que lleva en sus manos.

3 — Pastoral. (*Iconol.*) Se le representa bajo la figura de un joven pastor, o bien de una joven pastora coronada de flores: tiene un silbato de cuatro cañutos, un bastón de pastor y el zurrón al lado.- Tres genios el primero con una trompeta, el segundo con un laúd, y el tercero con una flauta, sirven para designar las tres clases de poemas; el heroico, el lírico y el bucólico. En vez de los instrumentos expresados, han figurado también a estos genios teniendo diferentes coronas; el poema o la poesía heroica ha sido caracterizado por una corona de laurel, la poesía lírica por una corona de mirto y la báquica por una de pámpano.

4 — Satírica. (*Iconol.*) Es un sátiro que con su risa burlona, da a conocer el carácter mordaz de esta poesía.

POEMENIS. Pastor; perro de Acteón, el cual según parece guardó los rebaños. *Met. 3.*

POENA. Diosa del castigo, adorada en Africa y en Italia.

POENE. Monstruo vengador que Apolo incitó contra los argivos y que arrancaba a los niños del seno de sus madres, para devorarlos. *Paus.*

POENIA. Sobrenombre de Palas, cuando lleva por atributo la serpiente, emblema del arte de curar. *V.* Higiea.

POERIODEKESCH. (*Mit. pers.*) Tercer príncipe de la primera dinastía, justo y santo, abolió el mal; Ormuz le dio el Hom, o árbol de la salud. Fue anterior a Zoroastro y fundador del sabeísmo.

POESIA. (*Iconol.*). (*Ciencias*). La pintan bajo la figura de una ninfa joven y agraciada, coronada de laurel, con una lira en la mano, el semblante animado, los ojos vueltos hacia el cielo, teniendo cerca de sí el medallón de *Homero*, y a los lados los atributos de los héroes de quienes celebra la gloria. Algunas figuras que parecen estar en éxtasis oyendo sus divinos cantos, expresan la admiración de los hombres por éste bello arte. Varias estatuas antiguas la representan con un sistro en la mano o a sus pies. Está simbolizada a veces por un Apolo que tiene en su mano una lira y en la otra coronas de laurel, como para distribuirlas a sus inspirados. La Poesía, pintada por *Rafael* en el Vaticano, está entre nubes y sentada en una silla de mármol blanco, cuyos brazos esculpidos representan dos máscaras escénicas: tiene alas en las espaldas y está coronada de laurel: lleva los pechos cubiertos, su vestido es modesto y un gran manto azulado desciende hasta sus pies; en una mano lleva una lira, y en la otra varios poemas heroicos. Su actitud completa caracteriza el entusiasmo; los dos genios que la acompañan llevan esta inscripción: *Numine afflatur*, la divinidad es la que la inspira. En las piedras grabadas de *Mariette* se encuentra una imagen alegórica de la Poesía, que consiste en un genio sentado sobre un grifo, apoyando la mano derecha en una lira sostenida por un trípode colocado sobre un dado. El dado puede figurar la justificación de los pensamientos, el trípode el entusiasmo y la lira la armonía, que son las tres calidades esenciales de un poema. La Poesía, entre los etruscos parece tan antigua como la música, y que nació en aquellos pueblos con su religión. Habían establecido combates donde se disputaba el premio de la Poesía.

POETAS. (*Iconol.*) Los antiguos los designaban con diferentes emblemas. Algunos cisnes colocados encima de la estatua de *Homero*, entre guirnaldas, expresan la dulzura de su canto poético. Tal es el sentido también de la lira colocada en las rodillas de la estatua de *Homero*, en el Helicón. Algunos ruiseñores están representados con sus pequeños en el sepulcro de *Orfeo*. Pegaso y una cabeza de Baco son igualmente considerados como símbolos de un poeta. El poeta malo se designa por un grillo o una cigarra.

POLELA. (*Mit. eslav.*) *El que viene después de Lela*, hijo de Leda. Era el Himeneo de los eslavos; como designa su nombre entre los pueblos sencillos sigue después del amor.

POLEMÓCRATES. Hijo de Macaón, tenía un templo en Ena, ciudad de Peloponeso. Curaba las enfermedades y era venerado en este concepto de un culto especial.

POLENOR. Centauro muerto por Hércules con una flecha envenenada; lavó su herida en el río Anigrio, el cual desde entonces despide un olor fétido.

POLENTIANO. *V.* Pollentianus.

POLHDO o POLHIDO. 1 — Adivino, comunicó la noticia a Minos II de que su hijo Glauco se había ahogado en una cuba llena de miel. El rey mandó encerrarle con el cadáver, para obligarle a que le volviese a la vida. Convencido el adivino de que este prodigio era superior a su poder, procuró irritar a una serpiente que se le presentó con el designio de perecer de su mordedura; pero no consiguió sino matarla. Presentósele otra que traía una hierba que, tocándola con el reptil difunto, lo resucitó. Admirado Polhido del efecto de la planta, lo aplicó a Glauco con igual éxito. Devuelto a la vida el joven príncipe, negó su permiso al médico para regresar a Argos, su patria, sin que antes le enseñase el arte de la adivinación. Se conformó el adivino; pero antes de partir exigió de su discípulo que le escupiese en la boca; con lo cual destruyó el efecto de sus lecciones. *Ilíada. 13.*

2 — Hijo de Euridamante, fue muerto por Diómedes, en el sitio de Troya. *Ilíada.*

POLIADA. Sobrenombre bajo el cual tenía Minerva en Tegea un templo servido por un solo sacerdote, que no entraba en él sino una vez al año. Se guardaba con sumo cuidado la cabellera de Medusa, don de Minerva a Cefeo hijo de Aelo, asegurándole al entregárselo que por él sería Tegea, una ciudad inconquistable. *Poliada* significa habitantes de las ciudades o patrona de una ciudad.

POLIALO. Hija de Hércules y Euritia.

POLIBEA. 1 — Nombre común a Ceres y Proserpina.

2 — Hija de Amiclas y hermana de Jacinto. *Paus, 3, c.19.*

POLIBETE. Sacerdote de Ceres, fue encontrado por Eneas en los infiernos, en el lugar que habitaban los famosos guerreros. *Eneida. 6.*

POLIBO. 1 — Hijo de Mercurio y Ctonofile reinó en Sición y casó a su hija Lisianasa con Tálao, rey de los argivos. Tuvo por sucesor a Adrastro, quien arrojado de Argos se había refugiado en su corte. *Paus* 2, c.6.

2 — Capitan troyano, otro de los hijos de Antenor. *Ilíada. 11.*

3 — Uno de los pretendientes de Penélope, muerto por Eumeno. *Odis. 22.*

4 — Habitante de Tebas en Egipto: hizo magníficos presente a Menelao. *Odis.*

5 — Rey de Corinto, educó como hijo suyo al joven Edipo. Su muerte fue el desenlace de todas las desgracias de este joven príncipe, revelándole que no era su hijo. *Hig. f. 66.*

6 — Hija de Mercurio y Eubea, y a quien varios autores suponen padre del dios marino Glauco.

POLIBOTES. Uno de los gigantes que pretendieron escalar el cielo. Neptuno, que él vio huir por medio de las olas, que no le llegaban sino a la cintura, lo aplastó en la isla de Cos, que cubrió el cuerpo del gigante, formándose de él la isla de Nisiro. *Paus. 1. c.2.*

POLICAÓN. 1 — Hijo de Lélex, fue reverenciado como un dios por los mesenios. *Paus, 4, c.1.*

2 — Hijo de Butes, casó con Evecmé, hija de Illo.

3 — Policaste. Mujer de Icaro y madre de Penélope.

4 — La más joven de las hijas de Néstor y dotada de rara belleza. Ella fue la que preparó el baño para el joven Telémaco. *Odis. 3.*

POLICÉFALO. Cántico que *Píndaro* atribuye a Palas, así como la flauta que construyó para imitar los gemidos de las hermanas de Medusa. Suele darse a este nombre, que significa a *muchas cabezas* (*polis* mucho; Kefalé, cabeza), diferentes explicaciones, siendo la más natural, que este cántico tenía muchos preludios, que precedían las diferentes estrofas. *Plutarco*, que atribuye su invención a *Olimpo*, aña-

de, que estaba consagrado al culto de Apolo y no al de Palas. *Mem. de la Acad. de Inscr. t. 10.*

POLICO. Otra de las hijas de Licaón.

POLICOMOS, *a quien suele encontrarse en los banquetes y en las travesuras*; epíteto de Baco. R. *comos*, banquete. *Antol.*

POLÍCRITO. Etolarco o magistrado de los etolios, de quien cuenta Flegón esta aventura maravillosa. Después de tres días de matrimonio con una señora locria, murió dejándola encinta de un niño que a su nacimiento resulto ser hermafrodita. Consultados los sacerdotes acerca este prodigio, conjeturaron que muy en breve estallaría una guerra entre los etolios y los locrios, y concluyeron que era necesario conducir a la madre y al hijo fuera los límites de Etolia y quemar a ambos. Al acercarse al lugar de la ejecución, apareció el espectro de Polícrites y se colocó cerca de su hijo. Espantado el pueblo echa a correr; pero el fantasma le llama y con voz aguda le hace un largo discurso para persuadirle que debía quemar a su mujer e hijo sino quería experimentar las más grandes calamidades. Viendo la inutilidad de sus palabras, coge a su hijo y, después de hacerlo pedazos, lo devora. El pueblo horrorizado apedrea al espectro. Pero él, inmóvil, continúa en comerse a su hijo, y no dejando más que la cabeza, desaparece: después de tan deplorable aventura, decidióse a enviar a consultar de nuevo al oráculo de Delfos, pero tomando la palabra del niño, vaticina los mayores desastres que efectivamente se realizaron.

POLICRONINIOS, *anciano*; sobrenombre de Electra en *Eurípides*, porque permaneció doncella mucho tiempo.

POLICTOR. 1 — Héroe que, junto con Taco y Nerito, fundó Itaca e hizo una fortuna brillante.

2 — Esposo de Estigna, una de las Danaides. *Apolod. 2, c.1.*

POLICTÓRIDE. Otro de los pretendientes a la mano de Penélope. *Ilíada. 22.*

POLIDAMANTE. 1 — Troyano de quien se sospechó, así como de Antenor, de haber entregado Troya a los griegos. *Homero* (*Ilíada*.12,14,18.) le pinta menos valiente aun que más sabio que Héctor, y le atribuye exclusivamente el conocimiento de lo futuro y de lo pasado. *Dict. Cret.*

2 — Famoso atleta de la Tesalia y el hombre de mayor estatura que se viera en los tiempos heroicos. En el monte Olimpo dio muerte sin armas a un león furioso: peligro al cual se expuso para imitar a Hércules, vencedor del león de Nemea. En otra ocasión hallándose en medio de un rebaño, agarró a un toro bravo por uno de las patas de atrás, con tanto vigor que en el esfuerzo que hizo el animal para huir, no pudo verificarlo sin dejar en las manos de Polidamante el casco de la pata por la cual lo tenía sujeto. Dícese que, empuñando con una sola mano el juego trasero de un carro que se corriese con la mayor velocidad, lo paraba de repente. Habiendo sido invitado a visitar la corte del rey de Persia, desafió a combate a tres de sus satélites llamados inmortales y a quienes estaba confiada la guardia del rey; luchó solo contra los tres juntos y los dejó muertos a sus pies. Finalmente pereció por confiar sobradamente en sus fuerzas. Entrando un día acompañado de sus amigos en una gruta a tomar el fresco, de repente la roca dio señales de abrirse: espantados, sus amigos emprendieron la fuga y se salvaron, pero él se quedó esperando con sus manos la roca que se desquiciaba; y como la montaña se hundiese, Polidamante quedó envuelto con sus ruinas. Se le erigió una estatua en el estadio de los juegos Olímpicos. *Paus. 6, c. 5.*

POLIDAMNA. Mujer de Tlonio, rey de Egipto, hizo regalo a Helena de unos polvos que adormecían el dolor, calmaban la cólera y hacían olvidar todos los males. Helena le echó un día en el vino para agotar las lágrimas y desterrar del banquete la tristeza. Con esto se ha creído que el poeta ha querido designar las ficciones agradables con que Helena sabía entretener a sus convidados. *Odis.*

POLIDECTES. Rey de la isla de Sérifos, hospedó a Dánae y a su hijo que tenía de Acrisio. Después de haber hecho educar al joven Perseo con el mayor esmero, se enamoró de Dánae y la obligó a casarse con él. Al regresar Perseo de sus viajes, pasó a Sérifos, desoló la isla y petrificó a todos sus habitantes, mostrándoles la cabeza de Medusa, sin exceptuar al mismo rey. *Met. 5.*

POLIDECTOR. Uno de los hijos de Egipto.

POLIDEGMENOS, *aquel que recibe indistintamente a todos los mortales en su imperio*; sobrenombre de Plutón. R. *decheschai*, recibir.

POLIDEMÓN. Derribado por Perseo en el combate que se dio con motivo de su matrimonio con Andrómeda. *Met. 5.*

POLIDICE. Hija de Pterelao, rey de Tebas, hizo traición a su padre por favorecer a Creonte.

POLIDIRAS. *que tiene muchas puntas y armellas*; epíteto del Olimpo en Homero. R. *deira*, cuello.

POLIDORA. 1 — Hija de Meleagro y nieta de Eneo, casó con Protesilas, el primer griego que saltó de las naves a las orillas de Troya. Murió de pesar de haber perdido a su marido. Esta princesa es llamada por algunos Laodamia. *Paus. 4, c. 2.*

2 — Hija de Peleo y Antígona, casó con Boris, de quien tuvo a Menestio. *Apolod. Ilíada. 16.*

3 — Ninfa hija de Océano y Tetis.

4 — Hija de Perieres, esposa de Peleo.

5 — Hija de Dánao y madre de Driope, a quien tuvo del río Esperqueo.

6 — Amazona.

POLIDORO. 1 — Hijo de Cadmo y de Harmonía, sucedió a su padre en el reino de Tebas. *Apol. 3, Diod. Sic. V.* Labdaco. Nicteo.

2 — Hijo de Príamo y Hécuba. Según *Virgilio* (*Eneida.* 3.), temeroso Príamo de las armas griegas, envió a *Polidoro*, con gran parte de sus tesoros, cerca de Polimestor, rey de Tracia, que había casado con su hija Ilione. Este hizo perecer al joven príncipe; pero un prodigio enteró a Eneas de la horrible maldad cometida. He aquí el relato: Habiendo desembarcado en las costas de Tracia, va a arrancar algunas hierbas desconocidas y observa que mana sangre de ellas, al mismo tiempo que una voz lánguida, la de la sombra de *Polidoro*, le refiere lo acaecido. La relación de *Higinio* difiere algún tanto. *Polidoro* fue enviado

desde la cuna. La previsora Ilione lo puso en lugar de su hermano. Habiendo propuesto los griegos a Polimestor darle por esposa a Electra, hija de Agamenón, si se determinaba a repudiar a su esposa y dar muerte a *Polidoro*, el avaro monarca aceptó, y quita la vida a su propio hijo. Sin embargo, por el oráculo de Apolo sabe Polidoro que su padre ha muerto y que su patria ha sido reducida a cenizas. A su regreso en Tracia le explica Ilione el enigma y el se venga arrancando los ojos a Polimestor. *Homero* (*Ilíada. 20*) ha seguido una tradición muy diferente: supone que *Polidoro* era hijo, no de Hécuba, sino de Laotoe. Príamo, añade, había prohibido a *Polidoro*, el más joven y querido de sus hijos, que fuera al combate; pero la vanidad de éste para mostrar su celeridad en la carrera, le perdió, pues Aquiles, que no era menos ligero, lo descubrió en las primeras filas y le traspasó con su lanza. *Met. 13, Apolod.3, c.12.*

3 — Hijo de Hipomedón, uno de los héroes que se apoderaron de Tebas, diez años después de Eteocles y Polinice. *Paus.*

4 — *Hesíodo* hace mención a un nieto de Cadmo de este nombre, hijo de Aristeo y Autonoe, que asistió a los juegos fúnebres de Buprasium.

5 — Rey de Esparta, hijo de Alcámenes, sobremanera respetado del pueblo por su virtud. Después de haber muerto a manos de Polemarco recibió los honores heroicos. Los espartanos colocaron su estatua junto al sepulcro de Orestes, y su imagen servía de sello público a los magistrados de Esparta.

6 — Grabador hábil que representó sobre una piedra preciosa a Laoconte y a sus hijos enroscados en los nudos indisolubles de dos serpientes. *Plinio* hace un gran elogio de esta obra.

POLIÉAS. Fiestas que los tebanos celebraban en honor de Apolo Polio esto es, el *Cano*, en razón a que este dios, por una costumbre contraria a la de toda Grecia, estaba representado en esta ciudad con los cabellos canos.

POLIEMÓN. Padre de Hamopaón que pereció a golpes de Teucer. *Ilíada. 8.*

POLIEMÓNIDES. Hamapaón, hijo de Poliemón. *id.*

POLIEUS. Júpiter tenía un templo en la ciudadela de Atenas bajo el nombre de *Polieus*, esto es protector de la ciudad. Cuando se le sacrificaba se ponía sobre el altar cebada y trigo mezclado y se retiraban los asistentes; el buey destinado para víctima iba a comer del grano colocado en el altar, y entonces el sacerdote le derribaba de un hachazo, y luego echaba a correr así, como los asistentes, aparentando no haber visto la acción. *Pausanias* que refiere esta ceremonia no explica el motivo; pero los modernos conjeturan con bastante verosimilitud que esta costumbre aludiría a la prohibición antigua de inmolar los animales útiles a la agricultura.

POLÍFAGO. Sobrenombre de Hércules, derivado de su extrema voracidad. (*V.* Adéfágo y Buphago.)

POLIFEMO. 1 — Hijo de Neptuno y Thoosa, el más grande, el más fuerte y el más célebre de los cíclopes. Era Polifemo de un tamaño extraordinario, no tenía más de un ojo en la frente y tan solo se alimentaba de carne humana. Arrojado Ulises por la tempestad en las costas de Sicilia, donde habitaban los cíclopes, Polifemo lo encerró con todos sus compañeros y rebaños en su cueva para irlos devorando, pero Ulises hizo que bebiese tanto mientras le entretenía contándole el sitio de Troya, que al fin se embriagó. Entonces ayudado por sus compañeros le reventó el ojo con una estaca. Sintiéndose herido el cíclope, dio unos ahullidos tan espantosos que todos sus vecinos acudieron para saber lo que le había acontecido; y al pedirle el nombre del agresor, respondió que Nadie (por haberle dicho Ulises que así se llamaba); e infiriendo por la respuesta que había perdido el juicio, le dejaron. Sin embargo, Ulises mandó a sus compañeros que se agazapasen debajo los carneros a fin de no ser detenidos por el gigante cuando sacara a pacer su rebaño. Sucedió lo previsto por Ulises, pues Polifemo, tomando una piedra que cien hombres no hubieran podido mover, y era la que cerraba la entrada de la caverna, se colocó de frente de manera que los carneros no pudiesen pasar sino de uno en uno por entre sus piernas; pero cuando conoció que

Ulises y sus compañeros habían salido, les persiguió echándoles a la ventura una piedra disforme que afortunadamente evitaron, embarcándose en seguida sin más pérdida que la de cuatro hombres comidos por el gigante. *Odis. 19, Eneida. 3, Mete.*

Esta fábula se funda en la historia: Polifemo vivía en el tiempo de Ulises y era rey de Sicilia. Abordando Ulises a esta isla, sedujo a la hija del cíclope y la arrebató; pero los habitantes de la isla la arrancaron de sus brazos y la devolvieron a su padre.

*Homero* añade, que ofendido Neptuno de que Ulises había cegado a Polifemo, hizo perecer la nave en que iba, en la isla de los feacios, a donde llegó no obstante nadando, con el cabestrillo que Leucotoa le había dado.

Polifemo, a pesar de su natural ferocidad, se enamoró de la ninfa Galatea, que le despreció por estarlo ella del pastor Acis. Celoso Polifemo de la preferencia, acechó a los dos amantes y, sorprendiéndolos juntos, aplastó con un peñasco al joven Acis, que fue transformado en río.

*(Iconol.)* En la colección de las pinturas antiguas del Herculano, la plancha X representa a Polifemo con tres ojos. Servio dice que son muchos los que tan sólo le dan un ojo, algunos dos y otros tres.

2 — Príncipe que *Homero (Ilíada.*1.) supone igual a los dioses. Sin duda sería algún príncipe de los lapitas.

3 — Tesalio, hijo de Elato, a quien *Higinio* cuenta en el número de los Argonautas. Es diferente de Eufenio, con el cual ha sido confundido por *Apolonio de Rodas.*

POLIFIDEO. Famoso adivino, hijo de Mantis; Apolo le hizo el más ilustrado de los adivinos después de la muerte de Anfiarao, y consultábasele en Hiperesia, ciudad del país de Argos. *Odis. 15.*

POLIFONTE. 1 — Tirano de Mesenia, muerto por Telefonte, hijo de Cresfonte y Mérope, que había escapado a su furor cuando, usurpando el trono, mató a todos los príncipes de la familia real.

2 — Geraldo de Laio; murió a manos de Edipo cuando éste luchó contra su padre sin conocerle.

3 — Hija de Hipono y Trasa, una de las compañeras de Diana. Venus, a quien había menospreciado, le infundió una vehemente pasión por un oso, del cual tuvo dos hijos muy malvados, Agrio u Oreio *(salvaje y montañés)*. Júpiter envió a Mercurio para que castigase sus crímenes; pero Marte, de quien descendían, metamorfoseó a la madre e hijos en aves.

POLIFRÓN. Tío de Alejandro y tirano de Feres; fue muerto por su sobrino, quien hizo luego una divinidad de la pica con la que cometió el crímen.

POLIGEO. Sobrenombre de Mercurio que se veneraba en Trecén. Había en esta ciudad una estatua del dios bajo este nombre, ante el cual se pretendía que Hércules consagraba su clava de madera de olivo.

POLIGLOSOS. Sobrenombre de Sófocles, de la encina profética de Dodona, porque daba los oráculos en el idioma de los consultantes. R. *gloria*, lengua o idioma.

POLÍGONO. Hijo de Proteo. Su hermano Telégano y él fueron muertos por Hércules al haberle provocado en la carrera. *Apolod.*

POLILAO. Hijo de Hércules y Cratéa, una de las testiades. *Apolod.*

POLÍMEDE. Hijo de Autólico y madre de Jasón, que sobrevivió pocos días a su esposo Esón. *Apolod. 1. c. 13.*

POLIMEDÓN. Uno de los hijos naturales de Príamo.

POLIMELA. 1 — Hija de Filas, princesa de rara belleza, tuvo de Mercurio un hijo llamado Eudoro: esto no impidió que casara con Equecles, hijo de Actor. *Ilíada. 16.*

2 — Hija de Eolo, seducida por Ulises.

3 — Una de las hijas de Príamo.

POLIMELO. 1 — Hijo de Argeas, capitán troyano; sucumbió a los golpes de Patroclo. *Ilíada. 16.*

2 — Hijo de Peleo y a quien suponen algunos padre de Patroclo.

POLIMESTO. Uno de los principales de la isla de Tera, casó con Frónima, hija de Etearco, de quien tuvo a Bato. *Herod. 4, c. 150.*

POLIMESTOR. Rey de Tracia cuando el sitio de Troya. Príamo le había confiado a su hijo Polidoro con riquezas inmensas, que tentaron su codicia; y cuando vio que la fortuna era contraria a los troyanos, hizo perecer al joven príncipe. *Eneida. 3.*

POLIMETO. Otro de los hijos de Príamo.

POLIMNIO, POLIMNEIA, POLIHIMNIA. (*Iconol.*) Musa de la retórica. (*Etim. poli.*, mucho; e *himnos*, himno o canción; y según *Hesíodo* [*Teog*], *mastai*, acordarse como que preside a la memoria y a la historia de la cual depende.) Se representa coronada de flores, y algunas veces de perlas y piedras preciosas, con guirnaldas a su alrededor; con vestido blanco, la mano derecha en ademán de arengar, y un cetro en la izquierda. En vez de cetro suele ponérsele un rollo con la inscripción *suadere*, porque el objeto de la retórica es persuadir. Otros rollos puestos a sus pies tienen los nombres de Cicerón y Demóstenes. *Ovid. Fast. 5.V.* Elocuencia, retórica.

POLIMNO. Una de las Hiadas.

POLIMO. Griego que enseñó a Baco el camino de los infiernos, cuando descendió a ellos para encontrar a su madre Semele.

POLINICES. Hijo de Yocasta y Edipo; salió de Tebas viviendo aún su padre, y refugiándose en Argos casó con la hija de Adrasto. Después de la muerte de Edipo, que supo por su hermano Eteocles, regresó a Tebas: pero no pudiendo tener paz con su hermano, salió por segunda vez y, aunque débilmente auxiliado por su suegro, hizo una tentativa que le salió mal. Ambos hermanos se dieron muerte recíprocamente en un combate singular, pero al paso que se acordó dar sepultura a Eteocles, como defensor de su país, se negó al cuerpo de Polinices, que quedó abandonado para servir de pasto a las aves de rapiña, por haber atraído un ejército extranjero contra su patria. *Pausanias* dice que Polineces tuvo muchos hijos, de los cuales nombra a Adrasto, Timeas y Tersandro.

POLÍNICO. Célebre carpintero. *Odis.l.8.*

POLÍNOE. Una de las nereidas. *Apol. l.c.2.*

POLÍNOME. Nereida. *Hig.*

POLIO, blanco y hermoso. Sobrenombre de Apolo. Antiguamente los tebanos le sacrificaban un toro; pero desde una vez que por no llegar a tiempo los encargados de conducir la víctima, tuvieron que echar mano de uno de los dos bueyes que tiraban de un carro que acertaba a pasar por delante del templo, quedó establecida la práctica de sacrificar un buey acostumbrado al yugo.

POLIOFTALMOS, que tiene muchos ojos. Sobrenombre de Osiris tomado por el Sol. R. oftalmos, ojo.

POLIPEMÉNIDES. Afidas, hijo de Polipemón.

POLIPEMÓN. 1 — Lo mismo que Procusto, cuyo sobrenombre debió sin duda a su maldad. *Ovidio* le supone padre de Procusto, y *Apolodoro* de Sinnis. *Paus.*

2 — Padre de Afidas, rey de Alibas.

POLIPETES. De la raza de los lapitas, de Piritoo y de Hipodamia; salió para el sitio de Troya con cuarenta naves, y durante el sitio se distinguió con acciones memorables. En los funerales de Patroclo ganó el premio del disco. *Ilíada. 2, 12, y 23, Paus. 10.*

POLIPOTES, *el que bebe mucho*, epíteto de Baco. R. *polis*, frecuente, *potos*, bebida.

POLISTÉFANO, *que recibe o lleva muchas guirnaldas.* Epíteto de Baco. Es sabido que los bebedores solían coronarse de flores, persuadidos que eran un preservativo contra la embriaguez.

POLITECNO. Yerno de Pandáreo. V. Pandáreo.

POLITEÍSMO. Pluralidad de los dioses. R. *pelis*, muchos. *theos*, Dios.

POLITERCE. Padre de Ectecipo, uno de los pretendientes de los compañeros de Ulises y el más estimado de este príncipe. *Odis. 10.*

POLITES. Otro de los hijos de Príamo, quien confiando en la ligereza de sus pies, estaba de centinela fuera de la ciudad para observar el instante en que los griegos dejarían sus naves y se adelantarían hacia Troya; fue muerto por Pirro a los pies del rey su padre. *Ilíada. Eneida. 2, 5.*

2 — Ciudadano. Sobrenombre de Baco adorado en Arcadia.

POLITIÓN. Ateniense, fue cómplice de Alcibíades en la profanación de los misterios de Ceres. *Paus. 1, c. 2.*

POLÍTROPOS, *el que toma toda clase de formas.* Sobrenombre de Ulises en *Homero.*

POLIXENA. 1 — Hija de Príamo. Habiéndola visto Aquiles durante una tregua, se enamoró de ella y la pidió en matrimonio a Héctor. El príncipe troyano le prometió satisfacer sus deseos si abandonaba la causa de los griegos; pero una condición tan vergonzosa no hizo más que excitar la indignación de Aquiles, sin disminuir no obstante su amor. Cuando Príamo fue a la tienda de Aquiles a pedir el cuerpo de su hijo, le acompañaba la princesa para ser mejor recibido. En efecto, se dice que el príncipe griego renovó su demanda y aun consintió en ir secretamente a casarse con Polixena en presencia de su familia, en un templo de Apolo situado entre la ciudad y el campo de los griegos. Paris y Deifobo acompañaron a Príamo, y mientras que Deifobo tenía abrazado a Aquiles, Paris le dio un golpe mortal. Desesperada Polixena de ser causa inocente de la muerte de un príncipe a quien amaba, se retiró al campo de los griegos y fue recibida con honor de Agamenón; pero de noche corrió al sepulcro de su esposo, donde se traspasó el seno. Otra tradición más conocida dice que Polixena fue inmolada por los griegos sobre el sepulcro de Aquiles; y es la que adoptaron *Eurípides,* en su tragedia de *Hécuba,* y *Ovidio* en su Metamorfosis, 113.

2 — Otra de las hijas de Danao.

POLIXENO. 1 — Hijo de Jasón y Medea. *Paus.*

2 — Hijo de Agasteneo y nieto del rey Augias, de la sangre de los heráclidas, fue uno de los capitanes griegos que asistieron al sitio de Troya, y se distinguió por su valor. *Ilíada. 2.*

POLIXO. 1 — Esposa de Tlepólemo: habiéndose refugiado Helena en Rodas junto a ella, Polixo para vengar la muerte de su marido, acaecida en el sitio de Troya, la envió en el baño dos mujeres que la ahorcaron en un árbol. *Paus.3, c. 19.*

2 — Sacerdotisa de Apolo en la isla de Lemnos que incitó a todas las mujeres de la isla a que dieran muerte a sus maridos, porque estos, bajo pretexto de poca limpieza, habían ido a buscar otras mujeres en Tracia. *Apolod.1.*

3 — Una de las Atlántidas.

4 — Mujer de Dánao.

5 — Mujer de Nicteo.

6 — Otra de las Ilíadas.

7 — Vieja confidente de Hipsilo o Hipsipilo y a quien aconsejó que recibiera bien a los Argonautas.

POLKAN. (*Mit. eslav.*) Es el centauro de los eslavos y al que le atribuían una fuerza y vitalidad extraordinaria. En los antiguos cuentos se le pinta con cuerpo y cabeza de hombre, hasta la cintura, y lo restante como un caballo o perro.

POLTIS. Hospedó a Hércules al regresar de su expedición contra Laomedonte. Su hermano Sarpedón, hijo de Neptuno, fue muerto por el héroe en castigo de su perversidad.

POLUS. Fue de los primeros que llevaron a los megapolitanos los misterios de los grandes dioses, enseñándoles como se celebraban en Eleusis. *Paus.*

PÓLUX. Hijo de Júpiter, era inmortal, mientras que su hermano Cástor, hijo de Tíndaro, estaba sujeto a la muerte. El cariño fraternal reparó la injusticia de su nacimiento; Pólux pidió que su hermano participase de los honores divinos, y obtuvo que sucesivamente habitarían ambos hermanos el Olimpo y el Eliseo, así es que nunca se encuentran juntos en la compañía de los dioses. Pólux fue uno de los Argonautas, distinguiéndose entre ellos por sus fuerzas atléticas. Era superior en el pugilato, así como lo era Cástor en el arte de domar los caballos, saliendo vencedor del combate del cesto, de Amico, rey de Bebricia e hijo de Neptuno, atleta más famoso de su tiempo. Aunque la religión de los pueblos colocaba a los dos hermanos en un mismo culto, sin embargo, había un templo dedicado a Pólux solamente, cerca de la ciudad de Therafoné en Laconia, además de una fuente que en el mismo paraje le estaba consagrada bajo el nombre de *Polidocea. Odis. Pind. Od. Eneida.*

En España tenemos un célebre grupo

antiguo, y del cual se han esparcido infinidad de copias por toda la Europa, que representa a Pólux y Cástor en la adolescencia.

POLVO. El que encontraba un cadáver estaba obligado a arrojar polvo sobre él, por tres veces consecutivas, bajo pena de tener que inmolar a Ceres la víctima que llamaban *porca præcidanea*. Consideraban también como malditos a los que viendo un cadáver no le tributaban este último deber.

POLVOROSO. Júpiter tenía bajo este nombre un templo en Megara, en Ática.

POLLEAR. (*Mit. índ.*) El primero y más acreditado de los hijos del dios Shiva: preside en los matrimonios. Los indios se guardaban bien de construir ninguna casa sin haber colocado antes sobre el terreno un *Pollear* que rocían con aceite y adornan con flores todos los días. No invocándole antes de emprender cualquier cosa, creían que este dios borraría de su memoria lo proyectado y que trabajarían inutilmente. Está representado con cabeza de elefante y montado sobre un ratón. Sin embargo en los pagodines suele representársele sobre un pedestal, con las piernas casi cruzadas; pero siempre con el ratón frente a su capilla.

POLLENTIA. Diosa de la potencia, venerada de los romanos. *Tito. Liv.*

POLLENTIANUS. Tribuno, fue convicto de haber abierto a una mujer encinta, para saber de la criatura el nombre del sucesor del imperio. *Glycas, Annal.* p. IV.

POLLEROS. Los que guardaban y criaban los pollos, y las aves que debían servir para los auspicios.

POLLOS SAGRADOS. Se llamaban así, entre los romanos, los pollos que los sacerdotes criaban, y que servían para sacar los augurios. Nada emprendían de importante en el Senado, que antes no se tomasen los auspicios de los pollos sagrados.

POLLUCTUM. Festín que se hacía en los pueblos con motivo de los diezmos, o décima parte de los bienes que se consagraban a Hércules.

POM. Estatua de hombre, hecha de paja o hierba seca, de un pie de alto. Se suspende por medio de un anillo de dos toesas de largo colocado entre los muslos a un cielo raso, y después se arroja al fuego. Esta ceremonia forma parte de las que observaban los kamtschadales (habitantes de la península de Kamchatka) en su fiesta solemne de la purificación de los pecados.

POMÆRIUM. Cierto espacio tanto fuera como dentro las murallas de la ciudad, donde no se permitía edificar y los augures consultaban a los auspicios.

POMARIUS. Sobrenombre de Hércules bajo el cual se invoca para la prosperidad de los pomares.

POMONA. Ninfa tan celebrada por su belleza, como por su habilidad en cultivar los jardines y árboles frutales. Todos los dioses campestres se disputaban su conquista; pero Vertumno, sobre todo, se valió de muchísimos medios para agradarla, saliéndose por fin con la suya después de haberse metamorfoseado de diferentes maneras. Un día, disfrazado de vieja, tuvo ocasión de entablar conversación con ella. Empezó lisonjeándola sobre sus atractivos, sus talentos y sobre su gusto por la vida del campo y finalmente, le contó tantas y tales aventuras funestas acaecidas a ninfas que como ella se mostraban insensibles a la ternura, que movió su sensibilidad y acabó por hacerla su esposa. Pomona tuvo en Roma un templo y dos altares; y como divinidad de los frutos y de los jardines se la representaba sentada sobre una cesta llena de flores y frutos sosteniendo de la mano izquierda algunas manzanas y con la derecha un ramo. También se representa de pie, vestida de una ropa que baja hasta los pies y que ella recoge por delante para sostener manzanas y ramas de manzano. R. *pomun*, fruto. Los poetas la pintan coronada de pámpanos y racimos de uvas, sosteniendo con sus manos un cuerno de la abundancia o una cesta llena de frutos. Los etruscos veneraban especialmente a Pomona y la representaban con corona de mirto. Algunas veces suele confundirse con la diosa. *Nortia. Met. 14.*

POMONALIS Flamen, sacerdote de Pomona, a cuya divinidad ofrecía sacrificios para la conservación de los frutos de la tierra.

**POMPA.** Solía aplicarse con particularidad esta palabra a los juegos del Circo, que se representaban con magnificencia.

**POMPEIÓN.** Edificio magnífico en Atenas en donde se depositaban todos los utensilios sagrados que se usaban en diferentes fiestas. Estaba situado a la entrada de la ciudad antigua en la parte del puerto de Falero, y lo embellecían un sin número de estatuas de héroes. R. *pompe*, pompa sagrada.

**POMPEON DAIMONOS EORTE.** Fiesta griega, de que hace mención *Hesichius*, en la cual salía una imagen llamada *Stemmation*.

**POMPEYA.** Antigua ciudad del Lacio que tuvo a Hércules por fundador, cuando este héroe pasó a Italia con los bueyes de Gerico; y fue así llamado aludiendo a la pompa con que el héroe hizo trasladar a ella las tres cabezas de su enemigo. Pereció esta ciudad junto, con Herculano, en la erupción del Vesubio, año primero del reinado de Tito. y 79 de *J.C. Estrab. 6*.

**POMPILO.** Era un pescador de la isla de Icaria que transportó a Ocírroe, hija de Cesias, a Mileto y de quien estaba enamorado Apolo. Aun no había abordado, cuando el dios arrebató a Ocirroe, transformó la barca en roca y a Pompilo en una especie de pescado parecido al atún, y que los marineros tenían en gran veneración. *Plin. 6, c. 29*.

**POMPO.** padre de Numa Pompilio, según *Tito Livio*.

**PONGO.** (*Mit. afr.*) Idolo de los negros del Congo. Es una canasta llena de trapos y bagatelas consagradas.

**PONGOL.** (*Mit. índ.*) Fiesta que se celebra el día primero del décimo mes *Tai*, y es la más solemne que tienen los indios, está principalmente destinada a celebrar el regreso del Sol en el norte, y dura tres días. El primer día es llamado *Boï-Pandique* o *Peroun-Pougol*, lo cual significa *Gran Pongol*. La ceremonia consiste en poner a hervir arroz con leche a fin de deducir augurios según hierva la leche. Desde que se perciben los primeros hervores, las mujeres y niños exclaman *Pongol*, que significa hierve. Se celebra la ceremonia en lo más retirado de las casas

y el lugar escogido ha de ser purificado con la boñiga de vaca, se prepara un hornillo en el cual se hace hervir el arroz, luego se presenta a los dioses, y finalmente comen un poco todas las personas de la casa. El segundo día se llama *Maddon-Pongol*, o *Pongol de las vacas*: se pintan los cuernos de estos animales, se cubren de flores, se procura que corran por las calles, y se hace inmediatamente el pongol para ellas. Por la tarde sale en procesión la estatua del dios, por los campos, colocada encima de su caballo de madera, que tiene las manos levantadas en ademán de galopar, y los pies firmes sobre una tabla también de madera que llevan cuatro hombres, por fin se practican otras varias ceremonias y se sacan de ellas diversos augurios.— Los brahamanes hacen creer al pueblo que Sangrandit, uno de los deverkels, viene todos los años en este día, sobre la tierra, les descubre el bien y el mal futuro y lo anuncia por el grano que come él y el animal que monta. En la misma tarde se juntan los indios, se hacen presentes recíprocamente y se visitan en ceremonia para desearse un *buen Pongol*.

**PONS.** *Palatinus.* Puente de Roma, llamado también *Senatorius*, porque por él pasaban los senadores cuando iban procesionalmente a consultar los libros Sibilinos.

**PONTEO.** Joven feacio, bien formado, que disputó el premio en la corte de Alcínoo.

**PONTIA,** *marino.* Venus tenía bajo este nombre un templo en el territorio de Corinto. La estatua de la diosa era admirable por su tamaño y hermosura.

**PONTICUS.** Serpeas. La serpiente que custodiaba el vellocino de oro. *Juvenal*.

**PONTÍFICE. 1** —Título que entre los romanos se daba a los principales encargados de dirigir los asuntos religiosos, los cuales entendían de las diferencias que sobre este punto se suscitaban. Arreglaban los cultos y las ceremonias, recibían a las vestales, ofrecían los sacrificios, hacían la dedicación de los templos, juzgaban la autoridad de los libros que contenían los oráculos y, finalmente, revisaban el calendario. Formaban en Roma un colegio, constituido por Numa Pompilio, tan sólo por cuatro pontífices, elegidos entre los patricios; más adelante se admitieron algunos más de la clase de los plebeyos. El dictador Sila aumentó su número hasta quince, de los cuales los ocho primeros tomaban el título de pontífices y los siete restantes el de pontífices inferiores; si bien todos reunidos no formaban más que un solo cuerpo, cuyo jefe se titulaba Soberano Pontífice. Sin embargo, el número de pontífices no fue siempre fijo, puesto que en lo sucesivo se aumentó o disminuyó según las circunstancias.

Esta dignidad era de tanta consideración, que en un principio no se daba, como queda dicho, sino a los patricios. Y aunque los plebeyos podían ser elegidos cónsules y obtener los honores del triunfo, con todo eran excluidos del pontificado. Decio Mus fue el primero de este orden que obtuvo el sacerdocio, después de haber representado al pueblo la injusticia que se le hacía privándole de este honor. Desde entonces ya no hubo distinción entre los patricios y los plebeyos para obtener la dignidad pontificia.

*Plutarco* deriva la etimología de la palabra pontífice, del cuidado que los pontífices tenían en reparar el puente de madera que conducía a la otra parte de Tíber; otros lo derivan de *posse facere*, poder sacrificar.

Los pontífices eran considerados como personas sagradas: tenían preferencia todos los magistrados; presidían a todos los juegos del circo del anfiteatro y del teatro, que se daban en honor de sus divinidades.

Al dirigir los pontífices la palabra al pueblo reunido, le interpelaban diciéndoles: «Hijos míos».

Su vestido era un ropaje blanco bordado de púrpura, que se llamaba pretesta, y que llevaban los magistrados curules.

2 — (*El sumo*) Así llamado por excelencia, porque presidía a todo el colegio de los pontífices; tenía la superintendencia universal de todas las ceremonias, así públicas como privadas. Esta dignidad era creación de Numa, y, como ya se ha dicho, en un principio solo la obtuvieron los patricios, hasta el año 500 en que Tiberio Coruncano, plebeyo, fue elegido sumo pontífice. Después de la muerte de Lépido que había sido triunviro, Augusto tomó el pontificado, y después de él, todos los emperadores hasta Graciano, fueron honrados con esta dignidad, a fin de que el pontificado estuviese rodeado de más prestigio que no lo hubiese estado en un simple particular. El sumo pontífice tenía la superintendencia de todo lo relativo a religión, prescribía las ceremonias y explicaba los misterios: las Vestales estaban bajo su dirección, y él era quien las recibía y las castigaba cuando habían prevaricado: tenía la inspección sobre todas las órdenes de sacerdotes y ministros de los sacrificios; dictaba siempre la fórmula en los actos públicos; tenía el derecho de presidir en las adopciones, conservar los anales, arreglar el año, entender en ciertas causas respectivas al matrimonio; él sólo estaba autorizado para dispensas, y no tenía que dar cuenta de su conducta ni al senado ni al pueblo. Además gozaba del privilegio de conservar su dignidad durante su vida, y de no tener igual en su cargo; lo cual se comprueba por el ejemplo de Augusto, que aguardó la muerte de Lépido para tomar el sumo pontificado. No obstante tantas prerrogativas que le daban una autoridad tan extensa, había ciertas cosas que no podía resolver sin el consentimiento del colegio de los pontífices, o se podía apelar de sus decisiones a este último, así como del lado del colegio al pueblo. No le era permitido tampoco salir de Italia; siendo Craso el primer sumo pontífice que infringió esa ley; y a su ejemplo sus sucesores en el pontificado se arrogaron igual privilegio. la ley Vatinia; que vino luego, permitía al gran pontífice echar suertes para el gobierno de las provincias. Tampoco le era permitido vivir sino en una casa del estado; no podía pasar a segundas nupcias; mirar ni tocar un cadáver, por cuya razón se plantaba un ciprés delante de la casa de un muerto, para prevenir al pontífice que no entrase en una casa donde podía contaminarse.

La consagración del soberano pontífice se hacía con ceremonias extraordinarias.

PONTOGENIA. Epíteto de Venus, nacida de las aguas del mar.

PONTOMEDÓN, *soberano de los mares.* Epíteto de Neptuno. R. *medein*, mandar.

POTONOOS. Uno de los heraldos de Alcinoo; rey de los feacios, cuyas funciones consistían en servir el vino a los convidados. *Odis. 7.13.*

PONTOPORIA. Nereida.

PONTOS. 1 — Dios antiguo, como hijo de la Tierra y el Eter, unido a la primera fue padre de Forcis, Taumante, Nereo, Euribia y Ceto. *Apolod. 1. c. 2.* A veces se le atribuye también la paternidad de Briareo y de los cuatro Telequines: Acteo, Megalesio, Órmeno y Lico.

2 — Hijo de Neptuno, dio su nombre al Mar Negro llamado Ponto Euxino, y a un considerable espacio de terreno del Asia Menor.

POPANA. Tortas consagradas que se ofrecían a Esculapio.

POPES. Sacerdotes romanos encargados de conducir la víctima al altar, pero de manera que la cuerda con que la sujetaban estuviese floja, a fin de que la víctima no pareciese conducida al sacrificio a pesar suyo, lo cual hubiese sido de mal agüero. Al llegar al altar la desataban por el mismo motivo, y era un signo funesto cuando huía. Los Popes preparaban entretanto los cuchillos, el agua y las demás cosas necesarias para el sacrificio. Después de haber recibido la orden del sacrificador, uno de ellos hería la víctima con un hacha o una maza, y la degollaba enseguida. Desangrada ya la víctima, cuya sangre se recibía en los cráteras, la derramaban sobre el altar. Los Popes la ponían sobre una mesa sagrada, llamada *anclabris* donde la despellejaban y disecaban, a menos que no se quemase entera, en cuyo caso la ponían en la hoguera, después de degollada. En los sacrificios ordinarios no se quemaba más que una pequeña parte de la víctima; y del resto se hacían dos porciones, una para los dioses y la otra para los que costeaban al sacrificio. Estos solían regalar de la suya a sus amigos, y la porción de los dioses quedaba abandonada a los Popes, que se la llevaban a sus casas, llamadas *pompinæ* de su nombre, donde iban a comprar todos aquellos que querían. Como los Popes vendían también vino, las popinas venían a ser las tabernas de los romanos, y este nombre es todavía el que sirve para expresar en latín aquellos establecimientos.

Los Popes llevaban una especie de corona en la cabeza; pero iban medios desnudos, con las espaldas, brazos y alto del cuerpo hasta el ombligo; lo restante del cuerpo lo cubrían hasta media pierna de un delantal de tela o de piel de víctimas; así por lo menos están representados en la columna Trajana. Hay sin embargo otras figuras antiguas que los representan con otros trajes. En tiempos modernos la palabra pope ha pasado a designar a los sacerdotes de la iglesia ortodoxa griega y de los pueblos eslavos, en especial rusos.

POPLISMA. Pequeño ruido que se hacía con la lengua para lisonjear a un caballo que se acaricia con la mano. Cuando brillaban los relámpagos, los antiguos imitaban aquel ruido, creyendo con este obsequio lisonjear a los dioses y alejar el rayo.

POPULIFUGIE. Fiesta romana que se celebraba en el mes de junio, en memoria según unos, de la expulsión de los reyes y según otros, en honor de la diosa Fugia, que había favorecido la derrota de los fidenates, cuando éstos se propusieron apoderarse de Roma, al día siguiente de haberse retirado el pueblo. Dionisio de Halicarnaso pretende que el objeto de esta fiesta era la fuga del pueblo, dispersado por una violenta tempestad, después de la muerte de Rómulo. *Ovid. Fast. 1.*

POPULONIA. 1 — Sobrenombre de Juno, quien bajo el nombre de Lucina preside los partos y contribuye a poblar el mundo.

2 — Diosa campestre cuyo auxilio imploraban los romanos para librarse de los estragos y asolamientos, ora fuese del enemigo, ora de los elementos, ora de las estaciones. Era verosímilmente Juno, diosa del aire, venerada bajo este nombre, así como Júpiter lo era bajo el de *Fulgur*. *Banier. t. 1, 4, 5.*

PORCA SUCCEDANIA. Marrana que sacrificaban a Ceres, en forma de expiación antes de la cosecha, aquellos que no habían tributado exactamente los últimos deberes a alguno de su familia y que no habían purificado el lugar donde había habido un muerto.

**POREVITH.** Divinidad de los antiguos germanos que presidía la guerra: lo representaban con seis cabezas una de ella en el pecho; y un gran número de espadas, de lanzas y de toda especie de armas que rodeaban el pedestal que sostenía su estatua.

**PORFIRIÓN.** 1 — Uno de los gigantes que hicieron la guerra a los dioses. Júpiter, para vencerle con más facilidad, se valió de una estratagema, cual fue inspirarle sentimientos amorosos por Juno, persuadido de que el amor desarmaría su furor. Pero a tal exceso llegó la pasión del gigante, que iba a violentar a la diosa, si Júpiter con el rayo y Hércules con sus flechas no le hubiesen quitado la vida. *Herod. Od.4, l. 13.*

2 — Uno de los sobrenombres de Hércules, que se traduce por Genio íncubo, que descubre los tesoros; alusión al Sol, cuyos rayos cubren y enriquecen la tierra.

**PORNE**, cortesana; sobrenombre de la Venus Pandemos.

**PORO.** Dios de la abundancia, hijos de Metis, dios de la prudencia. El día del nacimiento de Venus los dioses celebraron un banquete, en el que también se halló el dios Poro. Al levantarse de la mesa la Pobreza o Penia creyó que haría su fortuna si podía tener un hijo de este dios; fuese pues a acostarse mañosamente a su lado y algún tiempo después parió al Amor, de donde provino que el Amor, habiendo sido concebido en el día de la fiesta de Venus, se uniese a la comitiva y al servicio de esta diosa. Como tuvo por padre la Abundancia y la Pobreza por madre, participa igualmente de la una y de la otra. *Platón.*

**PORRICIAE.** Entrañas de la víctima que los sacerdotes echaban al fuego después de haberlas examinado para deducir buenos o malos augurios.

**PORRIMA.** Hermana o compañera de Carmenta, madre de Evandro. Presidía los acontecimientos pasados. *Ovid. Fast. 1.*

**PORSIMNA.** Hija del río Asterion, se cuenta con sus hermanas Acræa y Eubea en el número de las nodrizas de Juno.

**PORTMEÓN.** El nauclero o piloto por excelencia; Caronte naútico o marinero de los infiernos.

**PORTIA.** Sobrenombre de Venus como protectora de los puertos de mar, quizá porque en ellos reina más licencia que en otras partes; corresponde, entre los latinos, al Limenia de los griegos.

**PORTITOR.** Palabra latina que designa a Caronte y que corresponde a la palabra griega *Portmeón.*

**PORTULANA.** Sobrenombre de Diana.

**PORTUMNALES.** Fiestas romanas en honor de Portumno. Celebrábanse en Roma el 17 del mes de agosto. *Ovid. Fast. 6.*

**PORTUMNO, PÓRTUNO.** (*Iconol.*) Divinidad romana que presidía los puertos, llamada también Melicerte o Palemón. Otros la confunden con Neptuno. Tenía dos templos en Roma y era objeto de culto especial entre los etruscos. En las medallas antiguas se la ve representada bajo la figura de un anciano respetable, que se apoya en un delfín y tiene una llave en sus manos; pero también se la representa desnuda y joven, con cabello corto y rizado a manera de las divinidades egipcias. *Eneida. 1.*

**POSEIDÓN**, 1 — *El que conmueve la tierra*; nombre griego de Neptuno. R. *pous,* pie. *siein,* agitar; dé por *ghé,* tierra; o según *Platón, posi desmon echon,* que tiene lazos a los pies, esto es, los límites prescritos a las olas del mar.

2 — Mes ático, consagrado a Neptuno.

**POSEIDONIAS.** Fiestas griegas en honor de Neptuno. En la isla de Tenedos, una de las Cícladas, tenía fuera de la ciudad un bosque y un templo dignos de notarse por los grandes comedores, que servían para el inmenso gentío que iba a celebrar la fiesta.

**POSIDONIA.** Capital de los estados de Cranao, quien la llamó *Atenea* en honor de su hija. El areópago ratificó esta variación, lo que sin duda dio motivo a la fábula de Neptuno vencido por el juicio de los dioses, y cediendo a Minerva el honor de dar un nombre a la ciudad de Cécrope.

POSTRIDIANI. Los días inmediatos que siguen a las calendas, idus y nonas de cada mes eran contados en el número de los días negros y funestos.

POSTULACIONES. Sacrificios que se hacían para aplacar a los dioses irritados.

POSTULIO. Nombre dado a Plutón, en los bordes del lago Curcio, porque la tierra se entreabrió en este lugar y los aruspices dedujeron de esto que el rey de las sombras pedía sacrificios. De esta demanda, expresada en latín por la palabra *postulacio*, se formó *postulio*. *Varrón*.

POSTVERTA, POSTVERSA, POSTVORTA. Una de las divinidades que presiden los partos difíciles. Era una de las carmentas. Se la confunde algunas veces con una divinidad del mismo nombre que presidía los sucesos futuros.

POSTVOTA. Nombre bajo el cual Fabio Gurges, vencedor de los samitas, dedicó un templo a Venus.

POTA, POTICA, POTINA. Diosa que presidía la bebida de los niños.

POTAMIDES. Ninfa de los ríos y de las riberas. R. *potamos*, río.

POTAMÓN. Uno de los hijos de Egipto.

POTCHÉ. (*Mit. índ.*) Ceremonias que están obligados a practicar todos los días en honor de los dioses; consisten en bañar el dios con agua, (*V. Abichegam*), le cubren con ricos ropajes y le adornan de pedrerías, mudándolas con más o menos frecuencia y hasta diariamente, si la pagoda es opulenta. Le hacen diversos presentes de arroz, de flores, de frutos, etc. Finalmente practican otras varias ceremonias por el mismo estilo.

POTERIÓFOROS. Sobrenombre bajo el cual los aqueos tributaban un culto particular a Ceres, teniendo un vaso, símbolo de la abundancia.

POTESTAS, *el poder*. Higinio la supone hija de Palas y del Estigio. Los griegos la llaman keatos y los latinos *Robur*.

POTICIOS. Sacerdotes de Hércules.

POTIDEA. Ciudad de Macedonia; debía este nombre a una piedra caída de la región del aire, a la cual veneraban. La caída de aquella piedra en este lugar determinó el establecimiento de una colonia.

POTNIA. Ciudad de Beocia cerca de la cual se hallaba un pozo que, según se decía, tenía la virtud de inspirar furor a los caballos. En el camino que va de esta ciudad a Tebas se veía un pequeño circuito cerrado por una especie de columna donde la tierra se hundió para tragarse a Anfiarao. En sus cercanías se halla una fuente del mismo nombre, en cuya inmediación Glauco fue destrozado por sus caballos.

POTNIADES. 1 — Gláuco, hijo de Sísito, rey de Pontia.

2 — Caballos que derrotaron a Gláuco.

3 — Diosas a las cuales se atribuía la propiedad de inspirar el furor. En cierta época del año las gentes del país les tributaban sacrificios, dejando ir en algunos parajes del bosque, lechones, que según decían, en el año siguiente se hallaban paciendo en el bosque de Dodona. Se cree también que era un sobrenombre de las Bacantes.

POTO, *el deseo*. Divinidad adorada de los samotracios. *Plin. 36*.

POTRIMPOS. Idolo que los antiguos prusianos adoraban bajo los robles y a los cuales ofrecían en sacrificio a los cautivos.

POUDJE. (*Mit. índ.*) Creyentes en la India que reprobaban la autoridad de los Vedas y toda la mitología de los brahamanes. Estos cismáticos designaban por objeto de su culto *al señor*, según ellos, *de la piedra filosofal*.

POUL-SERRHA, *puente en medio del camino* (*Mit. mah.*) Nombre que dan los musulmanes al puente por donde pasan las almas de los difuntos, debajo del cual está el fuego eterno.

POURANG. (*Mit. jap.*) Calabaza. Nombre del primer hombre, según los japoneses, el cual salió de una calabaza calentada con el aliento de un buey después que hubo roto el huevo de donde salió el mundo. *V. Cosmogonía. Jap*.

POUROUS. (*Mit. índ.*) Nombre del primer hombre según los banianos.

POUSSA. (*Mit. chin.*) Dios de la porcelana. No pudiendo unos operarios efectuar un diseño dado por cierto emperador, uno de ellos desesperado se arrojó al horno ardiente. Fue consumido al instante y la porcelana tomó la forma que deseaba el príncipe. Este desgraciado adquirió el honor de presidir, en calidad de dios, las obras de porcelana.

POUZZOL. Había cerca de esta ciudad una fuente muy venerada que no crecía ni disminuía, ora lloviese, ora se experimentase una gran sequedad. Se edificó un templo de piedras blancas, en los bordes de esta fuente en honor de las Ninfas que, según se creía, la presidían.

PRAEBIA. Amuletos preservativos que se colgaban al cuello de los niños.

PRAECENTIO, *la entonación*. Este era el ministerio del Sumo-Pontífice en la pompa del circo, y en general del que presidía una solemnidad cualquiera que fuese. R. *præ*, delante, y *canere*, cantar.

PRAEDATOR. Sobrenombre dado a Júpiter porque se le consagraba una parte de los despojos.

PRAEFARI. Invocar a los dioses antes de arengar al pueblo.

PRAEFICE. Mujeres alquiladas para llorar y para cantar en los funerales las alabanzas de los muertos.

PRAEIBE. Término de la religión. Cuando se trataba de un voto, de un juramento, de una consagración o de una dedicatoria, el sacerdote dictaba la formula que era repetida palabra por palabra por el que hacía el voto o el juramento. Esto es lo que se llamaba *præire verbis*, dictar los términos solemnes.

PRAEJURARE. Pronunciar un juramento en nombre de varias personas, que lo ratificaban con una sola palabra.

PRAENESTE. 1 — (Dios de) Se llamaba así a Plutón Serapis honrado sobre todo en Prenesta, en un templo magnífico llamado Serapeo y construido al gusto egipcio.

2 — Nieto de Ulises fundador de Prænesta ciudad de Italia.

PRAENESTINA DEA. La Fortuna llamada así de un templo que tenía en Prenesta, en el cual estaban las estatuas de Júpiter y Juno en los pechos y en el seno de la Fortuna. Era honrada de un culto particular por la matronas de Italia.

PRAEPES DEUS. El dios al vuelo rápido, Cupido.— *Jovis*, el águila de Júpiter — *Medusæus*, Pegaso, *Praepes* es

el único que se toma algunas veces por la Victoria y entonces en cuando expresa su rapidez.

PRAEPOTENS, *toda poderosa* o *tiránica*; sobrenombre de Venus entre los tebanos.

PRAESALTOR y PRÆSUL. Nombre del sacerdote que danzaba al frente de los salios. R. *Præsaltare*.

PRAESES Juventutis. Mercurio, dios que presidía a la juventud. *Cic*.

PRAESICIA. La parte de las entrañas de las víctimas que se dividia para ofrecer a los dioses.

PRAESTANA. Nombre que daban los antiguos romanos a Luperca, nodriza de Rómulo, a la cual rendían los honores divinos. *Arnobio* la hace diosa de la excelencia. R. *præstare*.

PRAESTES. 1 — Epíteto de Júpiter en las inscripciones.

2 — Sobrenombre de Minerva conduciendo a los mortales por el camino de la sabiduría.

PRAESTITES, *guardianes de las puertas*. Sobrenombre de los dioses Lares, *quod estan præ foribus* (que se hallan afuera).

PRAHDI. (*Mit. siam.*) Especie de oratorio o sala común que se halla en cada convento de los talaponeses. Está llena de pequeñas ventanillas por donde se reúne la luz.

PRASIAS. Comarca de Atica, célebre por un templo de Apolo donde se enviaban las primicias que consagraban a este dios, en Delfos.

PRASTIA. Puerto del Peloponeso en cuyas cercanías se hallaba un templo de Ino, donde un oráculo célebre descubría en sueños el futuro.

PRASUM. Villa de la isla de Creta donde se había levantado un templo a Júpiter Dicteo.

PRAX. Descendiente del hijo de Neptolemo. Dio su nombre a la región de Prakien (Prakiai). En honor a su antepasado, Aquiles consagró un templo en el camino de Esparta a Arcadia.

PRAXÍDICE. (*Iconol.*) Divinidad de los antiguos que señalaba a los hombres la justa medida que debían observar en sus discursos y en sus acciones. Es la diosa de la moderación, de la templanza y de la discreción. *Hesiquio*, que la define por la divinidad que daba la última mano a las acciones y a las palabras, dice que sus estatuas consistían en una sola cabeza, para manifestar que el hombre tan sólo se rige por la cabeza. Por la misma razón no se le ofrecían más que las cabezas de las víctimas. El mismo autor añade que Menelao, al regreso de Troya, consagró un templo a esta diosa y a sus dos hijas, la Concordia y la Virtud, bajo el nombre solo de Praxídice. Le daban por padre a Soter o el dios conservador. Se observa que esta diosa tenía todos sus templos descubiertos para indicar que su origen derivaba del cielo como único manantial de la sabiduría. R. *praxis*, acción, *diké*, Justicia. *Paus. 9, c. 33.*

2 — Ninfa, madre de Crago.

PRAXIDICES. 1 — Los aliartios, según cuenta Pausanias, conocían varias diosas de este nombre, que tenían un templo en su país, donde juraban por estas divinidades, y este juramento era inviolable.

2 — Nodrizas de Minerva. Eran las hijas de Ogiges a saber: Alalcomenia, Aulis y Telsinia. *Suid.*

PRAXIERGIDES. Sacerdotes atenienses que el día de la Plinterias celebraban misterios que tenían por muy reservados. *Plut.*

PRAXIS. Venus tenía bajo este nombre un templo en Megara.

PRAXITEA. 1 — Hija de Frasimo y Diogenia, mujer de Erecteo, del cual tuvo tres hijos, Cécrope, Pándavo y Melión, y cuatro hijas, Procrisa, Creusa, Clitonia y Oritia. *Apolod.3, c. 15.*

2 — Hija de Erecteo, fue sacrificada por su padre con sus dos hermanas, para satisfacer la orden de un oráculo.

3 — Hija de Testio, tuvo varios hijos de Hércules. *Apolod. 2, c. 7.*

PREADAMITAS. (*Mit. mah.*) La opinión que establece que hubo hombres antes de Adán es común ente los orientales. Giarfar-Sadik, uno de los doce imanes, interrogado si hubo otro Adán antes del nuestro, contestó que hubo tres y que aún habrá diecisiete más después de él, y cuando se le preguntó si Dios crearía otros

hombres después del fin del mundo, respondió: «¿Queréis que el reino de Dios quede vacío y su omnipotencia ociosa? Dios es creador de toda su eternidad». Es opinión casi general entre los musulmanes que las pirámides de Egipto fueron elevadas antes de Adán por Gianben-Gian, monarca universal del mundo en los siglos que precedieron a la creación de este primer hombre. Aseguran que ha habido cuarenta Solimanes o monarcas universales de la tierra, que han reinado sucesivamente durante el curso de la creación de Adán. Todos estos pretendidos monarcas mandaban cada uno a criaturas de su especie, diferentes de la posteridad de Adán, aunque gozando de raciocinio como los hombres. Los unos tenían varias cabezas, los otros muchos brazos y algunos se componían de varios cuerpos. Sus cabezas eran aún más extraordinarias; las unas se parecían a las de elefante, otras a las de búfalos o jabalíes, o a otra cosa aún más monstruosa.

PRECENTORIANA. Según *Solino*, era una flauta que servía en los templos delante de almohadas en las cuales descansaban las estatuas de los dioses.

PRECIAS o PRECLAMITORES. Oficiales que presidían al flamen dial, cuando iba por las calles de Roma, para advertir a los operarios que cesasen en sus trabajos, porque el culto divino habría sido manchado, si este pontífice, según dice *Festo*, hubiese visto alguno que trabajase.

PRECIDANEAS. Víctimas que se inmolaban en la vigilia de las grandes solemnidades. *V. Porca.*

PRECOCIDAD. (*Iconol.*) *Winkelman* le da por símbolo una almendra tierna, cubierta aún de la cáscara verde, porque su madurez precede a la de los otros frutos.

PREFERÍCULO. Vaso que estaba en uso en los sacrificios de los antiguos, que tenía un pico en una asa y contenía el vino o cualquier otro licor.

PREMA. Una de las diosas que presidían los casamientos. La invocaban en la noche de bodas.

PREPETES. Aves de las cuales los romanos no consultaban más que el vuelo. (*V.* Oscinas, Alites.)

**PRERROGATUUM** Omen. Presagio sacado del sufragio dado por la centuria a quien le había tocado en suerte el derecho de opinar el primero. *Cic.*

**PRESAGIOS**. Esta debilidad humana que consistía en considerar como indicios de lo futuro, los acontecimientos más sencillos y naturales, es una de la ramas más considerables de las creencias antiguas. Es preciso notar que se distinguían los presagios de los augurios, en que estos consistían en señales buscadas e interpretadas, según las reglas del arte augural, y que los presagios que se ofrecían fortuitamente, eran interpretados para cada particular de un modo más vago y más arbitrario. Pueden reducirse a siete clases, a saber: 1º) Las palabras fortuitas que los griegos llamaban *femen* y *klédona* y los latinos *omen* por *orimen*. Estas palabras fortuitas eran llamadas voces divinas cuando se ignoraba el autor de ellas. Tal fue la voz que advirtió a los romanos de la aproximación de los galos, y a la cual se edificó un templo bajo el nombre de Aio-Locucio. Estas mismas palabras recibían el nombre de humanas cuando su autor era conocido, y cuando se juzgaba que no venían inmediatamente de los dioses. Antes de empezar una empresa salían de su casa para recoger las palabras de la primera persona que encontraban o bien mandaban a este fin un esclavo, y sobre palabras proferidas a la aventura y que ellos aplicaban a sus designios, tomaban algunas veces resoluciones importantes. — 2º) Los estremecimientos de alguna de las partes del cuerpo, principalmente del corazón, los ojos y las cejas. Las palpitaciones del corazón pasaban por una mala señal, y presagiaban particularmente la traición de un amigo. Los estremecimientos del ojo derecho y de las cejas eran por lo contrario, una buena señal. El adormecimiento del dedo pequeño, y el hormigueo del pulgar de la mano izquierda, nada significaba de favorable.— 3º) El zumbido de las orejas. los antiguos decían que cuando la oreja les zumbaba, alguno hablaba de ellos en su ausencia.— 4º) Los estornudos. Este presagio era equívoco y podía ser bueno o malo según las ocasiones. Por este motivo se daba el salve a las personas que estornudaban, o bien se deseaba su conservación, cuya fórmula era ¡*Júpiter te conserve*! Los estornudos por la mañana, esto es, después de la media noche hasta al medio día no se reputaban por buenos, eran mejores los del resto del día y en particular los que venían del lado derecho; bien que el amor les hacía siempre favorables a los amantes de cualquier lado que viniesen.- 5º) Las caídas imprevistas. Camilo, después de la toma de Veies, viendo el gran botín que había recogido, rogó a los dioses que, con una pequeña desgracia, alejasen la envidia que podía ocasionar su fortuna o la de los romanos. Cayó mientras hacía la rogativa, y esta caída fue tenida en los sucesivo como el presagio de su destierro y de la toma de Roma por los galos. Las estatuas de los dioses domésticos de Nerón se encontraron derribadas en el primer día de enero, de donde se sacó el presagio de su destierro y de la toma de Roma por los galos y de la próxima muerte de este príncipe. Si cuando salían tropezaban en el umbral de la puerta, si se les rompía el cordón de su calzado, o levantándose de la silla se pisaban el vestido etc., todo esto lo tomaban por mal agüero.— 6º) El encuentro de ciertas personas y de ciertos animales. Un etíope, un eunuco, un enano, un hombre contrahecho, les causaba miedo y les hacía retroceder. Había animales cuyo encuentro era afortunado como por ejemplo el león, las hormigas, las abejas. así como las serpientes, los lobos, las zorras, los perros, los gatos, etc., eran de mal agüero.— 7º) Los nombres se empleaban con cuidado en las ceremonias religiosas, y en los negocios públicos y particulares, incluso cuando su significado designaba una cosa agradable. Querían que los niños que ayudaban en los sacrificios, que los ministros que hacían la ceremonia de la dedicación de un templo, que los soldados que se alistaban los primeros, tuviesen nombres afortunados; al paso que detestaban los nombres que significaban cosas tristes y desagradables.— Puede añadirse a todos estos presagios la observación de la luz de la lámpara de la que sacaban diversos pronósticos y otros varios que sería largo referir.

No había época determinada para los presagios, porque jamás debían despreciarlos, pero se observaba más particularmente al principio de todo lo que se hacía. De donde derivaba la costumbre de los romanos de felicitarse mutuamente en el primer día de enero enviándose presentes, sobre todo de miel y de otros dulces, y procuraban al mismo tiempo no pronunciar palabra que no fuese agradable. Esta misma costumbre se extendía en todas las ceremonias religiosas, en los actos públicos que por esta razón comenzaban con el preámbulo; *quod felix, faustum, fortunatunque sit!* que sea feliz, venturoso y afortunado. Con igual cuidado se observaban en los asuntos particulares, como en los casamientos, en el nacimiento de los niños, en los viajes, en las comidas, etc.— Sin embargo, no bastaba la mera observación de los presagios; debían aceptarse, si eran favorables, dar gracias a los dioses y pedirles que les ratificasen con otros nuevos; si eran contrarios debían desecharlos y procurar borrar de su memoria la idea horrorosa que les causaba, rogando a los dioses que procurasen evitar sus efectos, cuando el presagio se había presentado casualmente; pues cuando se buscaba no quedaba otro arbitrio que someterse a la voluntad de los dioses. Finalmente, procuraban remediarlos de varios modos. La práctica más común para evitar el efecto de un discurso o de un objeto desagradable, era la de escupir inmediatamente, porque se creía que con esta acción arrojaban de sí el veneno que habían respirado. Cuando no podían evitar ciertas palabras de mal augurio tomaban la precaución expresa a todo lo que podían presagiar de mal. Por lo regular se servían del expediente de suavizar los términos, sustituyendo expresiones que presentasen al espíritu, imágenes menos tristes y menos horrorosas. Así es que los atenienses a la cárcel la llamaban casa; al verdugo, hombre público; a las Furias, las Euménides, etc.

(*Mit. índ.*) Un indio se dispone a salir por algún negocio urgente, tiene el pie ya en el umbral de la puerta, oye estornudar vuelve a retirarse inmediatamente. Hay, en la India, urracas en abundancia; si una de estas aves toca por casualidad volando a un hombre, ya se cree que él u otro de su familia no vivirá seis semanas. Entre los isleños de Sri Lanka, si mientras estaban trabajando había alguno que estornudara, esto sólo bastaba para interrumpir el trabajo. Atribuyen una virtud profética a cierto animalito de la figura del lagarto. Si oyen el grito de este animal, se imaginan que les advierte no emprendan nada en aquel momento, porque está sujeto a un planeta maligno. Cuando por la mañana, al salir de su casa, encuentran una mujer encinta o un hombre blanco, lo toman por feliz agüero; pero si el primer objeto que se ofrece a su vista es un anciano impotente, o una mujer deforme y contrahecha, esto sólo basta para que se mantengan todo el día encerrados en su casa.— Los habitantes del interior de la isla de Borneo no tienen otra regla de conducta que el vuelo o el silbido de las aves; si al salir de su casa observan una ave que por casualidad dirige su vuelo hacia a ellos, creen que les advierte que deben retirarse y mantenerse encerrados todo el día; por el contrario consideran como un agüero muy favorable cuando el ave lleva la misma dirección que ellos.— Un isleño de las Molucas, que al salir por la mañana de su casa encuentre un hombre deforme y estropeado o un anciano encorbado y apoyado en sus muletas, se retira inmediatamente y no emprende nada en todo el día, persuadido que un presagio tan malo haría infructuosos todos sus negocios.— Los idólatras de las Filipinas sacan agüeros del primer objeto que se ofrece a su vista cuando van de viaje, y si encuentran algún insecto que les parezca de mal presagio retroceden inmediatamente.

(*Mit. siam.*) Los bramidos de las bestias salvajes, los gritos de los siervos y los monos, son presagios siniestros para los siamitas. Si encuentran una serpiente en medio del camino, es para ellos una razón más que suficiente para desistir del viaje, persuadidos de que el negocio que querían emprender no surtiría efecto. La caída de algunos muebles, que la casualidad derriba, es también de muy mal agüero y sobre todo la caída de un rayo. En cualesquiera circunstancia crítica y embarazosa toman por regla de su conducta las primeras palabras que al pasar oyen por casualidad, las que interpretan a su modo.

(*Mit. afr.*) En el reino de Benin, en África, se considera como un augurio muy favorable el que una mujer para dos gemelos; dan parte inmediatamente al rey y la noticia se celebra con conciertos y banquetes. El mismo presagio es tenido por muy siniestro en la población de Arebo, a pesar de que esté situada en el mismo reino.

(*Mit. peru.*) Cuando los antiguos peruanos querían saber si la guerra que iban a emprender sería favorable, si la cosecha del año sería abundante, etc., tomaban una oveja o un carnero y le hacían volver la cabeza hacia a oriente, sin atarle los pies, pero sujeta por tres o cuatro hombres a fin de que no se moviera, le abrían el costado izquierdo y le sacaban con la mano el corazón, los pulmones y todo el resto de la asadura que deben salir enteros. Tomaban por feliz presagio cuando el pulmón palpitaba aun después de haberlo arrancado, etc.

(*Mit. tárt.*) Los calmucos sacan también presagios del vuelo de las aves. El mochuelo blanco (*estrix nictœa*) es de buen o mal augurio según, si toma el vuelo a derecha o a izquierda. Sí la ave se dirige a la izquierda, que es el lado siniestro, hacen todo lo posible para hacerla variar de dirección, y si lo consiguen creen haber conjurado el mal que les amenazaba. El matar una de estas aves es un crimen irremisible.

En los tiempos actuales se han ido desechando estas creencias, pero todavía perviven en el recuerdo del pueblo en mayor o menor grado.

PRESBÓN. 1 — Hijo de Frixo, según *Pausanias*, fue repuesto en posesión de los estados de su abuelo.

2 — Hijo de Clitodora y Minias. *Paus. 9. c.34. 37.*

PRETENDIENTES. Se llamaban así los príncipes que pretendieron la mano de Hipodamia, de Helena, de Penélope, etc.

PRÉTIDES. Tres hijas de Preto llamadas Ifinoe, Iliona y Lisipe. Habiendo osado estas princesas comparar su hermosura con la de Juno, fueron castigadas con una locura que les hizo creer que habían sido transformadas en vacas. Melampo las curó con eléboro negro, llamado después *Melampodium* y casó con una de ellas. Esta curación se verificó en la casa pública, donde Preto hizo construir un templo dedicado a la Persuasión. *Pausanias* añade que esta enfermedad fue común a las mujeres de Argos.

PRETO. 1 — Hermano de Acrisio destronado por éste, se refugió al lado del rey de Licia, su suegro, quien le dio socorros con los cuales volvió a recobrar el trono de Argos. Este príncipe había casado con Estenebea y vivía seis generaciones antes de la guerra de Troya. Fue muerto por Perseo y vengado por su hijo Megapontes. Este Preto es el Júpiter que sedujo a Dánae, según otra versión.

2 — Hijo de Nauplio y biznieto de Dánao.

3 — Hijo de Tersandro, esposo de Antia, primo hermano de Belerofonte.

PREUGENES. Hijo de Agenor, advertido en sueños que debía robar de Esparta la estatua de Diana Limnatis, lo verificó y la trasladó a Mesora en Acaia, donde le edificó un templo.

PRIAMÉIS. Casandra, hija de Príamo. *Ovid.*

PRÍAMIDES. Nombre patronímico de Pris, de Héctor, y en general de todo lo perteneciente al linaje de Príamo.

PRÍAMO. Hijo de Laomedonte que, habiendo tomado el partido de Hércules contra su padre, recibió del héroe la corona en premio de equidad. Otros dicen que fue conducido a Grecia con su hermana Hesione, pero que fue rescatado y que por esta circunstancia recibió el nombre de Príamo del griego *priathai*, rescatar; puesto que antes se llamaba Podarce o Podarcete.— Este príncipe reedificó la ciudad de Troya que Hércules había destruido y extendió los límites de su reino, pero fue destruida otra vez. (*V.* Paris.) La numerosa familia de Príamo pereció con este desgraciado príncipe y todos sus hijos tuvieron una suerte funesta. Príamo fue muerto por Pirro, no habiéndole salvado el estar abrazado al altar de Júpiter Herceo. *Eneida 2, Sen. Dict. Cret. 1. Paus. 10.*

2 — Hijo de Polites y nieto del precedente, fue uno de los compañeros de Eneas.

PRIAPEAS. 1 — Fiestas en honor de Príapo.

2 — Poesías obscenas en honor de Príapo, que se suspendían en sus estatuas.

PRIAPEO. Sobrenombre de Apolo de la ciudad de Príapo, donde tenía un templo y un oráculo célebre.

PRIAPINA. Sobrenombre de Diana, a la cual se atribuía la victoria de Lúculo contra Mitrídates.

PRÍAPO. Hijo de una ninfa llamada Naiada o Quionea. Según otros de Venus y Baco. Los celos de Juno por su hija ocasionaron que el niño que llevaba Venus en su seno naciese con una deformidad extraordinaria. Luego de haberlo dado a luz, le hizo educar lejos de ella en Lamsaco, donde llegó a ser el terror de los maridos, hasta que por fin lo arrojaron, pero afligidos los habitantes por una enfermedad extraordinaria, creyendo que era un castigo del mal trato que habían dado a Príapo, lo llamaron de nuevo y desde entonces se convirtió en objeto de veneración pública. Príapo era el dios de los jardines. También se le tomaba con frecuencia, como Pan, por el emblema de la fecundidad de la naturaleza y de la virilidad Algunos autores le han confundido con Baal-Fagor. Finalmente le tributaban un culto particular los ganaderos y los que criaban abejas. Príapo ha pasado a la medicina actual para significar la erección continua y dolorosa del miembro viril (priapismo), que recuerda los atributos fálicos de dicha divinidad.

(*Iconol.*) Se le representa comúnmente en forma de Hermes o de Tírmino, con cuernos de macho cabrío y orejas de cabra y con una corona de pámpanos o de laurel. (*V. Falo.*)

PRIASO. Héroe que *Higinio* pone en el número de los Argonautas.

PRIECMO. 1 — Rey de Peonia, auxiliar de los troyanos, muerto por Patroclo.

2 — Tirano de la isla de Eubea, muerto por Hércules por haber sostenido una guerra injusta contra los beocios.

PRIENA. Amazona. Dio su nombre a Priena, ciudad del Asia Menor.

PRILIS. Adivino, hijo de Mercurio e Isa. Según *Licofonte* y *Tzetzes*, se dejó seducir por el dinero que le dio Palamedes y descubrió a los griegos el medio para apoderarse de su patria.

PRIMA. Hija de Rómulo y Hersilia, llamada así porque fue la primera que nació de este matrimonio. *Plut.*

PRIMAVERA. 1 — Esta estación estaba especialmente consagrada a las Musas y a las Gracias. En el principio de la primavera era cuando en Roma el sumo sacerdote iba a tomar el fuego nuevo del altar de Vesta.— Se le representaba antiguamente con un ramo de flores en una mano y en la otra un cordero o bien bajo la figura de un niño con una abeja en una mano y en la otra un pavo real. También la representaban en las bodas de Tetis y Peleo con el semblante y actitud de una joven inocente, llevando en su ropaje y delante de su seno pequeñas legumbres desgranadas como una producción propia de esta estación. Igualmente la designaban los antiguos por la caza del ciervo. Los modernos han puesto en la mano de la ninfa que representa la primavera, una rica guirnalda, signo de la renovación de las plantas; y muy cerca de ella un pequeño amor en ademán de tirar el arco. (*V.* Flora, Estaciones.) Podría también dársele una túnica blanca o verde con un ropaje de color de rosa, y colocarla en medio de los juegos y de los placeres, que revolotean a su alrededor.

2 — Sagrada. El voto de la primavera sagrada era aquel por el cual se consagraba a los dioses todo lo que debía nacer después de primero de marzo hasta primero de mayo.

PRIMICIAS. Primeros frutos de la tierra que se ofrecían a los dioses. Esta costumbre fue recibida por todos los pueblos. Los hiperbóreos enviaban las primicias de sus cosechas a Delos para ofrecerlas a Apolo. Los romanos ofrecían las suyas a los dioses lares y a los sacerdotes.

PRIMIGENIA. 1 — Nombre de la Fortuna entre los romanos que le atribuían el origen de su ciudad y de su imperio.

2 — Sobrenombre derivado de la religión órfica, que atribuían a Fisis (la naturaleza), a Baco y a Proserpina, la creación de todas las cosas.

3 — Proserpina, honrada bajo el mismo nombre en Atenas.

PRIMNEO. Joven feacio que concurrió al combate de la carrera sin poderse llevar el premio. *Odis. 8.*

PRIMNO. Ninfa, hija del Océano y Tetis.

PRINCEPS DEARUM. Juno, la primera de las diosas.

PRINCIPIOS (dos) (*Mit. índ.*) Este dogma se encuentra entre los peruanos, que tributan al uno y otro un culto a corta diferencia igual. Al principio es a quien dirigen sus primeras invocaciones, en sus enfermedades y en sus desgracias. Le hacen sus votos y los concluyen con la mayor escrupulosidad desde el momento que creen haber obtenido el efecto. Un sacerdote que se atribuye el conocimiento de lo que puede serle agradable, dirige la ceremonia de los que han hecho el voto. Empiezan por un banquete acompañado de danzas y música; por la mañana corren por las calles llevando arroz en una mano y en la otra una antorcha y gritando en alta voz que buscan al mal espíritu para ofrecerle su alimento a fin de que no les incomode durante el día, otros arrojan por encima de sus espaldas algunos alimentos que le consagran. Es tan continuo y tan eficaz el temor que tienen a su poder, que si ven un hombre enmascarado huyen con todas las muestras de su agitación, llevando la idea de que es el tremendo amo que sale del infierno para atormentarles.— Los laponés admiten también dos principios, el uno bueno que llaman *Jubmel* y el otro malo llamado *Perkel.* El primero quería que todos los árboles fuesen meollos y los lagos de leche; que todas las plantas llevasen flores y todas las hierbas frutos: pero Perkel se opuso y este proyecto no tuvo efecto. Si todo no es bueno como Dios lo quiso, Satanás es el que tiene la culpa.

(*Mit. afr.*) Los habitantes del escenario congoleño tiene también una idea del bien y del mal principio. Llaman al primero Lamba-Mâc-Pounga, y al segundo Caddi-Mac-Pimba.

(*Mit. amer.*) Esta doctrina está difundida hasta Nutka-Sound. Los habitantes primitivos de esta isla admiten una lucha entre el bueno y el mal principio que gobiernan el mundo, a los cuales llaman Quantz y Matlox.

Todo esto por lo que respecta a creencias indígenas, que cada vez pertenecen más al pasado.

PRINGIUS. Sacerdotes indios. *V.* Raulin.

PRIÓN. Príncipe de los getas, muerto por Jasón.

PRISIMNO. Lo mismo que Polimno.

PRISTIS. Nombre de una de las naves de Eneas; se le daba este nombre porque tenía la popa adornada de un gran pescado llamado Pristis; era la que conducía Menesteo. *Eneida. 5.*

PRITANIS. 1 — Capitán troyano muerto por Ulises. *Ilíada. 5.*

2 — Otro troyano muerto por Turno. *Eneida. 9.*

PRITANITIDES. Nombre que los griegos daban a las viudas encargadas de guardar el fuego sagrado de Vesta.

PRITHA. (*Mit. índ.*) Divinidad única.

PRIVATA o PROPRIA. Nombre bajo el cual la Fortuna tenía una capilla en la corte del palacio de Servio Tulio, a quien trataba con bastante familiaridad para entrar en su casa por la ventana.

PRIVERNUS. Jefe muerto por Capis. *Eneida. 9.*

PROAO. Divinidad de los antiguos germanos; presidía la justicia. Estaba representada llevando en una mano una pica rodeada de una especie de banderola y en la otra un escudo de armas.

PROAROSIAS. Sacrificios que se tributaban a Ceres antes de las siembras. R. *Aroein*, trabajar la tierra.

PROBARE HOSTIAS. Examinar las víctimas para ver si tenían los caracteres que agradaban a los dioses.

PROBÁTICA. Lugar del templo donde purificaban a las víctimas en Jerusalén.

PROCARISTRÍAS. Fiesta anual que los atenienses celebraban en la primavera en honor de Minerva.

PROCAS. Uno de los reyes de Alba; reinó veintitres años y dejó dos hijos, Númitor y Amulio.

PROCESIONES. El origen de las procesiones se remonta al principio de los tiempos. Los antiguos representaban en ellas el primer estado de la naturaleza. Llevaban públicamente una especie de cofrecillo que contenía diferentes cosas para servir de símbolo, y también un niño fajado, una serpiente, etc. Estas fiestas se llamaban orgías.—*Virgilio* hace mención de las procesiones que se hacían todos los años en honor de Ceres. *Ovidio* añade que los que asitían en ellas iban vestidos de blanco, y llevaban antorchas encendidas. Se añade a todo esto que las hacían alrededor de los campos sembrados, y que los rociaban con agua lustral.— En Lacedemonia, en un día consagrado a Diana, se hacía una procesión solemne. Una dama de las más distinguidas de la ciudad llevaba la estatua de la diosa. La seguían varios jóvenes golpeándose el pecho; si el fervor de éstos se disminuía, la estatua, ligera por su naturaleza, se hacía tan pesada que la que la llevaba no podía pasar adelante.

(*Mit. egip.*) Los cantores abrían la marcha llevando en la mano algunos símbolos del arte musical, que consistían por lo regular en dos libros de Mercurio que contenían los himnos de los dioses y las máximas de los reyes.— Seguían los astrólogos con el plano y cuadrante solar, como signos de la astrología judiciaria. Después de estos venían los copistas de las cosas sagradas con una pluma en la cabeza, la escribanía, y el junco en la mano. Detrás de los horoscopistas iban los que se llamaban etolistas, con los símbolos de la justicia y las copas de las libaciones.— Los profetas que cerraban la procesión llevaban el pecho desnudo y la hidria en su seno descubierto, y los acompañaban los encargados de velar los panes sagrados.

(*Mit. jap.*) Las procesiones del clero de Nagasaki en honor del santo ídolo patrono de la ciudad, se celebraban del modo siguiente: 1º) dos caballos de mano tan flacos y descarnados como el que montaba el patriarca de Moscú el día de pascua florida, cuando iba a la catedral; 2º) varias insignias eclesiásticas y distintivos honoríficos semejantes a los que estaban en uso entre sus antepasados, que consisten por ejemplo en una lanza corta y dorada, un par de zapatos dignos de notarse por su tamaño, y un gran penacho de papel blanco atado al cabo de un palo corto, que es el bastón de mando eclesiástico; 3º) tablillas ahuecadas para colocar los moquisos; 4º) estos mismos que consisten en ninchos octógenos demasiado grandes para poderlos llevar un hombre solo; 5º) dos sillas pequeñas de madera o palanquines semejantes a las papales; 6º) dos caballos de mano con todos sus arneses pertenecientes a los superiores del templo, y tan flacos como los que abren la procesión; 7º) el clero marcha a pie en buen orden y con mucha modestia; 8º) los habitantes de Nagasaki iban a la cola de la procesión.

PROCIÓN. Constelación formada por tres estrellas que precedía al Can y a la Canícula. *Cic. Plin.*

PROCLEA. Hija de Clitio y mujer de Cicno, hijo de Neptuno. *Paus. 10, c. 14.*

PROCLES. Hijo del heráclida Aristodemo y Argía. A él y a su hermano Eurístenes les tocó a Esparta en patrimonio.

PROCLO. Rey de Argos, que algunos confunden con Preto.

PROCOMIUM. Himno en honor de Como.

PROCRIS. Hija de Erecteo, rey de Atenas, y mujer de Céfalo. *Met. 7, Eneida. 6. V.* Céfalo.

PROCRUSTO, o PROCUSTO. Foragido muerto por Teseo. Este malvado hacía extender a sus huéspedes encima de un lecho de hierro, les cortaba las extremidades de las piernas, o bien atándoles los pies con cordeles les daba estirones hasta que alcanzaban o tocaban el extremo del lecho. Es lo mismo que Damastro. *Met. 7.*

PROCURARE PRODIGIA. Apartar lo que había de siniestro en los presagios sacados por los augures de las cosas extraordinarias.

PRÓDIGA. Otra de las hiades. *Banier.*

**PRODIGIALIS.** Bajo este nombre se sacrificaba a Júpiter para apartar o alejar las desgracias de los que se consideraban amenazados por los prodigios.

**PRODIGIO.** Pronóstico que sacaban de algún suceso extraordinario, y que los augures estaban encargados de explicar; la relación que daban se llamaba *Comentarii*, y al mismo tiempo marcaban lo que debían practicar para apartar lo que había de siniestro en los presagios. Esta expiación se llamaba *Procuratio*. los prodigios eran todo lo que acontecía contra el orden natural; como si un cerdo naciera con cabeza de persona; si las estatuas sudaban sangre, si llovía piedras, etc. *Tito Livio* refiere muchos prodigios de esta naturaleza.

**PRODOMEOS.** Dioses a los cuales, se dice, que Megareo ofreció sacrificios en su honor antes de echar los cimientos de las murallas de Megara. Estas divinidades presidían la construcción de los edificios.

**PRODOMIA.** Sobrenombre de Juno, la cual tenía en el territorio de Sicione un templo cuya fundación se atribuye a Falces hijo de Temeno.

**PRODROMOI.** Epíteto de Zetes y Calais, vientos que precedían ocho días a la canículas. P. *pro*, adelante; y *dremein* correr. *V.* Caláis y Zetes.

**PROFANO.** *El que no está iniciado, o que permanece delante del Fano o templo*; sobrenombre bajo el cual Mercurio era honrado en la Acrópolis de Atenas.

**PROFASIS.** Hija de Epimeteo.

**PROFERA.** Diosa de la cual no se ha conservado más que el nombre.

**PROFETAS.** 1 — Se llamaban así en Grecia los que estaban encargados de redactar los oráculos de los dioses. Los más célebres eran los de Delfos que se elegían por suerte y se escogían de entre los ciudadanos más ilustres. A ellos se dirigían las súplicas que se hacían a los dioses, conducían a la Pitonisa en el trípode, recibían la respuesta y la arreglaban a fin de que los poetas la pusiesen en verso.

2 — En el pueblo de Israel, Yaveh concedió a seres excepcionales el don de la profecía o de predecir el futuro para que los hombres se arrepintieran de sus pecados. Los cuatro profetas mayores fueron: Isaías, Jeremías, Ezequiel y Daniel.

**PROFTASIA.** Fiesta anual instituida por los habitantes de Cumas. Muerto Tacos, fundador de Leuca, ciudad del Asia Menor, los habitantes de Clazomene y los de Cumas se disputaban entre ellos la ciudad. Consultada la Pitonisa, respondió que sería de los primeros que ofrecieran un sacrificio en el templo de Apolo y que por esto era necesario que saliesen comisionados de ambas partes en un mismo día, al salir el sol. Habiéndose fijado el día, los habitantes de Cumas no dudaron del éxito porque estaban más cercanos a Leuca, pero los clazomenios, calculando su desventaja, se valieron de un artificio: echaron suertes sobre quienes de entre ellos irían a establecer una colonia cerca de Leuca y verificado esto consiguieron llegar los primeros para tributar el sacrificio, tomando en su consecuencia posesión de la ciudad.

**PROFUNDA JUNO.** Proserpina.

**PROFUNDUS JÚPITER.** Plutón.

**PROGNE.** Hermana de Filomela, hija de Pandión, rey de Atenas, fue transformada en golondrina. (*V.* Filomela.) Este pájaro tiene debajo del pico unas manchas coloradas, las que tal vez han dado lugar a esta fábula. *Met. 6.*

**PROLAS.** Nieto de Tántalo muerto por Amico.

**PROLOGIAS.** Fiestas griegas celebradas en Laconia antes de la cosecha, R. *pro*, antes; *legein*, coger.

**PROMACIAS** o Promaquias. Fiestas durante las cuales los lacedemonios se coronaban con hojas de caña.

**PROMACO.** 1 — *Defensor*; Sobrenombre de Mercurio por la protección que dio a los tanagreos. Habiéndose embarcado los eretrios en Eubea para ir a sitiar a Tanagra, Mercurio, bajo la figura de un joven armado, se puso a la cabeza de la juventud y atacó a los enemigos y los puso en fuga. R. *mahomai*, yo combato.

2 — Bajo este nombre Hércules tenía un templo en Tebas.

3 — Jefe beocio, muerto por Acamante en el sitio de Troya. *Ilíada. 14.*

4 — Otro de los epígonos, hijo de Partenopea. *Paus.* 2, c, 20.

5 — Hijo de Esón, muerto por Pelias.

6 — Hermano de Eivefrón, hijo de Hércules y de la siciliana Fegia.

PROMACORMA. Sobrenombre bajo el cual Minerva tenía un templo en la cima del monte Buportmos, en el Peloponeso.

PROMENEA. Sacerdotisa del templo de Dodona. *Herodoto* (*1,2,c.55*) dice, que dos palomas se escaparon de Tebas, en Egipto, para dar sus oráculos, una en Dódona y la otra en el templo de Júpiter Amón.

PROMEO. Jefe daulo, vencido por el Argonauta Idas.

PROMETEO. 1 — Hijo de Japeto y Climene; y según otros de Asia o de Temis; fue el primero que formó el hombre del limo de la tierra. Minerva animó su obra y le dio el temor de la liebre, la sutileza de la zorra, la ambición del pavo real, la ferocidad del tigre y la fuerza del león. Esta fábula se cuenta también del modo siguiente. Admirada Minerva de la hermosura de esta producción, ofreció a Prometeo todo lo que podía contribuir a perfeccionarla, y habiéndole contestado Prometeo que le era necesario ver las regiones celestes para escoger lo que convendría más al hombre que había formado, Minerva accedió a los deseos de éste y le subió al cielo, donde vio que el fuego era el que animaba a todos los cuerpos celestes, y por lo mismo robó parte de este fuego, y aun no se limitó a esto. Probó de engañar a Júpiter en un sacrificio para ver si merecería los honores divinos. (*V.* Holocausto.) Y habiendo conseguido que surtiese efecto el engaño, Júpiter para vengarse de todos los hombres, les privó del uso de fuego. Entonces Prometeo con la ayuda de Minerva que le había dirigido ya en la formación del hombre, subió al cielo y, acercándose al carro del Sol, tomó el fuego sagrado y lo trajo a la tierra en un tronco de férula. Júpiter, queriendo castigar este nuevo atentado, mandó a Vulcano que forjase una mujer dotada de todas las perfecciones. Los dioses la colmaron de presentes y la enviaron a Prometeo con una caja llena de todos los males; pero fue tan prudente para desconfiar de aquel lazo, del que Epimeteo su recio hermano no supo libertarse. Júpiter por fin mandó a Mercurio que condujese a Prometeo al monte Caúcaso, donde una águila, hija de Tifón y Equidna, debía devorarle eternamente el hígado. Este suplicio duró hasta que Hércules logró libertarle. Prometeo tenía un altar en la Academia de Atenas y se instituyeron en su honor juegos que consistían en correr desde este altar hasta la ciudad con antorchas que debían procurar no se apagasen. Se dice que Prometeo había recibido el don de profecía, de modo que los dioses y Júpiter mismo le consultaban como un oráculo infalible. Los hombres le veneraban como inventor de todas las artes, y suponían haber aprendido de él las virtudes de las plantas, la agricultura y el arte de domar los caballos. *Hor. Apolod. Paus. Virgil.* Se trata del mito del dios civilizador que bajo a la tierra y termina sacrificado por el bien de la Humanidad después glorificada gracias a ser liberado por un semidios. De entre toda la mitología griega nadie más atractivo, benefactor del hombre y simpático como Prometeo.

2 — Uno de los cabiros, según *Pausanias.*

3 — Uno de los dioses egipcios de tercera clase.

4 — Padre de Deucalión.

5 — Planta fabulosa que, según decían los antiguos, tenía la virtud de hacer invulnerable al que usaba de ella. Añádese que era siempre verde e incombustible. Finalmente, según *Propercio*, curaba del amor.

PROMETEO Y DAMASICTÓN. Hijos de Codro; capitanearon unas colonias que pasaron al Asia Menor. *Paus. 1, c. 3.*

PROMETEOS. 1 — Nombre dado a los atenienses inventores de la alfarería. *Mem. de la Acad. de inscr. t. 1.*

2 — Fiesta en honor de Prometeo, porque había hecho útiles las lámparas por medio del fuego que había robado del cielo. Es lo mismo que las Lampadoforias.

PROMETIDES, PROMETIS, Deucalión, hijo de Prometeo. *Met. 10.*

PROMILEA. Divinidad que presidía las muelas de molino; según otros era una divinidad que colocaban delante de los muelles en los puertos, a la cual los navegantes dirigían sus votos para obtener un feliz regreso.

PROMITOR. Dios romano; presidía los gastos. R. *promus*, hastador.

PROMOLO. Troyano; cayó a los golpes de Turno. *Eneida. 9.*

PROMONTORIOS. Los antiguos personificaban a la mayor parte de los promontorios y la palabra *cabo* abreviación de *caput*, cabeza, con cuyo nombre se les designa hoy día, tal vez nos ha quedado de aquel tiempo en el cual los representaban como a gigantes enormes cuya cabeza tocaba el cielo.

PRONAIA. Sobrenombre de Minerva que acostumbraban a colocar delante de los templos en los atrios. R. *pro*, delante; *naos*, templo.

PRONAOS. Pórtico de un templo.

PRONAUS. Sobrenombre de Mercurio en Tebas, en Beocia, porque su estatua de mármol, obra del célebre *Fidias*, estaba colocada en la entrada del templo de Apolo. R. *pro*, delante; *naos*, templos.

PRONAX. Hijo de Talao y Lisímaca y hermano de Adrasto, rey de Argos. *Paus.3.*

PRONEO. Hijo de Príamo.

PRONO o PROWE. (*Mit. eslav.*) Divinidad de los eslavos pomeranios de Wenden que habitaban en Wagria. Este dios era considerado como el segundo después de Swetowid. Su estatua estaba colocada sobre una encina grande y frondosa, alrededor de la cual había mil ídolos de dos o tres rostros, y aun más. Delante de esta estatua había un altar donde le ofrecían sacrificios. Con una mano sostenía un arado y con la otra un venablo y un estandarte. Su cabeza estaba coronada; sus orejas le salían muy afuera y en uno de sus pies estaba suspendida una campanilla. Crantzio hace derivar esta palabra del griego *promoia*, previsión.

2 — Prono es también el padre de un tirano de Cefalonia que exigía le fuesen llevadas las doncellas antes de su boda. Antenor, disfrazado de mujer, llegó hasta el lecho del tirano y lo mató.

PRONOA. 1 — Otra de las cincuenta Nereidas.

2 — Hija de Forbas y madre de Calidón y Pleurón.

PRONOEA, previsora. Sobrenombre de Minerva, la cual tenía un templo en las puertas de Delfos.

PRONOUS. 1 — Capitán troyano muerto por Patroclo. *Ilíada. 16.*

2 — Hijo de Flegias, muerto por el hijo de Alemeón.

PRONUBA. Sobrenombre de Juno, considerada como diosa del matrimonio.

PRONUBÆ. Mujeres que acompañaban a la novia a la casa de su esposo, y estaba a su cuidado desnudarla y meterla en cama.

PROPÉTIDES. Mujeres que negaron la divinidad de Venus. La diosa las castigó encendiendo en su corazón el fuego de la lascivia. Fueron las primeras mujeres que se prostituyeron y, habiendo perdido el pudor, quedaron transformadas en rocas. *Met. 10, Just. 18, c. 5.*

PROPIA. Sobrenombre de la Fortuna. (*V. Privata.*)

PROPICIARE. Hacerse a los dioses propicios por medio de ofrendas.

PROPILEA, *La que guarda la entrada de las puertas*. Sobrenombre de Diana honrada en Eleusis.

PROPILEO. Sobrenombre de Mercurio honrado en Atenas, cuya estatua estaba colocada a la entrada de la ciudadela. R. *pile*, puerta.

PROPUGNATOR, *defensor*. Sobrenombre de Marte, por esto lleva el escudo en una mano, en la otra la lanza y la égida con la cabeza de Medusa.

PROREO. 1 — Otro de los competidores feacios en los juegos. *Odis. 8.*

2 — Marinero. *Met. 3.*

PROROWITH. Dios de los eslavos, lo representaban con cuatro rostros y otro en el pecho, sobre este tenía puesta una de sus manos de manera que miraba por entre los dedos.

PRORSA o PROSA, *derecho*. Divinidad que invocaban para que los niños conservasen buena posición en el seno de sus madres. *Aul. Gel. 15, c. 16.*

PROSCLISTIO. Sobrenombre de Neptuno entre los argivos, en memoria de lo que hizo este dios; pues habiendo inundado sus tierras, retiró las aguas a los ruegos de Juno, R. *proselyzein*, colarse.

PROSELENITAS. Sobrenombre de los arcadios, los cuales pretendían ser más antiguos que la Luna. R. *selene*, Luna. *Ovidio* hablando de ellos (*Fast. l. 2, v. 2, 90.*) dice: *Luna gens prior illa fuit.*

PROSERPINA. (*Mit. rom.*) En griego, Perséfone. Hija de Ceres y Júpiter; mientras estaba cogiendo flores fue arrebatada por Plutón, dios de los infiernos, a pesar de la tenaz resistencia de su compañera Ciane. Ceres, afligida por la pérdida de su hija, la buscó en vano por toda la tierra, pero habiendo sabido que Plutón la había robado, pidió a Júpiter que castigara al raptor. Júpiter prometió hacérsela devolver con tal que justificara que no había comido nada en los infiernos, pero habiendo publicado Ascálafo que Proserpina había probado algunos granos de granadas, fue condenada a permanecer en los infiernos en calidad de esposa de Plutón y de reina del imperio de las sombras. (*Met. 5.*) Según otros, Ceres obtuvo de Júpiter que Proserpina pasase seis meses del año en su compañía. Los fenicios conocían una Proserpina más antigua que los griegos, a la cual suponían hija de Saturno, que murió virgen y bastante joven, lo que sin duda sugirió la idea de su rapto por Plutón. Los autores están discordes sobre el lugar de este acontecimiento. Los unos lo suponen acaecido en Sicilia, otros en Atica, y otros en Tracia. Se cuenta también que la escena pasó en una selva cerca de Megara y hay quien quiere suponer que sucedió en las orillas del río Aleso, en Jonia, en los pantanos de Lerna o en el río Quimera. *Bachilides* asegura que Proserpina fue arrebatada en Creta. *Estrabón* coloca este rapto cerca de Hipona, ciudad de Sicilia junto a Nisa, donde Plutón entreabrió la tierra con los golpes de su formidable tridente. *Orfeo,* por el contrario, dice que la diosa fue conducida a la mar por su amante y que desapareció en medio de las olas. Hay quien ha atribuido este rapto a Aidonco, rey de Epiro, a quien se ha confundido varias veces con Plutón.— Piritoo se apasionó también por la reina de los infiernos, quiso arrebatarla del palacio de Plutón, pero el resultado fue muy diverso, porque el dios castigó al raptor atándolo en una piedra enorme, de cuyo suplicio ni el mismo Hércules pudo libertarle. Se tenía la creencia de que nadie podía morir sin que Proserpina por sí misma, o por el ministerio de Atropos, hubiese cortado un cabello fatal del cual pende la vida. Se cuenta también que Júpiter, bajo la forma de un dragón, había tenido comercio con Proserpina, su propia hija. Sicilia tributaba a la reina de los infiernos un culto solemne. Le atribuía el derecho de hacer nacer a su gusto la esterilidad o la abundancia; y los sicilianos juraban por esta diosa el cumplimiento de sus promesas. Inmolaban en honor de Proserpina perros, y becerras estériles. Los arcadios le habían consagrado un templo, bajo el nombre de conservadora.

En Italia hacían derivar el nombre de Proserpina de *serpens. Tretzes* dice que en las Molosas, todas las mujeres jóvenes y agraciadas, cuando se entregaban al amor tomaban el nombre de Proserpina.— Esta diosa era la divinidad tutelar de los habitantes de Sardes. Una medalla acuñada bajo el reinado de Gordiano Pio representaba en el anverso una cabeza de mujer coronada de torres y en el reverso la figura de Proserpina. Los galos la invocaban como madre suya y le habían edificado varios templos. *Plut. .Paus. 8. Ovid. Fast. 4.*— (*Iconol.*) Esta diosa es comúnmente representada al lado de su esposo en un trono de ébano y llevando una antorcha que despide una llama mezclada de un humo negruzco. La representan también al lado siempre de Plutón, en un carro tirado por dos caballos negros. Su atributo ordinario es el pavo real y lleva con frecuencia en la mano flores de narciso, porque según *Sófocles* era la flor que cogía cuando fue arrebatada. La pintan finalmente algunas veces con una medida en la cabeza. Los griegos llamaron a esta medida kalom de donde los romanos formaron el nombre de *Calatus*: este jarro o cesto, semejante a los que servían a los griegos para coger flores es el símbolo que tenía Proserpina cuando fue trasladada a los infiernos.

PROSEUCHO. Oratorio de los judíos edificado en las casas de los arrabales de las ciudades, o bien sobre lugares muy altos. R. *enchesthai*, suplicar.

PROSIMNA. 1 — Sobrenombre de Ceres, cuya estatua estaba colocada en un bosque de plátanos en Argólida. Esta estatua representaba a la diosa sentada.

2 — Sobrenombre de Juno; sacado del de una de las ninfas que la cuidaron en su infancia.

PROSJAIRETERIAS. Días de regocijo, en los que el esposo habitaba por la primera vez con su esposa. R. *jairein*, alegrarse.

PROSODIA. Himno particularmente consagrado a Apolo e inventado por Cloas, músico de Tegea, en Arcadia.

PROSPICIENS. Sobrenombre bajo el cual Venus era adorada en la isla de Chipre. Anaxareta no contenta de haber sido la causa de que Ifis se suicidase, fue tan cruel que se asomó a la ventana cuando pasaban sus funerales. Venus, para castigarla de su crueldad, la transformó en mármol, cuya estatua adoraron los habitantes de la isla bajo el nombre de *Venus Prospiciens*: Venus que asoma la cabeza a la ventana.

PRÓSTASIS, *pronto a socorrer*. Sobrenombre de Ceres honrada en un templo en Sicione y Filiunta, donde Proserpina también era venerada. Para celebrar la fiesta de estas dos divinidades los hombres estaban separados de las mujeres. R. *Proisthemi*, socorrer; en latín, *stare pro*.

PROSTATERIO, *pronto a socorrer*. Bajo este nombre tenía Apolo un templo en Megara.

PROSTILITO. Hilera de columnas levantadas en el frontis de un templo.

PRÓSTILO. Templo que solamente tenía columnas en la fachada del edificio, como el templo de Ceres Eleusis en Grecia. R. *Pro*, delante, *stilos* columna.

PROSTROPILEI. Espíritus malhechores a quienes era necesario suplicar con mucho fervor para evitar su cólera R. *prostrophe*, suplicación.

PROTECTOR. Sobrenombre de Júpiter.

PROTELIOS. Sacrificio tributado a Diana, a Juno, a Venus y a las Gracias, que precedía a la celebración del matrimonio. En este día los atenienses conducían a la futura esposa al templo de Minerva y sacrificaban por ella a la diosa. La joven virgen consagraba en él su cabellera a Diana y a las Parcas, y después los sacerdotes inmolaban un tocino.

PROTENOR. Otro de los guerreros muertos en la corte de Cefeo. *Met. 5.*

PROTEO. Dios marino, hijo de Neptuno y Fénice, o según otros del Océano y Tetis. Los griegos le suponen nacido en Pallena, ciudad de Macedonia. Dos de sus hijos eran unos monstruos de crueldad. (V. Telégones y Tmolo.) Y no pudiendo Proteo conducirlos por el camino de la virtud, ni inspirarles sentimientos de humanidad, se retiró a Egipto con el socorro de Neptuno, que le abrió un camino en la mar. Tuvo también varias hijas, entre otras la ninfa Eidotea, que apareció a Menelao cuando regresando de Troya fue arrojado por los vientos a las costas de Egipto y le enseñó lo que debía hacer para saber de su padre Proteo como podría regresar a su patria.— Proteo era el guardián de los ganados de Neptuno, que se llamaban foques o terneras marinas, y su padre para recompensarle el esmero con que los cuidaba, le había dado el conocimiento de lo pasado, de lo presente y de lo futuro. Eidotea dijo a Menelao que, para conseguir que Proteo hablase, puesto que rehusaba contestar a cuantos le consultaban, era necesario sorprenderle mientras durmiese y atarle de modo que no pudiese escapar, dado que tomaba toda clase de formas para ahuyentar a los que se le acercaban, transformándose a veces en león, en leopardo, en jabalí y aun en agua, en árbol y en fuego, pero que si continuaban teniéndolo atado, volvía a su primera forma y respondía a todas las preguntas que se le hacían. Menelao siguió puntualmente las instrucciones de la ninfa y con tres de sus más valientes compañeros entró por la mañana en las cavernas donde Proteo acostumbraba descansar en medio de sus ganados. (V. Eidotea.) Menelao escogió el momento en que Proteo dormía para arrojarse sobre él, y con sus tres compañeros le estrecharon fuertemente entre sus brazos, redoblando sus esfuerzos cada vez que tomaba una nueva forma, hasta que por fin supo lo que deseaba. *Odis. 4.*— Aristeo, por consejo de su madre, se valió de los mismos artificios para saber de Proteo como podría reparar sus colmenas que habían quedado desiertas por haber perdido todas las abejas. *Virgil. Geórg.*

2 — Uno de los hijos de Egipto y Egiptia.

PROTERVIA. Sobras de los opíparos banquetes, que no se guardaban para el día siguiente, ni se entregaban a los esclavos, sino que se echaban al fuego, en clase de ofrenda o sacrificio.

PROTESILAO. Al día siguiente de sus bodas se separó de su tierna esposa para entregarse a una muerte cierta a favor de los griegos. *Higinio*, que le llama Ilao, dice que se unió a sus compatriotas y, a pesar de que un oráculo había predicho que el primer guerrero que saltara a las playas enemigas perecería, no habiendo quien osase exponerse a este peligro, se sacrificó por sus compañeros, siendo muerto por Héctor. Conon supone que Protesilao sobrevivió a la toma de Troya y que, obligado a detenerse en Sicione, edificó una ciudad del mismo nombre. En Cleonte, en el Queroneso, había un templo consagrado a este héroe.

PROTESILEAS. Fiestas o juegos que los griegos, a su vuelta de Troya, instituyeron en honor de Protesilao. Estos se celebraban en Filacea, patria natural del héroe.

PROTESILEÓN. Sepulcro de Protesilao. *Estrabón* lo coloca en el Quersoneso, frente del promontorio Síqueo. Los habitantes de áquellos lugares estaban persuadidos de que los álamos prodigiosos que había cerca del monumento los habían plantado las Ninfas.

PROTIAON. Padre de Astinoo, compañero de Polidamante. *Ilíada. 15.*

PROTIS. *Aristóteles*, le hace hijo de Euxénes, focio, y de Peta, hija de rey Nanno; y *Justino* (*l. 43, c.3.*) le llama esposo de esta misma, pero le da el nombre de Giptis. *V.* Peta.

PROTO. Nereida. *Ilíada. 18.*

PROTODAMANTE. Hijo natural de Príamo.

PROTOE. Amazona, había matado a siete enemigos en diversos combates y fue muerta por Hércules.

PROTOENOR. Hijo de Arilico, uno de los cinco capitanes que marcharon con los beocios al sitio de Troya, murió a manos de Polidamante. *Ilíada. 2.14.*

PROTOGENEA. Hija de Calidón y Eolia, tuvo de Marte un hijo llamado Oxilo. *Apolod. 1.*

PROTOGENIA o Protogenis. Hija de Deucalión y Pirra, y según otros hermana de Pandora, Júpiter tuvo de ella un hijo llamado Etlio, que colocado en el Cielo, y habiendo faltado al respeto a Juno, fue precipitado a los infiernos. *Apolod. 1, c. 7, Paus. 5, c. 1, Hig. f. 155.*

PROTÓGONOS, *primer nacido.* Sobrenombre de Eros, o bien el Amor én las poesías órficas. *Orf. Argon. 13.*

PROTOMEDEA. Nereida.

PROTOMEDUSA. Nereida.

PROTOMELIA. Nereida.

PROTOO. Hijo de Tenredón capitán griego, comandante de las cuarenta naves que condujeron a los magnetos al sitio de Troya. *Ilíada. 2.*

PROTOTHRONIA. Sobrenombre de Diana.

PROTRÍGEAS. Fiestas, antes de la vendimia, en honor de Baco y de Neptuno. R. *trix, trigos,* vino nuevo.

PROTYMATA. Especie de torta que precedía a los sacrificios que se ofrecían a Esculapio. R. *pro,* delante, *theyin,* sacrificar. *V.* Bous, Torta, Popana.

PROVEO o Prowa. (*Mit. escad.*) Dios de los juramentos. Se le reverenciaba cerca de Altembourgo, en Sajonia. Le representaban ordinariamente bajo la forma de un viejo, vestido con una cota de malla, teniendo en el pecho una cabeza de hombre con una larga barba.

PROVIDENCIA. (*Iconol.*) Tenía un templo en la isla de Delos. Los romanos la honraban como diosa y le daban por compañeras a Antevorta y Postvorta. La representaban coronada de laurel, los cabellos rizados y sosteniendo con la mano derecha un bastón con el cual parecía apoyarse. A su derecha estaba colocado un cesto lleno de frutos y a la izquierda un cuerno de la abundancia derribado. En muchas medallas romanas lleva en la mano derecha un globo y en la izquierda una asta transversal. Con frecuencia va acompañada del águila y los rayos de Júpiter, porque a este dios atribuían, particularmente los grecolatinos, la providencia que arregla el universo. (*Ant. expl. t. 1*.) Los modernos la simbolizan bajo la figura de una mujer coronada de espigas y racimos, que lleva en la mano izquierda un cuerno de la abundancia y en la derecha un cetro que extiende sobre del globo, indicio de los beneficios que la Providencia esparce sobre todo el universo. También se la ve con un timón en su mano y a sus pies un globo y un cuerno de la abundancia. Un ojo abierto en una esfera radiante sobre de la figura, designa que nada se le oculta. Cuando esta esfera está circuida de nubes es para denotar que los arcanos de la Providencia son impenetrables a los hombres. También es el símbolo de la Providencia, una hormiga que lleva en su boca tres espigas.

(*Mit. chin.*) En un templo de Toni-Chou-Jou había una estatua de la Providencia representada por una figura llena de gracia y dignidad, llevando en sus manos un disco, en el centro del cual había un ojo.

PROVNICOS. Fiestas que los nicolaitas daban a la madre de las potestades celestiales. Acordaron por unanimidad imputarle acciones infames a fin de autorizar con este pretexto sus propias impurezas.

PROVOCADORES. Gladiadores, adversarios de los homoplacos, iban, como estos, armados de toda especie de armaduras,

PROXENIDES. Fue elegido por los griegos juez en los juegos olímpicos.

PROXENOS y SEROTITE. Nombres que los griegos-malteses daban al gran sacerdote que presidía todos los años durante el equinoccio del otoño, la celebración de los misterios de Eleusis, que los griegos celebraban en una misma época en todas las ciudades, villas y aldeas. *Gualtieri, Inscript. Sicil. ant. n. 400, p. 63.*

PRUDENCIA. (*Iconol.*) Divinidad alegórica, a la cual los antiguos daban dos rostros para designar el conocimiento de lo pasado y el cálculo de lo futuro. Los egipcios la representaban a menudo por una gran serpiente con tres cabezas emblemáticas, una de perro, otra de león y otra de lobo: para indicar que unas veces es necesario olfatear como los perros, acometer como el león y retirarse como el lobo. Los modernos le dan por símbolo un espejo rodeado de una serpiente. *C. Rippa* le añade un casco, una guirnalda de hojas de mirto, un ciervo que rumia, y una flecha con una rémora. *Gravelot* la coloca sobre una basa, con un reloj de arena y un búho, símbolo de la reflexión. El libro que sostiene significa la utilidad de la instrucción, y describe la necesidad de tomar consejos por el apoyo que un añejo tronco de árbol presta al débil retoño.

PRUEBAS. Medios imaginados en los primeros tiempos medievales para descubrir la verdad en los casos dudosos. Estas pruebas se llamaban el *juicio de Dios*. Las más usadas eran cinco a saber, el duelo, la prueba por la cruz, por agua fría, por agua hirviente y por hierro candente. 1º) Se ponían en pie dos personas con los brazos extendidos en forma de cruz; y el que meneaba primero los brazos o el cuerpo perdía su causa. 2º) La prueba por agua fría consistía en arrojar al acusado en un gran y profundo cubo lleno de agua, después de haberle atado la mano derecha al pie izquierdo, y la izquierda al pie derecho. Si se hundía se creía inocente; si flotaba era señal que el agua que se había tomado la precaución de bendecir, le rechazaba en su seno; porque era demasiado pura, para contener un culpado. 3º) La prueba por agua hirviendo consistía en sumergir la mano en un vaso lleno de agua hirviendo para coger un anillo bendecido, en seguida se envolvía la mano del paciente con un lienzo sobre el cual el juez y la parte contraria estampaban sus sellos. Al cabo de ocho días se quitaba y si no había señales de quemadura se les absolvía. 4º) La prueba por hierro candente consistía en poner la mano en una manopla enrojecida al fuego, o más comúnmente en llevar una barra de hierro ardiente de tres libras de peso por espacio de diez o doce pasos. Se envolvía la mano del paciente como por la prueba del agua hirviendo, si tres días después no aparecía dañado por el fuego, era declarado inocente. En ciertos casos esta prueba consistía en caminar con los pies desnudos sobre carbones ardientes. Otra especie de prueba usada en las acusaciones de robo consistía en hace comer un pedazo de pan de cebada y de queso de cabra; las ceremonias que se celebraban sobre este pan y queso hacían creer que si el acusado era culpable no lo podía tragar y que le ahogaría.— Otras veces cuando un judío sospechaba de la fidelidad de su mujer, le conducía delante del sacrificador. Este le hacía beber cierta agua que la mataba si era culpable, y no la dañaba si era inocente. (*V.* Bosque.) — (*Mit. rab.*) Cuando un galo tenía las mismas sospechas sobre la virtud de su mujer, la obligaba a precipitar en las aguas del río los hijos sobrevenidos en el casamiento. Si los niños iban al fondo, la mujer era juzgada culpable, y como a tal condenada a muerte. Si los niños podían ganar la orilla nadando la madre era inocente.

La prueba del fuego estaba en uso en el reino de Siam, hasta bien entrada la Edad Moderna europea. Se hacía un foso en el cual se encendía una hoguera cuya cima se levantaba hasta el nivel de los bordes del foso. Cuando estaba cubierto de carbones ardiendo, se hacían pasar a los presuntos por encima con los pies descalzos. Aquellos cuyos pies salían dañados por el fuego eran tenidos por delincuentes. Existe en Siam otro modo de probar su derecho. Bajan las dos partes al agua deslizándose por lo largo de una pértiga donde cada uno se aguanta fuertemente. Permanecen de este modo con la cabeza sumergida en el agua, y el que está más tiempo en este estado, sale vencedor de la prueba. Algunas veces, para decidir un negocio, se recurre a unas píldoras que los talapones componen expresamente, y sobre las cuales pronuncian ciertas imprecaciones. Se hacen tragar a las dos partes una de estas píldoras, que son verdaderos vomitivos. Aquel que, dotado de un estómago más fuerte las retiene más tiempo, gana la causa. La más bárbara de las pruebas usadas en aquel país era la de los tigres. El rey les entregaba los litigantes y aquel que dejaban libre por más tiempo era considerado inocente. Si ambos eran devorados, ambos se consideraban culpables.—En la costa Malabar, para descubrir la verdad en los negocios criminales, se cubría la mano del acusado con una hoja de banano, y se le aplicaba un hierro candente, después de esto el superintendente de los lavanderos del rey envuelve la mano del acusado con una servilleta mojada en agua de arroz, y la ata con cordones; y el mismo rey aplicaba su sello sobre los nudos. Pasados tres días se desataba la mano del acusado y se le declaraba inocente si no se reparaba en ella ninguna señal del fuego, pero si salía lisiado, por poco que fuera, se le declaraba culpable y enviado al suplicio. Estos pueblos empleaban también la prueba del aceite ardiente.— Los tártaros habían llegado hasta el extremo de hacer creer a sus mujeres que, la que osase recibir pelo del oso de la mano del marido a quien ha ultrajado, sería devorada tres días después por el animal a quien pertenecía el pelo aunque fuese muerto.—Los habitantes de Ceilán practicaban también la prueba del aceite ardiente. *V.* Bali, Bonda.

**PSAFÓN.** Uno de los dioses que adoraban los lidios. Debió su divinidad a una estratagema: había enseñado a algunas aves a repetir estas palabras: *Psafón es un gran Dios,* y soltándolas en los bosques, las repitieron con tanta frecuencia que los pueblos llegaron a persuadirse que eran inspiradas de los dioses, por cuyo motivo tributaron a Psafón los honores divinos después de su muerte, de donde derivó el proverbio, *las aves de Psafón.*

**PSALASANTHE.** Ninfa que se enamoró de Baco; regaló a este dios una rica corona, mas viéndose despreciada y que su corona había pasado a la cabeza de Ariadna, su rival, se mató de desesperación y fue transformada en una flor que dicen lleva su nombre.

**PSALMOCHARES** o **PSALMOJARES,** *el que se complace en tocar el laúd;* epíteto de Apolo. *Antol.*

**PSALTES,** *el que toca el laúd;* epíteto de Apolo. *Antol.*

PSAMATE. 1 — Nereida a la cual Eaco, rey de Egina, hizo madre de Foco. *Met. 11. Apolod. 3, c. 12.*

2 — Hija de Crotopo, rey de Argos, tuvo de Apolo un niño que hizo exponer y fue devorado por los perros del rey. Apolo suscitó contra los argivos un monstruo vengador que arrancaba los niños del seno de sus madres, y los devoraba. *Paus. 1, c. 43.* (*V.* Coroebo.)

PSAMÉTICO. Rey de Egipto 640 años antes de la era vulgar. Este príncipe antes de llegar a ser el único soberano, fue otro de los doce grandes señores que gobernaban Egipto con igual autoridad. Un oráculo les había pronosticado que el primero de entre ellos que hiciese una libación con una copa de bronce llegaría a ser el único poseedor de todo el reino. «Sucedió, dice *Herodoto*, que el último día de una fiesta solemne, mientras que estaban todos reunidos en el templo de Vulcano para hacer una libación, el sacerdote que debía entregarles la copa de oro se equivocó de número y no distribuyó más que once. Psamético, que era el último, hallándose sin copa, se quitó su casco y se sirvió de él para las libaciones. Los otros señores se acordaron del oráculo, y para impedir los efectos hubiesen matado a Psamético, de no haber averiguado que este no tuvo ninguna culpa en el olvido del sacerdote. No obstante le despojaron de toda autoridad y le desterraron a un lugar desierto. Psametico consultó el oráculo de Latona, en Butis, que le contestó que "la venganza le llegaría por mar cuando se presentaran hombres de bronce". Le pareció no debía dar crédito a semejante respuesta; pero al cabo de algún tiempo habiendo sido arrojada a las costas de Egipto una tropa de jonios aparecieron armados con toda especie de armas y como en el país no habían visto nunca hombres de esta manera, dieron noticia a Psamético que habían desembarcado en las costas de Egipto hombres de bronce: el príncipe conoció el sentido de las palabras del oráculo, hizo alianza con estos extranjeros sirviéndose de ellos para hacerse dueño de todo Egipto.»

PSECAS. Ninfa de la comitiva de Diana. *Met. 3.*

PSEFOS. Adivinación, para la cual se valían de pequeños guijarros.

PSEUDODIXTERE. Templo antiguo en el que había ocho columnas en el frontis, otras tantas en la parte de atrás y quince a cada lado, contando las de las esquinas.

PSEUDOPERIPTERO. Templo en el cual las columnas de los lados estaban pegadas a los muros.

PSEUSISTIGES, *el que aborrece las mentiras*; epíteto de Apolo.

PSEUSTES, *el que engaña.*, epíteto de Baco.

PSIACOGES. Sacerdotes griegos consagrados al culto de los manes o más bien cierta clase de magos que hacían profesión de evocar las sombras de los muertos. La pitonisa de Endor que hizo aparecer a Saúl la sombra de Samuel, hacía profesión de esta clase de magia.

PSIAGOGUE. 1 — *conductor de las almas*; sobrenombre de Mercurio.

2 — *persuasiva*; epíteto de Pito, la diosa de la persuasión.

PSICODAIKTES, *el que destruye la vida*. Epíteto de Baco.

PSICODOTER, *el que da la vida*. Epíteto de Apolo. *Antol.*

PSICOMANTIA. Especie de adivinación o arte de evocar a los muertos. Las ceremonias que se usaban en la psicomantia eran las mismas que las de la necromancia.

PSICOPLANES, *que aparta el alma*. Epíteto de Baco. R. *planein*, apartar. *Antol.*

PSICOPOMPÓS, *que conduce las almas*. Mercurio. R. *pompein*, conducir.

PSILAS. Sobrenombre de Baco bajo el cual era adorado por los habitantes de Amidea, en Laconia.

PSIOLOTOXOTES. Pueblo imaginario de Luciano; iban montados en pulgas tan grandes como elefantes.

PSILOS. Pueblos de Libia cuya presencia hechizaba o encantaba al veneno más sutil de las serpientes más formidables. Pretendían curar de la mordedura de estos animales por medio de su saliva o solamente con el tacto. Para probar la fidelidad de sus esposas exponían a los niños recién nacidos a las culebras llamadas cerastes. Si eran fruto de adulterio, morían; pero si eran legítimos les preservaba la virtud que habían adquirido en la vida. *Herodoto* pretende que los antiguos Psilas murieron en la guerra que temerariamente emprendieron contra el viento del mediodía, indignados al ver secas sus fuentes y manantiales. *Luc. 9, Aul. Gel. c. 12. Plin. 7, c. 2, Estrab. 17, Diod. 51. Mem. de la Acad. de Inscr. t. 7. V.* Marses, salvadores de Italia.

PSIQUIS. Princesa joven y agraciada tan hermosa que aprisionó al mismo Amor con sus encantos. Quiso Cupido (Eros) casarse con ella y los padres de la princesa, que habían consultado el oráculo, la hicieron conducir a la cima de un precipicio, desde donde Céfiro por orden de Cupido la trasladó a un suntuoso palacio. Allí era servida por ninfas invisibles y tan solo oía voces que la llenaban de placer. Su esposo, que se juntaba con ella durante la noche y en medio de la oscuridad, y que se retiraba antes de rayar el alba, le había encargado muy particularmente que no entrase en deseos de verle. Por otra parte, la princesa había sabido por el oráculo que tendría un marido inmortal, más maligno que una víbora, y temido no sólo de los dioses si no que también de los mismos infiernos. Entre el mandato y la respuesta del oráculo venció la curiosidad. Psiquis determinó faltar a lo primero. Aguardó que su esposo estuviese durmiendo y entonces, levantándose con muchísimo cuidado, encendió la lámpara y con la luz que ésta despedía, vio en vez de un monstruo al hermoso Cupido; pero desgraciadamente cae sobre él una gota de aceite, despierta, y después de echar en Psiquis su desconfianza, se remonta por los aires y desaparece. La princesa, desesperada, quiso darse muerte, pero una fuerza irresistible la detuvo; era Cupido quien, a pesar de la falta cometida por su esposa, bien que invisible no la perdió nunca de vista. Deseosa Psiquis de volver a encontrarle importunó a los dioses con sus súplicas y aun determinó presentarse a la misma Venus, a pesar de que sabía que estaba altamente ofendida y avergonzada de que una mortal con su hermosura hubiese conquistado a su hijo. La Costumbre se encargó de presentarla a la diosa, la cual no contenta de ultrajar a Psiquis de palabra, la entregó a la Tristeza

y a la Soledad para que la atormentasen. Estas dos mujeres de la comitiva de Venus, para complacer a su señora, nada olvidaron de lo que podía aumentar la amargura de la desgraciada Psiquis. La diosa, cebándose en su rabia, le impuso además varios trabajos insoportables, la obligó a que le llevase un vaso lleno de una agua negra que manaba de una fuente guardaba por unos dragones furiosos, quiso que le trajese de unos lugares inaccesibles, donde pacían varios carneros, un copo de lana dorada; le mandó que dentro muy corto tiempo separase de un gran montón las diversas especies de semillas que contenía, por último le impuso la obligación de descender a los infiernos a inducir a Proserpina a que le entregase una porción de su hermosura encerrada en una caja. Este mandato fue el que más la entristeció; no sabía como cumplirlo, y se daba ya por perdida, cuando una voz la instruyó de repente de todo lo que debía practicar con la condición, sin embargo, de que no debía abrir la caja. Siguió Psiquis el consejo, pero cuando regresaba, movióla otra vez la curiosidad y aun la envidia de tomar para sí una parte de lo que contenía la caja, abrióla, e inmediatamente salió un vapor soporífero que la derribó llena de estupor, sin que pudiese levantarse. Cupido, que la había ayudado ya en los demás trabajos, corrió a su socorro y con la punta de una de sus flechas, la despertó, volvió a la caja el funesto vapor y se la entregó, mandando que la llevase inmediatamente a Venus.— Cupido, por último, se presentó a Júpiter y le rogó que juntase a los dioses para que determinasen sobre la suerte de su esposa. Esta asamblea fue favorable a Psiquis, pues se determinó que Venus consentiría en el enlace y que Mercurio trasladaría al cielo a la princesa. Psiquis fue bien acogida por los dioses y después de haber bebido el néctar y la ambrosía, obtuvo en recompensa la inmortalidad. Se celebraron finalmente las bodas en las que danzó la misma Venus. Psiquis tuvo de Cupido el Deleite.— (*Iconol.*) La representan con alas de mariposa en las espaldas. En varios monumentos antiguos se ve a Cupido, casi desnudo, abrazando a su esposa Psiquis.

PSITIROS, *la que se complace en chuchear*. Sobrenombre de Venus y de Cupido.

PSITOPODES. Pueblos imaginarios de Luciano, valientes y ligeros.

PSOFIS. 1 — Hija de Arrón, o según otros de Xanto o de Erex, rey de Sicania, que viendo a su hija embarazada por haberla conocido Hércules, la envió a su huesped Licortas, en Tegea, donde parió dos niños que se llamaron Equefronte y Prómaco, que en lo sucesivo dieron a la ciudad de Fegea el nombre de su madre.

2 — Ciudad de Arcadia célebre por el sepulcro de Alcmeón, hijo de Anfiarao.

PSOFOMEDES, *el que se complace en los gritos de las Bacantes*. Epíteto de Baco.

PTELEA. 1 — Ciudades de Grecia, la una en Tesalia y la otra en el Peloponeso, cuyos habitantes fueron al sitio de Troya. *Ilíada. 2.*

2 — Hamadríade.

PTELEÓN. Amante de Procris, la sedujo por el aliciente de una corona de oro y la obligó a huir de su esposo Céfalo, o más bien fue el mismo Céfalo, que disfrazado como Pteleón, intentó probar la fidelidad de su esposa.

PTERELAS. 1 — Hijo de Tafio y padre de una doncella llamada Cometo, que le hizo traición, por haberse enamorado de Anfitrión que quería conquistar la ciudad de Tafos y la comarca de donde Pterelas era rey. Cometo reveló a Anfitrión el cabello de oro que hacía inmortal a su padre y éste murió representando la ruina de su patria. Se le tenía por nieto de Hércules, quien le prometió la inmortalidad. *Apolod.2,c.4.*

2 — *Allado*. Uno de los perros de Acteón, *Met. 3.*

PTÓFAGO. Otro de los perros de Orión.

PTOLIPORTOS. 1 — Destructor de ciudades. Sobrenombre de Ulises.

2 — Hijo de Ulises que tuvo de Penélope después de su vuelta del sitio de Troya.

PTOLOMEO. Padre de Eurimedón, escudero de Agamenón.

PTONO. Personificación de la Envidia.

PTOUS. 1 — Hijo de Atamante y Temista, dio su nombre al templo de Apolo. *Herod. 8. c. 135.*

2 — Apolo, adorado en Acrefnia bajo este nombre, derivado del espanto que causó a Latona un jabalí, después que hubo dado a luz a Apolo y a Diana. R. *ptoein*, espantar. Antes de la expedición de Alejandro contra Tebas, este dios daba oráculos infalibles. *Plut.*

3 — Montaña de Beocia donde Apolo daba sus oráculos.

4 — Hijo de Apolo y Evipa, dio su nombre a la montaña citada en el artículo precedente.

PUBERTAD. La edad de pubertad, que se considera a los catorce años para los hombres y doce para las mujeres. Esta edad los romanos la celebraban con varias ceremonias, y sobre todo por un gran banquete que daban a los parientes y a los amigos. Cortaban los cabellos a los mancebos y echaban la mitad al fuego en honor de Apolo, y la otra al agua en honor de Neptuno, porque los cabellos crecen por medio de la humedad y del calor. En cuanto a las doncellas cuando habían llegado a esta edad, ofrecían a Venus sus muñecas y les quitaban la *bulla*, pequeño joyel de bolitas de oro que colgaba en su pecho.

PUBLICA. Sobrenombre bajo del cual la Fortuna tenía un templo en el monte Quirinal.

PUDICICIA. Los romanos hicieron de esta virtud una diosa que tuvo en Roma templos y altares. Se distinguía la Pudicicia en patricia o del orden senatorio, y en popular o de la plebe. La primera tenía un templo en la plaza que servía de mercado para la compra y venta de bueyes, y la otra en la calle que se llamaba la *Larga*. Este último lo mandó edificar una tal Virginia, de familia patricia, porque habiéndose casado con un plebeyo llamado Volumnio, que fue cónsul, las matronas patricias la echaron del templo, así es que dio a la diosa el nombre de Pudicicia Plebeya. Las mujeres que pertenecían al orden senatorial iban a este templo a tributar sus homenajes. Era representada en las medallas por una mujer sentada, vestida con *estola*, llevando en la mano izquierda una asta transversal, y señalando su rostro con el dedo índice de la derecha, para demostrar que una mujer púdica debe tener principalmente un particular cuidado en su rostro, su frente y sus ojos.

**PUDOR.** (*Iconol.*) Los griegos hicieron de esta palabra una divinidad. Según *Hesíodo* abandonó la tierra con Némesis, indignada de los vicios y corrupción de los hombres, por cuya razón se le representa con alas en un bajorrelieve de barro descrito por *Winckelman* en sus *Monumenti inediti*. En algunas medallas se la ve ocultándose el rostro con un velo. *V.* Icario.

«Júpiter formando las pasiones, las puso a cada una en un paraje o lugar separado, pero se olvidó del Pudor, de modo que cuando se presentó no sabía donde colocarse, y por esto le permitieron mezclarse entre todas las demás; y desde entonces fue su inseparable compañero. Es amigo de la verdad y enemigo de la mentira, cuando ésta se atreve a atacarlo; está particularmente unido con el Amor, pues le acompaña siempre, y algunas veces lo declara y lo descubre. Por fin el amor pierde sus encantos cuando no le acompaña el pudor.» En cierta ocasión preguntaba una sacerdotisa de Apolo: ¿Cuál era el color más hermoso y bello? Respondió el que da el pudor a las personas bien educadas. El encarnado que colorea a un rostro delicado y hermoso, es muy diferente del que producen la Vergüenza y el Despecho. Su tez brillante es el placer y delicia de los ojos y el encanto del corazón, la dulce modestia en sus miradas comunica una especie de emoción hasta en el fondo del alma que le sorprende sin que pueda ni tenga tiempo para defenderse. Los iconólogos le dan por atributo una flor de lis, pero parece que le estaría más adecuada la rosa, porque su color expresa más bien el del Pudor. También sirven en parte para caracterizar la modestia de su actitud y el velo blanco que la cubre.

**PUELLA.** Sobrenombre de Juno bajo el cual Témeno le levantó un templo en Estínfalo.

**PUERCO.** Los egipcios celebraban dos grandes fiestas en las cuales no se inmolaban otras víctimas. El puerco era sagrado entre los cretenses, porque creían que Júpiter había mamado de la leche de una marrana. Se inmolaba en los pequeños misterios de Eleusis, así como a Hércules entre los argivos, a Venus en las histerias; y en general por aquellos que querían curar o quedaban curados de una locura.

La marrana se inmolaba a Ceres, ya porque este animal parece haber enseñado a los hombres el arte de trabajar las tierras, por cuyo motivo se tenía por sagrado entre los egipcios o ya por el daño que causa a las cosechas, cavando o escudriñando la tierra. La inmolaban también en el día de las bodas, a causa de su fecundidad; y los que contrataban una alianza la ratificaban por el sacrificio de un puerco.

**PUERTA.** (*Mit. chin.*) Los tártaros manchues veneran un espíritu de la puerta, divinidad doméstica que creen puede impedir a la desgracia que entre en sus casas.

**PUERTAS DEL INFIERNO.** Estas son, según *Virgilio*, las dos puertas del Sueño, la una del cuerno y la otra del marfil. Por la primera pasan los sueños verdaderos y por la segunda, las vanas ilusiones. Eneas salió por la de marfil.

**PUERTO MALDITO.** Nombre de un puerto de donde salieron los cretenses para ir a saquear el templo de Delfos.

**PUGILATO.** Combate a puñetazos. Muchas veces se armaban de cestos que venían a ser un guante o manopla guarnecido de hierro o plomo y se guarecían la cabeza con una especie de casquete o gorro llamado *Amfiotide*, destinado para guardar las sienes y las orejas. Este último combate raramente concluía sin morir uno de los dos atletas, quienes llevaban solamente unos taparrabos. Adjudicábase la victoria al que obligaba a su contrario a declararse vencido.— Los etruscos se ejercitaban también en el pugilato, y se batían algunas veces desnudos y otras vestidos.

**PUGNO.** Hijo de Egipto.

**PULCRICLUNIA.** Sobrenombre de Venus.

**PULOLAH**, o Templo del Techo de Oro. Templo de Lama en Deshecho (o Deschecho). Estaba servido, según se dice, por más de ochocientos sacerdotes. Se veían en él muchísimas figuras de una mujer que tiene un niño entre sus brazos.

PULVINAR. Lecho donde se colocaban las estatuas de los dioses en los banquetes llamados lectisternos.

PUNCHAO. (*Mit. peru.*) *Señor del día, autor de la luz.* Nombre que los peruanos daban al gran dios.

PUÑAL. (*V.* Calíone, Dido, Discordia, Melpómene.)

PUONZU. (*Mit. chin.*) Nombre del primer hombre, siguiendo a algunos letrados chinos. *V.* Cosmogonía de los chinos.

PURANAS (*Mit. índ.*) Comentarios de los brahmanes sobre los Vedas. Consisten en verdaderos poemas y son en número de diez y ocho que comprenden toda la historia de los dioses del país. Diez son consagrados a cantar las alabanzas de Siva, su superioridad sobre los demás dioses, la creación del mundo por su voluntad, sus milagros y sus guerras; estos diez poemas se componen de trescientas mil estrofas o versículos. *Sonnera* los llama: *Saivon, Paoudigon, Maharcandon, Ilingon, Candon, Varagon, Vamanou, Matchion, Courmon* y *Peramandon.* Los otros cuatro son honor de Visnú; a estos les da el mismo viajante los nombres de *Garoudon, Naradion, Vaichenavon* y *Bagavadon.* El quince y dieciséis, que son el *Padoumon* y el *Peramon* están dedicados en honor de Brahma. Los dos últimos esto es, el *Peramacahivaton* y el *Aghineon,* celebran al Sol y al Fuego bajo el nombre de Agni, el uno como dios que vivifica y el otro como dios que destruye.

PURGATORIO DE LOS CALMUCOS. Los berrits que lo habitan se parecen a tizones ardientes y sufren sobre todo la sed y el hambre. Los que quieren beber, inmediatamente se ven rodeados de sables, lanzas y cuchillos; a la vista de los alimentos su boca se estrecha hasta reducirse como un ojo de águila, su garganta no conserva mas que el diámetro de un hilo y su vientre se alarga y se extiende sobre sus muslos como un paquete de pajuelas, su alimentos ordinarios se componen de chispas e inmundicias. Algunas veces se les acercan árboles cargados de hermosos frutos; pero apenas quieren cogerlos, se alejan, o si por desgracia llegan a alcanzar alguno de los frutos, no encuentran en él más que ceniza y polvo.

PURGATORIO DE LOS JUDIOS. (*Mit. rab.*) Los judíos reconocen una cierta clase de purgatorio que dura todo el primer año que sigue a la muerte de una persona. Según ellos, puede el alma, durante estos doce meses, ir a visitar su cuerpo y volver a ver los lugares y personas que más haya querido durante su vida. Dan al purgatorio los nombres de *Seno de Abraham, Tesoro de los vivientes, Jardín de Edén* y *Jehena superior* por oposición al infierno que llaman *Jehena inferior.* El día del sábado, según ellos, es en el que se sacan las almas del Purgatorio, y el día de solemne expiación.

PURIFICACIÓN. Práctica religiosa muy común entre los antiguos que la llamaban ablución, expiación o lustración. Había de dos clases; generales y particulares, que pueden considerarse como ordinarias y extraordinarias. Las purificaciones generales ordinarias se practicaban cuando en una asamblea, antes de los sacrificios, un sacerdote, después de haber mojado una rama de laurel o un tronco de Verbena en el agua lustral hacía la aspersión al pueblo. Las purificaciones generales extraordinarias se verificaban en las épocas de peste, de hambre o de alguna otra calamidad pública, y entonces estas purificaciones eran crueles y bárbaras en particular entre los griegos. Escogían a aquel de los habitantes de una ciudad que tenía el aspecto más feo o que era más deforme, lo conducían con pompa triste y lúgubre al lugar del sacrificio y después de varias prácticas supersticiosas o le inmolaban, o le quemaban y arrojaban sus cenizas al mar.—Las purificaciones particulares ordinarias eran muy comunes, y consistían en lavarse las manos con agua común, cuando este acto se hacía en particular, y con agua lustral al entrar en los templos y antes de los sacrificios; los que pretendían adquirir más pureza se lavaban la cabeza, los pies y hasta todo el cuerpo, inclusos los vestidos. Estaban obligados a ello los sacerdotes cada vez que tenían que entrar en las funciones de su ministerio;

además debían observar varias prácticas austeras durante muchos días antes de la ceremonia religiosa; tales como evitar cuidadosamente toda clase de impurezas y privarse hasta de los placeres permitidos e inocentes.— Las purificaciones particulares extraordinarias, las usaban los que habían cometido algún crímen atroz, como el homicidio, el incesto, el adulterio etc. Estos eran purificados por unos sacerdotes llamados *Farmaques*, quienes les hacían aspersiones de sangre les frotaban con una especie de cebolla, y les ponían un collar de higos.

PUROS. (Dioses) En Pallancium, ciudad de Arcadia, se veía en una eminencia un templo levantado en honor de estas divinidades, por las cuales acostumbraban a jurar en los negocios importantes, pero estos pueblos ignoraban cuales eran estos dioses, o bien, si lo sabían, lo tenían por un secreto que no descubrían a nadie.

PÚRPURA. Este hermoso color fue descubierto por el perro de Hércules, que habiendo comido el pescado llamado *pureix*, le quedó teñida la garganta de púrpura. La brillantez de este color gustó tanto a la favorita de este héroe que le amenazó con abandonarlo si no le traía un ropaje igual.

PÚRPUREO. Uno de los gigantes hijo de la Tierra, del cual los romanos, según refiere *Nevio*, hallaron imágenes entre los cartagineses durante la guerra púnica.

PURRIKKEH. (*Mit. índ.*) Prueba por medio del agua y del fuego usada por los indios para descubrir las cosas ocultas.

PUTA. Diosa romana invocada por los que podaban los árboles. R. *Putare*, poder. *Banier.t.1*.

PUTEAL. Paraje donde había caído el rayo el cual se consideraba como sagrado. Se diferenciaba del *bidendal*, en que el rayo se había enterrado en este lugar *quasi inputeo*, como en un pozo. Le rodeaban de una empalizada y levantaban un altar en honor de Júpiter Fulgurador, del Cielo del Sol y de la Luna. *Hor. l. 2, sat. 6.*(*V.* Bidendal.)

PUTEORITAS. (*Mit. rab.*) Secta judaica cuya superstición consistía en tributar honores particulares a los pozos y fuentes.

PUZZA. (*Mit. chin.*) Divinidad que se cree es la misma que la Isis y la Cibeles de los egipcios. La representaban sentada en una flor de lotos o en el heliotropo. Tenía diez y seis brazos y llevaba en cada mano un gran número de cuchillos; de espadas, de libros, frutos, flores, plantas, jarros y redomas. Los bonzos contaban de esta diosa varias leyendas. Decían que habiendo entrado tres ninfas en un río para bañarse, la hierba llamada *viciaria* o *lotus aquatica* comenzó a abrirse de repente sobre el ropaje de una de estas ninfas, e hizo brillar a sus ojos su fruta de coral. La hermosura y el color encarnado de esta fruta, hicieron concebir a la ninfa el deseo de gustarla, y por una virtud particular quedó preñada. Parió un hijo, lo educó y cuando llegó a la edad de la adolescencia lo abandonó y se volvió al cielo. Según *Kircher*, esta diosa Puzza es el emblema de que se servían los chinos para expresar el poder y la fecundidad de la naturaleza.

PYGMÆA MATER. Pigas, reina de los pigmeos.

QUAAYYAYP. (*Mit. amer.*) *Hombre*, uno de los tres hijos de Niparaya, dios de los ednos o pericueros meridionales, pueblo de California, y de su mujer *Anayicoyondi*, que lo parió en las montañas. *Quaayayp* estableció su domicilio entre los indios meridionales con el fin de instruirse. Era muy poderoso y llevaba en su comitiva un gran número de gentes. Finalmente los indios le mataron por animosidad y le coronaron de espinas. Su cuerpo no se ha corrompido y conserva toda su hermosura; arroja continuamente sangre; no habla porque está muerto, pero hay un mochuelo que le habla.

QUADRATUS DEUS. 1 — El dios Término: se le veneraba algunas veces bajo la forma de una piedra cuadrada.

2 — Se daba también este nombre a Mercurio en el mismo sentido que *Quadriceps. Banier.t. 4*.

QUADRIBACIUM. Cierta clase de collar compuesto de piedras preciosas y llamado así tal vez porque constaba de cuatro cordones. Una estatua de Isis, de la cual no se encontró más que el pedestal, estaba adornada de un quadribacium compuesto de treinta y seis perlas y veinte esmeraldas.

QUADRICEPS, *el que tiene cuatro cabezas*. 1 — Sobrenombre de Mercurio como dios de la artimaña y de la doblez.

2 — Jano.

QUADRIFONS, QUADRIFORMIS, *el que tiene cuatro rostros*. Epíteto de Jano considerado como dios del año, porque éste está dividido en cuatro estaciones; o porque el mundo está dividido en cuatro partes, y porque algunos dan crédito que Jano era el mundo, L. Cátulo le erigió bajo este nombre un templo sobre la roca Tarpeia.

QUADRIGAE (*Cuádrigas*) Carros tirados por cuatro caballos de frente, cuya invención se atribuye a Erictón. Los griegos y los romanos se servían de estos carros en sus juegos y en sus triunfos. Era también un suplicio del que Hércules dicen que fue el autor. Según *Cicerón* los quadrigæs formaban un atributo de la Minerva engendrada de Júpiter y de la Ninfa Corifea, hija del Océano, que los pueblos de Arcadia llamaban Coria.— En varias cabezas de Minerva se ve un casco guarnecido de un quadrigæ. Según *Tertuliano*, eran consagrados también al Sol.

QUADRIGARII. Conductores de los quadrigæs.

QUADRIVII. Dioses que presidían las encrucijadas.

QUARTUM VIRS. Eran nombrados para la inspección y la policía de las calles y figuraban en las procesiones de la pompa romana.

QUATERNARIUS NUMERUS. El número cuatro era venerado por los pitagóricos porque con el número tres forma el siete, al cual atribuían muchas virtudes. El número cuatro estaba consagrado a Mercurio porque este dios nació el día cuatro del mes. *Plut.*

QUEBRANTO. Mal que se comunicaba por medio de las miradas, y en particular a los niños y a los caballos. Esta palabra es portuguesa *V.* Mal de ojo.

QUEDARA-VOURDON. (*Mit. índ.*) Fiesta que se celebra en el plenilunio de noviembre, en honor de la diosa Paroadi.

QUERCENS. Guerrero rútulo.

QUERQUETULANES. Ninfas que presidían la conservación de los robles; de *quercus*. Eran lo mismo que las dríadas.

QUERQUETULANO. Nombre primitivo del monte Celio, que estaba cubierto de robles. *Tác. Anal. 4, c. 65*.

QUESTORIO. Juegos dados por los questores. *Banier. t. 8*.

QUETZALCOALT. (*Mit. mex..*) Nombre que los antiguos mejicanos daban al dios que presidía el comercio. Era su Mercurio. Los comerciantes celebraban en su honor una fiesta anual, como que concluía con quitar la vida a un esclavo, después de haberle honrado por 15 días consecutivos, como si fuese el mismo dios. Estaban persuadidos que había pronosticado la llegada de los españoles a México y la destrucción de este floreciente imperio. El último emperador Moctezuma, creyó que Hernán Cortés era el propio Quetzalcoalt reencarnado. El culto que se le tributaba era sanguinario, como el de la mayor parte de las divinidades mejicanas. Además del gran número de víctimas humanas que inmolaban en honor suyo, los devotos para complacerse se hacían varias incisiones en algunas partes de su cuerpo prolongando su sacrificio tanto como consideraban al dios. Como héroe civilizador es de origen tolteca. Representado como la serpiente emplumada.

**QUEY.** (*Mit. chin.*) Nombre de los espíritus malignos entre los chinos. *V.* Chin-Hoan, Xin.

**QUIATRI.** (*Mit. índ.*) Nombre bajo el cual Visnú se encarnó en pastor negro, fue su nona encarnación. Este nombre es el mismo que Crisnen. Critnen, Crixnon, Kresna, Krisna, palabras que significan *negro* — *V.* Visnú.

**QUIES.** Diosa del descanso. Era adorada en Roma; donde le habían erigido un templo cerca de la puerta Colina y otro fuera de la ciudad, en el bosque llamado *Lavicana*. A sus sacerdotes se les daba el nombre de *silemosos. Tito Liv. 4, c. 4,1.*

**QUIESCERENT PLACIDE** ¡Que en paz descanse! Exclamación piadosa que los romanos hacían en favor de los muertos, cuyos sepulcros se encontraban en los caminos.

**QUIETALIS.** Sobrenombre de Plutarco, de *quies*, descanso; porque la muerte nos hace gozar de una tranquilidad profunda.

**QUIETORIUM.** Era la urna donde descansaban los muertos. *Ant. expl. t. 5.*

**QUILLA.** (*Mit. peru.*) Nombre de la Luna entre los peruanos, los cuales participaban de las mismas de los griegos y de los romanos. La Luna enfermaba al principiar el eclipse; y si éste era total era muerta o estaba muriéndose. *V.* Eclipses.

**QUIMERA.** Monstruo nacido en Licia, de Tifón y Equidna, y educado por Amisodar. Tenía la cabeza de león, la cola de dragón y el cuerpo de cabra; su boca abierta vomitaba torbellinos de llamas y de fuego. Belerofonte combatió contra este monstruo por orden de Yobates y lo mató. Era éste, según se cree, un monte de Licia que *Ovidio* llama chimerifera. En su cima había un volcán, a cuyo alrededor se veían leones, y a su pie algunos pantanos infestados de serpientes. Belerofonte, fue según parece, el primero que lo hizo habitable. *Plinio* dice que el fuego del volcán ardía hasta en el agua y que sólo podía apagarse con tierra. Otros mitólogos dan a la Quimera la forma de un león por delante, de dragón por detrás, y el medio del cuerpo de cabra, y la explican por medio de los nombres de tres capitanes de los Solimos: *Ari,* león; *Azal* o *Urzil,* cabra; *Teobau,* dragón. Otros suponen que la quimera fue una nave de piratas cuya proa llevaba la figura de león, el cuerpo de una cabra, y detrás el de una serpiente.

**QUIMERAS.** El autor del *Diabotano* les señala un lugar en los infiernos, en esta ficción ingeniosa.

Bajo un cielo nebuloso y cubierto siempre de nieblas, entre el Tártaro y los campos Elíseos, hay un lugar medio, donde bajo formas aéreas habitaban los seres fantásticos y frívolos que producen el error y la locura de los hombres. Allí hay los proyectos vanos y quiméricos, las ciencias dudosas o absurdas, los sistemas fútiles y vacilantes, la astrología judiciaria, la falsa y bárbara lógica, la alquimia o la filosofía hermética. Allí se encuentran todas las locas opiniones de los genios elementales de los redivivos, de los duendes, las larvas y los trasgos, la fe de los sueños y de los augurios, la virtud de los anillos hechos bajo ciertas constelaciones, de los talismanes y de los amuletos. Allí hay también las huecas hipótesis, las del origen de los vientos, del flujo y reflujo del mar y de la redondez de la tierra; todos los desvaríos de los peripatéticos, las cualidades ocultas de la atracción, el proyecto de hacer una rápida fortuna con la más exacta probidad y el de hacer por medio de escritos de moral, o burlas satíricas, a los hombres o más virtuosos o menos ridículos.

**QUÍMICA.** (*Mit. mah.*) 1 — La química, según los persas, es una ciencia que saca lo más sutil de los cuerpos terrestres para servirse de ello en usos mágicos. Suponen inventor de esta negra ciencia a Cairón, el Coré del *Pentateuco*, que dicen que la aprendió de Moisés. *Chardin.*

2 — (*Iconol.*) *Cochin* la ha figurado por una mujer en una laboratorio, ocupada en hacer experimentos, y rodeada de hornillos.

**QUINDECENVIROS.** Nombre de los quince magistrados nombrados para consultar los libros de las Sibilas. Pero estos libros que según se creían contenían los destinos del pueblo romano, fueron quemados en el año 670 con el Capitolio donde estaba guardado. Se despacharon después de este acontecimiento, embajadores por todas partes a fin de buscar oráculos de las Sibilas y los quindecenviros compusieron otros que Augusto hizo custodiar en el pedestal de la estatua de Apolo Palatino. En la época de Tarquino, los quindecenviros no eran más que dos, después se aumentaron hasta diez y en tiempo de Sila llegaron a quince. Para su creación se observaban las mismas ceremonias que para la de los pontífices. Estos magistrados estaban también encargados de la celebración de los juegos seculares y de los apolinarios. El número aumentó hasta sesenta y finalmente su sacerdocio fue abolido imperando Teodosio, por orden del cual Estilicón quemó los libros sibilinos en el año 389 de J.C. Las hijas de los quindecenviros estaban exentas de entrar vestales. Estos sacerdotes eran propiamente hablando, los de Apolo, y por la misma razón guardaban la *cortina* o trípode sagrado.

**QUINQUATRIS.** Nombre dado a dos fiestas de Minerva. La primera se celebraba el 19 de marzo y duraba cinco días. En el primero no había combates ni efusión de sangre por ser el del nacimiento de la diosa; en los cuatro restantes había combates de gladiadores en el circo o en el anfiteatro para honrar la divinidad que preside la guerra. la segunda fiesta llamada *Quincuatria minora.* Se celebraba el 13 del mes de junio y duraba un día, y según otros, tres, y era particular a los tocadores de flauta.

2 — Juegos que Domiciano instituyó en honor de Minerva. Se renovaban cada año y se celebraban en el monte de Aiba.

**QUINQUENALES.** 1 — Juegos que se celebraban en honor de los emperadores. Augusto fue su inventor. estos juegos se asemejaban a los juegos olímpicos de los griegos.

2 — Juegos establecidos en Tiro a imitación de los olímpicos.

3 — Juegos que los habitantes de Quios celebraban cada año en honor de Homero.

4 — (Votos) Se daba ese nombre en Roma a las promesas que consistían en ciertas ofrendas que se aseguraban a los dioses, si, cinco años después, la república se encontraba en el mismo estado que antes. *Tito Liv. 27, c.33; l.30. c. 27; l.31, c. 9.*

**QUINQUERTIO.** Atleta, el que ejercía cinco clases de juegos. *Ibid. t. 3.* (V. Pentatlón.)

**QUINQUEVIROS.** Colegio de los sacerdotes destinados a hacer los sacrificios por las almas de los muertos. Una inscripción nos advierte que se llamaban quinqueviros de los misterios y de los sacrificios del Erebo. *Ant. expl.t.5.*

**QUIO.** 1 — Ninfa hija del Océano, dio su nombre a la isla de Quios, en el día Seio.

2 — Hijo de Apolo y Anatripte, dio su nombre a la isla de Quios.

**QUIONEA.** 1 — Hija de Dadalión, amada de Apolo y Mercurio, con los cuales se casó teniendo del primero a Filamón, gran tocador de laúd, y del segundo a Antólico, célebre fullero. Envanecida de su hermosura tuvo la presunción de preferir su fecundidad a la castidad de Diana. Esta diosa para castigarla le atravesó la lengua con un flechazo, de cuya herida murió poco tiempo después. *Met. 11.*

2 — Hija de Boreas y Orotia, madre de Eumolpo, y según otros de Príapo. Arrojó al primero al mar; pero le salvó, Neptuno su padre. *Apol. 3. c. 15.*

QUINTILIANOS. Los lupercales estaban divididos en tres colegios, a saber: de los fabios, los quintilianos y los julinos. El de los quintilianos había tomado su nombre de P. Quintilio, que fue el primero que estuvo al frente de este colegio.

QUIRIM. Piedra maravillosa que, según los demonógrafos, colocada sobre la cabeza de un hombre dormido, le hace decir todo lo que piensa. Esta piedra, añaden, se encuentra en el nido de las abubillas, y la llaman ordinariamente *la piedra de los traidores*.

QUIRINAL. Montecillo o colina que hay cerca de Roma; se le daba este título de Quirino, sobrenombre de Rómulo, que tenía un templo erigido en él. *Tito Liv. Met.*

QUIRINALES. Fiesta instituida por Numa en honor de Quirino, que se celebraba el día 13 antes de las calendas de marzo. Se le llamaba fiesta de los locos, porque los que no habían podido solemnizar las Fornacales, o que habían ignorado el día de su celebración, para expiar su falta o su locura, sacrificaban a Quirino. *Banier. t. 1,5.*

QUIRINALES FLAMEN. Gran Pontífice de Quirino. Debían pertenecer a la clase de patricios.

QUIRINO. Dios de los antiguos sabinos; le representaban bajo la forma de una hacha o pica, llamada en su idioma *quiris*. Los sabinos, junto con los romanos, dieron este nombre a Rómulo, elevado a la clase de los dioses, porque había sido un célebre guerrero, y para apoyar la fábula que le hacia hijo de Marte, Numa su sucesor, le señaló un culto particular. *Tito Liv.1, c.20; l. 4, c.21; l. 5, c. 52, l.8, c. 9, l. 10, c.46. Plut. Ovid. Fast.2.*

2 — Sobrenombre de Júpiter y Marte.

QUIRIS QUIRITA. Juno llamada así por las casadas, que la invocaban por protectora. Algunos hacen derivar este nombre de ciertas ceremonias que se usaban en las bodas que presidía Juno como diosa tutelar de las mujeres encinta y de los partos. Otros dicen que este sobrenombre provenía de que todos los años se preparaba a Juno una comida pública en cada curia. *Plut.*

QUIROMANCIA. Adivinación por medio de las líneas de la palma de la mano. Se pretendía conocer por la inspección de estas líneas, las inclinaciones de los hombres, apoyados en que las partes de la mano, tienen relación con las internas, el corazón, el hígado, etc. de donde dependen, en mucho, dicen los quiromantes, las inclinaciones de los hombres. Esta se llamaba *Quiromancia Física*. La *astrología* examina las influencias de los planetas sobre las líneas de la mano, y cree poder determinar el carácter de una persona y predecir lo que debe acontecerle calculando los efectos de estas influencias. Estas clases de adivinaciones han estado muy en uso, y duran aún hoy día.

QUIRÓN. Plutarco le llama el sabio, nació de los amores de Saturno, transformado en caballo, con Filgre. Cuando fue mayor se retiró a los montes y los bosques, en los cuales cazando con Diana, adquirió el conocimiento de los simples y de las estrellas. Vivía este centauro antes de la conquista del Vellocino de oro y del sitio de Troya. Su gruta, situada al pie del monte Pelión, vino a ser la escuela más famosa de toda Grecia. Céfalo, Esculapio, Melanión, Néstor, Anfiarao, Peleo, Telamón, Meleagro, Teseo, Hipólito, Palamedes, Ulises, Muesteo, Diómedes, Cástor y Pólux, Macaón y Pedaliro, Antíloco, Eneas y Aquiles, el más célebre de todos, del cual como abuelo materno tomó un cuidado particular, fueron, según *Jenofonte*, sus discípulos. Se pueden aun juntar a estos los nombres de Baco, Fénix, Cócito, Aristeo, Jasón y su hijo, Medea. Ayax y Protesilao. Enseñó a todos estos héroes la medicina, la cirugía, de la cual tomó su nombre por su habilidad en las operaciones (R. *cheir*, mano), y la astronomía. El fue también quien compuso el calendario que sirvió a los Argonautas en su expedición. Baco, el griego, parece haber sido el discípulo favorito de Quirón, quien le enseñó las orgías, las bacantes y todas las ceremonias del culto de Baco. Según *Plutarco*, Hércules aprendió en su escuela la medicina, la música y la justicia. Condujo el talento de la música hasta el punto de sanar las enfermedades con los sones de su lira y el conocimiento de los cuerpos celestes, hasta saber evitar o prevenir sus funestas influencias hacia la humanidad. Se le atribuyen varias obras, entre ellas uno de los preceptos en verso para la instrucción de Aquiles, y un tratado de las enfermedades de los caballos. *Apolodoro* dice que vivió hasta después de la expedición de los Argonautas, en cuya época tenía algunos nietos. En la guerra que Hércules hizo a los centauros, éstos, esperando mitigar el furor del héroe con la presencia de su antiguo maestro, se retiraron a Malea, donde Quirón vivía en su retiro: sin embargo Hércules no dejó de atacarles y, habiéndose desviado una de sus flechas untada con la sangre de la hidra de Lerna, hirió la rodilla de Quirón. Desesperado, Hércules voló en su socorro y le aplicó un remedio que su antiguo maestro le había enseñado; pero el mal era incurable, y el desgraciado Quirón, sufriendo dolores insoportables, rogó a Júpiter que terminase sus días. El padre de los dioses, movido de su desgracia, hizo pasar a Prometeo la inmortalidad que gozaba como hijo de Saturno, y colocó a Quirón en el Zodíaco, donde formó la constelación del Sagitario. *Ovid. Higin. Ibíd. l, 1. Paus. 3, c 18; l. 5, c.19; l. 9, c. 31. Apolod. 2, c. 5, l. 3,1.3.*

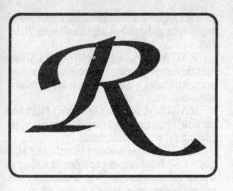

RABANITES. (*Mit. rab.*) Se da este nombre a los judíos que han adoptado las tradiciones de los fariseos llamados Ralbanim. Por lo mismo se distinguen de los caraitas, que se afirman principalmente en la Escritura.

RABBANI o Raboni. (*Mit. rab. y mah.*) Maestro, doctor. Los judíos y los mahometanos dan este nombre a los doctores que juzgan más sabios y más devotos.

RABDÓFOROS. Oficiales establecidos en los juegos públicos de Grecia para mantener el buen orden. Su nombre deriva de la varilla que llevaban en la mano.

RABDOMANCIA. Adivinación que se practicaba con las varillas, y que estaba en uso entre los hebreos. Los escitas y los balcánicos adivinaban por medio de ciertas ramas de mirto y de sauce. Los germanos cortaban en varios pedacitos una rama de arbol frutal y los machacaban con ciertos caracteres, arrojándolos luego a la suerte sobre un paño blanco.

Esta adivinación tiene alguna analogía con la belomancia. Algunos autores atribuyen su invención a las ninfas nodrizas de Apolo.

RABDU ANALEPSIS, recepción o elevación de la rama. Fiesta aniversaria en la isla de Cos. El sacerdote llevaba un ciprés tierno.

RABINOS. (*Mit. rab.*) Doctores de los judíos. Sus principales funciones consisten en predicar en la sinagoga, hacer las oraciones públicas e interpretar la ley: tienen el poder de atar y desatar; esto es de declarar lo que es permitido o prohibido. Cuando la sinagoga es pobre y corta no hay más que un rabino que ejerce a un mismo tiempo las funciones de juez y doctor, pero en las numerosas y ricas establecen tres pastores y una casa o tribunal, donde se deciden todos los negocios civiles.— Los rabinos tienen el derecho de crear nuevos rabinos. Enseñan que antiguamente todo doctor podía dar este título a su discípulo; pero después del tiempo de Hillel se despojaron de este poder.

RABOTE. (*Mit. rab.*) Los judíos dan este nombre a ciertos comentarios alegóricos sobre los cinco libros de Moisés. Estos comentario tienen gran autoridad entre ellos y son considerados como muy antiguos. Los judíos pretenden que fueron compuestos hacia el año 30 d. C. Contienen una colección de explicaciones alegóricas de los doctores hebreos, entre las cuales se encuentran algunas fábulas.

RACAXIPE VELITZLI. (*Mit. mex.*) Nombre que los mejicanos daban a los sacrificios que hacían a sus dioses en ciertas fiestas y que consistían en desollar a varios cautivos. Esta ceremonia se hacía por sacerdotes que se revestían de la piel de la víctima y corrían de este modo por las calles de Méjico para obtener las liberalidades del pueblo.

RACENFORT, o Reafort. El oriflama de los dinamarqueses; lleva bordada la figura de un cuervo, trabajado por las hijas del rey *Regner Lodbroch*. Estos pueblos se creían que con este estandarte eran invencibles.

RACIMO. (*Iconol.*) Los antiguos daban a Baco y a las bacantes una corona compuesta de pámpanos y racimos. El racimo en la pintura y escultura denota la abundancia, la alegría y un país fértil en buenos vinos.

RACIO. Cretense, casó con Manto, hija de Tiresias, y la hizo madre de Mopso. *Paus. 7, c. 3.*

RACIONAL. Pedazos de tela cuadrada de un tejido muy rico que el gran sacerdote de los judíos llevaba en el pecho, y que estaba adornado de cuatro órdenes de piedras preciosas, sobre cada una de las cuales estaba grabado el nombre de una tribu.

RADAMANTO o Radamante. Hijo de Júpiter y Europa. Habiendo matado a su hermano Minos, se refugió en Calea de Beocia donde casó con Alcmena viuda de Anfictión. Adquirió la reputación de príncipe; el más virtuoso y el más modesto de su tiempo, pasó a establacerse según unos en Licia, y según otros, en alguna de las islas del archipielago en la costa de Asia donde hizo varias conquistas, más por la sabiduría de su gobierno que a fuerza de armas. Era tal la opinión que se había formado de su equidad que, cuando los antiguos querían expresar una sentencia justa, aunque fuese severa, la llamaban *Juicio de Radamanto*. El es, dice *Virgilio*, el que preside el Tártaro donde ejerce un poder formidable: el que se informa de los crímenes y los castiga con severidad. Comúnmente se le representa con un cetro en la mano, sentado en un trono cerca de Saturno en las puertas de los campos Elíseos. *Odis. 4, Met. 9, Paus. 8, Diod. 5.*

RADEGASTE. (*Mit. eslav.*) Idolo que los eslavos varaugues o varegos consideraban como divinidad tutelar de la ciudad. Su pecho estaba cubierto de una égida, donde se veía representada la cabeza de un buey; tenía su mano izquierda armada de una lanza y su casco sobrepujado de un gallo con las alas extendidas. En Prono y en Seva se le sacrificaban con frecuencia cristianos prisioneros y, cuando se les inmolada, el sacerdote gustaba de su sangre, que, según se creía, le inspiraba más energía para predecir lo venidero. Este sacrificio era seguido de un banquete, de música, y de danzas, que formaban parte de la ceremonia.

RADI; (*Iconol.*) *Desarreglo.* (*Mit. índ.*) Esposa de Manmadín, dios del amor. Los indios la representan bajo la figura de una mujer hermosa arrodillada sobre un caballo y lanzando una flecha.

RADIAL. (*Corona*) Se la daban a los príncipes cuando los deificaban.

RÁDIO. Hijo de Neleo.

RAFAZIS. Esto es, infiel (*Mit. mah.*). Los turcos daban este nombre a los persas que seguían una interpretación del Alcorán un poco diferente de la suya.

RAFRAIL. (*Mit. mah.*) Tal vez Rafaïl (Rafael), que los musulmanes dicen ser el ángel que gobernó el séptimo cielo. *Bibl. Orient.*

RAGAS o Pasiones. (*Mit. índ.*) Sistemas de tonos musicales que los indios han personificado, y que suponen ser genios o semi-dioses.

RAGIBOURAIL. (*Mit. afr.*) Nombre particular de un ángel de primer órden, en Madagascar. *V.* Malaincha.

RAGINIS, o Pasiones Hembras. (*Mit. índ.*) 1 — Ninfas que presiden la música; son en número treinta. Sus funciones y sus propiedades están descritas extensamente por los poetas.

2 — Los calmucs o calmucos dan este nombre a las divinidades hembras que habitan en la morada de la Alegría, de donde se escapan para ir a socorrer a los desgraciados. En las invocaciones, se las confunde bajo el nombre general de burchanes. No son todas buenas, una de ellas, especialmente la Furia de los calmucs, es contada en el número de las ocho divinidades terribles.

RAGNAROKUR. *Crepúsculo de los dioses.* (*Mit. escand.*) Este tiempo será anunciado por un frío riguroso y un invierno cruel; todo el universo estará en guerra y en discordia; el hermano degollará al hermano, el hijo se armará contra su padre y las desgracias se sucederán unas a otras hasta la caída del mundo.

RAGOU y QUEDOU. (*Mit. índ.*) Cabeza de dragón. Estas dos estrellas cuyo nombre parece probar que la astronomía nos viene de la India, están a 40.000 leguas más arriba del Sol. Según los indios estos dos gigantes se declararon enemigos del Sol y de la Luna, porque les impidieron comer su porción de *amourdon* o manteca de vida. Los cuerpos de estos gigantes tienen 52.000 leguas de extensión y a veces ocultan al Sol y a la Luna; lo que hace referencia a los eclipses.

RAIA VENENOSA. (*Mit. egip.*) Emblema del hombre castigado por asesino y arrepentido.

RAM. (*Mit. índ.*) El primer niño que nació después de la destrucción de la segunda edad. Su imagen está adornada de cadenas de oro, collares de perlas y toda clase de piedras preciosas. Cantan himnos en su honor y su culto es célebre por las danzas acompañadas de tambores y de címbalos.

**RAMA.** (*Mit. índ.*) Divinidad de primera clase que tomó forma humana. Los indios pretenden que apareció en la tierra como un poder conservador, bajo la forma de un soberano de Auodhyá, que fue un conquistador célebre que libertó las naciones del yugo de sus tiranos.

**RAMADÁN, o Ramazán.** (*Mit. mah.*) Nombre del gran ayuno o cuaresma de los mahometanos, y también de su noveno mes, durante el cual se observa esta abstinencia religiosa. Llaman a este mes santo y sagrado; y dicen que mientras dura las puertas del paraíso se hallan abiertas y las del infierno cerradas. Como los meses de los mahometanos son lunares, todos los años su Ramadán se adelanta 10 días, de modo que con el tiempo este ayuno recorre todos los meses del año. Recuerda el ayuno que realizó Mahoma en el desierto antes de iniciar su predicación a semejanza del que realizó Jesucristo según los Evangelios. Durante el Ramadán los musulmanes no pueden comer, ni beber, ni fumar y deben de abstenerse de tener relaciones sexuales durante el día solar (permitiéndoseles por la noche).

**RAMALES.** Fiestas que se celebraban en Roma en honor de Baco y de Ariadna. Se llevaban en procesión cepas de viña cargados de fruto. R. *ramos*, branca, rama.

**RAMASITOA.** (*Mit. peru.*) La fiesta más solemne de los peruanos.

**RAMESCHNE.** (*Mit. per.*) Nombre de un buen genio entre los parsis, encargado de velar por la dicha del hombre.

**RAMNES.** Augur del campo de Turno, muerto por Niso. *Eneida. 9.*

**RAMNUSIA RAMNUSIS.** Némesis, llamada así del culto célebre que se le tributaba en Ramno, ciudad de Atica, donde tenía un templo magnífico, situado en una eminencia y muy concurrido de todas las partes del Peloponeso tan sólo para admirar su estatua, obra maestra del arte. *Varrón* la juzga superior a todas las estatuas que han podido verse. Formada del más hermoso mármol de Paros, tenía seis codos de alto y era de una sola pieza. *Pausanias* la supone esculpida por Fidias, otros por Diodoro su discípulo; pero el mayor número la atribuye a Agarocites de Paros.

**RAMO DE ORO.** La Sibila de Cumas hizo coger uno a Eneas para abrirle el camino de los infiernos. El héroe, con la ayuda de las dos palomas enviadas por Venus, halló este precioso ramo, lo arrancó sin el menor trabajo del árbol y lo llevó a la Sibila. Cuando llegaron al palacio de Plutón, Eneas ató este ramo en la puerta. El ramo de oro es, en efecto, la llave de las puertas más bien cerradas y de los lugares más inaccesibles.

**RAMOS.** Los ramos verdes formaban antiguamente una gran parte de los adornos de los templos, sobre todo en los días de fiesta. Se ofrecían ramos de roble a Júpiter, de laurel a Apolo, de olivo a Minerva, de mirto a Venus y de yedra a Baco, de pino a Pan y de ciprés a Plutón.

**RAMSINITES.** Rey de Egipto. Fue sucesor de Proteo. Hizo colocar en el templo de Vulcano en Memfis, dos estatuas colosales de veinticinco codos cada una, la que adoraban los egipcios; una se llamaba *Verano,* y la otra, a la que no le tributaban ninguna clase de culto, se llamaba *Invierno.*

**RANA.** (*Mit. escand.*) Diosa del mar, esposa de Aeger, dios del Océano.

**RANA.** (*Mit. tár.*) He aquí la fábula por medio de la cual aplican los lamas los terremotos: «Cuando Dios hubo formado la tierra la puso sobre el lomo de una gran rana, y siempre que este animal sacude la cabeza o alarga las piernas, hace temblar la parte de la tierra que hay encima».

**RANAIL.** (*Mit. afr.*) Nombre particular de un angel del primer orden entre los de Madagascar. *V.* Malaincha.

**RANAS.** Huyendo Latona de las persecuciones de Juno, pasó por las orillas de un pantano donde trabajaban unos paisanos, los cuales le rehusaron dar un poco de agua que les pedía para refrescarse. Latona para castigarlos los transformó en ranas.

**RANATITES.** Se ha dado este nombre a una secta de judíos que tributaba un cierto culto a las ranas.

RANHIL. Abuelo de Bhadrinath; divinidad india honrada en la ciudad del mismo nombre, en las cercanías de Macananda.

RANIKAIL. (*Mit. afr.*) Nombre particular de un ángel de primer orden entre los madecases o malgaches. *V. Malainga.*

RANTOS. Uno de los caballos que Neptuno hizo presentar a Peleo con motivo de su casamiento con Tetis. *V. Balios.*

RAPÓN. Guerrero rútulo que mató a Partenio y Orser. *Eneida. 10.*

RÁPSODAS. Aquellos cuya profesión se limitaba a cantar en público fragmentos de los poemas de *Homero*, de *Hesíodo*, etc. Cuando cantaban la *Ilíada* iban vestidos de encarnado, y cuando la *Odisea*, de azul. Otros rapsodas más antiguos componían himnos en honor de los dioses y de los héroes, e iban cantándolos de ciudad en ciudad del mismo modo que lo han hecho los trovadores.

RAPSODOMANCIA. Adivinación para la cual se servían comunmente de los poemas de *Homero* o de *Virgilio*, sacando en suerte sus versos y tomando del lugar donde caía la suerte una predicción de lo que deseaban saber, etc.

RAPSOIDON EORTE, *fiesta de los rapsodios.* Parte de las dionisias o fiestas de Baco.

RAPTA DIVA, la diosa elevada; Proserpina.

RARIA. Ceres, apellidada así porque fue al campo de Raro, padre de Celeo, a enseñarle a sembrar y recoger el trigo.

RARO. Hijo de Cranao, y padre de Céleo o de Triptólemo.

RATIA. Una de las hijas de Proteo y Torone o Psámate, hermana de Cabérea e Idótea.

RATITA. Moneda de Juno, llamada así porque llevaba en el anverso su cabeza y en el reverso un navío, *ratis*, o la proa de una nave. Esta moneda designaba la llegada de Saturno a Italia cuando se refugió en los estados de Juno, después de haber sido destronado por Júpiter.

RATJASIAS. (*Mit. índ.*) Nombre que los indios dan a los espíritus malhechores. Colocan en el número de estos las almas de los que han vivido mal en este mundo.

RATÓN. Los romanos sacaban presagios de la aparición de estos animales. *Higinio* dice que en su tiempo el encuentro de un ratón blanco era de buen agüero. Habiendo sido roído por los ratones los broqueles que se hallaban en Lanuvio se dedujo de ello un presagio funesto, y la guerra de los marsios que sobrevino poco tiempo después dio mayor crédito a esta creencia. Entre los egipcios, el ratón, animal roedor y símbolo de una entera destrucción, expresa el mundo en la opinión de aquellos que le daban principio y fin. Lo consideraban también como el símbolo del juicio porque de diferentes panes, escoge el mejor. El velo de Proserpina estaba sembrado de ratones bordados con arte.— Los frigios habían deificado igualmente los ratones.— Los pueblos de Basora y de Camboya no se atrevían a castigar a estos animales.

RATUMFACERE. *confirmar el presagio.* Expresión peculiar a los augurios.

RAYMI. (*Mit. peru.*) Fiesta solemne que los incas celebraban anualmente en Cuzco, en el mes de junio, después del solsticio. Asistían a ella las gentes más distinguidas. Se practicaban varias ceremonias y se tributaban varios sacrificios al sol.

RAYO. Especie de dardo inflamado con el cual, los pintores y poetas, arman a Júpiter. Habiendo Celo, padre de Saturno, sido librado por Júpiter su nieto, de la prisión en que le tenía Saturno, para recompensar a su libertador, le regaló el rayo, que le hizo señor de los dioses y los hombres. Los cíclopes forjan, dice *Virgilio*, los rayos que tan a menudo arroja Júpiter a la tierra. El rayo del Padre de los dioses se pinta de dos maneras, la una como una especie de tizón ardiente por los dos extremos, y que en ciertas imágenes, presenta tan sólo una llama; la otra como una máquina puntiaguda por ambos extremos, armada con dos flechas. El rayo era, dice *Pausanias*, la principal deidad de Seleuco, y se honraba con himnos y ceremonias particulares: *Estacio*, hablando de la Juno de Argos, dice que arrojaba el trueno: pero es el único entre los antiguos que ha dado el rayo a esta diosa, pues *Servio* asegura, apoyado en la autoridad de los libros etruscos, donde estaba consignado el ceremonial de los dioses, sólo Júpiter, Vulcano y Minerva podían arrojarlo. Los lugares que habían sido heridos por el rayo, eran reputados como sagrados, elevaban en ellos un altar, como si Júpiter por este medio hubiese querido apropiárselo. No se podía hacer de él ningún uso profano. *Plinio* dice que no era permitido quemar el cuerpo de un hombre que hubiese sido muerto por el rayo, que era necesario inhumarlo simplemente, y que esto era una tradición religiosa.

Según los etruscos, Júpiter tiene 3 rayos, uno que arroja al azar, y con el cual avisa a los hombres que existe; otro que sólo envía después de haber consultado a algunos dioses, y que intimida a los malvados; y otro que sólo lo toma en el consejo general de los inmortales, y que arruina y anonada.

En fin, todos los que tenían la desgracia de morir por el rayo eran considerados como impíos que habían recibido del cielo su merecido castigo. Cuando el rayo había partido de oriente, y no había hecho más que rozar a algunos, volviéndose por el mismo lado, era señal de una dicha perfecta, *summæ felicitatis præsagium*, como refiere *Plinio* hablando de Sila. Los rayos que hacían más ruido que daño, o los que nada significaban, eran llamado *vana et bruta*, y la mayor parte de estos eran tomados por una señal de la cólera de los dioses. Había rayos cuyo presagio funesto no podía evitarse con ninguna expiación, *inexpiabile fulmen*, y otros cuya desgracia podía evitarse por medio de ceremonias religiosas, *piabile fulmen*.

Los rayos se llamaron en latín *consiliaria fulmina*, los que caían mientras se deliberaba algún negocio público; *auctorativa*, los que caían después de tomadas las decisiones, como para autorizarlas; *monitoria*, lo que avisaban lo que debía evitarse; *deprecatoria*, los que llevaban apariencia de peligro, sin que por esto aconteciese realmente; *postulatoria* los que pedían el restablecimiento de los sacrificios interrumpidos; *hospitalia*, los que advertían, que se atrayese a Júpiter a las casas para los sacrificios; *familiares*; los

que presagiaban el mal que debía sobrevenir a alguna familia; *prorrogativa*, aquellos cuyo efecto podía retardarse; *renovativa*, golpes de rayo que significaban lo mismo que el precedente, y que exigían las mismas expiaciones; *publica*, aquellos de los cuales se sacaban predicciones generales por 300 años; *privata*, aquellos cuyas predicciones particulares no se extendían más que a 10 años y *peremptalia* aquellos que disipaban los temores que los precedentes habían infundido. El rayo era señal de soberanía; y un rayo alado es ordinariamente el símbolo del poder y de la celeridad.

REA. Hija del Cielo y la Tierra, según *Hesíodo* y hermana de los Titanes, o Cibeles mujer de Saturno, madre de Júpiter que Saturno habría devorado si Rea no hubiese sustituido en lugar de su hijo una piedra fajada que se tragó inmediatamente. Orfeo la llama hija de Protogoneo, esto es del primer padre. Rea, según *Apolodoro*, hallándose encinta de Júpiter, para salvarle se retiró a Creta, donde parió en una cueva llamada Dictea, y dio el niño a criar a los curetes y a las ninfas Adraitea e Hidra.— Los sacerdotes egipcios cuentan que habiendo tenido Rea un comercio secreto con Saturno, quedó embarazada; que luego que el Sol lo observó la llenó de maldiciones y pronunció contra ella el anatema de que no podría parir en ningún mes del año. Mercurio que estaba también apasionado de Rea, creyó que había llegado la ocasión oportuna para disfrutar de sus favores; en efecto Rea le hizo partícipe del conflicto en que se hallaba y, satisfecho Mercurio de los favores que acababa de recibir, emprendió una estratagema muy singular con la cual logró hacer infructuoso el anatema del Sol. Cierto día que jugaba a los dados con la Luna, le propuso por apuesta la sexagésima segunda parte de cada día del año. Mercurio ganó y, aprovechándose de su ganancia, compuso cinco días que añadió a los doce meses del año, y durante estos cinco días Rea parió a Isis, Osiris, Oros, Tifón y Neptuno. De este modo el año egipcio que antes no contaba más que con 360 días, recibió el cumplimiento de los cinco que le faltaban. *Jenof. Diod. Sic. Lucian. Paus.*

2 — Una de las favoritas de Apolo, madre de Annio, rey de Delos.

3 — Silvia. Amulio rey de Alba *V.* Rómulo.

4 — Otra sacerdotisa, que Hércules hizo madre de Aventino en el bosque de este nombre.

REBELIÓN. (*Iconol.*) *Ripa* la pinta bajo los rasgos de un joven armado de un coselete y de una coraza llevando por cimera un gato y hollando un yugo roto. *Cochin* la representa rompiendo hierros que le caen de las manos. La simbolizan también mediante una mujer robusta, de mirar fiero, fisonomía siniestra, mal vestida y armada en desorden. Lleva una lanza y una honda, y en sus pies tiene un libro desgarrado y unas balanzas rotas.

RECARANO o Carano. Sobrenombre de Hércules.

RECBED. (*Mit índ.*) Tercer Bed o Beth, de los cuatro libros que comprendían toda la teología de los indios. *Bibl. Or.*

RECEPTÁCULO. De Curcio. *V.* Cima.

RECIARIOS. Gladiadores que llevaban un tridente en una mano y en la otra una red, combatían con túnica y perseguían a los mirmilones o mirmiliones. (*V.* este nombre.)

RECINIUM. Fiesta que se celebraba anualmente en Roma el 24 de febrero, en memoria de la expulsión de los tarquinos.

RECIO o Crecio, y Anfito conductores del carro de Cástor y Pólux.

RECONCILIACIÓN. (*Iconol.*) La representan por dos mujeres que se abrazan, la una tiene un ramo de olivo, símbolo de la paz, y la otra holla un serpiente con rostro humano, emblema del fraude y de la malignidad. Podría también servir de alegoría, una mujer amable, modesta, que lleva en su mano derecha dos genios que riñen y en la izquierda una copa con la cual les presenta alternativamente de beber.

RECTO. *V.* Ortos.

RECHABITAS. (Los) Secta de judíos instituida por Betchab, hijo de Jonadab. La regla de los rechabitas y de los hijos de Rechab les prescribía que no podían beber vino ni construir casas, ni sembrar clase

alguna de semilla, ni plantar viñas, ni poseer ningún fondo, y por último que debían vivir en tiendas.

REDAMTRUARE. Nombre dado a las danzas de los salinos, en las cuales imitaban al que les dirigía. Esta saltaba, *amptruabat*; y la comitiva seguía con saltos semejantes *redamptruabat*.

REDARATOR. Dios que presidía la segunda siembra de las tierras.

REDICIÓN. Tercera parte del sacrificio: que consistía en volver las entrañas de la víctima después de haberlas consagrado, y ponerlas sobre el altar.

REDÍCULUS. Dios en honor del cual se edificó un *fanum* o una capilla en el lugar donde Aníbal, herido de un terror pánico, retrocedió y se alejó de Roma cuando se proponía sitiarla.

REDONDO, REDONDAS. La *redondez* era la figura que apreciaban más los antiguos; y por lo mismo hacían sus altares y sus mesas *redondas*.

REDUX. 1 — Epíteto de la Fortuna: nombre bajo el cual Domiciano le había consagrado un templo.

2— Sobrenombre que se da a Mercurio en algunas inscripciones.

REGIFUGE. Fiesta que se celebraba en Roma el sexto día antes de las calendas de marzo. Los antiguos están discordes sobre su origen, los unos dicen que era en memoria de la fuga de Tarquino el soberbio, cuando Roma recobró su libertad. Otros opinan que se llamaba sí porque el rey de las cosas sagradas huyó después de haber sacrificado. Lo primero, fundado en la autoridad de Ovidio, Festo y Ausonio parece más verosímil que lo segundo que es de Plutarco, al menos que para conciliar a ambos se deduzca que el rey de las cosas sagradas huyó en aquel día para recordar la fuga del último de los reyes de Roma.

REGILLA. Lago del Lacio, cerca del cual los romanos ganaron a los latinos una gran victoria atribuida a Cástor y Pólux.

REGIÓN. *Palabra augural*, parte del cielo, los augures lo dividían en cuatro regiones cuando querían dar sus presagios.

REGLA, *en la mano de un hombre. V.* Serapis.

REGNATOR. Sinónimo de Júpiter.

REINA. 1 — Juno, la reina de los dioses, era llamada algunas veces, tan sólo reina: tuvo bajo este nombre una estatua en Veies, de donde fue transportada al monte Aventino, en gran ceremonia. Las damas romanas tenían mucha veneración a esta estatua, la que tan sólo podía tocar el sacerdote.

2 — La hija primogénita de Urano según los atlántidas, fue apellidada Reina por excelencia. *V. Basilea.*

3 — De los astros, y vulgarmente la Luna, sobre todo con el epíteto *bicornis*, que designa sus crecientes (dos cuernos).

4 — De los dioses, Juno.

5 — De los misterios. *V. Rey.*

6 — De los sacrificios. Era la esposa del rey de los sacrificios.

7 — Del cielo. Una de las divinidades de los sirios. Se cree que es la Luna.

REIONE. Sobrenombre de Juno, honrada en un promontorio de Acaia, llamado Rión, o en el estrecho del mismo nombre que separaba las ciudades de Naupacte y Patrea (Patrás). *Paus. 7, c. 22.*

REIVAS. (*Mit. pers.*) Tronco del árbol de donde nacieron Meschia y Meschiane, autor del género humano. *Zend-Avesta.*

REKHABIOUN o REKHABITES. Discípulos de los profetas Elías y Eliseo, que los orientales dicen haber sido los amos de Zoroastro. *Bibl. or.*

REKIET. (*Mit. mah.*) Inclinación de cuerpo que los turcos hacen en sus oraciones públicas, volviéndose a la parte de oriente.

RELÁMPAGO. Los antiguos daban a los relámpagos una especie de culto, haciendo con la boca un ruido llamado *popisma*. Los romanos honraban bajo este nombre una divinidad campestre, porque presidía los bienes de la tierra.

Entre los griegos modernos, los labradores temen los relámpagos de oriente.

RELIGIÓN (*en general*) (*Iconol.*) Varias medallas de la antigüedad la representan por una mujer o un niño alado, prosternado frente de un altar, donde hay carbones encendidos. Su atributo es comúnmente el elefante, que según creían los antiguos, adoraba al sol de oriente. *Ripa* la caracteriza por una mujer cubierta de un velo, que lleva fuego en la mano izquierda y un libro en la derecha, y tiene a su lado un elefante. *Cochin* la designa por una mujer de aspecto venerable cubierta de un velo, que hace libaciones en un altar o quema incienso delante del mismo, cuyo humo se eleva al cielo. La religión cristiana la representa por una mujer majestuosa que tiene la cabeza cubierta de un velo, símbolo de sus misterios, y lleva en un mano una cruz y en la otra la Biblia, descansando sus pies sobre una piedra angular.

Religión Errónea. (*Iconol.*) El incensario que se pone en sus manos es como un atributo genérico del culto; pero para designarla sin equívoco, no se la coloca sobre piedra angular; una venda, símbolo del error, le cubre los ojos y le impide percibir la verdadera luz. (*V.* Herejía)

Religión Judaica. (*Iconol.*) Lleva la frente cubierta de un velo y apoyada sobre las tablas de la ley, lleva en una mano la vara del legislador de los hebreos, y en la otra el Levítico que contiene los preceptos y las ceremonias religiosas del pueblo judío. El Arca de la Alianza, el candelabro, el incensario, etc., y el monte Sinaí que terminan el cuadro, acaban de caracterizarla. Lleva la frente cubierta de un velo para dar a entender que los misterios de la antigua fe no eran más que la figura de los de la nueva.

RELIGIOSOS. Días que se contaban también desgraciados.

RELIQUIAS. Cenizas o huesos de muertos que los antiguos recogían religiosamente en sus urnas después de que los cadáveres hubieran sido quemados, y que los enterraban luego en las tumbas.

RELOJ DE ARENA. *V.* (Saturno.) Es el emblema del tiempo.

REMBA. (*Mit. índ.*) Diosa del placer, una de las divinidades que componían la corte de Indra. Según los mitólogos indios, era hija de la espuma que hace la mar cuando está agitada. Corresponde a la Venus popular de los griegos.

REMPHAM. (*Mit. sir.*) El Hércules de los sirios. Otros creen que era la Venus. *Grocio* dice que era el mismo dios que Rimmon. *Hammond* cree tan sólo que era un rey de Egipto deificado después de su muerte; en efecto, *Diodoro* hace mención de uno, que llama Remphis. Algunos miran esta palabra como egipcia, y la traducen por Saturno. *Banier, t. 3. V.* Rimmond.

REMO. 1 — Hermano de Rómulo, fue muerto por éste por haber profanado el surco sagrado del recinto para la construcción de Roma.

2 — Uno de los jefes de Turno muerto por Niso. *Eneida. 9.*

RÉMORA. Pescado pequeño, al cual se atribuía la virtud de facilitar el parto a las mujeres.

RÉMORAS. Pajaritos que retardan la ejecución de una empresa. Eran, entre los augures, de muy mal presagio.

RÉMULO o Numano. 1 — Capitán rútulo, casó con la hermana más joven de Turno y fue muerto por Ascanio, hijo de Eneas. *Eneida. 9.*

2 — Capitán de Tibur cuyas armas, tomadas por los rútulos, hicieron parte de la presa de Euríalo. *Eneida. 9. v. 160.*

3 — Silvio, rey de Alba a quien Júpiter destronó en castigo de sus impiedades *Ovid. Trist. 4, v. 50.*

REMURIA. Lugar de Roma en el monte Aventino donde Remo observó el augurio del vuelo de las aves y donde fue enterrado.

REMURIAS. Las mismas fiestas que las Lemurias.

REMURIO. 1 — Parte del monte Aventino, llamado así de Remo que lo habitaba. *Dion. Hal.1, c. 20.*

2 — Uno de los Jefes de Turno muerto por Niso. *Eneida. l. 9.*

RENA. Isla del mar Egeo, muy vecina de Delos. En este lugar era donde los delios enterraban a sus muertos y hacían parir a sus mujeres, para no profanar su isla, que tenían como sagrada, porque era la cuna de Diana y de Apolo.

RENA. 1 — Una de las favoritas de Mercurio.

2 — Ninfa a quien Oileo, que se halló al sitio de Troya, hizo madre de Medón.

RENOCHORES. *El que danza en medio de los rebaños*; epíteto de Baco, R, *rhen*, rebaño. *Antol.*

REPOTIA. Comida que se celebraba el día después de las nupcias.

REPROBACIÓN. (*Iconol.*) Los antiguos la caracterizaban por Momo y la pintaban bajo la figura de un anciano en acción de hablar, hiriendo la tierra con un bastón. Su ropaje estaba sembrado de ojos, de lenguas y de orejas.

REPÚBLICA. *V.* Aristocracia, Democracia.

RESO. Rey de Tracia. Vino al socorro de Troya en el año décimo del sitio. Sabía que un oráculo había declarado a los griegos, como una de las fatalidades de esta ciudad, que no podía ser tomada a menos que se impidiese que los caballos de Reso bebiesen de las aguas del Janto, río de la Frigia. Resolvió pues llegar de noche y acampó cerca de Troya, para entrar en la mañana del día siguiente. Los griegos, advertidos por Dolon, espía de los troyanos, enviaron aquella misma noche a Ulises y Diómedes que con el socorro de Minerva, llegaron sin ser vistos en el cuartel de los tracios; y hallando Diómedes a Reso durmiendo, lo mataron, mientras que Ulises desataba los caballos del desgraciado príncipe para conducirles a su campo, como lo verificaron.

RESPIDICENS, favorable. Sobrenombre de la Fortuna. Se la representaba mirando a los espectadores.

RESPIDICIENTES DII; *dioses que se vuelven para mirar*. Eran adorados como divinidades favorables, que tan sólo se ocupaban en hacer felices a los hombres.

RESTAURACIÓN (*Año de la*) (*Mit. mah.*) Año de la concepción y nacimiento de Mahoma, llamado así en memoria de la restauración milagrosa del templo de La Meca, acecida en aquella época: «Abrahab, dicen los musulmanes, virrey por Nego, o rey de Etiopía en la Arabia feliz, celoso de la gloria del templo de La Meca y de su famosa peregrinación, resolvió destruirlo, y se puso en campaña con un ejército formidable. Atemorizados los habitantes huyeron al acercarse los enemigos y se retiraron a las montañas vecinas. Sin embargo Abrahab se encontró detenido en las mismas puertas de La Meca. Cuantas veces hacía andar hacia la ciudad, el elefante que montaba, que se llamaba *Mahmoud*, esto es *Alabado*, y que era de una corpulencia prodigiosa, el animal se echaba en tierra y rehusaba avanzar y cuando se le mandaba que se levantase lo hacía poniéndose de espaldas a La Meca, le hirieron cruelmente para hacerle volver hacia aquella parte, y esto le enfureció. Se procuró engañarle, haciéndole tomar la dirección del Yemen, pero en el momento que el elefante conoció que se le engañaba, empezó a saltar y hacer corcovos. Finalmente se probó la última tentativa y entonces se quedó inmóvil. En este embarazo, para castigar Dios su temeraria terquedad, envió un ejército de aves, que se levantó como una nube de la parte del mar, y que vino a caer de repente sobre las tropas de Abrahab. Estas aves eran semejantes a las golondrinas, y de color blanco y negro entremezclado de verde y amarillo. Cada una iba armada de tres piedras del volumen de un guisante, llevando una en el pico y las otras dos en sus garras. Estas piedras, lanzadas en un mismo tiempo, cayeron con tanta impetuosidad sobre la cabezas de estos enemigos que todo lo que tocaron pereció en el momento. Los que quedaron se pusieron en fuga; y una parte fue arrebatada hasta el mar por un torrente enviado por Dios; y los otros continuaron huyendo hacia el Yemen y perecieron por los caminos. En fin Abrahab, habiendo escapado solo para referir a Nego todos estos prodigios, fue herido por uno de estos mismos pájaros que le había seguido y cayó muerto a los pies de su señor».

RESURRECCIÓN. 1 — Los turcos y los mahometanos consideraron el fin del mundo y la resurrección general como dos artículos importantes de su religión y de su fe. Según algunos, esta resurrección será puramente espiritual, esto es, que el alma no hará más que cambiar de domicilio, y que dejando su despojo mortal volverá a la morada de donde suponen que la sacó para colocarla en el cuerpo humano; pero esta no es la opinión más generalmente recibida. Mahoma, y antes que él los judíos, para probar la posibilidad de la Resurrección de los cuerpos dispersos después de mucho tiempo, destruidos en cierto modo por una infinidad de revolu-

ciones de la materia, han supuesto un primer germen incorruptible del cuerpo, un fermento, digámoslo así, alrededor y por medio del cual toda la masa volverá a tomar su antigua forma. Según los judíos, resta del cuerpo el hueso llamado *luz* que sirve de fundamento a todo el edificio. Según los mahometanos, es el que ellos llaman *al-aib*, conocido de los anatómistas bajo el nombre de *coxis*, situado debajo del hueso sacro.— (*Mit. pers.*) Los parsis o guebros creen que las gentes de bien, después de haber gozado de la delicias del paraíso durante un cierto número de siglos, entrarán otra vez en sus cuerpos y volverán a habitar la misma tierra en que habían vivido, pero esta purificada y embellecida será para ellos un nuevo paraíso.— (*Mit. afr.*) Los habitantes del antiguo reino de Ardra, en la costa occidental de Africa, están en la creencia de que los que mueren en el campo de batalla salen de su tumba al cabo de algunos días y vuelven a tomar nueva vida; invención ingeniosa de la política que sirve para animar a los combatientes.— (*Mit. peru.*) Los amautas, doctores y filósofos del Perú, creían en la resurrección universal, bien que su espíritu no se eleva más allá de esta vida animal, por la cual decían que debían resucitar sin aguardar gloria ni suplicio.

2 — Se la representa por una mujer que sale de una tumba, teniendo en las manos un fénix y elevándose por los aires.

RETANA. Nombre de la esclava por cuyo consejo Roma venció a los galos, entregándoles las criadas, en vez de la damas romanas que pedían. Otros la llaman Filotis.

RETENOR. Uno de los compañeros de Diómedes transformados en aves, a causa del desprecio que hicieron de Venus. *Met.*

RETO. 1 — Uno de los guerreros que perecieron en el combate que se libró en la corte de Cefeo, cuando Perseo casó con Andrómeda. *Met. 5.*

2 — V. Rhoecus.

RETRA. Dimes; se daba este nombre por excelencia a los oráculos de Apolo.

RETRE. Puerto de la isla de Ítaca que *Homero* coloca al pie del monte Neium. *Odis.1.*

**REVERENCIA.** Diosa romana, hija del Honor y la Majestad. *Ovid. Fast.*

**REXENOR.** 1 — Hijo de Nausitoo y hermano de Alcinoo; fue muerto por Apolodoro. *Odis. 7.*

2 — Padre de Calciope, mujer de Egeo, rey de Atenas.

3 — Epíteto de Apolo. *Ant.*

**REXIKELEUTOS,** *el que abre el camino a los viajantes*; epíteto del mismo.

**REXINOOS.** *El que corrompe el alma o la destroza*; epíteto de Baco.

**REY.** Título de Júpiter. Después de haber echado los atenienses a los reyes, elevaron una estatua al Señor del Trueno bajo el nombre de Júpiter-Rey, para denotar que en lo sucesivo no querían más reyes.

**REY DE LOS SACRIFICIOS.** El segundo magistrado de Atenas o el segundo arconte, se llamaba rey, pero no ejercía otras funciones que las de presidir los misterios y los sacrificios; su mujer también disfrutaba del nombre de reina y ejercía las mismas funciones. El origen de este sacerdocio, dice *Demóstenes*, derivaba de que, antiguamente en Atenas, el rey ejercía las funciones del sacerdocio y la reina entraba en lo más secreto de los misterios.— En Roma había también un rey de los sacrificios que estaba al frente de los sacerdotes y que fue creado después de la expulsión de los reyes, para hacer los sacrificios que aquellos acostumbraban. Su mujer, que se llamaba reina, disfrutaba asi mismo del derecho de hacer algunos sacrificios. La casa pública habitada por estos reyes, se llamaba Regia.

**REYES DE EGIPTO.** Durante su consagración, que generalmente se practicaba en Memfis, llevaban el yugo del buey Apis en forma de cetro. De cualquier clase que fuese el rey elegido, en el momento de su inauguración pasaba a la clase sacerdotal.

**RHABOUN.** (*Mit. índ.*) Uno de los jefes de los espíritus-malignos, según la doctrina de los indios.

**RHANIS.** Ninfa; una de las compañeras de Diana. *Met. 3.*

**RHESCINTIS.** Sobrenombre que Juno recibió de un monte de Tracia, donde tenía un templo.

**RHETI.** Aguas que salieron de repente en el Peloponeso; tenían el mismo curso que los ríos y la salubridad de las aguas del mar. Se consagraron a Ceres y Proserpina, y estaba prohibido a los sacerdotes comer los peces que se pescaban en ellas.

**RHEVAN.** (*Mit. índ.*) Los indios le atribuyen la invención de las peregrinaciones; y le miran como fundados de la secta de los fakires.

**RHISIPONOS.** *El que pone término a los trabajos*; epíteto de Baco. R. *rhiein*, desatar; *peneshai*, trabajar. *Ant.*

**RHODOSFIROS.** *A la pierna de rosa*; epiteto de la Aurora en el poema de *Quinto Calaber.*

**RHOEBUS.** Caballo de Mecencia. *Eneida. 10.*

**RHOECUS ROECUS ROETUS RHETUS.** 1 — Uno de los centauros, hijo de Hipión.

2 — Gigante muerto por Baco, transformado en león. *Hor. Odis. 19, l. 2.*

3 — Rey de una comarca de Italia, perseguía a su hijo Anquemole para castigarle de un crimen que había cometido. Fue muerto por Palas, hijo de Evandro.

4 — Un hombre llamado como los anteriores, habiendo notado que un roble estaba próximo a caer, mandó a sus hijos que lo asegurasen con puntales y echando tierra a su alrededor. La Amadriade o Hamadríade, cuya vida dependía de este roble, se apareció a Roecus y le dio las gracias porque le había salvado la vida, añadiéndole que pidiese la recompensa que desease. Contestó que tan sólo deseaba sus favores, a lo que accedió la ninfa, pero le mandó que se alejase de toda otra mujer. Le advirtió también que una abeja le serviría de mensajera, pero habiendo llegado ésta, mientras que Roecus estaba gozando, la recibió muy mal y la ninfa irritada le imposibilitó para siempre.

**RHOETEIO.** Eneas de Rhoeteum, ciudad y promontorio de la Tróada.

**RHOETUS** o **RETO.** 1 — Promontorio de la Tróada, sobre el Helesponto, cerca del cual están enterrados los restos de Ayax.

2 — Rey de los merubianos o marrubios, padre de Aquémolo; su mujer,

Casperia, fue violada por su hijo. Combatió al lado de Turno y murió con las armas en la mano. *Eneida. l. 9.*

3 — Etíope muerto por Perseo. *Ovid. Met. l. 5.*

RIADIAT. (*Mit. musul.*) Cierta clase de ejercicio espiritual usado entre los mahometanos de las indias.

RICINIARIO. Júpiter representado con la cabeza cubierta de un vello llamado *ricinium.*

RICNODES. *El que labra la tierra*; epíteto de Baco. *Ant.*

RICHIS. (*Mit. índ.*) Grandes patriarcas indios que formaron la constelación que nosotros llamamos *Osa Mayor.*

RIDENS. Uno de los epítetos de Venus, porque dicen que nació riendo.

RIDÍCULO. El mismo que Redículo.

RIFEO. Centauro, hijo de Ixión y la Noche, muerto por Teseo en las bodas de Piritoo. *Met. 12.*

RIGMO. Hijo de Pires de Tracia, muerto por Aquiles. *Ilíada. 20.*

RIMMOND. (*Mit. sir.*) Idolo de Damasco, en Siria. Como estas palabras significan en sirio *granada*, fruto consagrado a Venus, se ha creído que era la misma que la Diosa del Amor. *Selden* la deriva de *rum*, elevada, y supone que es el mismo que Elión, dios de los fenicios.

RIN. Río que los antiguos galos honraban como una divinidad, porque creían que les animaba al combate y que les inspiraba valor y fuerza para defender sus riberas, así es que lo invocaban con frecuencia en medio de los mayores peligros. Cuando sospechaban de la fidelidad de sus mujeres las obligaban a exponer en el Rin a los niños que no creían hijos suyos, y si iban al fondo la mujer quedaba convicta de adulterio; pero sí, por el contrario, nadaban y se dirigían hacia sus madres, el marido, persuadido de la castidad de su esposa, le volvía a su confianza y amor.

RINDA. (*Mit. celt.*) Madre de Vale a quien tuvo de Odín, pertenecía a la clase de las diosas.

RÍNFAX y SÍNFAX. (*Mit. escand.*) Caballos del Día y de la Noche, se les distingue de los caballos del Sol.

RINOCOLUSTES. *Cortador de narices.* Sobrenombre dado a Hércules cuando hizo cortar la nariz a los heraldos de los orcómenos, que osaron venir a su presencia a pedir el tributo a los tebanos.

RINOTORE. *El que atraviesa los broqueles*; epíteto de Marte.

RIÑONES. Los riñones estaban bajo la protección de Venus.

RIÓN. Vaso de beber en forma de cuerno; se le encuentra con frecuencia en los monumentos báquicos.

RÍOS. (*Iconol.*) 1 — En todos los pueblos de la antigüedad los ríos participaron de los honores divinos. Era tal el respeto que les tributaban los persas, que no sólo consideraban como un crímen cometer indecencias en ellos, sino que hasta habían prohibido lavarse las manos en sus aguas. *Hesíodo* los supone hijos del Océano y Tetis, y cuenta hasta tres mil. Según el mismo autor, nadie podía pasarlos antes de invocarlos y de lavarse las manos. Les inmolaban caballos, toros, y se les tributaban otras varias ofrendas. *Homero* cuenta que Peleo consagró al Esperquio la cabellera de su hijo Aquiles. Cada río, según la fábula, era gobernado por un dios. Los pintores y poetas los representan bajo la figura de ancianos respetables, símbolo de su antigüedad, barba espesa, cabellera larga y las sienes ceñidas de una corona de juncos. Echados en medio de cañas, se apoyan en una urna de donde sale el agua que forma el río que presiden. Esta urna está inclinada o a nivel, para expresar la rapidez o la tranquilidad de su curso. En las medallas están colocados, a derecha o a izquierda, según su corriente. Los representan a veces en forma de toros o con cuernos, ya sea para expresar el murmullo de sus aguas, o porque los brazos de un río se asemejan a los cuernos del toro. Los agrigentinos, para denotar la poca corriente del río que atravesaba su ciudad, lo honraron bajo la figura de un hermoso niño, a quien consagraron una estatua de marfil en el templo de Delfos. Cada río tiene un atributo que le caracteriza, escogido por lo general de entre los animales que habitan el país que riega, o de los pescados que encierra en su seno.

2 — Del infierno. Todas las aguas que tenían alguna mala calidad eran consideradas como tales; el Aqueronte, el Cócito, el Flegetonte el Piriflegetonte, el Estigio, el Erebo, el Leteo, y el Lago Averno. *V.* Sus artículos.

RIPEO. Troyano apellidado así por su equidad y justicia; murió en la última noche de Troya. *Eneida. 2.*

RIQUEZA. (*Iconol.*) Divinidad poética hija del trabajo y la economía. Se representa bajo la figura de una mujer ricamente vestida toda cubierta de pedrerías, llevando en su mano un cuerno de la abundancia, lleno de monedas de oro y de plata. *Cochin* le da un aire inquieto y la rodea de sacos de moneda. Algunas veces los poetas la pintan ciega para demostrar que distribuye sus favores sin atender al mérito. *Holbein* la ha simbolizado bajo la figura de Pluto montado en un carro antiguo magnífico adornado, tirado por dos caballos blancos ricamente enjaezados y conducidos por cuatro mujeres. Está en actitud de bajarse para coger dinero de un cofre, a fin de tirarlo al pueblo. Cerca de él coloca la Fortuna y la Fama, y a su lado a Creso y a Midas. Alrededor del carro hay diversas personas que se apresuran a amontonar el dinero que Pluto ha esparcido. El ramo de oro que la Sibila hizo coger a Eneas, a fin de que le sirviese de pasaporte para los infiernos, puede mirarse como el símbolo de las riquezas que nos abren los lugares más inaccesibles.

RISO. Dios de la risa y la alegría. Licurgo, en Esparta, le había consagrado una estatua. Los lacedemonios le honraban como el más amable de todos los dioses y colocaban siempre su estatua cerca de la de Venus, con las Gracias y los Amores. Los tesalios celebraban su fiesta con una alegría que convenía perfectamente a este dios.

RITUALES. *V.* Libros.

ROBE. 1 — Ninfa, según algunos autores, madre de Faetón.

2 — Hijo del adivino Mopso.

ROBIGALIAS. Fiestas instituidas por Numa Pompilio en honor del dios Robigo. Se celebraban el séptimo día antes de las calendas de mayo; esto es el 23 de abril, se le ofrecía en sacrificio un cordero y un perro con vino e inciensos.

ROBIGO o Rubigo. Diosa; o más bien Robigus, dios que invocaban para la conservación del trigo. Tenía en Roma un templo en la quinta región, y otro en la vía Nomentana.

ROBOS. *V.* Ariadna, Céfalo, Ganímedes. Helena, Oritia, Proserpina, Sabinos, etcétera.

ROCAIL BEN ADAM. (*Mit. orient.*) *Hijo de Adam.* Según la tradición de los orientales era el hermano segundo de Sed y poseía las ciencias más ocultas.

ROCIO. Los antiguos habían hecho del rocío un dios bajo el nombre de *Ros*, hijo del Aire y de la Luna. Según los poetas, no era otra cosa que las lágrimas que Aurora derramaba continuamente por su esposo Titono y su hijo, según otros, por Memnon otro hijo, o hijo de Titono y de Aurora.

ROCOUB ALCAOUSÁC. (*Mit. pers.*) *La cabalgada del anciano sin barba.* Fiesta que los antiguos persas celebraban a fin del invierno.

RODAS. Isla del Mediterráneo. Sus habitantes fueron los primeros que tributaron sacrificios a Minerva. Así es que Júpiter su padre, según cuenta *Píndaro*, cubrió aquella isla de una nube de oro, que con la lluvia la llenó de infinitas riquezas.—(*Iconol.*) En las medallas el símbolo de Rodas, es a un lado el del sol y en el otro una rosa.

RODIA. 1 — Una de las Oceánidas amada de Apolo, que dio su nombre a la isla de Rodas. *Herod.*

2 — Hija de Danao. *Apolod.*

RODIGAST. Divinidad de los antiguos germanos que llevaba una cabeza de buey en el pecho, una águila en la cabeza y en la mano izquierda una pica.

RODOCROOS, *olor de rosa.* Epíteto de Apolo. *Ant.*

RODODÁCTILOS. Los que tienen dedos color de rosa. Epíteto de la Aurora en Homero.

RÓDOPE. 1 — Reina de Tracia que fue transformada en una montaña de su nombre. *Met. 6. V.* Hemo.

2 — Joven efesia que había jurado conservar la virginidad a Diana. Celosa,

Venus hizo que sucumbiera al amor del joven pastor Eutínico. Diana transformó a Ródope en la fuente Éstigia que a partir de entonces sirvió para que las doncellas probaran su virginidad, colgaban al cuello una tablilla con su nombre y se metían en la fuente, si el agua les llegaba a la rodilla seguían siendo vírgenes, pero si esta recubría la tablilla del cuello ya no lo eran.

3 — Hija del río Estrimón; tuvo de Neptuno al gigante Athos.

4 — Célebre cortesana, a la cual se le atribuye el honor de haber elevado una de las pirámides de Egipto. Se dice que para ello empleó todo el dinero que le habían regalado sus amantes. *Herod.2, c.134,135.*

5 — Monte de Tracia; estaba consagrado a Marte.

RODOPEIA CONJUX. Progne, mujer de Tereo, rey de Tracia.

RODOPEIO. Orfeo, de Tracia, donde hay el monte Rodopo.

RODOS. 1 — Hija de Neptuno y Venus, ninfa de la isla de Rodas, Fue amante de Apolo. Cuando los dioses se repartieron la tierra, Apolo, que se hallaba ausente, no obtuvo la menor parte. A su regreso en el Olimpo se quejó a Júpiter y le pidió en remuneración la isla de Rodas que había visto en el fondo del mar. La isla apareció a la superficie de las olas y desde entonces fue propiedad de Apolo. Hizo a la ninfa Rodos madre de siete hijos. *Diodoro*, que les llama ilíades, cita sus nombres, Oquino, Cércafo, Macareo, Actis, Ténages, Triopas y Cándalo. El primogénito fue padre de Camero, Jaliso y Lindo. Apolo mandó a sus hijos que tributasen sacrificios a Minerva, antes que a todas las otras divinidades.

2 — Pequeña comarca del Peloponeso consagrada a Macaón, hijo de Esculapio.

RODUR. (La Fuerza.) Hija de Palas y la Estigia.

ROEO, ROIO. Hija de Estafilo y Crisotemis, amada de Apolo y encinta. Fue encerrada por su padre en un cofre y arrojada al mar. Habiendo ido a parar a la isla de Delos salió con la madre un niño varón, al que llamó Annio. Roio depositó su hijo en el altar, Apolo lo recibió y le enseñó el arte de la adivinación.

ROGATIVAS. *V.* Oraciones.

ROLLOS *de papeles en las manos de una mujer. V.* Clío.

ROMA. (*Iconol.*) Los antiguos no contentos con personificar sus ciudades y pintarlas bajo una figura humana, les atribuían además honores divinos. El culto de la diosa Roma sin duda fue el mayor y el más extenso que se conoció. Se le edificaron templos y se le elevaron altares, no sólo en Roma, sino también en otras ciudades del imperio. La pintaban comúnmente muy semejante a Minerva, sentada en una peña con los trofeos militares a sus pies, la cabeza cubierta de un velo y una pica en la mano. Algunas veces, en lugar de la pica, tenía una Victoria. En una medalla de Galba está representada Roma Victoriosa por una amazona que tiene el pie derecho sobre un globo, en una mano un cetro y en la otra un ramo de laurel. En otra de Nerva, Roma Afortunada, está armada de pies a cabeza teniendo en la mano izquierda un timón y en la derecha un ramo de laurel. Las figuras de la diosa Roma van acompañadas con frecuencia de otros tipos. Tales eran la historia de Rhea Silvia, el nacimiento de Rómulo y de Remo, su aproximación en los bordes del Tiber, el pastor Fáustulo que les alimentó, la loba que les dio de mamar, el lupercal o la cueva donde la misma loba los cuidó.— En las medallas de las familias Calpurnia y Caminia, y en las de las ciudades griegas y asiáticas es representada algunas veces con torres en la cabeza, como Cibeles. En las medallas de Magencio representan a Roma Eterna sentada sobre insignias militares, teniendo en una mano un cetro y en la otra un globo que presenta al emperador coronado de laurel. En las de las familias Aurelia y Cornelia, está representada la cabeza de Roma con casco encorvado como el gorro frigio. Finalmente se la representa de otros varios modos.

(*Iconol.*) Roma la santa está representada en pie, con casco coraza y llevando una basquiña de púrpura bordada de oro. Tiene en la mano derecha una lanza que termina en forma de cruz, en la cual se ve la letra P. En medio del broquel en que se apoya hay dos llaves cruzadas y encima la tiara. Con la lanza que tiene en la otra mano amenaza al dragón abatido a sus pies.

ROMA. Troyana que vino a Italia con Ceres; casó con Latino. Tuvo dos hijos, Remo y Rómulo, los que edificaron una ciudad a la que dieron el nombre de su madre. La fundación de Roma se refiere de otra manera. V. Rómulo.

ROMANA. Epíteto de Jano.

ROMANO. Hijo de Ulises y Circe. *Plut.*

ROMANOS (Juegos) llamados también grandes juegos porque eran los más célebres de todos. Fueron instituidos por el primer Tarquino y se celebraban en honor de Júpiter, de Juno y de Minerva. Empezaban el 4 de septiembre y duraban cuatro días. A veces eran escénicos.

ROMBO. Instrumento mágico de los griegos. Era una especie de trompo de me-tal o de madera del que se servían para los sortilegios. Los magos pretendían que el movimiento de este trompo mágico tenía la virtud de inspirar a los hombres las pasiones y movimientos que querían darles.

ROME. La fuerza y el valor personificados. La lesbiana Erina la llama hija de Marte, reina hábil para la guerra, reina del cinturón de oro, y que habita el Olimpo, *Mera* o la Parca le da el poder de gobernar a su grado la tierra y el mar.

ROMEAS. Fiestas en honor de la ciudad de Roma divinizada.

ROMILIA LEX. Ley que prohibía a los que no eran magistrados ni senadores mezclarse en los sacrificios.

RÓMULA. Nombre dado a la higuera que se hallaba donde fueron encontrados Remo y Rómulo. *Ovid. Fast. 2. V.* Ruminal.

RÓMULIDAE. Los romanos descendientes de Rómulo. *Eneida. l. 8.*

RÓMULO. 1 — Hijo de Júpiter.

2 — Hijo de Latino.

3 — Hijo de Ulises.

4 — Hijo de Eneas y Lavinia.

5 — Hijo de Ematión.

6 — Hijo de Arcano.

7 — Hijo de una hija de Eneas.

8 — Hijo de Italo y Lectra, hija de Latino.

9 — Hijo de un Latino, hijo de Telémaco.

10 — Hijo de Alba, hija de Rómulo, hijo de Eneas.

RÓMULO Y REMO. Hermanos, pasaban por hijos de Marte y de la vestal Rea Silvia. Su historia es como sigue. Silvio Procas, dudoécimo rey de Alba, después Silvio Postulio, dejó dos hijos llamados Numitor y Amilio. Este último se apoderó del trono en perjuicio de su hermano primogénito y, para asegurar la corona en sus sienes y a su posteridad mató, en una partida de caza, a Lauso, su sobrino, y obligó a Silvia, hermana de éste, a que se hiciese vestal, cuyo estado la privaba de tener hijos, atendido el voto de castidad que debía jurar y cumplir; sin embargo, Rea Silvia se dejó seducir por un soldado y parió dos niños que su tío Amulio mandó arrojar al Tiber, pero los encargados de cumplir la orden se contentaron con ponerlos en una cuna y colocarlos en un lugar donde las aguas de Tiber había salido de madre. Los romanos, apasionados siempre por todo lo maravilloso, pretendieron que la madre de su fundador fue seducida por el dios Marte, prefiriendo deber el nacimiento de su primer rey a las intrigas amorosas de este dios más bien que a un mortal, persuadidos por otra parte que este parentesco les haría más formidables. Añadían, en segundo lugar, que dos animales consagrados a Marte, una urraca y una loba, habían alimentado a los dos niños Remo y Rómulo, pero lo que parece más verosímil es que un cierto Fáustulo, pastor de los ganados del rey, encontró estos dos niños a la intemperie; que fueron criados por su mujer llamada Loba a causa de su desarreglada conducta. Cuando Rómulo y Remo llegaron a ser grandes, dieron una batida a los pastores del rey de Alba que estaban incomodando con sus robos aquella comarca; arrestándoles por esta ocurrencia y conducidos a la corte, fueron reconocidos y dieron muerte a Amulio y colocaron a Numitor en el trono. Por consejo de éste, resolvieron construir una nueva ciudad en el mismo paraje donde habían sido expuestos y educados, pero para evitar la rivalidad entre los dos hermanos, quiso Numitor que, según la costumbre de aquellos tiempos los arúspices decidiesen a cual debía pertenecer la corona. Remo fue el primero que vio seis buitres en el monte Aventino. Rómulo en seguida vio doce en el monte Palatino, sobre lo cual se armó una querella entre los dos hermanos, que terminó con la muerte de Remo. Otros pretenden que éste fue asesinado por su hermano, porque por desprecio había saltado a la otra parte del foso que rodeaba la nueva ciudad: pues los fosos, los muros y las puertas de las ciudades tenían algo de sagrado entre los antiguos. Sea de esto lo que se fuere, Rómulo trazó el plan de su nueva ciudad en el monte Palatino y luego de concluida, juntó al pueblo para establecer la forma de gobierno. Le nombraron unánimemente rey y fue solemnemente proclamado tal, luego que se hubieron tomados los auspicios. Para aumentar el número de los habitantes, abrió un asilo entre el monte Palatino y el Capitolio a los esclavos fugitivos, a los que se habían arruinado y a los malhechores. Esta cuadrilla de malvados y aventureros, despreciados por todos los pueblos, no habría podido multiplicarse si Rómulo no hubiese echado mano del artificio para robar las hijas de los sabinos, que hizo casar con sus nuevos súbditos. (V. Hersilia.) Este ultraje ocasionó sangrientas guerras contra los semineos, a quienes Rómulo venció e hizo súbditos suyos; política imitada después por los romanos y la que más contribuyó al engrandecimiento de su imperio. Destruyó a los cratumianos, imponiéndoles la misma ley, y los sabinos hubieran probado sin duda igual suerte si por la mediación de las sabinas robadas no hubiesen preferido la paz y la unión con los romanos, con tal que no formase más que un solo pueblo con ellos. Tacio, su rey, compartió su trono con Rómulo. Este príncipe, después de haber provisto a la seguridad de sus súbditos y de su estado, se dedicó a arreglar el interior dividiendo sus tierras en tres partes. La una fue consagrada al culto de los dioses y destinada a los gastos de la religión, la segunda la reservó para los gastos y necesidades públicas y para el establecimiento de la ciudad. La tercera fue compartida entre los súbditos y dividida en treinta partes iguales, conforme el número de curias que componían el total de los ciudadanos que, divididos en tres clases, les había dado el nombre de tribus y cada clase estaba subdividida en diez curias. La primera tribu se llamaba *Rhames*, compuesta toda de romanos, y la segunda *Tasianos*, que había formado de los sabinos; a tercera *Luocres*, a la cual incorporó todos los pueblos que había sometido, y este arreglo subsistió hasta la nueva división de las tribus hecha por Servio Hostilio. Rómulo dividió también sus súbditos en tres clases diferentes, los patricios, los caballeros y los plebeyos; escogió de la primera cien hombres distinguidos por su edad, su nacimiento y por sus riquezas y mérito, de los cuales formó un cuerpo que llamó Senado, cuyo cuerpo estaba encargado de gobernar la ciudad y de arreglar los negocios del estado cuando la guerra obligaba al rey a salir del territorio de Roma. A pesar de que este senado servía en cierto modo de barrera al rey, quien nada podía ejecutar que no se lo consultase antes, llegaron a sospechar los senadores que Rómulo aspiraba al gobierno absoluto y, habiéndose levantado algunos sediciosos contra él, un día que arengaba al pueblo se dice que los senadores se aprovecharon del tumulto y lo asesinaron; se añade que, para alejar de ellos las sospechas de un atentando tan atroz, sobornaron a un cierto Próculo, quien juró que había visto a Rómulo que subía al cielo, y que este príncipe había mandado que se le tributasen los honores divinos. Construyeron inmediatamente un templo en su honor y crearon expresamente para él un sacerdote particular llamado *Flamine Quirinal*; y su fiesta recibió el nombre de Quirinaria. Rómulo había reinado 37 años. *Tito Liv. Dion. Halic. Plut. Plin. Eneida. Ovid.*

ROOSI. (*Mit. jap.*) Jefe de secta que según parece es el mismo que Lao-Kium.

ROSA. Flor que estimulaba las delicias de los antiguos: adoraban con ella las estatuas de Venus y de Flora. Estaba consagrada particularmente a Venus porque había sido teñida con la sangre de Adonis o de la misma diosa, herida por una de sus espinas. Servía también de adorno a las Gracias. Era el símbolo de la molicie y el deleite. También lo era de una vida corta.

(*Mit. mah.*) Los musulmanes atribuyen el origen de la rosa a Mahoma. Dicen que paseándose cerca del trono de Dios en el paraíso antes de mostrarse a los hombres, Dios se volvió hacia a él y le miró, el profeta sintió tal rubor que comenzó a sudar y, entonces, pretendiendo enjugarse con los dedos hizo caer seis gotas de aquel sudor fuera del paraíso, y que de una de ellas nació inmediatamente el arroz y la rosa.

ROSALES ESCÆ. Manjar acompañado de rosas que se llevaba todos los años en el mes de mayo sobre los sepulcros de los muertos.

ROSALIA. Ceremonias religiosas que consistían en arrojar rosas encima una tumba.

ROSARIO. (*Mit. chin.*) Los devotos de la secta de Foé llevaban en el cuello o en el brazo una especie de rosario de cien granos y ocho de más grandes. Al principio se encuentra uno grueso de la forma de las calabacitas, y rezaban su Na-mo-ó-mi-to-Fo, rodando estos granos. El día primero y décimo quinto de cada luna, los tonquineses celebraban una fiesta durante la cual tenían obligación de pasar seis veces su rosario.

(*Mit. jap.*) Los bonzos japoneses recomiendan a sus devotos que reciten todos los días ciento ocho veces cierta oración, porque, dicen, el hombre está sujeto a un número igual de pecados, y es necesario emplear una oración contra cada uno de estos pecados. Los granos de su rosarios les sirven para contar el número de esta oraciones. Cuando se hallan afligidos de alguna enfermedad peligrosa rezan lo que ellos dicen el *gran rosario*.

(*Mit. siam.*) Los talapios o telapones de Siam se sirven también de un rosario de ciento ocho granos.

(*Mit. índ.*) Los insulares de Ceilán usaban asimismo del rosario; y se les veía caminar por la calle, teniéndolo en la mano, y rezando oraciones.

(*Mit. mah.*) Los rosarios de los turcos constan por lo regular de seis decenas; pero los granos son todos de igual tamaño. Hay otro de cien granos dividido en tres partes, con hilos. Al principio de este rosario rezan una oración prescrita por la ley. En la primera parte repiten treinta veces *Dios es laudable*; en la segunda *Gloria a Dios*; y en la tercera *Dios es grande*. Estas tres fórmulas, repetidas, componen el número de noventa y nueve preces, lo que ha hecho creer a algunos sabios que este rosario mahometano era una imitación de las cien bendiciones que los judíos deben repetir cada día.

ROSC-HASAMA. Esto es jefe del año. Dan los judíos modernos este nombre a la fiesta que celebran al principio de su año, que es en los primeros días del mes de septiembre, a cuyo mes llaman *Tisri*. Pretenden que el mundo comenzó en aquel tiempo, a pesar de que otros sostienen que fue en el mes de marzo, llamado por ellos *Nisan*.

ROSEA DEA. *La diosa con dedos de rosa,* la Aurora.

ROSTAM. (*Mit. pers.*) Los persas dan este nombre a dos héroes fabulosos, célebres en sus anales: el primer hijo de Zal-le-Blanc, rey de las indias; y el segundo hijo de Tamur, rey de Persia; los cuales después de una prolongada y sangrienta guerra convinieron en terminarla con un combate singular. Este combate consistía en empuñar una anilla de hierro y arrancarla a su adversario, adjudicándole la victoria al que lograse quedarse con ella.

ROSTRA, o espolones de navíos. Eran llevados por Roma en triunfo cuando se alcanzaba alguna victoria naval. El cónsul Duilio erigió una columna rostral con motivo de su victoria sobre los cartagineses durante la primera Guerra Púnica (260 a. C.).

ROTUNDA. Templo de Vesta que era redondo.

ROUDRA. (*Mit. índ.*) El fuego; uno de los cinco poderes primitivos engendrados por el creador.

ROUS. (*Mit. orient.*) Octavo hijo de Jafet, hijo de Noé, de quien la Rusia ha tomado su nombre según esta interpretación. Los escritores orientales le dan un natural inquieto y turbulento, y pintan como un mal hermano y mal rey. *Bibl. orient.*

ROUSALKI. (*Mit. eslav.*) Ninfas consideradas como las diosas de las aguas y los bosques.

RUANA. Divinidad romana honrada por los cosecheros.

RUBÍ. Los antiguos le atribuían la propiedad de resistir el veneno, preservar de la peste, desterrar la tristeza, reprimir la lujuria y apartar los malos pensamientos. Si llegaba a cambiar de color, era señal de que debían acontecer algunas desgracias, y si lo recuperaba luego, anunciaba que ya habían pasado.

RUDIARIOS. Se llamaban así a los gladiadores que abandonaban el ejercicio de tales después de haber recibido la varilla llamada *Rudis*, y que en lo sucesivo no combatían sino voluntariamente. Consagraban sus armas en el templo de Hércules, que era su dios particular.

RUDRANNI. (*Mit. índ.*) El que hace llorar. Epíteto de la diosa Bavani en calidad de destructora. *V. Bavani.*

RUECA. La rueca era un atributo de las Parcas y algunas veces de Némesis. *V. Parcas, Hércules u Omfale.*

RUEDA. (*Iconol.*) (*V.* Fortuna, Ixión.) En el anverso de las medallas romanas se ve con frecuencia una rueda que significa los caminos públicos, reparados por orden del príncipe para comodidad de los carruajes.—La Rueda era uno de los símbolos de Némesis. Era también un instrumento de suplicio entre los antiguos. La rueda en que estaba atado Ixión, según los poetas, rodaba continuamente.

RUGIEWITH. Divinidad adorada por los antiguos vándalos.

RUIDO; (*Iconol.*) 1 — El emblema más natural para representarlo es el de un hombre en acción de correr, rodeado de atabales, tambores, trompetas y bocinas.

2 — De Guerra y de Paz. Un gallo que tiene bajo sus patas una trompeta.

RUISEÑORES. (*Mit. árab.*) La estación en que las aves comienzan a cantar era una fiesta de los antiguos árabes, por la cual solemnizaban la vuelta del calor. *V.* Orfeo, Filomela.

RUMBO. (*Mit. índ.*) Los indios que no han adoptado más que ocho rumbos de viento, suponen que Brahma ha colocado en cada uno un semidios, para velar por el bien general del universo. En el uno está el dios de la lluvia; en el otro el dios de los vientos; en el tercero el dios del fuego y así sucesivamente los demás. Finalmente, les llaman los ocho guardianes.

RUMENTUM. Interrupción que probaba un augurio con el canto de un ave. R. *rumpo. Festo.*

RUMIA, RUMILIA, RUMINA. Diosa que presidía, entre los romanos, la educación de los niños de teta.

RUMINAL. La higuera bajo la cual se encontró a Remo y Rómulo, a quienes una loba daba de mamar.

RUMINO. Júpiter, llamado así porque sustenta todo el universo.

RUMOR. Los egipcios los representaban por un joven guerrero que corre de una parte a otra con una pica en la mano, sembrando la división.

RUNAS. (*Mit. celt.*) Letras o caracteres mágicos que, según creían los pueblos del norte, tenían gran virtud en los hechizos. Se encuentran todavía varios de estos caracteres trazados en las rocas de los mares del Norte.

RURINA, RUSINA. Diosa que presidía el cultivo de las tierras.

RUSVÓN. Angel que tiene las llaves del paraíso y que abre la puerta a los bienaventurados después que han bebido de las aguas del estanque de la vida.

RÚSTICOS. (Dioses) *Dioses que presidían la agricultura.* Se les dintinguía en grandes y pequeños: los grandes eran Júpiter, la Tierra, el Sol, la Luna, Ceres, Baco, Flora, Minerva, etcétera. Los pequeños eran Fauna, Palés, Pomona, Silvano, Vertumno, Priapo y sobre todo el dios Pan, los modernos añaden también los Faunos, los Silenos y las Ninfas.

RUTILIO. Senador de Roma que tuvo la curiosidad de consultar un falso profeta llamado Alejandro sobre el preceptor que debía dar a su hijo. Este le respondió que le diese a *Pitágoras* y *Homero*. Rutilio entendió simplemente que era necesario que hiciese estudiar a su hijo la filosofía y las bellas letras. El joven murió poco tiempo después, lo que hizo despreciable al profeta de Rutilio: mas éste juzgó que Alejandro había predicho su muerte, pues le propuso por profesores a *Pitágoras* y *Homero* que ya no existían.

**RÚTULOS.** Pueblos de Italia célebres por la guerra que sostuvieron, conducidos por Turno contra Eneas. *Eneida. 7.*

**RYMER.** (*Mit. escand.*) Gigante enemigo de los dioses, debe ser al fin del mundo el piloto del navío *Naglefare.*

**SABA.** (*Mit. árab.*) 1 — Biznieto de Enoc y según los musulmanes hijo de Yoctan y nieto de Houd o Heber, según la tradición de los sabinos, pueblos de Arabia.

2 — Adivina puesta en el número de las sibilas. Se cree que era la de Cumas.

3 — Reino preislámico del suroeste de Arabia. El Antiguo Testamento narra la visita de la reina Balkis a Israel, atraída por la sabiduria del rey Salomón, del que tuvo un hijo Menelik y del que se hizo descender al Negus o Emperador cristiano copto de Etiopía.

**SABACIO** o Sabasio. Dios de origen frigio, hijo de Júpiter y Proserpina, introductor de la domesticación de los bueyes. Para engendrarlo Júpiter se había metamorfoseado en serpiente, por eso este animal era su símbolo. Como su culto era orgiástico se asimiló al de Dionisos = Baco (*V. Sabasias.*)

**SABADARIOS.** (Los) (*Mit. rab.*) Secta de judíos que hace profesión de observar los sábados con más escrupulosidad que los otros.

**SABADIO.** Uno de los dioses tracios.

**SÁBADO.** 1 — El último día de la semana, consagrado a Saturno. El sábado era entre los chingulos (cingaleses), uno de los días consagrados a las ceremonias religiosas.

2 — (*Mit. rab.*) Día de descanso para los judíos. Los rabinos han marcado exactamente todo lo que les está prohibido hacer en el día del sábado, reduciéndolo a 39 artículos, que se subdividen en muchos otros. Estos 39 artículos, referidos por *León de Módena*, consisten en lo siguiente. Les está prohibido trabajar, sembrar, atar gavillas, trillar, abalear, cribar, moler, amasar, cocer, torcer, blanquear, peinar, cardar lana, hilar, retorcer, hundir, batir, destruir, golpear con el martillo, cazar o pescar, degollar, desollar, preparar o raspar la piel, cortarla para iniciar el trabajo, escribir, rayar, preparar lo necesario para escribir, encender fuego, apagarlo, llevar alguna cosa en público, etc. Finalmente estos 39 artículos encierran diferentes especies. Las mujeres están obligadas a encender en el cuarto una lámpara, que por lo regular consta de seis pábilos o por lo menos de cuatro, y que dura una gran parte de la noche. Además preparan una mesa cubierta con unos manteles blancos, en la que ponen pan que tapan también con otro lienzo largo y estrecho, lo que practican en memoria del maná que recibieron en el desierto.

3 — Pretendida asamblea en la que la imaginación de los demonólogos, tales como *Bodin, Delrio*, etc, ha reunido a diablos, brujos, brujas y fantasmas.

**SABAHA.** (*Mit. afr.*) Nombre con que se menciona al jefe de la religión de los habitantes de Madagascar.

**SABÁN.** Fiesta de los labradores, entre los tártaros. *Viaje de Palas.*

**SABAOTH.** Nombre con el que los gnósticos, secta de los primeros tiempos del cristianismo impregnada de filosofía oriental y judaica, mencionaba a Dios por ser el sábado, el día santo hebraico.

**SABASIANO.** 1 — Sobrenombre de Baco, de Sabes, pueblo de Tracia, donde era honrado muy particularmente.

2 — Júpiter tuvo el mismo sobrenombre.

3 — El Mitra de los persas se encuentra bajo este nombre en los monumentos antiguos.

**SABASIAS.** Fiestas en honor de Baco. Se celebraban con danzas, carreras y con raptos de furor. Al parecer según *Suidas*, estas fiestas están relacionadas con nuestra palabra sábado, ya que Baco era denominado también Sabasio en época más antigua que su nombre griego de Dioniso.

**SABÁTICO.** (Río) (*Mit. rab.*) 1 — Se llama así a un pretendido río que algunos autores colocan en la Palestina y del que otros escritores niegan la existencia.

2 — Perteneciente al sábado.

SABE. Sibila de Babilonia de origen hebráico, hija de Beroso y Erimante.

SABEÍSMO. Culto tributado a los astros y que, sin duda, es uno de los cultos religiosos más antiguos del mundo; según se cree, los caldeos fueron los iniciadores de este culto que, posteriormente, comunicaron a los antiguos persas. Los antiguos habitantes de Libia y Numidia tributaban honores divinos también a algunos planetas.

(*Mit. amer.*) Los indios de Nicaragua, Panamá y los valles de Tunia en América meridional también adoraban al Sol y la Luna, a los que contemplaban como marido y mujer. Puede también contarse entre el número de los adoradores de los astros a los antiguos habitantes de la provincia de los Quires y los antiguos habitantes de California, quienes llegaban a contar sus cabellos en honor de la Luna.

SABIDURÍA. (*Iconol.*) Los antiguos representaban la Sabiduría bajo la figura de Minerva con un ramo de olivo en la mano, emblema de la paz interior. Su símbolo ordinario era el mochuelo. Era una medalla de Constantino el Grande se ve un mochuelo sobre un altar, al lado de una pica y un broquel, con la inscripción *sapientia principis*. Los lacedemonios daban a la Sabiduría la figura de una joven con cuatro manos y cuatro orejas, símbolo de la actividad y docilidad: un carcaj al lado y una flauta en la mano derecha, para expresar que debe encontrarse en los trabajos y en los placeres. *Ripa* la alegoriza bajo la figura de una joven que, en la oscuridad de la noche, tiene en la mano derecha una lámpara encendida y en la izquierda un gran libro. A estos ragos símbolicos *Gravelot* añade un hilo que dirige sus pasos hacia un laberinto. Un Aplomo o plomada, imagen de la afortunada igualdad que sabe guardar así en la buena como en la mala fortuna y varios libros que significan que esta virtud se adquiere y se acrecienta por medio de los conocimientos. *Cochin* la representa por una mujer algo desnuda, con un sol sobre su pecho, que recibe un rayo del cielo hacia el cual ella tiende los brazos. Está algo elevada y bajo sus pies hay varios cetros y coronas.

2 — *Divina*. Es caracterizada principalmente por el sol que le sirve de diadema. *Andres Sacchi* la ha figurado en el cielo sentada en un trono en medio de las virtudes que la acompañan, y que reciben su mayor brillantez de los rayos del sol, que la Sabiduría tiene en su pecho. Lleva su majestuosa frente ceñida de una rica diadema; en una mano tiene un espejo y en la otra un cetro en cuyo extremo hay un ojo abierto. *Ripa* la representa vestida de blanco y en pie sobre una piedra cuadrada, llevando por armas una coraza y un casco, cuya cimera consiste en un gallo, teniendo en la mano derecha un broquel con la figura del Espíritu Santo, en la izquierda el libro místico de donde penden los siete sellos y encima el cordero pascual.

3 — *Evangélica*. La pintan bajo la imagen de una virgen alada; los ojos vueltos hacia el cielo de donde recibe un rayo de luz, o una paloma radiante; comúnmente le dan por atributo el libro de Salomón. La han pintado también bajo los rasgos de una virgen que inspira el amor y el respeto. Tiene un libro en la mano izquierda y en la derecha un vaso lleno de fuego. Un joven alado y coronado de laurel aparece a su lado para defenderla; lleva un broquel en una mano y con la otra presenta a la Sabiduría un ramo, también de laurel, en prenda de la victoria que se le ha prometido.

SABINO. *V.* Sabo.

SABINOS. 1 — Pueblos de Italia. Rómulo les invitó a que asitiesen a los juegos que iba a celebrar, en cuya ocasión les robó a sus hijas.

2 — Dan este nombre, en Turquía, a ciertos astrólogos y naturalistas que, a causa de la gran influencia que ejercen el Sol y la Luna sobre la tierra, están persuadidos de que hay alguna divinidad en estos dos astros.

SABIOS. En los monumentos antiguos se observa que los siete sabios de Grecia tenían cada uno sus figuras jeroglíficas que servían para distinguirles. Estas figuras nos recuerdan la principal máxima de su moral.- *Solón* tiene una cabeza de muerto por atributo, porque siguiendo la opinión de este filósofo es preciso aguardar a que una persona haya muerto para decidir si ha sido o no afortunada.-*Quilón* tiene un espejo, emblema de una lección muy util. En efecto nada importa más que conocernos a nosotros mismos. *Cleóbulo* lleva unas balanzas, símbolo que nos advierte que debemos siempre pesar y medir todas nuestras acciones a fin de no caer en un exceso. -Dan a Periandro una planta llamada *Poleo,* con esta palabra: *modérate,* porque siguiendo a los naturalistas, esta planta es muy eficaz para apaciguar la cólera. -*Bias* es representado con un enrejado a su lado y un pájaro en una jaula, emblema que nos da a entender que no podemos responder de nadie. Según la moral de este sabio, apenas podemos responder de nosotros mismos. *Pitaco* tiene un dedo en la boca; la máxima de este filósofo consistía en que para no hacerse traición era necesario aprender el arte de callar. *Tales* tiene un atributo muy singular que consiste en un hombre de la isla de Cerdeña montado en un mulo. Este jeroglífico, aunque algo oscuro, quiere denotar, según dicen, la abundancia de las cosas malas, porque los habitantes de Cerdeña son tenidos por malos, así como los mulos que abundan mucho en aquella isla.

**SABIS o SABIM.** Dios de la Arabia preislámica.

**SABO.** Antiguo rey de Italia; enseñó a los habitantes el modo de cultivar las viñas, por este beneficio se le colocó en la clase de los dioses y se dio su nombre al pueblo sabino que gobernaba. Fue uno de los dioses que Eneas invocó a su llegada a Italia, haciéndolo hijo del dios Sanco.

**SABOURA.** (*Mit. mah.*) Una de las cinco ciudades que, según dicen los musulmanes, fueron abrasadas por el fuego del cielo, en tiempo de Lot. *Bibl. or.*

**SÁCEAS.** Fiestas antiguas de los babilonios en honor de la diosa Anaitis y muy semejante a las Saturnales. Se estableció en memoria de una victoria importante ganada por el monarca de los persas contra un pueblo de Escitia, llamado los *Sces,* que habitaban en las orillas del mar

Caspio y que con sus incursiones habían desolado con frecuencia Persia. Duraban cinco días, en los cuales los esclavos mandaban a sus señores.

**SACELLUM.** Diminutivo de *sacrum,* pequeña capilla rodeada de murallas, pero sin techo.

**SACENA.** Vaca que se inmolaba en los sacrificios. *Festo.*

**SACERDOCIO.** Cargo que pertenecía antiguamente a los cabezas de familia, y de ellos pasó a los jefes de los pueblos. Entre los griegos, los príncipes desempeñaban la mayor parte de las funciones del sacrificio. Entre los romanos, la institución del sacerdocio comenzó con el culto de los dioses, y Rómulo escogió dos personas de cada curia para honrarlas con esta dignidad. Numa, que aumentó el número de los dioses, multiplicó también el de los sacerdotes que estaban consagrados a su servicio. Al principio tan sólo se confiaban estas augustas funciones a los patricios, pero luego, en virtud de las reclamaciones hechas por los tribunos y de la plebe participaron en ellas los plebeyos con los nobles. Fueron elegidos por el colegio hasta que Domicio Aenobardo atribuyó esta facultad al pueblo, pero más adelante volvieron las cosas a su primitivo estado. Finalmente los emperadores se apoderaron del derecho que el pueblo y los pontífices se habían mutuamente disputado.

**SACERDOS.** Sobrenombre de Licinio, por haber desempeñado la familia Licinia varios cargos distinguidos en el sacerdocio.

**SACERDOTALES.** Juegos que los sacerdotes daban al pueblo en las provincias.

**SACERDOTES GRIEGOS.** (*V.* Sacerdocio.) Además de los príncipes, que llevaban siempre al lado de la espada un cuchillo en un estuche, había otros encargados de las funciones del sacerdocio y aun familias que estaban en el goce perpetuo del mismo privilegio.

-*De los romanos,* elegíanlos indiferentemente para administrar los negocios civiles y los de la religión. La elección de los sacerdotes de los dioses, recaía comúnmente en las personas más distinguidas por sus empleos y sus dignidades. A

SACERDOTISAS - SACRIFICIO

veces se concedía este honor a jóvenes de familias ilustres desde el momento en que habían tomado la toga viril. -Es preciso distinguir a los sacerdores romanos en dos clases. Los unos que no servían a ningún dios en particular, pero ofrecían sacrificios a todos los dioses. Tales eran los pontífices, los augures, los quindecenviros, los que se llamaban *sacris faciundis;* los *auspices,* los *fratres arvales,* los *curiones,* los *septenviros,* o epulones, los *feciales,* los llamados *sodales titienses* y el rey de los sacrificios. Los otros sacerdotes tenían sus divinidades particulares, y eran los flamines, los salios; los llamados *Luperci, Pinari, Potitii, Galli* y finalmente las Vestales.

— *De los egipcios.* Los antiguos egipcios daban el nombre de sacerdotes a todos los filósofos, y con frecuencia elegían sus reyes de entre los sacerdotes.- Sacerdotes Egipcios. Estaban distribuidos en diferentes clases, empleados en diversos ejercicios y se distinguian por señales particulares. Habían renunciado a toda ocupación manual y profana, y una de sus funciones principales consistía en exhortar al pueblo, a que respetase los usos del país. Finalmente practicaban varias ceremonias, entre ellas, la de observar el cielo durante la noche y hacer purificaciones durante el día.

— *Galos*(V. Druidas.)

— *Escandinavos.* Ejercían una autoridad sin límites en todo lo concerniente a la religión.

— *Mejicanos,* consagraban al servicio de los dioses por medio de una unción que se les hacía en todas las partes hasta los pies. Su vida era extremadamente austera y aunque no les estaba prohibido el matrimonio, muchos de ellos se entregaban con tal celo a la castidad que para no infringir su voto se mutilaban.

SACERDOTISAS. *V.* Bacantes, Vestales, etcétera.

SACILI. (*Mit. índ.*) Esposo de Indra, el Júpiter hindú.

SACLA. Principio de impureza, según los maniqueos. *V.* Nébroda.

SACRA VIA. Nombre de una de las calles de Roma, llamada así porque en ella

fue donde se juró la alianza entre Rómulo y Testio, rey de los sabinos, con ocasión del pacto posterior a la guerra causada por el rapto de las sabinas (*V.* Sabinas.).

SACRAMENTUM INJUSTUM. Depósito de los que perdían un pleito, cuyo importe era confiscado y aplicado a los sacrificios. *Cie.*

SACRANIOS. Pueblos de lacio auxiliares de Turno. Descendían de los pelasgos.

SACRARARIUM. Capilla consagrada a alguna divinidad, en las casas particulares.

SACRATOR. Guerrero, partidario de Turno. *Eneida. 10.*

SACRES PORCI. Lechones destinados para los sacrificios.

SACRIFICIO. Acto de religión que los romanos llamaban *Devotio.* Los había de muchas especies: los unos particulares, esto es, los de los guerreros que se sacrificaban por la república como los de los Decios, padre e hijo, el de M. Curcio y entre los griegos el de Codro y de Meneceo. Los públicos eran proclamados por el dictador o el cónsul a la cabeza del ejército. Cuando el general que se había sacrificado perecía, se cumplía su voto, y se le tributaban con toda pompa los últimos deberes. Si sobrevivía, las execraciones que había pronunciado contra sí mismo le hacían incapaz de ofrecer ningún sacrificio a los dioses. Estaba obligado para purificarse, a consagrar sus armas a Vulcano, o a cualquier otro dios que quisiese, inmolando una víctima, o por medio de alguna ofrenda. Si el soldado sacrificado por su general perecía, todo al parecer se consumaba felizmente si, por el contrario, escapaba con vida, se enterraba una estatua de más de siete pies de altura y se le ofrecía un sacrificio expiatorio. Esta estatua era en apariencia la del soldado consagrado a la tierra, y la ceremonia de enterrarla era el cumplimiento místico del voto no cumplido. Estaba prohibido a los magistrados romanos que asistían a estas ceremonia, descender del hoyo donde debía ser enterrada la estatua, para que el aire infectado de aquel lugar maldito no manchase la pureza de su ministerio. El dardo que el cónsul tenía bajo sus pies, al hacer el sacrificio, debía guardarse cuidadosamente, para que no cayese en manos de los enemigos, lo que hubiera sido un funesto presagio. Si a pesar de todas las precauciones esto sucedía, no había otro remedio que hacer en honor de Marte el sacrificio llamado *Suovetaurilia. Aul. Gal. 1. 5, c. 12, Tito Liv. 5, c. 41, l. 7, c. 6, l, 8, c. 28, 29, l. 22, c. 17, Quint. Curc. 4, c. 3, Diod. Cas. Plut.* etc. Las leyes sacrificaban también a los criminales a la muerte; tal fue lo que hizo Rómulo contra los patrones que defendían mal a sus clientes: cuando el culpable era sacrificado públicamente, todo el mundo tenía libertad de matarle. La lisonja introdujo en tiempo de Augusto, otra nueva especie de sacrificio. Un tribuno de la plebe, llamado acuvio, dio el primer ejemplo, sacrificándose a la manera de los pueblos bárbaros, para obedecer las órdenes del príncipe, aún a costa de su vida. Este ejemplo fue imitado, y a pesar de que Augusto pareció avergonzarse de este exceso de vil adulación, no dejo de recompensar a su autor.

**SACRIFICIOS.** En Roma las personas destinadas para ejercer las funciones de sacrificador debían ser puras y castas y debían abstenerse de los placeres del amor, según lo disponía la ley de las doce tablas. Su vestido era blanco y además llevaban las sienes coronadas de ramas del árbol consagrado al dios a quien tributaban el sacrificio. Cuando éste era votivo, el sacerdote que lo hacía llevaba los cabellos esparcidos, el ropaje suelto y los pies desnudos. Los animales destinados al sacrificio se llamaban *víctimas* u *hostias,* y debían ser hermosos y sanos. Al principio se limitaban a ofrecer frutos a los dioses, como lo había establecido Numa Pompilio, pero después de este príncipe se introdujo por todas partes la costumbre de inmolar animales, porque consideraban que la efusión de sangre era muy agradable a los dioses. Se abría la ceremonia del modo siguiente. Un heraldo imponía silencio a los asistentes, se mandaba salir a los profanos y los sacerdotes arrojaban sobre la víctima una pasta compuesta de harina de trigo y sal, ceremonia llamada *inmutatio.*

El sacrificio y los que se hallaban presentes probaban el vino, y luego aquel lo vertía entre los cuernos de la víctima. Cuando quemaba el incieso, los criados, llamados *Pope,* medio desnudos, conducían al animal delante del altar, donde otro llamado *Cultrarius* le hería de un hachazo, recibiendo la sangre en copas y derramándola sobre el mismo altar. Muerta la víctima, la colocaban en la mesa sagrada (*ancalabris*), donde la desollaban y descarnaban. Algunas veces la quemaban toda entera, pero generalmente la repartían entre los dioses. Los que hacían el sacrificio comían con sus amigos la parte que les había tocado en suerte. Concluida la ceremonia los sacrificadores elevaban las manos, rezaban algunas oraciones, y después se despedían con la fórmula ordinaria de *Licet* o *Ex templo.* -Los griegos en sus sacrificios seguían con poca diferencia iguales ceremonias y las mismas costumbres que los romanos: doraban los cuernos de las víctimas mayores y se contentaban con adornar las menores con hojas de árbol o de la planta consagrada a la divinidad en honor de la cual ofrecían el sacrificio. Colocaban al pie del altar las canastas o cestas sagradas, donde se hallaba todo lo que servía para la ceremonia. Llevaban estas canastas las Canefores. La práctica más religiosa para ellos consistía en desollar la víctima y revestir con su piel las estatuas de los dioses; algunas veces la clavaban en la muralla o las suspendían en las bóvedas de los templos. Además los sacerdotes se echaban sobre las pieles de los corderos, las ovejas y los carneros que habían servido de víctimas: se dormían y, cuando despertaban, anunciaban sus sueños y los explicaban en forma de oráculos.

**SACRIMA.** Oblación que se hacía a Baco, del racimo y el vino nuevo.

**SACRUM.** Los antiguos llamaban así, a todo lo que estaba consagrado a los dioses y que se depositaba para mayor seguridad en sus templos. Llamábanse también *Sacrum, Sacra,* los sacrificios ofrecidos a los dioses y todas las ceremonias de su culto.

-*Abstemium.* Sacrificio sin libación de vino, que hacía la reina Sacrifícula (pequeño sacrificio) en honor de Ceres, en el templo que los arcadios habían edificado en el monte Palatino.

-*Ambarvale. V.* Ambarvales.

-*Anniversarium* o *annuum.* Sacrificio que se hacía todos los años en un tiempo determinado.

-*Canarium.* Sacrificio de una perra que se practicaba en tiempo de la canícula.

-*Commune.* El que se ofrecía a todos los dioses en general.

-*Curionium.* Sacrificio que tributaba cada curión por su curia, seguido siempre de un banquete público.

-*Depulsorium.* El que se practicaba para conjurar los males que les amenazaban.

-*Domesticum.* Igual al que se ofrecía cada padre de familia y que se llamaba también *familiare* o *gentilitium.*

-*Humanum.* Sacrificio por los muertos.

-*Montanum.* Sacrificio que ofrecían los habitantes de las colinas de Roma.

-*Municipale.* El que ofrecían las ciudades municipales antes de recibir el derecho de vecindidad.

-*Nuptialc.* Sacrificio que ofrecía la novia al entrar en la casa de su esposo.

-*Nictelium.* Sacrificio nocturno que se celebraba en la ceremonia de las bodas, y que los romanos prohibieron a causa de las abominaciones que se cometían en este acto.

-*Peregrinum.* El que se ofrecía a los dioses que trasladaban a Roma desde las ciudades conquistadas.

-*Populare.* Sacrificio por el pueblo.

-*Privatum.* Sacrificio ofrecido por cada particular o por una familia.

-*Propter viam.* Sacrificio que se ofrecía a Hércules o a Sauco para obtener un feliz viaje.

-*Resolutorium.* Sacrificio hecho por los augures.

-*Solemne* o *Statum.* Sacrificio que se ofrecía en un tiempo y lugar determinado.

**SADAH** o **Sedeh.** (*Mit. pers.*) Noche decimosexta del mes que los persas llamaban *Bayaman;* solemnizada con fuegos que alumbraban las ciudades y las campiñas. *Bibl. Orient.*

**SADAROUBAY.** (*Mit. índ.*) La primera mujer que Brahma creó para propagar el género humano.

**SADASIVA.** (*Mit. índ.*) El viento, uno de los cinco poderes primitivos engendrados por el Creador.

**SADER.** Uno de los libros que contiene la religión de los parsis y los guebros. La caridad, la piedad filial y la fidelidad en los juramentos son las principales virtudes que este libro recomienda.

**SADIAIL, SADIEL.** (*Mit. mah.*) Angel que gobierna el tercer cielo. Sujeta a la tierra, la cual si él no tuviese el pie encima estaría siempre en movimiento. *Bibl. Orient.*

**SADR y SEDR.** (*Mit. mah.*) Arbol que crece en el paraíso terrestre bajo el cual fueron escritas las tablas de la ley dictadas a Moisés.

**SADRI-OUGAM.** (*Mit. índ.*) Los cuatro ángeles del mundo que dan el número de cuatro millones trescientos veinte mil. Dos mil sadri-ougams hacen un día y una noche de Brahma. Después de mil sadrioungams, este dios se duerme, todo lo que ha creado es destruido y queda anonadado durante su sueño, que es de mil sadri-ougams o trescientos veinte millones de años. Al despertarse se vuelve a crear de nuevo a los dioses, los gigantes, los hombres y los animales. Sesenta mil sadri-ougams forman un mes de Brahma, doce meses semejantes a uno de sus años, y cien años es el término de su vida. La duración de la vida de Brahma forma un día de Visnú, treinta días semejantes a uno de sus meses, doce meses a uno de sus años. Este dios muere al cabo de cien años y entonces todo lo consume el fuego; en toda la naturaleza no existe más que Shiva y el mismo Shiva pierde las diferentes formas que había tomado cuando el mundo existía, y vuelve a ser entonces como una llama, etc. De este modo, dicen, es como las edades y los mundos se suceden y se renuevan perpetuamente.

**SADUCEOS.** Los Discípulos de Sadoc, que formaban una de las cuatro principales sectas de los judíos. Sostenían que el alma no era inmortal, y por una consecuencia natural negaban las penas y las recompensas de la otra vida. No creían tampoco en la existencia de los ángeles, ni en la resurrección futura. Como no reconocían ni penas ni recompensas, según se ha dicho, eran inexorables en el castigo de los malvados. Observaban y hacían observar las leyes con la mayor severidad. No admitían las tradiciones, las explicaciones, ni las modificaciones de los fariseos. Se atenían al solo texto de la ley y sostenían que debía observarse lo que estaba escrito.

**SÆVA DEA.** *La diosa cruel;* Diana honrada en la Táuride con sacrificio de hombres.

**SAFA y MERVE.** (*Mit. mah.*) Dos cerros que hay en las inmediaciones de La Meca, que están colocados a trescientos pasos uno de otro; los peregrinos dan siete vueltas a su alrededor con paso desigual, como si buscasen alguna cosa, lo que representa, según dicen los musulmanes, la inquietud de Agar cuando su hijo estaba sediento, y la pena con que buscaba el agua.

**SAFAR.** El viento frío y congelado de la muerte.

**SAFI.** (*Mit. mah.*) *Elegido;* sobrenombre que los musulmanes dan a Adán, como elegido por Dios para ser el padre de todos los hombres. Mustafá que deriva del mismo, es el título que los mismos dan a Mahoma al que consideran como el duodécimo Adán y restaurador del género humano. *Bibl. orient.*

**SAFIS.** (*Mit. musul.*) Pedacito de papel donde están escritos varios pasajes del *Corán* a los que se supone la virtud de hacer invulnerable al que los lleva y de libertarles de las serpientes y de los tigres.

**SAFO.** Mujer de Lesbos célebre por la belleza de su genio poético y por su desgraciada pasión por su amada Faón. Las de Lesbos elevaron un templo en su memoria, le tributaron honores divinos e hicieron grabar su efigie en sus monedas. *Herod. 2, Hor. 2, Ovid. Herod. 15, Plin. 22.*

**SAFRADA.** La mayor parte de las ciudades del Oriente antiguo daban este nombre a los años en que se celebraban juegos y sacrificios que formaban parte de la religión.

**SAGA.** (*Mit. celt.*) La segunda diosa. Era la divinidad de la historia.

**SAGÁN.** Nombre que los hebreos daban al vicario o lugarteniente del soberano pontífice que hacía sus veces en ausencia y enfermedades.

**SAGÁRIS.** 1 — Uno de los capitanes de Eneas muerto por Turno. *Eneida. 5. 9.*

2 — Hijo de Ayax, el locrio, fundador de la ciudad de Sibaris, en la Italia meridional.

3 — Hijo de Midas que dio su nombre al río asiático Sangario.

**SAGARITIS.** Ninfa del río Sangario en Frigia. Se unió a Atis que había prometido a Cibeles la castidad. Esta hizo morir a la ninfa derribando el árbol de cuya vida dependía la divinidad menor y enloqueció a Atis que se emasculó.

**SAGATRAKAVASTHEN.** (*Mit. índ.*) Dios nacido de la sangre que chorreó de una cabeza cortada de Brahma. Tiene quinientas cabezas y mil brazos.

**SAGES.** Uno de los capitanes de Turno.

**SAGITA o SAGITTA.** (La Flecha.) Constelación de estrellas que, según unas versiones la flecha con la cual Hércules mató al águila que roía las entrañas de Prometeo (véase Prometeo) y según otras es la flecha que sirvió a Apolo para matar a los cíclopes.

**SAGITARIO.** Constelación o signo nono del Zodíaco. Es representado mitad hombre y mitad caballo. Tiene un arco con el que está tirando una flecha, lo que denota la violencia del frío y la rapidez de los vientos que reinan en el mes de noviembre. Los unos pretenden que representa a Quirón, el centauro, los otros a Crocus, hija de Eufema, nodriza de las musas; que moró en el Parnaso y que después de su muerte, a ruego de las musas, fue colocado entre los astros.

**SAGRA.** Río de Grecia, en la Lócrida, cerca del cual los dioscuros tenían un templo. En las inmediaciones de este templo, ciento treinta mil crotoniatas fueron derrotados por diez mil locrios, con la asistencia de dos hermanos que el mismo día llevaron la nueva de esta victoria a los juegos olímpicos. *Cic. Deor. 2, c. 2, Estrab. 6.*

**SAHABI o Sahaba.** Compañeros de Mahoma.

**SAHEAAH, SAHERAT, SAOUR.** (*Mit. mah.*) Los árabes musulmanes dan este nombre a una de las cortezas o superficies del globo terrestre que está colocada bajo la que pisan los animales. Esta superficie interior es la que Dios ha destinado para celebrar el juicio final. *Bibl. orient.*

**SAIKON.** (*Mit. chin.*) Sacerdotes de las divinidades inferiores, al que honran los chinos de Batavia. *V.* Beo.

**SAINOKAVARA.** (*Mit. jap.*) Lugar del lago Falkon donde los japoneses creen estan detenidas las almas de los niños como en una especie de Limbo.

**SAIR.** (*Mit. mah.*) Cuarta estancia del infierno donde los musulmanes destinan a los que han profesado el sabeísmo. *Bibl. orient.*

**SAIS y SAITES.** Sobrenombre de Minerva adorada en Sais, ciudad de Egipto. *Estrab. 17. Herod. 2. 17.*

**SAKAR.** Genio infernal que, según el Talmud, se apoderó del trono de Salomón.

**SAKHRAT.** (*Mit. mah.*) 1 — Mezquita que los mahometanos edificaron, después de la toma de Jerusalén, sobre los antiguos fundamentos del templo de Salomón, y sobre la piedra donde se dice que Jacob habló con Dios.

2 — Piedra que los mahometanos dicen que está colocada en el centro de la tierra y que tiene propiedades milagrosas. *Bilb. orient.*

**SAKIAH.** Divinidad de los adites, antigua tribu árabe.

**SAKUTI.** (*Mit. jap.*) Divinidad japonesa a la cual se atribuye el poder de curar las enfermedades. Era el Esculapio de los japoneses.

**SALACIA.** Mujer de Neptuno, una de las divinidades marítimas, llamadas así de *salum*, el agua salada, de mar.

**SALACEUM.** Ciudad de Brutium, fundada por Menesteo, jefe de una colonia ateniense. Servio interpreta el epíteto de navifragum, que le da *Virgilio* (*Eneida. 3.*), diciendo que las primeras casas de esta ciudad fueron edificadas con los restos de la armada de Ulises.

**SALAMANDRA.** Especie de lagarto; los antiguos le dieron como atributo el fuego porque creían que tenía la facultad de vivir en medio de las llamas que, finalmente, apagaba gracias a su extremado frío corporal.

**SALAMBÓ.** Divinidad adorada por los antiguos babilonios que pasó a Fenicia y Cartago. Era representación babilónica de Venus cuando lloraba la muerte de Adonis. Por esta razón su fiesta se celebra con muestras de luto. *Gustave Flaubert* (1821-1881) escribió una novela histórica con este título.

**SALAMINO.** 1 — Júpiter, designado bajo este hombre por el culto particular que se le tributaba en Salamina, isla de Grecia, situada delante de la isla de Eubea.

2 — Uno de los cinco hermanos Dáctiles.

**SALAMIS.** Hijo de Asopo y Metona, Neptuno, enamorado de ella, la condujo a una isla del mar Egeo, que después llevó su nombre: Allí fue donde parió a Cenereo. *Diod. 4.*

**SALEH.** (*Mit. mah.*) Patriarca hijo de Arfaxad y padre de Heber, encargado por Dios de anunciar su palabra a los temudistas, en cuya ocasión obró varios milagros para convencer a estos pueblos idólatras, pero sin fruto; hasta que Dios cansado de su tenacidad suscitó un temblor de tierra tan violento, que todos los temudistas idólatras cayeron muertos en sus propias casas.

**SALERO.** La sal estaba consagrada a los dioses. El dejar de servirla por olvido en las comidas era tenido como un mal presagio.

**SALETE.** Nombre egipcio de la segunda Minerva, hija del Nilo.

**SALGANEO.** Sobrenombre de Apolo adorado en Salganeum, en Beocia.

**SALIACIÓN.** Especie de adivinación. *V.* Salisatores.

**SALIÆ VIRGINES.** Vírgenes que asistían en los sacrificios de los salios y los servían en su ministerio. Llevaban como muestra de honor un vestido de guerra llamado *paludamentum*, con unos gorros elevados como los salios, y hacian también sacrificios con los pontífices en el monte Palatino.

**SALÍGENA.** Epíteto de Venus salida del mar.

SALIO. 1 — Arcadio que estableció en Italia a los sacerdotes llamados *salios,* anteriormente a Numa. Este príncipe, según algunos autores, compañero de Eneas, no hizo más que introducirlos en Roma, con ocasión de una peste, así como su danza guerrera.

2 — Guerrero muerto por Nealcés.

SALIOS. Sacerdotes del dios Marte. Eran doce y celebraban sus fiestas danzando y saltando por las calles por cuyo motivo les llamaban Salii. R. *Salire,* saltar. Eran también los depositarios de los broqueles sagrados. (*V. Ancila.*) Después de su institución se multiplicó su número, de lo que ha derivado que son conocidos con diferentes nombres. *V.* Albanos, Collinis, Palatinos.

SALISATORES. Adivinos de mediana edad que hacían sus predicciones sobre el movimiento del primero de los miembros de su cuerpo que se movía, de lo que sacaban buenos o malos presagios. R. *Salire,* saltar.

SALISÚBSULES. Nombre que se daba generalmente a los que cantaban y danzaban al son de la flauta, como se practicaba en los sacrificios de Hércules.

SALISÚBSULO. Sobrenombre de Marte, tomado de las danzas marciales.

SALIVA. *Plinio* el naturalista (*l. 28, c. 2.*) refiere que antiguamente se ponían un poco de saliva con el dedo, detrás de la oreja, para desterrar de sí las zozobras e inquietudes.

SALMACIS. Fuente de Caria cerca del Halicarnaso, que tenía la virtud de hacer volver y afeminados a los que se bañaban en ella. *Met. 4, 15, Hig. f. 271. V.* Hermafrodita.

SALMONEO. Hijo de Eolo y Enáreta. Era tan orgulloso que quiso imitar a Júpiter y con esta intención construyó una carretera con pavimento de bronce sobre la cual hacía pasar un carro con ruedas de cobre que arrastraba cadenas de hierro. De esta manera pensaba imitar el trueno. Al mismo tiempo, lanzaba antorchas encendidas que pretendían ser rayos. Irritado Júpiter, lo fulminó con un rayo que, al mismo tiempo, destruyó la ciudad de Salmone, sobre la que reinaba. A su muerte fue arrojado al Tártaro por su impiedad. Había casado primero con Alcídice, de la que tuvo una hija Tiro y después con Sidero que fue una cruel madrastra para su hija.

SALMONIS, TIRO. Mujer de Salmoneo.

SALPINX. *Trompeta.* Sobrenombre bajo el cual Minerva tenía, en Argos, un templo edificado por *Hegelaö,* hijo de Tirreno, inventor de la trompeta.

SALSABIL. (*Mit. mah.*) Río del paraíso de los musulmanes.

SALSAIL. (*Mit. mah.*) Angel que gobierna el cuarto cielo.

SALSIPOTENS. El dios que domina en el mar. Neptuno. *Plaut.*

SALTATOR. *Danzador.* Epíteto que en latín corresponde al de *Orchestes* (Orquestes, Orquesta), que *Píndaro* da a Apolo, y que prueba cuan honrada era la danza entre los griegos.

SALUD. Divinidad alegórica que tenía muchísimos templos en Roma. Es representada en las medallas, coronada de hierbas medicinales. Algunas veces está colocada delante de un altar sobre del cual hay una serpiente que le rodea y se levanta para tomar alguna cosa que hay en una pebetera que ella le presenta. Es una ninfa joven con ojos brillantes, color fresco, talle suelto, cuya gordura es formada por las carnes, y por esta razón menos sujeta a marchitarse; lleva un gallo en la mano derecha y en la otra un palo enroscado por una serpiente. También se la representa por un joven desnudo y con alas y una serpiente que se enrosca alrededor de su brazo.

SALUS. Diosa de la salud, hija de Esculapio, la misma que Igiesa (Higiene). Los romanos hicieron de ella una divinidad. La representaban bajo el emblema de una persona joven, sentada en un trono, coronada de hierbas medicinales, teniendo una copa en la mano derecha y una serpiente en la izquierda. Cerca de ella había un altar alrededor del cual había otra serpiente que formaba un círculo con su cuerpo, de modo que su cabeza se levantaba sobre el mismo altar. *V.* Salud.

SALUTARIS DIVA. Isis, sobrenombre que lleva muchas inscripciones.

Dábanle este nombre tal vez porque se creía que indicaba en sueños a los enfermos, los remedios que podían tomar.

**SALUTARIS DIVUS.** Sobrenombre de Plutón. Cuando devolvía la vida a una sombra, o la hacía partícipe de la divinidad. Si los dioses querían resucitar a un mortal, Plutón hacía caer de su urna algunas gotas de néctar sobre el privilegiado.

**SALUTIFER PUER.** Esculapio, dios de la medicina.

**SALUTIGERI DII.** Dioses subalternos de que habla Apuleyo y que sirven de mensajeros e intérpretes a los dioses superiores.

**SALVADO.** Los antiguos se frotaban con salvado en las ceremonias lustrales y en las mágicas, y más particularmente cuando se trataba de inspirar el amor.

**SAMABED.** (*Mit. índ.*) El cuarto de los libros que los hindúes tienen como sagrados.

**SAMAEL.** (*Mit. rab.*) 1—Príncipe de los demonios. Fue el que se apoderó de la serpiente para seducir a Eva, la cual concibió y parió a Caín, que como no se parecía a Adán, causó a éste grandes desazones. -Los rabinos dan también este nombre al ángel destructor al que representan con una espada o bien con arco y flechas.

**SAMAIL.** (*Mit. mah.*) Ángel que gobierna el sexto cielo. *Bibl. orient.*

**SAMANEOS.** Filósofos hindúes que forman una clase diferente de la de los brahmanes, otra secta principal de esta religión hindú, según *S. Clemente de Alejandría.* Abrazaron la doctrina de un cierto *Butta* que los indios han colocado en el número de los dioses y que creen nacido de una virgen. Butta se relaciona con Buda y el budismo.

**SAMARATS.** (*Mit índ.*) La segunda de las cuatro sectas principales de los banianos que se compone de toda clase de oficios, como los cerrajeros, los mariscales, los carpinteros, los sastres, soldados, escritores, oficiales, etc. y en consecuencia es la más numerosa. A pesar de que siguen el sistema de la primera, de no permitir que lo maten los animales, ni los insectos y de no comer nada; que haya tenido vida, sus docmas son diferentes. Creen en el universo creado por una primera causa que lo gobierna y conserva todo con un poder inmutable ilimitado. Se llama *Permiser* y Visnú, y le da tres sustitutos, cada uno con su empleo, bajo su dirección. El primero se llama Brahma, el segundo Bofina, y el tercero Mais.

**SAMARI** (*Mit. árab.*) Uno de los principales jefes israelitas en el desierto, al cual se atribuye la construcción del becerro de oro. *Bibl. or.* Relacionado con Samaria y Samaritano.

**SAMBETHON.** Sibila a la que *S. Justino* llama *Caldea*, y que se supone era hija de Beroso, el historiador, y de Erimenta, mujer distinguida por su nacimiento. Disfrutaba de los honores divinos.

**SAMBULOS.** Montaña de Asia hacia la Mesopotamia. Era célebre por su templo dedicado a Hércules.

**SAMIA.** Hija de Meandro, río. *Paus. 7, c. 4.*

**SAMICAS.** Fiestas que se celebraban en la Elide bajo los auspicios de Neptuno, y que precedían a la apertura de los juegos olímpicos.

**SAMIENA.** Juno era tenida en gran veneración en Samos, porque los habitantes creían que esta diosa había nacido en su isla, en los bordes del río Imbraso y debajo de un sauce.

**SAMIO.** 1 — Pitágoras de la isla de Samos.

2 — Sobrenombre de Neptuno, al cual los de Samos habían levantado un templo cerca de su isla.

**SAMMANALIA.** Tortas de harina con forma de rueda.

**SAMNITAS.** Gladiadores vestidos según la costumbres del país. Solían ir a los banquetes a divertir a los convidados con la astucia y agilidad con que representaban combares simulados.

**SAMO.** Hijo de Anceo y Samia, nieto de Neptuno. *Paus. 7, c. 1.*

**SAMOLUS.** Una hierba llamada así por los galos, que nacía en lugares húmedos. Debía cogerse con la mano izquierda y por gentes que estuviesen en ayunas. El que la cogía no podía mirarla. Creían que obraba efectos maravillosos contra las enfermedades de los animales, y en particular de los bueyes y cochinos.

**SAMOS**. Isla del Mediterráneo frente por frente a la Jonia. Sus habitantes tributaban a Juno un culto particular y guardaban sus armas y su carro. *Eneida. 1, Estrab. 14, Paus. 7, c. 24. Plin. 5, c. 51, Mela. 2.*

**SAMOTETE**. Fundador de los celtas, el mismo que Mosoch, o Mesech, que los historiadores fabulosos de Inglaterra hacen primogénito de Jafet. Condujo a la Gran Bretaña las primeras colonias que la poblaron, y que le hicieron tomar el nombre de Samotea. Es además el dios Plutón de los antiguos pueblos mediterráneos.

**SAMOTRACIA**. Isla del mar Egeo célebre por el culto que se tributaba a Ceres, a Proserpina y a los Dioses Cabiros. Había en ella un oráculo tan famoso y frecuentado como el de Delfos. *Tito Liv. 4, 5, Plin. 23.*

**SAMSAI**. (*Mit. siam.*) Divinidad de Siam.

**SAN-PAU**. (*Mit. chin.*) Pequeño ídolo de tierra cocida o de algún metal que los calmucos y los mongoles van a buscar al Tíbet, y que llevan en el cuello.

**SANASIS**. Religioso indio tenido en gran veneración. Se dedica enteramente a la divinidad y hace voto de pobreza, de castidad y de ser sobrio.

**SANAVES**. Cierta especie de amuletos que las mujeres de Madagascar llevaban pendiente del cuello. Les atribuían la virtud de preservarlas de los golpes de los hechiceros.

**SANCRAT**. (*Mit. siam.*) Primer grado de la jerarquía monástica en el antiguo reino de Siam.

**SANCTUS, SANCTO**. 1 — Rey de los sabinos, que fue deificado. Era padre de Sabino, que dio su nombre a la nación. Una inscripción encontrada en Roma, donde Sanco está calificado de dios Semón, hacer ceer que Sanco era una de las divinidades llamadas *Semones*. algunos le confunden con Hércules, o con Júpiter. Los romanos le habían levantado un templo en el monte Quirinal. *Ovid. Fast. 6. Sil. 8.*

2—Epíteto que se daba a las divinidades, y entonces significaba propicia venerable.

**SANDACO**. Padre de Ciniras, primer rey de Chipre, de origen sirio.

**SANDALARIO**. Sobrenombre de Apolo, sacado del templo que tenía en *Vicus Sandalarius*, habitado principalmente por fabricantes de sandalias; o más bien por el calzado afeminado que llevaba.

**SANDIA-DIVI**. (*Mit. índ.*) Mujer extremadamente hermosa, cuyo nacimiento es muy singular. Los gigantes creados por Brahma se pervirtieron de tal modo, que llegaron hasta el extremo de querer violentar al mismo Dios; Brahma, para libertarse de sus persecuciones, dejó el cuerpo que nuevamente había tomado. Este despojo divino dio el ser a Sandia-Divi, de la cual gozaron los gigantes.

**SANDIVANE**. (*Mit. índ.*) Ceremonia que los brahmanes hacen todos los días en honor de los dioses en general y por la mañana de Brahma en particular, como autor de su origen.

**SANEDRIN**. Nombre dado entre los hebreos al principal de sus tribunales. Se componía de setenta y un ancianos, entre los cuales habían uno en calidad de jefe o de presidente del consistorio, a quien los judíos llaman aún Hannasicón, *el Príncipe*.

**SANEO, SANETO**. Nombre de Hércules entre los sabinos.

**SANGA**. (*Mit. jap.*) Romería que los japoneses de la secta sinto hacen una vez todos los años en la provincia de Isja, que miran como morada de su primer padre. *V.* Isja.

**SANGER**. Río de Frigia, padre de la joven Sangárida.

**SANGÁRICO**. Sobrenombre de la serpiente. *V.* Esta palabra.

**SANGARIDA**. Ninfa amada de Atis, que la hizo olvidar sus compromisos con Cibeles y que causó la muerte de su amante. *Pausanias* hace a Sangárida madre de Atis. *V.* Atis.

**SANGARIUS PUER**. Ganímedes, llamado así de la Frigia de donde el Sangar toma su origen.

**SANGARRA-NARAINEM**. (*Mit. índ.*) Nombre bajo el cual los hindués adoran, en algunos templos, a Shiva y Visnú, en memoria de la unión de estas dos sectas. Se representa también a esta divinidad mitad blanca y mitad azul, y su nombre significa *los dos reunidos*.

**SANGO**. *V.* Sanctus.

SANGRE o día de Sangre. Llamaban así a ciertas fiestas de Cibeles y de Belona, en las cuales sus sacerdotes furiosos se cubrían de sangre, haciéndose incisiones por todo el cuerpo.

SANGUS. *V.* Sanctus.

SANI. (*Mit. índ.*) Saturno, el peor de todos los planetas. Está colocado 800.000 leguas debajo de Júpiter. Los indios le han consagrado el sábado, y según ellos es el dios que castiga a los hombres durante su vida, y no se les acerca más que para hacerles mal. Le temen mucho y le hacen rogativas. Lo pintan de color azul, con cuatro brazos, montado en un cuervo, y rodeado de dos culebras, que forman un círculo a su alrededor (referencia a su anillo).

SANTÓN. Nombre de ciertos monjes entre los turcos. Según se cuenta se aprovechaban de todos los placeres que podían gozar. La santidad de algunos de ellos consistía en fingirse imbéciles y extravagantes.

SANTUARIOS. *V.* Asilo.

SAO. 1 — Una de las nereidas.

2 — Hijo de Mercurio y Rena. Dio su nombre a Samos.

SAÓN. El primero que descubrió el oráculo de Trofonio. *Paus. 9, c. 4.*

SAOTAS o SAOTES. Salvador; 1 — Sobrenombre bajo el cual Baco tenía un templo en Trecenes.

2—Sobrenombre bajo el cual Júpiter tenía una estatua en Tespia, en memoria de haber libertado a esta ciudad, de un dragón terrible.

SAOUD. (*Mit. árab.*) Monte que los árabes colocan en el infierno. *Bibl. Or.*

SAOUDAH. (*Mit. árab.*) Una de las cinco ciudades de Pentápolis como Sodoma, que fueron abismadas o quemadas por su impiedad y degeneración. *Bibl. orient.*

SAPAN-CATENA. (*Mit. índ.*) Fiesta que se celebrababa en Pegí. Los principales ciudadanos hacían construir pirámides de diferentes formas y las mandaban al palacio del rey en carros tirados cada uno por trescientas personas. El monarca las examinaba y decidía cual era la más hermosa y mejor trabajada. Los templos estaban iluminados durante la noche con innumerables velas, y las puertas de la ciudad quedaban abiertas.

SAQUI. (*Mit. índ.*) Esposa de India, el Júpiter hindú.

SARAH o SORAH. Torre o palacio edificado por Nemrod en Babel.

SARAPIS. *V.* Serapis.

SARASOUADI. (*Mit. índ.*) Esposa de Brahma, diosa de las ciencias y la armonía de las lenguas, y una de las tres diosas de las aguas. Nació en el río de leche cuando los debergels sacaron de él el *amourdon* (la ambrosia).

SARCÓFAGOS. *El que consume la carne. R. sarx,* carne, y *phago,* yo como.) Emblema de la tumba.

SARDES. Metrópolis de Lidia, en cuyos alrededores había viñedos tan deliciosos, que se decía que Baco había sido criado en Sardes y que había inventado allí el arte de hacer el vino. Diana, Proserpina, Venus, Hércules y Men eran adorados en aquella metrópoli, donde se celebraban fuegos sagrados en honor de Proserpina.

SARDESIO. Sobrenombre de Júpiter, de una ciudad de Siria.

SARDO. 1 — Hijo de Estenelo, fundador de la ciudad de Sardes.

2 — Hijo de Maceris, al que en Egipto y Libia dieron el sobrenombre de Hércules. Había conducido una colonia de libios a la isla que recibió de él el nombre de Cerdeña, donde se le erigieron estatuas.

SARDONE. (*Mit. celt.*) Nombre céltico de Saturno.

SARE. Espacio de tiempo en la cronología caldea y que marcaba tres mil seiscientos años.

SARI-HARABRAMA. (*Mit. índ.*) Nombre bajo el cual se honra a la Trinidad índica en la costa de Orixa, donde se la representa en las pagodas bajo los rasgos de una figura humana con tres cabezas.

SARMANES. (*Mit. índ.*) Sacerdotes o filósofos hindúes. *V.* Samaneos.

SARMENIUS LAPIS. Piedra a la cual se atribuía la virtud de prevenir los abortos.

SARÓN. Antiguo rey de Trecena que amaba apasionadamente la caza. Persiguiendo a un ciervo, se arrojó al mar y murió luchando con las olas. Su cuerpo fue transportado al bosque sagrado de Diana, donde fue inhumado. Esta aventura hizo dar el nombre de golfo Sarónico a un brazo de mar cerca de Corinto.

**SARONIA.** Fiesta anual celebrada en Trecenas en honor de Diana Saronia.

**SARONIA, SARONIS.** Diana honrada en Trecenas, en un templo que Sarón, uno de los reyes del país, le había erigido.

**SARÓNIDES.** Nombre que *Diodoro de Sicilia* da a los druidas. Otros derivan ese nombre de Sarón, rey celta, célebre por sus grandes conocimientos.

**SARPEDÓN.** 1 — Hijo de Júpiter y Europa y hermano de Minos y Radamanto. Disputó la corona de Creta al primogénito, mas habiendo sido vencido, se vio obligado a salir de la isla y condujo una colonia de cretenses al Asia Menor, donde formó un pequeño reino que gobernó tranquilamente.

2 — Hijo de Júpiter y Laodamia hija de Belerofonte. Distinguióse en el sitio de Troya, donde llevó socorros a Príamo, y fue muerto por Patroclo. Los troyanos, después de haber quemado su cuerpo, guardaron sus cenizas como cosa preciosa.

3 — Hijo de Neptuno, fue un pendenciero que jugaba con la vida de los hombres y mataba a todos los que podía sorprender hasta que murió a manos de Hércules.

**SARPEDONIA.** Nombre bajo el cual Diana tenía un templo en Sicilia, donde se pronunciaban oráculos.

**SARPEDONIO.** Sobrenombre de Apolo, adorado en el promontorio de Sarpedón en Sicilia.

**SARRASTES.** Pueblos de Capania auxiliares de Turno. *Eneida*

**SARRITOR.** Dios de los sachadores R. *sarire*, Escardador. Se le invocaba cuando los trigos eran altos, porque presidía el trabajo que consiste en escardar los campos; esto es quitar las malas hierbas que nacen en los terrenos sembrados.

**SARTA TECTA SERVARE.** Era el empleo de los *Æditui*, ministros encargados de limpiar y reparar los templos.

**SARVAGINA.** Secta de brahmanes que niegan la existencia de una providencia especial.

**SATELLES ORCI.** Charón. *Horacio.*

**SATER.** El mismo que Krodo.

**SATIALOGAM.** (*Mit. índ.*) *Mundo de la verdad;* paraíso de Brahma. V. Cailasa, Sorgon, Vaiconton. Se le llama también *Bramalogam.*

**SATIBANA.** (*Mit. chin.*) Diosa a la cual eran muy devotas las mujeres de los letrados tonquineses.

**SATIRIA.** Hija de Minos, rey de Creta. Amada por Poseidón, le dio un hijo de Tarento. Satiria dio nombre al cercano cabo Satirio. A veces se pretende que fue madre de Italo.

**SÁTIROS.** Genios de la naturaleza a los que se representaba de diferentes maneras: unas veces, la parte inferior de su cuerpo era de caballo y la superior, desde la cintura, de hombre; otras, su animalidad era de macho cabrío. En ambos casos llevan una larga cola muy poblada, semejante a la de un caballo y un miembro viril perpetuamene erecto, de proporciones sobrehumanas. Eran imaginados en el cortejo de Baco, con el que bebían, danzaban y perseguían a las Ménades y a las Ninfas, víctimas de su lubricidad.

Habitaban en los bosques y los montes, donde eran adorados como dioses.

**SATNIES.** Hijo de Enops y Reis, jefe troyano muerto por Ayax Oileo.

**SATOR.** Dios de los sembrados. R. *serere*, sembrar. Júpiter era llamado también *Sator hominum et deourum*, padre de los hombres y los dioses.

**SATRES.** Pueblos de Tracia; tenían un célebre templo de Baco, cuyos oráculos se rendían como en Delfos. *Herod. 7, c. 41.*

**SATURITA.** Diosa de los parásitos, de la creación, de *Plauto. Cáp. 4, 97.*

**SATURNALES.** Fiestas en honor de Saturno que se celebraban en Roma con gran aparato en el mes de diciembre. Estaba prohibido durante estas fiestas tratar de negocio alguno y ejercer ningún arte excepto el de la cocina. En ellas no se reconocían distinciones de clases. Los esclavos podían decir a sus señores todo lo que quisiesen y hasta burlarse de sus defectos en su presencia.

SATURNIA. 1 — Juno, hija de Saturno, *Geórg. 2, Eneida. 3.*

2 —*Varrón* pretende que antiguamente había en el monte Tarpeyo, en su origen *monte de Saturno,* una ciudad llamada *Saturnia.*

SATURNÍGENO. Júpiter, hijo de Saturno. *Ausonio.*

SATURNIO. Epíteto común a Júpiter a Neptuno y a Plutón, como hijo de Saturno.

SATURNIOS. Nombre de que los astrólogos dan a las personas de un temperamento melancólico, suponiendo que están bajo el influjo de Saturno, o que nacieron cuando Saturno estaba en creciente.

SATURNO (en griego, Cronos). Era el más joven de los hijos de Urano y Gea. Por tanto, pertenecía a la primera generación divina, la que precedió a Júpiter y a los olímpicos. Ayudó a su madre a vengarse de la brutalidad de su padre, para lo cual mutiló los órganos sexuales de éste con una hoz. Posteriormente, ocupó el lugar de su padre en el cielo y arrojó al Tártaro a los hecatónquiros y a los cíclopes. Ya dueño del universo se casó con su hermana Rea, y como Urano y Gea le habían predicho que sería destronado por uno de sus hijos, iba devorando a éstos a medida que nacían. Irritada por verse privada de sus hijos, Rea, embarazada de Júpiter, huyó a Creta donde dio a luz en secreto. Después envolvió una piedra en pañales y se la entregó como si fuera Júpiter, Urano la engulló sin inmutarse. Más tarde Júpiter, con la ayuda de Metis, hija del Océano, hizo beber a Saturno un emético que obligó a éste a devolver a todos sus hijos anteriormente engullidos, quienes, capitaneados por Júpiter, consiguieron destronar a su padre.

Saturno se refugió en Italia donde Jano, rey de esta comarca, le recibió con la mayor humanidad. Allí se dedicó a enseñar la agricultura a los hombres y el tiempo de su reinado fue tan afortunado que se llamó por ello edad de oro. Habiéndose enamorado de Filira se transformó en caballo para evitar las reconvenciones de Rea, su mujer, de la cual tuvo a Quirón. Le representan bajo la figura de un anciano con una hoz, para demostrar que el tiempo del cual Saturno es la personificación, todo lo destruye, o bien una culebra mordiéndose la cola como si volviese de donde viene, para significar el círculo perpetuo y la revolución de los tiempos. Algunas veces también le dan un reloj de arena o un remo para expresar la rapidez de esta misma revolución. En la época imperial fue identificado con el dios cartiginés Baal.

SÁURIX. Ave nocturna consagrada a Saturno.

SAURO. Ladrón que asolaba la comarca de la Elida y fue muerto por Hércules. Dio su nombre a la montaña donde fue enterrado y en cuya cima los pueblos levantaron un templo a su libertador. *Paus. 6, c. 21.*

SAUT. *V.* Léucate.

SAXANO. Sobrenombre de Hércules por haber aplanado las montañas permitiendo mejores comunicaciones, o porque se le dedicaban montones de piedras en las carreteras, o finalmente porque Júpiter había hecho caer sobre los ligurios, sus enemigos, una lluvia de piedras.

SAXIBONCES. (*Mit. jap.*) Especie de bonzos que en el Japón guardaban las casas de campo de los grandes.

SAZICHES. Antiguo legislador de los egipcios.

SCEA. 1 — Una de las hijas de Dánao y mujer de Diafrón o Diafonte. *Apolod.*

2 — Puerta de la ciudad de Troya, lugar del sepulcro de Laomedonte.

SCEVA CANINA. Encuentro casual o presagio que se sacaba del ladrido del perro. *Plaut.*

SCIACRID. (*Mit. rab.*) Maitines judías, o las cuatro primeras horas que siguen a la salida del sol y que los judíos modernos dedican a la oración.

SCIADÉFORAS. Mujeres extranjeras que residían en Atenas; llamadas así porque estaban obligadas a llevar parasoles durante la fiesta de las Pannatateas, para preservar del sol o de la lluvia, a las atenienses. R. *Skia,* sombra. *Foras, Foros* = llevar.

SCIAMANTIA. Adivinación que consistía en evocar las sombras de los muertos para alcanzar el conocimiento de las cosas futuras.

**SCIAMAS.** (*Mit. rab.*) *servidor;* especie de sacristán judío, encargado de las llaves de la sinagoga, de encender las lámparas y bujías y de preparar todo lo necesario para el culto.

**SCIATIS.** Nombre bajo el cual Diana tenía en Scias un templo, que se creía edificado por Aristodemo.

**SCIERIAS.** Fiesta que celebraban en Arcadia en honor de Baco.

**SCILUNTES.** Padre de Alesio, uno de los pretendientes de Hipodamia.

**SCILLON EORTE.** *Fiesta de las cebollas albarranas* que se celebraba en Sicilia.

**SCIOLDRE.** Nombre que los antiguos daneses daban a sus poetas.

**SCIOPODE.** Pueblos de Etiopía que, según diferentes tradiciones, no tenían más que un pie del cual se servían para echarse a la sombra de sol.

**SCIRA.** Los solimes, pueblos que habitaban el monte Tauro, daban el nombre de Scira a tres de sus principales dioses, Arsalo, Drio y Trosobio.

**SCIRAS.** Sobrenombre bajo el cual Minerva tenía un templo en Falero.

**SCIRES.** Solemnidad que se celebraba en Atenas, en la cual se llevaba con gran pompa por la ciudad las tiendas o pabellones, suspendidas sobre las estatuas de los dioses y en particular de Minerva, el Sol y Neptuno

**SCIRIAS.** *V.* Scires.

**SCIRO.** Profeta de Dédone; había edificado, según se dice, un templo a Minerva Sciras.

**SCIRÓFORIAS.** La misma fiesta que las Scires.

**SCIROFORIÓN.** Mes ático que corresponde a junio, llamado así porque en este mes se celebraban las fiestas de Minerva, llamadas Sciroforias.

**SCIRON.** 1 — Viento furioso al cual se invocaba para librarse de sus estragos.

2 — Hijo de Pilas Magareo; se casó con la hija de Pandión y disputó a Niso el trono de Megara. Eaco decididó que Niso sería rey y Escirón, polemarca (jefe del ejército).

**SCOLITAS.** 1 — Nombre bajo el cual Pan tenía una estatua de bronce (en Megalópolis) de un codo de alta.

2 —*V.* Scotios.

**SCOPAS.** Atleta, tesalio, cuyas hazañas cantó Simónides, pero no cobró todo el precio convenido, porque hizo entrar en su elogio el de Cástor y Pólux.

**SCOPELISMO.** Cierta clase de sortilegio de que Furio Cresinio fue acusado en Roma, porque su campo, aunque más pequeño, producía más que los de sus vecinos. -Es sabido que se justificó aduciendo los instrumentos de labor, una familia vigorosa, unos mozos robustos y unos criados bien nutridos.

**SCORDISCOS.** Pueblos bárbaros de la Panonia. Se bañaban en sangre humana e inmolaban a sus cautivos en los altares de sus dioses.

**SCOTIA,** *tenebrosa.* Sobrenombre bajo el cual Hécate tenía un templo magnífico en las orillas del lago Aquerusa en Egipto.

**SCOTIOS,** *el tenebroso.* Júpiter tenía un templo bajo este nombre en las cercanías de Esparta.

**SCRIBE.** Quindecenviro. Oficial al servicio de los quindecenviros, encargado de la custodia de los sibilinos en Roma.

**SCROBE SCROBICULE.** (*Mit. rom.*) Especie de hoyo en el cual se hacían sacrificios y libaciones en honor de los dioses de los infiernos.

**SCHASTAH.** (*Mit. índ.*) Comentarios de los brahmanes sobre los vedas. Son seis y tratan de la astronomía, la astrología, los pronósticos, la moral, los ritos, la medicina y la jurisprudencia. En estos libros sagrados, los brahmanes astrónomos calculan el curso de la luna, de los planetas y de los eclipses y forman los *Pandjangams*, almanaques.

**SCHOENCIA VIRGO.** Atalante, hija de Schenea.

**SEATER.** Divinidad de Sajonia.

**SEBADIAS.** Fiestas. Las mismas que las Sabasias. *V.* Sabasias.

**SEBASIO.** *Respetable.* Sobrenombre de Júpiter.

**SEBASTIÓNICO.** Vencedor en los juegos augustales. R. *Sebas,* augusto.

**SEBETHIS.** Ninfa a la cual Telón hizo madre de Elialo. *Eneida. 7.*

**SEBHIL** o **SEBHAEL.** (*Mit. mah.*) Angel que tiene los libros en que están escritas las buenas o malas acciones de los hombres.

**SEBRO.** Uno de los hijos de Hipocoón (Hipocoonte); tenía un monumento heroico en Esparta. La villa de Sebrium llevaba su nombre.

**SEBUEOS.** (*Mit. rab.*) Antiguos sectarios judíos solemnizaban la Pascua en el séptimo mes.

**SEBURAEOS.** (*Mit. rab.*) Rabinos o doctores judíos que vivían y enseñaban después de la publicación del *Talmud*. Seburaeo significa en hebreo *el que opina*, y se les dio este nombre, porque el *Talmud* había sido ya publicado y recibido en todas las sinagogas.

**SECÉSPITO.** Cuchillo muy largo del que se servían para degollar a las víctimas o para arrancar sus entrañas. El mango era redondo y de marfil guarnecido de oro o plata cuando se sacrificaba a los dioses del cielo, y de ébano cuando se sacrificaba a Plutón.

**SECIVUM OSEVIUM.** Cierta clase de pastel que se cortaba con el secespito en los sacrificios.(*V. Secéspito*).

**SECRETO.** Sobrenombre de Júpiter, según parece cuando se le adoraba en particular, o sin confundirle con los otros.

**SECULARIOS.** (Juegos) Fiestas solemnes que se celebraban con gran pompa al acercarse la época de la cosecha. Duraban tres días y tres noches consecutivas, y se distribuían al pueblo ciertas semillas y ciertas cosas lustrales y expiatorias. Por la noche se tributaban sacrificios a Plutón y a Proserpina, a la Parcas, a las Pitias y a la Tierra, y durante el día a Júpiter, a Juno, a Apolo, a Latona, a Diana y a los Genios. Cincuenta y cuatro jóvenes divididos en dos coros, el uno de varones, y el otro de hembras, cantaban los poemas seculares.

**SECUTORIA.** 1 — Gladiadores que tenían por armas una espada o una maza, emplomada en su extremo. Llámabanse así porque debían perseguir a los reciarios.

2 — Dábase también este nombre a los gladiadores que reemplazaban a los que habían muerto en el combate, o que luchaban con el vencedor.

**SECHANA'GA.** (*Mit. índ.*) *Rey de las serpientes;* el Plutón de los hindúes.

**SEDEN** o **SEDOCK** (*Mit. pers.*) Fiesta en la cual los persas encendían grandes fuegos durante la noche alrededor de los cuales celebraban banquetes y danzas.

**SEDIUS.** 1 — Hijo de Ifito, que junto con Epístrofo condujo a los fóceos con un contingente de cuarenta naves a la guerra de Troya.

2 — Otro jefe foceo, hijo de Perímedes muerto por Héctor ante las murallas de Troya.

**SEDRAS.** (*Mit. mah.*) Especie de lotes de paraíso de cuya madera según los musulmanes, estaban construidas las tablas de la ley dadas a Moisés.

**SEDRE.** (*Mit. mah.*) Gran sacerdote de la secta de Alí, jefe de los persas.

**SEEK.** (*Mit. índ.*) Secta herética separada de los brahmanes que creía que no había más que un dios todopoderoso, que llenaba el espacio, penetraba en la materia, siendo él sólo digno del homenaje y de la invocación de los mortales. Opinaban también que vendría un día en que la virtud sería premiada y el vicio castigado. Su libro sagrado prohibía el asesinato, el robo y todos los crímenes contrarios al orden y a la paz social; recomendaba la práctica de todas las virtudes y, muy particularmente, una filantropía universal y el ejercicio ilimitado de la hospitalidad hacia los extranjeros y viajeros.

**SEFER-TORA.** (*Mit. rab.*) *Libro de la ley.* Los judíos modernos se vanagloriaban de haber conservado un ejemplar, cuya copia había sacado Esdras del autógrafo de Moisés; dicen que este ejemplar se conserva en El Cairo. Hay copias de él en todas las sinagogas, las cuales están escritas con la mayor corrección y envueltas con dos paños riquísimos. El respeto que los judíos tienen a este libro sagrado es tan grande, que compran el honor de sacarlo del armario donde está encerrado y de volverlo al mismo lugar. Finalmente, ponen encima de él una corona, a la que llaman *Hatara* o *Chedertora;* esto es, *corona de la ley.*

**SEGETIA, SEGESTA.** Divinidad campestre que cuidaba de los trigos en tiempo de las mieses. Los labradores la invocaban entonces, para tener abundantes cosechas. R. *seges,* mies.

**SEGIADAH o SEGIADEH.** (*Mit mah.*) Pequeño tapiz de esteras de junco que los musulmanes llevan siempre con ellos, para arrodillarse cuando realizan sus oraciones.

**SEGIENOU.** (*Mit. índ.*) La tercera de las cinco fiestas del Pegú. Se hacía en honor de unos de los ídolos del país, en presencia del rey, de la reina y de sus hijos.

**SEGJIN.** (*Mit. mah.*) La séptima parte del infierno y la más baja de todas, a la cual iban a parar las almas de los impíos.

**SEGURIDAD.** (*Iconol.*) 1 — En una antigua medalla de *Macrino* está representada por una mujer que se apoya con la mano derecha en una pica y con la mano izquierda en una columna, símbolo de la firmeza, así como la pica lo es del mando. En otra de *Otón* se ve una mujer que tiene en la mano derecha una corona y en la izquierda una lanza, con estas palabras *securitas P. R. Le Brun* la ha personificado bajo la figura de una mujer que tiene en una mano su bolsa abierta y apoyándose con la otra en un montón de armas. En las medallas modernas la seguridad del imperio debida a las plazas fortificadas, está representada por una mujer sentada que, con el casco en la cabeza y la pica en la mano, se apoya en un pedestal; cerca de ella hay diversos planos de fortaleza y a un lado varios instrumentos de arquitectura. *Cochin* ha representado la Seguridad por una mujer que duerme apoyada en una columna y con la pica en la mano izquierda. Una puerta guarnecida de planchas y de clavos protege su sueño.

2 — En una medalla de Nerón apoya su cabeza en su mano derecha y tiene una pierna tendida descuidadamente. En otra la representan apoyada en el codo izquierdo, con la mano derecha sobre la cabeza en señal de descanso; en otra se le ve teniendo en una mano un cuerno de la abundancia y con la otra pegando fuego a un montón de armas, que tiene a sus pies. En una medalla de Tito aparece sentada delante de un altar iluminado, porque según dicen los antiguos, el culto que se tributa a la divinidad produce la Seguridad del imperio. En otra de *Adriano* está medio desnuda, sentada, apoyada en un cuerno de la abundancia, y teniendo oro en sus manos, porque la seguridad pública deriva del cuidado que toma el gobierno en mantener la abundancia.

**SEHELAN.** (*Mit. orient.*) Monarca de país fabuloso, llamado en los cuentos orientales, Ginistán, o reino de las Hadas.

**SEIA.** Divinidad campestre que velaba por la conservación de los trigos encerrados todavía en el seno de la tierra.

**SEIDUR.** (*Mit. escan.*) Tal es el nombre que los antiguos islandeses daban a la más antigua y más terrible de las magias que se operaba en el fuego, valiéndose de poesías o de algunas canciones.

**SEIGHS.** (*Mit. mah.*) Predicadores de las mezquitas. El Sultán tenía uno particular.

**SEIS.** Ninfa de quien Endimión hizo madre de Etolo.

**SEISACHTHEIA.** *La acción de sacudir una carga.* Sacrificio público que practicaban los atenienses en memoria de la ley de Solón que absolvía a los pobres de las deudas, por lo menos disminuía los intereses e impedía a los sacerdotes, apoderarse de las personas de los deudores.

**SEIVIAS.** (*Mit. índ.*) Secta de brahmanes dedicados especialmente al culto de Ixora o Eswara, a quien miraban como superior a Visnú.

**SEJAH.** (*Mit. mah.*) Cierta clase de monjes turcos que a pesar de que tienen monasterios, si una vez salen de ellos, ya no vuelven a entrar, pasando el resto de sus días vagando de una parte a otra.

**SELAEGENETES.** Padre de la Luz; epíteto de Apolo. R. *sèlas*, claredad. *Antol.*

**SELAGE.** (*Mit. celt.*) Planta que los druidas cogían con varias prácticas supersticiosas. Era necesario, dice *Plinío*, arrancarla sin cuchillo y con la mano derecha cubierta con una parte del vestido. Finalmente, debían practicar antes un sacrificio de pan y vino.

**SELAMANES.** Nombre sirio de Júpiter. *V*

**SELASFORE.** El que *lleva antorcha;* nombre bajo el cual los filenos adoraban a Diana. *V.* Fosforo.

**SELASIE.** *Luminoso;* sobrenombre de Diana, considerada como la Luna.

SELECTI, *elegidos*. El consejo de Júpiter se componía de doce dioses llamados *Consentes;* pero los romanos, imaginándose que este número no bastaba para el gobierno del mundo, lo aumentaron en ocho consejeros más, que llamaron *Selecti* y fueron Genio, Jano, Saturno, Plutón, el Sol, la Luna, Telefo.

SELENE. Hija de Hiperión y Rea; habiendo sabido que su hermano Helios, a quien amaba tiernamente, se había ahogado en el Eridán, se precipitó desde lo alto del palacio. Publicóse que el hermano y la hermana habían sido transformados en astros, y que eran el Sol y la Luna. Los Atlántidas, según refiere *Diodoro,* honraron, después de este suceso, estos dos astros bajo el nombre de Helios y Selene, nombre griego del Sol y de la Luna. *Platón* deriva este último de *Sèlen neon y ennor,* la vieja y nueva.

SELENITE. Piedra rara, que se decía crecía y decrecía según el curso y diferentes fases de la Luna.

SELENÍTIDES. Mujeres de Asia que ponían huevos, de los que nacían gigantes de un tamaño extraordinario.

SELIMNO. Río de Acaya que toma su origen cerca de una fuente llamada Argira. *V.* Argira.

SELENIO. Hijo de Neptuno y padre de Hélico.

SELINUNTIO. Sobrenombre de Apolo, que tuvo un templo y un oráculo en Selenio.

SELLI. Los primeros sacerdotes que rindieron oráculos en Dodona. Este nombre lo recibieron de Selles, ciudad de Epiro, o del río que *Bomero* llama Selleis. *Estrab. 7.*

SELLISTERNES. Banquetes que se daban a las diosas; llamados así porque ponían sus estatuas encima de pedestales llamados *sellæ.*

SEMALEO. 1 — *El que envía a los hombres presagios de los acontecimientos futuros;* sobrenombre bajo el cual Júpiter tuvo una estatua de bronce, en el monte Parnaso.

2 — Fiesta griega de la que habla *Hesici,* probablemente de Sémele.

SEMAQUIDE. Tribu del Atica, llamada así de Sémaco, cuyas hijas habían

dado hospitalidad a Baco; lo que valió a sus descendientes el privilegio de ser elegidos para sacerdotes de este dios.

SEMARGLE, o SIMAERCIA. (*Mit. eslav.*) Divinidad de Kiev. No se sabe nada positivo sobre el culto y los atributos de esta divinidad. El sólo indicio es la orden por la cual Vladimiro mandó que se sacrificase a Semargle, como a las otras divinidades del país.

SÉMELE. 1 — Hija de Cadmo y Harmonía, fue amada por Júpiter y concibió a Baco. Juno, esposa de Júpiter, celosa de Sémele, la convenció para que pidiese a su divino amante que se le apareciese en toda su gloria. Júpiter, que le había prometido concederle lo que ella pidiera, tuvo que aproximarse a ella con sus rayos y Sémele murió carbonizada.

Más tarde, cuando Baco llegó a la mayoría de edad, descendió a los infiernos, resucitó a su madre y la llevó al cielo, donde recibió el nombre de Tione.

Según *Pausanias,* que nos ofrece otra versión, cuando Cadmo descubrió el embarazo de su hija Sémele, la hizo encerrar en un cofre, que tiró al mar. Este cofre llegó posteriormente a las costas de Laconia, donde Sémele, que había muerto, fue enterrada, y los habitantes de estas tierras criaron al dios que había sobrevivido a la travesía.

2 — Fiesta griega probablemente en honor de Sémele.

SEMELEGÉNETES. Hijo de Sémele, epíteto de Baco. *Antol.*

SEMELEIA PROLES, Semeleius Heros. Baco, hijo de Sémele.

SEMENTINAS. Ferias que los romanos celebraban todos los años para obtener buenas sementeras. Por lo regular se celebran el 24 de enero en el templo de la Tierra.

SÉMICA, o *imposición de las manos.* Nombre que los judíos modernos daban a la ceremonia que se practicaba en otro tiempo cuando alguno recibía el nombre de doctor o de anciano.

SEMIFER. El centauro Quirón, mitad hombre y mitad caballo.

SÉMINA. Diosa poco conocida que presidía las semillas.

SEMINARIO. (*Mit. mex.*) Los aztecas tenía una especie de seminario donde educaban a las niñas y las acostumbraban a la práctica de las austeridades religiosas. Mientras vivían en él debían ir con la cabeza rasurada y guardar la virginidad. Si faltaban a este último deber eran castigadas como las vestales romanas con la pena de muerte.

SEMIRAMIS. Nacida en Ascalón, ciudad de Siria, hacia el año 1250 a. C. La fábula la supone hija de la diosa Derceto o Atergatis. Habiendo sido expuesta después de su nacimiento, fue alimentada por las palomas, lo que la hizo llamar Semíramis, nombre siríaco de esta ave; así es que, durante su vida, amó siempre apasionadamente a las palomas. Según la historia se casó con uno de los principales oficiales de Nino, y este príncipe, arrastrado por una violenta pasión inspirada por su valor y por sus demás cualidades, se desposó con ella cuando quedó viuda. Después de su muerte dejó el gobierno de sus estados a Semíramis, que los rigió como una gran princesa. Según la leyenda mandó construir la magnífica ciudad de Babilonia, cuyos muros han sido tan celebrados, así como los pretiles y el puente edificado sobre el Eufrates que atravesaba la ciudad, del norte al mediodía. El lago, los diques y los canales, hechos para el desagüe del río, eran más útiles que magníficos. Han sido también muy admirados los palacios de la reina; pero lo más notable era el templo de Belo, en medio del cual se elevaba un edificio inmenso, que consistía en ocho torres construidas una sobre la otra. Después de haber embellecido Babilonia, Semíramis recorrió su imperio dejando por todas partes muestras de su magnificencia. Se aplicó, muy particularmente, en hacer conducir las aguas a los parajes donde carecían de ellas, y en hacer construir grandes caminos. Hizo también varias conquistas en Etiopía, y su última expedición fue a las Indias, donde sus ejércitos fueron completamente derrotados. Esta reina tenía un hijo de Nino, llamado Ninias, y advertida que conspiraba contra su vida, abdicó voluntariamente del imperio en su favor, acordándose de un oráculo de Júpiter Ammón, que le había pronosticado que, cuando su hijo le tendiera lazos, sería la señal de que se acercaba su última hora. Algunos autores cuentan que se apartó de la vista de los hombres con la esperanza de gozar de los honores divinos otros, con más verosimilitud, atribuyen su muerte a Ninias. Esta gran reina fue honrada después de su muerte por los asirios como una divinidad, bajo la figura de una paloma. *Herod. 1, Ovid. Amor. 1, Val. Max. 9, Diod. 2, Mela. 1.*

SEMIREAS. (*Mit. rab.*) Uno de los ángeles que fueron seducidos por la hermosura de las mujeres; *V. Azael, Famaro.*

SEMITALES. Dioses romanos, que se cuidaban de guardar los caminos. R. *semita,* camino.

SEMNÆ. *venerables.* Nombre que los atenienses daban a las Furias, para hacerlas favorables. *Paus.*

SEMNES. Secta de gimnosofistas compuesta de ambos sexos. *S. Clemente de Alejandría* dice que el principal estudio de esta secta consistía en investigar la verdad, y que se preciaba de predecir lo venidero. Las mujeres conservaban su virginidad, se dedicaba a la astrología judiciaria y predecían también lo futuro.

SEMNOTEOS. *Diógenes Laercio y Suidas* dicen que este nombre se dio a los druidas. Designaba la profesión que hacían de honrar a Dios, de dedicarse a su servicio y de tener de él un conocimiento muy vasto.

SEMÓN. Dios que según se creía era el mismo que Fidio y que Sanco. Dábase también este nombre a Mercurio y a muchos otros. V. Semones.

SEMONES. Dioses inferiores distinguidos de los dioses celestes, *quasi semihomines;* tales como Jano, Pan, los Sátiros, los Faunos, Priapo, Vertumno, y aún el mismo Mercurio. *Ov. Fast.*

SEMOSANCTUS. Dios romano, uno de los indigestas. V. Semón.

SEMURIUM. Lugar vecino de Roma donde Apolo tenía un templo.

SENADO. Este cuerpo no podía reunirse más que en uno de los templos consagrados por los augures. Normalmente se juntaban en los del Honor, Apolo y Concordia. El magistrado que había convocado al senado inmolaba regularmente una víctima delante del lugar de la asamblea, y entraba después de haber consultado los auspicios.

SENES. Nombre de las druidesas, y en particular de las vírgenes de la isla de Sain. *Pomponio Mela.*

SENGHET. (*Mit. índ.*) Reunión del pueblo; nombre que los seikes, del Indostán, dan a sus lugares de devoción.

SENICAPER. *Semi-cabrón.* Sobrenombre de Pan, en *Ovidio.*

SENILIS. Fortuna de los ancianos; la representaban con una gran barba.

SENIO. Dios que presidía la senectud.

SENTA. Hija de Pico, se casó con su hermano Fauno y es la misma que Fauna, o la Buena Diosa.

SENTIA. Diosa tutelar de la infancia.

SENTIDOS. (*Iconol.*) Son alegorizados por medio de genios o ninfas y cada uno tiene un atributo diferente que sirve para darlos a conocer. Se señalan varios frutos al gusto, flores al olfato, instrumentos al oído; el tacto lleva un ave que le picotea, la vista se designa por un espejo que tiene en sus manos, algunas veces se pone detrás de ella el arco iris, para designar la diversidad de los colores, objeto de la vista. Entre los egipcios la liebre designaba el oído; el perro, el olfato; el gavilán, la vista; un pescado y un cesto lleno de frutos, el gusto; el armiño y el erizo, el tacto. En un baile alegórico que se ejecutó en Estocolmo en 1654, los sentidos estaban caracterizados por medio de las divinidades antiguas; el Sol, como autor de la luz designaba la vista. Baco y Ceres divinidades que presiden las buenas comidas, caracterizaban el gusto. Apolo, como dios de la música y de la poesía, era el símbolo del oído; el olfato era representado por Pomona y Flora; y el tacto por Venus y cuatro pequeños amores.

SENTINO. Dios que daba el sentido a las criaturas, cuando nacían. *S. Agustín.*

SEPIA. Monte de Arcadia donde Epito fue muerto por una serpiente llamada *Seps.*

SEPTEMATRO. Los siete días de las fiestas consagradas a Minerva, o a las otras diosas. *Festo.*

SEPTENTRIÓN. (*Iconol.*) El viento del norte, pintado con los mismos rasgos que *Caurus* el viento del nordeste, esto es con un vestido forrado, una barba larga y aspecto de anciano. Otros lo representaban bajo la figura de un hombre de edad madura, bien formado, vestido de guerrero, cubierto de armas y en acción de empuñar la espada. Lleva una banda azul con los tres signos celestes que están debajo del Zodíaco.

SEPTENVIROS. *V.* Epulones.

SEPTERIAS. Fiestas que los habitantes de Delfos instituyeron en memoria de la victoria que Apolo ganó matando a la serpiente Pitón. Esta fiesta se renovaba todos los años.

SEPTIMIANO. Sobrenombre de Jano, de un templo edificado por Séptimo Severo.

SEPTIMONTIUM. Día de fiesta que los romanos instituyeron después de haber encerrado a la séptima montaña en el perímetro de la ciudad; se celebraba en Roma a fines de diciembre, con sacrificios que se hacían en la siete montañas.

SEPULTURA. Los romanos las tenían de tres clases; esto es, sepulcros, monumentos y cenotafios. -El sepulcro era la sepultura ordinaria, donde se depositaba el cuerpo entero del difunto. El monumento ofrecía algo más de magnificencia. Era el edificio construido para perpetuar la memoria de una persona, sin ninguna solemnidad fúnebre. Podían erigirse varios monumentos a una persona, al tiempo que no podía destinarse más que un sólo sepulcro o tumba. Cuando después de haber construido una sepultura se celebraban los funerales con todo el aparato acostumbrado, aunque sin encerrar en ella el cadáver, llamábase cenotafio; esto es, sepultura vacía. La idea de los cenotafios derivó de la opinión de los romanos, que creían que las almas de aquellos cuyos cadáveres no habían sido sepultados andaban errantes durante un siglo, por las orillas de los ríos del infierno sin poder pasar a los Campos Elíseos. Se elevaba pues un cenotafio de hierba, al que llamaban *injectio glevoe.* Después practicaban las mismas ceremonias que si el cadáver hubiese estado presente. Así es que *Virgilio,* en la *Eneida* hace pasar por Caronte el alma de Deífobo, a pesar de que Eneas no le había erigido más que un cenotafio. *Suetonio,* en la vida del emperador Claudio, llama a los cenotafios sepulturas honorarias.- No solamente se consideraban como religiosos los lugares que ocupaban las sepulturas, si no también un cierto espacio de tierra que las rodeaba y el camino que conducía a ellas. Si alguno se atrevía a extraer materiales de alguna sepultura, y otras piezas de marmol para emplearlos en edificios profanos, la ley le condenaba a diez libras de oro de peso y además el edificio quedaba confiscado. Tan sólo eran exceptuadas las sepulturas de los enemigos, porque los romanos no las consideraban como santas y religiosas. Adornaban algunas veces sus sepulturas de cintas de lana y festones de flores; y sobre todo tenían un particular cuidado en hacer grabar los ornamentos que servían para distinguirlas, como figuras de animales, trofeos militares, emblemas característicos, instrumentos; en una palabra, todo lo que podía demostrar el mérito, la clase, la profesión del difunto.

SEPULTURA. Acción de enterrar a los muertos. Los deberes de la sepultura han estado en uso en todas las naciones, pero cada pueblo se ha prescrito ceremonias particulares, fundadas casi todas ellas en la idea que tenían de la vida futura. Así es que los antiguos consideraban la sepultura de los muertos como una circunstancia necesaria para que las almas fuesen admitidas en la morada de los bienaventurados, al tiempo que creían que aquellos, cuyos cuerpos estaban privados de este último deber, iban errantes por algún tiempo por las orillas del Estigio antes de poderlo pasar. Por este motivo, cuando encontraban un cadáver lo enterraban inmediatamente y había muchísimos que por el temor de quedar sin sepultura, se las mandaban construir durante su vida. *Séneca* llama al deber de dar la sepultura a los muertos, un derecho no escrito, mucho más fuerte que todos los derechos escritos. Los antiguos consideraban como el colmo de la infamia el ser privados de sepultura,

y los romanos no la negaban más que a los criminales de lesa majestad para inspirar más horror a este crimen, a los que morían en cruz, que era el suplicio a que destinaban a los malvados más envilecidos, y a los suicidas. Fuera de estos casos particulares, los funerales eran para ellos mismos una ceremonia sagrada y pocos pueblos había más religiosos y más exactos en tributar los últimos deberes a sus padres y a sus amigos.

SERA. Una de las divinidades que presidían las semillas. R. *serece,* sembrar.

SERADIES. Fiestas. *V.* Sabasias.

SERAKIS. Rama de los sectarios mahometanos llamados bektasses o bectachis.

SERAPEÓN, SERAPIÓN. Templo que los egipcios habían consagrado a Serapis. Este templo en los siglos siguientes se convirtió en una biblioteca famosa por el número y la calidad de los libros que contenía.

SERAPIS. (*Mit. egip.*) Era dios de los egipcios. Algunas veces se le confundía con Júpiter y con el Sol. Serapis se encuentra con frecuencia en los antiguos monumentos, y con los tres nombres de Júpiter, Sol y Serapis. Confundíanle también con Plutón; así es que a veces iba acompañado del Cerbero. El culto de este dios había sido llevado a Egipto por los griegos, puesto que en los antiguos monumentos puramente egipcios, como por ejemplo, la tabla Isíaca, que comprende toda la teología de los egipcios, no presenta ninguna figura de Serapis, ni el mas leve indicio de su existencia. Los que no ven en esta divinidad más que el emblema del Sol derivan esta palabra de *sairein,* adornar. - El símbolo ordinario de Serapis es una especie de canasto o de medida, llamado *calatus,* el cual lleva sobre la cabeza para significar la abundancia que este dios, tomado por el Sol, proporcionaba a los hombres. Representábanle barbudo y casi con la misma figura que Júpiter, por cuyo motivo le confundían con este dios en las inscripciones. Cuando representaba a Serapis, Plutón tenía en una mano una pica o un cetro, y a sus pies el can Cerbero. - Era considerado también como uno de los dioses de la salud, y se citaban de él varias curas milagrosas. Los egipcios tenían muchos templos consagrados a Serapis. El de mayor fama estaba situado en Cánope y el más antiguo en Memfis. Tenía un oráculo famoso en Babilonia, que daba sus respuestas en sueños. Los griegos y los romanos honraban también a Serapis y le consagraron varios templos. Los romanos le edificaron uno en el circo de Flaminio e instituyeron fiestas en su honor.

**SERENATOR.** Sobrenombre de Júpiter.

**SERENDIB.** (*Mit. musul.*) Isla donde los orientales colocan el paraíso terrestre. Hoy, Sri Lanka (o Ceilán).

**SERENO.** Sobrenombre de Júpiter considerado como el éter.

**SERGESTE.** Troyano que siguió a Eneas a Italia, y a quien *Virgilio* supone cabeza de la familia de Sergio. *Eneida. 5.*

**SERGOUIER.** Peñasco debajo de Yakoustk, en Siberia. Los yakuts le veneran como divinidad y le atribuyen el poder de promover los vientos impetuosos.

**SERIFE.** Isla del mar Egeo. *V.* Perseo, Dánae.

**SERIMNER.** (*Mit. escand.*) Jabalí milagroso, cuya carne el cocinero *Audhrimner* cocía en el puchero *El dhrimner*. Esta carne bastaba para alimentar a todos los héroes muertos en las guerras que, después del principio del mundo, han pasado al palacio de Odín. Todas las mañanas cocían una porción de ella, y por la tarde el jabalí volvía a quedar entero.

**SERMANI.** (*Mit. per.*) *Cabeza de pescado.* Pueblos fabulosos citados en los cuentos orientales y que son tal vez los mismos que los griegos llaman. *-Ictiófagos* (comedores de peces).

**SEROSCH.** (*Mit. pers.*) El genio de la tierra, entre los parsis. Lo pintaban puro, fuerte, obediente y resplandeciente de la gloria de Ormuz. Tenía confiada la custodia del mundo, y preservaba a los hombres de los lazos del diablo.

**SERPENTARIA.** Una de las constelaciones. Los poetas dicen que era el dragón del jardín de las Hespérides, muerto por Hércules y que Juno colocó entre los astros. (*V.* Ofiuco). Otros suponen que era la serpiente que llevó a Esculapio la hierba con la cual hizo resucitar a Andrógea, o a la serpiente Pitón.

**SERPIENTE.** (*Mit. egip.*) Los egipcios se servían de la serpiente en todos sus símbolos. Formaba parte del tocado de Isis, y el círculo de que se valían estos pueblos para designar al Ser Supremo estaba siempre acompañado de una o dos serpientes. El cetro de Osiris tenía enroscado una serpiente. Cuando querían valerse de este animal para representar al Ser Supremo, lo representaban con alas y en forma de gavilán. En algunas solemnidades llevaban una serpiente encerrada en una caja. A veces las serpientes representaban a los mismos dioses y en particular a Serapis. Agis estaba representado igualmente con una cabeza de toro, un cuerpo de serpiente y la cola levantada. La serpiente, en general, designaba la tierra y el agua, y otras veces la boca, porque toda su fuerza la tiene en ella. Una serpiente con la cola escondida era el símbolo de la eternidad; mordiéndose la cola y con el cuerpo cubierto de escamas designaba el mundo, que se rejuvenece todos los años en la primavera, y los astros, adorno del universo, La serpiente que tenía la figura del mundo y la cola en la boca era la imagen de un buen rey. La que vela era la de un rey vigilante y amante del bien público. Una serpiente con una gran casa era la pintura de un rey, que se suponía señor del mundo.

No era menos venerada la serpiente entre los griegos y romanos, que entre los egipcios. Tributábase en Epidauro un culto particular a este reptil. Los atenienses conservaban siempre uno vivo, como protector de su ciudad. Atribuían a las serpientes una virtud profética y observaban religiosamente todos sus movimientos, que eran interpretados como señales de la voluntad de los dioses. Representaban algunas veces a los genios bajo la figura de una serpiente. (*V.* Genio.) Este animal, según *Macrobio*, era el símbolo ordinario del Sol. También lo era de la medicina y de los dioses que la presidían, como Apolo y Esculapio. La serpiente enroscada y formando un círculo, era el símbolo de la reflexión. Era también el atributo de la

Salud, la Envidia, los Remordimientos, los Pesares, etc. (*Mit. índ.*) Los indios tributaban gran veneración a las serpientes y a las culebras, a las que consideraban como otros tantos genios. (*Mit afr.*) Muchas tribus negras creían que las almas de los nombres que habían observado una vida santa, entraban en el cuerpo de las serpientes y por eso rendían un culto extraordinario a estos animales. (*Mit. eslav.*). Los reptiles eran honrados por algunos pueblos, como los dioses Penates. Ofrecíanles en sacrificio leche y huevos, y estaba prohibido bajo pena de muerte causarles el menor mal. El culto de las serpientes se hallaba en otro tiempo establecido en los pueblos de Lituania, Estonia, Livonia, Prusia, Curlandia y Samogitia. Los labradores de Livonia miraban a estos reptiles como dioses tutelares de sus rebaños y les presentaban leche a modo de ofrenda. *V.* Aqueloo, Abisteo, Cadmo, Caduceo, Esaco, Euménides, Eurídice, Laoconte, Latona, Medusa, Prudencia, Pito, Salud, Saturno, Tiresias.

SERRANO. Uno de los capitanes de Turno, muerto por Niso.

SERVARE DE CELO. Término de augurio, tomado de los fenómenos que aparecían en los aires como relámpagos, truenos y otras señales extraordinarias y repentinas, que los augures observaban en los cielos. Este augurio era el más solemne de todos.

SERVATOR, *salvador;* sobrenombre de Júpiter y de Baco.

SERVATRIX. Sobrenombre de Proserpina.

SERVIO TULIO. Sexto rey de Roma, edificó un templo a la Fortuna, a la cual creía deber su trono.

SESACH. Diosa del reposo, honrada en Babilonia.

SESARA. Hija de Celeo, rey de Eleusis y hermana de Triptólemo.

SESCENAR. Herido por el hacha de los victimarios, llamada *Sacena Lir*.

SESSIA. Columna colocada en medio del circo encima de la cual estaba la estatua de Seia, diosa de las cosechas.*Tertul.*

SESTIAS. 1 — Diosa que se invocaba para la siembra de las tierras. Había una para cada especie de *semillas*.

2 — Héroe, natural de Sestos *Est. Tebai. 6.*

SESTOS. Ciudad de Tracia cerca de Helesponto, célebre por los amores de Hero y de Leandro. *Herod. 7.*

SETA. Una de las favoritas de Marte y hermana de Reso.

SETEBOS. (*Mit. amer.*) Gran demonio de los patagones. *Pigafeta..*

SETÓN. Sacerdote de Vulcano que sucedió a Anisis en el reinado de Egipto. Fue atacado por los asirios y librado por una multitud de ratones que carcomieron, en una sola noche, las cuerdas de todos los arcos de los enemigos. En memoria de este prodigio, Setón hizo levantar una estatua que tenía un ratón en la mano.

SEVERÆ o las diosas severas. Se cree que eran las Furias, porque se las representaba con los mismos atributos.

SEVERO, Septimio. Emperador romano. Sucedió a los Antoninos. Tres rivales se disputaron entonces el imperio. Severo Séptimo, Pescenio Níger y Claudio Albino. Consultaron el oráculo de Delfos para saber cual de los tres debía escoger y el oráculo respondió en verso: El Negro es el mejor, el Africano es bueno, y el Blanco, es el peor. Entendieron que el *Negro* era Pescenio Niger; el *Africano,* Severo, que era de Africa; y el Blanco Claudio Albino. Habiendo interrogado de nuevo al oráculo sobre el cual de los tres sería dueño del imperio, obtuvieron por respuesta *Se derramará la sangre del Blanco y el Negro, el Africano gobernará el mundo.* Finalmente quisieron saber cuanto tiempo duraría su imperio a lo que se les contestó: *Subir por el mar de Italia con veinte bajeles, si puede sin embargo un bajel atravesar el mar,* de lo que dedujeron que Severo reinaría 20 años. Los habitantes de Leptias, donde había nacido, le colocaron en el número de los dioses.

SEVERONDE, o establecimiento de una casa. Lugar donde los antiguos fijaban la estancia de las almas de los niños muertos, antes de cuarenta días y convertidos en Lares de la casa paterna.

SEVIRS AUGUSTALES. Se daba este nombre a los seis sacrificadores más antiguos de Augusto, instituido por Tiberio en número de veintiuno.

SEVIUM. *V.* Secivum.

SEVUM. (*Mit. índ.*) Lugar de placeres y delicias donde los peguanos hacen pasar las almas, después que han sido purificadas en el Naxac. *V.* Naxac, Nibam.

SEXATOR. El sexto día de una fiesta. *Festo.*

SEXTIA. Ley decretada el año 186 de Roma, bajo los auspicios de C. Licinio y de L. Sextio, que ordenaba las ceremonias religiosas.

SEXTUMVIR AUGUSTAL. Sacerdote de Augusto, instituido por Tiberio. La diferencia que había entre los Sextunviros establecidos en Roma, con los de las otras provincias, consistía en que los primeros eran más distinguidos y más abundantes.

SEYTA. (*Mit. lap.*) Idolo famoso, adorado por los lapones. Este dios es una piedra que no tiene forma determinada; su mujer y sus hijos consisten en moles de piedra informes, a los cuales los lapones ofrecen varios sacrificios.

SHACA. Diosa de los babilonios; era la *Opus* de los romanos.

SHADA. (*Mit. índ.*) Hombre que los hindués daban a los genios que creían encargados de regir el mundo. Tenían mujeres, pero éstas no eran más que atributos personificados. El principal se llamaba Houmani y gobernaba el cielo y la región de los astros.

SHADUKIAM. (*Mit. per.*) *placer y deseo.* Provincia fabulosa del país de Ginnistán, que los cuentos orientales suponen poblada de Dives y de Peris.

SHAKTI. (*Mit. índ.*) Diosa hindú, emblema de la naturaleza, y que como a tal se la representaba con los atributos de la fecundidad y algunas veces con cabeza de vaca.

SHAKTSHAMUNIC. (*Mit. tárt.*) Idolo adorado por los calmucos

SHAMAI. (*Mit. orient.*) Una de las Licouira, o Tacouiun, esto es, las Parcas orientales. *V.* Tacouin.

SHAMATA. Excomulgación judía que se publicaba al son de cuatrocientas trompetas y que quitaba al que las sufría hasta la esperanza de volver a entrar en la sinagoga.

SHAMAVEDA o SAMAVEDA. (*Mit. índ.*) Uno de los cuatro libros sagrados de los indios, llamados Vedas. Es el que enseña la ciencia de los augures y de la adivinaciones. *V.* Vedas.

SHAMLACAH. (*Mit. mah.*) Oración misteriosa o más bien mágica, que sirve para practicar varios sortilegios que se hacen con ciertos polvos y cenizas preparados al efecto.

SHÁNSCRIT, o SÁNSCRITO. (*Mit. índ.*) Lengua sagrada, entendida tan sólo entre los indios por los pandits y otros letrados. Una tradición del país ha establecido que Brahma recibió en sánscrito los preceptos de Dios. Lo que ha hecho que fuese tenida como la lengua por excelencia.

SHARVOECKAS. (*Mit. índ.*) Secta de brahmanes que, sin mezclarse en las frívolas disputas de sus cofrades sobre Visnú e Ixora, creen que es preferible dudar de todo y gozar de las delicias de la vida presente.

SHASTIRIARS. (*Mit. índ.*) Cierta clase de brahmanes encargados de enseñar los dogmas y los misterios de la religión, en las escuelas, a los niños. *V.* Shastar.

SHECTEA. (*Mit. índ.*) Nombre de una secta de brahmanes o sacerdotes hindués, que creen contra todos los otros, que Rama, Brahma, Vishnú y Ruddiren son seres subordinados a Shecti, de quien deriva su poder y al cual consideran como el creador y el moderador del universo.

SHEIK o JEQUE. Llámanse así en el Oriente a los jefes de las comunidades religiosas y seculares y a los doctores distinguidos. Los mahometanos dan este nombre a sus predicadores. La palabra árabe *Sheik* significa anciano.

SHEIKHALESLAM. (*Mit. mah.*) *el anciano* o *el jefe de la ley;* título del Mufti.

SHEIKISTUM. (*Mit. pers.*) Nombre del deán del clero entre los persas.

SHEITÁN, (*Mit árab.*) Nombre que los árabes dan al diablo. *Bibl. or.*

SHEKINA. (*Mit. rab.*) La nube que se colocaba sobre el propiciatorio y que entre los antiguos israelitas era la señal más sensible de la presencia divina. Los rabinos enseñaban que la Shekinah residía primero en el tabernáculo erigido por

Moisés en el desierto y que descendió en el día de la consagración bajo la forma de una nube, pasando de allí al santuario del templo de Salomón en el día que este príncipe hizo la dedicatoria del mismo templo, donde subsistió hasta la ruina del de Jerusalén por los caldeos.

**SHENNAK.** (*Mit. árab.*) Uno de los nombres que los árabes dan al príncipe de los demonios. *Bibl. Or.*

**SHERIA.** (*Mit. árab.*) Esta palabra árabe significa una facción o una secta particular en materia de religión. Los turcos se sirven de ella para designar la secta de los persas partidarios de Alí.

**SHIBI.** (*Mit. eslav.*) Dios del fuego. Se le alumbraba en el pedestal de su estatua, y la llamas y el humo salían por los ojos, por la boca y las orejas del ídolo.

**SHIIS, SIIES, SIITAS, CHIITAS.** Nombre de uno de las dos grandes grupos religiosos en que están divididos los mahometanos, en oposición a los sunnitas. Aquél, que es al que los persas pertenecen, no conoce otro libro santo que el Alcorán y son seguidores de Alí yerno y primo de Mahoma. Esperan la vuelta de éste reencarnado cual nuevo Mesías para llevar al pueblo árabe, tras su unificación, a la conquista del mundo.

**SHINCHILLA.** (*Mit. índ.*) Deidad adorada en un lugar sagrado, del mismo nombre, situado en las montañas de Bután.

**SHINTO.** (*V.* Sinto).

**SHIVA.** (*Mit. índ.*) Una de las tres personas de la Trinidad índica, o más bien la divinidad misma considerada como *destruyendo* o cambiando las formas. Bajo este mismo aspecto tiene una multitud de nombres, de los cuales los más comunes son I'sa o I'swara, Rudra, Hora, Sambhu, Mahadeva o Mahe'sa, etc.

**SHOUCRIN.** (*Mit. índ.*) Planeta de Venus. Está cuatrocientas mil leguas debajo del cielo de la luna. Era el Gouron, o sacerdote de los gigantes. Presidía el viernes.

**SHOUPELTINS.** Los habitantes de las islas de Shetland daban este nombre a los tritones, de los cuales las antiguas tradiciones y la superstición popular han poblado el mar del Norte.

**SHOURIEN.** (*Mit. índ.*) Planeta del sol que preside el domingo. Los indios hacían de él un semidios que daba la salud a sus adoradores.

**SHUDDERI.** (*Mit. índ.*) Tercero de los cuatro hijos del primer hombre y de la primera mujer, según los hindúes. De un caracter pacífico, dulce y afable, fue el jefe de la raza que lleva su nombre, y que es más conocida bajo el nombre *banians* o banianos. Los de esta raza se dedicaban únicamente al comercio, y se distinguían por su atención supersticiosa, en observar todas las ceremonias religiosas.

**SIACA.** (*Mit. jap.*) Fundador de una secta japonesa, descenciente, según se dice, de Amida. Este hombre santo pasó, según ellos, una parte de su vida en la soledad para penetrar los misterios más profundos de la religión. Y habiendo salido luego de esta morada, seguido de una infinidad de discípulos, consagró el resto de sus días a esparcir su doctrina.

**SIAGRO.** Antiguo poeta griego que, según *Eliano*, fue posterior a Orfeo y Museo, pretendió cantar en un poema la guerra de Troya. *Diógenes Laercio*, que le llama Sagaris, le supone contemporáneo y rival de *Homero*.

**SIAKONACO.** (*Mit jap.*) Nombre que dan en Japón al soberano pontífice del budismo o religión de Siaka.

**SIBARIS.** 1 — Río de Lucania cuyas aguas tenían la virtud de hacer más vigorosos a los hombres.

2—Uno de los compañeros de Eneas, muerto por Turno. *Eneida*.

3 — Ciudad de la Italia meridional.

**SIBILAS.** Los antiguos dieron este nombre a ciertas mujeres, a las cuales atribuyeron el conocimiento de lo futuro y el don de la profecía. -El nombre de Sibila era particular de la profetisa de Delfos, tomado de una palabra griega que significa inspirada o aconsejada por los dioses pero después se hizo común a todas las mujeres que rendían oráculos. - El número de las sibilas es desconocido. *Platón I*, que fue el primero que trató de ellas, parece que no reconocía más que una. Algunos autores modernos han seguido la opinión de *Platón* diciendo que, efectivamente, no hubo más que una que era la de Eritrea, en Jonia, pero que ha sido multiplicada en los escritos de los antiguos por razón de haber vivido y viajado muchísimo tiempo. *Solino* y *Ausonio* cuentan tres, *Eliano* cuatro, y *Varrón*, seguido por la mayor parte de los sabios, distingue diez sibilas que numera por este orden: la Pérsica, llamada en los versos sibilinos nuera de Noé; la de Libia, que se suponía hija de Júpiter y Lamia la que viajó por Samos, Delfos, Claros, etc. La Délfica, hija de Tiresias de Tebas, que después de la toma de esta ciudad fue consagrada al templo de Delfos por los Epígonos; y la primera que según *Diodoro*, recibió el nombre de Sibila; la Cumea, que residía ordinariamente en Cumas, en Italia; la Eritrea, que predijo el éxito de la guerra de Troya cuando los griegos se embarcaban para esta expedición; la de Samos, cuya profecías o vaticinios se hallaron entre los antiguos anales de los samnios; la Cumana, nacida en Cumas, en la Eólida, llamada Demófila Herófila y también Amaltea; esta fue la que presentó a Tarquino el anciano sus nueve libros de predicciones; la helespontina nacida en Marpesa, en la Tróada, que había profetizado en tiempo de Solón y de Ciro. La Frigia, que vivía en Aucira, donde daba sus oráculos; finalmente la Tiburtina, llamada también albúnea que fue venerada como una divinidad en Tívoli. - Cuando Tarquino adquirió los libros sibilinos, confió su custodia a los sacerdotes particulares llamados dunviros, cuyas funciones se limitaban al cuidado que exigía este depósito sagrado. Después le añadieron la de celebrar los juegos seculares. Consultábanse estos libros en las grandes calamidades y para ello era necesario que precediese un decreto del senado, puesto que estaba prohibido a los dunviros dejarlos ver a nadie. *Valerio Máximo* cuenta que M. Atilio, dunviro fue condenado al suplicio de los parricidas por haber permitido a Petronio Sabino que sacase una copia. Esta primera colección de los oráculos sibilinos fue consumida en el incendio del Capitolio, bajo la dictadura de Sila. *V.* Libros Sibilinos, Quindecenviros, Deifoba.

**SIBOE.** Una de las hijas de Níobe, muerta por Diana.

**SICÉLIDES.** Epíteto que *Virgilio* da a las Musas, haciéndolas originarias de Sicilia o llamando a las de aquella isla para que le inspiraran la Egloga IV.

**SICEO.** Titán que huyendo de la cólera de Júpiter, fue recibido en el seno de la tierra y transformado en higuera.

**SICILIA.** (*Iconol.*) Isla del Mediterráneo, tan fértil en granos que la llamaban en otro tiempo el granero de Italia, y por su fertilidad la representaban generalmente coronada de espigas y con una hoz en la mano.

**SICINIS.** Danza acompañada de cantos, que usaban los frígios en las fiestas de Baco Sabasio.

**SICINO, o SIKINO.** Hijo de Enoe y Toante, rey de Lemnos, fue único varón de la isla que se salvó de la cruel matanza que hicieron las mujeres, no sólo de sus maridos sino también de todos los varones que existían en el país. Toante, que debió su salvación a la astucia de su hija Hipsipila abordó en una isla del mar Egeo, donde fue muy bien recibido por una ninfa, a la cual hizo madre de Sicino, que dio el nombre a la misma isla.

**SICITES.** Sobrenombre de Baco derivado de la ninfa Sica o tal vez porque fue el primero que cultivó la higuera.

**SICONANCIA.** Adivinación por medio de las hojas de higuera. Escribíanse en ellas la proposición o cuestión que se deseaba aclarar. Si la hoja se secaba inmediatamente era un mal presagio, pero si tardaba, se juzgaba el augurio favorable.

**SICIONE.** Nieto de Erecteo que dio su nombre a una ciudad y una comarca del Peloponeso.

**SICIONIA.** Sobrenombre de Palas, bajo el cual Epopeo le edificó un templo en Sicione, después de haber vencido a los tebanos.

**SÍCULO.** Hijo de Neptuno, reinó en Sicilia, que recibió de él su nombre.

**SICHARBAS o SICHEO.** Hijo de Belo y hermano de Dido y Pigmalión; éste le mató a traición para apoderarse de sus tesoros.

**SIDE.** 1 — Mujer de Orión. Juno la precipitó a los infiernos para castigarla por haberse vanagloriado de su hermosura.

2 y 3 — Hijas de Belo y Dánae.

**SIDÉREA.** DEA. La Luna. *Prop.*

SIDÉREO CONJUX. *El marido transformado en astro;* Lucifer, esposo de Alciona. *Ovid.*

SIDERITAS. Piedra que Apolo dio a Heleno el Troyano, si ha de darse crédito al *Poema de las piedras,* atribuido a Orfeo. Esta piedra, dice el poeta, tiene el don de la palabra; es un poco tosca, dura, pesada, negra y tiene algunas rayas circulares. Cuando Heleno quería servirse de ella se abstenía por veinte días del lecho conyugal de los baños públicos y de comer ninguna clase de carne, la envolvía y la llevaba en el seno piadosamente. De este modo, la animaba y obtenía de ella lo que deseaba saber.

SIDERO. Abuela de Tiro muerta por Pelias.

SIDEROMANCIA. Adivinación que se practicaba con un hierro candente, debajo del cual colocaban con arte un cierto numero de pajas y el adivino después de haber observado el modo como se quemaban, anunciaba los sucesos futuros.

SIDONIO HOSPES. Cadmo, porque era natural de Fenicia, donde estaba situada la ciudad de Sidonia.

SIDONIS. Dido Fenicia.

SIEGAKI. (*Mit. jap.*) Ceremonia religiosa que se practicaba en Japón para el descanso de las almas de los difuntos.

SIF. 1 — (*Mit. escand.*) Sibila del Norte.

2 — Esposa de Thor. Se llamaba la diosa de los cabellos hermosos.

SIGA. 1 — Ninfa de la cual se enamoró Baco, que la transformó en higuera. Es por esto, sin duda, que el dios se halla coronado con frecuencia con hojas de aquel árbol. R. *Syké,* higuera.

2 — Ninfa, una de las ocho hijas de Oxilo y Hamadríade.

3 — Nombre fenicio de Minerva, cuyo simulacro quitó Cadmo y lo colocó en la ciudad de Tebas. Esta palabra podría ser griega, porque la diosa de la sabiduría puede serlo al mismo tiempo del silencio. Se le llama también Singa.

SIGALIÓN. (*Mit. egip.*) El mismo que Harpócrates, dios del silencio, que los egipcios representaban teniendo los dedos aplicados a los labios.

SIGALOEIS, *cuya hermosura tiene embelesado a todo el mundo;* epíteto de Apolo. R. *sigán,* callar.

SIGEAMI. (*Mit. índ.*) Espíritu que, entre los birmanos, pueblo del reino de Ava, presidía al orden de los elementos y lanzaba el rayo y los relámpagos.

SIGEO. Promontorio del mar Egeo donde se dieron los más sangrientos combates entre griegos y troyanos, y donde se hallaba el sepulcro de Aquiles.

SIGILADA. La tierra sigilada de Lemnos se mira como sagrada. Antiguamente sólo podían tocarla los sacerdotes, los cuales las mezclaban con sangre de cabra y la sellaban.

SIGILADORES. Sacerdotes egipcios encargados de examinar y marcar a las víctimas destinadas los sacrificios.

SIGILARIAS. Nombre de una fiesta que celebraban los antiguos romanos. Se llamaba así por los pequeños presentes que se hacían mutuamente de sellos, anillos grabados, esculturas, etc. Duraba cuatro días y seguían inmediatamente a las saturnales.

SIGILLA. Pequeñas estatuas que los antiguos colocaban en nichos para adornar sus casas, y veneraban como a dioses.

SIGLO. (*Iconol.*) Lo representaban como un anuncio decrépito. El fénix que renace de sus cenizas era el emblema que se le daba porque, según algunos autores, esta ave termina voluntariamente su carrera al cabo de cien años, para volverla empezar inmediatamente.

SIGNARE VOTA. Consistía en pegar con cera a los pies o a las rodillas de algún dios el pergamino sobre el cual se hallaba inscrito un voto.

SIGNIA. (*Mit. célt.*) Mujer de Loki, el malvado dios de las Tinieblas.

SIGNOS del Zodíaco. *V.* Zodíaco.

SIKINO. Isla del mar Egeo. *V.* Sicino.

SILEA. Hija de Corinto. Polipemón la hizo madre del malvado Sinnis.

SILENCIO. 1 — (*Iconol.*) Divinidad alegórica conocida bajo la figura de un joven que tiene el dedo en la boca, o que la tiene tapada con una venda, y con la otra mano marca el silencio. Su atributo consiste en una rama de albérchigo. Los antiguos consagraban este árbol a Harpócrates, porque sus hojas tienen la forma de una lengua humana.

2 — Debía guardarse silencio en la celebración de los misterios, y un heraldo estaba encargado de imponerlo con estas fórmulas: *Hoc oge: faveto linguis pascito linguam.*

3 — Esta palabra, en la lengua augural, significa el que no tiene defecto alguno.

SILENO. El que alimentó a Baco. Hijo de Mercurio o de Pan y de una ninfa. *Nonno* en sus *Dionisíacas* le hace hijo de la Tierra. *Diodoro*, siguiendo una antigua tradición, dice que el primer Sileno reinó en una isla formada por el río Tritón, en Libia, y que tenía una cola. Algunos antiguos monumentos nos presentan en efecto a todos los Silenos con colas. Se les pintaba también con la cabeza calva, con cuernos y una gran nariz arremangada, de estatura pequeña, pero de una gran corpulencia. Lo representaban ya sentado en un asno, sobre el cual apenas puede sostenerse, o bien marchando apoyado en un bastón o tirso. Llevaba una corona de hiedra y presentaba un carácter alegre. Según *Suidas* era un bromista. *Orfeo* dice que los dioses gustaban de su presencia, de modo que asistía con mucha frecuencia a sus asambleas. Estuvo encargado de la infancia de Baco, y acompañó siempre a este dios en sus viajes. A su regreso de las Indias se estableció en las campiñas de Arcadia, donde se granjeó el amor de los jóvenes pastores, y también de las pastoras. Se embriagaba con frecuencia, pero siempre era chistoso y alegre. *V. Midas.*

SILENOS. Se daba este nombre a los sátiros cuando llegaban a la vejez. Se les pintaba casi siempre borrachos. Cuando Baco partió para la conquista de las Indias dejó a los más ancianos en Italia, para que cuidasen del cultivo de la viña.

SILEO. Rey de Aulide, hijo de Neptuno. Según *Apolodoro*, obligaba a todos los extranjeros a trabajar en sus viñedos y, como intentase hacer lo mismo con Hércules, éste héroe le mató del mismo modo que a su hija Xenódice.

SÍLFIDES. Inteligencias de la misma naturaleza que los Silfos, pero de sexo femenino, y que según la fantasía de las cabalistas perdían todas sus derechos a la inmortalidad cuando honraban a un sabio con sus favores.

SILFIRIA. País de los Silfos. *Gresset. V. Sombras.*

SILFO. Nombre que los cabalistas dan a los pretendidos genios elementales del aire.

SILICERNO. Banquete fúnebre que terminaba con la ceremonia de los funerales. *Servio* pretende que esta comida se daba sobre la misma tumba, para recordar a los ancianos que pronto debían morir. Otros creen que había dos banquetes con este nombre: uno para los dioses manes exclusivamente y en el que se guardaba el más profundo silencio; y otro, ofrecido encima de la tumba, en el cual se admitían a los parientes y amigos.

SILVANO. Dios campestre, entre los romanos, que presidía los bosques. Se cree que era hijo de Fauno. Otros le dan por padre a Saturno y le confunden con el mismo Fauno. Tal vez era el Pan de los griegos, llamado Egipán o Pan-Cabra. *Macrobio* distingue tres Silvanos: el primero dios doméstico o Lar, el otro dios campestre, y el tercero, dios oriental, o el dios Término, llamado propiamente Silvano, por cuyo motivo le atribuían la invención de los límites. *Servio* apoya esta opinión, pero añade que, según los filósofos, Silvano era el dios de la materia que es la masa y la hez de los elementos. *Virgilio. Egl. Geórg. Eneida. -(Iconol.)* Representaban a Silvano con cuernos y la mitad del cuerpo de cabra o bien bajo forma humana. Sus atributos eran una podadera en la mano, una corona toscamente trabajada de hojas de pino y de piñas, un vestido rústico que le bajaba hasta las rodillas. Cerca de él hay un perro y, finalmente está rodeado de árboles de los bosques. A Silvano, bajo la forma de Pan, lo representaban con cuernos, orejas y toda la parte inferior de su cuerpo de cabra, desnudo y coronado de hiedra llevando en la mano izquierda una rama de pino o de ciprés. Finalmente le representaban también bajo la forma de Término. -Silvano era honrado en Italia, donde, según se suponía, había nacido y reinado para la dicha de los hombres. En Roma tenía varios templos y sus sacerdotes formaban uno de los principales colegios del sacerdocio romano. Se le ofrecían en sacrificio leche y cerdos, y se adornaban sus altares con ramas de pino y ciprés. Era enemigo de los niños por la inclinación que éstos tienen en destruir los árboles. En conclusión, le consideraban como un íncubo y, en consecuencia, era el terror de las mujeres embarazadas, de modo que era necesario implorar contra él la protección de las divinidades Intercido, Pilumno y Deverra.

**SILVANO, SYLVESTRIS;** epítetos de Marte. Se le invocaba, según *Catón*, para la conservación de los bienes de la campiña.

**SILVANOS.** Término genérico que comprendía los faunos, los sátiros, los silenos, los panes, los egipanes, los tities, etc.

**SILVE.** Espectáculo que consistía en una caza simulada en el circo y donde el pueblo mismo cazaba en un bosque artificial.

**SILVIA.** Reina del alba, hija de Númitor y madre de Remo y Rómulo. *V.* Estos nombres.

**SILVIO.** Hijo de Eneas, llamado así porque había nacido en una selva. *Tito Liv. 1, Eneida. 6, Lucan, 2.*

**SILLIS.** Ninfa amada de Apolo, del cual tuvo un hijo llamado Zeuxipo, que reinó en Sicione, después de Festo, hijo de Hércules.

**SIMA.** Isla entre Rodas y Guido, así llamada por Gláuco, dios marítimo, en honor de Sima, su mujer, e hija de Doris. Nireo fue rey de esta isla.

**SIMA.** Ninfa, madre de Ctonio, a quien tuvo de Neptuno. *Diod. 5.*

**SIMAQUIA.** Sobrenombre que los habitantes de Mantinea dieron a Venus porque había combatido por los romanos en la batalla de Actio, en la que la debilidad de Antonio y su pasión por Cleopatra les había hecho perder. R. *symmahesthai,* combatir con.

**SIMBAQUI.** Nombre que se daba a dos sacerdotes encargados de purificar a Atenas en la fiesta de las Targelias.

**SÍMBOLOS.** (*Iconol.*) Los griegos algunas veces llamaban símbolos a lo que nosotros llamamos presagios. Pero en este artículo no vamos a tratar sino de los tipos o emblemas, o representaciones, de cosas morales por medio de imágenes o propiedades de cosas naturales. El león es el símbolo del valor. La bola, de la inconstancia; el pelícano, del amor paternal. Entre los egipcios los símbolos eran muy estimados, hasta el punto que con ellos explicaban la mayor parte de los misterios de la moral. Los jeroglíficos de *Pierius* pasan como símbolos. Las letras de los chinos son en su mayor parte símbolos significativos. Los expertos llaman *símbolos* a ciertos atributos peculiares de determinadas personas o divinidades. Por ejemplo, el rayo que acompaña a veces el busto de un emperador indica la soberana autoridad y un poder igual al de los dioses; el tridente era el símbolo de Neptuno; el pavo era el de Juno, una estatua apoyándose sobre una urna, representa un río. Las provincias, las ciudades y los pueblos tienen también sus símbolos, diferentes sobre las medallas. *V.* Monedas, Moneta, Apolo, Juno, Júpiter, etc., y demás artículos iconológicos.

**SIMBOMOI,** *dioses que tienen un mismo altar.* (*R. bômos,* altar) Sea porque efectivamente no tuviesen más que un sólo altar, sea porque sus altares estuvieran colocados juntos. En Olimpia tenían seis altares, cada uno de ellos dedicado a dos divinidades superiores. Estos dioses correspondían a los *Dii Consentes* de los romanos. *V.* Consentes.

**SIMETIUS HEROS.** Acis, hijo de la ninfa Simetis.

**SIMETUS o Symetrus.** Ciudad de la Sicilia, en cuyas cercanías nacieron los hermanos Palicos. *Eneida. 1. 9.*

**SIMILIÆ.** Bosquecillo cerca de Roma donde se celebraban las bacanales. *Tito. Liv. l. 39, c. 12.*

**SIMOIS.** Antiguo río del Asia Menor en la pequeña Frigia. Tenía su origen en el monte India y desembocaba en el Xanto. En sus cercanías fue donde Venus parió a Eneas. Durante el sitio de Troya se salió de madre, para oponerse con el Escamandro a los ataques de los griegos. (*Ilíada. l. 3.*)

*Virgilio* (*Eneida. 1.*) le da el epíteto de rápido, porque no era más que un torrente que se secaba en el verano. *Met. 13.*

SIMOISIO. Joven troyano, llamado así porque había nacido cerca del Simois. Fue muerto por Ayax, hijo de Telamón. *Ilíada. 4.*

SIMORG. (*Mit. pers.*) Ave fabulosa, llamada por los árabes *Anka,* y por los rabinos *Jukhneh* y que los persas suponían situada en las montañas de Caf. La pintaban como un ave muy extraordinaria, tanto por su tamaño como por sus demás cualidades. Comía para alimentarse todos los frutos que produce la montaña: hablaba y pensaba; en una palabra, era una hada bajo la figura de un ave.

SIMPLEGADAS. Islas o rocas situadas junto al canal del Mar Negro, en el estrecho de Constantinopla. Son tan inmediatas una de otra que parece que chocan entre sí, lo cual dio lugar a los poetas para transformarlas en monstruos marinos formidables para los navíos. *Ovid. Met. 15.*

SIMPLUDIARIAS. Honores fúnebres que se rendían a los muertos.

SIMPULÁTRICES. Mujeres ancianas que cuidaban de purificar a las personas que las consultaban sobre visiones espantosas que hubiesen turbado su sueño.

SÍMPULE, SIMPUVIÓN. Vasito de tierra o de madera en uso entre los antiguos para las libaciones. En este vaso era donde se ponía el vino que el sacerdote probaba y hacía probar a los concurrentes, antes de derramarlo por entre los cuerpos de las víctimas. En muchas medallas antiguas se ven coronas y urnas de donde salen palmas, con el símpule al lado, para dar a entender que los sacrificios parten de los juegos designados para las coronas y las palmas.

SIMULACRO. Estatua a la cual se tributaba un culto religioso. Los egipcios, al principio, no tenían más que templos sin estatuas. Los griegos, que tomaron de ellos sus ceremonias religiosas, prescindieron también de estas representaciones sensibles y, a su ejemplo, los romanos honraron a los dioses durante 170 años sin consagrarles estatuas. Sin embargo, el uso de esta creencia tiene su origen en la más remota antigüedad entre los griegos, y *Eusebio* lo hace remontar hasta el tiempo de Moisés, al que supone contemporáneo de Cécrope, rey de Atenas, que fue el primero que introdujo en Grecia el culto de los ídolos. Antes de él se adoraban figuras informes, hasta que, por fin, escogieron la del hombre, bajo la cual representaron a la divinidad en oposición a la creencia de los persas, que, según *Herodoto,* no opinaban como los griegos. Esto es, que los dioses hubiesen escogido la forma humana. Los griegos se fundaban en que lo más perfecto que había en el mundo era el hombre, y en consecuencia el que más se acercaba a la naturaleza perfecta de los dioses. Al principio, estos simulacros eran de madera. Después se empleó el barro y luego se esculpieron en mármol y se fabricaron de marfil, plata y oro. Todas estas estatuas llevaban coronas hecha de la materia más agradable, a cada divinidad; así es que los ríos llevaban coronas de cañas. Los romanos consagraban las estatuas de los dioses de ciertas ceremonias, y creían que después tras esto, pasaban a habitarlas. *V.* Estatuas.

SIN. (*Mit. jap.*) Nombre japonés casi igual al de *Cami.* Significa un héroe o semidios.

SINAGOGA. Lugar destinado por los judíos al servicio divino.

SINALAXIS. Una de las ninfas Jónidas. *Paus. 6, c. 22.*

SINAULIO. Concierto de flauta que se ejecutaba en Atenas durante las panatencas.

SINCLETES. *V.* Angato.

SINECIAS. Fiestas en honor de Minerva que se instituyeron con motivo de la reunión de los atenienses en una sola ciudad, como designio de que sólo la diosa de la sabiduría pudiera inspirar a Teseo. Se celebraba anualmente el día 16 del mes hecatombeón o julio.

SINGHILLAS. Sacerdotes de la secta de los giagas. Estos ministros persuadían a sus conciudadanos que todas las calamidades que les afligían eran efecto de la venganza de sus divinidades irritadas, que debían ser aplacadas con hecatombes de víctimas humanas. También eran los encargados de consultar los manes de sus antepasados, en la antigua Angola (Africa).

SINGSOUMARAM. (*Mit. índ.*) Círculo situado a cuatro millones de leguas del cielo de los siete *Richys*. (La Osa Mayor) Este círculo tiene la forma de un largarto. Los devotos creen que es el pie de Visnú. En su cola se encuentra el *Drouvan* (estrella polar.).

SINIA. (*Mit. célt.*) Undécima diosa, portera del palacio que cerraba la puerta a los que no tenían derecho a entrar. Asistía también a los procesos en los cuales había que negar alguna cosa por juramento. De donde deriva el proverbio *Sinia está junto a aquél que va a negar.*

SINIS. Famoso ladrón que desolaba las cercanías de Corinto. Era verosímilmente el mismo que Cerción. *Met. 7, 1.* (*V.* Cerción.)

SINOCHITE. Piedra preciosa de la cual, según *Plinio*, se servían los nigromantes para retener las sombras evocadas.

SÍNODO DE APOLO. Especie de sociedad titulada por Apolo, compuesta de cómicos, llamados escénicos, poetas y músicos; era bastante numerosa.

SINOE. Ninfa que educó a Pan.

SINOIS. Sobrenombre de Pan; de Sinoe.

SINÓN. Hijo de Sísifo o de Esimo, y nieto del ladrón Autólico. Se dejó coger por los troyanos, haciendo creer a Príamo que había desertado del campo de los griegos porque éstos querían sacrificarle a fin de obtener un viento favorable para regresar a su patria. Cuando hubo ganado la confianza de los troyanos, les indujo a que introdujesen en la ciudad el gran caballo de madera, que los griegos habían dejado en las playas, como una ofrenda a Minerva, asegurándoles que si lo lograban, Troya sería impenetrable. Seguido el consejo, el astuto Sinón primo hermano de Ulíses, a media noche, abrió los flancos del caballo para que saliesen los guerreros que se hallaban encerrados dentro del mismo caballo, dando inicio así a la destrucción de Troya. Leyendas posteriores narran que Sinón fue conducido ante Príamo contra su voluntad y no reveló lo del caballo sino después se ser martirizado.

SÍNOPE. 1 — Hija de Asopo, fue amada por Apolo, quien, según unos, la hizo madre de Sciro. Según otros, permaneció siempre virgen. *Diod. 4.*

2 — Amazona.

3 — Ciudad de Paflagonia, donde Serapis o Júpiter Plutón, esto es, Júpiter, *Dios de las minas*, era la divinidad tutelar, porque en las inmediaciones de la ciudad se explotaban minas de hierro que producían cuantiosas sumas.

SINTIOS. Nación tracia que habitaba en Lemnos cuando Vulcano fue arrojado del cielo. *Ilíada. l. 1.*

SINTO, *via filosófica.* Uno de los libros de *Confucio*, que ha dado el nombre a la secta de los sintoístas en el Japón.

SINTO o SINTOÍSMO (o también SHINTO). (*Mit. jap.*) Llamada así por la palabra japónesa *sin*, que significa un héroe, un genio, un semidios, pero también *Sinto* = camino. Se hallan en gran número en Japón. Admiten un ser supremo, y creen que su trono está colocado en lo más alto de los cielos. Reconocen también a algunos dioses subalternos que tienen su morada en el firmamento, y si bien no les tributan ninguna clase de culto, porque están persuadidos que no toman ningún cuidado por lo que pasa en la tierra, sin embargo, emplean sus nombres cuando pronuncian algún juramento. Finalmente, reservan sus homenajes a ciertos genios que, según ellos, gobiernan los elementos y la mayor parte de las cosas terrestres. Estos genios consisten en los fundadores y legisladores del imperio japonés. Los sabios, los guerreros y, en fin, todos los que por sus virtudes han merecido altares. (*V.* Camis.) La doctrina de los sintoístas es tan antigua como la monarquía japonesa.

SINTRONO, de los dioses de Egipto, esto es, partícipe del mismo trono. Sobrenombre que dio el emperador Adriano a su favorito Antínoo, cuando le colocó en el número de los dioses. *V.* Antinoo.

SIONA. (*Mit. escand.*) Séptima diosa cuyo cargo consistía en disponer los corazones al amor y unir a los dos sexos por la atración del placer. Los amantes llevaban su nombre.

SIPAR. Ciudad fabulosa del sol. *V.* Xisutro.

1183

SIPHNOS o SIFNOS. Una de las cíclades. Habiendo descubierto en ellas sus habitantes una mina de oro, Apolo mandó a la Pitia que les pidiese el diezmo, promtiendo hacérsela fructificar. Los sifnios hicieron pues construir un tesoro en el templo de Delfos, donde depositaron el diezmo que el dios les exigía. En lo sucesivo su avaricia les hizo olvidar esta obligación, pero fueron castigados, pues el mar inundó sus minas, privándoles de aquel producto *Herod. 8, Paus. 10, Estrab. 10, Met. 1.*

SIPILENA. Sobrenombre de Cibeles, tomando de la ciudad de Sipilo, en la Meonia, donde tenía un templo y un culto particular.

SIPILO. Uno de los siete hijos de Níobe, muerto por Apolo.

SIPONTUM, SIPUS o Sepus. Ciudad marítima de Apulia fundada por Diómedes, a su vuelta de la guerra de Troya. *Estrab. 6, Mela, 2, c. 4.*

SIPRETES. Cretense que, en el curso de una cacería, vio a Diana que se bañaba desnuda en una fuente. La diosa lo transformó en mujer.

SIPYLECA GENITRIX. Níobe, madre de Sipilo.

SIPYI SAXUM. Níobe, madre de Sipilo, transformada en peñasco.

SIQUEO. En la versión más antigua, el marido de la reina Dido lleva el nombre de Sicarbas, pero, desde la *Eneida*, el nombre de Sicarbas se sustituye por el de Siqueo, príncipe fenicio muerto por Pigmalión, hermano de Dido y rey de Tiro, deseoso de apoderarse de sus tesoros. El crimen se cometió durante una cacería y el cadáver quedó insepulto. Siqueo se apareció en sueños a Dido y le relató lo ocurrido aconsejándola que huyera y revelándole donde había enterrado parte de sus riquezas. En Cartago, Dido había erigido un santuario a Siqueo y le guardaba fidelidad sólo truncada por intervención de Venus y en provecho de Eneas. Cuando el héroe troyano marcha para cumplir su destino, Dido se suicida presa de remordimiento y, en los infiernos, vuelve a reunirse con su marido. Otra tradición dice que Siqueo no era el marido de Dido, sino el de Anna, hermana de ésta.

SIRACUSA. (Fiesta de), de la cual habla *Platón*. Duraba dos días y hombres y mujeres ofrecían sacrificios. *Cicerón* hace mención de otra, celebrada por un numeroso concurso del pueblo en las orillas de un lago inmediato a Siracusa, por donde se creía que Plutón había vuelto a bajar a los infiernos con Proserpina.

SIRAT. (*Mit. mus.*) Nombre de un puente situado encima del infierno, que era tan delgado como el filo de una espada. Los justos lo pasaban con la rapidez del rayo, para entrar en el paraíso, y los réprobos caían en los abismos del fuego.

SIRBÓNIDE. Lago de Egipto. Tifón, homicida de Osiris, fue perseguido y sumergido en él por Júpiter.

SIRENAS. Hijas del río Aqueloo y la ninfa Calíope. Según la opinión general, eran tres, a las cuales unos llaman Parténope, Leucosia y Ligea, y otros Agleofenia, Telsipia y Pisonea. *Higinio* cuenta que Ceres las transformó en aves porque no socorrieron a Proserpina cuando fue arrebatada por Plutón. *Ovidio* supone lo contrario, pues dice que, afligidas por el rapto de Proserpina, rogaron a los dioses que les concediesen alas para poder volar en su busca por toda la tierra. Las Sirenas habitaban en rocas escarpadas, entre la isla de Cáprea y las costas de Italia. Casi todos los pintores y escultores han pintado a estos monstruos mitad mujeres y mitad peces; pero esta idea, que deriva de la ignorancia de la fábula, es desmentida por los poetas y por los autores antiguos, por lo menos, por los más recomendables, que las designan mitad mujeres y mitad aves. *Plinio* (*l.10, c. 49.*) las coloca entre las aves fabulosas, y *Ovidio* (*Met. 5.*) les da rostro de jóvenes con plumas y pies de aves. Se cuenta que estos monstruos cantaban con tal melodía que atraían a los pasajeros y después los devoraban. Ulises se liberó de sus lazos tapando las orejas de sus compañeros con cera y haciéndose atar al mástil de su navío. Por este motivo las Sirenas, desesperadas, se arrojaron al mar. Representábanlas las una con una lira, la otra con dos flautas, y la tercera con un rollo como para cantar - Hay quien supone que las Sirenas eran mujeres de mala vida que habitaban en las playas del mar de Sicilia, y que atraían a los hombres anegándoles en los placeres, de modo que les hacían olvidar el camino que llevaban. Otros pretenden que el nombre y el número de las tres Sirenas han sido inventados del triple deleite de los sentidos, la música, el vino y el amor; que son los atractivos más poderosos, para encadenar a los hombres sensuales.- Finalmente, *Pausanias* supone que las hijas de Aqueloo, animadas por Juno, pretendieron la gloria de cantar mejor que las Musas, a las que se atrevieron a desafiar, y que habiendo quedado vencidas, éstas les arrancaron las plumas de las alas y se coronaron con ellas.

SIRENUSA. Promontorio de la Lucania, estancia de las Sirenas. Allí fue donde, desesperadas por no haber podido encantar a Ulises, se precipitaron al mar y fueron transformadas en rocas.

SIRIA, la diosa Siria. Había en Siria, dice *Luciano*, una ciudad que se llama Sagrada, o Hierápolis, en la cual existía el templo más grande y augusto de Siria, en razón a que además de las obras de sumo valor que encerraba residía en él una divinidad. Había estatuas que sudaban, se movían, daban oráculos. Frecuentemente se oía ruido estando las puertas cerradas… etc. Las riquezas de este templo eran inmensas: baste decir que hasta sus puertas y cubiertas eran de oro. Unos creían que Semíramis había erigido este templo en honor de Derceto, su madre; otros decían que había sido consagrado a Cibeles por Átis, el primero que anunció a los hombres los misterios de esta diosa. Pero seguramente hablarían de otro templo más antiguo, puesto que el que subsistía en tiempo de *Luciano*, era obra de la famosa Stratonice, reina de Siria. Entre las muchísimas estatuas de los dioses, sobresalía la de la diosa que presidía el templo, observándose en ella muchas cosas que caracterizaban a otras diosas. En una mano tenía el cetro y en la otra una rueca; en su cabeza, coronada de rayos y de torres, se veía el velo de la Venus celeste; preciosísima pedrería de varios colores que adornaba y enriquecía la efigie, siendo de destacar una piedra colocada sobre la cabeza que despedía una luz tan viva que iluminaba el templo de noche: y por esta razón se le daba el nombre de lámpara. Otra maravilla se advertía en esta estatua, y era que de cualquier parte que se contemplase parecía fijar la mirada sobre el observador.

Apolo daba también oráculos por sí mismo en este templo, sin intermediar los sacerdotes. Cuando quería vaticinar, se movían inmediatamente los sacerdotes, tomaban la estatua y se la ponían sobre sus espaldas, o en su defecto, ella se removía por sí misma y sudaba. Dirigía a los que la llevaban, así como un cochero dirige sus caballos, e iba y venía de una parte a otra hasta que el sumo sacerdote la interrogaba acerca de lo que deseaba saber. Si la pregunta le disgustaba, dice *Luciano*, que reculaba; o sino se adelantaba y aun algunas veces solía elevarse, y de esta manera manifestaba su voluntad. Vaticinaba la variación del tiempo, las estaciones y la muerte.

*Apuleyo* hace mención de otra clase de oráculos inventados por los sacerdotes de la diosa Siria. Compusieron dos versos cuyo sentido era: «Los bueyes uncidos rompen la tierra a fin de que los campos produzcan fruto»: y con sólo estos dos versos no había cosa a la que no respondiesen. Si se les consultaba, por ejemplo, acerca de un matrimonio, los bueyes uncidos fecundaban los campos; si relativamente a la compra de tierras, los bueyes uncidos labraban campos fértiles, si sobre un viaje, los bueyes uncidos estaban prontos a partir; o si, finalmente, se preguntaba por el resultado de una guerra, los bueyes bajo el yugo, ¿no os anuncian que someteréis a vuestros enemigos?

Esta diosa, que tenía los atributos de muchas otras divinidades, era, según *Vossio*, la virtud generatriz o productiva que se designa por el nombre de la madre de los dioses. *V.* Astarté, Cibeles, Derceto, Semíramis.

SIRINGA o SIRINGE. Ninfa de Arcadia, hija del río Ladón y compañera fiel de Diana. Habiéndola encontrado el dios Pan un día que ella bajaba del monte Liceo, trató el dios de hacerla sensible a su amor,

1185

pero inúltimente. Siringa huyó y Pan la persiguió. Había ya llegado a las orillas del Ladón donde se hallaba detenida y suplicó a las ninfas hermanas suyas que la socorrieran. Pan fue a abrazarla, mas en lugar de la ninfa abrazó a unas cañas. Así burlado se quedó suspirando junto a las cañas, que agitadas por el viento repetían sus quejas; esta observación le surgirió la idea de arancar algunas, con las cuales construyó la primera flauta de siete tubos a la cual dio el nombre de la ninfa. (*Ovid. Met. 1.*).

SIRINGES. (*Mit. egip.*) *Ammiano Marcelino* entiende por este nombre grutas subterráneas, construidas en diferentes lugares por hombres instruidos en la religión, temerosos de que con el tiempo se perdiesen las ceremonias religiosas. A tal efecto las paredes estaban atestadas de figuras de animales que ellos llamaban letras hierográficas o jeroglíficas.

SIRIO. Una de las estrellas que forman la constelación de la Canícula. Los antiguos temían mucho sus influencias, y le ofrecían sacrificios para impedir sus efectos. Era también el nombre del Sol.

SIRIS. Ciudad de Italia, situada en la embocadura de una ribera de este nombre (golfo de Tarento). Atribuíase su fundación a los troyanos, por el simulacro del palacio que esta ciudad poseía y que se consideraba como milagroso. Como pasaba por ser fundada por la hija del viejo rey itálico Morges o por la primera esposa del rey Metaponto, una de las nereidas.

SIRIUS. Sobrenombre de Júpiter, por la estatua de oro que tenía en el templo de la diosa Siria.

SIRMEAS. Juegos de Esparta que tomaron el nombre del premio que en ellos se ganaba, y que consistía en un cocimiento compuesto de azúcar y miel, llamado *syrmé*.

SIRNA. Hija de Dameto, rey de Caria; estando enferma, cuando por casualidad llegó Podalairo a aquella corte, este hábil médico la curó mandándola sangrar de ambos brazos y luego se casó con ella. *V.* Podaliro.

SIRO. 1 — Hijo de Apolo y Sínope, dio su nombre a los sirios. *Diodoro.*

2 — Uno de los perros de Acteón.

SISICTON. *El que agita la tierra;* sobrenombre de Neptuno R. *seiein,* agitar; *chthón,* tierra.

SÍSIFO. 1 — Hijo de Eolo y nieto de Hellen; edificó la ciudad de Epiro, que luego fue llamada Corinto. Se caso con Mérope, hija de Atlas, a la cual hizo madre de Glauco, de quien nacieron Belerofonte, Ornitión, Tersandro y Almo (Halmo).

2 — Hijo de Eolo y hermano de Salmoneo, que reinó en Corinto después de la marcha de Medea. Cuando Júpiter rapto a Egina, hija de Asopo, fue visto por Sísifo, quien informó a Asopo a cambio de que éste dios-río hiciese brotar una fuente en la ciudadela de Corinto. Júpiter, irritado por la denuncia de Sísifo, envió al genio de la muerte, Tanatos, para que lo matara. Pero Sísifo sorprendió a Tanatos y lo encadenó por lo cual no moría nadie. ante esta situación, Júpiter liberó a Tanatos, quien entonces sí mató a Sísifo. Pero éste, antes de morir, ordenó a su esposa que no le tributase honores fúnebres. Así, cuando llegó a los infiernos pudo pedir a Plutón, rey de estas tristes moradas, permiso para volver a la tierra para castigar a su esposa. Irritado por la impiedad de ésta, Plutón le concedió permiso para volver a la tierra, pero Sísifo una vez escapado de los infiernos, se guardó mucho de volver, tal como había prometido.

Finalmente, cuando murió, ya viejo, y tuvo que regresar a los infiernos, los dioses le castigaron condenándolo a empujar eternamente una roca enorme hasta lo alto de una pendiente. Apenas la roca llegaba a la cumbre, volvía a caer, impelida por su propio peso, y Sísifo tenía que empezar de nuevo.

SISOE. Trenza de cabellos que los vecinos de los hebreos ofrecían a Saturno. Superstición que la ley de Moisés prohibía severamente a los judíos.

SISSIGUATZ-NANUKA. (*Mit. jap.*) La cuarta de las cinco grandes fiestas anuales de los japoneses sintoístas. Se celebraba el séptimo día del séptimo mes. Este día era particularmente de regocijo para los niños.

SISTRO. 1 — Planta silicuosa, que, según *Aristóteles* y el falso *Plutarco,* se encontraba en el Escamandro. Se parecía a los garbanzos, y tenía la virtud de resguardar del temor de los espectros y fantasmas a los que la tenían en la mano. En varias medallas, está representado el Escamandro con esta planta en la mano derecha.

2 — Instrumento de música del cual se servían los egipcios en la guerra y en los sacrificios que ofrecían a la diosa Isis. Este instrumento era ovalado y se componía de una plancha de metal muy sonora. La parte superior estaba adornada de tres figuras; a saber, la de un gato con rostro humano colocada en el centro, la cabeza de Isis en el lado derecho y la de Neftis en el izquierdo. Algunas veces, en lugar del gato se veía una esfinge o bien una flor de loto o un globo etcétera.

SITA. (*Mit. ind.*). Mujer de Visnú encarnado bajo el nombre de Ram.

SITALCAS. Sobrenombre de Apolo. Tenía en Delfos una estatua de 35 codos de alto, hecha del producto de una multa a que fueron condenados los foceos por los anfitriones, por haber arado un campo consagrado al dios.

SITICINES. Nombre que se daba a los que tocaban una especie de flauta en los funerales de los muertos. Estas flautas o trompetas diferían de las otras, porque eran más largas y más anchas.

SITIOS. Divinidad del sintoísmo. *V.* Sinto.

SITNIDES. Ninfas originarias del país de Megara. Una de ellas tuvo una hija de la cual Júpiter se enamoró y de este comercio carnal nació Megaro fundador de Megara. En esta ciudad había un magnífico acueducto edificado por Teageno, tirano de Megara. Los habitantes llamaban al agua de esta fuente, agua de las ninfas Sitnides *Paus. 1, c. 40.*

SITO. Sobrenombre de Ceres. R. *sites*, comestibles.

SITÓN. Rey de Tracia, tuvo de Anquíroe una hija llamada Palene. Prometió la mano de ésta al primero que le venciera en la lucha y de este modo hizo perecer un gran número de pretendientes. Finalmente, dispuso que Clito y Drías (Driante) se la disputasen, ofreciéndola en premio al que saliese vencedor. Enamorada Palene de Clito, indujo al conductor del carro de su rival a que juntase mal las ruedas y, de este modo, el carro se rompió y Drías perdió la vida. Instruido Sitón de este engaño condenó a Clito y a Palene a ser quemados con el cuerpo de Drías, pero Venus tuvo piedad de ellos y envió una lluvia tan abundante que apagó el fuego. Una variante, citada por *Nonno*, afirmaba que el propio Dioniso se había enamorado de Palene y, para casarse con ella, había matado a Sitón de un golpe de tirso. Hay una alusión de *Ovidio* para indicar que Sitón se había convertido de hombre a mujer, pero ignoramos en qué condiciones.

SITONIA. La Tracia, a la cual Sitón dio su nombre. *Plin. 4, c. 11.*

SITTIM. (*Mit. ind.*) Demonio de figura humana que habitaba en los montes.

SIVA, SIWA. (*Mit. índ.*) Segunda subdivisión de la casta de los brahmanes. Son los que practican las ceremonias en los templos de Shiva y los que hacen los collares de flores con los que adornan el lingam; preparan el sándalo para las señales que se ponen a este dios y cuidan de hacer cocer las ofrendas que se presentan al mismo. Finalmente, sus rogativas y ceremonias hacen descender a los dioses a los templos.

SKADA. (*Mit. escand.*) Esposa de Niord y madre de Freya, diosa de la caza. Invocábanle contra los desastres ocasionados por los vientos y las tempestades.

SKATÓFAGOS. Epíteto que el satírico *Aristófanes* da a Esculapio, como dios de la medicina.

SKIDBLADNER. (*Mit. escand.*) Nombre de una nave de los dioses menos grandes que la Naglefare, pero más artísticamente construida.

SKIRTETES. *Danzador.* Epíteto de Baco. R. *skairein*, danzar. *Antol.*

SKOL. (*Mit. escand.*) Lobo enorme que perseguía continuamente al Sol.

SKRYMER. (*Mit. escand.*) Gigante en cuyo guante un día se escondió el dios Thor.

SKULDA. (*Mit. escand.*) Una de las Nornas o Parcas entre los escandinavos.

SLEIPNER. (*Mit. escand.*) Caballo de Odín, el mejor de todos los caballos de los dioses. Tenía ocho pies, y fue un caballo admirable que transportó, con gran rapidez, pesos extraordinarios.

SMAERTAS. (*Mit. índ.*) Secta de brahmanes, la más apreciable de todas, pero la menos acreditada. Los de esta secta tratan de reconciliar las diferentes opiniones de los brahmanes, que estan divididos entre Visnú y Yxora. Sostienen que estas dos divinidades son perfectamente iguales o, más bien, que no forman más que una sola divinidad bajo nombres diferentes. La moderación es sólo lo que les distinguen de las otras sectas, y así es que no cuentan con muchos partidarios.

SMILAX, ninfa. Fue tanto el sentimiento que tuvo por verse despreciada de Croco, que se transformó, como él, en arbusto, cuyas flores son pequeñas, pero de un olor excelente. Esta metamorfosis se refiere de distintos modos. *Met. 4. V.* Croco.

SMINTEO. Sobrenombre de Apolo. *V.* Crinis.

SNOTRA. (*Mit escand.*) Diosa sabia y prudente. Había dado su nombre a los mortales sabios y virtuosos de ambos sexos.

SOANES. Pueblos de la Cólquida, vecinos del Caúcaso. Los ríos de su territorio arrojaban pepitas de oro, lo que tal vez ha dado margen a la fábula del vellocino. *Estrab. 11.*

SOBRIUS VICUS. Barrio de Roma, llamado así por las libaciones de leche que se hacían a Mercurio en lugar de las de vino, o según otros, porque no existía en él ninguna taberna. *Festo.*

SOCARIS o SOQUARIS. Divinidad egipcia cuyos pormenores se ignoran. *Jablonski* cree que no era más que un sobrenombre de Isis.

SOCÍGENA. Epíteto de Juno, madre de la sociedad, como presidenta del amor conyugal.

SOCLEUS. Uno de los hijos de Licaón.

SOCORDIA. *Negligencia,* hija del Eter y la Tierra.

SOCOTEBENOTI. (*Mit. sir.*) Era según *Seldén* y otros, el nombre del templo dedicado a la Venus de Babilonia, donde se juntaban las doncellas para prostituirse en honor a esta diosa. *Herodoto.*

SÓCRATES. Célebre filósofo de Atenas. Los atenienses, para expiar su injusta muerte, hicieron erigir una estatua, obra de *Lisipo,* y le dedicaron una capilla, como a un semidios.

SOCUS. 1—Joven troyano valiente y de hermosa presencia. Fue muerto por Clises.

2 — Sobrenombre de Mercurio.

SODALES. Ministros o sacerdotes de un mismo colegio. Se daba particularmente este nombre a los sacerdotes encargados de servir los altares de un emperador declarado dios.

SODOMA. (*Mit. rab.*) Cierto rabino pretende probar que es indispensable lavarse las manos después de comer, porque es cierto, afirma, que en la sal que comemos hay una porción de sal y otra de azufre de Sodoma; y por este motivo se debe temer que no queden algunas partículas en las manos y que frontándose los ojos, no se pierda la vista.

SOENEUS. Hijo de Atamante y Temisto, padre del célebre Atalante de Beocia. Dio su nombre a una ciudad de Beocia y, según *Esteban de Bizancio,* a una de Arcadia.

SOENIS. Sobrenombre de Venus, sacado de las guirnaldas o ataduras de junco con las que se ataviaban las mujeres que, según *Herodoto,* se prostituían en su honor.

SOFARINO-KAGAMI. (*Mit. jap.*) *Espejo de conocimiento,* colocado delante del juez de los infiernos, donde todos los crímenes de los réprobos aparecían con todo su honor.

SOFAX. Cuando Hércules hubo dado muerte a Anteo, se unió con la mujer de éste, Tinge, epónima de la ciudad de Tánger, y con ella engendró un hijo, Sófax, que reinó en Mauritania. Este Sófax tuvo un hijo, Diodoro, que extendió el imperio que había heredado de su padre y fundó la dinastía de los reyes de Mauritania.

SOFI. (*Mit. mah.*) Orden particular de monjes musulmanes que hacen profesión de una vida regular y más contemplativa que la común de los derviches. Sus contemplaciones místicas son muy profundas.

SOFRONISTER. *El que vuelve la razón.* Nombre de la piedra que arrojó Minerva a la cabeza de Hércules después de que este héroe, en un exceso de demencia, matara a Anfictión, su padre putativo. Con esta piedra calmó la diosa su frenesí.

SOFTAS. (*Mit. mah.*) Derviches turcos que disfrutaban de rentas, y cuyas funciones consistían en decir una especie de oficio de difuntos cerca de los sepulcros de los sultanes.

SOHAM. (*Mit. pers.*) Animal terrible que Sam-Neriman, hijo de Caherman-Catel, domó y se sirvió de él como de un caballo, en todas las guerras que hizo a los gigantes. Este animal, que tenía la cabeza semejante a la de un caballo y todo el cuerpo a la de un dragón, cuyo color parecía el de un hierro reluciente, tenía ocho pies de longitud y cuatro ojos. *Bibl. Or.*

SOKQUABECK. (*Mit. escand.*) Morada de Laga. *V.* Laga.

SOL. Unos de los primeros objetos de adoración desde la aparición del hombre a causa de su hermosura, brillantez, rapidez de su curso, regularidad en alumbrar la tierra y en favorecer las cosechas, características todas ellas atribuidas a las divinidades.

(*Mit. amer.*) El Sol era también objeto de culto por parte de los antiguos habitantes de Virginia y de Florida. Estos últimos le atribuían la creación del universo y, por tanto, creían que le debían la vida.

Los antiguos pueblos que habitaban el curso del río Mississippi, por su parte, lo veían como uno de los abuelos de su jefe y lo adoraban. Finalmente, en el Canadá, las mujeres arengaban al sol al amanecer y le presentaban a sus hijos. Cuando el sol llegaba al ocaso, los guerreros salían del pueblo y empezaban una danza a la que llamaban la danza del gran espíritu.

El Sol era el *Bel* o *Bell* de los caldeos, el *Moloch* de los cananeos, el *Beelfagor* de los moabitas, el *Adonis* de los fenicios o de los árabes, el *Saturno* de los cartagineses, el *Osiris* de los egipcios, el *Mitras* de los persas, el *Dionisio* de los hindúes y el *Apolo* o el *Febo* de los griegos y los romanos. Algunos sabios han pretendido también que todos los dioses del paganismo se reducían al Sol, y todas las diosas a la Luna. Además, el Sol ha sido también adorado bajo su propio nombre. Los antiguos poetas distinguían ordinariamente a Apolo del Sol, y los reconocían como divinidades diferentes. *Homero,* hablando del adulterio de Marte y de Venus, dice que Apolo asistió al espectáculo, como ignorante del hecho; y que el Sol, instruido de toda la intriga, había dado conocimiento de ello al marido. El Sol tenía también templos y sacrificios a parte, y *Luciano* dice que era uno de los titanes. Los mármoles, las medallas y todos los monumentos antiguos los distinguen comúnmente, pero esto no sirve de obstáculo para que los mitólogos hayan tomado a Apolo por el Sol; así como a Júpiter por el aire, a Neptuno por el mar, a Diana por la Luna y a Ceres por los frutos de la tierra. *Cicerón* cuenta hasta cinco soles, el primero hijo de Júpiter, el segundo de Hiperión, el tercero de Vulcano, apellidado Opas, el cuarto, cuya madre era Acanto, y el quinto padre de Eeta y de Circe. - Los griegos adoraban al Sol y juraban en nombre de este astro una fidelidad inviolable en sus compromisos.- El Sol era la gran divinidad de los rodios, quienes le consagraron el magnífico coloso, del que tenemos noticia. Los habitantes de Hierópolis prohibieron, por respeto, el que se le levantasen estatuas. Los masagetes y los antiguos germanos adoraban señaladamente al Sol y le sacrificaban caballos. En una montaña de Corinto había varios altares consagrados a este astro, y los trecenios dedicaron uno al Sol libertador, en memoria de haberse liberado de la esclavitud de los persas. - Entre los egipcios el Sol era la imagen de la divinidad, a la cual daban varios atributos para designar las diferentes perfecciones de la providencia. También tenía sus estatuas y sus representaciones. Por ejemplo, estaba representado por un hombre que lleva un cetro o un látigo. En nuestros cuadros está representado bajo la figura de un joven con cabellera rubia, corona radiante, y recorriendo el Zodíaco montado en un carro tirado por cuatro caballos blancos. Lleva con mucha frecuencia un látigo en la mano, para designar la rapidez de su curso. -(*Mit. peru.*) Los antiguos habitantes del Perú no reconocían primero otra divinidad que el Sol (Inti), y hacían consistir toda su religión en el culto que le tributaban. Consideraban a sus emperadores como hijo del Sol, y en la ciudad de Cuzco construyeron un templo magnífico en honor de este astro. *Mit. amer.*

(*Mit. escand.*) Una de las diosas escandinavas.

SOLANO. Genio del viento del este. Se le representa joven, teniendo en su seno diferentes especies de frutos, tales como, manzanas, melocotones, naranjas, granadas, etc., y otros frutos típicos de Grecia o de las comarcas más orientales.

SOLARES. Pueblos de Mesopotamia y de sus cercanías, que no tenían iglesias ni templos y que, según se presume, adoraban al sol. Ascendían a nueve o diez mil, y no se reunían sino en lugares subterráneos y muy recónditos de las ciudades.

SOLICITUD. *Apuleyo* la supone una de las compañeras de Venus. *Metam.*

SOLIMANES. (*Mit. orient.*) Monarcas preadamitas que los romances orientales suponen que habían poseído el imperio universal de la tierra por espacio de muchos siglos antes de Adán.

SOLISTIMUN. Augurio favorable que sacaban los romanos de lo que los pollos, a los que habían hecho ayunar, dejaban caer de su pico cuando les daban de comer.

SOLMISO. Montaña de Jonia en la cual se mantuvieron los Curetes durante el parto de Latona, ahuyentada con el ruido de sus armas a Juno, que quería dañar a su rival.

SOLOON. Promotorio de Libia sobre el cual se veía un templo dedicado a la Venganza y a Neptuno.

SOLOON. Joven ateniense que se enamoró de Antíope, a la que Teseo condujo a Atenas. Viendo despreciados sus deseos, se arrojó a un río vecino de Nicea, en Bitinia. Teseo, afligido por esta aventura, dio al río el nombre de Soloon, e hizo cerca de él una ciudad a la que dio por gobernantes a dos hermanos del suicidado.

SOLUNTE. Eúneo, Tóloas y Solunte eran tres jóvenes atenienses que habían acompañado a Teseo en su expedición contra las amazonas. A su regreso, Teseo traía consigo a Antíope y, en el barco, Solunte se enamoró de la joven. Confió el secreto a un amigo, quien transmitió el mensaje a Antíope; pero ésta se negó a ceder a la pasión de Solunte, el cual, desesperado, se arrojó a un río, durante una escala, y se ahogó. Al enterarse del suicidio del joven y el motivo de su desesperación, Teseo tuvo un violento enfado. Entonces se acordó de un oráculo por el cual Pitia le había ordenado que, cuando le afligiera un gran pesar, en el curso de un viaje por tierra extranjera fundase una ciudad y estableciese en ella a algunos de sus compañeros. Teseo, obedeciendo al oráculo, fundó la ciudad de Pitópolis, en Bitinia, a la que dio este nombre en honor de Apolo Pitio. Llamó al río cercano Solunte, en memoria del joven ateniense, y a sus hermanos los estableció en la ciudad, junto con otro ateniense llamado Hermo.

SOLVIZONA. Epíteto de Diana. Cuando alguna mujer estaba encinta por primera vez, se desataba el cinto, y lo consagraba a esa diosa.

SOMBRA (*Mit. afr.*) Uno de los dogmas de la religión del pueblo de Benin consistía en que la sombra de un hombre era un ser real y que debía un día dar cuenta de la buena o mala conducta de aquél al que ella había acompañado durante su vida.

SOMBRAS. En el sistema de la mitología greco-latina lo que se llama sombra no es el cuerpo, ni el alma, pero sí algo parecido a un doble compuesto por lo mejor del uno y de la otra y que reuniendo las cualidades del cuerpo sirven al alma como para envolverla. Los griegos lo denominaran *eidol* o *fantasma* y los latinos *umbra* o *simulachrum*.

SOMEIRAH. (*Mit. índ.*) Montaña fabulosa que los antiguos indios suponían colocada en medio de la tierra y donde, según creían, iba a esconderse el Sol en su ocaso.

SOMNIALIS. Sobrenombre bajo el cual honraban a Hércules, cuando creían haber recibido de él algún aviso en sueños. Se enviaban enfermos a su templo, para que soñasen el agradable presagio del restablecimiento de su salud.

SOMPANE. (*Mit. siam.*) Superior de un convento talaponés.

SONGUATZ. (*Mit. jap.*) La primera de las cinco fiestas solemnes que celebran anualmente y con mucho aparato los japoneses sintoístas.

SONIVIA. Rumores, de los cuales los augures sacaban presagios.

SÓPATRO. En otros tiempos, cuando los hombres se alimentaban exclusivamente de frutos y hortalizas y aún no ofrecían a los dioses sacrificios cruentos, vivía en Atenas un extranjero llamado Sópatro, que poseía allí un campo. En el curso de un solemne sacrificio, cuando Sópatro hubo depositado su ofrenda sobre el altar, apareció un toro, que devoró las plantas y semillas que constituían dicha ofrenda. Irritado, Sópatro empuñó un hacha y mató al animal. Luego, arrepentido de su acción, que consideraba como un acto impío, se desterró voluntariamente a Creta. Pero después de su partida declaróse en el país el hambre. Los dioses, interrogados, respondieron que sólo Sópatro podía indicarles el remedio. Era preciso que el animal inmolado resucitase, en el curso de la misma fiesta, y que el matador fuese castigado. Algunos enviados salieron, en consecuencia, en busca de Sópatro, y lo descubrieron en Creta, donde vivía presa de remordimientos. Esperando hacer su falta más soportable si la compartía con otros, cuando los enviados atenienses le preguntaron qué ritos debían realizar para aplacar a los dioses, empezó pidiéndoles, en pago de sus consejos, que se le concediese el derecho de ciudadanía. Los atenienses consintieron. Entonces Sópatro los acompañó a su patria e ideó lo siguiente: durante una reunión de todos los atenienses, mandó traer un toro parecido al que había inmolado; unas jóvenes le presentaron agua, con la cual purificó un cuchillo que había sido afilado por otros atenienses. Sacrificó al animal, que fue despedazado y luego desollado por otros, de manera que todos participaron en la inmolación. Después de ello, fue repartida la carne del toro.. Terminado el festín, llenaron la piel de heno y uncieron a la carreta el simulacro de toro así obtenido. Finalmente, se constituyó un tribunal para juzgar al matador. a fuerza de apurar el

caso, se acabó estableciendo que el culpable era el cuchillo, que fue condenado a ser arrojado al mar. Así se hizo. Cumplidas las condiciones estipuladas por el oráculo, el toro «resucitado» en forma de simulacro, y el culpable ejecutado, cesó el hambre. Este rito de sacrificio quedó establecido en Atenas, donde era celebrado por los descendientes de Sópatro, los sopátridas.

SOPOR. *Sueño profundo.* Los autores le distinguen de *Somnus,* el sueño. *Virgilio,* que le llama *hermano de la muerte,* lo coloca en el vestíbulo de los infiernos. *Eneida. 6. V.* Sueño.

SORACTE. Ciudad de Italia célebre por el culto que se tributaba a Apolo. Este dios tenía un templo cuyos sacerdotes pisaban carbones encendidos sin temor de quemarse; pero *Varrón* dice que antes se frotaban la planta de los pies con una droga que impedía la acción del fuego. *Eneida. 7, 11, Hor. Od. 9, l. 1.*

SORANO. 1 — Sorano es el dios adorado en la cumbre del monte Soracte, al norte de Roma, por los *Hirpi sorani (V.* este nombre.) Este Sorano, identificado a veces con el dios Pater, es considerado generalmente como un Apolo, y así es invocado por *Virgilio.* Tal vez a causa del culto del lobo que está ligado al del dios, como también al de Apolo Licio.

2 — Nombre de Plutón, entre los sabinos.

SORGE. Hija de Eneo, rey de Calidón, y de Altea, hija de Testio, casó con Andremón, quien la hizo madre de Oxilo. *Odis.*

SORGÓN (*Mit. índ.*) Paraíso de Devandiren, situado bajo la tierra y destinado a los que no han sido bastante virtuosos para pasar al Caílasa o paraíso de Shiva.

SORODÆMONES. Los mismos que los Lemurios.

SORORIA. Nombre bajo el cual Horacio, vencedor de las Curiadas, erigió un altar a Juno para expiar el homicidio de su hermana.

SORTIJA DE MINOS. Este príncipe, echando en cara a Teseo su nacimiento, le dijo que si era verdaderamente, como se vanagloriaba, hijo de Neptuno, no opondría dificultad en ir a buscar una sortija que echó al mar. Teseo, herido en su amor propio, se arrojó al agua y, habiéndole recibido algunos delfines sobre sus lomos, le transportaron al palacio de Anfítrite, quien le entregó la sortija.

SORTIJAS. Los mitólogos les dan un orígen fabuloso. Suponen que cuando Júpiter permitió que Hércules liberase a Prometeo, fue con la condición de que éste llevaría siempre en el dedo una sortija de hierro, en donde hubiese engastado un fragmento de la roca del Cáucaso, a fin de que quedase cumplimentado, en cierto modo, el castigo que le había impuesto Júpiter.

SORTILEGIO. Medio sobrenatural e ilícito, que se supone comunicado por el diablo para producir algún efecto soprendente y siempre nocivo.

SOSANDRA. *La que salva a los hombres.* Heroína cuya estatua, obra de *Calamiso,* estaba colocada en la ciudadela de Atenas.

SOSE. Espacio de tiempo en la cronología caldea, que corresponde a sesenta años.

SOSIANO. Sobrenombre de Apolo, cuya estatua de cedro fue llevada, según *Plinio,* de Silencis a Roma.

SOSIOTEN. (*Mit. jap.*) Uno de los cuatro grandes dioses del cielo.

SOSÍPOLIS. Esto es, *el que conserva la ciudad.* Sobrenombre de Júpiter. Era también el nombre de un genio adorado en la Elide.

SOSPES, SOSPITA, *conservadora;* sobrenombre de Diana, de Juno, de Minerva, etcétera.

SOSTENES. Cuando los Argonautas, viniendo de Cícico, quisieron atravesar el Bósforo, fueron impedidos en su propósito por Amico. Entonces se refugiaron en una pequeña cala, donde se les apareció un hombre alado, que les dijo que vencerían a Amico. Recobrando el ánimo, los Argonautas atacaron a Amico y lo derrotaron fácilmente. Entonces erigieron un santuario al genio tutelar que los había tranquilizado, y lo honraron con el nombre de Sóstenes. En tiempos de Constantino, este santuario fue convertido en una capilla consagrada al arcángel San Miguel.

SÓSTRATES. 1 — Joven griego de Palea, en Acaia, amigo de Hércules. Después de su muerte, el héroe hizo levantar un tumba y se cortó los cabellos sobre su sepulcro. Los habitantes de Pelea rendían todos los años a Sóstrates todos los honores heroicos.

2 — Célebre pancrasiasta de Sicione, por otro nombre Acrojersito, porque tenía las manos de sus antagonistas tan cerradas entre las suyas que les chafaba los dedos y les obligaba a que le cediesen la victoria. Fue coronado doce veces, tanto en los juegos Memeos, como en los Istmicos, doce en los Píticos y tres en los Olímpicos. Después de su muerte le levantaron una estatua.

SOTER, *conservador, conservadora.* 1 — Estos nombres se daban con frecuencia a los dioses en señal de agradecimiento a Júpiter, a Diana y a Proserpina. *V.* Sotira.

2 — *Salvador;* sobrenombre de Hércules entre los tasios, que le representan teniendo en una mano una clava y en la otra un arco.

SOTERIAS. Fiestas que se celebraban en acción de gracias, cuando alguien se había librado de un peligro público o particular.

SOTIS. (*Mit. egip.*) Nombre egipcio de la constelación de Sirio, a la cual los egipcios tributaban honores divinos. Esta palabra significa, según *Jablonski,* el principio de todo, el primer día. Y por este motivo se daba este nombre a a canícula, que era cuando los egipcios comenzaban a contar el año.

SOTIRA. *Protectora.* Sobrenombre de Diana entre los megareos, porque esta diosa los hizo triunfar sobre los persas.

SOTIRIA. *Salud.* Esta divinidad tenía una capilla cerca de Patrás.

SOU-TCIOU. (*Mit. chin.*) Cordón de perlas, de coral u otra materia, que sirve a la vez de rosario, de adorno y de distintivo.

SOUAA. (*Mit. mah.*) Idolo que los musulmanes dicen que había sido adorado en tiempo de Noé antes del diluvio, y, en lo sucesivo, por los árabes de la tribu de los Hodeilites. *Bibl. orient.*

SOUAD. (*Mit. mah.*) Gran negra, germen de la concupiscencia y el pecado inherente al corazón del hombre. Mahoma se jactaba de haber sido librado de él por el ángel Gabriel. *Bibl. orient.*

SOUBA-YAMBOU-MANOU. (*Mit. índ.*) El primer hombre creado por Brahma para propagar el género humano. Brahma le bendijo y le encargó la propagación de la raza humana. Tuvo de su primera mujer dos y tres hijas que poblaron el universo.

SOUFI. (*Mit. pers.*) Secta antigua de los persas, cuyo fundador fue sheik Abousaïd, filósofo austero. Esta secta, enteramente mística, no hablaba más que de revoluciones de uniones espirituales con dios, y del desprendimiento de las cosas terrenas. Se la relaciona con el sufismo.

SOUMENAT. (*Mit. índ.*) Idolo que era el objeto del culto de todos los hindúes de sus peregrinaciones.

Había dado su nombre a toda la provincia y a la ciudad donde tenía su templo. *Bibl. Or.*

SOUMME-SOUM. (*Mit. índ.*) Jefe de los bakuss o demonios.

SPELÆUM. Caverna en la cual los soldados era iniciados en los misterios del dios Mitra. En esta caverna había dos figuras monstruosas del Sol bajo diferentes emblemas.

SPICIFERA DEA. *La diosa que lleva dos espigas.* Ceres.

SPINENSIS DEUS. *El dios de las espinas.* Invocábanle porque impedía que creciesen en los campos sembrados.

SPINTARO. Arquitecto corintio. Edificó el templo de Delfos. *Paus. 10, c. 5.*

SPINTURNICIÓN, SPINTURNIX. El mismo que Esfinge.

SPIO Ninfa, hija de Nerea y Doris. *Eneida 5.*

SPITAMEOS. Nación de pigmeos que, según la leyenda, no tenían más que cuatro palmos de estatura y estaban en guerra con las grullas.

SPLANINOTOMOS, *el que corta las vísceras.* Dios que en Chipre había obtenido altares en reconocimiento de haber enseñado a los hombres el modo de reunirse en los banquetes. R. *Splanchnon,* víscera; *temnein,* cortar.

SPODIUS, *de cenizas;* sobrenombre de Apolo, bajo el cual tenía en Tebas un altar hecho de las cenizas de la víctima. *V. Spondius.*

SPONDE. Una de las Horas. *Higin.*

SPONDEUM. Vaso que servía para las libaciones o los sacrificios. *Apul.*

SPONDIUS, *el que preside los tratados;* epíteto de Apolo. R. *Spondé,* tratado.

SPONSA. Sobrenombre bajo el cual Teseo edificó un templo a Venus, cuando robó a Helena.

SPONSOR, *responsable.* Sobrenombre bajo el cual Sp. Postumio había edificado un templo a Júpiter.

SPROTA. Bastón largo y delgado que, según los islandeses, tenía la virtud de hacer abrir las peñas, las eminencias y las montañas, por poco que golpeasen. Procuraba también el medio de conversar con los gnomos.

SPUMIGENA, *engendrada de la espuma;* epíteto de Venus en *Marciano Capella.*

SRI. (*Mit. índ.*) Diosa de la abundancia, la Ceres de los antiguos. Ha dado su nombre a la ciudad de Sringar.

STABILINO. El mismo que Statanus.

STABILITOR, *el que sostiene, el que asegura;* nombre de Júpiter.

STAFLITE. Sobrenombre de Baco.

STASIMÓN. Coro que se cantaba después de los sacrificios.

STATA. Diosa que se invocaba para detener los incendios, *ul incendia starent.* La honraban en Roma en el mercado público, encendiendo grandes fuegos en su honor.

STATANUS, STATALINUS. Dios al cual se invocaba cuando los niños empezaban a andar.

STATINA. Diosa romana. Se le invocaba por el mismo objeto que al dios Statanus.

STÉFANI. Jóvenes salidos de las cenizas de las hijas de Arión.

STEFANITES. Ejercicio griego; el premio del vencedor consistía en una simple corona.

STEFANÓFORES. Sacerdotes o pontífices particulares de un órden distinguido que llevaban una corona de laurel, y algunas veces una de oro, en las ceremonias públicas que se practicaban en muchas ciudades de Asia, en Esmirna, en Sardes, en Magnesia de Meandro, en Tarso y en otras partes. R. *stephanos,* corona.

STELLE o Estellio. Niño transformado en lagarto. Buscando Ceres a su hija, acosada por la sed, llamó a la puerta de una cabaña, de donde salió una buena vieja llamada Baubo y le sirvió un brebaje que acababa de cocer. Ceres lo bebió con tanto afán que excitó la risa de un niño, a quien, irritada la diosa, arrojó por encima lo que le restaba de la bebida y le transformó en lagarto.

**STERCATHER.** El Hércules danés, a quien se atribuyen las proezas de una infinidad de héroes.

**STEROMANTIS.** Uno de los nombres de Pitia, que tiene el mismo significado que *Engastrimythe.* R. *sternon,* pecho, seno.

**STIGMATES.** Señales o incisiones que los paganos se hacían en las carnes en honor de alguna divinidad. La mayor parte de las mujeres árabes tienen los brazos y las mejillas llenas de esta clase de *stigmates.*

**STIPHILUS** o Stiphileüs. Uno de los centauros muertos en las bodas de Piritoo. *Met. 12.*

**STIRITIS.** Sobrenombre de Ceres, honrada en Stiris, en la Fócida. Su estatua tenía una antorcha en cada mano.

**STOBEO.** Sobrenombre bajo el cual Apolo tenía un oráculo en Alba, en la Fócida.

**STOFEA.** Sobrenombre de Diana.

**STOFIAS.** Fiestas que se celebraban en Erectrias en honor de Diana. *Hesíodo,* nos habla de ellas, sin referirnos su origen.

**STOICHEIOMANCIA.** Adivinación que se sacaba de las obras de algún poeta célebre. *V.* Suertes.

**STOLISOMANCIA.** Adivinación que se sacaba del modo de vestirse.

**STRASITES.** Piedra fabulosa a la cual se atribuía la virtud de excitar el amor y de facilitar la digestión.

**STRATIA.** *Guerrera;* sobrenombre de Minerva, considerada como diosa de los combates.

**STRATITIUS.** *Belicoso;* sobrenombre de Júpiter, entre los carios.

**STREBULA.** Carne de la pierna de los toros ofrecida en los sacrificios. *Varrón.*

**STRENIA.** Diosa romana que presidía los presentes que se hacían el primer día del año y que se llamaban *Strena,* albricias. Su fiesta se celebraba el mismo día y le tributaban sacrificios en un templo cerca del bosque sagrado.

**STRENUA.** Diosa que trabaja o hacía trabajar con vigor. Era contraria a la diosa del reposo. Los romanos le había erigido un templo.

**STRIBA** o **STRIBORE.** (*Mit. eslav.*) Divinidad de Kiev, donde su estatua fue también erigida por orden de Vladimiro.

**STRIDOR PORTÆ.** Ruido que hacían las puertas de un templo cuando se abrían y cuando se cerraban. Se sacaban de ello un augurio.

**STRIETE.** Perro de Acteón.

**STRIVAICHEVANALS.** (*Mit. índ.*) Tercera subdivisión en la tribu de los brahmanes. Estos son propiamente los brahames de Visnú, y están encargados de las ceremonias que se practican en sus templos.

**STRUES.** Montón de tortas sagradas que se ofrecían a los dioses.

**STRUFERTAIRES.** Hombres encargados de purificar los árboles destruidos por el rayo. Esta purificación consistía en ofrecer tortas debajo de estos árboles.

**STRYMNO (STRIMNO).** Hija del dios Escamandro y mujer de Laomedonte, de quien tuvo a Tritón. *Apolod. 3, c, 12.*

**STRYMÓN** o **STRIMÓN.** 1 — Río de Tracia, en cuyas orillas Orfeo lloró la muerte de Eurídice. *Geórg. 1, 4, Eneida. 10, Met. 4. Apolod. 2, c. 5.*

2 — Hijo de Marte.

**STRYMONIUS.** Guerrero a quien Haleso cortó la mano derecha. *Eneida.*

**STUFO.** (*Mit. escand.*) El Baco de los habitantes de la alta Sajonia y de Turingia.

**STUODENETZ** (*Mit. esl.*) Lago sagrado que se encuentra en un frondoso bosque de la isla de Rugen. Es muy abundante en peces pero la santidad de sus aguas no permitía cogerlos.

**STYGNE (STIGNE).** Danaida. *Apolod.*

**STYRACITE.** Sobrenombre de Apolo, tomado del culto que se le tributaba en Styración, monte de Creta.

**STYRUS.** Rey de Albania, al cual Eles prometió la mano de su hija Medea, para obtener sus socorros contra los Argonautas. *Val. Flac. 3, 8.*

**SU.** (*Mit. tárt.*) Esto es, maestros o doctores; nombre de los bonzos entre los tonkineses. *Antiguo Estado de Tonkín.*

**SUADA.** Una de las diosas que presidían los casamientos. Es la misma que *Suadela.*

**SUAN-MING.** (*Mit. chin.*) Quienes decían la buena ventura.

**SUBDIALES.** Templos descubiertos, cuyo circuito estaba rodeado de Pórticos. R. *subdio*, al aire.

**SUBJUGO.** Uno de los dioses del matrimonio. (Bajo el yugo).

**SUBRUNCINATOR.** Uno de los dioses de los labradores. (Bajo el escarolillo).

**SUBSAXANA.** Sobrenombre o epíteto de la buena-Diosa, sacado de uno de sus templos, situado al pie de una peña, en la región duodécima de Roma.

**SUBSULANUS.** Viento del este. *V.* Solano.

**SUBUCULUM.** Tortas para las oblaciones, hechas de la flor de la harina de trigo, aceite y miel. *Festo.*

**SUCCIDANEAS.** Víctimas que se inmolaban repitiendo el sacrificio, cuando el primero no había sido favorable.

**SUCINO** o ámbar amarillo. Que se encuentra en el Po. Es, según los poetas, el producto de las lágrimas de las Helíadas.

**SUCOTH.** Fiestas de los templos y de los tabernáculos que los judíos modernos celebran el 15 del mes de tisro o septiembre, en memoria de las tiendas, en las cuales sus antepasados habitaron por tanto tiempo en el desierto, después de su salida de Egipto.

**SUCRÓN.** Rútulo muerto por Encas.

**SUCUBOS.** Especie de sueños (o demonios) que tomaban la forma de mujer, al contrario de los íncubos que la tomaban de hombre.

**SÚCULE.** Nombre que los latinos daban a las Híades.

**SUCUS.** Cocodrilo doméstico, bajo el cual se honraba a Arísinoe en Egipto. Los sacerdotes, el día de su fiesta, la adornaban magníficamente, y los devotos ofrecían a esta divinidad pan y vino.

**SUDRA.** 1 — Ropaje con que se vestían los magos guebros, era de un color semejante al rojo, tenía las mangas larguísimas y bajaba hasta media pierna.

2 — Cierta casta inferior de los indios.

**SUDZETETES.** Cierta clase de judíos que estudiaban la ciencia enigmática de las profecías y cuyo sentido pretendían descubrir. R. *Sudzetein*, buscar.

**SUEÑO.** (*Iconol.*) Hijo del Erebo y la Noche, y padre de los Sueños. *Homero* le coloca en la isla de Lemnos. *Ovidio* establece su domicilio en el país de los cimerios. En su cueva jamás penetraban los rayos del sol; ni los gallos, ni los perros, ni los ansares turbaban allí la tranquilidad. El río del Olvido discurría por delante del palacio, donde no se oía más ruido que el dulce murmullo de las aguas. En los alrededores de estas cuevas crecían las adormideras y otras plantas, de cuyo juego se servía la Noche para adormecer a los mortales. En medio del palacio había un lecho de ébano cubierto de una cortina negra, donde descansaba tranquilamente el dios del Sueño, teniendo en una mano un cuerno y en la otra un colmillo de elefante. Alrededor suyo dormían también los Sueños descuidadamente; y Morfeo, su principal ministro, velaba para que no se hiciera el menor ruido. Algunas veces era representado bajo la figura de un hombre echado en los brazos de Morfeo. También le representaban bajo la imagen de un joven apoyado en una antorcha vuelta hacia abajo. *Homero* cuenta en la *Ilíada* que, queriendo Juno adormecer a Júpiter, se presentó al Sueño en Lemnos, y le rogó que cargase de pesadez los ojos perspicaces de su marido, prometiéndole, si lo hacía, varios presentes, y entre otras cosas que le daría el nombre de rey de los dioses y los hombres. El Sueño se resistió, temiendo exponerse por segunda vez a la cólera de Júpiter, pero Juno logró por fin persuadirle, prometiéndole la más joven de las Gracias.

**SUEÑOS.** (*Iconol.*) Hijos del Sueño. *Ovidio* les supone tan numerosos como los granos de arena en las orillas del mar, durmiendo alrededor del lecho de su soberano. Los tres principales, Morfeo, Fobetor y Fantasía son los únicos que habitaban en palacios, los otros frecuentaban al pueblo bajo formas agradables o espantosas. Los unos eran falsos, los otros verdaderos. Los primeros salían de los infiernos por una puerta de marfil, los segundos por una de cuerno. Estos anunciaban bienes o males reales, aquéllos no consistían más que en puras ilusiones y en vanos fantasmas de la imaginación. Los representaban con grandes alas de murciélago. Había dioses que rendían sus oráculos en sueños; tales como Hércules, Amfiarao, Serapis, Fauno, etc.

(*Mit. rab.*) Los sueños de José, del

faraón de Nabucodonosor, Daniel, etc. han hecho a los judíos modernos extremadamente supersticiosos, sobre todo en lo que concierne a esta ilusiones nocturnas. Los mismos rabinos han señalado algunos sueños nefastos, tales son, por ejemplo, aquellos en que se ve quemar el libro de la ley, caérseles los dientes, etc.

**SUERTE.** (*Iconol.*) Los romanos la han representado bajo la figura de una mujer. *Ovidio* la supone hija primogénita de Saturno. Los modernos han representado a la suerte o el destino bajo los rasgos de una mujer extravagante, vestida con un ropaje de color oscuro, llevando en la mano derecha una corona de oro con una bolsa de plata, y en la izquierda una cuerda.

**SUERTES.** Ciertas clases de adivinaciones. Por lo regular consistían en una especie de dados en los cuales estaban grabados algunos caracteres o palabras, cuya explicación se hallaba en unas tablillas hechas a propósito. El modo de practicar esta especie de suertes se diferenciaba según los lugares. Había templos en que se tiraban los dados, en otros se hacían salir de una urna, de donde derivó el proverbio griego *la suerte ha caído.* El juego de los dados iba siempre precedido de sacrificios y de otras muchas ceremonias. En Grecia y en Italia se sacaban con frecuencia las suertes de algún poeta célebre; como de *Homero, Eurípides,* etc. Lo primero que se presentaba, al abrir el libro, era el decreto del cielo. Esta creencia pasó también al cristianismo y se llamaba *suerte de los Santos y de los Apóstoles.* Se practicaba abriendo uno o varios libros de la escritura u otros de los que se usaban en la iglesia. Se ponían sobre el altar un poco antes de expirar el tercero o último día de ayuno y de rogativas preparatorias, luego examinaban el pasaje o las primeras líneas que se ofrecían a la vista y, lo que en ellas se decía, lo consideraban como la explicación de la voluntad y los decretos del cielo y consideraban también que les descubría infaliblemente el resultado del negocio que consultaban.

**SUFIBULUM.** Velo blanco con el que las vestales se cubrían la cabeza en los sacrificios: R. *Fibula,* porque este velo estaba prendido con una hebilla o grapa.

**SUFIMENTUM.** Torta de harina de habas y de mijo, cocida con mosto, que se ofrecía a los dioses en la época de la prensadura de los vinos.

**SUFITIO.** Purificación practicada por los que habían asistido a los funerales. Consistía en pasar rápidamente por el fuego o en recibir una pequeña aspersión de agua lustral.

**SUICIDIO.** Un poeta inglés, *Savage,* que lo ha personificado, lo pinta del modo siguiente: «Este monstruo, codicioso de su destruccion al lado siempre del hombre, no aguarda más que en el momento de confusión o desorden a que le arrastrará su furor. Lleva la muerte en sus manos y la rabia centellea en sus ojos ardientes y concentrados. En su ropaje están pintadas todas las calamidades de la vida. En una de sus manos tiene un espejo que aproxima y multiplica a sus ojos las desgracias. Sumergido en una languidez consumidora, enemigo del trabajo y de todo esfuerzo generoso, abrumado de sí mismo, en vano busca en el lecho un descanso que apetece. El descanso huye de él, el ojo fijo sobre los males, cuyas imágenes le representa el ropaje, le reproduce un frenético delirio. La aversión que ha concebido de sí mismo se convierte en horror; ya no puede verse ni soportarse. Para quedar libre del tormento que le agobia prueba de nuevo si puede adormecerse, y para conseguirlo implora el poder del Sueño; pero si el Sueño cierra sus párpados entorpecidos, su alma vela sin descanso; de repente el sacudimiento de un desvarío cruel le agita y despierta. Se levanta, pasea de un lado para otro con pasos descompasados, meláncolico y pensativo, sin poder detenerse. Tan pronto levanta sus ojos hacia el sol y maldice los rayos, como los inclina hacia la tierra, enverdecida con la primavera, y su verdor y sus colores le parecen amortiguados y marchitos. Levanta todavía una vez sus ojos y enjuga las lágrimas de sangre que manan de sus pupilas inflamadas y lívidas. Sus cejas cargadas de horrorosos designios se fruncen y se contraen; en una palabra representan los tormentos de su alma agonizante. «Ven pálido desgraciado, exclama, yo te daré un alivio, yo soy el hijo de la Desesperación, y mi nombre es Suicidio.»

·SULEVES. (*Iconol.*) Divinidades campestres, que se encontraban en número de tres. En un mármol antiguo se las ve sentadas teniendo frutos y espigas.

SULFI. Divinidades honradas por los galos.

SULMÓN. Uno de los capitanes de Turno, muerto por Niso. *Eneida. 6.*

SULPICIA. Ley decretada el año 449 de Roma, bajo los auspicios de los cónsules, P. Sulpicio Saverrio y P. Sempronio Sofo. Prohibía consagrar un templo o un altar sin permiso del senado y los tribunos.

SULPICIA. Hija de Patérculo y mujer de Valerio Flaco fue declarada unánimemente la más casta de las matronas romanas y la más digna, según los libros Sibilinos, encargada de inaugurar las estatuas de Venus en su templos. *Plin. 7. c. 35.*

SUMANO. Dios romano, asimilado a una manifestación de Júpiter, el dios de los relámpagos nocturnos. No posee leyenda propia. Se contaba que existía en el templo de Júpiter, en el Capitolio, una estatua de Sumano cuya cabeza fue seccionada por un rayo el año 278 a. C., y precipitada al Tíber. Este prodigio fue interpretado como manifestación de la voluntad del dios, que deseaba tener un templo separado. Este templo le fue consagrado el 20 de julio en el Circo Máximo. Sumano pasaba por haber sido introducido en Roma entre los cultos sabinos importados por Tito Lacio.

SUMES. Nombre bajo el cual los cartagineses honraban a Mercurio.

SUMIDERO DE CURCIO. M. Curcio, caballero romano, para hacer cesar la peste, se precipitó en un abismo que se abrió en la plaza pública de Roma, al que dió su nombre. Mientras se mantuvo abierto le arrojaron en él monedas, según la costumbre establecida de honrar de este modo los lugares consagrados. Este sumidero se cerró después y sobre el terreno se levantó una estatua al feroz Domiciano.

SUMMANO. Nombre, bajo el cual los habitantes del Lacio invocaban a Plutón. Este nombre significaba el soberano de los Manes, *Sumnus Manium.* Los estruscos le atribuían los rayos nocturnos, y los que descendían en líneas recta, mientras que los oblícuos venían de Júpiter. Elevó un templo magnífico sobre un monte cerca del Pistorium, llamado aún hoy día *monte Summano.* Tito Lacio llevó su culto a Roma. *Cicerón* refiere que Summano tenía una estatua de tierra, colocada en la cima del templo de Júpiter. Habiendo sido herida por un rayo, y perdida su cabeza, se consultó a los arúspices y respondieron que el rayo la había arrojado al Tíber, y fue efectivamente encontrada entera en el lugar que ellos habían designado. Summano tuvo después un templo cerca del de la juventud, y un altar en el Capitolio. Su fiesta se celebraba el 24 de junio. Se le inmolaban dos carneros negros, adornados de cintillas negras. *Ovid. Fast. 2 Plin. 2, c. 51 Cic.*

SUMONGO (*Mit. amer.*) Divinidad adorada por los veitios, pueblo de la California. Esta divinidad era enemiga de otras dos, Niparaya y Wactupuran, y las tres se enzarzaban en una guerra de exterminio. *Humboldt.*

SUNIADE. Minerva, llamada así por el promontorio de Sunium, donde tenía un templo. *Estrab. 9. Paus. 1, c. 1. Plin. 4. c. 7.*

SUNIARATE. Neptuno adorado en el promontorio Sunium.

SUNKAHAI. (*Mit. tárt.*) Idolo adorado por los calmucos. *Viaje de Palas.*

SUNNA. 1 — (*Mit. celt.*) Nombre del Sol en las *Eddas*, que suponían que este astro corría precipitadamente, porque temía a un lobo que estaba pronto a devorarle; explicación popular de los eclipses. (*V. Manes.*) Antes de ser engullido por el lobo Fenris, esta diosa (pues es de advertir que el sol en las lenguas del Norte es femenino) dará a luz una niña, tan hermosa y brillante como ella misma y que seguiría el camino de su madre y dará luz al mundo nuevo, nacido de las cenizas del primero

2 — (*Mit. mah.*) Costumbre o tradición. Es la ley transmitida por tradición oral de los mahometanos que contiene las palabras y acciones de Mahoma, que sin hallarse escritas en el Alcorán han sido

conservadas por la tradición y después redactadas. El *Alcorán* y la *Sunna* componen hoy aún el derecho canónico y civil de los mahometanos sunnitas, es decir, ortodoxos. Además de los preceptos, los consejos y las ceremonias de su religión en contraposición a los mahometanos xiítas o chiítas que sólo admiten el *Alcorán*.

SUNNET (*Mit. mah.*) Deberes que no son de derecho divino entre los turcos y de los que pueden prescindir, sin incurrir en la indignación de Dios y su profeta.

SUNNIS (*Mit. mah.*) Secta unida a la Sunna y opuesta a la de los Shiis o mahometanos de Persia.

SUOVETAURILIA, o los sacrificios de carneros, de verracos y de toros. Eran los más grandes y los más considerables que se ofrecían a Marte.

SUPERBENNIA. (*Mit. índ.*) Hijo de Ixora, dios indio y de Paramesséri. Era adorado por los indios, que le representaban con seis rostros y doce brazos.

SUPERHUMERAL. *V.* Efod.

SUPERI. Los dioses del cielo se diferenciaban de los dioses de los infiernos: 1º) por el número de los altares, pues a los primeros se erigían tres y a los segundos sólo dos; 2º) en el modo de tributarles los sacrificios, los que tributaban los sacrificios a los dioses de los infiernos, recibían únicamente la aspersión, y los que sacrificaban a los dioses del cielo, se lavaban enteramente. Se ofrecía incienso y vino a los primeros, dirigiéndoles tres veces la palabra, y a los segundos dos veces, presentándoles únicamente leche. Las víctimas que se inmolaban a éstos eran negras y en número par. Las de los dioses eran blancas y en número impar. Había también diferencia en la situación de la víctima, en el modo de degollarla, y en el de hacer las libaciones y las rogativas. La víctima de los dioses celestes, cuando la herían, tenía la cabeza levantada y la degollaban por debajo del cuello, lo que se expresaba con *fermun imponere:* se derramaba la sangre sobre el altar, y las libaciones se hacían teniendo la palma de la mano levantada, lo que se llamaba *fundere manu supina,* y se hablaba en

voz alta mirando al cielo. Cuando se dirigía un sacrificio a los dioses de los infiernos, se practicaba todo lo contrario. La víctima tenía la cabeza inclinada hacia el suelo y se la degollaba por encima del cuello, lo que se llamaba *ferrum supponere*. Se derramaba la sangre en un hoyo, y se inclinaba la mano derecha al lado de la izquierda, lo que se llamaba *invergere*. Finalmente las rogativas que se dirigían a estos dioses, se hacían con las manos bajas e hiriendo la tierra con los pies, porque se creía que habitaban debajo de la tierra.

SUPINALIS. Sobrenombre de Júpiter. S. *Agust*

SUPLICANTES. Los suplicantes llevaban ramos de olivo y tocaban las rodillas y el rostro de aquellos a quienes imploraban la protección.

SUPOSITIT, *suplentes*. Gladiadores que en los combates reemplazaban a los que habían sido vencidos.

SUPRAMANYA. (*Mit. índ.*) Segundo hijo de Sihva, a quien su padre hizo salir del ojo que tenía en medio de la frente para destruir al gigante Soura-Parpina.

SURAO (*Mit. mah.*) Capítulo del Alcorán. Este libro está dividido en catorce *Suras*, porque cada capítulo es una lección que el autor daba a sus seguidores.

SUREMINI. (*Mit. mah.*) Nombre del jefe que manda a los peregrinos que van a La Meca.

SUS. Uno de los torrentes que se desprenden del monte Olimpo. Equívoco singular de un oráculo sobre la palabra *Sus.* (*V.* Orfeo.)

SUTILEZA. (*Iconol.*) Los artistas acostumbran a pintarla como una mujer vieja, seca y fea, que devora sacos de papel.

SUVA. (*Mit. jap.*) Dios de los cazadores en honor del cual los bonzos hacen anualmente una procesión solemne.

SVA' HA'. (*Mit. índ.*) Mujer de Agni, dios del fuego, y que parece corresponder a la Vestal más joven.

SVERGA. (*Mit. índ.*) Primer cielo de los hindúes.

SYRE. Es el nombre que, según se dice, daban los persas al ser Supremo.

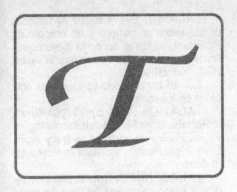

T. Los egipcios consideraban esta letra o su equivalente, como el símbolo de su vida.

TABACO. (*Mit. amer.*) Los antiguos americanos tenían en tanta veneración a esta planta, que la consideraban como el perfume más agradable que podían ofrecer a los dioses.

TABASKET. (*Mit. mah.*) Fiesta principal de los mahometanos de etnia negra. Era propiamente su Bairam (*V.* esta palabra).

TABERNACULUM CAPERE. Expresión sagrada en las funciones de las augures, que significa dividir el cielo y que se inscribe en el siguiente contexto; sentado el augur y revestido de los ornamentos inherentes a su cargo, miraba al oriente y con el báculo augural designaba una parte del cielo. Su costumbre exigía que este rito se realizase sin ningún defecto y cuando éste se producía, se señalaba por esta frase: «Tabernáculum non erat rite captum», lo cual obligaba a comenzar de nuevo. *V.* Templo.

TABLAS DE LA LUZ O DE LA PREDESTINACION. 1 — Este es el nombre que dan los musulmanes al libro de los decretos de Dios.

2 — *Isíacas* V. Isíacas.

3 — *De la ley* (*Mit. rab.*) Se conoce con este nombre a las tablas en las cuales según la Biblia, Dios grabó las leyes que debían regir la vida del pueblo de Israel y que más tarde entregó a Moisés en lo alto del monte Horeb. Según la tradición, cuando Moisés descendió del monte y observó la idolatría de su pueblo, las letras grabadas por el dedo divino en las tablas,

desaparecieron y las tablas se hicieron tan pesadas que Moisés no las pudo aguantar en sus manos y, cayendo al suelo se rompieron.

(*Mit. mah.*) Dicen los musulmanes que Dios encargó al buril celeste grabar en estas tablas. Añaden que habiéndosele caído a Moisés las primeras tablas, quedaron hechas pedazos, los cuales fueron llevados por los ángeles al cielo, excepto uno que quedó en la tierra y se guardaba en el Arca de la Alianza.

TACAS. Nombre general que los griegos daban al lugar donde los augures hacían sus observaciones y sacaban los auspicios.

TÁCITA. Diosa del silencio imaginada por Numa Pompilio, persuadido de que era tan necesaria esta divinidad al establecimiento de su nuevo estado, como la divinidad que hace hablar.

TACOUIN. (*Mit. mah.*) Especie de hadas muy parecidas a las Parcas. Estos genios daban oráculos, socorrían a los hombres contra los demonios y revelaban el futuro. Los romances orientales las representan como mujeres hermosísimas con alas como los ángeles.

TADIN. (*Mit. índ.*) Religioso hindú adorador de Visnú que iba mendigando de puerta en puerta, bailando y cantando las alabanzas y metamorfosis del dios.

TAFIO. Hijo de Neptuno e Hipótoe, pertenece a la estirpe de Perseo. Fue jefe de una tropa de fugitivos con los que se estableció en una isla a la que llamó Tafos, según *Estrabón* y *Apolodoro*.

TAFOSIRIS. Ciudad de Egipto, inmediata a Alejandría, en donde se creían que se conservaba el sepulcro de Osiris.

TAGO. 1 — Jefe latino muerto por Niso. *Eneida. l. 9.*

2 — Jefe troyano, muerto por Turno. *Id. l. 12.*

TAHARET. Ablución tercera, prescrita por el *Alcorán*.

TAI-KI. (*Mit. chin.*) Cumbre o cima de cada casa. Una secta de filósofos de China, llamada secta de las Su-Klan empleaba esta palabra para designar al Ser Supremo o la causa primitiva de todas las producciones de la naturaleza.

**TAI-POUCHOM.** (*Mit. índ.*) Fiesta famosa que se celebraba en el templo de Pacui en la víspera o día de la Luna llena del mes de enero. Igual fiesta se celebra también en los templos de Shiva, pero con menor solemnidad.

**TÁIGETE.** 1 —Montaña de la Laconia donde iban las mujeres del país a celebrar las orgías. *Paus. 2, c. 1.*

2 — Una de las Pléyades. *Geórg.* 4.

3 — Hija de Agenor, rey de Fenicia, hermana de Europa y madre de Lacedemón, el cual, según la leyenda, engendró de Júpiter estando desmayada. Al volver en sí, avergonzada, fue a ocultarse en el monte Táigeto, en Laconia.

Se contaba también que para escapar a la persecución del padre de los dioses, Diana la camufló en cierva. Agradecida, al recuperar su forma primitiva, Táigete dedicó a la diosa la cierva de cornamenta dorada cuya captura fue objeto de uno de los trabajos de Hércules.

**TAIGETO.** Hija de Júpiter y Táigete; dio nombre a la montaña de Laconia desde cuya cima los antiguos espartanos despeñaban a los niños y niñas que nacían deformes.

**TAILGA.** Lugar sagrado, según la leyenda, que se halla en algunos parajes inmediatos a las poblaciones tártaras de Siberia y que al parecer dio nombre a la formación vegetal denominada taiga = bosque.

**TAIR.** (*Mit. índ.*) Mar de leche, uno de los siete admitidos por los indios.

**TAKAMANOSACRA.** (*Mit. jap.*) Lugar afortunado o de delicias en donde creen los japoneses sintoístas que las almas de los justos van a parar después de su muerte. Colocan este paraíso, del cual excluyen a los malos, bajo el trigésimo cielo, morada de sus dioses.

**TAKIAS.** (*Mit. mah.*) Monasterios de derviches, en donde viven estos monjes con sus mujeres, y en los cuales está prohibido bailar y tocar la flauta.

**TALAFULLA.** Una de las dos divinidades a las cuales sacrificaban los habitantes de la isla de Formosa antes de ir al combate.

**TALAIDITE.** Ejercicios griegos en honor de Júpiter Talios

**TÁLAMO.** 1 — Ciudad de Laconia donde había un templo y un oráculo de Pasífae. Durante la noche la diosa representaba en sueños lo que se quería saber. *Plut. V.* Pasífae.

2 — El lugar donde se daban los oráculos en los templos.

**TALAMOS.** (*Mit. egip.*) Según *Plinio*, se llamaba así en Memfis a los dos templos en los cuales se adoraba al buey Apis. Etimológicamente, significa aposento para dormir.

**TALAO.** Hijo de Biante, padre de Adrasto. Reino en la parte del reino de Argos que Preto había atribuido a su padre. Perdió la corona y la vida por los artificios de Anfiarao. Antes figuró entre los Argonautas.

**TALAPAT.** (*Mit. siam.*) Nombre del parasol que solían llevar los talapones de Siam y que se formaba con hojas de palmera.

**TALAPONES** (*Mit. siam.*) Monjes del antiguo reino de Siam (actual. Thailandia). Se dividían en dos clases: los de las ciudades y los de los bosques, todos sin excepción se obligaban al celibato, mientras permanecían en los lugares religiosos. Cargaban los pecados del pueblo y expiaban sus faltas llevando una vida penitente a cambio de limosnas. No comían en comunidad y ejercían la hospitalidad incluso con los cristianos en sus conventos; disponían para ello de dos ha-bitaciones cada monje, para recibir a los que solicitaban asilo por la noche. Predicaban al pueblo los días siguientes a las nuevas y lunas llenas sentados con las piernas cruzadas en un sillón elevado y después recogían las limosnas que por lo general, eran abundantes. Iban con la cabeza y pies desnudos como el resto del pueblo, vestidos con un trozo de lienzo que llevaban atado a los riñones como los seglares, pero de color amarillo. Se les prohibía usar camisas de muselina, Se rasuraban la barba, cabeza y párpados y recogían las limosnas en un cuenco de hierro para después guardarlas en una bolsa de tela que les pendía del costado izquierdo.

**TALAPONESAS.** (*Mit. siam.*) Mujeres siamitas que abrazaban la vida religiosa y que observaban casi las mismas reglas que los talapones.

TALASA. La Mar. *Hesíodo* la supone hija del Eter y de Hemera (el aire y el día) Y según *Higinio*, esposa del Ponto tenida por diosa. Se le erigieron estatuas, pero se ignoran sus atributos. Cuando un pueblo asienta sus dominios sobre el mar: por ej. fenicios, griegos o en época moderna el imperio británico, se dice que ejerce una *Talasocracia,* del gr. *Talasa* = mar y *Cracia* = dominio, poderío, mando.

TALASIO. 1 — Grito ritual que se producía en las bodas romanas cuando la novia transpasaba el umbral de su nuevo hogar. Este grito se relacionaba con el mito del *rapto de las sabinas,* pero había dos versiones sobre el origen del mismo:

2 — Se suponía que Talasio era compañero de Rómulo y Remo. Cuando se produjo el rapto de las sabinas, sus criados, que habían raptado a una bellísima mujer, para impedir que ésta les fuese arrebatada, iban gritando: «Es para Talasio». Dado que el matrimonio de éste con la joven fue muy feliz, se creyó que este grito era un buen augurio en las bodas. Talasio fue divinizado y se identificó con el Himeneo griego.

3 — Otra versión relacionaba el grito con la palabra griega *Talasia* (cardar la lana) ya que después del rapto de las sabinas, los sabinos y los romanos acordaron que éstas no trabajarían y se limitarían a hilar la lana. El grito sería el recordatorio de éste compromiso.

TALBES. (*Mit. mah.*) Sacerdotes mahometanos entre los marroquíes, que reunen la ciencia de las leyes a la de la religión.

TALED. En hebreo significa manto. Los judíos dan este nombre a un velo de lana cuadrado, adornado de borlas en sus extremos y con el cual se cubren cuando van a orar en las sinagogas.

TALEROS. El que preside la vegetación. *Epíteto de Apolo.* R. *Tallein (Taleim)*; germinar.

TALETÓN. Edificio consagrado al sol en la cumbre del Taigeto, en Laconia.

TALÍA. 1 — Nombre que se relaciona con la raíz «vegetación». Es el nombre de varias divinidades, principalmente una Musa, una Gracia y una Nereida.

2 — Como Musa acaba presidiendo la comedia y la poesía ligera. Se dice que dio hijos a Apolo, los coribantes. Se la representa como una joven de aire agraciado, coronada de hiedra teniendo en la mano una máscara y calzada con borceguíes.

3 — Como una de las tres Gracias. Talía es hija de Júpiter y Eurímome. En ese caso, junto con sus hermanas preside la vegetación.

4 — Finalmente, *Homero* cita una Talía entre las nereidas, hija de Nereo y Dóride.

TALIS. (*Mit. ind.*) Especie de talismanes matrimoniales. Los hay de diferentes formas, según las castas que se desposen. El más común suele ser una cinta de la cual pende una pequeña cabeza de oro.

TALISMANES. (*Mit. cab.*) Se llaman así ciertas figuras simbólicas, por ej. de un signo celeste, constelación, planeta, etc. grabados sobre piedras o metales que según los magos o brujos, poseen cualidades extraordinarias de protección para el que las posee o para el lugar en donde se encuentra. Los talismanes pueden ser: astronómicos, que son los mencionados, los mágicos que contienen figuras extraordinarias y nombres de ángeles extraños y los mixtos que no tienen nada que ver con los dos y se componen de signos y nombres de pueblos primitivos. Además de llevarse encima, había talismanes para enterrarlos en las fronteras de los pueblos como hacían los romanos, por ej. estatuas o para colocarlos en parajes públicos. Parece ser que los egipcios fueron sus inventores. Otros talismanes como plantas, ramas de árboles o raices son atribuidos al rey sabio Salomón. Los habitantes de la isla de Samotracia hacian talismanes de anillos de oro con partículas de hierro engastado, en vez de piedras preciosas. Los árabes esparcieron los talismanes por toda Europa después de la invasión de la Península Ibérica y fueron con los judíos, los grandes maestros de la astrología.

TALISONES. Sacerdotes de los antiguos prusianos.

TALMUD. Libro que contiene la doctrina, la moral y las tradiciones de los judíos, compuesto por el rabino Judá, que lo tituló *Misna* y que está dividido en seis partes. La primera trata de la agricultura; la segunda de las fiestas; la tercera de los matrimonios y de todo lo relativo a las mujeres; la cuarta de los procedimientos judiciales y de todo lo perteneciente a lo civil; la quinta de los sacrificios; y la sexta de las purezas e impurezas. Posteriormente dos rabinos, llamados Ravena y Ravasce, que vivían en Babilonia, reunieron las diferentes explicaciones que se habían dado hasta su tiempo sobre el *Misna* con las sentencias y palabras memorables de cuantos rabinos les habían precedido; y tomando como base el *Misna*, iniciaron la redacción de un libro que se denominó *Talmud de Babilonia* o de la perfección y es cinco veces más voluminoso que el primero, siendo completado entre los s. V y VI d. C.

La palabra *talmud* deriva del verbo hebraico *talmud*, que quiere decir *aprender*, y de aquí *enseñanza* porque la recopilación de toda la obra talmúdica es el fruto de varios siglos de enseñanza dictada por los rabinos, maestros de la ley, en Palestina y Babilonia. Se trata de una enciclopedia de conocimientos de la mentalidad judía, verdadero «cajón de sastre» en el que hay de todo, hasta magia y creencias populares que rayan en la superstición.

**TALO.** Sobrino de Dédalo, de quien era ayudante, y a quien de pronto superó en habilidad y conocimientos. Entonces Dédalo, envidioso, lo arrojó desde lo alto de la Acrópolis. Pero, Minerva, protectora de las artes, lo recogió antes de caer al suelo y lo transformó en perdiz. De ahí su sobrenombre de Perdiaz. Entre otros inventos se le atribuye a Talos la invención de la sierra, el compás y la alfarería.

**TALOS.** 1 — Gigante de la isla de Creta, descendiente según Apolonio de los gigantes salidos de la cadena o de las entrañas de la roca. Dotado de una vigilancia infatigable, había sido escogido por Minos o por Júpiter para vigilar la isla de Creta, donde se encontraba su amada Europa. Todos los días, armado, daba tres veces la vuelta a la isla para impedir a los extranjeros penetrar en ella y a los nativos abandonarla.

Este Talos era invulnerable en toda la extensión de su cuerpo, con excepción de la parte baja de la pierna, donde tenía una pequeña vena cerrada por una clavija. A la llegada de los argonautas, Medea logró con sus hechizos romper esta vena y Talos murió. Otra versión contaba que Peante, uno de los Argonautas, había traspasado la vena de un flechazo.

2 — Compañero de Eneas, muerto por Turno. *Eneida. 12.*

3 — Hijo de Cretes, favorito de Radamente. *Paus. 8, c. 53.*

**TALPIO.** Hijo de Eurito, otro de los pretendientes a la mano de Helena y jefe del contingente de los epeos en la guerra de Troya en la que comandaba diez naves. *Apolodoro. 5 c. 10.*

**TALSINIA.** Hija de Ogiges y Tebas, hermana de Cadmo.

**TALTIBIO.** Heraldo que Agamenón llevó en su compañía al sitio de Troya (*Ilíada.* I.) Dice Herodoto que se le había dedicado una capilla en Esparta.

**TALLO o TALLOTA.** 1 — Hija de Saturno y Temis, otra de las Horas o de las Parcas.

2 — Divinidad que presidía al germen de las plantas.

**TALLOFORES.** Ancianos que en las procesiones de las Panateneas llevaban en la mano ramas de árboles. (*Tallo* = rama, *fores* = llevar)

**TAMASEA.** Hermosa llanura de la isla de Chipre consagrada a la diosa de la belleza. De ella sacó Venus las manzanas de oro por medio de las cuales venció Atalante a Hipómenes.

**TAMBOR MÁGICO.** Instrumento principal de la magia de los antiguos lapones. Ordinariamente, se hacía de un tronco hueco de pino o álamo blanco, y sobre la piel tenía pintadas varias figuras simbólicas. Se distinguían en el tambor «mágico» dos cosas, la marca y el martillo. Su marca era un paquete de pequeños anillos entre los cuales había uno mayor que los demás y que servían para señalar, una vez dispuestos sobre las figuras jeroglíficas dibujadas en la piel del tambor, las cosas que deseaban saberse. Con el martillo se conseguía el movimiento de los anillos y según estos se colocaban se sabía la respuesta.

**TAMERANI.** (*Mit. índ.*) Nombre del creador de todas las cosas, según algunos indios.

**TAMIMASADA.** El Neptuno de los escitas, según *Herodoto*, o la divinidad del agua.

**TAMIRAS.** Siciliano, introdujo el arte de los augurios en la isla de Chipre, donde su familia lo conservó durante muchos años como uno de los legados más importantes.

**TAMIRIS.** Hijo de músico Filamón y la ninfa Argíope. Era muy hermoso y destacaba en el arte del canto y de la lira. Según *Homero*, del que se decía era maestro, trató de rivalizar con las musas en cuanto a talento musical y reclamó si salía vencedor el derecho de unirse sucesivamente a todas ellas. Pero fue vencido y las diosas, irritadas, lo cegaron y privaron de su talento musical.

Desesperado, arrojó su lira al río Bálira, del Peloponeso. El lugar del castigo se sitúa en Pilos. *Platón* siguiendo los principios de la metempsícosis o trasmigración de las almas, supone que el alma de Tamiris pasó al cuerpo de un ruiseñor.

**TAMMODEN.** (*Mit. jap.*) Uno de los cuatro grandes dioses que según ésta ocupan el trigésimo cielo.

**TAMMUZ.** Divinidad conocida también por Dumuzi, propia de Mesopotamia y de la cual habla el profeta Ezequiel identificándose después con el mito de Adonis. Según el rabino cordobés Maimónides, Tammuz era un falso profeta de los asirios a quien el propio monarca condenó a muerte. Cuentan que después sucedieron varios prodigios. Así, todos los años sus seguidores lloraban a Tammuz el último día del mes del mismo nombre.

**TAMOUCÍCARO.** (*Mit. amer.*) El anciano del cielo. Nombre con que los galibis, pueblos de las Guayanas, invocaban a Dios.

**TAMOU'S.** Infiernos definitivos de los antiguos calmucos, en donde los condenados estaban destinados a sufrir los tormentos más horrorosos. Como consecuencia de sus creencias en la reencar-

nación hay un infierno creado especialmente para los animales feroces que se destrozarán entre sí.

**TAN.** (*Mit. china.*) Lugar en donde los antiguos chinos sacrificaban al ser supremo de su Mit..

**TANACEA.** Hija de Megasares, madre de Ciniro, según *Noël*.

**TANAGRA.** 1 — Hija de Eolo o de Asopo: dio su nombre a la ciudad de Tanagra, en Beocia, y a unas pequeñas estatuillas de exvotos de los tiempos helenísticos.

2 — Ciudad de Beocia cuyos habitantes asistieron al sitio de Troya.

**TANAIDE.** Sobrenombre de Venus tomado de una comarca armenia llamada Tanaitis. Era la divinidad tutelar de los esclavos de ambos sexos. Las personas libres le consagraban sus hijas, en cuyo nombre los autorizaban para prostituirse a cualquier advenedizo.

**TANAIS.** 1 — Uno de los capitanes de Turno, muerto por Eneas.

2 — Dios-río hijo de Ponto y el Mar (el actual Don). Según afirmaba otra leyenda, Tanais era un héroe que sólo adoraba a Marte y despreciaba a las mujeres. Venus, irritada, le hizo enamorarse de su propia madre. Desesperado, Tanais, para escapar de su incestuosa pasión, se suicidó lanzándose al río entonces llamado Amazonio y que, desde entonces, pasó a llamarse Tanais.

**TANAISER.** (*Mit. índ.*) Pantano del Indostán en donde se reunían ciento cincuenta mil almas los días de eclipse, acudiendo de todas partes de la India.

**TANAQUIL.** Mujer de Tarquinio el viejo, acreditadísima en la ciencia de los augures. *Dion. Halic.*

**TANATOS.** Genio masculino alado que personifica la Muerte. En la *Ilíada* aparece como hermano de Hipnos (el Sueño) y *Hesíodo* los hace a ambos hijos de la noche.

**TANATUSIAS.** Fiestas de los muertos en Atenas. Del griego *támatos* = muerte.

**TANFANA.** Diosa que entre los antiguos germanos presidía la adivinación, que se hacía por medio de varillas.

**TANGRI.** (*Mit. mah.*) Nombre que los turcos daban a Dios, acompañándole de las alabanzas con que los árabes suelen acompañar al de Allah, esto es, de alto, grande, de soberana verdad, etc.

**TANTÁLIDOS.** Agamenón y Menelao, biznietos de Tántalo. *Ovid.*

**TÁNTALIS.** Níobe, hija de Tántalo.

**TÁNTALO.** 1 — Hijo de Júpiter y Plota, que reinaba en Frigia o en Lidia, en el monte Sípilo. Era rico y los dioses lo admitían en sus festines. A pesar de todo, Tántalo es célebre en la Mit. por el castigo que tuvo que sufrir en los infiernos y del cual nos da una descripción la *Odisea.* Sin embargo, hay varias versiones sobre la causa del castigo:

1.- Se le acusaba de haber revelado a los hombres los secretos oídos en la mesa de los dioses.

2.- Se creía que había robado néctar y ambrosía de la mesa de los dioses para dárselos a los hombres.

3.- Según otros, parece que Tántalo inmoló a su propio hijo para servirlo como comida a los dioses.

Fuese cual fuese la verdad, todo el mundo está de acuerdo en lo terrible del castigo, aunque existe desacuerdo en lo que respecta a la concreción del mismo:

1.- Unos creían que estaba en los infiernos colocado bajo una piedra siempre a punto de caer, en perfecto equilibrio.

2.- Otros creían que estaba sumergido en agua hasta el cuello y que, cuando intentaba agacharse y beber, ésta se retiraba. Al mismo tiempo, sobre su cabeza pendía una rama cargada de frutos que, cuando intentaba cogerla, se retiraba.

3 — Hijo de Tieste o de Bróteas, según unos había sido asesinado por Atreo, por odio a Tiestes, y servido a éste cocinado; según esta versión era el primer marido de Clitemestra muerto por Agamenón, su propio sobrino.

3 — Uno de los hijos de Anfión y Níobe.

4 — (*Mit. amer.*) Algunos mitólogos han querido ver del mito de Tántalo un curioso reflejo en los pueblos indígenas que habitaban los desiertos entre Canadá y los Estados Unidos. Según éstos, al morir, sus almas embarcaban en una canoa de piedra rumbo a una isla deliciosísima.

Poco antes de llegar un decreto les manifestaba e resultado del juicio por sus acciones, si las buenas sobrepujaban a las malas podían llegar a la isla donde hallaban toda clase de placeres, pero si eran las malas las que sobrepasaban a las buenas, la canoa de piedra se hundía repentinamente y los condenados quedaban dentro del agua hasta la barba, lamentándose de no poder alcanzar la recompensa de los justos y haciendo vanos esfuerzos para subir a la isla afortunada de la cual estaban excluidos para siempre. (*Viajes de Alexander Mackenzie en el interior de la América septentrional, hechos en 1789, 92 y 95.*)

**TAÓN.** Uno de los gigantes que lucharon contra Júpiter, segun Hesíodo, las Parcas le quitaron la vida.

**TAPSUS.** Guerrero muerto por Pólux, natural de Cizico.

**TARANIS, TARÁN.** (*Mit. celta.*) Nombre bajo el cual los celtas adoraban a Júpiter (*Taran* significa Trueno), como árbitro de las cosas celestiales ofreciéndole víctimas humanas. Con todo no era considerado como soberano de los dioses, cargo éste que ocupaba Esus, dios de la guerra.

**TARANTEO.** Júpiter adorado en Tarento de Bitinia.

**TARAS o TARANTE.** Hijo de Neptuno, tenido por el fundador de la ciudad de Tarento, donde en las medallas era representado bajo la forma de un dios marino, bien montado en un delfín, bien sobre un caballo, empuñando ya el tridente de su padre, ya la clava de Hércules, sím-bolo de fuerza; ya el mochuelo de Minerva, protectora de los tarentinos; ya un cuerno de la abundancia para significar la bondad del país; ya con un vaso de dos asas y con un racimo con el tirso de Baco, símbolo de la abundancia de vino en Tarento.

**TARAXIPO** (Turbacaballos) 1 — Se creía que era un genio que en el hipódromo de Olimpia asustaba a lo caballos, cuando miraban, al llegar a un cierto altar. Había varias versiones que explicaban esto. Uno decían que era el espíritu de Isqueno, personaje sacrificado para evitar cierta hambruna, o bien el de Dameón que había participado en la expedición de

Hércules contra Augias y al cual había matado, junto con su caballo, Cléato, quien después los enterró en ese lugar. Otras versiones decían que era Alcátoo que había sido muerto por Enomao cuando intentó conseguir la mano de Hipodamia, o bien Pélope había enterrado en este lugar un «talismán que había recibido de un egipcio, destinado a asustar a los caballos de Enómao, ganando así la carrera.

2 — Había otro Taraxipo cuya tumba estaba en el hipódromo de Corinto, que se creía era Glauco, hijo de Sisifo, muerto por los caballós en los juegos fúnebres que Acasto hizo celebrar en honor de su padre.

TARCÓN. Jefe de los etruscos y de las tropas auxiliares que éstos facilitaron a Eneas en su lucha contra Turno. Es tenido por fundador de Mantua. *Eneida, 8.*

TARDIPES. Sobrenombre de Vulcano por ser cojo.

TARGELIAS. Fiestas que los antiguos atenienses celebraban en honor de Apolo y Diana como autores de todos los frutos que produce la tierra. En estas fiestas, para expiar los crímenes y faltas cometidas por el pueblo, se sacrificaban dos personas, a las que engordaban desde mucho tiempo antes, hasta llegar el día destinado para celebrar las fiestas, en que eran quemados y sus cenizas arrojadas al mar. Al llegar los tiempos clásicos se prohibió el sacrificio humano.

TARGELIÓN. Uno de los meses del año ateniense, llamado de las fiestas targelias, las cuales se celebraban los días 6 y 7 de este mes en honor del Sol (Apolo) y la Luna (Diana).

TARGELIOS. Nombre del Sol que calienta toda la tierra..

TAROPS. Abuelo de Orfeo, a quien Baco hizo rey de Tracia cuando descubrió los pérfidos proyectos de Licurgo. *Diod. 4.*

TARPEYA. Hija de Espurio Tarpeyo, a quien Rómulo, durante la guerra ocasionada por el rapto de las sabinas, confió la vigilancia del capitolio. Cuando los sabinos asediaban Roma, Tarpeya vio al rey sabino Tacio y se enamoró hasta tal punto de él que le prometió entregarle la ciudadela si se casaba con ella. Tacio simuló aceptar el pacto, pero cuando con-

siguió entrar en la ciudadela, mandó a sus hombres que aplastasen a la joven bajo sus escudos. Otra versión, afirmaba que Tarpeya había exigido a Tacio que él y sus hombres le entregasen lo que llevaban en el brazo izquierdo. Tarpeya se refería a las joyas que llevaban, pero Tacio quiso entender que se refería a los escudos y la hizo matar como ya hemos descrito.

En recuerdo de su traición, se decía que los traidores a Roma de la posterior historia eran arrojados al vacío desde la llamada roca Tarpeya.

TARPEYO. Suele darse a veces este nombre a Júpiter, en razón del templo que tenía en el monte Tarpeyo, después llamado Capitolio. *Tito Liv. 6, c. 20.*

TARPEYOS. Juegos en Roma en honor de Júpiter Tarpeyo.

TARQUITUS. Hijo de Fauno y de la ninfa Dríope, muerto por Eneas. *Eneida. 7.*

TARSE. Capital de Cilicia, fundada por Perseo. Parece que su nombre deriva del verbo «secar», porque según una tradición local fue la primera ciudad que se secó después del diluvio. Al pie de sus muros, según se cuenta, fue donde cayó Belerofonte y el caballo Pegaso perdió una de sus alas.

TARSIO. *Plutarco* refiere que éste era el sobrenombre de Júpiter cuando el Tíber abrió en el foro un abismo, causando la destrucción de muchas casas y una peste terrible, que no cesó hasta que Curcio se precipitó en dicho abismo.

TARSO. Sobrenombre de Júpiter, venerado en Tarse, Cilicia.

TARTAREUS DEUS. 1 — El dios del tártaro, Plutón.

2 — El guardián del tártaro, Cerbero.

TÁRTARO. Era la región más profunda del mundo, situada debajo de los mismos infiernos y constituia los cimientos del universo. Las sucesivas generaciones divinas encerraron allí a sus enemigos y llegó a ser un lugar tan temido por los propios dioses que cuando uno de ellos resitía a Júpiter éste lo amenazaba con encerrarlo en él, amenaza que hacía volver a la obediencia al infractor. Poco a poço, el Tártaro fue confundiéndose con el infierno propiamente dicho en la idea del «mundo subterráneo» situándose en él el lugar donde eran atormentados los grandes criminales. Virgilio (*Eneida. 6*) describe el Tártaro como un lugar vasto, fortificado por tres órdenes de murallas, rodeado de un río de fuego, el Flagetonte y con puertas tan duras como el diamante, en el umbral de las cuales la cruel Tisífone impedía la huida de los condenados que sufrían horribles castigos inflingidos por las Furias.

El Tártaro, personificado, constituye uno de los elementos primordiales del mundo junto a Eros, el Caos y la Tierra, unido a la cual engendró diversos monstruos, como Equidna y Tifón.

**TARTAROPAIS.** Hija de Tártaro: sobrenombre de Hécate en los *Himnos Orficos*.

**TARTESIA.** Ciudad de la Península Ibérica que estaba situada en una pequeña isla formada por el río Tartesos, en la cual el sol al caer la tarde desuncia sus fatigados caballos (*Ovidio*). La Mit. se relaciona con la historia reflejándola en el fabuloso reino de Tartesos, del sur de la Península Ibérica.

**TARVOS TRIGANARUS.** Toro de tres grullas, divinidad de los antiguos galos. Era de cobre y estaba colocado en el centro de un lago que tenía su nombre.

**TASI.** (*Mit. mex.*) Madre común, nombre que los mejicanos daban a la diosa de la tierra.

**TASIBIS.** Dios de los tasibos, pueblo que habitaba en las cimas del Monte Tauro. *Plutarco* lo llama Trosobius y Eusebio Tosibis.

**TASO.** Hijo de Agenor y hermano de Cadmo, es el héroe epónimo de la isla de Tasos. Se estableció en ella después de haber buscado inútilmente a su hermana Europa.

**TASOTES.** El que se divierte en las danzas de las bacantes. Epíteto de Baco.

**TAU.** Llámase Tau o cruz con asas a un instrumento en forma de T, que se ve en la mano de algunas figuras egipcias. *V.* Isis y Osiris

**TAUMACO.** Padre de Peante, fundador de Taumacia.

**TAUMANTE.** 1 — Uno de los hijos del Mar y la Tierra. Pertenece al grupo de las divinidades marinas primordiales. Se unió a la hija de Océano, Electra y le dio dos hijas: Harpías e Iris.

2 — Sobrenombre de Iris, sacado de la admiración que causan los colores del arco que lleva su nombre.

**TAUMAS.** Centauro que huyó del combate en las bodas de Piritoo.

**TAUMASIO.** Monte de Arcadia donde se decía que Rea engañó a Saturno, presentándole una piedra en lugar del niño Júpiter. En la cumbre de éste monte había una gruta consagrada a Rea, donde no se permitía entrar más que a las mujeres destinadas a la celebración de los misterios de la diosa.

**TAUR.** (*Mit. egip.*). Divinidad maligna, también denominada Taourt.

**TÁURICA.** Epíteto de Diana, venerada en Táurida y cuya estatua fue arrebatada por Orestes e Ifigenia.

**TÁURICAS o TÁURICOS.** Fiestas que celebraban los griegos en honor a Neptuno y en las cuales tan sólo se sacrificaban toros negros.

**TAURICÉFALO.** Cabeza de toro, sobrenombre de Baco (De *tauro* = Toro; *kefale* = cabeza).

**TAURICEPS.** Epíteto dado al Océano y común a Neptuno y a los ríos caudalosos, tanto por el motivo de las olas agitadas que imitan el mugido de toro, como por la alusión que se hace a los cuernos, por los ramales diferentes que forman las orillas.

**TAURICORNE.** Sobrenombre de Baco, en razón de ser representado algunas veces con un cuerno de toro en la mano. Este cuerno es propiamente un vaso para beber, en forma de un cuerno de toro.

**TÁURIDA.** La actual península de Crimea, donde habitaban los escitas quienes inmolaban víctimas humanas a Diana. Se atribuye su nombre al ejemplo dado por Osiris de trabajar la tierra con bueyes uncidos a un arado.

**TAURIFORME.** Suele darse este sobrenombre a Baco, aludiendo a que cuando los hombres beben vino con exceso se transforman en toros furiosos.

**TAURILIOS.** Juegos religiosos que celebraban los romanos para apaciguar la ira de las divinidades infernales. Fueron instituidos en el reinado de Tarquinio el Soberbio con motivo de una epidemia que atacaba a las mujeres encinta. Se atribuye esta enfermedad al uso que habían hecho de la carne de los toros inmolados y como se creyera que este azote provenía de la cólera de los Manes, se instituyó para apaciguar los juegos llamados taurilios, de la carne de los animales sacrificados.

**TAURIONE.** Sobrenombre de Diana, bien por el culto que se le tributaba en Táuride, como protectora de los rebaños o por ir como Selene en un carro tirado por bueyes.

**TAURO.** El toro. Existen tres versiones sobre este nombre:

1.- Fue un príncipe de Cnosos que acaudilló una expedición contra Tiro, como botín de la cual obtuvo Europa. Se cree que fundó la ciudad cretense y que fue el padre de Minos.

2.- Jefe de los ejércitos de Minos. Los jóvenes que eran enviados desde Atenas en concepto de tributo no eran inmolados por Minos, sino que eran ofrecidos como premio en los juegos fúnebres celebrados en honor de Andrógeo. Tauro habría sido el primer vencedor de estos juegos y habría tratado cruelmente a los jóvenes. Para vengar este comportamiento, Teseo habría acudido a Creta donde Minos le habría ayudado en su misión, con la intención de librarse de un general ambicioso, que además seducía a Pasifae su mujer.

3.- Joven muy bello de quien Pasifae, reina de Creta, se enamoró hasta tal punto que se entregó a él y engendró un niño. Cuando nació el niño Minos, que sabía que no era suyo, porque él sufría en aquella época una esterilidad pasajera, lo envió al monte y lo entregó a unos pastores para que lo criaran. Cuando creció el joven, al que llamaban Minotauro por su parecido con su padre, se rebeló contra los pastores y Minos mandó que fuese perseguido. Tauro se refugió en una cueva donde la gente le llevaba comida y donde Minos le enviaba condenados a muerte. En este concepto fue Teseo, quien consiguió matarle.

**TAUROBOLIA.** Sobrenombre de Diana, tomado de los crecientes o los cuernos que se le atribuyen y que se asemejan a los de un toro.

**TAURÓBOLO.** Especie de expiación pagana opuesta al bautismo cristiano y en la que intervenía un toro sacrificado por un sacerdote llamado Tauroboliatus.

**TAUROCOLÍAS.** Fiestas en honor de Neptuno, que consistían en combates de toros que se inmolaban en honor de los dioses después de haberlos irritado y enfurecido.

**TAURÓFAGO.** Comedor de toros: sobrenombre de Baco, bien sea porque se le sacrificaban toros con más frecuencia que a los otros dioses, bien sea porque en los sacrificios al dios, se otorgaba un toro al autor del mejor ditirambo.

**TAUROFANTE.** Epíteto de Baco: que se parece a un toro.

**TAURÓFONO.** Sobrenombre de Hércules como matador de toros por haber matado y comido un buey entero que pertenecía al labrador Hilo.

**TAUROPOLA.** Sobrenombre de Diana.

**TAUROPOLIAS.** Fiestas en honor de Diana, apodada Taurópola.

**TAUROPOLION.** Templos consagrados a Diana en diversas islas griegas como Samos.

**TAURÓSTENES.** Atleta vencedor en los juegos olímpicos. Su padre supo de su victoria al observar una paloma separada de sus pequeñuelos, que Tauróstenes soltó con un hilo color púrpura atado en una pata.

**TAUT, TAUTUS.** Era, según *Sanchoniatón*, uno de los descendientes de los Titanes y lo mismo que Hermes Trismegisto, el primer inventor de las letras. *Muet* pretende que los fenicios, pueblo exclusivamente mercantil, adoraban a Mercurio bajo este monbre.

**TAUT-SE.** Nombre de una secta china fundada por Laokium que tenía muchos partidarios. Eran aficionados a la alquimia o a la investigación de la piedra filosofal. Pretendían que su fundador había encontrado un elixir por cuyo medio se podía alcanzar la inmortalidad. Además, procuraban persuadir al pueblo que tenían relaciones familiares con los demonios, por medio de los cuales obraban las cosas maravillosas y sobrenaturales para admiración del vulgo. Los jefes de la secta residían en la ciudad de Kiang-Si.

**TAYAMÓN.** (*Mit. mahom.*) Una especie de purificación prevenida por el Corán, que consiste en frotarse con polvo de arena de cascajo, cuando no se tiene agua para hacer las abluciones ordinarias. Esta purificación suelen o solían practicarla los viajeros o los ejércitos cuando tenían que transitar por desiertos áridos donde no hay agua.

**TAYDELIS.** Cierta clase de gentes que, en el reino de Tonquín, estaban encargados de señalar los parajes más adecuados para enterrar a los muertos. Esta elección es considerada por los tonquinenses de tanta importancia que a veces conservaban en sus casas los cuerpos de los difuntos por espacio de meses y aun años, hasta que los adivinos, que por el lucro suelen dar largas, señalaban un lugar adecuado para la sepultura. Mientras el cuerpo estaba en casa era indispensable que ardiesen continuamente en su honor luces y lámparas, y que se quemasen perfumes envueltos en papelitos dorados. Además estaban obligados los parientes a ofrecerle tres veces al dia diferentes cosas, de prosternarse delante de él hasta tocar el suelo con la frente y de derramar incesantemente lágrimas poco sinceras.

**TCHAOU-VAT.** (*Mit. siam.*) Superior de los telapones o lopines. Era elegido por votación popular y la elección solía recaer en el más anciano o en el más sabio.

**TCHAROK POUJAH.** (*Mit. índ.*) Así se llamaba la escena que terminaba las torturas expiatorias de los indios.

**TEÁGENES.** Ciudadano de Tasa. Fue coronado varias veces en los juegos que celebraban los griegos y se distinguió en tan alto grado que por fin levantaron estatuas y le tributaron honores divinos. Uno de sus antagonistas intentó vengarse de Teágenes azotando una noche una estatua de bronce, pero la estatua cayó y le aplastó. Sus hijos reclamaron justicia contra ella como autora de la muerte de su padre y el pueblo de Tasa condenó a la estatua de Teágenes a ser arrojada al mar en virtud de una ley de Dracón, que mandaba exterminar hasta las cosas inani-

madas que causasen la muerte de algunas personas. Algún tiempo después, la esterilidad y el hambre obligaron a los de Tasa a consultar el oráculo de Delfos. Este les declaró que para que cesasen estos azotes, debían recuperar la estatua de Teágenes. Cuando la recuperaron las plagas desaparecieron. Teágenes era considerado como una divinidad benéfica, sobre todo para los enfermos.

**TEALIA.** Ninfa de Sicilia, hija de Vulcano, muy querida de Júpiter, quien la hizo madre de los hermanos Pálicos.

**TEANO.** 1 — Hija de Ciseo y mujer de Acteón. Gran sacerdotisa de Minerva en Troya. Cuando Hécuba y las matronas troyanas fueron a implorar el socorro de la diosa, la hermosa Teano puso las ofrendas en el seno de Minerva, acompañándolas de unas fructuosas plegarias. Teano fue la que entregó el Paladio a los griegos. *Ilíada. 6. Paus.*

2 — Mujer de Amico y madre de Minos.

3 — Esposa de Metaponto, rey de Icaria. Su marido deseaba sucesión y ella fingió haber tenido de él varios hijos. En lo sucesivo llegó a ser madre y viendo que el rey prefería a los primeros aconsejó a los legítimos que matasen a aquellos en una partida de caza, pero el proyecto fue descubierto y Teano se suicidó.

4 — Danaide, mujer de Fantes.

**TEÁTRICA.** Diosa romana protectora de los teatros. Tenía dos templos en Roma, que Domiciano mandó destruir, porque habiéndose hundido el teatro quedaron sepultados en sus ruinas muchísimos espectadores.

**TEBA.** 1 — Hija de Júpiter e Iodama, casó con Ogiges, del cual tuvo varios hijos.

2 — Hija de Asopo y favorita de Marte. *Apolod. 5. Paus.*

**TEBAIDA.** Poema épico de *Estacio*, cuyo objeto es la guerra civil de Tebas, en Grecia, entre los dos hermanos Eteocles y Polinice, o Tebas tomada por Teseo.

**TEBAS.** 1 — Ciudad de Beocia, fundada por Cadmo. Pero el honor de haber levantado sus murallas quedó reservado a Anfión que las construyó al son de su lira.

2 — Ciudad del Alto-Egipto, muy

célebre por sus cien puertas y por su magníficencia. Su fundadora sería hija del Nilo según la fábula.

3 — Ciudad edificada por Hércules a medio día de la Tróada, llamada también Placia e Hipoplacia.

**TECMESA.** Hija de Teutrante, príncipe frigio. Quedó cautiva de Ayax cuando los griegos arrasaron los campos inmediatos a Troya. Enamorado Ayax de los atractivos de su prisionera, se casó con ella y Eurisaces fue el fruto de esta unión. El hijo de Ayax y Tecmesa, reinó en Salamina después de la muerte de Telamón.

**TÉCTAFO.** Príncipe indio cuya historia nos cuenta *Nonno*. Encarcelado por su enemigo Deríades y condenado a morir de hambre y de sed, su hija Eeria, que acaba de dar a luz, solicitó dar a su padre el último adiós. Ya en su presencia lo reanimó con la leche de su propio pecho. Al saber Deríades por los guardianes tal muestra de piedad, liberó a Téctafo.

**TECTAMO.** Hijo de Doro y biznieto de Deucalión. Casó con una hija de Creto, de la cual tuvo a Asterio y reinó en Creta, extendiendo el poder a toda la isla. Representa el elemento racial *dorio* de la población cretense.

**TEDIFERA.** 1 — Porta-luz. Sobrenombre de Lucina en Egium, donde tenía un templo. Su estatua, cubierta de un velo desde la cabeza a los pies, tenía una mano extendida, mientras en la otra llevaba una luz, aludiendo al hecho que los niños deben la luz a sus auxilios.

2 — Ceres, que buscó a su hija a la luz de antorchas de pino encendidas entre las llamas del Etna.

**TEFRAMANCIA.** Adivinación para la cual se servían de la ceniza del fuego que, en los sacrificios, habían consumido sus víctimas. Se practicaba, en especial, encima del altar del Apolo Ismenio.

**TEGEANO.** Sobrenombre de Pan, tomado del culto que se le tributaba.

**TEGEATES.** Hijo de Sicaón, fundador de Tegea. Pasaba por haberse casado con una de las hijas del atlante Merca, de la cual tuvo varios hijos, como Escefro y Leimón.

**TEGIREIO.** Apolo adorado en Tegira, en Beocia, donde tenía un templo célebre y un oráculo, según algunos autores, era el lugar de su nacimiento.

**TEGIRIO.** Rey de Tracia que escogió a Eumolpo e Ismaro, desterrados de Etiopía.

**TEIA.** Hija del Cielo y la Tierra, mujer de Hiperión y madre del Sol, la Luna y la Aurora. *Hesíodo. Teog.*

**TEIAS.** Hijo de Belo; cometió un incesto con Smirna, su hija.

**TELAMÓN.** Hijo de Eaco y hermano de Peleo. Ambos hermanos, envidiosos de su hermanastro Foco, acordaron matarle y éste murió al ser alcanzado por el tejo de Telamón. Enterado Eaco, los desterró y Telamón marchó a Salamina, donde se casó con Glauce, hija del rey Cicreo, a la muerte del cual heredó el trono; cuando enviudó de Glauce se casó con Peribea, de la que nació el que más tarde sería conocido como gran Ayax.

Telamón siguió a Hércules en la guerra contra Laomedonte, rey de Troya, y como fue el primero que subió a las murallas de Troya, Hércules le entregó como botín a Hesione, hija de Laomedonte y hermana de Príamo, de la cual nació Teucro. Telamón se destacó muchas veces bajo la dirección de Hércules, especialmente en la guerra de las amazonas y en el combate contra el gigante Alcioneo. También participó en el viaje de los Argonautas y sólo la edad le impidió acudir al posterior sitio de Troya junto a sus hijos Ayax y Teucro, aunque vivió para ver la conquista de la ciudad por los aqueos. Cuando supo que su hijo Ayax había muerto y que su otro hijo, Teucro, no había vengado su muerte, desterró a éste de sus tierras y hundió la mayor parte de las naves de Ulises, a quien se acusaba de ser el instigador de la muerte de Ayax.

**TELEBOAS.** Héroe epónino del pueblo de los telebeos, que se apoderó de la isla de Léucade, partiendo del islote vecino de Tafos.

**TELECLES.** Capitán dolio, muerto por Hércules.

**TELEDAMOS.** Hija de Ulises y Calipso.

**TELEFAE.** Primera mujer de Cadmo.

**TELEFASA.** Mujer de Agenor y madre de Cadmo, Fénix y Cilia, murió en Tracia cuando iba en busca de su hija Europa, que había sido arrebatada por Júpiter.

**TÉLEFO.** Hijo de Hércules y Auge, hija de Aleo, rey de Tegea. Abandonado inmediatamente después de su nacimiento, fue alimentado en los montes por una cierva. Luego fue recogido por unos pastores del rey Córito, quien lo educó como si fuese su propio hijo. Más tarde, cuando ya mayor buscaba a sus padres, llegó a Misia, donde el rey Teutrante estaba en lucha con sus enemigos. Este proclamó que daría en matrimonio a su hija Auge y su corona a quien le librase de sus enemigos. Conseguida la víctima, Télefo reclamó a Auge, pero cuando se dio cuenta que ésta era su madre, a la cual Hércules había expulsado de su lado al nacer él, se casó con Laodice, hija de Príamo, rey de Troya.

Cuando los griegos iban al sitio de Troya, llegaron por equivocación en plan de conquista a la tierra de los misios, Télefo les hizo frente e incluso luchó contra Aquiles, quien le ocasionó una herida de gravedad, de la cual sólo sanaría, según el oráculo, si era curado por la misma mano que lo había herido. Sin embargo, esta solución no era posible, porque Aquiles se negaba a hacerlo. Ante esta situación Ulises, que conocía un oráculo que exigía como condición imprescindible para la conquista de Troya que un hijo de Hércules luchase con los griegos, compuso un emplasto con limaduras de la lanza que había herido a Télefo y ayudó a su cura. En consecuencia Télefo, reconocido, pasó a formar parte del ejército griego.

Las desgracias de Télefo dieron motivo a la composición de varias tragedias entre las que se cuentan las de *Sófocles* y *Eurípides*, pero los mitólogos no narran más desgracias que las que hemos expuesto. Télefo se relaciona con los mitos itálicos a través de sus dos hijos Tarcón y Turseno o Tirreno = etrusco.

**TELÉFONA.** Hija de Faris, nacida de Mercurio y la danaide Filodamis; casó con Aefeo y fue madre de Orsíloco, según la tradición mesenia.

**TELÉGONO.** 1 — Hijo de Ulises y Circe. Fue criado en la isla de su madre hasta la edad viril, cuando enterándose de quien era su padre se desplazó a Itaca para conocerlo personalmente. Una vez allí se apoderó de parte del ganado real. Ante este hecho, Ulises atacó al intruso para defender sus bienes y en el transcurso de la pelea fue muerto por su hijo. Fue entonces cuando Telégono reconoció a su padre, sumiéndose en la desesperación. Más tarde llevó el cadáver de Ulises a la isla de Circe, a la que le había acompañado Penélope, con la que acabó casándose y yendo a vivir a las islas afortunadas. Del matrimonio de Telégono y Penélope se pretendía que había nacido Italo, héroe epónimo de Italia.

2 — Gigante de este nombre, amigo de Tmolo.

3 — Hijo de Preto, muerto por Hércules, según *Apolodoro.*

4 — Rey de Egipto, casó con Io después que hubo recobrado su forma primitiva.

**TELEIA.** Sobrenombre de Juno en Beocia, Alusión a cuando llegó al estado núbil. R.*Teleros,* perfecto adulto.

**TELEIO.** Nombre bajo el cual se invocaba a Júpiter en las ceremonias del matrimonio.

**TELÉMACO.** Hijo de Ulises y Penélope. Había nacido poco antes de la guerra de Troya. Cuando Ulises, que estaba ligado por su juramento, fue requerido para marchar hacia Troya, simuló estar loco y, unciendo un asno y un buey a un arado, araba la tierra y la sembraba con sal. Pero Palamedes, desconfiando de esta repentina locura, colocó delante del surco a Telémaco. Ulises frenó en consecuencia la yunta y descubrió su ardid.

Telémaco creció en la corte de Itaca, pero cuando a la edad de diecisiete años, los pretendientes a la mano de su madre empezaron su acoso, su situación personal se volvió peligrosa y marchó a buscar a su padre, aunque su viaje fue inútil. A poco de volver a Itaca, Telémaco ve llegar, disfrazado a su padre, con el cual se pone de acuerdo para llevar a cabo la matanza de los pretendientes.

Existía una leyenda, según la cual, Ulises había sido advertido por un oráculo que desconfiase de su hijo. Entonces, tras la matanza de los pretendientes, habría desterrado a Telémaco a Corfú pero, en realidad, el oráculo se refería a Telégono, fruto de sus amores con Circe, y nada pudo impedir que Ulises fuese muerto accidentalmente por su hijo. Entonces Telémaco habría asumido el poder en Itaca.

Telémaco ha quedado como figura literaria y así *Fénelon* en el siglo XVII, desarrolló las aventuras del joven Telémaco, que obtuvieron gran éxito.

**TELEMO.** Hijo de Eurimo, cíclope adivino que predijo a Polifemo cuanto le aconteció con Ulises.

**TELEÓN.** Ateniense, padre de Butes, el Argonauta que tuvo de Zeuxipa.

**TELÉSFORO.** Médico célebre en su arte y el de la adivinación. Los griegos lo divinizaron.

**TELESTAS.** Hijo de Príamo

**TELETUSA.** Mujer de Ligdo y madre de Ifis, la cual siendo niña fue transformada en niño.

**TELEUTÁGORAS.** Hijo de Hércules y la testíade Eurice.

**TELFUSA.** Ninfa, hija de Ladón. Dio su nombre a una fuente cuya agua era tan fría que Tiresías murió después de haber bebido de ella. *Diodoro. 4.*

**TELIAS.** Famoso adivino griego que vivió bajo el reinado de Jerjes. Los foceos le elevaron una estatua en el templo de Delfos.

**TELMESA.** Ciudad marítima en los confines de Lisia, donde todos los habitantes nacían adivinos. Fue fundada por Teleso, hijo de Apolo.

**TELON.** Rey de Caprea que casó con la ninfa Sebetis a la cual hizo madre de Ebalo. *Eneida. 7.*

**TELONIA.** Recibían este nombre por los griegos ortodoxos los niños que morían antes del bautismo.

**TELQUINES.** 1 — Genios de Rodas, hijos del Mar y la Tierra. Eran una especie de magos que hechizaban con su mirada, hacían llover, granizar o mover según les placía. Si regaban la tierra con el agua que tomaban del Estigio, producían toda clase de incomodidades y enfermedades, hasta

la guerra y el hambre. Por fin, Júpiter los envolvió bajo las olas, transformándoles en rocas, según *Ovidio*. Según otras opiniones, eran unos hombres perversos, gente brutal y de mala fe, que desolaban a sus vecinos con sus rapiñas y sus maleficios. Una inundación destruyó la zona de la isla donde habitaban, al tiempo que Apolo los mató a flechazos y Júpiter los fulminó con su rayo.

2—Se da también este nombre a los curetes.

3—Este nombre se ha atribuido igualmente a los sacerdotes de Cibeles.

Sin embargo, *Diodoro*, al suponerlos hijos del mar y educados por Neptuno, los hace grandes navegantes y habitantes sucesivamente de las tres islas principales del mar Egeo. Elogia sobre todo su habilidad en la metalurgia y por ello se les atribuye la hoz con que la tierra armó a Saturno y el tridente de Neptuno. Eran representados en forma de unos seres anfibios, mitad marinos, mitad terrestres, con la parte inferior del cuerpo en forma de pez o de serpientes y los pies palmeados.

**TELQUINIA.** 1 — Sobrenombre de Minerva en Beocia, donde tenía un templo sin estatua. Creíase que Minerva era la madre de los telquines en razón al hecho de que este pueblo sobresalía en las artes.

2 — Sobrenombre que los jalisios daban a Juno.

3 — Sobrenombre de la isla de Rodas.

**TELQUINIO.** Sobrenombre de Apolo entre los rodios.

**TELQUIO.** Uno de los conductores de los carros de Cástor y Pólux.

**TELQUIS.** *Pausanias* lo hacía rey de Sición descendiente de Egiales. Otro héroe de este nombre o, según algunos el mismo, es uno de los dos que dieron muerte a Apis. Le relaciona a veces con Telxión.

**TELUMO.** Nombre dado a Plutón por sus muchas riquezas.

**TELUS.** Diosa de la tierra. *Homero* la llamaba madre de los dioses para mostrar que los elementos son engendrados los unos de los otros y que la tierra les sirve de fundamento. En Roma se le denomina también Terra Mater relacionada con la helénica Gea y con Ceres-Deméter.

**TELXIÓN.** 1 — Hijo de Apis, rey del Peloponeso, conspiró contra su padre. *Paus. 2, 5.*

2 — Quinto rey de Sición, descendiente de Egialeo

**TEMA CELESTE.** Término de astronomía o astrología que se da a la figura que trazan los astrólogos cuando sacan el horóscopo. Representa el estado del cielo en un punto fijo; esto es el lugar donde se hallan en aquel momento las estrellas y los planetas y demás astros. Se compone de doce triángulos encerrados en dos cuadrados y se llaman las doce casas.

**TÉMENO.** 1 — Hijo de Fegeo y hermano de Arsínoe. Con su otro hermano Axión dio muerte a Alcmeón.

2 — Hijo de Pelasgo, encargado, según unos, de velar por la educación de Júpiter, y, según otros, de Juno, a la cual consagró tres tremplos bajo el nombre de virgen, nubil y viuda.

3 — Hijo de Aristómaco, y el primero de los heráclidas que volvieron a entrar en el Peloponeso. Se proclamó rey de Argos.

**TÉMENOS.** 1 — Porción de tierra y bosques sagrados que pertenecían a un templo.

2 — Lugar vecino de Siracusa donde era adorado Apolo Temenites.

**TEMENTES.** Uno de los doce reyes que gobernaban en conjunto Egipto después del legendario Sabacón. Expulsó a sus compañeros y quedó como único rey.

**TEMERO.** Salteador de Tesalia muerto por Teseo.

**TEMESIO DE CLAZOMENE.** Fundó la ciudad de Abdera.

**TEMILLAS.** Capitán troyano

**TEMIS.** Hija de Urano y Gea y hermana de las Titánides. Segunda esposa divina de Júpiter después de Metis. Con Júpiter engendró las tres «Horas», las tres Parcas (Cloto, Láquesis y Atropos), la virgen Astrea y las ninfas del Eridano.

Ella había ordenado a Júpiter que se vistiese con la piel de la cabra Almaltea, la égida, y se sirvió de ella como coraza en la lucha contra los gigantes. Entre las divinidades de la primera generación, Temis es una de las pocas que ha sido asociada a los olímpicos por los servicios que había prestado a los dioses inventando los oráculos, los ritos y las leyes. Temis enseñó a Apolo los secretos del arte adivinatorio y poseía un santuario en Delfos antes que él. Sentada a la derecha de Júpiter, se le encargó en el Olimpo de la inspección de los banquetes celestiales.

**TEMISTÍADAS.** Ninfas de Temis, sacerdotisas de su templo en Atenas.

**TEMISTO.** 1 — Según la tradición, era madre de Homero.

2 — Hija de Hipseo, casó con Atamante, rey de Tebas después que éste hubo repudiado a Ino. Tuvo dos hijos de éste matrimonio: Orcómeno y Plintio. Temisto decidió matar a los hijos de Ino, ya que precedían a los suyos en el derecho de sucesión al trono y mandó a una de sus criadas, a la que había hecho partícipe de sus horribles planes que, durante la noche pusiese a sus hijos ropa blanca y ropa negra a los hijos de Ino. Pero la criada, que no era otra que Ino disfrazada, alteró la orden de Temisto y ésta, confundida, mató a sus propios hijos. Al darse cuenta de su crimen, se suicidó.

**TEMISTONOE.** Hija de Ceyx, esposa de Cicno.

**TEMÓN.** Un oráculo había predicho a los primeros habitantes de las márgenes del Inaco (en Acarnania) que perderían el país si cedían la menor porción de él. El noble Temón, que vagaba con su pueblo de los enianes, expulsado por los lapitas de Pelasgiótide, disfrazado de mendigo solicitó una caridad del rey de los maquios, Hipéroco, hombre brutal que se burló de él dándole, en vez de pan, un puñado de tierra. Temón lo guardó en su zurrón. Los viejos del país intentaron advertir a su soberano. Dándose cuenta, Temón solicitó y obtuvo la ayuda de Apolo para que protegiese su huida y le prometió una hecatombe. Poco después el rey de los enianes, Femio, mató a Hipéroco en combate singular y sus súbditos se apoderaron del país. En memoria de estos hechos, los descendientes de Temón se vieron honrados en los sacrificios con un trozo selecto de las víctimas, trozo denominado «la carne del mendigo».

TEMPE. 1 — Valle de Tesalia entre los montes Osa y Olimpo. Era el más hermoso del mundo, hasta el punto que los dioses lo honraban frecuentemente con su presencia.

2 — Otro valle de Beocia que *Ovidio* caracteriza con el epíteto de Cigneia.

TEMPESTAD. (*Iconol.*) Los romanos la divinizaron. La pintan con semblante irritado, en actitud furiosa y sentada sobre las nubes borrascosas, entre las cuales hay varios vientos contrarios. Esparce a manos llenas el granizo que destruye los árboles y las cosechas. Puede añadirse a esta representación un mar agitado y naves batidas por los vientos.

TEMPLOS. Edificios sagrados en honor de las divinidades. Según *Herodoto*, los egipcios y los fenicios fueron los primeros que erigieron templos a los dioses. Los persas y todos aquellos que seguían la doctrina de los magos estuvieron mucho tiempo sin edificarlos, argumentando que el mundo entero era el templo de Dios y que no debía encerrarse en límites estrechos, a aquél que el universo no podía contener. Los templos más célebres de la antigüedad clásica eran el de Vulcano en Egipto, el de Júpiter Olímpico, el de Apolo de Delfos, el Diana de Efeso, el Capitolio y el Panteón de Roma y finalmente el de Venus en Babilonia que era el más singular por sus dimensiones y estructura.

TEMPLUM. Espacio de tierra designado por los augures desde donde podían ver por todas partes el cielo, lo que se llamaba *tabernaculum capere*.

TÉMURA. Una de las tres divisiones de la cábala rabínica que consistía en la transposición de las letras y en el cambio de éstas, que se hacen en ciertas combinaciones equivalentes.

TENARIAS. Fiestas griegas en honor de Neptuno.

TENARIO. Sobrenombre de Neptuno, derivado del templo en forma de gruta que este dios tenía en el Tenaro

TENARIUM. Templo de Neptuno que servía de asilo inviolable a los desgraciados.

TENARO. 1 — Hijo de Apolo y Melia. (*V. Tenero*).

2 — Hijo de Eloto y Erímeda. Dio su nombre a la ciudad y promontorio de Tenaro.

3 — Hijo de Júpiter y hermano de Geresto.

TENDAVES. (*Mit. jap.*) Monjes japoneses, muy solitarios, que raramente hablaban entre ellos y nunca con los seculares, excepto con los que cuidaban los negocios temporales del convento.

TÉNEATES. Sobrenombre bajo el cual Apolo tenía un templo y un oráculo en Ténea, población del territorio de Corinto.

TÉNEDOS. Isla del mar Egeo, cercana al continente. Detrás de esta isla ocultaron los griegos su armada, cuando aparentaron levantar al sitio de Troya, mientras los troyanos introducían en la ciudad el caballo de madera.

TENERO. Hijo de Apolo y la ninfa Melia. Recibió de su padre el don de vaticinar.

TENES. Héroe epónimo de la isla de Ténedos, situada frente a la costa de Troya. Hijo de Cicno y Proclea, hija de Laomedonte. Cuando Proclea murió, Cicno se volvió a casar con Filónome quien dijo a Cicno que enes había intentado violentarla cuando en realidad éste no había respondido a sus insinuaciones.. A pesar de todo, Cicno dio crédito a las palabras de Filónome y mandó que su hijo fuese abandonado en el mar dentro de un cofre. Pero su abuelo Neptuno lo protegió y lo llevó hasta la orilla de la que posteriormente sería la isla de Ténedos.

Cuando los griegos, en su marcha hacia Troya, desembarcaron en la isla, Tenes que había sido elegido rey por los habitantes de ésta, les hizo frente, pero fue muerto por Aquiles que lo hirió en el pecho. Además de las razones puramente militares para matar a Tenes. Aquiles tenía otra: Tenes no le permitía cortejar a su hermana Hemítea.

Tenes habría sido enterrado donde más tarde se levantaría su templo, en el cual no se permitía la entrada a los flautistas ya que un flautista sobornado por Filónome le difamó ante su padre.

Según un oráculo, Aquiles no podría escapar a una muerte violenta entre Troya si mataba a un «hijo de Apolo»; en este caso Tenes.

**TENSES.** Cajas adornadas de figuras en las cuales llevaban las estatuas de los dioses. Se hacían en forma de carro y de diversos materiales, madera, marfil y, a veces, plata.

**TENSIO-DAI-SIN.** (*Mit. jap.*) El más grande de los dioses del sintoísmo, se le consideraba como protector del imperio. Su fiesta se celebraba el día 16 del noveno mes con una pompa extraordinaria.

**TENTATES.** (*Mit. célt.*) Nombre bajo el cual los celtas adoraban a la divinidad conocida por los griegos y los romanos bajo el nombre de Mercurio.

**TENTIS.** Jefe de una partida de arcadios que asistió al sitio de troya.

**TEOCALLI.** (*Mit. mex.*) Casa de Dios. Templo mejicano que consistía en un edificio muy elevado y de forma piramidal, situado en medio de un vasto recinto, rodeado de murallas.

**TEOCLIMENO.** 1 — Adivino descendiente del célebre Melampo de Pilos. Predijo a Penélope el regreso de Ulises y a sus pretendientes la muerte que les aguardaba.

2 — Hijo de Proteo y Psámate, rey del Bajo Egipto, le sucede en el trono y trata muy mal a los griegos, intentando seducir a Helena cuando se refugia en su corte.

**TEOENO.** Nombre de Baco. R. *Theos*, Dios; *oinos*, vinos.

**TEÓFANA.** Hija del rey Bisaltes, de Tracia. Era tan hermosa que el mismo Neptuno se enamoró de ella y la transportó a la isla de Crumisa. Pero los pretendientes de la joven salieron en su busca. Para engañarlos, Neptuno transformó a Teófana en oveja, él se transformó en carnero y los habitantes de la isla en ovejas. Cuando llegaron los pretendientes, no vieron más que ovejas y se dispusieron a comérselas. Al verlo, Poseidón los transformó en lobos. Posteriormente él, cómo carnero, unióse a Téofana y le dio un hijo, el carnero del vellón de oro.

**TEOFANÍA.** Aparición, manifestación o revelación de la divinidad en forma visible y potente.

**TEOFANÍAS.** Fiesta de la aparición de Apolo en Delfos.

**TEOGAMIAS.** Fiestas en honor de Proserpina y en memoria de su casamiento con Plutón.

**TEOGONÍA.** Ciencia que enseña la genealogía de los dioses que los pueblos primitivos. La más famosa es la que escribió *Hesíodo* con el mismo título sobre el origen de los dioses griegos. Según los escritores antiguos, Teogonía y Cosmogonía tienen el mismo significado; esto es nacimiento del mundo. Porque con el mundo significando el universo entero, se habrán originado también los dioses. Por otra parte, los antiguos dioses persas no eran otra cosa que el fuego, la tierra y el agua, elementos primitivos generadores de todo lo demás.

**TEOLOGIA.** (*Iconol.*) (*Ciencias.*) *Cesar Ripa* la representa bajo la figura de una mujer con dos caras, de las cuales la una, que es más joven, mira al cielo, y la otra la tierra. Lleva ceñida una diadema en forma de triángulo, prestando el oído a una paloma. Está sentada en un gran globo de azur sembrado de estrellas, tiene la mano derecha apoyada en su seno y con la izquierda levanta un extremo de su ropaje, que es de color celeste, pisando las grandezas y riquezas y dando a entender por la rueda que está a su lado, que no depende de la tierra más que por un punto. *Rafael* la ha pintado bajo la imagen de una mujer, cuyo semblante anuncia algo divino; está sentada sobre nubes y lleva en la cabeza el emblema de la Eucaristia. La piedad que respira en su rostro se manifiesta también en los colores de sus vestidos, que indican las tres virtudes teologales; la pureza de la fe está designada por su velo blanco, la esperanza por el manto verde que le desciende hasta los pies y la caridad por la túnica encarnada que le cubre el pecho; esta última virtud está también caracterizada por la corona de hojas y flores de granado, que la figura principal lleva ceñida en la cabeza. Los dos genios o amores divinos que la acompañan, llevan cada uno un cartón. Sobre el primero está escrito *Notitia*, y en el segundo *Divinarum rerum*. (De las cosas, o asuntos de los dioses o divinas.)

**TEOMANCIA.** Adivinación por una presente inspiración divina.

**TEOMBRITOS.** Hierba mágica de la cual se servían los reyes de Persia para ponerse al abrigo de los pesares y de las enfermedades del cuerpo.

TEONOE. 1 — Hija de Téstor y hermana de Leucipa. Fue robada por unos piratas y vendida a Icaro, rey de Icaria. Poco tiempo después volvió a encontrar a su padre y a su hermana.

2 — Hija de Proteo. Enamorada de Canobe, piloto de una nave griega.

TEOPIXAUI. (*Mit. mex.*) Ministros de la divinidad entre los mejicanos.

TEOPNEUTES. Epíteto de un sacerdote griego lleno de espíritu profético.

TEOPSIAS. Aparición de los dioses que se manifestaban, según se creía, en los días en que se celebraba alguna fiesta en honor suyo.

TEORES. Sacrificadores que los atenienses enviaban a Delfos para ofrecer en su nombre sacrificios a Apolo Piteo para la felicidad de Atenas y prosperidad de la república.

TEOSOFOS. Filósofos que pretenden conocer a Dios y el mundo a través de él, mediante el desarrollo de unas facultades que se suponen comunes a todos los hombres, pero ellos se sienten iluminados para descubrir las excelencias de la divinidad. Su doctrina se denomina teosofía.

TEOTL. (*Mit. mex.*) Dios supremo de los aztecas, demiurgo y sostenedor del mundo.

TEOXENIAS. Juegos en honor de Apolo cuyo premio consistía en una suma de dinero. Según otros, era un día solemne en el que se sacrificaban a todos los dioses juntos. Luego se celebraban otros juegos en los que el premio del vencedor consistía en un vestido llamado *catena*.

TEOXENIO. Epíteto de Apolo, protector de la hospitalidad. Tenía un templo y una estatua de bronce en Pellena, en Acaia. Se celebraban también juegos en su honor.

TEOYAOMIQUI. (*Mit. mex.*) Diosa venerada por los mejicanos precolombinos.

TERA. Una de las hijas de Anfión y Níobe, según *Higinio*.

TERACIOMO. Canción que se entonaba durante las fiestas de Proserpina celebradas en primavera.

TERAMBO. Hijo de Neptuno. Habitaba en el monte Otris, donde guardaba grandes rebaños. Dotado de una vez melodiosa se acompañaba de una lira y lo hacía también, que las ninfas acudían a escucharlo y el propio dios Pan se le mostraba propicio. Pero Terambo, envanecido por su arte empezó a insultar a las ninfas. Al principio, éstas callaron, pero pronto empezaron las heladas, las nevadas y los rebaños de Terambo menguaron hasta desaparecer. Posteriormente, las ninfas lo transformaron en un «ciervo volante comemadera» que, para alimentarse, roía la corteza de los árboles.

TERAMENE. Ninfa a la cual Cicno hizo madre de Astreo. Dio su nombre a la isla de Teramena en el mar Egeo.

TERAPNA. Comarca de Laconia donde Leda parió a Cástor y Pólux, Helena y Clitemnestra. (*Dionisio de Halicarnaso*).

TERAPNE. 1 — Hija de Lalex. Dio su nombre a una ciudad: Terapne.

2 — Lugar de Lacedemonia, donde había un templo dedicado a Helena, quien tenía la singular virtud de embellecer a las mujeres feas.

TERAS. Hijo de Antesión, nacido en Lacedemonia. Condujo una colonia a Calixta, que tomó su nombre. Después de su muerte se le tributaron honores divinos *Paus. 5. c. 1.*

TERATOSCOPIA. Adivinación sacada de los presagios de la aparición de algunos espectros vistos en los aires.

TEREAS. Uno de los capitanes de Eneas muerto por Camila. *Eneida*.

TERENA. Hija de Strimón. Marte la hizo madre de Tribalus.

TERENSIS. Diosa romana que presidía la trilla de los granos.

TERENTO. Lugar del campo de Marte, cerca del templo de Plutón, donde había un altar consagrado a los manes.

TEREO. 1 — Rey de Tracia, hijo de Marte. Fue transformado en oreja de ratón.

2 — Uno de los centauros muertos por Hércules en el combate acaecido cerca de la caverna de Folo.

TERIDAE. Concubina a la cual Menelao hizo madre de Megapentes.

TERÍMACO. Uno de los hijos de Hércules y de Megara, muerto por Hércules. *Apolod. 2, c, 47.*

**TERITAS.** Nombre bajo el cual Marte era honrado en la Cólquida. Cástor y Pólux arrebataron su estatua y la llevaron a Grecia, donde se conservó durante muchos siglos.

**TERMESIA.** Sobrenombre de Ceres honrada en Corinto, donde su culto fue llevado desde Termeso, isla vecina a Sicilia, de la cual habla *Estrabón.*

**TERMINALIAS.** Fiestas en honor del Dios Término y, según otros, de Júpiter.

**TERMINALIS.** Sobrenombre de Júpiter, como protector de los límites.

**TÉRMINO.** Dios protector de los límites de los campos y vengador de las usurpaciones. Era uno de los más antiguos dioses romanos y se supone inventado por Numa para poner freno a la concupisciencia. Después de haber distribuido las tierras entre sus pueblos, construyó un pequeño templo al Dios Término en la roca Tarpeya. Más adelante, habiendo pretendido Tarquino el Soberbio construir otro en el Capitolio en honor de Júpiter, fue necesario quitar las estatuas y capillas que se hallaban en aquel paraje. Todos los dioses cedieron sin la menor resistencia el lugar que ocupaban, exceptuando el Dios Término, que fue necesario dejarlo donde se hallaba a pesar de los esfuerzos que se hicieron para trasladarlo.

**TERMIO.** Autor del calor. Apolo Termio; esto es, aparentemente el sol tenía un altar en el Olimpo. *Thermos,* caliente.

**TERMODÓN.** 1 — Río de Tracia, célebre por las amazonas que habitaban en sus riberas. *Estrabón* 11.

**TERMONA.** Ninfa que presidía las aguas minerales.

**TERMUTIS.** (*Mit. egip.*) Era la Isis irritada de los egipcios; se le atribuían las mismas funciones que a la Némesis griega y presidía el castigo de los culpables.

**TERNERO** de oro (*Mit. rab.*) cuando el ternero o becerro de oro fue reducido a polvo por orden de Moisés, este polvo fue mezclado con agua, agua que Moisés obligó a beber a todos los israelitas. Todos aquellos que habían besado el ídolo vieron que sus labios se convertían en oro, prueba irrefutable de su idolatría. En consecuencia, fueron pasadas a cuchillo en número de 23 mil por orden de los levitas.

**TERO.** Descendiente de Ifides, hermano gemelo de Herácles. Unida a Apolo, tuvo un hijo, Querón, héroe epónimo de Queronea, en Beocia.

**TERODAMANTE.** Rey de Escitia que alimentaba con sangre humana a sus dos leones para que fuesen más crueles.

**TERÓN.** 1 — Gigantesco guerrero latino, muerto por Eneas.

2 — Sacerdote del templo de Hércules.

3 — De un aspecto terrible, perro de Acteón. *Met.*

**TERPSÍCORE.** Musa de la danza. Era pintada como una joven viva, festiva, coronada de guirnaldas y tañendo un arpa, a cuyo son dirige la cadencia de sus pasos. Algunos autores la hacen madre de las sirenas, otros suponen que fue madre de Sino y Reso.

**TERRA LEVIS.** «*Sit tibi terra levis*»: exclamación que los antiguos romanos hacían sobre la tumba de los muertos, a fin de que la tierra no pesase encima de sus cenizas y no fuese un obstáculo para su descenso a los infiernos.

**TERRESTRES.** Especie de demonios que los caldeos miraban como mentirosos, porque eran los que más se alejaban de las cosas diurnas.

**TERROR.** (*Iconología.*) Divinidad hija de Marte y Venus, a la cual aquél confiaba junto a la fuga el cuidado de su carro. Se le caracterizaba furioso, caminando deprisa y haciendo sonar la trompeta. Llevaba la cabeza cubierta, vestido con una piel de león y con un escudo, en el cual se ve representada la cabeza de Medusa.

**TERSAMÓN.** Hijo del sol y de Leucótoe, uno de los Argonautas.

**TERSANDRO.** 1 — Hijo de Sísifo y Mérope. Tuvo dos hijos, Haliarto y Corono, epónimos de las ciudades beocias de Halaiarto y Coronea.

2 — Hijo de Polinices y Argia. Participó en la expedición de los epígonos contra Tebas. Dio el peplo de Harmonía a Erifila, para que persuadiese a su hijo Alcmeón de que participase en la campaña. Una vez conquistada la ciudad, Alcmeón fue proclamado rey. Posteriormente, participó en la primera expedición contra Troya, la cual terminó en el desembarco

de Misia, donde fue muerto por Télefo. Los griegos, para honrar su valor, le levantaron un monumento en la ciudad de Eseo, donde iban todos los años a rendirle honores.

**TERSÍLOCO.** 1 — Hijo de Antenor muerto por Aquiles en el sitio de Troya.

2 — Uno de los compañeros de Eneas, muerto por Turno.

**TERSÍMACO.** Hijo de Pisístrato, rey de los orcómenos.

**TERSIPO.** Hijo de Agrio, arrojó a Eneo del trono de Calidón.

**TERSITES.** Según la *Ilíada*, Tersites era el más feo y cobarde de los griegos que participaron en el asedio de Troya. Era cojo, jorobado y de poco pelo. Cuando Agamenón, para poner a prueba a sus soldados, planteó la posibilidad de levantar el sitio, Tersites aceptó rápidamente esta alternativa y llegó incluso a tratar de iniciar una sedición contra los jefes de los aqueos. Pero esta intentona provocó que Ulises, de un bastonazo, le arrojase al suelo, convirtiéndole en el hazmerreír del campamento. Posteriormente, cuando Aquiles mató a la reina de las amazonas, la bella Pentesilea, de la cual se enamoró una vez muerta, Tersites se burló de las lágrimas derramadas por Aquiles ante el cadáver de Pentesilea y con su lanza le arrancó los ojos al cadáver. Indignado, Aquiles lo mató a puñetazos.

**TESALIA.** Famosa comarca de la antigua Grecia cuya capital era Larisa y donde reinó Peleo, padre de Aquiles. Los tesalios se hicieron célebres por los conocimientos mágicos que adquirieron de Medea.

**TESALO.** 1 — Hijo de Hércules y Calcíope, hija del rey de Cos, a quien el héroe quitó la vida junto a sus hijos, por sus injusticias y sus crueldades. Dio su nombre a Tesalia.

2 — Hijo de Jasón y Medea. Habiéndose libertado de los furores de su madre, fue educado entre los corintios y se apoderó de Yolco.

3 — Hijo de Hemón.

4 — El centauro Quirón, para *Senior*.

5 — Los historiadores latinos conocen un rey de este nombre, llegado del país de los telesprotos, que había conquistado Tesalia y había fundado en ella su reino. Hijo de Graico, se le atribuye a veces la fundación de Tesalónica.

**TESAROCOSTÓN.** Solenmidad religiosa que en acción de gracias observaban las mujeres a los cuarenta días después de un parto, dirigiendo el templo y haciendo presentes a los dioses.

**TESCATLIBOCHTLI o TESCATLIPOCA o TLÁLOC.** (*Mit. mex..*) Nombre de una divinidad adorada por los mejicanos, a la cual dirigían sus votos, para obtener el perdón de sus faltas. Se le tributaban sacrificios de carne humana, y cuando le inmolaban algún prisionero arrancaban el corazón a la víctima. Personificaba al sol en su aspecto destructor. Traía además de la destrucción, la locura, la sequía y la corrupción de los alimentos.

**TESEIA.** Lugar donde los jóvenes griegos consagraban en Delfos sus cabellos.

**TESEIDA.** 1 — Modo de cortar los cabellos sobre la frente en imitación de lo que hizo Teseo, quien fue el precursor de éste hecho.

2 — Parte de una Mit. en verso concerniente a Teseo, su época y hazañas.

**TESEIDOS.** Los atenienses, por haber tenido a Teseo como rey.

**TESEO.** Teseo era el héroe ateniense por antonomasia.

I.-*Orígenes e infancia.* Existen dos tradiciones sobre los orígenes de Teseo. La primera lo presenta como hijo de Egeo y Etra. Decía la tradición que Egeo, no logrando tener hijos de sus sucesivas mujeres, consultó el oráculo de Delfos. Apolo había contestado de forma enigmática que prohibía «desatar el odre de vino antes de haber llegado a la ciudad de Atenas». No comprendiendo el oráculo, Egeo acudió al rey de Trecén, Piteo, quien comprendiendo el oráculo, embriagó a Egeo y le acostó con su hija, unión de la que nació Teseo. Sin embargo, según otra versión, aquella misma noche, Etra, engañada por una visión que le había enviado Minerva, fue violada por Neptuno, que le habría engendrado un hijo. Sea como sea, Teseo pasó sus primeros años en Trecén, con su abuelo. Allí se contaba que un día en que Hércules era huésped de Pitea y había dejado su piel de león a un lado, los niños creyendo que era un león vivo huyeron, mientras que Teseo, cogiendo un arma, le hizo frente.

II.-*Regreso a Atenas*. A la edad de 16 años Teseo había crecido tanto que su madre le reveló el secreto de su nacimiento, que Egeo había querido mantener por temor a sus sobrinos, los palántidas. Una vez conocido el secreto, Teseo decidió acudir a Atenas para darse a conocer, y a pesar de que su madre le recomendó dirigirse a Atenas por mar y no por tierra por los numerosos peligros existentes, él, por deseo de gloria, eligió este último camino y realizó numerosas hazañas: mató a Perifetes y se apoderó de su maza; al bandido Sinis que descuartizaba a los viajeros sirviéndose de un pino; a la cerda de Cromión, al bandido Escirón, a Lerción, a Damastes o Procusto entre otros. Finalmente, Teseo llegó a Atenas, donde Egeo estaba sometido a la hechicera Medea, que había prometido curar su esterilidad. Esta, que reconoció a Teseo, persuadió a Egeo para que lo envenenara, pero el plan se descubrió y Medea fue desterrada. Egeo lo reconoció como hijo suyo. Según otra versión, antes de intentar envenenarlo, Medea lo envió a capturar un toro monstruoso que asolaba la llanura de Maratón. Teseo lo capturó y lo sacrificó a Apolo. El reconocimiento provocó la revuelta de sus primos, los palántidas, quienes antes de la aparición de Teseo aspiraban a suceder a Egeo en el trono. Finalmente, después de dura resistencia y de la traición de Leos, heraldo de los palántidas, Teseo los derrotó de forma aplastante.

III.-*Ciclo cretense*. Durante unos juegos convocados por Egeo, el hijo del rey de Creta Minos, Androgeo, murió de forma no demasiado clara. Como reparación de este hecho, Minos había exigido de Atenas un tributo pagadero cada nueve años de siete jóvenes y siete doncellas. Cuando debía satisfacerse el tributo por tercera vez, los atenienses murmuraban contra Egeo, por lo que Teseo se ofreció para ser enviado a Creta.

Cuando partió para la isla, Teseo recibió de su padre dos juegos de velas para el barco. La negra sería para el viaje de ida al encuentro del Minotauro, la blanca era para que, si volvía sano y salvo su padre, al verla en el horizonte, supiese la buena noticia. A su llegada a Creta, Teseo fue preparado para ser ofrecido en sacrificio al poderoso y monstruoso Minotauro, pero antes fue visto por Ariadna, hija de Minos, la cual le dio un ovillo de hilo, que debía ayudarle a no perderse en el laberinto donde habitaba el Minotauro. La única condición de Ariadna era que, una vez libre, Teseo se casase con ella y la llevase a Atenas. Teseo, después de matar al Minotauro a puñetazos, se llevó consigo a Ariadna, pero cuando llegaron a la isla de Naxos, aprovechando que ésta se quedó dormida, la abandonó y se dirigió a Atenas. Pero olvidó de cambiar las velas negras por las blancas, símbolo de su triunfo y Egeo, al divisar el barco, pensó que su hijo había muerto y se arrojó desde un acantilado al mar y se mató. Desde entonces este mar es conocido como mar Egeo.

IV. *Rey de Atenas*. Una vez muerto Egeo, Teseo ocupó el trono y reinó en Atenas a la mayoría de los habitantes del Ática, que vivían desperdigados por los montes. Acuñó moneda y estableció las bases del funcionamiento de la democracia de la época clásica, al tiempo que reorganizó los juegos ístmicos, en honor de Neptuno. En este momento, se produjo la expedición de los siete contra Tebas, en la que Teseo, después del fracaso de la primera expedición y a petición de Adrasto, recuperó los cadáveres de los héroes muertos y los enterró en Eleusis.

V. *Guerra de las amazonas*. Según la tradición. Teseo habría acudido al país de las amazonas para raptar a una de ellas. Antíope. Estas lo habrían aceptado amistosamente, pero Teseo se llevo traidoramente a una de ellas, Antíope o Hipólita, lo que provocó el estallido de la guerra entre los atenienses y las amazonas, quienes llegaron a ocupar la ciudad, aunque posteriormente firmaron un tratado de paz.

VI. *Amistad con Piritoo*. Este héroe, habiendo oído hablar de las hazañas de Teseo, se presentó ante él y quedó tan impresionado por el héroe, que le ofreció su amistad. Un día, ambos amigos, dado que eran hijos de los dioses más poderosos, Teseo de Neptuno y Piritoo de Júpiter, resolvieron casarse con dos hijas de Júpiter, Helena y Proserpina, respectivamente.

Primero, ambos raptaron a Helena, pero como ésta todavía estaba en edad núbil, Teseo la dejó en lugar seguro y fue a ayudar a Pirotoo a raptar a Proserpina. Mientras tanto, Cástor y Pólux, hermanos de Helena, invadieron el Atica y liberaron a su hermana.

Al mismo tiempo, Teseo y Piritoo bajaron a los infiernos. Allí Plutón simuló recibirlos amigablemente y les ofreció un banquete, pero los ató a sus asientos y quedaron prisioneros. Posteriormente, Hércules, en su descenso a los infiernos, quiso liberarlos, pero sólo pudo conseguirlo con Teseo, quien volvió a Atenas. Pero viendo que allí los diferentes grupos nobles se repartían el poder y él sólo era rey de nombre, se autodesterró de Atenas y marchó a Esciros, reino del rey Licomedes, quien envidioso de las hazañas del héroe, lo mató a traición, precipitándole desde lo alto de un peñasco. Según los mitólogos, Teseo había tenido tres mujeres: con Antíope o Hipólita había engendrado a Hipólito, con Ariadna y Enopión y Estáfilo, y con Fedra a Demofoon (Demofante). Según la tradición Teseo volvió al mundo en la batalla de Maratón para dirigir a los atenienses en su gran victoria sobre los persas. Dándose cuenta de lo ingratos que habían sido con su héroe, los atenienses desenterraron sus supuestos restos y, dirigidos por Cimón, hijo de Milcíades, héroe de Maratón, lo depositaron en un magnífico sepulcro en el centro de la ciudad de Atenas. Esta tumba pasó a ser el asilo de los esclavos fugitivos y los pobres perseguidos por los ricos, ya que en vida Teseo había sido el campeón de la democracia. Su fiesta solemne en el templo eregido en su honor se celebraba el 8 de octubre, en conmemoración de su regreso de la isla de Creta.

**TESIMENES.** Uno de los siete epígonos, hijo de Partenopeo y la ninfa Elímeno. Otros le llamaban Prómaco.

**TESMIA.** Sobrenombre de Ceres, adorada en el monte Sileno en un templo que se decía edificado por Disanlés y Damitalés, los cuales, según los feneates, hicieron el honor de recibirla.

**TESMÓFORA.** 1 — Legisladora. Sobrenombre bajo el cual Ceres era honrada en varios parajes, porque había enseñado a los hombres el modo de vivir en sociedad y les había dado leyes.

2 — Sobrenombre de Isis, fundado en las Tesmoforías, fiestas que se celebraban en el Atica en el mes de Pianepción en honor de Ceres legísladora, y en reconocimiento de las leyes sabias que había dado a los mortales. Las fiestas consistían en tres partes principales, las *preparaciones*, las *procesiones* y la *autopsia*. Se supone que las había instituido la misma diosa.

**TESPESIÓN.** Príncipe gimnosofista, visitado por Apolonio de Tiana, mandó a un olmo que saludase al filósofo, lo que ejecutó este árbol con voz afeminada.

**TESPIA.** Hija de Asopo, dio su nombre a Tespia. *Paus. 9, c. 25.*

**TESPIADES.** 1 — Sobrenombre de las Musas tomado de Tespia, ciudad de Beocia donde eran honradas con un culto particular.

2 — Cincuenta hijos que Hércules tuvo de las cincuenta hijas de Tespio.

**TESPIO.** Rey de Etolia, hijo de Agenor, de Marte o de Erecteo, y de Andródice. Se dice que tuvo cincuenta hijas que yacieron con Hércules, una cada noche, pues el héroe al regresar fatigado de la cacería del león de Citerón no se daba cuenta del cambio y creía encontrar cada vez la misma compañera. Otras tradiciones afirman que poseyó a todas las muchachas en siete noches e incluso en una sola noche. Todas concibieron un hijo de Hércules, la mayor y la menor tuvieron gemelos. La mayoría de los varones habrían colonizado Cerdeña. Tespio es el amigo que purifica a Hércules después de la matanza de los hijos que había tenido con Mégara.

**TESPIS.** Inventor de la tragedia entre los griegos, según la tradición (s. VI. a.C.). No se conserva ningún verso auténtico suyo.

TESPROTIA. Pequeña comarca del Epíro en cuyo país se hallaba el oráculo de Dodona y los famosos robles consagrados a Júpiter. Se veía también en el pantano Aquerusiano, el reino de Aqueronte y el nauseabundo Cócito.

TESPROTO. 1 — Hijo de Sicaón, rey de Arcadia.

2 — Rey de Epiro, en cuya corte se refugiaron Tiestes y su hija Pepolina, con quien casó Atreo, creyéndola hija de Tesproto.

TESQUA. Parajes destinados para conocer los augurios. Lugares campestres consagrados a una divinidad.

TESTALO. Hijo de Hércules y Epicasta, hija de Egeo.

TESTÍADES. Toxeo y Plexipo, hijos y Testio y tíos de Heleagro.

TESTIO. Preteden que fue el primero que envió a sus hijos a la caza del jabalí de Calidón, algunos autores lo identificaron con Tespio, pero otros lo diferenciaron.

TESTOR. 1 — Hijo de Apolo y Laótoe y padre del adivino Calcante, así como de dos hijas Leucipe y Teónoe. Fue un célebre adivino.

2 — Jefe troyano, muerto por Patroclo.

TETIDEA. Lugar aislado, cercano a Farsalo, donde Tetis había fijado su residencia después de sus esponsales con Peleo.

TETIS. 1 — En griego Zétis. Hija de Nereo, el viejo del mar, y de Doris, hermana de Licómedes, rey de Esciro. Júpiter, Neptuno y Apolo pretendieron tomarla por esposa, pero habiendo sabido que Prometeo había predicho que sería madre de un hijo, que debía ser más grande y más ilustre que su padre, estos dioses cedieron la ninfa al mortal Peleo. Las bodas se celebraron en el monte Pelión y asistieron todos los dioses. De su matrimonio nació Aquiles. Los poetas quisieron designar el mar bajo el nombre de *Tetis*, porque la confundían en la otra *Tetis* (en realidad *Tezís*).

2 — En griego *Tezís*. Es una de las divinidades primordiales de las teogonías helénicas. Personifica la fecundidad «femenina» del mar. Nacida de los amores de Urano y Gea, es la más joven de las titánides de quien tuvo un gran número de hijas que son todos los ríos del mundo. Tetis creó a Hera, que le confió Rea cuando la lucha de Júpiter contra Saturno. En testimonio de gratitud, Hera logró reconciliar a Tetis y Océano, que habían reñido. El carro de esta Tétis era una concha maravillosa de una blancura más brillante que el marfil, que parecía volar por la superficie de las aguas. Cuando la diosa iba de paseo, los delfines, jugueteando, levantaban las olas. Después de ellos seguían los tritones tocando la trompa, o bocios encorvados, que rodeaban el carro de la diosa, que iba tirado por caballos marinos más blancos que la nieve. Las oceánidas, sus hijas, coronadas de flores y cuyos hermosos cabellos colgaban encima de sus espaldas y flotaban a merced de los vientos, seguían, nadando, al carro de su madre.

TETRÁCOME. Danza militar consagrada a Hércules.

TETRASTILO. Templo de cuatro columnas de frente.

TETRATEIAM. (*Mit. índ.*) Nombre de lengua sánscrita, de la trinidad índica.

TEUCRIS. Hija de Teucro, mujer de Dárdano.

TEUCRO. 1 — Nombre de dos héroes relacionados con el ciclo troyano.

Decíase que procedía de Creta. Al partir de la isla había consultado el oráculo, que le ordenó se estableciese allí donde fuese atacado por los «hijos del suelo». Una noche que acampó en Tróade sus armas y arcos fueron roídos por los ratones. Comprendiendo que se había cumplido el oráculo se estableció allí y fundó un templo dedicado a Apolo.

Se le conoce como el fundador de la familia real de la ciudad de Troya.

2 — Hija de Telamón y Hesíone, hija de Laomedonte y hermano de Príamo, por lo que es hermanastro del gran Ayax con el cual participa en la guerra de Troya en el campo griego a pesar de su parentesco con Príamo. Arquero destacado, consiguió matar a numerosos enemigos y casi mata al propio Héctor. Es, además uno de los guerreros que se introducen en el caballo de madera. Después de la caída de Troya,

Teucro volvió a Salamina, el reino de su padre Telamón, quien lo desterró después de acusarlo de no haber sabido vengar la muerte de su hermanastro Ayax. finalmente llegó a Chipre, donde se casó con Eune, hija del rey Ciniras, epónimo de la isla. Los descendientes de Teucro habían reinado en la isla de Chipre por muchos siglos. Otros dicen que al conocer la muerte de su padre intentó recuperar el trono de Salamión del Atica pero fue rechazado y entonces vagó por el mar hasta fundar en Iberia la futura Cartagena. También se encuentran sus huellas en Cádiz.

**TEULES.** (*Mit. mex.*) Gentes descendidas del cielo. Nombre que los mejicanos dieron a los conquistadores españoles.

**TEUS. TEUTATES, TAUTES, TUTATIS, THOT, TIS, TUIS.** Nombres que los antiguos celtas y germanos, daban al Dios supremo o, según otros, a Mercurio. Los druidas entendían por este nombre el principio activo, el alma del mundo que uniéndose a la materia, le había puesto en estad de producir las inteligencias de los dioses inferiores, el hombre y las demás criaturas.

**TEUTAMIO.** Rey de Sarisa. Estableció en honor de su padre unos juegos en el transcurso de los cuales Perseo mató a su abuelo, Acriso.

**TEUTAMO.** Rey de Asiria, Príamo, rey de Troya, le envió embajadores en demanda de socorro para salvar a su ciudad del cerco griego. Téutamo accedió y le envió una tropa compuesta de diez mil etíopes, diez mil habitantes de Susa y doscientos carros de guerra bajo las órdenes de Memnon, príncipe troyano.

**TEUTRANTE.** 1 — Rey de Misia. Se contaba que en una cacería mató a un jabalí que le suplicaba con voz humana. Espantado, se refugió en un santuario de Diana quien, irritada porque había matado al jabalí lo volvió loco y leproso. Posteriormente su madre Lisipe consiguió aplacar la ira de Diana y Teutrante por Télefo a quien había adoptado, después de ver que sólo había podido tener descendencia femenina si bien en extenso número. Así se afirma que tuvo cincuenta hijas que se casaron con Hércules.

2 — Jefe griego muerto por Héctor ante las puertas de Troya.

3 — Compañero de Eneas muerto en Italia.

**TEVACAYOHYA** (*Mit. mex.*) Dios de la tierra entre los mejicanos precolombinos.

**TEZPI.** Sacerdote americano. El Noé de los mejicanos precolombinos. *V.* Cosmogonía, Mexicana.

**THABEK.** (*Mit. mah.*) Verdugo, ángel que de parte de Dios preside los infiernos.

**THARTAK.** Deidad de ciertos pueblos samaritanos, según la Biblia. También llegó a ser adorada por los propios hebreos. Se representa como un hombre con cabeza de asno, llevando una varita en la mano.

**THEFFILIM.** Cierto ropaje que los judíos se colocan o colocaban en la frente y alrededor del brazo cuando hacen sus oraciones y al cual las escrituras da el nombre Talafet.

**THERAFIM.** (*Mit. rab.*) Dioses penates de los caldeos o figuras astrológicas de que se servían para la adivinación. Los rabinos decían que alrededor de ellos se ejecutaban operaciones abominables.

**THOR o TOR.** (*Mit. escan.*) Primer hijo de Odín y Friga o Freya. La más poderosa y más grande de las divinidades inferiores, mediadora entre el Ser Supremo y los hombres. Reina en los aires, lanza el rayo, distribuye las estaciones, excita o calma las tempestades. A veces se asimila al Marte romano (nuestro martes, día de esta divinidad) y se consagraba entre los germanos a Donnar-Thor. Se le representa en un carro tirado por machos cabríos, es barbudo y pelirrojo, esgrime como armas un haz de flechas (que nos recuerda a Zeus) o bien un martillo que tenía la propiedad de volver a su mano después de haberlo lanzado. Thor era un enorme coloso, comedor insaciable y buen bebedor, defensor de los hombres contra los monstruos. Su reino se llamaba *Trudwanger*, asilo contra el terror, sucumbe en el crepúsculo de los dioses, pero sólo tras haber vencido y aplastado a la serpiente.

**THORAMIX.** El Júpiter de los antiguos bretones.

**THORRON.** (*Mit. escan.*) Rey fabuloso de los países nórdicos. Uno de los meses del antiguo pueblo merovingio llevaba su nombre que se conservó entre los islandeses.

THOT. (*Mit. egip.*). 1 — Divinidad egipcia con cabeza de ibis, que posteriormente los griegos confundieron con Mercurio.

2 — En el antiguo Egipto *columna* (*Jablonski*). En principio los sabios grababan sus descubrimientos en columnas. Después se consultaban los thots en las controversias pasando a creerse que estos thots eran jueces, seres humanos, venerados en todas las ciencias y que las enseñaron al primer rey de Tebas.

THRYM (*Mit. escan.*) Rey de los gigantes muerto por Thor.

THUERIS. (*Mit. egipcia.*) Concubina de Tifón. Algunos autores dicen que era el viento del mediodía personificado.

THULE. Isla que los antiguos consideraban el fin del mundo. Algunos creían que era Islandia. Otros alguna de las situadas al norte del archipiélago británico, como la de Feroe.

TI-TANG. El mayor de los templos de Pekín. En él era donde el emperador chino, después de su coronación, ofrecía un sacrificio al dios de la tierra, antes de tomar posesión del gobierno. Luego, vistiéndose de trabajador y tomando dos bueyes con los cuernos dorados y un arado de color rojo con las rejas de oro, labraba una pequeña pieza de tierra, que se hallaba dentro del recinto amurallado.

TÍA. 1 — La Divina, pertenece a la generación diurna anterior a los olímpicos. Es una titánide, hija de Urano y la Tierra.

2 — Ninfa de Delfos, hija del héroe Castalio. Fue amada por Apolo, que le dio un hijo, Delfo, héroe epónimo de la ciudad de Delfos. Tía fue la primera en celebrar el culto de Dionisio en el Parnaso, por lo que las ménades a veces son llamadas tíades.

TIASA. Hija del río Eurotas. Dio su nombre a otro río de Laconia.

TIASE. (*Mit. escan.*) Gigante padre de Skada, diosa escandinava.

TIASES. Se llamaban así las danzas de las bacantes en honor de su dios Baco.

TIBELENO. Nombre del espíritu maligno entre los antiguos sajones.

TÍBER. (*Iconología.*) Río de la Italia central que paso por Roma.. Estaba personificado en los monumentos y las medallas bajo la figura de un anciano coronado de flores y frutos. Tenía un cuerno de la abundancia y se apoyaba en una loba cerca de la cual se hallaban los niños Rómulo y Remo.

TIBERÍADES. Ninfas que los poetas suponían que habitaban las orillas de Tíber.

TIBERINO. En la leyenda romana presenta un doble aspecto: como abstracción poética del río Tíber o bien como rey de Alba que habría muerto combatiendo junto al río llamado entonces Albula y que a partir de este momento pasó a llamarse Tíber.

TIBURNO. Héroe epónimo fundador de la ciudad latina de Tíbur. A veces se le considera como uno de los tres hijos del héroe tebano Anfiarao, fundador de la ciudad de Tíber, cerca de Roma (en la actualidad Tívoli).

TICÁN. (*Mit. chin.*) Señor de los infiernos. El ídolo que lo representaba estaba colocado en un altar situado en medio de la pagoda. A ambos lados del altar había dos tablas y sobre cada una de ellas ídolos, como representación de los jueces infernales. En los muros se dibujaban los crímenes y los tormentos destinados para los criminales que los llevaban a cabo.

TICIO. Gigante, hijo de Júpiter y Elara. Para salvarla de los celos de Juno, Júpiter ocultó a su amante en el seno de la tierra, del cual al nacer salió Ticio.

Posteriormente, cuando Júpiter sedujo a Latona y como fruto de esta pasión nacieron Apolo y Diana, Juno, celosa de Latona, indujo a Ticio a violarla. Pero cuando Ticio atacó a Latona, bien Júpiter con su rayo, bien Apolo y Diana con sus flechas, lo mataron y precipitaron a los infiernos, donde dos águilas devoraban su hígado, que volvía a nacer periódicamente.

TICIOS. Colegios de sacerdotes romanos cuyas funciones consistían en nacer los sacrificios y las ceremonias de los sabinos

TIDEO. Hijo del rey Eneo. Desterrado de su tierra por haber matado a su tío Alcátoo, o a los hijos de Melas o a su propio hermano Olenia, llegó a la corte de Adrasto, quien lo purificó de su crimen y le entregó en matrimonio a su propia hija, Deípile. Agradecido, Tideo consintió en participar en la expedición contra Tebas para restaurar en el trono tebano a Polínices.

Primero fue enviado como embajador a Tebas, pero al negarse Eteocles a recibirlo, Tideo desafió a los tebanos a un combate singular y aniquiló a todos los que osaron hacerle frente. Cuando más tarde se retiraba, cincuenta tebanos lo emboscaron, pero él los mató a todos excepto a Meón.

En la batalla final ante los muros de Tebas, Melanipo le hirió mortalmente en el vientre, pero, aún así Tideo le dio muerte. Minerva, protectora del héroe, iba a darle la inmortalidad después de recabar el acuerdo de Júpiter. Pero Anfiarao, que sabía que iba a morir en esta expedición organizada por Tideo, cuando adivinó la intención de la diosa cortó la cabeza a Melanipo y se la entregó a Tideo quien, llevado de su ferocidad, partió el cráneo y le sorbió los sesos. Horrorizada ante este hecho, la diosa abandonó el campo de batalla sin otorgarle la inmortalidad. Una vez muerto Tideo fue enterrado por Meón en agradecimiento por haberle perdonado la vida. En otra versión, Teseo y los suyos se llevaron el cadáver y lo inhumaron en Eeusis. Hijo famoso suyo fue Diómedes.

**TIEMPO.** (*Iconol.*) Divinidad alegórica. Los griegos y los romanos lo alegorizaban bajo la figura de un anciano flaco y descarnado de cabellos y barba blancas, con dos grandes alas en la espalda, una guadaña en una mano y un reloj de arena en la otra.

Los habitantes de Alejandría representaban los tres tiempos de la vida del hombre por un monstruo de tres cabezas, una de león, por lo presente, una de lobo por lo pasado y una de perro por lo venidero.

**TIEN.** Los chinos honraban bajo este nombre y el de Chang-Ti al cielo supremo y universal.

**TIEN-FEY.** Reina celeste. Divinidad cuyo culto fue introducido por el emperador Chang-Ti en las islas de Lionte-Chion.

**TIEN-TAN.** (*Mit. chin.*) Templo del cielo. Este templo consagrado al sol en Pekín era de forma circular, para figurar el cielo, mientras que el que figuraba la tierra era cuadrado, ya que creían que ésta era la forma de la Tierra.

**TIERRA.** Muy pocos son los pueblos primitivos que no han tributado un culto religioso a la Tierra. Los egipcios, los sirios, los frigios, los escitas, los griegos y los romanos han adorado a la Tierra, y la han colocado, con el Cielo y los Astros, en el número de las divinidades más antiguas. *Hesíodo* (*Teog.*) dice que nació inmediatamente después de Caos, que casó con el Cielo y fue madre de los dioses y de los gigantes, de los buenos y los malos, de las virtudes y los vicios. Algunos la suponen casada con el Tártaro, y en Ponto o el Mar, de los cuales tuvo todos los monstruos que encierran estos elementos: esto es, que los antiguos tomaban la tierra por la naturaleza o la madre universal de todos los seres; así es que la llaman la gran madre, *magna mater.* Dábansele otros varios nombres, como los de Titea o Titéra, Ops, Tellus, Vesta, y también Cibeles, porque hay quien ha confundido varias veces la Tierra con esta diosa. - Los filósofos más ilustrados del paganismo creían que nuestra alma era una porción de la divina naturaleza, *divinæ particulam auræ,* dice *Horacio.* La mayor parte se imaginaban que el hombre había nacido de la tierra empapada de agua y calentada por los rayos del sol. En la Mit. se habla con frecuencia de los hijos de la Tierra; los antiguos, generalmente, cuando ignoraban el origen de algún hombre célebre, juzgábanlo hijo de la Tierra; esto es, que era natural del país, pero que no tenían noticia de sus padres. - La Tierra tuvo templos, altares, sacrificios y oráculos en Esparta, en Atenas, en Acaya, etc.

(*Iconol.*) En una pintura antigua cuyo objeto es el combate de Hércules con Antea, se ve a la Tierra representada por una figura de mujer sentada en una peña. Generalmente se la representaba adormecida, apoyada en un buey, teniendo un cuerno de la abundancia y acompañada de niños que representaban las estaciones. Los más modernos la alegorizaron bajo la figura de una matrona venerable, sentada en un globo, emblema de su forma esférica. Y teniendo un cuerno de la abundancia lleno de frutos. Algunas veces está coronada de flores. Se ve cerca de ella el buey que era la tierra y el león que los antiguos daban por tributo a Cibeles. *V.* Cibeles, Tellus.

**TIESTE.** Hermano gemelo de Atreo y, por tanto, hijo de Pélope e Hipodamia. Ambos hermanos mataron a su hermanastro Crisipo, después de la muerte del cual huyeron al lado de Esténelo y consiguieron el trono de Micenas. Pero la discordia nació entre los hermanos cuando Tieste sedujo a su cuñada, Aérope. En efecto, cuando Atreo lo supo, mató a los hijos que su hermano había tenido con una concubina y, guisándolos, se los sirvió a este como si fuesen el más exquisito manjar. Después que su hermano hubiese probado el horrible guiso, Atreo le reveló el terrible secreto. Horrorizado, Tieste huyó a Sición junto a su hija Pelopia. Allí después de saber por un oráculo que sólo un hijo nacido de un incesto podría vengarlo, engendró con su hija a Egisto, quien, una vez alcanzada la edad adulta, mató a Atreo y devolvió el reino a Tieste.

**TIESTÍADES.** Egisto, hijo de Tiestes, vengador de su padre.

**TIFIS.** Primer piloto de la nave de los Argonautas. Sus profundos conocimientos sobre la navegación provenían, según unos, del hecho de ser hijo de Neptuno, y, según otros, que negaban esta filiación de las enseñanzas de Minerva. Nunca participaba en los combates de los Argonautas y murió de enfermedad en el transcurso de la expedición.

**TIFÓN.** Era un ser mitad hombre mitad fiera. Superaba en fuerza y tamaño a todos los hijos de la Tierra, hasta el punto que con su cabeza tocaba el cielo. En vez de dedos tenía cien cabezas de dragón y de cintura para abajo estaba rodeado de víboras. Tenía el cuerpo alado y sus ojos despendían llamas, orgulloso de su fuerza intentó conquistar el cielo, ante lo cual todos los dioses huyeron excepto Minerva y Júpiter, quienes le hicieron frente. En el transcurso de la batalla, Tifón cortó los tendones de los brazos y piernas de Júpiter, y posteriormente lo encerró después de encargar la custodia de los tendones del dios al dragón hembra Delfine. Más tarde, Mercurio y Pan robaron los tendones y se los devolvieron a Júpiter, quien aplastó a Tifón arrojándole encima el monte Etna. De ahí que, según la tradición, el monte Etna arroje llamas por su cráter.

**TIGRE.** Animal asociado frecuentemente a Baco. Así, el carro del dios estaría ordinariamente tirado por estos animales. A veces eran representados a los pies de las Bacantes para caracterizar su furor o para demostrar que el exceso de vino vuelve furioso. Es el atributo de la cólera y el símbolo de la crueldad. Un tigre despedazando a un caballo era, entre los antiguos egipcios, la imagen de la venganza más cruel.

**TIGRIS.** 1 — Hijo de Ponto y de Talasa, río de Asia.

2 — Uno de los perros en Acteón.

3 — Río del Peloponeso, llamado también Harpis, del nombre de una persona que se ahogó en él.

**TIKGUO.** (*Mit. afr.*) Nombre del Ser Supremo entre los hotentotes.

**TIMALCO.** Hijo mayor del rey de Megara. Cuando Cástor y Pólux buscaban a su hermana, que había sido raptada por Teseo, Timalco se unió a ellos participando en la conquista de Afidna y muriendo a manos de Teseo.

**TIMANDRA.** Hija de Tindareo y Leda, mujer de Equemo. Cuando nació su hijo Evandro, descuidó los sacrificios de ritual y Diana, irritada, la enloqueció e indujo a dejarse raptar por Fileo.

**TIMANTE.** De Cleona. Vencedor en los juegos Olímpicos, se arrojó a la hoguera cuando le fallaron las fuerzas.

**TIMARATE.** Una de las tres ancianas que presidían el oráculo de Júpiter en Dodona.

**TIMATE.** Pintor famoso que, en el cuadro del sacrificio de Ifigenia, habiendo dado toda la expresión de dolor a las figuras y no hallando forma de dar la conveniente a Agamenón, le cubrió el rostro con un velo.

**TÍMBER.** Hijo de Launo, muerto por Palas, hijo de Evandro.

TIMBREO. 1 — Sobrenombre que *Virgilio* (*Eneida. 5*) da a Apolo, porque era honrado en Timbra, ciudad de la Tróada.

2 — Jefe troyano muerto por Ulises.

3 — Amigo de Dárdano, fundador de Tembra.

4 — Uno de los hijos de Laoconte.

TÍMBRIS. Favorita de Júpiter y madre de Pan.

TIMEAS. Hijo de Polinces, uno de los epígonos.

TIMETES. 1 — Esposo de Cila y cuñado de Príamo. Este, interpretando erróneamente un oráculo, había mandado matar a aquélla. Timetes no se lo perdonó y, para vengarse, fue uno de los primeros que introdujeron el caballo de madera en la ciudad de Troya.

2 — Hijo de Hicetaón, jefe troyano muerto por Turno.

3 — Rey de Atenas, último de los descendientes de Teseo que reinó en esta ciudad.

TIMIASMATA. Perfumes que se empleaban para curar a los poseídos.

TIMOLEÓN. Epíteto de Baco, «el que tiene coraje de león». (*Griego:* Timos = coraje).

TIMÓN. (*Iconol.*) Símbolo ordinario del gobierno. En una medalla de Julio César le han juntado el caduceo, el cuerno de la abundancia, y el gorro pontifical para indicar que el gobierno de césar hacía florecer la república.

TIMORIA. Diosa particularmente adorada por los lacedemonios.

TÍMPANA. Especie de tambor hecho de un círculo de madera o de metal sobre el cual extendían una piel, según se ve en varios monumentos relativos a Cibeles o a Baco.

TINDÁREO. Hijo de Ebalo y la Gongófone, hija de Perseo. Cuando murió su padre Hipoconte expulsó a su familia y quedó como rey de Esparta. Tindáreo llegó a la corte de Calidón, donde el rey Testio entregó en matrimonio a su hija Leda. Más tarde, gracias a Heracles, recuperó el trono de Esparta. Cuando volvía a su patria, a la muerte de Atreo, la nodriza de Agamenón y Menelao le entregó a los niños, a los que educó en su casa y pos-

teriormente casó con sus hijas Ceitemestra y Helena respectivamente (c. Ulises).

Después de la divinización de sus hijos Cástor y Pólux, Tindáreo ofreció su reino a Menelao y vivió para ver el rapto de Helena y la posterior guerra de Troya.

TINGE. Nombre de la esposa del gigante Anteo, muerto por Hércules. Este se unió a Tinge y le dio un hijo, Sófax, que fundó la ciudad de Tingio (hoy Tánger), en honor de su madre.

TINIAS. Fiesta en el transcurso de la cual se sacrificaban atunes a Neptuno, para que librase a los pescadores del pez llamado xifías que les rompía las redes.

TINO. Uno de los dos hijos de Fineo y Cleopatra, que fueron maltratadas por aquél a instancias de su madre política y posteriormente vengados por los Argonautas.

TIODAMANTE. 1 — Hijo de Melampo, celebre adivino, sucesor de Anfiarao.

2 — Rey de los dríopes. Fue muerto por Hércules.

TIONE. 1 — Mujer de Niso, madre de Baco.

3 — Madre de Sémele y abuela de Baco.

4 — Nombre bajo el cual Sémele fue puesta por Júpiter en la clase de las diosas, después que su hijo la hubo retirado en los infiernos. (*Ovidio, Apolod. 3, c. 5.*).

TIOTRES. Sacerdote de los Cabiros en la isla de Samotracia.

TIQUE, TIJE. Es la fortuna a la casualidad divinizada y personificada por una divinidad femenina. No posee mito, es sólo una abstracción.

TIQUIO. Famoso zapatero beocio que fabricó el escudo del gran Ayax, hijo de Talamón.

TIR. (*Mit. pers.*) 1 — Nombre que los guebros daban al ángel de las ciencias.

2 — (*Mit. célt.*) Divinidad inferior que preside particularmente en los combates y es la protectora de los valientes y de los atletas.

TIREO. 1 — Hijo de Eneas, rey de Calidón.

2 — Hijo de Licaón, rey de Arcadia.

3 — Sobrenombre de Apolo como protector de las puertas.

TIRES. Uno de los compañeros de Eneas en la guerra contra Turno.

**TIRESIAS.** Célebre adivino, hijo de Everes y Cariclea. En su juventud, cuando paseaba por el monte Cileno, vio a dos serpientes copulando y al tratar de separarlas se convirtió en mujer. Cuando, siete años más tarde, al pasar por el mismo lugar, vio otras dos serpientes en cópula, volvió a intervenir y recuperó su antiguo sexo. Esta experiencia determinó su vida posterior. En efecto, un día Júpiter y Juno discutían sobre quien recibía más placer en el amor, el hombre o la mujer. Ante la imposibilidad de ponerse de acuerdo, consultaron a Tiresias, el único que había podido experimentar los dos puntos de vista. Este afirmó que si el goce del amor se componía de diez partes, la mujer poseía nueve y el hombre una. Irritada Juno porque Tiresias no le daba la razón, le privó de la vista, pero a cambio, Júpiter le otorgó el don de la profecía.

**TIRIA.** 1 — Una de las esposas de Dánao, de la cual tuvo a Clito, Esténelo y Crisipo.

2 — Hija de Anfínomo, a la cual Apolo hizo madre de Cicno. La madre y el hijo se arrojaron a un lago y fueron transformados en aves.

**TIRINS.** Héroe, hijo de Argos y nieto de Júpiter. Fundó la ciudad de Tirinto que fue destruida posteriormente por los argivos para transportar los habitantes a Argos.

**TIRINTIO.** Uno de los sobrenombres de Hércules, ya que vivía a menudo en Tirinto. *Eneida. 7.*

**TIRMO.** Antiguo ídolo de las islas Canarias colocado en la cima de una montaña.

**TIRO.** 1 — Ninfa fenicia amante de Hércules. Un día su perro se comió una concha de púrpura, quedándole el hocico teñido. Cuando Tiro vio este color, dijo a Hércules que dejaría de amarlo si no le conseguía un vestido del mismo color, cosa que éste consiguió. Este sería el origen de las famosas púrpuras de Tiro.

2 — Hija de Salmoneo. Habiéndose enamorado del río Enipeo, Neptuno tomó su figura y consiguió yacer con la ninfa, a la que hizo madre de Pelias y Neleo.

**TIROUPACADEL.** (*Mit. índ.*) Nombre del mar de leche, uno de los siete mares que según los indios rodean la tierra.

**TIRRENIOS.** Antiguos habitantes de Toscana, denominados *etruscos.* La fábula de los marineros tirrenos, transformados por Baco en monstruos marinos, indica que este pueblo se dedicó desde los primeros tiempos a la navegación. *V.* Tirreno.

**TIRRENO.** Héroe epónimo de los etruscos. De origen lidio, se habría desterrado después de la caída de Troya -o durante un período de hambre que asoló el país- y se habría establecido en Italia central, dando origen al pueblo etrusco.

**TIRRO.** Nombre de un jefe de pastores del rey Latino. Se coloca al frente de los campesinos latinos para vengar la muerte de la cierva sagrada que había matado el pequeño Ascanio. Más tarde, después de la muerte de Eneas, Lavinia se refugió a su lado para dar a luz a su hijo Silvio, por miedo a su yerno. *V.* Lavinia. Ascanio.

**TIRRONELETES.** El que hace perecer a los marineros tirrenos. Epíteto de Baco.

**TIRSEMIN.** (*Mit. mahom.*) Uno de los nombres que los musulmanes daban a Edris o Enoc, el patriarca, que confundían ordinariamente con el Horus de los egipcios.

**TIRSIS.** Nombre que se daba al palacio de Saturno en las Baleares.

**TIRSO.** Lanza o dardo guarnecido de pámpanos o de hojas de yedra que ocultaban la punta. *V.* Baco.

**TIRSÓFOROS.** El que lleva el tirso. Epíteto de Baco. *Antol.*

**TIRXEO.** En Licia había un oráculo de Apolo Tirxeo. Mirando en una fuente consagrada a este dios se veía reflejado en sus aguas el porvenir.

**TISA.** Mujer del dios escandinavo Thor. Es la diosa de las funciones judiciarias.

**TISAMENO.** 1 —Tisameno, el vengador, es el nombre de dos héroes.

Hijo de Orestes y Hermione. Habiendo heredado el reino de Esparta a la muerte de su padre, fue expulsado del trono por los heráclidas, quienes lo asesinaron.

2 — Hijo de Tersandro y Demonasa. Era demasiado joven en la época de la segunda expedición de Troya. Su padre había sido muerto por Teléfo cuando el desembarco de Misia para hacerse cargo

del mando del contingente tebano. En su lugar, Peneleo vengó la muerte de Tersandro, matando al hijo de Teléfo Eurípilo. Llegado a la edad adulta, Tisameno reinó en Tebas. Tuvo un hijo, Austesión, que hubo de desterrarse y se reunió con los heráclidas en el Peloponeso.

TISANDRO. 1 — Hijo de Jasón y Medea, muerto por ésta.

2 — Uno de los griegos escondidos con Ulises en el caballo de madera. *Eneida. 2.*

TISBE. 1 — *V.* Príamo.

2 — Hijo de Asopo. Dio su nombre a la ciudad de Tisbe, en Beocia.

TISÍFONE. Hija de Alcmeón y Manto, hija de Tiresias. Educada en la corte de Creonte y vendida como esclava, se la denomina a veces «vengadora del homicidio». Una de las tres Furias infernales, denominadas también Erinias. Enamorada del joven y bello héroe Citerón, lo mató haciendo que le picara una serpiente que sacó de su cabellera.

TISIS. Mescenio, hábil en el arte de los augurios.

TITANES. Seis de los hijos varones de Urano y la Tierra. Tienen seis hermanas, las titánidas y son de la generación anterior a la de los olímpicos.

Después de la mutilación de Urano por Saturno, los titanes, que habían sido expulsados del cielo por su padre, se hicieron con el poder. Sin embargo, Océano se negó a ayudar a Saturno y se mantuvo siempre al margen. De igual modo, ayudó a Júpiter cuando éste, posteriormente, destronó a Saturno. En esta lucha fueron aliados de Júpiter no sólo los olímpicos, sino también los hecatónquiros, que habían tenido que sufrir bajo los titanes, e incluso Prometeo, pese a ser hijo de uno de los titanes, Japeto y Estige, una de las oceánidas.

TITANGRATOR. Vencedor de los titanes: sobrenombre de Júpiter.

TITANIA. 1 — Pirra, nieta de Japeto, uno de los titanes.

2 — Sobrenombre de Diana.

3 — Reina de las hadas.

TITANIAS. Fiesta griega en memoria de los titanes.

TITÁNIDES. Se llamaba así a seis de las hijas de Urano y la Tierra: Tía, Rea,

Temis, Mnemósine, Febe y Tetis. Se unieron a sus hermanos para engendrar divinidades de diversos órdenes.

TITANIS. Latona, nieta de Celo, uno de los titanes.

TITANO. 1 — Hijo de Celo y Vesta o Titea, y hermano mayor de Saturno.

2 — Recibía también este nombre el Sol, ya porque le creían hijo de Hiperión, ya porque se le tomaba por el mismo Hiperión.

TITANOCTOMOS. Homicida de los titanes; sobrenombre de Júpiter.

TITANOMAQUIA. Combate entre los titanes y los dioses.

TITEA. Sobrenombre de Gea, como madre de los titanes.

TITENIDIAS. Fiesta lacedemonia en la que las amas de leche llevaban los niños enfermos al templo de Diana, donde inmolaban lechones a la diosa para proteger la salud de los niños.

TITIAE AVES. Paloma torcaz, de la cual los augures examinaban el vuelo.

TITIAS. Uno de las héroes de la isla de Creta que se autoproclamaba hijo de Júpiter. Después de su muerte se le tributaron honores divinos.

TÍTONO. Uno de los hijos de Laomedonte. Su madre era Estrimo, hija del dios río Escamandro por lo que era el hermano mayor de Príamo. Títono era tan hermoso que, cuando lo vio la Aurora se enamoró de él, lo raptó y tuvo dos hijas con él, Ematión y Memnón. Aurora le pidió a Júpiter la inmortalidad para su esposo, pero se olvidó de pedirle también la eterna juventud. En consecuencia, mientras la Aurora se mantenía siempre joven, Títono iba envejeciendo. Finalmente la Aurora, compadecida, lo transformó en cigarra.

TITÓREA. Una de las ninfas que nacieron de los árboles, particularmente de los robles, habitaba en la cima del Parnaso.

TITRAMBO. Sobrenombre de Hécate entre los egipcios.

TLACAHUEPAN-CUEXCOTZIN. (*Mitol. mex.*) Hermano de Vislipuzli o Huitzillopochtli.

TLALOCATECULHTLI. Dios de las aguas entre los mejicanos precolombinos.

**TLALOC.** (*Mit. mex.*) Dios del agua. (*V.* Tescatlibochtli.)

**TLEPÓLEMO.** 1 — Hijo de Hércules y Astíoque. A la muerte de Hércules, los heráclidas trataron en vano de volver al Peloponeso, pero Tlepólemo y su tío-abuelo Licinio lograron asentarse en Argos. Posteriormente, a causa de una discusión entre ambos, Licinio murió, por lo que sus familiares le obligaron a exiliarse a Rodas. Tlepólemo es uno de los pretendientes a la mano de Helena y posteriormente participó en la guerra de Troya, donde acudió al mando de nueve naves. Fue muerto por Sarpedón.

2 — Hijo de Damastro, muerto por Patroclo en el sitio de Troya.

**TLEPOLEMIAS.** Juegos que se celebran en Rodas en honor de Tlepólemo.

**TLOS.** Hijo de Mileto y la ninfa Praxídice. Fundador de Tlos, ciudad de Licia, en Asia Menor.

**TMARIO.** Sobrenombre de Júpiter, adorado en el monte Tmaro, en Epiro.

**TMOLO.** 1 — Montaña de Lidia, famosa por el azafrán que producía y el culto que se tributaba a Baco.

2 — Gigante que, acompañado de otro gigante llamado Telégono, asesinaba a todos los pasajeros que encontraban. Pero Proteo, disfrazado de espectro, los espantó de tal modo que, desde entonces, dejaron de asesinar.

3 — Rey de Lidia, hijo de Marte y la ninfa Teógenes. Se enamoró de una de las compañeras de Diana llamada Arrifea y la violó al pie de los altares de la diosa. Esta, irritada, lo hizo matar por un toro furioso.

**TOANTE.** 1 — Nombre de varios héroes:

Hijo de Baco y Ariadna. Nació en Lemnos y reinó en la ciudad de Mirina, de la que es epónima Mirima, su mujer. Con ella engendró una hija, Hipsípila. Cuando las lemnias decidieron matar a todos los hombres de la isla a consecuencia de la maldición de Venus, Hipsípila escondió a su padre en el templo de Baco. A la mañana siguiente lo llevó a la orilla del mar, vestido como Baco y en el carro ritual del dios con el pretexto de purificarlo de las matanzas de la noche anterior. Finalmente, Toante logró hacerse a la mar en una

vieja barca y abordó en Táuride. Al saber que Toante se había salvado, las mujeres de Lemnos vendieron como esclava a su hija Hipsípila.

2 — Nieto del anterior e hijo de Jasón e Hipsípila, era hermano gemelo de Euneo y con la ayuda de éste liberaron a su madre, esclava en la corte del rey Licurgo.

3 — Rey de Táuride cuando Ifigenia pasó a ocupar la función de sacerdotisa de Diana. Cuando Orestes y Pílades llegaron al país y encontraron en él a la hermana del primero, el rey quiso que ésta los sacrificase, de acuerdo con las costumbres establecidas; pero logró escapar con Ifigenia y la estatua de la diosa.

4 — En el «catálogo de las naves», la *Ilíada* cita un Toante, hijo de Andremón, como jefe de un contingente etolio. Figuró entre los pretendientes de Helena y, al final de la guerra, entre los hombres que entraron en el caballo de madera.

**TOCNO.** Uno de los hijos de Licaón, fundador de Tocnia, en Arcadia.

**TOE.** 1 — Ninfa marina, hija del Océano y Tetis.

2 — Jumento de Admeto.

3 — Amazona.

**TOI-TONGA.** Sumo sacerdote de las islas Tonga.

**TOIA.** (*Mit. amer.*) Nombre bajo el cual los habitantes de Florida, adoraban al diablo.

**TOKKIVARI.** (*Mit. jap.*) Armario o estantes donde los japoneses colocaban el libro de la ley.

**TOLUMNIO.** Augur del campo de Turno.

**TOMIES.** Sacrificio que se ofrecía por la ratificación de las ligas solemnes. Prestábase juramento encima de las partes genitales de la víctima, cortadas al efecto por los victimarios.

**TOMOS.** Ciudad de Ponto donde Medea destrozó a su hermano Absirto.

**TON.** Rey de Egipto en la época en que llegó allí Helena, su esposa Polidamnia envió a ésta un filtro capaz de hacerle olvidar sus dolores.

**TONANTE.** Epíteto de Júpiter.

**TONANTZÍN.** (*Mit. mex.*) La Ceres de los mejicanos precolombinos.

TONEAS. Fiestas que se celebraban en Argos.

TONIO. Centauro, hijo de Ixión y de una Nube.

TONIS. Gobernador de una provincia de Egipto, que libertó al rey París.

TOON. 1 — Troyano muerto por Ulises.

2 — Hijo de Fénops.

3 — Hermano de Xanto, ambos muertos por Diómedes.

4 — Gigante que las Parcas mataron a porrazos.

TOOSA. Toosa era hija de Forcia, amada por Neptuno, le dio un hijo, Polifemo.

TOPÁN (*Mit. jap.*) Dios del trueno.

TOPEKÓN. (*Mit. chin.*) Dios gobernador de la tierra. Este dios lo mismo que las otras divinidades secundarias de los chinos de Batavia y los dioses de los tártaros, tenía el rostro de color fuego.

TOPILCIN. (*Mit. mex.*) Nombre del gran sacerdote mejicano precolombino cuya autoridad se extendía a todos los ámbitos de la religión.

TOQUI. (*Mit. amer.*) Los araucanos reconocían bajo este nombre, que era también el de su jefe militar, al gran espíritu que gobernaba el mundo.

TORNAX. Mujer de Japeto, del cual tuvo a Bufago. Dio su nombre a una montaña de la Argólida.

TORO. Era la víctima más común en los sacrificios. Júpiter se transformó en toro para robar a Europa. En los jeroglíficos egipcios el toro es la imagen de la templanza. Un toro atado con una tigresa salvaje es el emblema de un hombre que sale de la destemplanza. Hércules domó al toro furioso. Según el *Zen-Avesta* de los persas antiguos, los animales y el fenómeno humano salieron de un primer toro.

TORONE. Mujer de Proteo y madre de Tmolo y Telégono.

TOROS DE COBRE. 1 — Guardianes del Vellocino de oro en Yolcos.

2 — Nombre que se daba a los jóvenes que llevaban copas en las fiestas celebradas en honor de Neptuno, en Efeso.

TORRE. (*Mit. eslav.*) Divinidad de Kiev muy semejante al Príapo de los griegos.

TORTAS. Ofrendas que los antiguos ofrecían a sus dioses. Se hacían regularmente de harina, trigo o cebada con sal.

TÓRTOLA. (*Iconol.*) símbolo de la fidelidad entre los amigos, entre esposos, entre los súbditos y el monarca, etc. En los jeroglíficos egipcios designaba al hombre apasionado por la danza y por la flauta.

TORTOR. Verdugo. Sobrenombre de Apolo, tomado de un templo que tenía en Roma. Se le representaba desollando a Marsias.

TORTUGA. (*Iconol.*) Símbolo ordinario de Mercurio. *Apolodoro* refiere que, habiendo encontrado este dios delante de su cueva una tortuga que pacía, la agarró, le vació el caparazón, le puso encima de la concha cuerdecillas hechas de la piel de un buey que acababa de desollar, y de ello hizo una lira. Efectivamente, éste instrumento se llama en latín *testudo*, porque su forma se asemeja bastante a la de una concha de tortuga. También era el símbolo del silencio.

TOSITOKU (*Mit. jap.*) Diosa de la prosperidad muy venerada por los mercaderes sintoístas. Era en Japón lo que la Fortuna entre los griegos y romanos.

TOTEM. (*Mit. amer.*) Espíritu favorable que los nativos de América septentrional consideraban como su guardián y protector.

TOUNG-HAI-VAUNG. (*Mit. chin.*) Rey del mar oriental. El Neptuno de los chinos.

TOUS. (*Mit. tár.*) Divinidad malhechora entre los tártaros.

TOW-TOIW. Fiesta en honor del dios de las estaciones en las islas Tonga.

TOXCOALT. (*Mit. mex.*) Fiesta que significaba sequía y cuyo principal objetivo consistía en pedir agua.

TOXEO. 1 — Toxeo, «el Arquero», era el nombre de uno de los hijos del rey de Ecalia, Eurito. Fue muerto por Hércules al mismo tiempo que sus hermanos.

2 — Uno de los hijos de Eneo, rey de Calidó, y de Altea. Emeo lo mató porque había «saltado un foso». (Leyenda semejante a la de Rómulo y Remo.)

TOXÓFORO. El que lleva un arco. Sobrenombre de Apolo. R. *toxón*, arco.

TOZI (*Mit. mex.*) Los mejicanos pre-colombinos daban este nombre, que significa abuela, a una de sus antiguas reinas, a la cual habían divinizado.

TRABAJO. (*Iconol.*) Hijo de Erebo y de la Noche. Se le representaba como un hombre postrado por la fatiga, que apenas puede sostenerse. Con las espaldas desnudas, los brazos descarnados, descolorido, tiene en sus manos varios instrumentos para diferentes usos.

TRABEA. Parte del vestido que usaban los romanos y que se ponían sobre la túnica. Había de tres clases; la primera de púrpura que se empleaba en los grandes sacrificos; la segunda, mezclada de púrpura y blanco, que llevaban los reyes y los cónsules cuando marchaban a la guerra; y la tercera se componía de púrpura y de escarlata, que era propiamente el vestido de los augures.

TRACE. Heroína epónima de Tracia. Era hija de Océano y Parténope, y hermana de Europa. Se aseguraba que era una hechicera notable.

TRACIOS. Gladiadores que iban armados de una especie de cimitarra originaria de Tracia.

TRAGEDIA. (*Iconol.*) Representada por una mujer hermosa, llena de majestad, calzada con coturnos, vestida de luto y teniendo en la mano un puñal ensangrentado que era el símbolo de la divinidad de este poema, del dolor que causa y del terror que inspira. *V.* Melpómene.

TRAGEFORO. Sobrenombre de Pan, o de Baco, que, en las orgías, llevaba una piel de cabra.

TRAGÓSCELES. Sobrenombre de Pan, tomado de las pieles de macho cabrío con las que se cubría. R. *Tragos*, macho cabrío; *Tkelos*, pierna.

TRAMBELO. Hijo de Telamón y de la cautiva troyana Teanira. Fue criado en Mileto por el rey Arión, que habría recogido a su madre fugitiva. Al regresar Aquiles de una expedición de piratería, Trambelo luchó con él y murió. Pero Aquiles cuando supo que era hijo de Telamón y, por tanto, pariente de él, le erigió una tumba en la playa.

TRANQUILIDAD. (*Iconol.*) Divinidad distinta de la Paz y de la Concordia. Se dice que tenía un templo en Roma. En una medalla de Adriano se la ve encima de una columna y elevando un cetro en la mano derecha. En otra de Antonino, se la representa apoyada en un timón y teniendo dos espigas en la mano izquierda, para demostrar la abundancia de los granos transportados por los mares en tiempo de paz. *Le Brun*, de la Gran Galería de Versalles, la pinta bajo la figura de una mujer sentada y coronada de rosas, que apoya en negligentemente su cabeza encima de una de sus manos.

TRAPEZO. Hijo de Licaón, dio su nombre a una ciudad de Arcadia, cerca de Alfeo.

TRASÍMEDES. Uno de los hijos de Néstor. En la guerra de Troya mandaba un contingente de quince barcos. Combate en torno el cuerpo de su hermano Antíloco contra Memnóm y figura entre los guerreros que se introdujeron en el caballo de madera. Regresó sano y salvo a Pilos al fin de la guerra y allí acogió a Telémaco.

TRASIO. Adivino de Chipre que comunicó a Busiris que en su reino no se obtendrían buenas cosechas a menos que todos los años sacrificasen un extranjero a Júpiter. Busiris le creyó, lo inmoló a él en primer lugar y siguió con ésta bárbara costumbre hasta que Hércules sacrificó en el altar de los sacrificios al propio rey Busiris y a su hijo Ifídames.

TRASO. Hijo de Anio, rey y sacerdote de Apolo en la isla de Delos. Fue despedazado por sus propios perros.

TRATADO DE ALIANZA. Las partes contratantes inmolaban una víctima cuya carne no se comía. Después del sacrificio, cada una de ellas hacia una libación de vino y ambas partes se daban la mano. Concluíase tomando por testigos a las divinidades vengadoras, y sobre todo a *Júpiter Horkios,* o dios del juramento.

TREBETA. Hijo de Nino, rey de Asiria. Fue arrojado de su trono por su madrasta Semíramis. Los tribocios y los trevirios, antiguos pueblos de Germania, pretendían deber su origen a este héroe fabuloso.

TREBIANI. Dioses que los romanos habían trasladado a Roma después de la conquista de Trebia.

TRECÉN. Héroe epónimo de la ciudad de Trecenas, en el golfo Sarónico. Era hijo de Pélope e Hipodamia y hermano de Piteo. Ambos hermanos emigraron a la ciudad que tomaría el nombre de Trecenas, donde reinaba Ecio, y los tres ocuparon el trono conjuntamente.

TRECO. Guerrero griego, muerto por Marte y por Héctor.

TREISA. Sobrenombre de Opis, porque era natural de Tracia.

TRES. Número misterioso entre los antiguos, quienes bebían tres veces en honor de las tres Gracias y escupían otras tantas en su seno para conjurar los encantos.

TRESTONIA. Diosa que invocaban los viajeros cuando se hallaban cansados.

TREZENES. Como hijo de Pelops, parece ser el Trecén citado anteriormente. Edificó una ciudad en el Peloponeso a la que dio su nombre. Llamábase con frecuencia Thesis, porque Teseo nació en ella; y Posidonia, porque Neptuno era adorado en la misma. *V.* Trecén.

TRIAMBUS. Uno de los sobrenombres de Baco, sacado de la pompa triunfal de sus fiestas.

TRIAS. Las profetisas. Son tres hermanas, ninfas del Parnaso hijas de Júpiter. Habían criado a Apolo, a cuyo servicio quedaron luego. Se les atribuía la invención del arte adivinatorio con el auxilio de pequeños guijarros.

TRICA. Hija del dios río Peneo, en Tesalia, y esposa del rey Hipseo. Epónima de la ciudad de Trica, en Tesalia.

TRICAEO. Sobrenombre de Esculapio, tomado del culto que se le tributaba en Trica, ciudad de Macedonia, de donde era natural.

TRICÉFALO. 1 — Sobrenombre de Mercurio, derivado de su triple poder. Esto es, en el cielo, en la tierra y en los infiernos.

2 — Sobrenombre de Diana. *V.* Triformes.

TRICLARIA. Diana, llamada así porque tenía un templo en una comarca que había pertenecido a tres ciudades. Ároe, Antea y Mesantia.

TRICOLONO. 1 — Hijo de Licaón, fundador de Tricolona, ciudad de Arcadia.

2 — Descendiente del que precede. Uno de los pretendientes de Hipodamia.

TRICOSO. Sobrenombre de Hércules, porque era velludo.

TRICRENA. Lugar de Arcadia donde Pausanias coloca la cuna de Mercurio. Había en él tres fuentes en las que éste dios había sido lavado por las ninfas cuando nació.

TRIDENTE. Cetro con tres puntas u horca con tres puntas. Símbolo de Neptuno, que representa su triple poder en los mares.

TRIDENTIFER. El dios que lleva el tridente. Neptuno

TRIENS. Moneda de bronce que se ponía en la boca de los muertos para pagar el paso del Aqueronte.

TRIETÉRIDES, TRIENALES. Fiestas que celebraban los beocios y los tracios en honor de Baco cada tres años.

TRÍFALO. Sobrenombre de Príapo.

TRIFILIO. Nombre bajo el cual Júpiter tenía un templo magnífico en Elida.

TRÍFONO. Sobrenombre de Mercurio, considerado como dios del comercio.

TRIFORMIS DEA. La diosa de tres rostros o de tres cabezas. Sobrenombre de Hécate, la cual, según *Servio*, presidía el nacimiento, la vida y la muerte. Llamábase Lucinia en el primer caso, Diana en el segundo y Hécate en el tercero. Era también un epíteto de la Quimera.

TRIGLA. 1 — Comarca de Atenas donde se ofrecía un sargo a Hécate, pero al que los griegos llamaban Trigla.

2 — (*Mit. célt.*) Nombre de Hécate entre los vándalos y los pueblos de Lausacia.

3 — (*Mit. eslav.*) Nombre que los eslavos daban a una divinidad que venía a ser la Diana de los griegos.

TRIMURTI. (*Mit. índ.*) Reunión de las tres potestades. Trinidad hindú compuesta de Brahma, Shiva y Visnú: el primero era el poder creador, el segundo el destructor y el tercero el conservador.

TRINOCTIO. Sobrenombre de Hércules, derivado de lo mucho que duró la noche en que Júpiter yació con Alcmena.

TRIODITIS. Hécate, protectora de los viajantes

TRÍODOS. Nombre de la encrucijada, donde los mantineos enterraron los huesos de Arcas, hijo de Calixto.

TRIONES. Los bueyes de labranza. Nombre de las estrellas que forman la constelación de las dos Osas, y que Virgilio llama Germini Trismes. *V*. Calixto

TRIOPAS. 1 — Rey de Tesalia, padre de Merops.

2 — Hijo de Neptuno y Cánace, padre de Erecsitón y Ifimedia.

TRIOPO. Hijo del sol, que dio su nombre a un promontorio y a una ciudad de Caria.

TRIPATER. Nombre que Licofirón de la constelación de Orión.

TRÍPODE SAGRADO. Sostenía una especie de tabla de oro o de plata donde los sacerdotes y sacerdotisas de Apolo se colocaban para rendir sus oráculos. Apolo habría cubierto el de Delfos con la piel de la serpiente Pitón.

TRIPODIFÓRICO. Himno cantado por vírgenes cuando se llevaba un trípode en alguna fiesta en honor de Apolo.

TRIPTÓLEMO. Héroe ligado al mito de Démeter y rey de Eleusis. En recompensa por la hospitalidad que Ceres recibió de sus padres, la diosa le dio un carro, tirado por dragones alados, y le mandó que recorriese el mundo sembrando granos de trigo por doquier.

Más tarde, Triptólemo pasó a ser juez de los muertos, en los infiernos, donde figuraba a veces al lado de Eaco, Minos y Radamantis. También se decía que Ceres había querido convertirlo en inmortal haciéndolo pasar entre las llamas, pero que su madre Meganira, asustada, lo retiró con precipitación del fuego, lo que impidió el efecto de la buena voluntad de Ceres.

TRIPUDIUM. Era el modo como comían los pollos sagrados y en el cual se fijaban los augures para emitir sus vaticinos.

TRISNA. (*Mit. eslav.*) Antigua palabra que significaba celebrar un banquete en memoria de un difunto.

TRISOLIMPIÓNICO. Epíteto que se daba a los atletas que habían ganado tres veces el premio en los juegos olímpicos.

TRISOQUÉFALOS. Sobrenombre de Hécate con tres cabezas; la de la derecha de caballo, la de la izquierda de perro y la del medio humana.

TRITEA. Hija de Tritón, favorita de Marte, del cual tuvo a Melampo.

TRITOGEMIE. Sobrenombre de Palas, nacida de la cabeza de Júpiter.

TRITÓN. Dios marino, hijo de Neptuno y Anfitrite. Se contaba que en una fiesta de Baco, las mujeres se bañaban en un lago, y que durante el baño Tritón las había atacado, pero que Baco, alertado por los gritos de sus seguidoras, lo había hecho huir. Se decía también que éste dios se entregaba a depredaciones a borde de un lago, en el que se suponía vivía, llevándose los rebaños, etc., hasta que un día fue abandonada en la orilla una jarra de vino. Tritón, atraído por el olor, se acercó, bebió y se quedó luego dormido en el mismo lugar, lo cual permitió matarlo a hachazos.

El nombre de Tritón se aplicaba frecuentemente a una serie de seres que formaban parte del cortejo de Neptuno. Tenían la parte superior del cuerpo parecida a la de un hombre, mientras su parte inferior era la de un pez. Generalmente, se les representa soplando en conchas que les sirven de trompa.

TRITÓNIDE. Lago en Libia en cuyas orillas los habitantes de la región celebraban anualmente una fiesta en honor de Minerva, donde las jóvenes, divididas en dos partidos, se batían a piedras y garrotazos y las que morían de sus heridas eran tenidas como supuestas vírgenes.

TRITOPATORIAS. Solemnidad en la cual se rogaba a los dioses para la conservación de las niñas.

TRIUNFALIS. Sobrenombre bajo el cual Evandro erigió una estatua a Hércules, vencedor del gigante Caco. (*Eneida*.)

TRIVIA. Sobrenombre de Diana o de Hécate, porque, según *Varrón*, se la colocaba en el extremo de tres caminos que terminaban en un mismo lugar o porque es la misma que la Luna.

TRIVIUS. Sobrenombre de Mercurio, que presidía los caminos.

TRÓADA. Comarca de Asia Menor, llamada así por su capital la famosa ciudad de Troya.

TROFONIO. Héroe de Lebadea, en Beocia, donde poseía un célebre oráculo. Su reputación como arquitecto era grande. Se le atribuía la construcción, en colaboración con Agamedes, de varios famosos edificios y entre ellos la cámara de tesoro del rey Hirieo. Ambos arquitectos dispusieron, en la construcción de esta cámara, una piedra con tal habilidad, que les era fácil apartarla, y por la noche iban a robar los tesoros del rey. Este, al darse cuenta de los hurtos, pidió consejo a Dédalo para sorprender a los culpables. Dédalo preparó una trampa en la que Agamedes quedó cogido. Trofonio le cortó la cabeza para que pudiese revelar el nombre de su cómplice, pero la tierra se abrió y se tragó al asesino. Según otras versiones, se decía que su muerte era el precio pagado por Apolo por la construcción de su templo, ya que la muerte es la mejor recompensa que la divinidad puede dar al hombre.

TROFONIOS. Juegos en honor de Trofonio, en los que la juventud de Grecia iba a ostentar su habilidad. Se celebraban en Lebadea, ciudad de Beocia.

TROILO. 1 —El menor de los hijos de Príamo y Hécuba. Existía un oráculo según el cual Troya no podría ser conquistada si Troilo alcanzaba los veinte años de edad. Aquiles lo sorprendió mientras conducía los caballos al abrevadero al anochecer, cerca de las puertas Esceas, fue capturado y sacrificado después.

2 — Hermano de armas de Eneas.

TROMPETA. En Corinto había un templo bajo el título de Minerva Trompeta, edificado por Hegelao, hijo de Tirrenio, para honrar la memoria de su padre, inventor de la trompeta.

TROPAEA. Sobrenombre de Juno considerada como presidenta de los triunfos y ceremonias en las que le ofrecían siempre sacrificios.

TRÓQUILO. Argivo hijo de Io. Se le atribuía la invención de los carros, particularmente el carro sagrado que se empleaba en el culto de la Hera Argiva. Perseguido por el odio de Agenor, huyó de su patria y se refugió en el Atica, donde se casó con una mujer de Eleusis. Más tarde

habría sido incorporado a los astros, entre los cuales forma la constelación del Cochero.

TROS. Hijo de Erictonio, dio su nombre a la ciudad de Troya llamada antes Dardania (de su abuelo Dárdano).

TROYA. Ciudad célebre de Asia Menor. Sus murallas, realizadas reinando el legendario Laomedonte, eran tan fuertes que fueron atribuidas a Apolo. Los diques pasaron por la obra de Neptuno y como algún tiempo después se rompieron parte de ellos, se dijo que Neptuno se había vengado de la perfidia de Lacomedonte. Famosa por su conflicto bélico cantado por *Homero* en la *Ilíada*. En 1876 en alemán M. Schliemann descubrió sus ruinas en la colina de Hissarlik al noroeste de Anatolia.

TRUENO. Los egipcios lo consideraban como el símbolo de la paz lejana, porque de todos los estruendos, el del trueno se hace oír desde más lejos. (*Mit. índ.*) Cuando truena, los chingulos creían que el cielo quería imponerles un castigo y que las almas de los malos estaban encargadas de dirigir sus golpes para atormentarles y castigar sus pecados. Los antiguos peruanos lo denominaban intratiradía y era de sus divinidades principales.

TRUITINA HERMETIS. Balanza de Hermes; término de la astrología judiciaria.

TSCHAIDI. (*Mit. judía.*) Divinidad hembra, madre de todas las divinidades subalternas. *V.* Malabar.

TSCHOUDO-MORSKOE. (*Mit. eslava.*) Monstruo marino. Estaba subordinado al dios del mar, por lo que algunos le toman por el Titrón griego. Estaba representado por una figura horrorosa y extravagante.

TSCHOUR. (*Mit. eslava.*) Divinidad que presidía la medición de las tierras. *Lomosonov*, en sus poesías, lo presenta como un dios defensor de los campos y las tierras cultivadas, y lo compara con el dios romano Término.

TSIGOKTEN. (*Mit. jap.*) Uno de los cuatro grandes dioses del trigésimo cielo.

TUBILUSTRE. Fiesta que los romanos celebraban en el mes de abril. Purificaban las trompetas militares sacrificando una oveja en el atrio del templo de Saturno.

**TUCIA.** Vestal que, acusada de haber violado su juramento, probó su inocencia sacando agua con una criba que llevó del Tíber al templo de Vesta.

**TUISTÓN.** (*Mit. célt*) Dios nacido de la Tierra o de Tis, el dios supremo que los germanos, según cuenta *Tácito*, celebraban en sus versos.

**TULIA.** Una de las compañeras de la amazona Camila.

**TULLUS-TULIUS.** Prenombre romano. Este prenombre era de un augurio feliz. Después del nacimiento del niño, la comadre lo ponía en tierra, el padre lo levantaba (Tollevat); de donde viene la significación de levantar, dada al verbo *Tollere*.

**TUMULTO.** Dios guerrero, hijo de Marte.

**TUNES.** (*Mit. jap.*) Los japoneses designaban bajo este nombre a varios sacerdotes, revestidos de una dignidad eclesiástica de la religión del Budsdo (Bushido), que corresponde a la de obispo.

**TUQUEFLI.** (*Mit. chin.*) Nombre bajo el cual los tártaros tumets adoraban al dios Fo. (*V.* Fo.)

**TURCOL.** (*Mit. índ.*) Especie de ermita construida por los brahmanes, y en la que vivían.

**TURNO.** Héroe itálico, rey de los rútulos, en tiempos de la llegada de Eneas. Según una leyenda, Turno fue aliado de Latino con posterioridad al matrimonio de la hija de éste y Eneas. Latino lo había llamado a su ayuda para defenderse de los robos de los troyanos. En la primera batalla murió Latino y en la segunda, Turno.

Según *Virgilio*, era hermano de Yuturna y novio de Lavinia, hija de Latino. Por lo tanto, sus hostilidad contra Eneas obedece tanto a motivos personales como políticos. Eneas le da muerte en combate singular.

**TURRIGERA.** Sobrenombre de Cibeles, representada con una rueda encima de la cabeza.

**TUSCIÉN.** Sacerdote de Etruria.

**TÚSCULO.** Hijo de Hércules. Dio su nombre a una parte de Italia que después fue llamada Tirrenia.

**TUTELARES.** (Dioses) Deben diferenciarse de los dioses Penates a pesar de atribuirseles las mismas funciones, esto es, defender y conservar la patria.

**TUTELINA.** Divinidad romana que velaba por la conservación de las cosechas y los frutos de la tierra.

**TZAR-MORSKOI.** (*Mit. eslav.*) Rey del mar. El Neptuno eslavo.

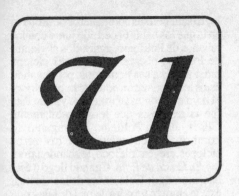

U-KIM (*Mit. chin.*) Colección de las máximas de los reyes Yao Xum y Yu, recopiladas por *Confucio*.

UBSOLA. Templo sajón donde se adoraba a Thor Woden (Thor Wottan) y a Frisco.

UCALEGONTE. Uno de los príncipes troyanos, amigo de Príamo que, por su avanzada edad no pudo batirse contra los griegos, su casa era vecina de la de Eneas y fue destruida por el fuego la noche en que cayó Troya.

UDEO. Uno de los compañeros de Cadmo, nacido de los dientes de un dragón. En efecto, Cadmo mató al dragón que vigilaba la llamada fuente de Ares. Posteriormente, por consejo de Minerva, sembró los dientes de la bestia. Así lo hizo Cadmo y del suelo brotaron hombres armados a los que se llamó Spartoi (hombres sembrados) y entre los cuales estaba Udeo.

UFENS. Uno de los príncipes de Italia que socorrieron a Turno contra Eneas y fue muerto por un troyano llamado Gías. Tenía cuatro hijos, que el héroe había prometido inmolar a los manes de Palas, como Aquiles lo había hecho con los jóvenes troyanos a Patroclo.

ULEMA. (Mitología mahometana) Nombre genérico por medio del cual se designaban en Turquía las corporaciones de los ministros de la religión. Por extensión es el perito en ciencias teológicas y jurídicas del islam.

ULIO. *Salobre*: sobrenombre de Apolo, entre los habitantes de Hileto y Delos.

ULISES. Rey de Itaca, hijo de Laertes y Anticlea.

*I Juventud.* Fue uno más de los pretendientes a la mano de Helena, hija de Tindáreo que pasaba por ser la mujer más hermosa de la tierra. Pero, prudentemente, viendo el gran número de pretendientes, renunció a Helena y se casó con Penélope, prima de ésta. Para conseguir la mano de Penélope se granjeó la amistad de Tindáreo, el padre de Helena. En efecto, Tindáreo estaba preocupado, porque si otorgaba la mano de su hija a uno de los pretendientes, los otros podían vengarse en él. Para evitarlos, Ulises le aconsejó que exigiese a cada uno de ellos el juramento de respetar la elección que se hiciese y ayudar al vencedor a conservar su esposa en el caso de que alguien se la disputase. Agradecido, Tindáreo le entregó a Penélope. Posteriomente y cuando ya había nacido su hijo Telémaco, Paris raptó a Helena y Ulises se veía obligado a respetar el juramento que él mismo había propuesto. Para no respetarlo, se hizo pasar por loco. Para hacerlo creer a los enviados de los átridas, unció en un arado dos animales de diferente especie el uno del otro y comenzó a abrir un surco en la orilla del mar y a sembrar sal en la arena. Pero, Palámedes, uno de los enviados, cogió a Telémaco y lo colocó delante del arado y Ulises, para no herirle, desvió el arado, descubriendo así su ardid y su aparente locura.

Desde este momento, Ulises se entrega con ardor a la causa de los átridas. Así va a buscar a Aquiles, ya que según el oráculo la participación de éste era indispensable para la conquista de Troya. Por esta razón acudió al gineceo del rey Licomedes, donde se encontraba Aquiles, y para entrar allí se disfrazó de mercader. Mientras las mujeres acudían a examinar las telas y las joyas, Aquiles que estaba disfrazado de mujer, por el contrario, se precipitó sobre las armas. Una vez descubierto, a Ulises no le costó demasiado convencerle para que le acompañase a Troya.

*II Guerra de Troya.* Durante la guerra, Ulises es un gran combatiente y un consejero prudente y eficaz. Por ello es encargado, en la *Ilíada*, de la embajada enviada por Agamenón a Aquiles cuando aquél quiso reconciliarse con éste; de concertar la tregua con los troyanos; de organizar el combate singular entre Paris y Menelao. Sus hazañas guerreras también son importantes: mató a Dolón y capturó los caballos de Reso. Protegió a Diómedes cuando éste fue herido y cubrió su retirada matando numerosos troyanos.

Pero su intervención más famosa en la guerra fue su estratagema de utilizar un caballo de madera para entrar en la ciudad. En efecto, Ulises, viendo que no podían conquistar Troya por la fuerza, hizo construir un caballo de madera, hueco en su interior, donde escondió a un pequeño grupo de jefes aqueos. Posteriormente, la flota aquea hizo ver que partía y se escondió en la cercana isla de Ténedos. Cuando los troyanos vieron que los aqueos se habían ido, salieron de su ciudad y creyendo que el caballo les sería propicio, destruyeron una parte de sus murallas y lo introdujeron en la ciudad a pesar de las advertencias de Laocoonte (Véase éste nombre).

Durante la noche, mientras celebraban los troyanos su supuesta victoria, los aqueos, escondidos en el vientre del caballo, salieron, mataron a los guardias y abrieron las puertas a la flota que había vuelto de Ténedos, iniciando así la destrucción de la ciudad de Troya. Posteriormente a la caída de la ciudad, a Ulises le correspondió como botín de guerra varias cautivas troyanas, entre las que se encontraba Hécuba, mujer de Príamo.

*III Retorno a Itaca.* En esta parte de las aventuras de Ulises, tema principal de la *Odisea* (Ulises es llamado también Odiseo), cuya característica principal es su vagabundeo por los mares destacan varios episodios. —El país de los cíclopes: en su vagabundeo, la nave de Ulises llegó a una isla, en la que desembarcaron para avituallarse. En la isla fueron capturados por el cíclope Polifemo quien se disponía a devorarlos. Ulises le ofreció el vino que llevaba con él y lo emborrachó. Cuando Polifemo se durmió por los efectos del vino, Ulises le clavó una estaca en su único ojo, cegándolo, y al llegar la mañana,

logró salir con sus compañeros de la cueva en la que los había encerrado junto con los rebaños de Polifemo, agarrados al vientre de los más obesos carneros. El cíclope pidió ayuda a sus hermanos, pero cuando éstos le preguntaron quien le había herido, el tuvo que contestar «nadie», ya que ésta fue la respuesta que le dio astutamente Ulises cuando Polifemo le preguntó su nombre. En consecuencia, los otros cíclopes, creyéndole loco, le abandonaron.

*En la isla de Eolo.* Cuando llegó a esta isla, morada de Eolo, señor de los vientos, éste le entregó un odre de piel de buey que contenía todos los vientos, excepto uno favorable que le llevaría a Itaca. Pero los compañeros de Ulises lo abrieron y volvieron a perderse.

*En compañía de Circe.* Cuando los griegos llegan a la isla de la hechicera Circe, ésta transforma a los primeros en desembarcar en animales, pero Ulises, con la ayuda de Hermes, pudo sustraerse al amor y seducción de la hechicera Circe, consiguió liberar a sus compañeros y escapar de la isla.

Finalmente, Ulises sólo, sin compañeros y víctima de un naufragio, llegó a la isla de los feacios, donde el rey de éstos Alcínoo, puso a su disposición un barco que le llevó a su reino de Itaca.

Mientras tanto, su esposa Penélope se veía acosada por numerosos pretendientes, que, creyendo muerto a Ulises, aspiraban a conseguir su mano. Para desanimarlos, Penélope dijo que sólo escogería pretendiente cuando acabase la mortaja de Laertes y lo que tejía por el día lo deshacía durante la noche.

En este momento llega Ulises que, secretamente, se entrevista con su hijo Telémaco y su esposa, Penélope. Al día siguiente, a instancias de su marido, Penélope organiza un concurso entre los pretendientes para que el ganador consiga su mano. El concurso consistía en atravesar con una flecha los anillos formados por varias hojas de hacha juntas. Unicamente Ulises lo consiguió y a continuación mató a los pretendientes. Finalmente, habiendo sabido por el oráculo que moriría a manos de su hijo, hizo renuncia formal de todos sus estados a Telémaco para evitar tal predicción. Pero el oráculo no había dicho a manos de que hijo moriría y Telégono, hijo de Ulises y de Circe, fue el encargado por equivocación (es decir, sin saberlo) de cumplir con el fatal destino. Trágico final que no figura en la *Odisea* sino en versiones posteriores que acumulan nuevas aventuras del héroe antes de su desgraciado final (Ulises y Polimela en la isla de Eolo, Ulises y la reina de los tesprotios, Calídice, Ulises en Italia, etc.) Ulises fue colocado en el número de los semidioses y se le representó con un perro, del cual *Homero* celebra la fidelidad que conservó siempre a su dueño.

ULTIO. Venganza, hija del Eter y la Tierra.

ULTOR. Vengador; sobrenombre de Júpiter y Marte.

ULTRICES DEAE. Las diosas vengadoras, sobrenombre atribuido a las Furias.

ULLER. (*Mitol. escand.*) Undécimo dios, hijo de Silva y yerno de Thor.

UMBRÓN. Gran sacerdote del país de los marsos. Tenía el arte de adormecer las víboras, calmar sus furores y calmar sus picadas. Su ciencia y su dignidad no pudieron librarle de la muerte que le dio Eneas en su guerra contra Turno. (*Eneida.*).

UNAROTA. Carromato que no tenía más que una rueda, del cual Triptólemo fue el primero que se sirvió para perseguir a Proserpina.

UNCIÓN. Los fenicios y otros pueblos de la antigüedad tenían la costumbre de ungir con aceite las piedras que servían para distinguir los límites de los campos, así como las colocadas en la entrada de un bosque sagrado o en cualquier otro lugar destinado a la religión.

UNXIA. 1 — Sobrenombre de Juno, invocado en una de las ceremonias de casamiento que consistía en untar con aceite o grasa las puertas de la casa de los novios, a fin de evitar los hechizos. Según se cree, de aquí deriva el nombre latino de esposa, *uxar*.

2 — Diosa particular que presidía las esencias.

UÑAS (*Mitol. ind.*) Los makasares tienen gran cuidado en cortarse las uñas,

una o dos veces a la semana, pues creen que cuando son largas el diablo se oculta en ellas.

UPIS 1 — Padre de una de las Danaides.

2 — Sobrenombre de Diana.

UR. Ciudad de Caldea (Mesopotamia), donde se conservaba un fuego sagrado en honor del sol en muchos templos descubiertos. De ella era originario el patriarca hebreo Abraham.

URAGO. Nombre de Plutón que derivaba de la exclamación «ab urigine et agendo» el que conduce o dirige el fuego.

URÁN o URANBAD. (*Mit. orient.*) Animal terrible pero fabuloso que permanecía en la montaña imaginaria de Ahermen. Los romances orientales dicen que volaba como una águila, devoraba todo lo que encontraba, caminaba sobre la tierra como un dragón y que no había ningún animal que se le pudiese resistir.

URANIA. 1 — Hija del cielo y la luz. Según los antiguos, animaba a toda la naturaleza y presidía las generaciones. Adorábanla como diosa de los placeres castos e inocentes, así como la Venus terrestre lo era de los sensuales.

2 — La musa de la astronomía. Se la representa vestida de un ropaje color azul coronada de estrellas, sosteniendo con las manos un globo, al cual parecía medir, o bien teniendo cerca de ella un trípode y varios instrumentos de matemáticas.

3 — Una de las oceánidas.

4 — Una de las perras de Acteón.

URANIAS. Ninfas celestiales. Se dice que eran las que gobernaban las esferas celestes.

URANO. Personificación del cielo como elemento fecundo. Es conocido sobre todo, como esposo de Gea, personificación de la tierra, ya que es el único que la puede cubrir al ser de su mismo tamaño. De esta unión nacieron los seis titanes, las seis titánides, los tres cíclopes y los tres hecatónquiros. Pero, a pesar de esta abundante fecundidad, la pareja no estaba bien avenida y Gea pidió ayuda a sus hijos para librarse de su «compañero». Todos se negaron, excepto el más pequeño, Saturno, que con una hoz cortó los testículos de su padre Urano y los arrojó al mar. Según *Diodoro de Sicilia*, Urano sería simplemente el primer rey de los atlantes, monarca civilizador, hábil astrónomo, identificado al morir en el mismo Cielo y que tuvo numerosos hijos.

URBANI. 1 — Dioses de la ciudad, según *Ennio*, quien cita como tales a : Juno, Vesta, Minerva, Ceres, Diana, Venus, Marte, Mercurio, Júpiter, Neptuno, Vulcano y Apolo.

2 — Sobrenombre de los lares.

URDA (*Mit. escan.*) Lo pasado, una de las tres Parcas escandinavas.

URIEL (*Mit. rab.*) Uno de los arcángeles divinos de la tradición rabínica. El arcángel Miguel presidía el Oriente, Rafael el occidente, Gabriel el norte y Uriel el medio día. Los dos primeros eran los ministros de la clemencia divina; y los dos últimos los ministros de su justicia y de su severidad.

URIM y Tummim. Luz y perfección. Los intérpretes están disconformes sobre el sentido de estas dos palabras. Los unos pretenden que eran dos estatuas vueltas en la capacidad del pectoral y que rendían oráculos por medio de sonidos articulados. Varios rabinos creían que era el Tetragrammatón o el nombre infalible de Jehová, grabado de un modo misterioso en el pectoral y que por esto tenía la propiedad de rendir oráculos.

URIO. El que da un viento, una estación favorable. Sobrenombre de Júpiter.

URNA. (*Iconol.*) Vaso donde se metían las cenizas de los muertos después de haberlos quemado. Eran utilizados en el arte de la adivinación.

UROTALT. Nombre bajo el cual los antiguos árabes adoraban a Baco o al sol. *Herod.*

USAPIS. (*Mit. per.*) Admirable. Uno de los nombres del dios soberano de los peruanos, llamado también Pachacamac y Viracocha.

USOUS. El Neptuno de los fenicios, que fue el primero que enseñó a sus compatriotas a exponerse en los ríos sobre un tronco de árbol ahuecado.

USTRINUM. Lugar de la hoguera donde se quemaban los cuerpos de los muertos. Según *Festo*, era un vaso destinado a recibir las cenizas de los cadáveres quemados.

UTERINA. Una de las diosas que se invocaban en los partos.

UTESETUR. (*Mit. escan.*) «Estar sentado fuera de la casa». Magia practicada por los antiguos islandeses, según la cual los que se hallaban fuera de su alojamiento se imaginaban conversar con espíritus que les inducían, normalmente, al mal. En consecuencia, se les consideraba tan culpables como las personas que practicaban la magia negra.

UTIS. Sobrenombre de Ulises, derivado de sus grandes orejas.

UM-GNEI-KIAO. (*Mit. chin.*) El que no tiene necesidad de nada. Secta de quietistas que, tres siglos después del nacimiento de Jesucristo, inundaron el imperio de China.

UVA (*Iconol.*) Los antiguos griegos y romanos daban a Baco y a las bacantes una corona compuesta de pámpanos y uvas. Un racimo de uva designa la abundancia, la alegría y la tierra de promisión.

UZA (*Mit. árab.*) ídolo de los antiguos árabes.

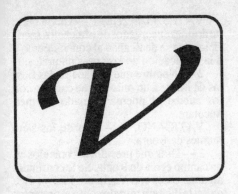

**VACA.** (*Mit. índ.*) Este animal es tan respetado por los indios que está prohibido darle muerte. La veneración por las vacas es lo primero que se prescribe, en especial a los que pertenecen a castas elevadas.

**VACERRES.** Nombre de una clase de los druidas, consagrados muy particularmente a las funciones sacerdotales.

**VACUNA.** Divinidad campestre entre los romanos, que presidía el reposo de las gentes del campo. Su culto era muy antiguo en Italia y anterior a la fundación de Roma.

**VACUNALES.** Fiestas en honor de Vacuna. Se celebraban en el mes de diciembre.

**VADI-GEHENNEM.** (*Mit. mahom.*) Valle del infierno según los musulmanes.

**VADIMÓN.** Sobrenombre que los antiguos etrurios daban a Jano.

**VAFTRUDNIS.** (*Mit. escand.*) El que lo sabe todo. Genio famoso por su ciencia profunda, de la cual se sirvió para derrotar al propio Odín después de que éste le retase.

**VAGITANO.** Dios que presidía los gritos de los niños. Se le representaba bajo la imagen de un niño que llora y grita. R. *vagire*, gritar.

**VAHAGEN.** Héroe que los armenios veneraban como a un dios.

**VAICARANI.** (*Mit. índ.*) Río de fuego por donde, según la doctrina de los antiguos indios, las almas deben atravesar antes de llegar a los infiernos, pasaje éste terrible y doloroso.

**VAIDIGUERS.** (*Mit. índ.*) Primera subdivisión de los brahmanes, que son los panjancarers. Los que hacen los almanaques y realizan los augurios.

**VAIN.** (*Mit. mahom;*) Nombre que los orientales daban a la hermana gemela de Abel, con la cual Caín rehusó casarse porque no era tan hermosa como Asroun. Después de la muerte de Abel se casó con su hermano Seth.

**VAIQUENAVES.** (*Mit. índ.*) Paraíso donde reina Visnú y desde donde conserva todo el universo.

**VAIREVERT.** (*Mit. índ.*) El tercer hijo de Shiva. Fue creado de su respiración para destruir el orgullo de los deverkels y de los penitentes, y humillar a Brahma, que se vanagloriaba de ser el más grande de los dioses. Vaiveret le arrancó una de sus cabezas, en cuyo cráneo recibió toda la sangre de los deverkels y de los penitentes. Según los indios era el dios que, por orden de Shiva vendría a destruir el mundo al final de los siglos.

**VALAHALLA o WALHALLA.** (*Mit. escan.*) Paraíso de Odín, donde están destinados los héroes que mueren en la guerra. Allí las valkirias les servían el hidromiel en los cráneos de los vencidos.

**VALASCIALF.** (*Mitolo. escand.*) La más grande de las ciudades celestes, edificada de oro puro. Era la morada de Odín, quien desde allí contemplaba el universo.

**VALE.** (*Mitolo. escand.*) Hijo de Loki que, transformado en bestia feroz por los dioses, destrozó y devoró a su hermana Narfé.

**VALENTIA.** Diosa adorada por los primeros habitantes de Italia. Era también el primer nombre de Roma, que en griego tiene el mismo sentido. R. *valere*, tener fuerza.

**VALERIA.** Cuando la ciudad de Falerios fue asolada por una epidemia, un oráculo ordenó sacrificar una virgen a Juno para evitar la plaga y que este sacrificio se realizarse anualmente. Un año la víctima debía ser Valeria Luperca pero, cuando estaba a punto de clavarse ella misma una espada, un águila se la arrebató de las manos dejándola caer al lado de una vaca que estaba en un prado cercano y posteriormente puso en las manos de Valeria un bastón. Esta, comprendiendo el augurio, sacrificó a la vaca y tocando a los enfermos con el bastón, los curó.

VALERIO. Guerrero rútulo que mató a Agis. *Eneida. 10.*

VALIENTES. Llamaban así a los príncipes que emprendieron el sitio de Tebas por dos veces consecutivas, al frente de los cuales se hallaba Adrastro, rey de Argos.

VALKIRIAS o WALKIRIAS. (*Mit. escan.*) Diosas que sirven en el Valhalla o palacio de Odín, quien las envía a los combates para elegir a los que deben morir y para dispensar la victoria.

VALLE SAGRADO. Valle consagrado a las musas, situado entre el Permeso y la fuente Hipocrena, por donde pastaba el caballo Pegaso.

VAM. Río de los vicios que manaba de las fauces del lobo Fenris.

VAMEN. (*Mit. índ.*) Nombre de Visnú en su quinta encarnación *V.* Visnú.

VAN-ADIS. Diosa de la esperanza. Uno de los nombres de Freya.

VANEM. (*Mit. escan.*) Pueblo de sabios a quienes consultaban los mismos dioses.

VARA. (*Mit. escan.*) Diosa que presidía los juramentos de los mortales y, sobre todo, las promesas de los amantes. Era la diosa de las bodas, la fidelidad, la buena fe y los vapores.

VARILLA o VARITA MÁGICA. Aquella con la cual los magos, brujos o hadas trazaban los círculos que servían para las operaciones mágicas.

VARTIAS. (*Mit. índ.*) religiosos gentiles cuya fundación databa según su propia opinión, de hacía diez mil años. Tenían muchos conventos en la provincia de Lahore.

VARUNA. (*Mit. índ.*) Genio de las aguas. Era muy inferior en poder a Matadeva. Gobernaba la parte del mundo situado en el oeste. Se le representaba montado en un cocodrilo, teniendo un látigo en la mano.

VASOS SAGRADOS. Utilizados para las ceremonias religiosas de muchos pueblos y religiones. En un principio era de tierra; después se fabricaron de oro y plata.

VASOUKELS. (*Mit. índ.*) Primera tribu de los espíritus puros o Deutas.

VAT. (*Mit. siam.*) Nombre que los siameses daban al convento de los talapones.

VATES. (*Mit. celt.*) 1 — Cierta clase de druidas encargados de ofrecer los sacrificios que se dedicaban al conocimiento y a la explicación de las cosas naturales.

2 — Nombre que se daba en las fiestas de Marte a un músico que cantaba con los sabios el poema llamado Carmen Seculare.

VATICANO. 1 — Uno de los siete montes de Roma.

2 — Dios que presidía los oráculos en un campo cerca de Roma. Se le confundía algunas veces con Vagitano. *Varrón* dice que este dios era mirado como el protector y el depositario de los primeros ensayos de la voz, porque la sílaba va es la primera que pronuncían los niños.

VAYÓN. (*Mit. índ.*) Dios del viento, el sexto dios de los cinco ángulos del mundo. Sostenía la parte del N.O. Se le representaba montado en una gacela y teniendo un sable en la mano.

VEDAS (*Mit. índ.*) Son los libros sagrados más antiguos y venerados de los indios. Los adoraban como la misma divinidad hasta el punto de creer que eran una emanación y una parte de la misma divinidad. Son cuatro: Rigveda, Samaveda, Jajurveda y Atarvaveda.

VEDIUS. El dios malo. Los romanos adoraban a Plutón bajo este nombre.

VEFLAMEN. Flámenes que habían dejado de ejercer sus funciones.

VEJEZ. (*Iconol.*) Hija del Erebo y la Noche. Tenía un templo en Atenas y un altar en Cádiz. Estaba caracterizada bajo la figura de una mujer anciana cubierta de un ropaje negro. En la mano derecha tenía una copa y con la izquierda se apoyaba en un báculo. Triste y pensativa, fijaba su vista en un pozo abierto en cuya orilla había un reloj de arena que indicaba el poco tiempo que le restaba de vida.

VELEDA. (*Mit. celt.*) Sibila que, según *Tácito*, vivía en tiempos de Vespasiano entre los germanos. Después de su muerte fue venerada como una divinidad y los germanos dieron su nombre a las profetisas.

VELESE. (*Mit. eslav.*) Dios o soberano de los animales.

VELO. Varias divinidades aparecen en los monumentos con un velo en la cabeza.. El velo era un atributo de Juno, para demostrar que las nubes oscurecen con frecuencia el aire del cual es el símbolo. *V.* Alegoría, Aurora, Fábula, Fortuna, Modestia, Naturaleza.

VELLOCINO DE ORO. Perteneciente a un carnero divino, alado y del que se apoderó Jasón, caudillo de la expedición de los Argonautas. *V.* Argonautas, Jasón.

VENDEDAD-SADE (*Mit. amer.*) Colección de los tres libros litúrgicos de los parsis, titulados Izechne, Vispered y Vendedad.

VENERIS, AENEADIS TEMPLUM. Templo que los troyanos edificaron en honor de Venus en las costas del Epiro, en la península llamada Leucas.

VENERIS, ARSINOES FANUM. Famoso templo de Egipto dedicado a Venus, situado entre Canope y Alejandría.

VENERIS LACUS. Lago de Hierópolis en Siria, en medio del cual había un altar de piedra que parecía estar en continuo movimiento.

VENERIS PORTUS. Puerto de la Galia donde se encontraba un famoso templo de Venus. Hoy día Port-Vendres (Francia meridional).

VENGANZA. Los antiguos la simbolizaban bajo la figura de Némesis. Los poetas griegos y latinos la representan bajo los rasgos de una Belona furiosa con los brazos ensangrentados, rodeada de llamas, aplastando con las ruedas de su carro las cabezas de los mortales culpables.

VENILE. 1 —Ninfa, mujer de Dauno, hermana de Amate y madre de Turno (*Eneida 10*). Algunos la hacen mujer de Neptuno y la misma que Salacia.

2 — Según *San Agustín*, es la diosa de la esperanza que llega.

VÉNULO. Uno de los príncipes latinos. Fue a pedir socorro a Diómedes contra los troyanos pero no lo consiguió.

VENUS. Venus era la diosa del amor, llamada Afrodita entre los griegos, Ishtar entre los pueblos mesopotámicos y Astarté entre los fenicios. Sobre su nacimiento, existen dos versiones: o es considerada hija de Júpiter y Dione, según *Homero*, o hija de Urano, cuyos órganos sexuales, cortados por Saturno, cayeron al mar y

engendraron a la diosa, la «mujer nacida del semen del dios».

Venus se casó con Vulcano, pero amaba a Marte. Homero, en la *Ilíada*, nos muestra como, avisado por el sol, Vulcano inmovilizó con una red invisible, construída por él mismo, a los dos amantes y llamó a todos los dioses del Olimpo para que viesen el espectáculo. A ruegos de Neptuno, Vulcano consistió en retirar la red y la diosa huyó avergonzada hacia Chipre. De estos amores nacieron Eros y Anteros, el Terror y el Temor y Harmonía. Posteriormente, cuando Mirra, convertida en árbol, hubo dado a luz a Adonis, Venus recogió al bellísimo niño y se lo confió a Proserpina. Después ésta se negó a devolvérselo, lo que produjo una disputa entre ambas diosas que tuvo que ser resuelta por Júpiter, quien decretó que el joven permaneciese un tercio de cada año con Proserpina y los otros dos tercios con Venus.

Un día la discordia lanzó una manzana destinada a la más hermosa de las tres diosas, Juno, Venus y Minerva. Dado que ninguno de los dioses se atrevía a tomar partido por una u otra de las tres diosas, decidieron someterse al juicio de Paris, que pasaba por ser el mortal más hermoso. Cada una de ella le ofreció un regalo para determinar su elección. Juno le ofreció el reino del universo; Minerva, hacerlo invencible en la guerra y Venus, la mano de Helena, la mujer más hermosa. Fue elegida Venus y de ahí que estuviese ligada a los orígenes de la guerra de Troya. En efecto, durante el transcurso de la guerra protegió a Paris de morir a manos de Menelao, el engañado marido de Helena y salvó a Eneas, fruto de sus amores con el troyano Anquises, de morir a manos de Diómedes, aun cuando ella misma fue herida en una mano por la lanza de éste.

Dado que Eneas, al que se consideraba fundador del linaje romano de los Julios, era hijo suyo, Venus pasó a ser considerada protectora especial de la ciudad del Tíber.

En los antiguos monumentos se ve a esta diosa saliendo de la mar, ya sostenida en una gran concha tirada por dos tritones, teniéndose los cabellos de donde hace correr la espuma o ya montada en un delfín o en una cabra marina y escoltada de las nereidas y de los Amores. Según esta idea, Venus era apellidada Pontia, Afrodita, Anadiomenes, Tritonia.— *Platón* distingue dos Venus, la celeste y la venus Vulgar. *Cicerón* admite un gran número de ellas, pero si hemos de dar crédito a varios mitólogos modernos, jamás ha existido otra Venus que Astarté, mujer de Adonis, cuyo culto fue confundido con el del planeta de este nombre. Venus era considerada como una de las diosas de primera categoría: y como favorecía las pasiones la veneraron de un modo digno de ella. Sus templos estaban abiertos a la prostitución ritual: las doncellas se prostituían en sus templos y las mujeres casadas hacían otro tanto. Amatonte, Ciferea, Pafos, Guido, Idalia, y otros lugares consagrados especialmente a esta diosa, se distinguieron por ello. Venus presidía los casamientos, pero más particularmente el amor erótico, y por esto le dieron un ceñidor misterioso llamado el cinturón de Venus. Juno, queriendo agradar a Júpiter, rogó a Venus le prestase su cinturón y la diosa de Citerea se lo concedió, diciéndole: «Recibe este tejido y ocúltalo en tu seno; cuanto puedes desear se encuentra en él, y por un encanto secreto, que es imposible explicar, te hará salir en bien de todas tus empresas". — Se consagró a esta diosa, entre las flores, la rosa, entre los frutos, la manzana, entre los árboles el mirto, entre las aves, el cisne, el gorrión y sobre todo la paloma, y entre los pescados, el esperinque.

Los antiguos representaron de diferente modo la diosa de la hermosura, ya montada en una cabra, teniendo un pie sobre una tortuga; ya armada como Minerva, ya saliendo de las olas acogida por el amor, y coronada por la diosa de la persuasión, etc.— *Praxíteles* hizo dos estatuas de Venus, la una vestida, para la isla de Cos, y la otra desnuda, que fue comprada por los gnidios. Esta se hizo muy célebre: el rey Nicomedes quiso comprarla a gran precio, pero los de Gnido rehusaron sus ofrecimientos. La hermosura de esta estatua atrajo de todas partes una concurrencia extraordinaria que venían a verla y a admirarla. Uno, entre otros, le hizo magníficos presentes, y llegó a tal su locura, que la pidió en matrimonio, prometiendo darle aún mayores riquezas, pero sus ofertas fueron despreciadas y tan sólo sirvieron para aumentar la vanagloria de los de Gnido. Entre las estatuas de Venus, que han llegado hasta nosotros, la más famosa es la de Milo, que se encuentra expuesta en el museo de Louvre. En una medalla de Agripina, Venus celeste lleva un cetro en una mano y en la otra una manzana, y tiene una estrella en la cabeza, símbolo de su origen divino. En otra de Faustina se ve la imagen de Venus Madre, que tiene en la mano derecha una manzana y en la izquierda un niño envuelto en mantillas. Los modernos representan a Venus discurriendo por los aires en un carro tirado por palomas o gorriones, y teniendo a su lado dos palomas picoteándose; una corona de mirto y de rosas sirve de adorno a su rubia cabellera.

2 — (*Mit. mex.*) Los mejicanos tenían una diosa del amor, a la cual atribuían también el imperio de los vientos. Su templo era suntuoso y su fiesta se celebraba todos los años con una pompa extraordinaria.

VEOVIS. Dios romano identificado Apolo, que poseía un santuario antiquísimo en el Capitolio y otro en la isla Tiberina. Tiene un carácter esencialmente infernal y ,originariamente, parece ser que presidía los pantanos y las manifestaciones volcánicas. No posee leyenda y era un dios gentilicio de los julios.

VERANDI. (*Mit. escan.*) La Presente: una de las tres Parcas escandinavas.

VERANIA. Una de las cuatro primeras vestales escogidas por Numa Pompilio.

VERBENA. Planta que estaba muy en uso en otro tiempo en las operaciones religiosas. Con ella se barrían los altares de Júpiter, de donde deriva su nombre.

VERDAD. (*Iconol.*) Hija del Saturno y el Tiempo y madre de la Justicia y la Virtud. *Píndaro* le da por padre al soberano de los dioses. *Cesar Ripa* la representa desnuda, teniendo en la mano derecha un sol, en la izquierda un libro abierto con una palma y debajo de uno de sus pies el globo del mundo.

**VERDECILLO.** Ave amarilla. Los primitivos creían que para curarse de la tisis bastaba mirarla, pero que en este caso el ave moría inmediatamente.

**VERDOSO.** Sobrenombre bajo el cual Ceres tenía un templo en Atenas.

**VERGELMER.** (*Mit. escan.*) Fuente de los infiernos, de la cual manaban doce ríos infernales.

**VERGERE.** Término usado en los sacrificios ofrecido a los dioses infernales. Volver la mano derecha al lado izquierdo.

**VERGILIES.** Nombre que los latinos daban a las Pléyades, constelación que aparece en primavera.

**VERJUGO DUMNO.** (*Mit. celta*) Héroe honrado como un dios en la antigua Bélgica.

**VERRA.** Nombre de cierto altar que había en Roma, en el cual se dirigían súplicas a los dioses para conseguir que los niños no naciesen.

**VERSOTINA.** Diosa que Tertuliano pone en el número de las divinidades mauritanas.

**VERTENS.** Sobrenombre de la Fortuna.

**VERTICORDIA.** Sobrenombre bajo el cual los romanos honraban a Venus, porque disponía a su voluntad de los corazones o porque inspiraba a las mujeres inclinaciones virtuosas.

**VERTUMNALES.** Fiestas en honor de Vertumno. Se celebraban en el mes de Octubre.

**VERTUMNO.** Dios de origen supuestamente etrusco, que tenía una estatua en Roma, en el barrio etrusco, a la entrada del foro. presidía el otoño y los pensamientos humanos y las mudanzas. Gozaba del privilegio de poder cambiar de forma cuando le placía y usó de esta habilidad para ganar el corazón de la ninfa Pomona.

**VERVACTOR.** Uno de los dioses de los labradores. Era el primero que se invocaba en el sacrificio que el Flamen de Ceres ofrecía a esta diosa y a la tierra.

**VESPELIO.** Nombre romano, considerado como de mal agüero porque deriva de vespa (avispa), de vesper (la tarde) o más verosimilmente, de (*vespilio*) sepulturero.

**VÉSPER.** Igual que Hésper. *V*. Lucifer, Nocturnas.

**VESTA.** Diosa romana muy arcaica que presidía el fuego del hogar doméstico, se la identifica con la griega Hestia. El culto de Vesta, según la mayoría de los autores, fue introducido en Roma por Rómulo, pero curiosamente, su templo circular no se levanta en el interior de la ciudad palatina sino en exterior de la ciudad atribuida a Rómulo. El carácter arcaico, de la diosa se confirma por el hecho de que su animal sagrado es el asno, animal mediterráneo por excelencia, en oposición al caballo, que es europeo.

Fue tal el respeto y veneración que se le tributaba que quien no le sacrificaba pasaba por impío. Los griegos la invocaban como Hestia antes que a los demás dioses. Su culto consistía en guardar el fuego sagrado y vigilar que no se apagase, tarea que era encomendada a las vestales.

**VESTALES.** 1 — Nombre que daban los romanos a las sacerdotisas de la diosa Vesta, las cuales debían ser vírgenes. Numa fue el que escogió las primeras vestales y reservó este derecho a sus sucesores, pero después de la expulsión de los reyes recayó en los soberanos pontífices. Cuando debía reemplazarse una vestal, el Sumo Sacerdote escogía de entre las familias de Roma veinte vírgenes de seis a diez años. Para ser vestal era indispensable tener padre y madre y reunir hermosura sin tacha. Luego que el Sacerdote había escogido el número indicado, sacaban en suerte la que se necesitaba, y aquélla era arrebatada de los brazos de sus padres; la conducían al templo, donde le cortaban el cabello y la suspendían en un árbol sagrado en señal de quedar libre de la potestad paterna. Desde este momento ya no se ocupaba más que en el estudio de sus deberes. Sus funciones, según algunos autores, se dividían en tres clases que desempeñaban sucesivamente, empleando en cada una de ellas diez años. Durante este tiempo les estaba absolutamente prohibido dejar el templo; pero cuando habían desempeñado por espacio de treinta años los empleos del sacerdocio, quedaban libres y podían casarse: sin embargo, la mayor parte de ellas pasaban el resto de sus días en el celibato. La ocupación más importante y esencial de las vestales consistía en guardar el fuego sagrado. Este fuego debía mantenerse de día y de noche, y la creencia atribuía las consecuencias más terribles al apagarse. La opinión de que la brillantez del fuego era un presagio feliz, entrañaba necesariamente la idea contraria cuando se apagaba. Si llegaba este caso durante la noche, se anunciaba inmediatamente al pueblo, se interrumpía el sueño; el senado se juntaba, y se suspendían las ocupaciones más interesantes hasta que el crimen quedase castigado, el templo expiado y encendido otra vez el fuego. La vestal que, por su negligencia, causaba este desastre era azotada por el Sumo Sacerdote. Para volver a encender el fuego sagrado se practicaban muchísimas ceremonias y, si debe darse crédito a *Plutarco*, no podía encenderse más que con el fuego del sol; a cuyo fin reunían los rayos de este astro en un vaso de cobre agujereado que contenía materias combustibles.— Las vestales que habían violado la virginidad eran castigadas más severamente que las que dejaban apagar el fuego sagrado. Numa las condenó a ser apedreadas; *Festo* cita una ley posterior que ordenaba que fuesen decapitadas. Según se cree, Tarquino el Anciano fue el que estableció la costumbre de enterrarlas vivas. Al menos durante su reinado fue cuando se usó por primera vez esta clase de castigo. Los pontífices eran los únicos que tenían derecho a conocer las acusaciones contra las vestales. La acusada podía defenderse por sí misma o valiéndose de abogado. Si era condenada a muerte se usaban varias ceremonias para la ejecución. Pronunciada la sentencia y cuando llegaba el día destinado para el suplicio de la culpable, el jefe de la religión se trasladaba al templo acompañado de todos los pontífices, despojaba por sí mismo a la culpable del hábito y ornamento de sacerdotisa, le presentaba su velo para que lo besase y la revestía en seguida con un ropaje lúgubre y conforme a su situación. Después la ataba con cuerdas y la subía en una litera perfectamente cerrada para que no se oyesen sus gritos. La con-

ducían de este modo al lugar de suplicio, y luego que llegaba cerca de la puerta Colina, en el paraje que después se llamó *Campus Sceleratus*, a causa de estas funestas ceremonias; el pontífice abría la litera, pronunciando en voz baja ciertas oraciones; desataba la vestal, le daba la mano para ayudarla a descender, la conducía sobre la tumba y la entregaba a los ejecutores. La víctima descendía por medio de una escalera al hoyo, que era de una profundidad extraordinaria. Cuando llegaba a cierta altura la metían en una celda cuadrilonga, la colocaban en una cama, y ponían sobre una mesa que tenía al lado una lámpara encendida y una pequeña provisión de aceite, pan, leche y agua; luego cerraban la abertura y los restante lo llenaban de tierra. Sucedía con frecuencia que se hacían acusaciones injustas contra algunas sacerdotisas, y los historiadores paganos cuentan muchísimos milagros operados en favor suyo. El de la vestal Claudia, es uno de los más señalados. (*V.* Claudia.)

Por otra parte las vestales disfrutaban de grandes distinciones, honores y privilegios. Tenían el derecho de testar aun viviendo sus padres, y de disponer de cuanto poseían sin necesidad de curador o tutor. Augusto las puso en posesión de todas las prerrogativas que gozaban en Roma las mujeres que habían dado tres ciudadanos al Estado. Si pasando una vestal por una calle encontraba por casualidad a un criminal yendo el suplicio, podía salvarle la vida. Bastaba solamente que afirmase con juramento que el encuentro había sido casual. Cuando salían en público iban precedidas de un líctor, que les servía a la vez para defenderlas de cualquier insulto y de guardia de honor. Los cónsules y los pretores se separaban cuando veían venir a alguna vestal. En una palabra, las vestales disfrutaban en la ciudad del crédito que dan la sabiduría y la religión. Empleábanlas con frecuencia para restablecer la paz en las familias, para reconciliar los enemigos, proteger al débil y desarmar al opresor. Depositábanse en sus manos los actos más secretos y más importantes; los primeros ciudadanos les entregan a veces su testamento: las vestales aceptaron la custodia del de Antonio, y Augusto les confió su última voluntad, que después de su muerte ellas mismas presentaron al senado. Al principio sus vestidos eran sencillos, pero después, como adquirieron inmensas rentas gracias a las piadosas liberalidades de muchísimos romanos ilustres, sustituyeron la sencillez por el lujo más delicado. Asistían a los espectáculos, y el mismo Augusto dispuso que se les destinase un banco en el teatro, frente por frente del pretor. Esta orden existió cerca de mil cien años y subsistió aun por algún tiempo en el de los primeros emperadores cristianos, hasta el de 389, en cuya época Teodosio hizo cerrar todos los templos de los dioses. En toda esta larga serie de siglos no hubo más que veinte vestales que fuesen convencidas de haber faltado al voto de virginidad. De éstas solamente trece fueron enterradas vivas. Las siete restantes perecieron en otros suplicios elegidos por ellas mismas. Se las representa con un velo en la cabeza, teniendo en las manos una lámpara encendida o un pequeño vaso de dos asas lleno de fuego. Algunas veces la sacerdotisa está colocada al lado de un altar antiguo, cerca del cual hay un brasero con llamas.

2 — Fiestas que los romanos celebraban el día 5, antes de los idus de junio, en honor de Vesta.

**VESTÍBULO.** Entrada en la casa consagrada a Vesta *quasi Vestæ stabulum*, porque los que iban a ella se detenían antes de entrar, *Stabant*.

**VESTIDO o Traje.** (*Iconol.*) Las figuras alegóricas se distinguen principalmente por el modo con que están vestidas. La Noche, por ejemplo, trae por lo común un manto negro sembrado de estrellas. El vestido de la Primavera es verde y sembrado de flores. El Invierno, que se distingue por su larga barba y su figura corpulenta, trae el vestido forrado. El verano es de color isabelino, que es el de las mieses. El otoño lleva un vestido de color aceituna o de hojas secas. En los bailes se dan a los Vientos vestidos de plumas. El Sol trae un vestido de oro con cabellera dorada, y la Luna lo trae de plata. El Destino lleva un ropaje de azul sembrado de estrellas. El

Tiempo se viste de cuatro colores, para designar las cuatro estaciones.

**VESUBIO.** Los antiguos creían ver algo de divino en las erupciones de este volcán, como lo prueba esta inscripción encontrada en Capua: *Jovi Vesubio Sacrum.*

**VEU-PACHA.** (*Mit. peruana*). Esta palabra, en la lengua de los peruanos, significa el centro de la tierra o el mundo inferior. Los amautas, doctores y filósofos del Perú, daban este nombre al lugar destinado a los malvados después de su muerte, donde recibían el castigo de sus crímenes.

**VÍA LÁCTEA.** Multitud prodigiosa de estrellas que forman una larga carrera del Norte al Mediodía. Juno, por consejo de Minerva, dio de mamar a Hércules, a quien había encontrado en un campo, donde su madre le dejó expuesto, y el héroe mamó tan bruscamente que dejó caer una gran cantidad de leche de la cual se formó la Vía Láctea.

**VIAJE, VIAJANTE.** Los griegos escogían para protector de un viaje por tierra a Mercurio; y por mar a Cástor y Pólux.

**VIALES.** Dioses que presidían los caminos y que eran particularmente invocados por los que iban de viaje. Estos dioses eran Mercurio, Apolo, Baco y Hércules. Dábase también este nombre a los penates y a los lares. Se les sacrificaban puercos.

**VIASER.** (*Mit. índ.*) Nacido de una parte de Visnú. Esta encarnación tan sólo es mirada como accidental.

**VIBLIA.** Diosa de los viajantes, quienes la invocaban, sobre todo, cuando se habían extraviado de su camino.

**VICIO.** (*Iconol.*) El vicio generalmente estaba caracterizado por un enano disforme, tuerto y jorobado, con los cabellos rojos y abrazado a una víbora. Otros lo pintaban bajo la figura de un monstruo de siete cabezas que se lanza a un joven que lo acaricia. Mas recientemente se le ha personificado por un joven adolescente, medio desnudo, corriendo con precipitación hacia un sendero sembrado de rosas, debajo de las cuales se mueven varias culebras. Tiene en una mano una máscara agradable, con la cual procura ocultar la fealdad de sus facciones y un anzuelo y una red, emblema de los lazos que tiende. Cerca de él había una sirena.

Los griegos y los romanos habían deificado a los vicios y llegaron a personificarlos en las harpías.

VÍCTIMA ARTIFICIAL. Figura de pasta cocida, que imitaba la figura de un animal o persona y que se ofrecía a los dioses cuando no había víctimas naturales.

VICTIMARIO. Ministro de los sacrificios cuyas funciones consistían en conducir a las víctimas, y preparar todo lo necesario para los sacrificios. Les correspondía también herir a las víctimas y para esto se colocaban cerca del altar desnudos hasta la cintura y ceñidas las sienes con una corona de laurel. Llevaban una hacha en la espalda y un cuchillo en la mano, y cuando el sacrificador les daba la señal, mataban a la víctima, luego la desollaban y, después de haberla lavado y sembrado de flores, la ponían sobre el altar.

VÍCTIMAS. Sacrificios sangrientos que se hacían a los dioses de criaturas humanas o de animales.

Los fenicios, los egipcios, los árabes, los cananeos, los habitantes de Tiro y de Cartago, los persas, los atenienses, los lacedemonios, los jonios, todos los griegos del continente y las islas, los romanos, los escitas, los albanos, los germanos, los antiguos bretones, los hispanos o íberos, los galos, los mejicanos, todos se hallaban sumergidos en esta costumbre. No se sabe quien fue el primero que aconsejó tal práctica, unos lo atribuyen a Saturno, según se encuentra en el fragmento de *Sanchoniatón*; otros a Licaón, como parece que lo insinúa *Pausanias*. Lo cierto es que ésta estuvo muy en boga. La inmolación de las víctimas humanas formaba ya parte de las ceremonias que Moisés reprueba a los amorreos. Se lee también en el Levítico que los moabitas sacrificaban sus hijos a su dios Moloch. Es indudable que esta costumbre sanguinaria fue establecida entre los tirios y los fenicios. Los mismos judíos los habían sacado de sus vecinos, como se lo echan en cara los profetas; y los libros históricos del Antiguo Testamento nos presentan más de un hecho de esta clase. De Fenicia pasó a los griegos y los pelasgos la llevaron a Italia. En Roma, según cuenta *Plinio*, se practicaban estos sacrificios en ocasiones extraordinarias. *Tito Livio* los llama *Sacrum minime romanum*; sin embargo se repitieron con frecuencia y, según *Plinio*, subsistió esta costumbre hasta el año 95 de J.C., en cuya ocasión fue abolida por un senatos-consulto del año 657 de Roma. En Grecia eran menos comunes; sin embargo, se encuentra el uso establecido en algunas comarcas, y el sacrificio de Ifigenia prueba que se practicaba en tiempos heroicos. Los habitantes de Pella sacrificaban un hombre a Peleo y los de Tenusa ofrecían todos los años, según *Pausanias*, en sacrificio una joven virgen al genio de uno de los compañeros de Ulises, a quien habían lapidado.— *Teofrasto* asegura que los arcadios inmolaban en su tiempo víctimas humanas en las fiestas llamadas *Lycœa*, y que por lo regular eran niños. Cartago hizo lo mismo, y finalmente *Plinio*, *Tácito* y otros escritores exactos, no permiten dudar que los germanos y los galos las inmolaban no solamente en lo sacrificios públicos, si que también para alcanzar la salud de los particulares. La necesidad de estos sacrificios era uno de los dogmas establecidos por los druidas, fundado en este principio; que no podía satisfacerse a los dioses más que por un camino y que la vida de un hombre era el único precio capaz de rescatar la de otro. En los sacrificios públicos, en defecto de los malhechores, se inmolaban inocentes; y en los particulares se degollaban hombres que se ofrecían voluntariamente a este género de muerte. Cuenta *Plutarco* que, habiendo mandado un oráculo a los lacedemonios para que inmolasen una virgen y que habiendo salido en suerte una joven llamada Helena, un águila arrebató la cuchilla sagrada y la dejó caer sobre la cabeza de una becerra, que fue sacrificada en lugar de la joven. En Egipto, Amasis mandó que en la isla de Chipre, en lugar de hombres, se ofreciesen figuras humanas. Difilo sustituyó sacrificios de bueyes a los de hombres.— En la parte de Florida, en Virgina, ofrecían sacrificios de niños al Sol. Los viajantes aseguraban que los sacrificios humanos subsistían aún en algunos lugares del Asia en el S. XIX.

La víctima formaba la principal parte de los sacrificios paganos. *V*. Hostias, Sacerdotes, Sacrificios.

VICTOR. 1 — Sobrenombre de Marte. las medallas le representan cubierto de una coraza, con un casco en la cabeza, teniendo una pica en una mano y un trofeo de armas en la otra, llevando una pequeña victoria en la mano derecha.

2 — Sobrenombre de Júpiter, sea porque había vencido a los titanes y a los gigantes, o porque se creía que nadie podía resistírsele.

3 — Sobrenombre de Hércules, vencedor de los monstruos y los ladrones.

VICTORIA o Nike. Divinidad alegórica hija de la diosa Estigia y el gigante Palas. Era representada comúnmente con alas, teniendo en una mano una corona de laurel y en la otra una palma. En Atenas la tenían sin alas con la idea de que no se alejase de ellos. Puede representarse también por un guerrero con casco, con una lanza en la mano derecha y un trofeo de armas en la izquierda. Un Neptuno coronado de laureles es el símbolo ordinario de una victoria naval.

VITORIOSOS (*Juegos*) Juegos que se celebraban con motivo de una victoria.

VICTRIX. (*Victorioso*) Sobrenombre de Venus. Se la representaba bajo este nombre, con una manzana en la mano en memoria de la victoria que alcanzó sobre Juno y Minerva en el llamado juicio de Paris.

VICUS LONGUS. Calle de Roma, donde se había levantado un altar al Pudor.

VIDAR (*Mit. escand*) Noveno dios, casi tan fuerte como el mismo Thor.

VIDIUS. Divinidad romana cuyas funciones consistían en separar el alma del cuerpo.

VIEJA (*Mit. índ.*) Fiesta que se celebraba el décimo día después de la luna nueva del séptimo mes.

VIEJA DE ORO. Los pueblos que habitaban cerca del río Obi adoraban a una diosa bajo el nombre de vieja de oro, según nos cuenta *Herodoto*.

VIENTOS. Divinidades poéticas, hijos del Cielo y la Tierra o, según otros, de Astreo y Eribeo. *Hesíodo* les supone hijos de los gigantes Tifeo, Astreo y Perseo, pero exceptúa los vientos favorables, a saber: Noto, Bóreas y Céfiro, a los cuales hace hijos de los dioses. *Homero* y *Virgilio* establecen la morada de los vientos en las islas eolias y les dan por rey a Eolo, que los tiene encadenados en sus cavernas, aunque el poder de este mismo dios estaba sujeto al de Júpiter y Juno que eran los verdaderos dioses de las regiones etéreas. Posteriormente, fueron deificados por las creencias populares y se les ofrecieron votos y ofrendas para ganar su favor (*Mit. índ.*) Los habitantes de las islas Maldivas ofrecían también sacrificios a un cierto genio o rey de los vientos. Los samoyedos vendían los vientos a los que navegaban por los mares del norte, y les daban una cuerda que tenía tres nudos con las advertencias siguientes: deshaciendo el primero obtendrían un viento regular, más recio si deshacían el segundo y una tormenta si deshacían el tercero.

VIERNES. Sexto día de la semana, consagrado por los antiguos a Venus (*Mit. mahom.*) Este día es para los mahometanos lo que el sábado para los judíos y el domingo para los cristianos.

VIGILANCIA (*Iconol.*) Los egipcios la representaban bajo el aspecto de un león porque, según se pretendía, este animal duerme siempre con los ojos abiertos.

VILE o VALI. (*Mit. escan.*) Décimo dios, uno de los hijos de Odín y Rinda, audaz en la guerra y muy hábil arquero.

VILMODE. (*Mit. escan.*) Sabio del cual descienden todos los sabios.

VILOUNA. (*Mit. peru.*) Adivino o profeta. Gran pontífice, jefe del sacerdocio entre los peruanos.

VIMINALES, VIMINEO. Sobrenombre de Júpiter adorado en el monte Viminal.

VINAYAGUIEN. Divinidad índica. Hijo de Parvadí y Uxora. Su nacimiento es singula. En efecto, Parvadí, su madre, hallándose cierto día en el baño, concibió tal deseo de tener un hijo que del sudor que del rostro le cayó en el seno se formó instantáneamente un niño. Y lo más particular es que desde su nacimiento parecía un joven de 20 años.

VINCOLF (*Mit. esc.*) Morada de Frea.

VINDEMIALE. Fiestas en honor de Baco. César fue el primero que las hizo celebrar en el otoño.

VINDEMIALES. Famosas fiestas de la vendimia. Empezaban el diez de las calendas de septiembre y duraban hasta los idus de octubre.

VINDIMA. Hija de Evandro, según unos, y ninfa según otros. Hércules le hizo madre en las cercanías del Tíber. La familia Fabio se decía descendiente de Vindima.

VIÑAS. Los egipcios atribuían el nacimiento de las viñas a la sangre de los gigantes, causa principal del furor que inspira la embriaguez.

VIOLENCIA. (*Iconol.*) Diosa hermana de la victoria, hija del Estigio y compañera inseparable de Júpiter. Tenía un templo en la ciudadela de Corinto, juntamente con Némesis o la Necesidad. Se le representaba por una mujer armada de una coraza y que con una maza mata a un niño.

VIPASANA. (*Mit. siam.*) Estado de vida que observan ciertos talapones, que consiste en guardar un perpetuo silencio y dedicarse exclusivamente a la contemplación de las cosas divinas.

VIRACOCHA. (*Mit. peru.*) Divinidad principal de los peruanos. La segunda es el Sol y la tercera es el Trueno. El mito de Viracocha es anterior a la dominación inca. Estos se apropiaron de su simbología elevándolo a la categoría de dios principal creador, juez del mundo y de los hombres. Surgió del elemento líquido y creó el Sol, la Luna y las estrellas. Creó también una nueva generación de hombres que fue la conquistadora del Valle del Cuzco.

VIRAGO. Mujer que tenía el valor de un hombre. Sobrenombre de Diana y de Minerva.

VIRAK. (*Mit. siam.*) Uno de los libros sagrados de los siamitas, atribuido al mismo Sommona Codom.

VIRAPATRIN. (*Mit. índ.*) Cuarto hijo de Shiva. Nació con mil cabezas y dos mil años.

VIRBIN o VIRBIO. 1 —Nombre que Diana dio a Hipólito cuando lo hubo vuelto a la vida, como si dijese dos veces hombre.

2 — Hijo de Teseo Hipólito y la hermosa Aricia. Fue uno de los guerreros del ejército de Turno.

VÍRGENES DEL SOL. (*Mit. peru.*) Era una casta femenina consagrada al díos Inti que recordaba a las vestales de Roma. las Vírgenes del Sol se escogían entre las doncellas más bellas de las familias nobles. Residían en palacios habilitados al efecto y su vestimenta blanca indicaba la conservación de la castidad a la que estaban obligadas, y cuya infracción se penalizaba con la muerte, a menos que no se justificaran, indicando que había sido el emperador el culpable. Esto sucedía cuando éste elegía a alguna de ellas como concubina. Se tocaban con coronas de oro y tenían a su cargo elaborar los vestidos imperiales. Transcurridos seis o siete años finalizaban sus votos y se casaban con nobles de alta posición.

VIRGINALIS VIRGINENSIS VIRDINICURIS. Divinidad invocada entre los romanos cuando desataban la cintura de una esposa vírgen. Era la misma que los griegos llamaban Diana Listzona.

VIRGO. Designa a Minerva, virgen por excelencia. Su templo principal era el Partenón (*Partenos* = en gr. virgen) de Atenas.

VIRGO MÁXIMA. Nombre que se daba a la más antigua de las vestales.

VIRILIS. La Fortuna tenía bajo este nombre una capilla cerca del templo de Venus. A ella acudían los hombres para tener suerte en la guerra (*Virilis* = Viril).

VIRTUS. (*Iconol.*) Divinidad alegórica hija de la Verdad. Los romanos le erigieron un templo. Era representada bajo la figura de una mujer sencilla y modesta, vestida de blanco cuya digna postura incitaba al respeto. Pintábanla tambien como un anciano venerable, con una larga barba blanca apoyado en una clava y cubriéndose con la piel de un león. La Virtud, en general, tiene el aire humilde y el aspecto modesto.

VISCATA, VISCOSA. Epíteto de la Fortuna por lo resbaladiza que es.

VISCERACIÓN. Presente de la carne de las víctimas que se hacía en los funerales de los grandes de Roma.

VISNÚ. (*Mit. índ.*) Uno de los principales dioses de los hindúes, celebrado muy particularmente por sus nueve metamórfosis. Los brahmanes dicen que ya había aparecido en el mundo bajo nueve formas diferentes, y que debe aun aparecer por la décima vez, bajo una forma nueva. La historia de estas metamórfosis está llena de extravagancias; pero los indios afirman que en estos cuentos se hallan ocultos profundos misterios, que no es dado descubrir a los mortales. Su primera transformación fue en *pescado*, para rescatar el libro de la ley, llamado *Vedam*, que un cierto demonio se había llevado a la profundidad de los mares. La segunda en *tortuga*. Queriendo los dioses comer de una manteca deliciosa que se forma en uno de los siete mares que se hallan en el mundo, según los indios, y al cual llaman mar de leche, llevaron a la orilla de este mar una montaña de oro donde está sentada una culebra de una dimensión prodigiosa, que tiene cien cabezas, sobre las cuales están apoyados los catorce mundos que componen el Universo. Se sirvieron pues de la cola de esta culebra, como de un cuerno, para extraer la manteca; pero se vieron contrariados en su empresa por los gigantes que también tiraban por su parte a la culebra, cuyo incidente pensaron que podía ser funesto al mundo que ésta sostenía. En efecto, se estremeció el mundo hasta tal punto que se habría desplomado irremisiblemente si Visnú, tomando de la forma de una tortuga, no se hubiese colocado inmediatamente debajo para sostenerlo. Mientras tanto, la culebra derramó sobre los gigantes un licor venenoso que les obligó a soltar la presa, y de este modo los dioses quedaron dueños de aquella excelente manteca que tanto anhelaban. - Otros cuentan sencillamente que la tierra, agobiada por el peso de la montaña *Merupata*, se halló en el punto de hundirse en el abismo, pero que Visnú transformado en tortuga, vino a propósito para levantar la montaña y aliviar la tierra. La tercera en *puerco*. Un enorme gigante llamado Paladas, habiendo enrollado la tierra como una hoja de papel, la llevó a cuestas hasta el fondo de los infiernos. Visnú, transformado en puerco, fue a encontrar al gigante, combatió con él y, después de haberle vencido, cogió la tierra con su hocico y

volvió a colocarla en su primer lugar. Otros dicen que habiendo el dios Rutren desafiado a Brahma y Visnú, sobre quien encontraría el lugar donde él ocultaría su cabeza y sus pies, obligándose a reconocer la superioridad del que hiciese este descubrimiento, Brahma y Visnú aceptaron el desafío: que Brahma halló la cabeza de Rutren, por medio de la flor del cardo que le indicó el paraje donde se hallaba oculta; que Visnú se transformó en puerco para buscar los pies de Rutren; pero que después de haber revuelto inútilmente con su hocico las entrañas de la tierra, se vio obligado a renunciar a esta empresa. La cuarta en *monstruo mitad hombre y mitad león*. Un famoso gigante llamado Irauien o según otros, Hirrenkessep, habiendo recibido del dios Rutren el privilegio singular de que no le pudiesen matar, ni durante el día ni durante la noche, ni dentro ni fuera de su casa, concibió tal orgullo que intentó abolir el culto de los dioses, y hacerse adorar exclusivamente en la tierra, sujetando a los mas crueles tormentos a aquellos que rehusaron tributarle los honores divinos, sin exceptuar a su propio hijo, quien, a pesar de sus ordenes y sus amenazas, se obstinaba en repetir en sus oraciones el nombre de Visnú. La fidelidad de este joven y los males que sufría compadecieron de tal modo a Visnú, que éste determinó a todo trance exterminar al gigante Irauien. A pesar de ser difícil la empresa, Visnú, con su sagacidad, logró lo que deseaba. Escogió el momento del crepúsculo y se presentó de repente bajo la forma de un monstruo, mitad hombre y mitad león, delante del gigante Irauien, quien encontrándose entonces en el linde de su puerta no se hallaba ni dentro ni fuera de su casa; y logró destrozarlo a pesar de su resistencia. Algunos dicen tan sólo que el gigante Irauien había recibido el privilegio de no poder ser muerto sino de un modo extraordinario; que un día que se disponía a dar un garrotazo a su hijo, el joven se separó y que el palo dio sobre un pilar, que abriéndose de repente salió un monstruo mitad hombre y mitad león que destrozó al gigante. Todo el universo estaba bajo su dominación. La quinta en *brahmán*. Un príncipe llamado Mavali o, según otros, Magapelixaavarti hacia gemir los hombres bajo el peso de las más cruel tiranía; Visnú, movido por los clamores que le dirigían de todas partes, determinó libertar, la tierra de tal monstruo, a cuyo fin tomó la forma de un brahmán tan pequeño que podía pasar por un enano. Fue a encontrar al malvado rey y le pidió tres pies de tierra para edificar una cabaña. El rey excedió a la demanda sin la menor dificultad; y para ratificar la donación tomó un poco de agua en la boca y se dispuso a arrojarla sobre la mano del pretendido brahmán, según la costumbre establecida, pero la estrella matutina, que era principal consejera del rey, sospechando alguna superchería en la demanda del brahmán, halló medio de entrar en el gazante del príncipe y de cerrarlo de tal modo que el agua no podía salir. El rey, que se sentía casi a punto de ahogarse, sin atinar la causa, se hizo clavar un verduguillo de hierro para abrir paso al agua. La estrella se vio obligada a dejar el alojamiento, después de haber perdido un ojo, y el rey derramó el agua sobre la mano del falso brahmán, quien de repente se hizo tan grande que con uno de sus pies ocupaba toda la extensión del universo, y puso el otro sobre la cabeza del rey Mavali, a quien precipitó al abismo. Otros autores representan a Mavali, no como un tirano, sino como otro Saturno, bajo cuyo gobierno todos los hombres eran iguales y todos los bienes comunes. Dicen que Visnú destronó a este buen príncipe, porque, como los hombres nadaban en la abundancia, dejaron de rogar a los dioses. Se limitan en contar que la mujer de Mavali procuró apartarle de la concesión que pedía el brahmán, pero no hacen mención de la estrella matutina. La sexta bajo la *forma humana*. Los rajahs, que era el nombre que los indios daban a sus reyes, llegaron a ser tan tiranos que oprimían los pueblos y cometían mil crueldades. Visnú, que resolvió castigar sus crímenes, apareció en la tierra bajo una forma humana y tomó el nombre de Ram. Declaró la guerra a los rajahs, combatióles sin descanso durante

veintiuna generaciones, hasta que los hubo completamente exterminado. La séptima, otra vez en *forma humana*. Un gigante llamado Cartasueiriargunen, y que tenía mil brazos, desolaba el género humano con sus latrocinios y violencias. Visnú tomó por segunda vez una figura humana y el nombre de Ram, y con solo la reja de un arado presentó el combate al gigante, diole la muerte y le cortó los mil brazos. Después amontonó sus huesos y formó una montaña llamada *Baldous*. Cuéntase de diferente modo el objeto de esta metamórfosis. Había, dice un brahmán, llamado *Rawana*, que era uno de los más fervientes adoradores del dios Ixora. Presentábale todos los días una ofrenda de cien flores bien contadas. En cierta ocasión ocultó el dios una de las flores, y luego reprendió a Rawana porque su ofrenda no era completa. El piadoso brahmán, desconsolado por la pérdida de aquella flor, llegó al extremo de querer poner uno de sus ojos en su lugar; Ixora se opuso, y para recompensar la fe de su servidor, juróle que nada le rehusaría de cuanto pudiese desear. El brahmán quería que se le confiase la administración del universo; pero después de haber obtenido esta gracia no por esto dejó de importunar a Ixora con sus votos y rogativas. El dios, cansado, le dijo: «¿No he colmado todos tus deseos? ¿Cuál es pues el objeto de importunarme continuamente?» Rawana le dijo que deseaba tener diez cabezas y veinte brazos, a fin de gobernar más cómodamente el universo. Obtuvo también esta gracia, y entonces se retiró a la ciudad de Lauki, donde estableció la silla de su imperio. Mas, envanecido por la prosperidad, se olvidó de los beneficios de Ixora y quiso usurpar los honores divinos. Visnú resolvió castigar el orgullo de este insolente brahmán. Apareció en la tierra bajo la forma humana y tomó el nombre de Ram: Rawana, sobresaltado, se transformó en ciervo para huir más fácilmente de la cólera del dios. Ram atravesó al ciervo de un flechazo; el alma de Rawana salió inmediatamente y escogió por retiro el cuerpo de un fakir; bajo este disfraz robó la mujer de Ram, llamada *Sida*. Ram, para vengarse de esta afrenta, pidió el socorro de un famoso mono, conocido bajo el nombre de *Hanumán*, que asolaba la capital de Rawana. Este ayudado de un gran número de gigantes, logró finalmente coger el terrible mono, pero no pudo conseguir matarlo. Rawana, sorprendido de la fuerza prodigiosa de este mono, pidióle de que modo podría vencerle. El mono le contestó: «Untame la cola con aceite, envuelvela con estopa y pega fuego en ella, desde el momento seré más débil que el último de los animales». El crédulo Rawana ejecutó lo que le había dicho el mono; pero Hanumán con su cola inflamada, abrasó el palacio de Rawana y una parte de la ciudad de Lanka. Finalmente el pérfido Rawana, rehusando siempre devolver la mujer de Ram, cayó ante los golpes del marido justamente ofendido. La octava, *en hijo de un rajah* del Indostán. Habiendo el rajah descubierto, por la quiromancia, que su hermana casada con un brahmán daría a luz un hijo que le quitarían la corona y la vida, mandó matar a todos los niños que nacieran de ella, y para asegurarse de la ejecución, la hizo encerrar estrechamente. Seis habían sido ya las victimas de la crueldad de este tirano. El séptimo parecía destinado a la misma muerte, pero este niño, llamado Kistna era el mismo Visnú que había tomado esta forma para castigar la crueldad del rajah. Habló desde el momento que nació, y se escapó de su prisión con su padre y su madre, sin que las guardias lo notasen. Después obró una gran número de prodigios. El rajah envió con frecuencia gigantes y ejércitos enteros para hacerle perecer; pero exterminó a cuántos se le presentaron y por fin mató al rajah mismo. Después de esta hazaña, Kistna continuó recorriendo la tierra, prodigando milagros, recompensando los buenos, castigando los malos y en conclusión se elevó a los cielos. Esta metamórfosis es mirada por los indios como la más memorable y la más gloriosa de Visnú. Algunos autores pretenden hallar cierta analogía entre Kistna y J.C., el Rajah, y el rey Herodes. En la nona, Visnú tomó la forma de Budha o Bodha, cuyo personaje, dicen los brahmanes, no tiene

padre ni madre y es un espíritu puro, que no se manifiesta a los hombres; pero cuando por un favor especial se aparece a algún devoto, lo hace con cuatro brazos. Está continuamente ocupado en rogar a Mahadea o al dios Máximo. Se cree comúnmente que este Budha es el mismo que el dios Fo. Los vanianos piensan que Visnú debe encarnarse una décima vez y que tomará la forma de un caballo blanco, con alas que reside actualmente en el cielo. Este Pegaso indio no se sostiene mas que sobre tres pies. El cuarto está siempre en el aire, y cuando lo coloque sobre la tierra la hará hundir al abismo, y de este modo quedará destruido el mundo. Visnú, aguardando esta última metamórfosis se halla durmiendo tranquilamente en el mar de leche, echado sobre una culebra que tiene cinco cabezas.

**VISNUMAS.** Secta de brahmanes que se dedican al servicio del dios Visnú.

**VISPERED.** O el conocimiento de todo (*Mit. persa*). Segundo libro del *Avesta*.

**VISVACARMÁN.** (*Mit. índ.*) El obrero divino que forjó las armas de los dioses en la guerra entre estos y los Daityas o Titanes, y que bajo este concepto parece ser el Vulcano de los romanos.

**VITELIA.** Diosa adorada en muchos lugares de Italia y de la que pretendían descender la familia de los Vitelios.

**VITISATOR.** El que planta la viña. Uno de los sobrenombres de Baco y Saturno.

**VITIUM.** Término augural; presagio funesto.

**VITOLFE.** (*Mit. celt.*) La más antigua de todas las sibilas celtas.

**VITULA.** Diosa de la alegría entre los romanos

**VITULACIÓN.** Sacrificio u ofrenda de los buenos de la Tierra que se tributaba a la diosa Vitula.

**VITULICOLE.** Nombre dado a los israelitas, que en el desierto del Sinaí construyeron un becerro o ternero de oro y lo adoraron.

**VITUMNO.** Dios que los romanos invocaban cuando un niño acababa de nacer, para que viviese felizmente.

**VITUPERIO.** (*Iconología*) Los antiguos la pintaban bajo la figura de un anciano en acción de hablar golpeando la tierra con un báculo. Su ropaje estaba sembrado de ojos, orejas y lenguas.

VITZLIPUTZLI (*Huitzillopochtli*) (*Mit. mex.*) El más famoso de los dioses adorados por los mejicanos, quienes creían que les condujo al país que ocupaban y les facilitó su conquista. Este dios había surgido milagrosamente con casco, coraza y lanza del seno de su madre, la Tierra, y auxiliado por una serpiente de fuego fulminó a sus propios hermanos que habían querido matar a su madre al no comprender cómo había quedado encinta. A partir de este momento se mostró despiadado e implacable, a pesar de tenerse por Príncipe de las Generaciones. Los conquistadores españoles transcribieron su raro nombre como Huitchilobos, así por ejemplo, el cronista *Bernal Díaz del Castillo*. Durante el año se celebraban tres grandes fiestas en su honor, la tercera de las cuales tenía lugar en el solsticio de invierno, conmemorándose el tránsito de la divinidad al otro mundo con grandes matanzas rituales. En Tenochtitlán (México), capital de los aztecas, se le erigió un magnífico templo, donde se le representaba en una enorme estatua que se guardaba en una dependencia reservada. los tratadistas han querido ver en la denominación *Mextli* como también se le conocía, el origen de la palabra México.

VIUDA. Nombre bajo el cual Juno tenía un templo en Estinfalo de Arcadia, en memoria de un divorcio con Júpiter, después del cual se retiró, según la opinión popular, a aquel lago.

VOGNOFT. Una de las tres divinidades inferiores de los cimbrios.

VOLA. (*Mit. escan.*) Profetisa o sibilia del norte de la cual los irlandeses han conservado un poema que se titula Voluspa, palabra que significa el oráculo o profecía de Vola.

VOLCENS. Uno de los capitanes rútulos, muerto por Niso, amigo de Euríalo.

VOLCVE (*Mit. eslav*) Hijo del príncipe de Slaven que pasó a Rusia septentrional y construyó la ciudad de Slavensia. Se le suponía un gran mago.

VOLTURNALES. Fiestas en honor del río Volturno.

VOLTURNALIS FLAMEN. El sacerdote del dios Volturno en Roma.

VOLTURNO. 1 — Viento que se cree que es el mismo que el euro.

2 — Río de Italia, en la Campania, del cual aquellos pueblos habían hecho un dios y le habían consagrado un templo.

VOLUNTAD. (*Iconol.*) Se la pintaba alada, vestida con una seda tornasolada y sosteniendo una bola de diversos colores.

VOLUPIA. (*Iconol.*) Diosa del placer. *Apuleyo* dice que era hija del Amor y Psiquis. Tenía un pequeño templo en Roma y era representada sentada en un trono como una reina teniendo a las virtudes a sus pies. De aquí la palabra de nuestro lenguaje *voluptuosidad*.

VORA. (*Mit. escan.*) Décima diosa, prudente, sabia y tan curiosa que nada escapaba a su mirada.

VORACIDAD. (*Iconol.*) Tenía un templo en Sicilia. Su atributo eran una avestruz y un lobo macilento y afamado. El vestido de la figura era de color orín, que significaba destrucción.

VOTOS. El uso de los votos era tan frecuente entre los griegos como entre los romanos, como demuestran los monumentos conservados. Estos votos se hacían en las necesidades del momento o para obtener un feliz resultado en algún asunto, o para el restablecimiento de la salud, etc.

VRECASPATE. (*Mit. índ.*) Gobernador de buenos genios y del planeta Júpiter.

VROUCULACAS. Eran, según los antiguos griegos, los cadáveres de las personas malditas animadas por el demonio, quien se servía de sus órganos y les hacía hablar, andar, beber y comer. Para evitar esta situación se les debía descuartizar el corazón y enterrarlos por segunda vez.

VROUTARRASOURER. (*Mit. índ.*) Famoso gigante que, por su crueldad, obligó a los hombres a que le deificasen y le tributasen las ofrendas y los sacrificios destinados a los dioses. Cuando Visnú se encarnó bajo el nombre de Balapatren, lo mató.

VULCANALES. Fiestas de Vulcano que se celebraban en el mes de agosto. Dado que era dios del fuego o el fuego mismo, el pueblo arrojaba animales a este elemento para hacérselo propicio.

VULCANIA. Una de las islas eólicas, cercana a Sicilia, cubierta de rocas por cuya cima arrojaba torbellinos de llamas y de humo. Allí es donde los poetas han colocado la morada ordinaria de Vulcano, de quien la isla había tomado el nombre, del cual deriva el nombre de volcán, aplicado a todas las montañas que arrojan fuego.

VULCANO. En griego, Hefestos. Dios del fuego, hijo de Júpiter y Juno, aunque a veces se pretende que Juno lo engendró en solitario, despechada por el nacimiento de Minerva, que Júpiter había traído al mundo sin intervención de mujer.

Vulcano era un dios cojo. Según la *Ilíada*, un día en que Juno y Júpiter disputaban acerca de Hércules, Vulcano trató de defender a su madre, por lo que Júpiter, enfurecido, lo lanzó desde el Olimpo. Vulcano estuvo cayendo durante un día entero, hasta que cayó en la isla de Lemnos, donde quedó herido.

Pero en la misma *Ilíada* existe otra versión sobre el mismo tema, según la cual, Vulcano era cojo de nacimiento y su madre, avergonzada, le había lanzado del Olimpo. Vulcano cayó en el mar, donde Tetis y Eurínome lo sanaron. Una vez recuperado, Vulcano, para vengarse de su madre, fabricó un trono de oro en el que unas cadenas ataban al que se sentase en él y se lo envió a Juno. Cuando ésta se sentó, vio que estaba prisionera y dado que ninguno de los olímpicos podía liberarla, se vio obligada a llamar a su hijo y aceptarlo en el Olimpo para que la liberase. Era una divinidad poderosa, que combate con el fuego ante Troya, de la misma manera que derribó a Clitio en la lucha de los olímpicos contra los gigantes. Además era el dios de los metales, la metalurgia y la técnica. Gobierna sobre los cíclopes y los volcanes donde trabaja con ellos. Su obra más famosa es probablemente el armamento de Aquiles. A pesar de ser físicamente deforme, Júpiter lo unió a Venus quien, sin embargo, pronto se transformó en el amante de Marte, dios de la guerra. Estos amores fueron descubiertos por el Sol, quien se lo comunicó a Vulcano. Éste calló, pero preparó una red invisible que dejó caer encima de ambos amantes, inmovilizándoles para posteriormente llamar a los otros dioses para que se riesen de ellos. *Homero* dice que la esposa de Vulcano fue la encantadora Charis o Cárites, la más bella de las Gracias. Vulcano se construyó en el cielo un palacio todo de cobre y sembrado de brillantes estrellas, donde se ocupaba sin cesar de poner en práctica las ideas que le sugería su divina ciencia.

Cierto día Tetis le pidió armas para Aquiles, Vulcano se levantó inmediatamente de su yunque, se lavó con una esponja el rostro, los brazos, el cuello y el pecho, vistióse con un ropaje magnífico y tomando un cetro de oro salió de su fragua. A causa de la cojera llevaba a su lado, para que le ayudasen, dos hermosas androides de oro, hechas con un arte tan divino que parecían vivas. Estaban dotadas de inteligencia, hablaban, y por un favor particular de los inmortales, habían aprendido con tal perfección el arte de su señor, que trabajaban con él en la construcción de aquellas obras que excitaban la admiración de los dioses y de los hombres. Para fabricar las armas de Aquiles vuelve Vulcano a su fragua, arrima sus fuelles al fuego, coge su pesado martillo y fuertes tenazas, y trabaja un escudo de un tamaño inmenso y de una sorprendente sólidez.

*Cicerón* trata de varios Vulcanos: el primero era hijo del Cielo, el segundo del Nilo, el tercero de Júpiter y de Juno, y el cuarto de Menalio. Este último habitaba en las islas Vulcanias; pero el Vulcano más antiguo, o si se quiere del Vulcano hijo del Cielo, es el Tubalcaín de la Sagrada Escritura, que habiéndose aplicado en forjar el hierro llegó a ser el modelo y original de todos los otros, según algunos mitólogos modernos.

Vulcano, hijo del Nilo, fue el primero que reinó en Egipto, según la tradición de los sacerdotes, y la invención del fuego fue lo que le proporcionó el reino; pues, según cuenta *Diodoro*, habiendo prendido el fuego del cielo en un árbol que se hallaba en una montaña, comunicándose este fuego a un bosque vecino, Vulcano corrió a ver este espectáculo, y como era en invierno, sintió un calor muy agradable. Así es que cuando empezaba a apagarse, le entretuvo añadiendo nuevas materias y llamó inmediatamente a sus compañeros para que se pasasen con él para aprovecharse de su nuevo descubrimiento. La utilidad de esta invención, unida a la sabiduría de su gobierno, le merecieron después de su muerte no sólo ser colocado en el número de los dioses, sino también el hallarse al frente de las divinidades egipcias. Los egipcios le llamaban el guardián del universo. El tercer Vulcano, hijo de Júpiter y Juno, fue uno de los príncipes Titanes, y se hizo ilustre en el arte de forjar el hierro. Habiendo caído este príncipe en desgracia, se retiró a la isla de Lemnos, donde estableció varias fraguas; y de ahí deriva sin duda la fábula de Vulcano, precipitado del cielo a la Tierra. Los griegos atribuyeron después a su Vulcano todas las obras que pasaban por obras maestras del arte de forjar; como el palacio del Sol, las armas de Aquiles, las de Eneas, el famoso cetro de Agamenón, el collar de Hermíone, la corona de Ariadne, etc. Los antiguos monumentos representaban a este dios de un modo bastante uniforme: aparece barbudo, los cabellos un poco descuidados, cubierto por una túnica que no le desciende más que hasta las rodillas, llevando un gorro redondo y puntiagudo, teniendo en la mano derecha un martillo y en la izquierda unas tenazas. A pesar de que todos los mitólogos dicen que Vulcano era cojo, sus imágenes

no le representan tal. Este Dios tuvo varios templos en Roma, pero el más antiguo, elevado por Rómulo, se hallaba fuera de la ciudad. Los perros guardaban sus templos y le estaba consagrado el león, que con sus rugidos parece arrojar fuego por las fauces. Estableciéronse también fiestas en su honor, de la cuales la principal era aquélla en la que corrían con antorchas encendidas y que era necesario no dejar apagar hasta que llegasen al punto señalado. Se han considerado como hijos de Vulcano todos aquellos que se hicieron célebres en el arte de forjar los metales, como Oleno, Albión y algunos otros. Brontes y Erictonio han pasado por sus verdaderos hijos. Los nombres más comunes que se han dado a este dios son: Hefestos, Lennio, Mulcífer o Mulcíber, Enneo, Tárpides, Junonígena, Trisor, Cillopodión, Amfigideis.

**VULGAR.** Venus Vulgar o popular; era la que presidía los torpes amores, y estaba opuesta a la Venus Urania. *V.* Pandemos.

**VULPANSER.** (*Mit. egip.*) Era la imágen del amor paternal, porque esta ave (especie de oca) huye de los cazadores procurando salvar a sus pequeñuelos. *Hor.*

**VULPINALES.** Fiesta pública de los romanos, en la que se quemaban zorros. Se celebraba el 19 de abril.

**VULTURIUS.** Sobrenombre de Apolo, llamado comúnmente Apolo de los buitres.

**VUODA.** Nombre que los lombardos daban a Mercurio.

**WALHALLA.** (*V.* Valhalla).

**WALKIRIAS.** (*V.* Valkirias).

**WALPURGIS;** (Noche de) Según la antigua superstición alemana, la noche del 30 de abril al 1º de mayo en que las brujas celebraban sus aquelarres en la montaña de Walpurgis.

**WATIPA.** Nombre con que designaban al diablo los indios habitantes de las orillas del Orinoco.

**WOTTÁN.** (*V.* Odín).

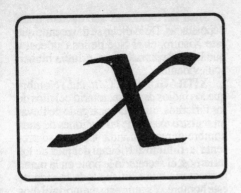

XACA, SIAKA o XEQUIA; por otro nombre Buddón, fundador de la secta conocida, en el Japón, bajo el nombre de budsdoísmo.

XANTHAI. (*Mit. jap.*) Divinidad Japonesa.

XANTHE. 1 — Río de la Tróada. Se opuso con el Escamadro y el Simois a la bajadas de los griegos y sublevó sus olas contra Aquiles. El héroe estaba pronto a sucumbir cuando Juno envió a Vulcano armado de todos sus fuegos, para socorrerle. Este Dios abrasó luego la llanura, obligó al río a volver a su curso regular, y a jurar que no daría jamás socorro alguno. *Eneida. 1.*

2 — Amazona, una de las más célebres.

XANTIPA. Hija de Doro, esposa de Pleurón, quien la hizo madre de Agenor, Estérope, Estratonice y Leofonte. *Apolod. 1, c.7, Aristoteles, Elio* y *Plinio* dicen que *Homero* ha dado a Escamandro el nombre de *Xanthe*, bermejo, porque las aguas de este río dan el color leonado a las abejas que van a abrevar en él.

XANTIPO. Uno de los hijos de Melas, muerto por Tideo.

XANTIQUES. Fiesta de Macedonia, del mes de Xanto (abril), cuando se celebraba. Purificábase el ejército haciéndole pasar en dos mitades por entre una perra inmolada. La marcha seguía el orden siguiente; en la cabeza se llevaban las armas de todos los reyes de Macedonia, venía luego la caballería; seguía el rey y su familia, sus guardas y el resto de la tropa. Esta ceremonia, terminaba por un combate simulado.

XANTO. Una de las ninfas oceánidas, compañera de Cirena, madre de Aristeo.

XANTOCÁRENOS; epíteto de Baco.

XANTÓCOMO; epíteto de Apolo.

XANUS, rojo. 1 — Uno de los caballos inmortales de Aquiles.

2 — Caballo dado por Neptuno a Juno, y después a Cástor y Pólux.

3 — Hijo de Fénops, y hermano de Toón, fue muerto por Diómedes.

4 — De Argos, hijo de Tríopas; llevó a Lidia una colonia de pelasgos, marchó luego a Lesbos, a la que llamó Pelasgia.

5 — Hijo de Egipto, esposo de la danaida Arcania.

XENA. Nombre de ninfa en *Teócrito*.

XENIA. Sobrenombre de Minerva. Tenía su estatua, junto con la de Júpiter hospitalario, en Esparta.

XENISMES. Sacrificios ofrecidos en una fiesta ateniense, en honor de los Dióscuros.

XENIO, *hospitalario*; sobrenombre de Júpiter. R. *xemos*, huésped.

XENOCLEA. Sacerdotisa de Delfos, que habiendo visto venir a Hércules para consultar el oráculo de Apolo, rehusó responderle, porque todavía estaba manchado con la sangre de Ifito, a quien acababa de matar. Hércules, ofendido, se llevó el trípode de la sacerdotisa y no lo devolvió hasta haber recibido una contestación.

XENODAMES. Hijo natural de Menelao y Gnosia.

XENODICE. 1 — Hija de Minos y Pasifal.

2 — Hija de Sileo, muerto por Hércules.

3 — Troyana llevada cautiva, según *Pausanias*, con Clímenes, Creusa, etc.

XENODOTES. *El que atrae los huéspedes, el que se interesa en la hospitalidad*; epíteto de Baco. R. *xenos*, extranjero; *didonai*, dar.

XIFEO. Yerno de Erecteo, el mismo que Xuto.

XILOLATRÍA. Culto de los dioses cuyas estatuas son de madera. Gr. *xilon* = madera.

XIN. (*Mit. chin.*) Nombre de los buenos genios entre los chinos *V.* Chin-Hoan, Quey.

XINGOVINS. Bonzos de China que honran a Denichi. *V.* Denichi.

1255

XINTANS. (*Mit. jap.*) Una de las doce sectas de monjes japoneses.

XISUTRO. Jefe de la décima generación, según algunos autores caldeos citados por *Jorge Syncelle*, le advirtió Saturno en sueños que el quince del mes dresio el género humano sería destruido por un diluvio; recibió al mismo tiempo orden de escribir el origen, la historia y el final de todas las cosas; y de ocultar bajo tierra sus memorias en la ciudad del Sol, llamada Sipar; de construir luego una nave, abastecerla de lo necesario y encerrar en ella los volátiles y los cuadrúpedos, junto con él y sus parientes y amigos. Xisutro ejecutó puntualmente sus órdenes y construyó un navío que tenía cinco estadios (cerca cuatrocientas cincuentas toesas) de largo y dos (ciento ochenta) de ancho. Apenas estuvieron todos dentro, la tierra fue innundada. Algún tiempo después, viendo que las aguas disminuían, dejó saiir algunas aves, que no encontrando ni alimento ni lugar donde descansar, regresaron a la embarcación. Soltó sucesivamente otras, que volvieron con un poco de lodo en las patas, y habiéndolas dejado salir por tercera vez ya no aparecieron más. Esto le hizo juzgar que la tierra estaba ya suficientemente descubierta. Entonces hizo una abertura a la nave, y viendo que se había detenido en una montaña, salió con su mujer, su hija y su piloto y habiendo saludado a la tierra, levantado un altar, y sacrificado a los dioses; él y los que le acompañaban desaparecieron. Los que se habían mantenido en la nave cansados de esperar salieron en su busca, pero en vano. Finalmente una voz les anunció que Xisutro había merecido por su piedad ser arrebatado al cielo y colocado en el número de los dioses, con aquellos que le acompañaban. La misma voz les exhortó a que fuesen religiosos y que se trasladasen a Babilonia después de haber desenterrado en Sipar las memorias que quedaron allí depositadas. De lo dicho se desprende que este Xisutro, es el Noé de los caldeos, y que las semejanzas con el diluvio bíblico son evidentes.

XITRAGUPTEN. (*Mit. índ.*) Nombre que los indios dan al secretario del dios de los infiernos, que está encargado de llevar un registro exacto de las acciones de cada hombre durante su vida. Cuando se presenta un difunto al tribunal del juez de los infiernos, el secretario le pone en la mano la memoria que contiene toda la vida de este hombre. Y según esta memoria el dios de los infiernos da su fallo.

XIUHTEUCTLI. (*Mit. mex.*) Dios del Fuego entre los aztecas. Se le ofrecían víctimas humanas que sufrían el tormento del fuego antes de ser degolladas.

XOARCAM. (*Mit. índ.*) Nombre que dan los indios al primero de los cinco paraísos que dicen están situados en los cielos, y que sirven de morada a los hombres virtuosos.

XOCHIPILLO. (*Mit. mex.*). Antigua divinidad mejicana, que protegió la danza y los deportes.

XOCHIQUETZAL. (*Mit. mex.*). Divinidad mejicana, considerada por los nahuatles símbolo de la tierra, como productora vegetal.

XOXOM. Sacerdotes indios. *V.* Baulins.

XUDAN. Nombre etrusco de Mercurio, que corresponde a la palabra latina *ostiarius*, portero.

XUTUS. Hijo de Hellen y nieto de Deucalión, natural de Acaya, vino un día al socorro de los atenienses, entonces en guerra, y les ayudó a ganar la victoria. Creusa hija de Erecteo, con la corona de Atenas, fue el premio que se dio a su valor. Le sucedió un hijo que Creusa había tenido de Apolo antes de su matrimonio. *V.* Creusa.

YACO. Dios que presidía místicamente la procesión de los iniciados en los misterios de Eleusis. Hijo de Proserpina y Júpiter, no sería sino la reencarnación del Zagreo. En efecto, Juno, celosa de los amoríos de su esposo, impulsó a los titanes a atacar al pequeño Zagreo, hijo de su rival. Este intentó escapar metamorfoseándose, pero cuando estaba convertido en toro los titanes lo alcanzaron, descuartizaron y cocieron su cuerpo. Cuando Júpiter lo descubrió, indignado, fulminó con su rayo a los titanes y encargó a Apolo que recogiese sus miembros. Cuando Minerva le entregó el corazón del pequeño Zagreo, Júpiter lo engulló y luego regeneró al niño, el cual tomó el nombre de Yaco. Otras veces, se cree que Yaco era el marido de Ceres o el hijo que Baco tuvo en Frigia de la ninfa Aura, quien habiendo engendrado dos gemelos, devoró a uno de ellos. El segundo, Yaco, había sido salvado por una ninfa y confiado a los bacantes de Eleusis, que lo criaron. Según la tradición, Minerva en persona lo amamantó, mientras Aura se arrojaba a un río y se transformaba en fuente.

YALEMO. Hijo de Apolo y Calíope. Mientras Himeneo, su hermano, personifica el canto de la ceremonia nupcial, Yalemo representaba el canto triste, la lamentación sobre los seres que mueren en plena juventud.

YALISO. El héroe epónimo de la ciudad del mismo nombre, en Odas. Por su padre, Cércafo desciende del Sol y de la ninfa Roda. Casado con Dotis, tuvo una hija, Sime, epónima de la isla homónima entre Rodas y Cnido.

YALMENO. Yalmeno, y su hermano Ascáfalo eran hijos de Marte. Ambos reinaron en Orcómeno y durante su reinado los minias participaron en la expedición contra Troya, con un contingente de treinta naves.

Después de la caída de Troya, Yalmeno regresó con su flota, pero no a su patria sino a la costa del Ponto Euxino, donde fundó una colonia aquea.

Yalmeno y su hermano figuraban también entre los Argonautas y Yalmeno se contaba entre los pretendientes de Helena. Ligado por el juramento colectivo que hubieron de hacer los pretendientes, hubo de tomar parte en la guerra para reconquistarla.

YAMA. (Mit. índ.) El tercero de los reyes protectores de los ocho ángulos del mundo, que gobernaba la parte sur del universo. El nombre patronímico de éste dios era Vairasvata o hijo del sol.

YAMADAR MARAJA. Nombre que los antiguos indios daban al dios de los infiernos. Era un dios muy equitativo y justo en señalar los castigos correspondientes a los criminales.

YAMBE. Hija de Pan y la ninfa Eco. Acogió e hizo reír a Ceres cuando ésta pasó por Eleusis en busca de su hija Proserpina.

YAMO. Su ascendencia es la siguiente: Pítane, la hija de Eurotas, tuvo una hija de Neptuno, Evadne, que fue amada por Apolo, del cual tuvo un hijo. Avergonzada de haber sido poseída por el dios, abandonó al niño, pero dos serpientes los alimentaron con miel. Cuando la madre descubrió que se había salvado, lo recogió y consultó el oráculo de Delfos, a través del cual Apolo le dijo que aquel niño sería un famoso adivino, al igual que sus descendientes. Una vez alcanzada la edad adulta, Yamo invocó a Apolo, quien le respondió y le ordenó que siguiese su voz; de este modo lo condujo hasta el emplazamiento de Olimpia, donde le ordenó que se estableciese a la espera de que Hércules fuese a fundar los futuros Juegos Olímpicos. Se le enseñó también a comprender el lenguaje de las aves y a interpretar los presagios proporcionados por las víctimas.

YAMUNA. (*Mit. índ.*) Hija de Sol, una de las tres diosas de las aguas.

YANISCO. 1 — Hijo de Esculapio y hermano de Macaón y Podalirio. Era oriundo de Tesalia, del país de los perrebos.

2 — Otro Yanisco era descendiente del ateniense Clitio, el cual había dado a su hija en matrimonio al rey de Sición, Lamedón cuando Adrasto, uno de los sucesores de Lamedón, cedió el trono de Sición, Yanisco fue llamado para ocuparlo. A su muerte fue sucedido por Festo.

YÁPIGE. Héroe que dio su nombre al pueblo de los yápigas. Pasaba por haber sido el jefe de los cretenses que habían seguido a Minas cuando, muerto éste, trataron en vano de regresar a su patria. Una tempestad los arrojó a la región de Tarento donde se establecieron.

YARBAS. Rey indígena africano, hijo de Júpiter Amón y de una ninfa. Reinó sobre los gétulos y cedió a Dido la tierra sobre la que posteriormente se edificó Cartago. Cuando llegó Eneas, loco de celos, atacó la ciudad y expulsó de ella a Anna, después de la muerte de Dido.

YÁRDANO. Rey de Lidia, padre de Onfale. Famoso mago que con sus maleficios despertó un hambre tan voraz en su enemigo, el rey Camblites, que le indujo a devorar a su propia mujer.

YASIÓN. Hijo de Júpiter y Electra. Se inflamó de pasión por Ceres la cual correspondió a su amor. De esta unión nació Pluto (la riqueza), que recorría la tierra esparciendo la abundancia por doquier.

YASO. Nombre de varios héroes:

1 — Rey de Argos, bien hijo de Triopas, bien de Argo. En ambas tradiciones era considerado como padre de Io, amante de Júpiter. En la primera versión, se repartió con sus hermanos el Peloponeso.

2 — Hijo de rey Licurgo. Miembro de la dinastía arcadia, como nieto de Arcade.

3 — Beocio, padre de Amfión, rey de Orcómeno y casado con Perséfone, hija de Minia.

4 — La curación. Hija de Asclepio, dios de la Medicina.

YDRASIL. (*Mit. celta*) Fresno sagrado a cuya sombra los dioses se juntaban todos los días para tributar justicia.

YEN-VANG. (Mit. china) Rey de los Infiernos, ejercía castigos terribles contra los que nada tenían que ofrecerle. Era el Plutón de los chinos.

YERA. Nombre de una Nereida. *Virgilio* la presenta como una dríada del Ida de Frigia, que tuvo de Alcanor dos hijos gemelos: Pándaro y Bitias. Ambos figuran entre los compañeros de Eneas.

YEUD. Hijo primogénito, o tal vez único de Saturno, según las leyendas fenicias. Durante una guerra que asolaba el país, Saturno sacrificó a su hijo como ofrenda para la salvación del Estado.

YFITIME. Ninfa de la cual Mercurio se enamoró e hizo madre de los sátiros.

YMIR. (*Mit. escandinava*) Nombre del primer gigante formado de la licuación de los vapores helados. De estas mismas gotas nació una vaca llamada Edunla. Cuatro ríos manaban de sus pechos que alimentaban al gigante. La vaca se sustentaba a su vez lamiendo las piedras cubiertas de sal e hielo blanco. El primer día que lamió estas piedras salieron de ellas cabellos de hombre; en el segundo día una cabeza y en el tercero un hombre dotado de hermosura, de fuerza y de poder, llamado Bore que se casó con Beala, la hija del gigante Baldorn. De este matrimonio nacieron Odín, Vile y Ve. El primero era el más poderoso de todos y, junto con sus hermanos, gobernaba el cielo y la tierra. Ymir fue muerto por Vile y manó tanta sangre de sus heridas, que todas las familias de los gigantes del hielo se ahogaron. Los tres hermanos arrastraron el cuerpo de Ymir e hicieron de él la tierra; el agua y el mar fueron formadas con su sangre; las montañas de sus huesos, las piedras de sus dientes. Luego de haber hecho el cielo de su cráneo, lo colocaron sobre la tierra y lo dividieron en cuatro partes y, en cada ángulo colocaron un enano para sostenerlo. Estos enanos respondían al nombre de Norte, Sur, Este y Oeste. Después, los tres hermanos buscaron los fuegos en el mundo inflamado del mediodía, y los colocaron arriba y abajo del cielo, para que alumbrasen la tierra. En el centro de ella los dioses, para ponerse a cubierto de las empresas de los gigantes, construyeron un fuerte, que formó el círculo del mundo. Para esta construcción emplearon las cejas de Ymir y, por fin, arrojaron sus sesos al aire dando así origen a las nubes.

**YÓBATES.** Rey de Licia. Acrisio había expulsado a su hermano gemelo, Preto, del reino de Argos. Preto se refugió en Licia, en la corte de Yobates, quien le otorgó en matrimonio a su hija Antea y organizó una expedición destinada a devolverle su reino, cosa que consiguió. Posteriormente, Preto creyó que Belerofonte había tratado de seducir a su esposa, lo envió a Yóbates, pidiéndole secretamente que lo matase. pero Belerofonte triunfó con facilidad en las pruebas a que el rey lo sometió y acabó casándose con la segunda hija de Yóbates y heredó el reino a la muerte de su suegro.

**YOCASTA.** Esposa de Edipo. Hija del tebano Meneceo y hermana de Hipómene y Creonte. Estaba casada en primeras nupcias con Layo, de quien había tenido a Edipo. Más tarde, sin reconocer a su hijo ni ser reconocida por éste, se casó con él, dándole varios hijos. Al enterarse del incesto que había cometido, se ahorcó.

**YOCASTO.** Uno de los hijos de Eolo, que reinaba en Italia. Pasa por ser el fundador de la ciudad de Regio, pero otra leyenda afirma que esta ciudad fue fundada por un grupo de calcideos que huyeron de su país durante una hambruna, que se establecieron «cerca de la tumba de Yocasto, en un lugar donde encontraron una parra enroscándose en un roble verde. Yocasto murió de una mordedura de serpiente.

**YÓGUIS.** (*Mit. índ.*) Especie de monjes indios, que a fuerza de contemplar el Ser Supremo, pretenden llegar a unirse estrechamente con Dios. (*V.* Niayam.)

**YOLAO** o **IQLAO.** Sobrino de Hércules e hijo de Ificles, hermanastro del héroe y de Automedusa. Como acompañante de su tío participó en el combate contra la hidra de Lerna, y en la lucha contra Cicna, en la expedición dedicada a la captura de los bueyes de Ceriones, el ataque contra Troya, en la lucha contra

Anteo, en la captura de Cerbero en los Infiernos, en el viaje de los Argonautas y en la cacería del jabalí de Calidón. Finalmente, con los caballos del héroe ganó el premio de las carreras de carros en los primeros Juegos Olímpicos y en los juegos fúnebres celebrados en honor de Pelias; cuando Hércules se casó con Yole, cedió su esposa Negara a su sobrino Yolao, quien se casó con ella y le dio una hija llamada Leipéfile. Después de la muerte de Hércules, ayudó a los heráclidas a buscar un lugar donde asentarse. Según unos murió en Cerdeña, según otros se estableció en Sicilia, donde fundó numerosos santuarios en honor de Hércules divinizado.

En su vejez, castigó a Euristeo, que perseguía con su odio a los heráclidas, e incluso se dice que le mató. Correspondiendo a sus ruegos, Júpiter le había devuelto por un día su fuerza y su juventud.´

**YOPE.** 1 — Hija de Ificles, hermana gemela de Herades (Hércules).

2 — Hija de Eolo casada con Cefeo, padre de Andrómeda. Según una leyenda, Cefeo no reinó en Etiopía sino en Fenicia. Yope es el epónimo de la ciudad de Yoppe.

**YOXO.** Nieto de Teseo, hijo de Melanipo y Perigune, hija del bandido Sivis. Los descendientes de Yoxo consideraban la pimpinela y el apio silvestre como plantas sagradas por el hecho de que en otro tiempo Periguna, en el momento en que Teseo mataba a Siris, había huido y buscado refugio en unos matorrales formados por estas plantas y les había prometido no hacerles jamás ningún daño si la ocultaban bien.

**YUTURNA.** 1 — Su nombre en época remota era Diuturna. Se trata de una ninfa de las fuentes que, en su origen, era honrada en las márgenes del Numicio cerca de Lavinio. Después su culto se trasladó a Roma, y se dio el nombre de *Cuenco de Yuturna* a una fuente situada en el Foro romano, no lejos del templo de Vesta y junto al de Cástor y Pólux, de los cuales se decía que era su hermana.

Tuvo también un templo en el Campo de Marte intentando que las aguas pantanosas del lugar se sanearan, cosa que

# YUTURNA

sucedió con los trabajos de Agripa, en tiempos de Augusto. En la época imperial se hace a Yuturna hija del rey mítico Dauno y hermana de Turno, el rival de Eneas. Amada en otro tiempo por Júpiter, quien le había concedido el don de la inmortalidad, reinaba sobre las corrientes de agua del Lacio.

2 — Esposa del dios Jano y madre de Fonto, dios de los manantiales.

Z. Esta letra, en las suertes, era del mal agüero para los antiguos.

**ZABIRNA.** Ciudad de Lidia, donde Baco mató a un animal monstruoso que asolaba la comarca.

**ZACA.** (*Mit. mahom.*) Limosna que hacen los creyentes islámicos de una parte de sus bienes. El Alcorán no señala esta parte, pero sus doctores pretenden que un buen musulmán debe dar la décima de sus rentas.

**ZACORE.** Uno de los príncipes que acudieron al socorro de Perseo. Fue muerto por Argos, hijo de Frixo.

**ZACOUM.** (*Mit. mahom.*) Árbol del infierno cuyos frutos son cabezas de diablos.

**ZAGERBED.** (*Mit. índ.*) Es el segundo libro de los cuatro principales que los indios llaman Bed o Beth. *Bibl. Or.*

**ZAGREO.** Zagreo es hijo de Júpiter y Proserpina. Para engendrarlo, Júpiter se unió a Proserpina transformado en serpiente. Por temor a los celos de Juno, Júpiter lo confió a Apolo y las curetes, quienes lo educaron en el Parnaso. Pero Juno lo descubrió y mandó a los Titanes a raptarlo. Zagreo, para escaparse, se transformó en toro, pero los titanes los despedazaron y lo devoraron dejando sólo el corazón, que fue recogido por Minerva.

Posteriormente, Zeus devolvió la vida al niño, bien porque Ceres uniese lo que restaba de él, bien porque Júpiter hiciera absorber a Sémele el corazón de Zagreo, fecundándola así del «segundo Dioniso» (Zagreo había recibido el nombre de primer Dioniso [Baco]). Zagreo es un dios órfico y su leyenda pertenece a la teología de esos misterios. De ahí su identificación con Dioniso (Baco)

**ZAMOLXIS.** Discípulo de Pitágoras, legislador y dios de los getas y los escitas. Después de su muerte recibió los honores divinos.

**ZAN.** Primer nombre de Júpiter.

**ZANCLE.** 1 — Palabra griega que significa hoz. Nombre con el que se conocía a Sicilia, porque, según se creía, la hoz con la que Saturno castró a Urano había sido encontrada en esta isla.

2 — Nombre de Mecina tomado, según cree *Diodoro*, de un rey llamado Zanclo, que fundó aquella ciudad seiscientos años antes del sitio de Troya.

**ZÁRAME.** Dios de los galos que se tendía a identificar con Júpiter.

**ZATEO.** Muy divino, epíteto de Apolo.

**ZAVAN** (*Mit. sir.*) Uno de los dioses de los sirios.

**ZAZELO.** Demonio que desenterraba los cadáveres para roer sus huesos. Era entre los demonólogos el Eurínome de los antiguos

**ZAZINTO.** Hijo de Dárdano que dio su nombre a la isla y a la ciudad de Zacinto.

**ZEA.** Sobrenombre bajo el cual Hécate fue adorada por los atenienses.

**ZEBIR.** (*Mit. mahom.*). Es, según los árabes musulmanes, la primera montaña sobre la cual Dios habló a Moisés.

**ZEIDORA.** Sobrenombre de Ceres

**ZELESTE.** Habitante de Cizio, muerto por Pólux.

**ZELIS.** Jefe dolio, muerto por, Peleo el Argonauta.

**ZELO.** (*Iconol.*) El Zelo hijo de Estige y del Océano, y hermano de Victoria, Fuerza y Violencia. Es representado bajo la figura de una sacerdote que tiene una lámpara en una mano y un látigo en la otra. La tradición cristiana recogió y adaptó esta figura y estaba representado como un joven alado con una llama en la cabeza, teniendo en una mano el Evangelio y en la otra una espada de fuego, pronto a lanzarla contra la idolatría.

**ZELODOTER.** El que inspira ardor o celos; epíteto de Baco y de Apolo.

**ZEMINA.** Reparación, sacrificio que se hacía en los misterios de Eleusis para expiar las faltas que se podían haber cometido durante la celebración de los mismos.

ZEND. (*Mit. per.*) Viviente o libro de la vida. La Biblia de los magos zoroástricos.

ZENOFÓN. Inspirado por Júpiter; sobrenombre de Apolo, como dios de los oráculos.

ZENOVIA. (*Mit. eslav.*) Equivalente entre los pueblos eslavos de la Diana cazadora clásica.

ZETES Y CALAIS. Hermanos de Quionea y Cleopatra, e hijos de Boreas y Oritia. Estos dos gemelos unían a su extraordianaria hermosura todo el vigor de su padre y al llegar a la pubertad les nacieron alas en la espalda. Embarcáronse con Jasón y, durante su viaje, liberaron a su cuñado Fineo, rey de Arcadia, del ataque de las harpías. Finalmente, murieron a manos de Hércules, pero los dioses, compadecidos, los transformaron en vientos.

ZETOS. Hábil cazador, hijo de Júpiter y Antíope, y hermano de Anfión, a quien ayudó a edificar la ciudad de Tebas.

ZEUMIQUIO. Esto es. Júpiter maquinista, nombre dado a Crisor, por haber hecho varios descubrimientos útiles: el anzuelo, la red de pescar, etc.

ZEUS. Nombre griego de Júpiter como autor de la vida (*V*. Júpiter).

ZEUXIDIA. Sobrenombre de Juno, bajo el cual Apis edificó un templo en Argos, en memoria de haber uncido los bueyes al arado.

ZEUXIPE. 1 — Hijo de Apolo y la ninfa Silis, sucedió a Festo, rey de Sicione. Según otros, es una hija de Laomedonte, cuyo marido, llamado Sición, dio su nombre a una parte del Peloponeso.

2 — Hija de Eridano y madre del Argonauta Butes.

3 — Ninfa, hermana de Pasifae y mujer del rey Pandión.

ZIGACTES. Río de Tracia en cuyo pasaje se rompió el carro de Plutón, cuando robó a Proserpina.

ZIJIA. Nombre bajo el cual Juno era adorada como diosa del lazo conyugal.

ZILCADE. Undécimo mes de los persas.

ZILHAGE. Duodécimo mes del año persa.

ZNITSCH. (*Mit. eslav.*) Fuego sagrado e inextinguible colocado en templos elevados en su honor, donde los antiguos eslavos ofrecían como sacrificio una parte del botín obtenido en sus campañas guerreras e incluso, a veces, quemaban a algunos prisioneros.

ZOARA. Nombre que los escitas daban antiguamente a los troncos de los árboles o a algunas columnas sus adornos que levantaban en honor de sus dioses.

ZODÍACO. Espacio del cielo que el Sol recorre durante el año, está dividido en doce partes que forman doce constelaciones, llamadas signos del Zodíaco y cuyos nombres son los siguientes; Aries, Tauro, Géminis, Cáncer, Leo, Virgo, Libra, Escorpión, Sagitario, Capricornio, Acuario y Piscis. Colócase ordinariamente al dios Pan en medio del Zodíaco, como para indicar que en los tiempos remotos era el símbolo del universo.

ZOJOLIS. (*Mit. japonesa*) Divinidad japonesa del orden de los camis o de los fotoques. *V.* estas palabras.

ZOLOTAYA-BABA. (*Mit. eslava*) Mujer de oro. Diosa que los eslavos consideraban como madre de los dioses.

ZOOGOMOS. Sobrenombre de Júpiter, como autor y conservador de la vida.

ZOOGONIOS. Dioses que presidían la conservación de la vida de los animales. Se les consagraban los ríos y las corrientes.

ZOOLATRÍA. Adoración tributada a los animales. Idolatría muy extendida entre los egipcios.

ZOOTECA. Lugar, entre los romanos, donde se guardaban los animales destinados para los sacrificios.

ZOROASTRO. Reformador de la religión de los antiguos persas; se ignora su patria. Los guebros refugiados en las Indias le suponen chino, descendiente de parientes pobres, y añaden que su padre se llamaba Espintaman y su madre Dodo; pero parece que en esto hay alguna contradicción con su origen, puesto que tales nombres no son chinos. Según otros, Zoroastro nació en Media; varios le hacen originario de Judea; pero el *doctor Hide* sostiene que su patria fue Persia, y que el judaísmo que se nota en su doctrina deriva de las relaciones que tenía con un profeta judío. Esta es también la opinión de los orientales. pero se ofrece otra duda por lo que respeta al profeta a quien Zoroastro sirvió. Los unos quieren que sea Elías; otros Esdras; bien que parece que unos y otros se engañan completamente. Elías es más antiguo que Zoroastro y Esdras muy posterior. La opinión más probable es que sirvió por mucho tiempo al profeta Daniel. En el Aberdijan o antigua Media fue donde Zoroastro echó los fundamentos a su grandeza futura. Persuadido de que un reformador debe empezar con imponer al pueblo un sistema de vida extraordinario, Zoroastro se retiró en una caverna oscura donde se dedicó día y noche a la contemplación, y compuso un libro célebre, que contenía toda su doctrina, al cual dio los nombres de *Zend-Avesta*, que el uno significa el fuego y el otro el lugar donde se mete, para dar a entender a sus lectores que su libro era un brasero ardiente que inflamaría sus corazones en amor divino. Reinaba entonces en Persia Darío apellidado Histape y contaba ya treinta y un año de reinado, cuando Zoroastro, creyendo que el medio más seguro de ganar los pueblos era convertir al monarca, pasó a la corte de este príncipe enviado del mismo dios y ofreció a Darío su libro, con la *Sudra*, que es el ropaje de los sacerdotes magos, y el ceñidor sagrado. El rey le exigió que probase su misión con milagros. Zoroastro, después de haber manoseado el fuego, sin que le causase el menor daño, hizo crecer un ciprés que en poco tiempo fue muy corpulento. Admirado el rey Darío del poder de Zoroastro, parecía dispuesto a seguir su doctrina, pero los magos de la corte, envidiosos de la gloria del recién llegado, tramaron secretamente su ruina, acusándole ante el rey de que estaba dado a la magia, añadiendo, que si quería visitar su casa hallaría pruebas inequívocas de la verdad de la acusación. Darío se encolerizó y mandó prender inmediatamente a Zoroastro; pero poco tiempo después brilló su inocencia y quedaron confundidos sus enemigos. Acometió una parálisis al mejor de los caballos del rey, cuya enfermedad se juzgó por último incurable; sin embargo se presenta Zoroastro, ofrece la curación del caballo,

con tal que Darío y toda su familia abrazasen su doctrina: Darío accede y Zoroastro cumple su palabra. Admirado el rey de la ciencia del reformador y juzgando su poder ilimitado, le pide cuatro dones: a saber, 1º) que pueda subir y descender del cielo cuando quiera; 2º) tener un conocimiento exacto de lo que está haciendo Dios en aquel instante y de lo que hará en lo sucesivo; 3º) el don de la inmortalidad; y 4º) hacerse invulnerable. Zoroastro contesta que es contrario a las intenciones del Ser-Supremo aquella demanda; pero que va a rogarle distribuya los cuatro dones entre cuatro personas diferentes; en efecto Zoroastro consigue de Dios, que el primer don sea concedido al rey, el tercero y cuarto a sus hijos, y el segundo al mago del rey. Según cuentan, Zoroastro comunicó estos cuatro dones por medio de una rosa, de una granada, de una copa llena de vino y de otra llena de leche. Mas sigamos los progresos de Zoroastro y de su religión. A la conversión del monarca se agregó casi la de todos sus vasallos y viendo Zoroastro su obra felizmente concluida, estableció su residencia en Balck, tomando el título de Archi pequeño Mago o jefe soberano de los magos, y desde entonces ejerció una autoridad sin límites, sobre todo lo concerniente a religión, pero en vez de gozar pacíficamente del fruto de su industria labró con sus exigencias su ruina. Intentó persuadir a Argiaspe, rey de los escitas orientales, a que abrazase su doctrina; y como nada consiguiese, inclinó a Darío a que le obligase a la fuerza. Argiaspe tomó las armas, invadió la Bactriana, derrotó las tropas de Darío y pasó a cuchillo a Zoroastro, con ochenta mil sacerdotes que componían su iglesia patriarcal, destruyendo por último todos los templos de la provincia.— Los griegos aseguran que Zoroastro nació riendo y que la sangre se agitaba con tal violencia en las arterias de su cabeza que rechazaban la mano que las tocaba.

Los gauros, más fecundo en delirios y extravagancias, cuando hablan de su legislador, dicen, que la madre de Zoroastro, llamada Dodo, después de muchos años de esterilidad obtuvo a fuerza de ruegos quedar preñada. Algún tiempo antes de parir soñó que había visto el cielo todo lleno de fuego, que cuatro grifos salidos de entre las llamas se lanzaron sobre ella y le arrancaron de las entrañas el niño; pero que un hombre noble y majestuoso lo rescató de aquellos monstruos y lo volvió al seno de su madre. Consultados los adivinos sobre este sueño sorprendente, contestaron: que el niño que debía nacer, sería un día la luz del mundo, que se vería expuesto a grandes persecuciones, mas que con el socorro de Dios triunfaría de todos sus enemigos. El emperador de la China, temiendo que con el tiempo le usurpase la corona, mandó que le degollasen en el momento de nacer, pero Zoroastro escapó milagrosamente de las investigaciones de los asesinos, antecedente de la matanza bíblica de Herodes. Cuando llegó a la mayoría de edad, probó otra vez el emperador hacerle perecer con veneno; pero Dios, que velaba en los días del profeta, le libertó de la crueldad del monarca. Zoroastro, a fin de escapar de tantas persecuciones, se refugió en Persia con sus padres, y en esta ocasión varios milagros señalaron su fuga. Un caudaloso río se oponía su pasaje; helô las aguas y lo atravesaron a pie enjuto. Retirado en Persia se dedicó siempre a la contemplación. Cierto día que el profeta paseaba por un valle solitario, absorto en sus profundas meditaciones, apareciósele un ángel, le saludó dándole el título de amigo de Dios y, habiéndole preguntado sobre lo que meditaba, le contestó Zoroastro: «Buscaba los medios de reformar el hombre, y pienso que tan sólo Dios puede enseñármelos. Pero, ¿quien me conducirá al trono del soberano Ser?»... «Yo, respondió el ángel, mira si tienes algo que purificar en tu cuerpo mortal, cierra los ojos y sígueme.» Zoroastro obedeció y en un momento se halló en los cielos en presencia del Eterno, a quien vio rodeado de torbellinos de llamas; Dios, que se dignó hablarle, le descubrió los más importantes secretos y le dio el famoso libro conocido bajo el nombre de *Zend-Avesta*, que contenía toda la religión. Zoroastro inspirado de un celo ardiente por la gloria divina, deseaba primero quedarse en la tierra hasta la fin de los siglos a fin de que pudiese continuamente instruir a los hombres. Pero, habiéndole Dios descorrido el velo de las diferentes edades de la monarquía de los persas, demostró que la maldad de los hombres iba cada día en aumento. Entonces, se mitigó el celo del profeta, limitándose en desear que su vida no se extendiese más allá del tiempo prescrito para su misión. Cuando regresó viose Zoroastro expuesto a las tentaciones del espíritu maligno, pero el profeta opuso un valor invencible a todos los ataques y triunfó de los ardides del demonio, a semejanza de como lo haría después Jesucristo. Los primeros objetos de su celo fueron sus parientes y, después de haberlos convertido, extendió su cuidado a un gran número de personas. Darío, que admiraba su doctrina, empleó su autoridad para hacerle establecer en sus estados. Tal es, según los guebros, la historia de Zoroastro y de sus reformas. Sus seguidores le creyeron arrebatado en vida por el rayo y colocado en el número de los dioses.

**ZORRO DE TEBAS.** Zorro legendario que desolaba los alrededores de Tebas. Por esta razón Anfitrión decidió exterminarlo. Para conseguirlo pidió prestado a Céfalo su famoso perro Lelops o Lelaps. Cuando Anfitrión salió a la caza de zorro y Lelaps ya estaba a punto de alcanzarlo, Júpiter transformó a ambos animales en piedra.

**ZOSTER.** Lugar del Atica situado, según *Pausanias*, en la orilla del mar. Viendo Latona que se acercaba su fin, desatose el cinturón, *zoster*, de donde este lugar tomó su nombre.

**ZOSTERIA.** Estatua que Anfitrión consagró a Minerva, cuando se armó para ir a combatir a los eubeos.

**ZOSTERIO.** Sobrenombre de Apolo, de Zoster, lugar del Atica.

**ZOTRÁCITES.** Legislador de los arimaspos. *Diod.*

**ZOUR** (*Mit. per.*) Agua de una rara a virtud, que según el *Zend-Avesta* fue dada a Zoroastro para purificar a los pecadores.

**ZUNSAMASTÁN.** (*Mit. per.*) Libro sagrado de los gauros o guebros que contiene todos los puntos de su ley y su religión.

# INDICE

## TOMO I

## TOMO II